看護学テキスト

母性看護学Ⅱ
マタニティサイクル

母と子そして家族へのよりよい看護実践

| 改訂第3版 |

編集　大平光子　井上尚美　大月恵理子
　　　佐々木くみ子　林　ひろみ

南江堂

執筆者一覧

◆ 編 集

大平　光子	おおひら　みつこ	周南公立大学人間健康科学部看護学科
井上　尚美	いのうえ　なおみ	鹿児島大学学術研究院医歯学域医学系
大月恵理子	おおつき　えりこ	順天堂大学医療看護学部
佐々木くみ子	ささき　くみこ	鹿児島国際大学看護学部
林　ひろみ	はやし　ひろみ	東邦大学健康科学部看護学科

◆ 執 筆（執筆順）

大平　光子	おおひら　みつこ	周南公立大学人間健康科学部看護学科
林　ひろみ	はやし　ひろみ	東邦大学健康科学部看護学科
大月恵理子	おおつき　えりこ	順天堂大学医療看護学部
原田　慶子	はらだ　ちかこ	東邦大学健康科学部看護学科
井上　尚美	いのうえ　なおみ	鹿児島大学学術研究院医歯学域医学系
佐々木くみ子	ささき　くみこ	鹿児島国際大学看護学部
若松美貴代	わかまつ　みきよ	鹿児島大学学術研究院医歯学域医学系
長谷川ともみ	はせがわ　ともみ	富山大学学術研究部医学系

はじめに

　本書『NiCE 母性看護学Ⅱ マタニティサイクル』の初版は，看護基礎教育の学生を読者対象とし，2012年に刊行しました．対をなす『NiCE 母性看護学Ⅰ 概論・ライフサイクル』で学んだ知識をベースとして，妊産褥婦と新生児および家族の身体・心理・社会的状況を理解し，適切な看護を行うための知識や思考が身に付くことに主眼を置き編纂しています．また，家族の在り方が多様化するなかで，父親，母親という役割観にとらわれすぎず，それぞれの親や家族の価値観やその親・その家族らしさを尊重することを重視しています．

　第3版では，初版，第2版の編集方針を踏襲したうえで，マタニティサイクルを取り巻く社会状況の変化や読者の要望をふまえ，以下のように改訂しました．

　医療・保健の中心が病院・施設から地域に移行しているなか，マタニティサイクルにある対象者の看護においても，その後の日々の子育てが暮らしのなかで行われることを意識することが求められます．妊産褥婦・新生児・家族が生活している地域を含めて妊娠期から子育て期までの切れ目ない看護展開を考えることができるよう，妊娠期から産褥期のアセスメント・援助を見直し，そして退院支援の内容をより充実したものとしました．

　また，ハイリスク妊娠が増えていることに鑑み，「特別な配慮・支援を必要とする妊産褥婦への支援」の章を新設しました．演習や実習でも活用しやすいよう多胎妊娠，早産の看護展開例を紹介しています．

　さらに，具体的なケア場面をイメージしながら母性看護技術が理解できるよう，臨床の看護師，助産師や妊産褥婦さん，新生児の協力を得て，臨床の実践的なケア場面の動画を新たに収載しました．

　以上のように，改訂第3版はいっそう充実した内容になっています．

　マタニティサイクルにおける看護には，対象者の生命・生活を支えつつ，親と子が親子・家族になっていくプロセスを支えるという使命があります．そのためには，問題解決志向に偏らず，『NiCE 母性看護学Ⅰ』で学んだ概念や理論を活かし，対象者を尊重し，対象者のもつ力や強みに焦点をあて，対象者自身のもてる力を発揮できる支援の基本となるウェルネスやエンパワメントの考え方を身につけてもらいたいと思います．対象者の体験や成長過程を活かしながら支援することは，対象者が今直面している課題だけでなく，これから起こり得る課題にも対象者自身が立ち向かい，新たな目標に向かって進んでいく姿勢や力の獲得を支えることにつながります．

　本書で学ぶ学生のみなさんが，母性看護学の対象者へのよりよいケアを創造してくださることを願ってやみません．本書がその一助になれば幸いです．

2022年3月

　　　　　大平光子　井上尚美　大月恵理子　佐々木くみ子　林　ひろみ

初版の序

　母性看護学は，生涯を通じた性と生殖の健康の維持・増進・疾病予防を基盤として，次世代の育成を目指すことを役割としています．性と生殖の健康という観点から，母性看護学の対象には女性，男性，子ども，家族，社会環境が含まれます．したがって，少子化，家族形態の多様化など，近年の社会環境の変化に応じて，母性看護学の果たす役割は拡大するとともに，より個別的な看護実践が求められようになっています．

　母性看護学の中でも，マタニティサイクルにおける看護は，看護基礎教育において，看護実践まで経験する分野です．母性看護の実践では，対象者が持っている強みを活かして，今ある良い状態よりも，さらに高いレベルの生活機能を獲得することを支援するという，ウェルネスの考え方も重要になります．

　本書は，看護学生が看護学実習・臨床という実践の場で，より活用できることを目指して，編集・執筆しました．妊婦，産婦，褥婦，新生児および家族に，適切な看護を行うために必要な知識は，看護学生のレベルに焦点を当てて，最小限に抑えるとともに，できる限り看護実践のための根拠（エビデンス）を示すようにしました．

　講義でも実際の看護実践場面がイメージしやすいように，各章は妊婦，産婦，褥婦，新生児および家族を理解してアセスメントするための根拠に基づく知識，アセスメントと看護の実際という，アセスメントから看護実践へ，という思考過程に沿った構成としました．

　本書の特長は，初学者には理解がむずかしい，妊産褥婦および新生児の形態や構造および機能について，複合的かつ全体的なとらえ方ができるようにしている点です．写真やイラストを数多く取り入れ，視覚的に理解を深められるように工夫しました．

　本書のもう1つの特長は，事例展開の演習や看護学実習での活用のしやすさです．本書の付録には，母性看護学実習でもっともよく受け持つ，正常経腟分娩後の褥婦と，近年，受け持つことが多くなった帝王切開術後の褥婦の2事例を紹介しています．特定の理論枠組みは用いていませんので，どの学校でも活用できます．また，事例に関する情報は，多くの病院で用いられている看護記録用紙をモチーフにしているので，看護学生にとっては，どのような記録用紙類から情報収集するか，ということの具体的なイメージを助けるものとなります．また，全体像から導き出された課題ごとに，目標，具体策を提示し，その後の看護の展開も提示しています．詳しくは事例の前文をご覧ください．

　本書が母性看護学を学ぶ学生のみなさんにとって，講義の理解を助け，演習や実習でも広く活用していただくものになることが編者一同の願いです．そして，母性看護学への学びを深めるとともに母性看護学の奥深さや楽しさを感じてもらえたら望外の幸せです．

　最後になりましたが，執筆をお引き受けくださいました諸先生方，本書の企画から長期間にわたって根気強くご支援いただきました南江堂看護編集部の方々に心からお礼申し上げます．

　　2012年5月

　　　　　　　　大平光子　井上尚美　大月恵理子　佐々木くみ子　林　ひろみ

目次

序章 マタニティサイクルとライフサイクルの連続性　大平光子 …… 1

- A．マタニティサイクルとは …… 2
- B．マタニティサイクルにおける看護実践 …… 2
- C．マタニティサイクルとライフサイクルの連続性 …… 3

第Ⅰ章 妊娠期の看護 …… 5

1 妊娠期の概観　林 ひろみ …… 6

- A．妊娠期の看護の視点 …… 6
- B．妊娠期の経過の全体像 …… 6

2 妊娠とは　林 ひろみ …… 10

- A．妊娠期間の定義 …… 10
  - 1●妊娠とは …… 10
  - 2●妊婦とは …… 10
  - 3●妊娠期間の分類 …… 10
- B．妊娠期の経過 …… 11
  - 1●妊娠の成立 …… 11
  - 2●妊娠の徴候 …… 19
  - 3●胎児の発育 …… 21
  - 4●妊婦の生理的変化 …… 22
  - 5●妊婦・家族の心理・社会的変化 …… 25

3 妊娠に伴う生理的変化と胎児の健康状態に関するアセスメントと援助 …… 33

- A．妊婦・胎児のアセスメントの視点　林 ひろみ …… 33
  - 1●妊婦・胎児のアセスメントの視点 …… 33
  - 2●妊婦健康診査 …… 34
    - コラム 院内助産・助産師外来　34
    - コラム 成人T細胞白血病（ATL）　38
- B．胎児の発育に伴う母体の変化のアセスメント　林 ひろみ …… 41
  - 1●子宮の変化 …… 41
  - 2●体重の変化 …… 42
  - 3●皮膚の変化 …… 42
- C．胎児の発育・健康状態のアセスメント　林 ひろみ …… 42
  - 1●胎児心音聴取 …… 42

2●胎児心拍数モニタリング ……………………………… 43
　　3●超音波検査 …………………………………………… 43
　　4●羊水検査 ……………………………………………… 43
　　5●母体の感染症 ………………………………………… 43
　　　コラム　出生前診断　　大月恵理子　48
　　　コラム　妊娠に影響を与える感染症の動向　51
　　　コラム　「インフルエンザ，大丈夫？」に答えよう　51
　D．妊娠に伴う生理的変化および不快症状のアセスメント　　林　ひろみ ……… 52
　　1●生殖器の変化のアセスメント ………………………… 52
　　2●全身の変化のアセスメント …………………………… 53
　E．妊婦のセルフケア能力を高めるための援助　　原田慶子 ……………… 56
　　1●食生活の援助 ………………………………………… 59
　　　コラム　祖父母学級　59
　　　コラム　妊娠初期のレバー過剰摂取の問題点　63
　　　コラム　妊娠期の低栄養が子どもの生活習慣病の発症に影響する？──DOHad　64
　　2●体重コントロールの援助 ……………………………… 66
　　3●つわり時の食事 ……………………………………… 66
　　4●妊娠中の嗜好品 ……………………………………… 67
　　　コラム　電子タバコなら大丈夫？　　林　ひろみ　68
　　5●排泄の援助 …………………………………………… 70
　　6●清潔の援助 …………………………………………… 71
　　7●衣生活の援助 ………………………………………… 72
　　　コラム　妊婦の「冷え症」対策　74
　　8●活動と休息の援助 …………………………………… 76
　　　コラム　マタニティウォーキング　78
　　9●性生活の援助 ………………………………………… 81

4　妊娠期の親になっていく過程のアセスメントと援助 …………… 84

　A．夫婦関係の再調整と援助　　林　ひろみ ………………………… 84
　　1●夫婦関係の再調整と援助 …………………………… 84
　　2●夫婦の役割再調整への援助 ………………………… 85
　B．母親になっていく過程のアセスメントと援助　　大平光子 …………… 85
　　1●妊娠期の母親になっていく過程 ……………………… 85
　　2●妊婦の母親になっていく準備に影響する要因 ……… 88
　　3●母親になっていく準備状況のアセスメント …………… 89
　　4●母親になっていく準備に対する援助 ………………… 91
　C．父親・兄/姉・祖父母になっていく過程のアセスメントと援助　　林　ひろみ … 93
　　1●父親になっていく準備についてのアセスメントと援助 … 93
　　2●兄/姉になっていく準備についてのアセスメントと援助 … 93
　　3●祖父母になっていく準備についてのアセスメントと援助 … 94

D．出産・育児に向けた生活の調整　　林　ひろみ　95
- 1●妊娠に伴う社会的役割の調整　95
- 2●出産準備のための援助　98
- 3●育児準備のための援助　102

5　ハイリスク妊婦への看護の実際　　林　ひろみ　105

A．ハイリスク妊婦への看護の視点　105
B．切迫流・早産妊婦への看護の実際　105
- 1●流・早産の原因　106
- 2●切迫流・早産の症状と検査　106
- 3●切迫流・早産の治療　108
- 4●切迫流・早産の予後　109
- 5●切迫流・早産妊婦への看護援助　109
- 6●流・早産時の看護　112
  - コラム　総合周産期母子医療センターと地域周産期母子医療センター　112

C．妊娠悪阻妊婦への看護の実際　113
- 1●妊娠悪阻の症状　113
- 2●妊娠悪阻の診断　113
- 3●妊娠悪阻の予後　113
- 4●妊娠悪阻の治療　114
- 5●妊娠悪阻妊婦への看護援助　114

D．妊娠高血圧症候群妊婦への看護の実際　115
- 1●妊娠高血圧症候群の発生機序　115
- 2●妊娠高血圧症候群の症状と分類　115
- 3●妊娠高血圧症候群の合併症　117
- 4●妊娠高血圧症候群の治療　118
- 5●妊娠高血圧症候群妊婦への看護援助　118

E．糖代謝異常妊婦への看護の実際　120
- 1●糖代謝異常の分類と診断基準　120
- 2●糖代謝異常妊婦の合併症　121
  - コラム　糖代謝異常と巨大児の関係　121
- 3●糖代謝異常妊婦の管理（血糖管理）　122
- 4●糖代謝異常妊婦への看護援助　122
- 5●インスリンの自己注射法によるコントロールへの援助　123
- 6●産後の管理　123

F．胎盤位置異常妊婦への看護の実際　123
- 1●胎盤位置異常の診断　124
- 2●胎盤位置異常のリスク要因　124
- 3●胎盤位置異常の症状　124
- 4●前置胎盤妊婦の管理と看護　125

G．多胎妊婦への看護の実際 …………………………………… 126
　1●多胎妊娠の診断 ……………………………………………… 126
　2●多胎妊娠の合併症 …………………………………………… 127
　3●多胎妊娠の管理 ……………………………………………… 127
　4●多胎妊婦への看護援助 ……………………………………… 128

第Ⅱ章　分娩期の看護 …………………………………………131

1　分娩期の概観　井上尚美 ………………………………… 132
A．分娩期の看護の視点 ………………………………………… 132
B．分娩期の経過の全体像 ……………………………………… 133

2　分娩とは　井上尚美 ……………………………………… 136
A．分娩の定義 …………………………………………………… 136
B．分娩の分類 …………………………………………………… 136
C．分娩3要素 …………………………………………………… 137
　1●娩出力（陣痛と腹圧） ……………………………………… 138
　2●産道（骨産道と軟産道） …………………………………… 141
　3●娩出物（胎児および胎児付属物） ………………………… 145

3　正常分娩の経過とアセスメントと援助　井上尚美 …… 153
A．分娩の前兆 …………………………………………………… 154
　1●自覚症状 ……………………………………………………… 154
B．分娩開始 ……………………………………………………… 155
　コラム　LDRシステム　158
　コラム　バースプランと分娩　158
C．分娩第1期のアセスメントと援助 ………………………… 159
　1●分娩第1期（開口期） ……………………………………… 159
　2●分娩進行のアセスメント …………………………………… 159
　3●産婦の身体的および基本的ニーズのアセスメントと援助 …… 163
　　コラム　β-エンドルフィンの働き　164
　　コラム　フリースタイル分娩　167
　　コラム　ゲートコントロール説　171
　4●産婦の心理的変化のアセスメントと援助 ………………… 172
　5●胎児の健康状態のアセスメントと援助 …………………… 175
　6●胎児付属物のアセスメントと援助 ………………………… 176
D．分娩第2期のアセスメントと援助 ………………………… 176
　1●分娩第2期（娩出期） ……………………………………… 176
　2●分娩進行のアセスメント …………………………………… 176

3●産婦の身体的アセスメントと援助 177
　　4●産婦の心理的変化のアセスメントと援助 179
　　5●胎児の健康状態のアセスメントと援助 180
　　6●胎児付属物のアセスメントと援助 181
　E．分娩第3期のアセスメントと援助 181
　　1●分娩第3期（後産期） 181
　　2●分娩進行のアセスメント 181
　　3●胎児付属物の観察とアセスメント 183
　　4●産婦の身体状態のアセスメントと援助 183
　　5●産婦の心理状態のアセスメントと援助 183
　　6●分娩直後の早期母子接触 184
　　　コラム　早期母子接触（skin-to-skin contact） 185
　F．分娩後2時間のアセスメントと援助 186
　　1●褥婦の身体状態のアセスメントと援助 186
　　2●褥婦の心理状態のアセスメントと援助 188
　　　コラム　助産師のやりがいって何？ 188

4 分娩期の正常経過からの逸脱と看護　　井上尚美 190

　A．分娩期の正常経過からの逸脱への看護の視点 190
　B．娩出力の異常と看護援助 191
　　1●娩出力の異常 191
　　2●娩出力の異常への看護援助 192
　C．骨産道の異常と看護援助 194
　　1●骨産道の異常 194
　　2●骨産道の異常への看護援助 196
　D．軟産道の異常と看護援助 197
　　1●軟産道の異常 197
　　2●軟産道の異常への看護援助 198
　E．胎児に関する異常と看護援助 198
　　1●胎児に関する異常 198
　　2●胎児に関する異常への看護援助 201
　　3●胎児機能不全 202
　F．胎児付属物の異常と看護援助 203
　　1●胎児付属物の異常と看護援助 203
　G．周産期の異常出血と看護援助 206
　　1●周産期の異常出血 206
　　2●周産期の異常出血への看護援助 206
　H．遷延分娩と看護援助 209
　　1●遷延分娩 209
　　2●遷延分娩への看護援助 209

5 出生直後の新生児のアセスメントと援助　井上尚美　211
- A．出生前からの準備　211
- B．出生直後の新生児のアセスメントと援助　212

6 家族のアセスメントと援助　井上尚美　218
- 1●夫／パートナー　219
- 2●兄／姉　220
  - コラム　産科医療事故　220
- 3●夫／パートナーや兄／姉以外の家族　221

7 産科処置と産科手術　井上尚美　222
- A．分娩誘発・促進　222
  - 1●分娩誘発・促進の適応　222
  - 2●分娩誘発・促進の方法　223
  - 3●分娩誘発・促進の看護　223
- B．吸引分娩，鉗子分娩　225
- C．無痛分娩　227
- D．軟産道の損傷　229

第Ⅲ章　産褥期の看護　233

1 産褥期の概観　佐々木くみ子　234
- A．産褥期の看護の視点　234
- B．産褥期の経過の全体像　234

2 産褥期の経過　238
- A．産褥の定義　佐々木くみ子　238
  - コラム　法律は根拠に基づく？　238
- B．褥婦の生理的変化　佐々木くみ子　239
  - 1●生殖器の変化　239
  - 2●乳房の変化　242
    - コラム　乳汁産生を調節する2つのしくみ　246
  - 3●全身の変化　247
- C．新たな関係性の獲得　大月恵理子　248
  - 1●家族の関係性の変化と再調整　249
  - 2●家族の再構成のプロセス　253
  - 3●新たな子どもを迎えた生活への適応　256
- D．社会的役割の調整と社会的手続き　佐々木くみ子　257

コラム　保育所と幼稚園と認定子ども園　258

③ 産褥期の身体状態のアセスメントと援助　佐々木くみ子　261

- **A．産褥期の身体状態のアセスメントの視点** 261
- **B．生殖器の復古状態のアセスメントと援助** 262
  - 1● 生殖器の復古状態のアセスメント 262
  - 2● 生殖器の復古を促進する援助 265
- **C．全身の回復状態および不快症状のアセスメントと援助** 268
  - 1● 全身の回復状態および不快症状のアセスメント 268
  - 2● 全身の回復促進および不快症状への援助 270
- **D．母乳育児に関するアセスメントと援助** 274
  - 1● 母乳育児に関するアセスメント 274
  - 2● 母乳育児確立への援助 277
  - コラム　母乳育児支援における hands on と hands off の援助　286

④ 産褥期の親になっていく過程のアセスメントと援助　289

- **A．産褥期の親になっていく過程のアセスメントの視点**　佐々木くみ子　289
- **B．育児知識・技術習得状態のアセスメントと援助**　佐々木くみ子　289
  - 1● 育児知識・技術習得状態のアセスメント 289
  - 2● 育児知識・技術習得への援助 291
- **C．母子の絆形成の状態のアセスメントと援助**　佐々木くみ子　293
  - 1● 母子の絆形成の状態のアセスメント 293
  - 2● 母子の絆形成を促進する援助 294
- **D．家庭・地域社会での生活を見すえたアセスメントと退院支援**　佐々木くみ子　296
  - 1● 新生児を迎えた生活 296
  - 2● 家庭・地域社会での生活を見すえたアセスメント 296
  - 3● 家庭・地域社会での生活を見すえた援助 299
    - a．家庭・地域社旗での生活への適応を促進する援助　299
    - コラム　子育て世代包括支援センター（母子健康包括支援センター）　308
    - b．家族の役割獲得・関係調整への援助　佐々木くみ子，大月恵理子　309
    - c．家族計画への援助　312
- **E．事例**　佐々木くみ子　314
  - 事例①　退院後の育児・生活に気がかりがある褥婦　314

⑤ 褥婦の正常経過からの逸脱と援助　佐々木くみ子　318

- **A．褥婦の正常経過からの逸脱への看護の視点** 318
- **B．子宮復古不全と援助** 318
- **C．産褥熱と援助** 319
- **D．血栓塞栓症と援助** 320
  - 1● 深部静脈血栓症（DVT）と血栓性静脈炎 320

  2●肺血栓塞栓症（PTE） 321
 E．排尿障害と援助 322
 F．尿路感染と援助 322
 G．乳腺炎と援助 323
  1●非感染性（うっ滞性）乳腺炎 323
  2●感染性乳腺炎 323
 H．育児不安と援助 324
 I．マタニティーブルーズと援助 324
 J．産褥期の精神障害と援助 325
  1●産後うつ病と援助 326
  2●非定型精神病（産褥精神病/産褥期精神病）と援助 327

6 生まれた子どもに先天異常がある家族の援助，子どもを亡くした家族の援助　　佐々木くみ子 330

 A．先天異常がある子どもの家族の心理と援助 330
  1●疫学・統計 330
  2●原因 331
  3●家族の心理 331
  4●援助 332
 B．子どもを亡くした家族の心理と援助（ペリネイタル・ロス・ケア） 333
  1●周産期の喪失 333
  2●疫学・統計 333
  3●原因 333
  4●家族の心理 334
  5●親への援助 334
   コラム　流産，死産，新生児死亡などで子どもを亡くした家族の会　335
  6●亡くなった子どもへの援助 336

第Ⅳ章　帝王切開を受ける妊産褥婦への看護 339

1 帝王切開を受ける妊産褥婦への看護　　佐々木くみ子 340

 A．帝王切開 340
  1●帝王切開の適応 341
  2●麻酔と術式 341
  3●術後合併症 342
 B．帝王切開を受ける妊産婦の看護 344
  1●帝王切開分娩決定時の援助 344
  2●手術前・手術中の援助 345
 C．帝王切開後の褥婦の看護 346

1● 子宮復古および全身状態回復への援助 …………………………………… 346
　　2● 母乳育児確立への援助 ……………………………………………………… 350
　　3● 帝王切開後の褥婦の心理的援助 …………………………………………… 350

第Ⅴ章　特別な配慮・支援を必要とする妊産褥婦への支援 ……… 353

1　特別な配慮・支援を必要とする妊産褥婦への支援　若松美貴代 …… 354

A．特別な配慮・支援を必要とする妊産褥婦とは ……………………………… 354
B．アセスメントの視点と切れ目のない支援 …………………………………… 354
　　1● アセスメントの視点 ………………………………………………………… 354
　　2● 切れ目のない支援 …………………………………………………………… 354
C．連携・協働する機関・団体・サービス ……………………………………… 356
D．特別な配慮・支援を必要とする妊産褥婦への援助 ………………………… 357
　　1● 高年妊産褥婦 ………………………………………………………………… 357
　　2● 若年妊産褥婦 ………………………………………………………………… 358
　　3● 多胎児の妊産褥婦 …………………………………………………………… 358
　　4● 早産後の褥婦 ………………………………………………………………… 359
　　5● 不妊治療後の妊産褥婦 ……………………………………………………… 359
　　6● 社会・経済的問題をかかえる妊産褥婦 …………………………………… 359
　　7● 妊婦健康診査の未受診妊婦や受診が滞りがちの妊産褥婦 ……………… 359
　　8● 在留外国人など異なる文化的背景をもつ妊産褥婦 ……………………… 360
　　9● 精神障害を有している妊産褥婦 …………………………………………… 360
　　10● 継続的に医学的管理が必要な疾患のある妊産褥婦 ……………………… 360
　　11● 聴覚・視覚・知的活動において健康問題のある妊産褥婦 ……………… 361
　　12● 遺伝性疾患を心配する妊産褥婦 …………………………………………… 361
E．事例 ……………………………………………………………………………… 362
　　事例①　多胎妊娠のAさん …………………………………………………… 362
　　事例②　早産のBさん ………………………………………………………… 365

第Ⅵ章　新生児の看護 …………………………………………… 369

1　新生児とは　大月恵理子 …… 370

A．新生児への看護の視点 ………………………………………………………… 370
B．新生児の定義 …………………………………………………………………… 370
C．新生児の分類 …………………………………………………………………… 371
　　1● 妊娠期間による分類 ………………………………………………………… 371
　　2● 出生体重による分類 ………………………………………………………… 371
　　3● 妊娠期間と出生体重による分類 …………………………………………… 371

D．新生児の生理的特徴 372
　1●新生児の呼吸の適応と特徴 372
　2●新生児の循環・血液の適応と特徴 373
　　コラム　肺サーファクタント　373
　3●新生児の体温調節の特徴と適応状態 375
　4●新生児の栄養・代謝の特徴と適応状態 376
　　コラム　新生児への与薬（経口投与）　378
E．新生児の感染防御機能の特徴 381
F．新生児の発達 382
　1●新生児の身体的発育 382
　2●新生児の神経・運動機能の発達 383
　3●新生児の認知能力の発達 385

2　新生児の子宮外生活適応のアセスメントと援助　大月恵理子　387

A．新生児のヘルスアセスメントの視点 387
B．観察内容および方法と留意点 387
C．新生児の身体的特徴とフィジカルアセスメント 388
　1●身体計測とアセスメント 388
　2●成熟度のアセスメント 389
　3●姿勢のアセスメント 389
　4●奇形のアセスメント 389
　5●皮膚のアセスメント 391
　6●頭部のアセスメント 394
　7●眼のアセスメント 395
　8●鼻のアセスメント 395
　9●顎のアセスメント 395
　10●口のアセスメント 395
　11●耳のアセスメント 396
　12●頸部のアセスメント 396
　13●胸部のアセスメント 396
　14●腹部のアセスメント 396
　15●四肢のアセスメント 397
　16●背部のアセスメント 397
　17●股関節のアセスメント 397
　18●陰部のアセスメント 398
　19●神経系のアセスメント 399
D．呼吸の適応状態のアセスメントと援助 399
　1●呼吸の観察 399
　2●呼吸のアセスメント 400
　3●呼吸の援助 400

- E. 循環のアセスメントと援助 …… 400
  - 1 観察 …… 400
  - 2 援助 …… 402
- F. 体温調節のアセスメントと援助 …… 402
  - 1 体温の観察 …… 402
  - 2 体温喪失因子とその予防 …… 402
- G. 栄養・代謝のアセスメントと援助 …… 404
  - 1 新生児の消化器系の観察とアセスメント …… 404
  - 2 尿の観察とアセスメント …… 404
  - 3 新生児の哺乳量のアセスメント …… 404
  - 4 人工乳の哺乳技術 …… 405
  - 5 新生児の黄疸の観察とアセスメント …… 407
  - 6 新生児の代謝異常のアセスメントと援助 …… 408
- H. 新生児の感染予防 …… 409
  - 1 感染予防 …… 409
  - 2 清潔への援助 …… 410

3 新生児の発達状況のアセスメントと援助 …… 413

- A. 新生児の成長と発達　長谷川ともみ …… 413
  - 1 発達とは …… 413
  - 2 エリクソンの乳児期における発達課題 …… 413
  - 3 ボウルビィの愛着の発達 …… 414
  - 4 観察の視点 …… 416
- B. 新生児の心理・社会的発達への援助　大月恵理子 …… 418
  - コラム　母親はいつまで子育てに専念するのが望ましいか？　長谷川ともみ　418

4 新生児の健康問題と看護　大月恵理子 …… 420

- A. 健康問題をもつ新生児への看護の視点 …… 420
- B. 新生児仮死 …… 421
- C. 分娩外傷 …… 422
- D. 低出生体重児 …… 423
  - 1 低出生体重児 …… 423
  - 2 低出生体重児の原因 …… 423
  - 3 低出生体重児・早産児の主な合併症 …… 424
  - 4 低出生体重児・早産児の看護 …… 425
- E. 新生児一過性多呼吸 …… 428
- F. 胎便吸引症候群 …… 428
- G. 治療を要する黄疸 …… 429
  - 1 治療を要する黄疸 …… 429
  - 2 黄疸の治療と看護 …… 429

xvi　目次

　　　コラム 血液型不適合妊娠　431
　H．新生児一過性ビタミンK欠乏症 ……………………………………………………………… 432
　I．低血糖症 ………………………………………………………………………………………… 433
　J．新生児感染症 …………………………………………………………………………………… 433
　K．先天異常のある新生児への看護 ……………………………………………………………… 435
　　1●先天異常とは ………………………………………………………………………………… 435
　　2●先天異常の治療 ……………………………………………………………………………… 435
　　3●先天異常のある新生児への看護と観察のポイント ……………………………………… 435

5 新生児の施設内における事故防止と安全　　大月恵理子 …… 439

　A．新生児の事故の状況 …………………………………………………………………………… 439
　B．新生児の医療事故の防止 ……………………………………………………………………… 439
　C．新生児の施設内の事故 ………………………………………………………………………… 440
　　1●新生児の転落事故防止 ……………………………………………………………………… 440
　　2●新生児の取り違え事故防止 ………………………………………………………………… 440
　　3●新生児の突然死防止 ………………………………………………………………………… 441
　　4●沐浴時の熱傷防止 …………………………………………………………………………… 441
　　5●新生児の誘拐事件防止 ……………………………………………………………………… 441
　　6●面会者による感染等の防止 ………………………………………………………………… 442

第VII章　母性看護技術 …… 443

　Skill 1　内診台にて内診を受ける妊婦への援助　　林　ひろみ　444
　Skill 2　子宮底長，腹囲測定　445
　Skill 3　超音波検査を受ける妊婦への援助　446
　Skill 4　胎位・胎向の確認―レオポルド触診法　447
　Skill 5　胎児心音聴取　449
　Skill 6　ノンストレステストを受ける妊婦への援助　451
　Skill 7　胎児心拍数陣痛図の判読　　井上尚美，大月恵理子　453
　Skill 8　分娩直後の早期母子接触（skin-to-skin contact）　　井上尚美　460
　Skill 9　乳房の観察　　佐々木くみ子　461
　Skill 10　新生児の抱き方　462
　Skill 11　新生児のコットへの寝かせ方　463
　Skill 12　体重計測などで裸の児の抱き方　464
　Skill 13　オムツ交換　465
　Skill 14　更衣　466
　Skill 15　帝王切開術後褥婦のアセスメント（歩行開始まで）　467
　Skill 16　新生児の観察　　大月恵理子　469
　Skill 17　体重計測　472
　Skill 18　身長計測　473

Skill 19 頭囲計測　474
Skill 20 胸囲計測　474
Skill 21 皮膚温測定（腋窩温，頸部温）　475
Skill 22 哺乳びん授乳　476
Skill 23 排気　477
Skill 24 沐浴（施設内で行う場合）　479

第VIII章　事例から理解する母性看護過程の展開　483

1●事例から理解する母性看護過程の展開の目的と特徴　大月恵理子　484

1 経腟分娩事例（南　明江さんの場合）　486

A．経腟分娩事例の概要　佐々木くみ子　486
B．看護記録　佐々木くみ子　487
1●妊娠期　情報収集用紙　487
2●妊娠期　妊娠経過表　488
3●妊娠期　保健相談表　489
4●パルトグラム（分娩経過図）　490
5●分娩期　経過記録用紙　491
6●産褥期　経過記録用紙　492
7●新生児　経過記録用紙　493
8●産褥期　クリニカルパス　494
9●授乳観察表　497
10●南　明江ベビー　授乳表　498
C．実習記録　499
11●産褥期　個々の情報のアセスメント用紙　井上尚美　499
12●産褥期　全体像　501
13●産褥期　看護計画用紙　502
14●退院後の生活　看護計画用紙　佐々木くみ子　506
15●新生児　個々の情報のアセスメント用紙　大月恵理子　507
16●新生児　全体像　508
17●新生児　看護計画用紙　509

2 帝王切開事例（堂本　京さんの場合）　510

A．帝王切開分娩事例の概要　大月恵理子　510
B．看護記録　大月恵理子　511
1●妊娠期　情報収集用紙　511
2●妊娠期　妊娠経過表　512
3●妊娠期　保健相談表　513
4●分娩期　経過記録用紙　514

5 ● 産褥期　経過記録用紙 …………………………………………………… 516
  6 ● 新生児　経過記録用紙 …………………………………………………… 518
  7 ● 帝王切開　クリニカルパス：医療者用 ………………………………… 520
  8 ● 麻酔記録用紙 ……………………………………………………………… 523
 C．実習記録 ………………………………………………………………… 524
  9 ● 産褥期　個々の情報のアセスメント用紙　　林　ひろみ ……………… 524
 10 ● 産褥期　全体像 …………………………………………………………… 526
 11 ● 産褥期　看護計画用紙 …………………………………………………… 527
 12 ● 新生児　個々の情報のアセスメント用紙　　大月恵理子 ……………… 531
 13 ● 新生児　全体像 …………………………………………………………… 533
 14 ● 新生児　看護計画用紙 …………………………………………………… 534

資料 …………………………………………………………………………… 535
　資料 1　血液検査項目と基準値　　大月恵理子 …………………………… 536
　資料 2〜10　関連法規　　佐々木くみ子，林　ひろみ，原田慶子 ………… 537

練習問題　解答と解説 ……………………………………………………… 547

索引 …………………………………………………………………………… 552

『母性看護学Ⅰ　概論・ライフサイクル（改訂第3版）』主要目次

第1部　母性看護学の基盤

第Ⅰ章　母性看護学の概念

1. 母性看護学とは
2. 家族とは
3. 母性看護学の基盤となる理論と概念
4. 根拠に基づく母性看護の実践
5. 母性看護にかかわる主な職種と連携

第Ⅱ章　性をとりまく社会と現状

1. 社会的・心理的特性からみた性
2. 統計からみる性をとりまく社会の現状

第Ⅲ章　母子保健統計と母子保健施策

1. 母子保健統計の理解
2. 母子にかかわる法律と母子保健施策
3. 周産期医療体制

第Ⅳ章　生殖に関する形態機能とライフサイクル

1. 性周期と生命のはじまり
2. 遺伝
3. 性分化のメカニズム
4. 生殖器の形態と機能

第Ⅴ章　性と生殖の健康を支える看護技術

1. 情報収集・ヘルスアセスメントの技術
2. 主体的なセルフケアを引き出す技術
3. 母性看護における看護過程

第Ⅵ章　性と生殖をめぐる倫理的課題

1. 性と生殖をめぐる倫理的課題とは
2. 専門職として高い倫理性を育成する

第Ⅶ章　国際化の中での母性看護の役割

1. 異なる文化的背景をもつ女性・妊産褥婦への看護
2. 母子保健における国際協力

第2部　生涯を通じた性と生殖の健康を支える看護

第Ⅷ章　女性のライフサイクルと健康支援

1. 女性のライフサイクルの全体像
2. 思春期
3. 成熟期
4. 更年期
5. 老年期

第Ⅸ章　事例で学ぶウェルネス・アプローチでの看護の実践

1. 女性のライフサイクルの事例

動画タイトル一覧

- 本動画は，テキストによる理解のうえに，動画があればさらに理解が深まるであろうと考えられる技術を中心に収載しています．
- 動画の多くが臨床の実際の看護の一場面です．臨床の実践の場では原則を理解したうえで，妊産褥婦あるいは児の状態・状況に応じて根拠に基づき方法や手順を変更することもあります．テキストに記載されている内容との違いも含めて学んでください．

◆ 動画のご利用にあたって

- 右の二次元バーコード，または https://www.nankodo.co.jp/video/9784524228881/index.html から「動画タイトル一覧」にアクセスし，再生動画を選んで下さい．
- すべてカラー動画（動画数44個，合計約50分）です．
- この一覧では，動画の再生時間を【分：秒】で表記しています．
- 各動画の関連頁を（▶p.○）で掲載しています．

動画一覧

◆ 動画閲覧上の注意事項

- 本動画の配信期間は，本書最新刷発行日より5年間を目途とします．ただし，予期しない事情により，その期間内でも配信を停止する可能性があります．
- パソコンや端末のOSバージョン，再生環境，通信回線の状況によっては，動画が再生されないことがあります．
- パソコンや端末のOS，アプリケーションの操作に関しては，南江堂は一切サポートいたしません．
- 本動画の閲覧に伴う通信費などはご自身でご負担ください．
- 本動画に関する著作権はすべて南江堂にあります．動画の一部または全部を，無断で複製，改変，頒布（無料での配布および有料での販売）することを禁止します．

第Ⅰ章 妊娠期の看護　【4:11】

動画Ⅰ-01	腹部触診の準備	【0:26】（▶p.447）
動画Ⅰ-02	腹囲測定	【0:56】（▶p.445）
動画Ⅰ-03	子宮底長の計測	【0:31】（▶p.445）
動画Ⅰ-04	レオポルド触診法，胎児心音聴取	【2:05】（▶p.447, 449）
動画Ⅰ-05	臍帯血流音	【0:13】（▶p.449）

第Ⅱ章 分娩期の看護　【18:00】

動画Ⅱ-01	マッサージによる産痛緩和	【0:29】（▶p.171）
動画Ⅱ-02	分娩と誕生	【16:46】（▶p.153）
動画Ⅱ-03	早期母子接触	【0:28】（▶p.184, 460）
動画Ⅱ-04	輪状マッサージ	【0:17】（▶p.186）

第Ⅲ章 産褥期の看護　【7:13】

| 動画Ⅲ-01 | 乳房の観察 | 【1:53】（▶p.275, 461） |

動画Ⅲ-02	乳汁分泌状態の観察	【0:36】(▶p.276)
動画Ⅲ-03	ラッチ・オン,授乳	【1:00】(▶p.281)
動画Ⅲ-04	新生児の抱き方	【0:25】(▶p.462)
動画Ⅲ-05	新生児のコットへの寝かせ方	【0:17】(▶p.463)
動画Ⅲ-06	オムツ交換	【3:02】(▶p.465)

第Ⅳ章　帝王切開を受ける妊産褥婦への看護　【0:35】

| 動画Ⅳ-01 | 帝王切開術後の子宮底の触診法（横切開） | 【0:21】(▶p.467) |
| 動画Ⅳ-02 | 帝王切開術後の子宮底の触診法（縦切開） | 【0:14】(▶p.467) |

第Ⅵ章　新生児の看護　【20:33】

動画Ⅵ-01	新生児にみられる反射－吸啜反射	【0:06】(▶p.384)
動画Ⅵ-02	新生児にみられる反射－ルーティング反射	【0:05】(▶p.384)
動画Ⅵ-03	新生児にみられる反射－モロー反射	【0:08】(▶p.384)
動画Ⅵ-04	新生児にみられる反射－手の把握反射	【0:05】(▶p.384)
動画Ⅵ-05	新生児にみられる反射－足の把握反射	【0:07】(▶p.384)
動画Ⅵ-06	新生児にみられる反射－バビンスキー反射	【0:06】(▶p.384)
動画Ⅵ-07	新生児の意識レベル－state 1 深い睡眠	【0:10】(▶p.384)
動画Ⅵ-08	新生児の意識レベル－state 2 浅い睡眠	【0:10】(▶p.384)
動画Ⅵ-09	新生児の意識レベル－state 3 まどろみ	【0:30】(▶p.384)
動画Ⅵ-10	新生児の意識レベル－state 4 静かな覚醒	【0:30】(▶p.384)
動画Ⅵ-11	新生児の意識レベル－state 5 活発な覚醒	【0:20】(▶p.384)
動画Ⅵ-12	新生児の意識レベル－state 6 啼泣	【0:20】(▶p.384)
動画Ⅵ-13	新生児の観察－呼吸運動の様子	【0:09】(▶p.469)
動画Ⅵ-14	新生児の観察－心拍数計測	【0:23】(▶p.469)
動画Ⅵ-15	新生児の観察－呼吸音,腸音の聴取	【0:51】(▶p.469)
動画Ⅵ-16	体重計測（裸の児の抱き方を含む）	【0:41】(▶p.464, 472)
動画Ⅵ-17	皮膚温測定－腋窩温	【0:10】(▶p.475)
動画Ⅵ-18	皮膚温測定－頸部温	【0:08】(▶p.475)
動画Ⅵ-19	哺乳びん授乳,排気	【2:31】(▶p.405, 476, 477)
動画Ⅵ-20	沐浴前の湯上り準備,脱衣	【0:55】(▶p.479)
動画Ⅵ-21	沐浴	【5:11】(▶p.410, 479)
動画Ⅵ-22	沐浴後の湯上り,タオルドライ,着衣	【2:14】(▶p.482)
動画Ⅵ-23	臍処置	【0:16】(▶p.411)
動画Ⅵ-24	詳細な新生児の観察－頭部	【0:43】(▶p.469)
動画Ⅵ-25	詳細な新生児の観察－顔面,頸部,胸部,腹部,四肢	【2:39】(▶p.469)
動画Ⅵ-26	詳細な新生児の観察－背部	【0:10】(▶p.469)
動画Ⅵ-27	ビタミンK_2シロップの新生児への与薬	【0:55】(▶p.378)

序章

マタニティサイクルとライフサイクルの連続性

学習目標
1. ライフサイクルとマタニティサイクルの連続性を理解する
2. マタニティサイクルにおける看護は世代を越えた健康にかかわることを理解する

A. マタニティサイクルとは

　マタニティサイクルはライフサイクルの一時期であり，受胎から妊娠・出産・産褥期（子育て期）を経て次の受胎までの期間を指す．マタニティサイクルでは短い期間に妊産褥婦・胎児・新生児の身体が劇的に変化する．心理・社会的には，新しい家族メンバーを迎えることによって新しい関係性が生まれることで，立場や役割の変化に対する適応が始まる．マタニティサイクルにある対象者は，人生における移行期（transition）にある．移行期にはアイデンティティや周囲の人との関係性の変化，役割，能力，行動パターンの変化を余儀なくされるため身体的・心理的なバランスが崩れやすい．マタニティサイクルにある女性と家族はバランスを崩さず乗り越える課題解決力をもっている一方で，葛藤を経験する場面も多く，メンタルヘルスの問題を生じやすい時期である．この時期は葛藤を経験しながら，チャレンジし続けていく時期であり，身体的な健康リスクが低くても，心理的危機に陥る可能性を内包している時期である．

B. マタニティサイクルにおける看護実践

　マタニティサイクルの身体的変化は生理的なものであるが，母体と胎児の2人以上の生命に同時にかかわるとともに，常に生理的な状態の逸脱と表裏にある．ウェルネスに主眼を置きながらも，生理的な経過から逸脱しないような看護実践が重要となる．さらに生理的な経過から逸脱した場合には，即時の対応が必要となることもある．また，マタニティサイクルにおいては，親になっていく母親・父親だけでなく，新しい子どもを迎える家族員（きょうだい児や祖父母）にとっても，新しい関係性を築き，関係性や役割の調整が必要となる．ひとり親家庭や再婚によるステップファミリー，特別養子縁組など家族形態が多様になった現代においては，親子・家族の関係性を育むために，また，より健康なライフサイクルにつなげていくために，親子ともにマタニティサイクルにおける心身の健康を高めるきめ細やかで個別的な支援が，いっそう重要となる．

　母性看護の対象者への全人的な看護実践においては，対象者のウェルネスに主眼を置き，セルフケア能力の向上やヘルスプロモーションの促進に向けて，対象者のもつ力を活かし，対象者のもつ力の発揮を最大限引き出すエンパワメントを基盤とする支援が重要である．

　さらに，妊娠・出産・子育ては生活のなかでのできごとであり，生活者および当事者の視点が重要である．産褥早期は母乳育児が円滑に進むことや育児技術の習得の直接的な支援の割合が多いが，子育て期はより長いスパンでとらえ，それぞれの家族なりに新しい役割に適応していくプロセスを見守り支援することを忘れてはならない．新しい家族を迎える（迎えた）親・家族の生活は刻々と変化する．身体的な健康が維持され，心理社会的な問題が顕在化していなくても，親・家族は，その内面に複雑な思いや困難を抱えていることもある．また，ケア提供者にみえている親・家族の姿は生活やライフヒストリーのごく一部であることを常に念頭に置き，信頼関係を構築しながら，看護の対象者の真のケアニーズをとらえていくことが重要である．ステレオタイプの親子・家族という価値観にとらわれず，それぞれの親子・家族の特徴や背景を理解したうえで個別的な看護を行うこと

が大切である．

　親・家族の当事者としての考えを尊重しながら，対象者に必要な支援を対象者とともに考え，対象者自身がもつ強みや力の発揮を支援していくためには，パートナーシップが基本となる．また，対象者を尊重し信頼関係を築いていくプロセスでは，弱みやネガティブな感情を閉じ込めずに言葉にしてもらうこと，どんな感情や考えもありのままに受け止め，対象者自身がもつ力や強みに自分自身で気づいてもらうことも重要なかかわりである．

　対象者の意思や価値観を尊重し信頼関係を築きつつ，親子と家族の健康な生活に向けた課題解決・問題解決のための行動や考えを対象者とともに考え，対象者自身で選択できるように支援することは，親や家族がエンパワメントを実感し，自分自身のもつ力を信じること，その力を発揮することの基盤となる．

C. マタニティサイクルとライフサイクルの連続性

　マタニティサイクルにおける看護には，マタニティサイクルとライフサイクルの連続性のなかで，**その人自身のライフサイクルにおける健康**，そして世代を越えて，**次世代のライフサイクルの健康**をよりよいものにできる可能性がある（図1）．たとえば，身体面では胎生期から乳幼児期の栄養環境が成人期以降の生活習慣病発症リスクに影響する可能性があるという，**DOHaD**（Developmetal Origins of Health and Desease）という概念が知られている．つまり，低出生体重児の要因となる妊娠前や妊娠中の女性のやせや喫煙などは生まれてくる子どもの将来の身体的健康につながる．また，小児期逆境体験の研究は，その体験が心身の健康にネガティブな影響を及ぼす多くのエビデンスを示している．しかし，逆境体験やネガティブな経験をしてきた人であっても，妊娠・出産・子育て期に，看

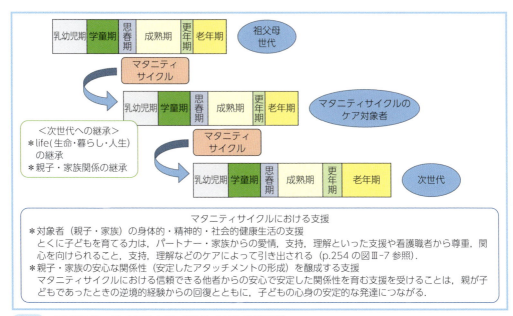

図1 マタニティサイクルとライフサイクルの連続性

護職者から尊重され，自分のもつ力が引き出されるような看護を受けることで，エンパワーされる経験や自分自身が本来もっているレジリエンスを発揮することができ，これまでの人生における逆境体験から回復することができる．さらに，子育て期の親が子を適切に養育することは，子が親への信頼を実感し，安定的な発達，健全な心身の発達の基盤をつくることにつながり，子どもの成人後の健康リスクを下げるといわれている．

　新しい家族が形成されるマタニティサイクルにおいて，私たちが，当事者の立場に立ってよりよい看護を提供することは，母性看護の対象者である親子・家族の人生のみならず次の世代の健康や人生にまでよい影響を与える可能性があることを強く意識して，マタニティサイクルにおける母性看護学を学んでいきましょう．

第 I 章

妊娠期の看護

学習目標

1. 妊娠に関する定義・分類，ならびに妊娠の成立・胎児付属物の構造と機能について理解できる
2. 胎児の発育状況，ならびに母体の生理・心理・社会的変化について理解できる
3. 母体の生理的変化，ならびに胎児の健康状態をアセスメントすることができる
4. 妊婦の心理的変化，ならびに母親になっていく準備状況についてアセスメントすることができる
5. 母児ともに健康な状態を維持・増進し，分娩ならびに育児に必要な知識と態度を習得するために必要な援助について考えることができる
6. 妊婦およびその家族員のそれぞれの役割を獲得するための準備状況をアセスメントするとともに，円滑に役割調整を行うための援助について考えることができる

1 妊娠期の概観

A. 妊娠期の看護の視点

　妊娠は受精から始まる生理的現象ではあるが，胎児の発育の過程においては，正常からの逸脱が起こりやすい時期である．母体においても，妊娠を維持するためにさまざまな器官の機能が変化する過程で，正常からの逸脱あるいは変化に伴う不快症状（マイナートラブル）を呈することがある．これらのことより，妊娠期間中の定期的な観察により母児の経過が順調であるかを判断するとともに正常からの逸脱の早期発見に努める必要がある．また，心理・社会的側面においては，妊娠期間を通じて安全に快適に過ごせるように，これまでの生活の見直しを必要とし，胎児の発育とともに母親になる準備を行う時期でもある．妊婦を取り巻く家族も，妊婦の身体・心理的変化に伴い，また一緒に出産・育児準備を行うなかで，父親，祖父母，きょうだいとなるための準備を行う．

　以上のことより，妊娠期の看護の視点は，母体の生理的変化や胎児の発育が順調であるかを定期的に確認し，ウェルネスの視点から母児の健康状態を向上あるいは維持させるための妊娠生活を送れるように，妊婦のセルフケア能力を高める支援が重要となる．また妊娠期は喜びとともに，出産や育児に対する不安や不快症状に対する戸惑い，これまでできていたことができないことに対する戸惑いなど，アンビバレンツ（両価的）な心理状態となる．一方，胎動や腹部の増大，出産・育児の準備を行うなかで，おなかの子どもをわが子としてとらえ，母親となる実感を高める時期となる．このような心理的変化や母親になるプロセスの準備期として，胎児との絆形成や母親としての思いを高めていけるような支援が重要である．妊婦を取り巻く家族も子どもの誕生に向けてこれまでの生活を見直すことにより，それぞれの役割獲得のための準備を行うことが求められる．家族が児の誕生をともに喜び，家族員として受け入れるための準備が行えるよう，家族も対象者としてケアを提供することが重要である．

B. 妊娠期の経過の全体像（表Ⅰ-1）

　妊娠は受精卵が子宮内膜に着床した状態を始まりとし，妊娠4週以降には免疫学的妊娠反応がみられ，妊娠16週ごろまでには胎盤が完成する．母体は妊娠16週ごろから乳腺の発育により初乳の分泌がみられ始める．妊娠32週ごろから分娩準備に向けての不規則な子宮収縮がみられ始め，妊娠36週ごろより前陣痛（前駆陣痛）や胎児の下降感，産徴（血性分泌物，おしるし）などが出現し，妊娠37週以降分娩に至る．

　胎児の発育は，妊娠5週ごろより心拍動が開始し，妊娠10週ごろには主な器官が完成する．経産婦では妊娠16〜18週ごろ，初産婦では妊娠20週ごろに胎児の胎動を自覚し始める．

また妊娠18週ごろには胎児の性別がわかるようになる．妊娠21週では体重約500gとなり，妊娠22週以降では高度医療体制が整った新生児集中治療室（neonatal intensive care unit：NICU）において胎外生活が可能となる．妊娠28週ごろより光や音の刺激に反応するようになり，妊娠32週にはほとんどすべての感覚器官が整う．肺のサーファクタントが整うことにより妊娠34週以降になると子宮外でも自発呼吸ができるようになり，妊娠36週以降ではいつ出生しても生存できる状態となる．しかし，妊娠42週を超えると胎盤機能の低下により児の健康状態の悪化が予測される．

妊娠により卵巣で産生されていた性ホルモンは胎盤での産生へと移行することや，胎児の成長に伴う子宮の増大により，母体にはさまざまな不快症状が出現する．

こうした妊娠に伴う母体の健康状態と胎児の発育・健康状態を把握するために，定期的な妊婦健康診査が行われる．初診～妊娠11週はこの期間におおむね3回程度，妊娠12～23週は4週に1回，妊娠24～35週は2週に1回，妊娠36～40週までは1週に1回の頻度で計14～17回程度の妊婦健康診査が行われる．『産婦人科診療ガイドライン―産科編2020』に沿って，妊娠経過に伴う母児の健康状態の確認に加えて，切迫早産，糖代謝異常や妊娠高血圧症候群，胎盤の位置異常などの正常からの逸脱の早期発見が行われる．

また，妊娠経過に伴い，妊婦とその家族には心理的変化が生じる．妊娠の確定を受け，喜びとともに思いがけない妊娠の場合や仕事との兼ね合い，つわりなどの身体的変化に対する戸惑いの感情が混在する．胎児心音を聞く，超音波断層画像を見る，胎動を感じるようになると児への関心が高まり，おなかのなかのわが子を空想し始め，母親としての自己をイメージし始める．妊娠中期になると精神的にも安定し，マタニティウェアの着用や，育児物品の準備や出産準備教室への参加など出産・育児に向けての準備を開始する．妊娠末期になると，腹部増大や不快症状により日常生活が制限されるため内向的になりやすい．早く産みたいという気持ちと分娩に対する不安が混在する．

以上のような妊娠の身体的変化や心理的変化，親になる準備のプロセスをふまえながら，妊娠の各期において，健康で快適な生活を送るために，正常からの逸脱を予防するための相談・教育や，親になる準備としての育児や出産に向けての気持ちや物品の準備，身体づくりについての相談・教育が行われる．

表Ⅰ-1　妊娠期の経過と全体像

(妊娠月数) 妊娠週数	1 0・1・2・3	2 4・5・6・7	3 8・9・10・11	4 12・13・14・15	5 16・17・18・19
妊婦の身体的変化		妊娠反応が出る		胎盤が完成する	乳腺の発育により初乳がみられ始める 胎動の自覚（経産婦）
不快症状		つわりが出現する 眠気やだるさを伴う	⇒ 便秘になりやすい	つわり症状が落ち着く	帯下の増量がみられる
起こりやすい異常		流産　悪阻			
胎児の発育・成長	排卵・受精	心拍動が開始する （5週）		主な器官が形成する	生殖器が確認できるようになる
妊婦・家族の心理的変化		妊娠の確定診断を受ける 妊娠に対する喜びと戸惑いの感情の混在 つわりなど不快症状に対する否定的感情 夫/パートナー： 父親としての責任の不確かさ			精神的に落ち着き始める 胎動の自覚によりわが子を実感
妊婦・家族の生活行動			妊娠届を提出し，母子健康手帳を取得する		出産場所を決定する マタニティウェアを着用する
妊婦健康診査		・初診　問診 ・超音波検査	・血液検査(血液型・不規則抗体・感染症・随時血糖) ・子宮頸がん検診	・4週に1回 ・超音波検査 ・血液検査 ・耐糖能検査 ・細菌関連検査	⇒ (歯科検診) ・子宮底長測定
相談・教育内容		・つわり症状への対応方法 ・服薬やX線に留意する ・流産を予防するための生活について	・妊娠の届け出の説明 ・母子健康手帳の交付の説明 ・定期健診と診察内容の説明 ・出産準備教室の紹介	・適切な体重増加について ・妊娠期の栄養と運動について（貧血・妊娠高血圧症候群・妊娠糖尿病の予防を含む）	・育児用品の準備について ・兄/姉となる子とのかかわり方

6 20・21・22・23	7 24・25・26・27	8 28・29・30・31	9 32・33・34・35	10 36・37・38・39	— 40・41・42・43
				正期産	
			不規則な子宮の張りがみられ始める	前（駆）陣痛や胎児の下降感，産徴などが出現する	
胎動の自覚（初産婦）					
不快症状が出現する（腰痛・食欲不振・痔など）		不快症状が出現する（むくみ・こむらがえり・頻尿など）			
早産					
妊娠高血圧症候群　妊娠糖尿病		⇒　　妊娠貧血			
体重約500g（21週）		光や音の刺激に反応する	ほとんどすべての感覚器が整う		
高度医療補助があれば子宮外生活が可能となる（22週以降）			子宮外でも自発呼吸できる	いつ子宮外に出ても生存できる	
		早く産みたいという気持ちと分娩に対する不安が混在する			出産への不安と期待
		腹部増大により日常生活が制限されることにより内向的になりやすい			
夫/パートナー：エコー画像診断にて胎児を確認し不確かさの縮小		夫/パートナー：分娩・育児準備を一緒に開始することによる父親としての責任の実感			
育児物品の準備を始める		職場へ休暇届を提出する	入院準備が完了する		
出産準備教育に参加する			産前休暇をとる		
⇒	・2週に1回	⇒	⇒	・1週に1回	⇒1週に2回以上
・超音波検査	・耐糖能検査	・血液検査		・血液検査	・胎児well-being評価
		・超音波検査		・超音波検査	
			・GBS検査 ・（p.48参照）	・胎児well-being評価	
・母乳育児の準備方法	・異常徴候の早期発見と予防の生活について	・入院時期・方法を確認	・里帰りの時期と方法の確認		
・不快症状への対処と予防	・バースプランの説明と話し合いの促し				
	・里帰り分娩の確認				
出産・育児準備教育⇒	⇒				

2 妊娠とは

> **この節で学ぶこと**
> 1. 妊娠に関する定義・分類，ならびに妊娠の成立・胎児付属物の構造と機能について述べることができる
> 2. 妊娠期間の胎児の発育状況について理解することができる
> 3. 妊娠に伴う母体の生理・心理・社会的変化について理解することができる
> 4. 妊婦を囲む家族員の妊娠に伴う心理・社会的変化について理解することができる

A. 妊娠期間の定義

1 ● 妊娠とは

妊娠（pregnancy）とは，女性が受精卵を体内に有している状態である．受精卵が子宮内膜に着床した状態を妊娠の始まりとし，発育した胎児および胎児付属物の排出，すなわち分娩をもって終了する．

2 ● 妊婦とは

妊婦とは，妊娠している女性のことである．はじめて妊娠をした女性を初妊婦，2回目以降の妊娠をしている女性を経妊婦という．また，はじめての分娩にのぞむ女性を初産婦（primipara），すでに妊娠22週以降の分娩を経験している女性（流産は含めない）を経産婦（multipara）という．妊娠分娩回数の数え方は，○妊○産あるいはG○P○と表現する．現在の妊娠を妊娠回数に算入させ，妊娠満22週に達した後に分娩したものを分娩回数に算入する．ただし，当該分娩は回数には加えない．たとえば，はじめて妊娠した女性が正期産児を出産した場合，1妊0産あるいはG1P0と表現する．

3 ● 妊娠期間の分類 （p.28〜31の表Ⅰ-7参照）

妊娠の継続期間は最終月経の初日を0週0日として起算する．妊娠期間は満週数または満日数で表現する[1]．

流産（abortion）とは妊娠22週未満（21週6日まで）の妊娠の中断，早産（prematare）とは妊娠22週以降37週未満（22週0日より36週6日まで）の分娩（p.106参照），正期産（termdelivery）とは妊娠37週以降妊娠42週未満（37週0日より41週6日まで）の分娩，過期産（post-term delivery）とは妊娠42週以降の分娩をいう．

妊娠期間を2分し，妊娠19週6日（妊娠第5月）までを「妊娠前半期」，妊娠20週0日（妊娠第6月）以降を「妊娠後半期」という．

妊娠期間を3分し，**妊娠14週未満**（13週6日まで）を**妊娠初期**，**妊娠14週以降28週未満**（14週0日より27週6日まで）を**妊娠中期**，**妊娠28週以降**（28週0日から）を**妊娠末期**[*1]という．なお，英語の妊娠三半期の（トライメスター）と期間の分け方は一致しており，それぞれ1st trimester，2nd trimester，3rd trimesterという．

B. 妊娠期の経過

1● 妊娠の成立

妊娠は，卵子と精子が受精し，子宮内膜に着床することにより成立する．受精卵は，胎芽・胎児へと発育するとともに，付属物へと分化し，母体に依存しながら発育をする．

a. 受 精（図I-1）

受精とは，精子（22＋X or 22＋Y）と，卵子（22＋X）が**卵管膨大部**にて合体し，精子の雄性前核と卵子の雌性前核が融合する（44＋XX or 44＋XY）ことである[*2]．受精卵は，細胞分裂を繰り返しながら卵管上皮の線毛運動や卵管壁の蠕動により輸送され，子宮腔に移動する．受精卵が細胞分裂（卵割）を繰り返し，桑実胚の状態で子宮腔内に到達（受精後3〜4日）し，胚盤胞（胞胚ともいう）の状態になり（受精後4〜7日），透明帯から脱出（ハッチング，孵化）した後に子宮内膜に接着する．

b. 着 床（図I-2）

胚盤胞の状態になった受精卵が子宮内膜に接着し，さらに子宮内膜に侵入，埋没，定着することを**着床**という．受精卵全体が子宮内膜に埋没するまでの期間は，受精後6〜12日間である．着床すると，受精卵の栄養胚葉から発生した絨毛が子宮内膜に侵入し，発育に必要な栄養を子宮内膜から吸収する．

妊娠成立後，卵巣では，排卵後の黄体が，絨毛から産生される**ヒト絨毛性ゴナドトロピ**

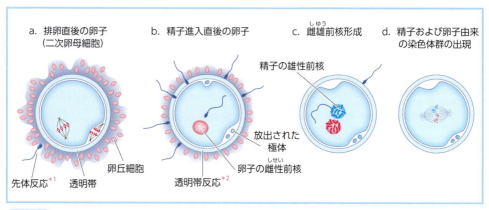

図I-1 受精

[*1] 先体反応：精子が卵丘細胞に接近すると精子表面の膜が破れ，酵素が放出される現象である．この先体反応により，透明帯が離開し，精子核が卵細胞質内へ侵入する．
[*2] 透明帯反応：1個の精子が卵子の細胞膜と融合すると透明帯反応が生じ，ほかの精子の侵入を阻止する．

[*1]「妊娠後期」も「妊娠末期」と同義で使用されている．
[*2] 一般的な核型の表記は雌性（46, XX），雄性（46, XY）である．

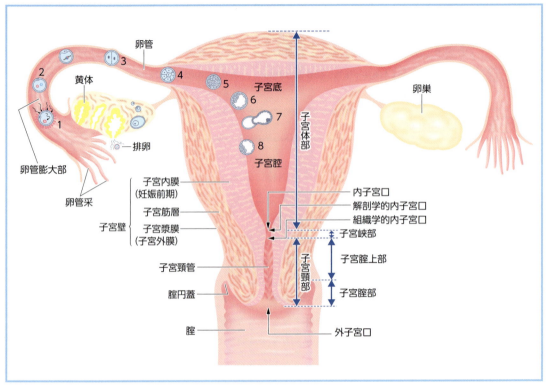

図Ⅰ-2　胚発育（受精から着床まで）

1. 排卵後12〜24時間
2. 受精：卵管膨大部にて雌性前核と雄性前核が融合する．受精が完了後，卵割が始まる．
3. 2分割胚（受精後約30時間）　　分裂を繰り返しながら，卵管内を移動する．
4. 8細胞期（受精後約3日）
5. 桑実胚（受精後3〜4日）：桑の実のような外観をしており，桑実胚の状態で子宮腔に達する．
6. 胚盤胞（受精後4〜7日）：内部に液体の貯留がみられ，胚盤胞腔を形成する．栄養胚葉（栄養膜）と胎芽胚葉（内細胞塊）に分かれる．
7. ハッチング（孵化）：胚盤胞が大きくなると透明膜が破れる．
8. 着床（受精後6〜12日）：ハッチングした後，胚盤胞の状態で子宮内膜に着床する．着床により妊娠が成立したとする．

ン（human chorionic gonadotropin：hCG）の刺激により**妊娠黄体**となり活発に機能を続け，プロゲステロン，エストロゲンを産生して妊娠を維持する（p.17の図Ⅰ-7参照）．胎盤形成開始後（妊娠7週ごろ）は，胎盤が妊娠黄体に代わって，プロゲステロン，エストロゲンを分泌し始め，妊娠を維持する．

c. 胎芽，胎児

通常，妊娠経過は妊娠週数で表されるが，胎児の発生については受精後からの週数（**胎齢**．胎生ともいう）で表されることがある．妊娠週数は最初の週を0から数えるが，胎齢週数は最初の週を1から数えるため，週数は1ずれる（図Ⅰ-3）．妊娠10週未満（胎齢9週未満）は，器官形成が不十分であり，まだヒトとしての外観が完全ではないために，**胎芽**（表Ⅰ-2）とよばれる．この時期は，器官分化の臨界期（器官形成期）（図Ⅰ-4）といわれ，薬剤・放射線・ウイルス感染症などの主な催奇形因子（表Ⅰ-3）の影響を受けやすく，形態異常が引き起こされやすい．妊娠10週以降（胎齢9週以降）は**胎児**という．

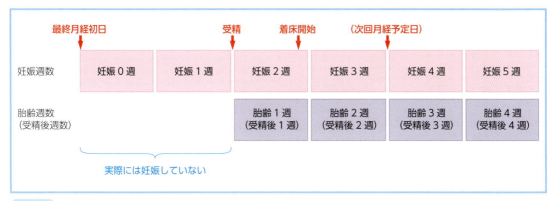

図 I-3 妊娠週数と胎齢週数の違い

表 I-2 胎芽, 胎児

週数	妊娠5週 (胎齢4週)	妊娠6週 (胎齢5週)	妊娠7週 (胎齢6週)	妊娠8週 (胎齢7週)	妊娠9週 (胎齢8週)	妊娠10週 (胎齢9週)
呼称	胎芽					胎児
形態						
特徴	心拍動が開始	眼・耳・下肢・上肢の器官の形成が開始	頭部と体幹部の区別ができるようになる.	四肢を確認することができるようになる.	尾部が消失する. 骨の形成が始まり, 手足の指が発達する.	中枢神経系, 循環器系, 呼吸器系, 外生殖器系などのすべての主要な器官および器官系が形成される. 外観もヒトらしくなる.

d. 胎児付属物の構造と機能

胎児の発育に必要な器官には, **胎盤** (placenta), **卵膜** (fetal membranes), **臍帯** (umbilical cord), **羊水** (amniotic fluid) が含まれ, これらを胎児付属物という.

(1) 胎盤の形成・構造・機能

①胎盤の形成

胎盤は, 着床した受精卵の絨毛膜有毛部(胎児由来)と子宮内膜の基底脱落膜(母体由来)から形成される円盤状の器官である. 妊娠7週ごろから形成が始まり, 16週ごろまでには形態的・機能的に完成し, その後妊娠40週ごろまで増大しつづける. 妊娠末期の胎盤の大きさは約500g程度となり, 胎児体重の約1/6に相当する.

②胎盤の構造 (図 I-5, 6)

胎盤の羊膜腔に向かう面を**胎児面**, 子宮壁に付着する面を**母体面**という. 胎児面は, 羊膜におおわれ, 臍帯が付着し, 臍帯付着部より**臍動脈・臍静脈**が羊膜下にかけ放射状に透

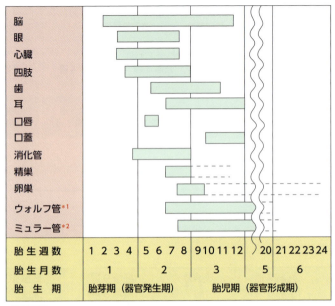

図Ⅰ-4　ヒトの各種臓器および器官分化の臨界期（器官形成期）

*1 ウォルフ（Wolff）管：胎生期に男女ともにみられる構造．男性ではテストステロンの分泌により，精巣上体，精管，精嚢，射精管に分化し，女性では退縮する．
*2 ミュラー（Müller）管：胎生期に男女ともにみられる構造．女性では，卵管，子宮，腟上部に分化し，男性では退縮する．

［荒木　勤：最新産科学―正常編，第22版，p.74，文光堂，2008より引用］

表Ⅰ-3　主な催奇形因子

催奇形因子		胎児の異常例
薬剤	ワルファリン（抗凝固薬）	催奇形性：鼻奇形，軟骨形成不全，中枢神経系の先天異常
	メトトレキサート（抗悪性腫瘍薬）	催奇形性：種々の奇形
	サリドマイド（抗悪性腫瘍薬）	催奇形性：上肢・下肢形成不全，内臓奇形など種々の奇形
	トリメタジオン（抗てんかん薬）	催奇形性：種々の奇形
	アミノグリコシド系抗結核薬（抗菌薬）	非可逆的第Ⅷ脳神経（内耳神経）障害，先天性聴力障害
放射線		四肢の形態異常，小頭症など
風疹		先天性風疹症候群（聴覚障害，白内障，心臓異常など）
アルコール		中枢神経系の異常（精神発達遅滞，知的障害） 特異顔貌（小頭症，短い眼瞼裂，人中の低形成，薄い上口唇など）

見される（図Ⅰ-5a）．母体面は，15～20個の大小不同の胎盤分葉に分かれ，石垣状になっている（図Ⅰ-5b）．また，母体面は，胎盤絨毛膜，絨毛間腔，基底脱落膜の3つの構造からなる．母体側からの子宮動脈はらせん状に基底脱落膜を貫通して絨毛間腔に開口し，母体の血液をジェット噴射している．絨毛間腔には胎児側の臍静脈・臍動脈からのびる絨毛突起にはりめぐらされた毛細血管が存在する．勢いよく噴流する母体血のプールに胎児の

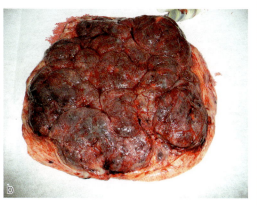

図Ⅰ-5　胎盤
a：胎児面．臍帯はワルトン膠質でおおわれている．血管がらせん状に走行しているのがみえる．
b：母体面．大小不同の胎盤分葉からなり，暗赤色をしている．

絨毛突起がつかっているような構造となっている．この絨毛突起は絨毛膜でおおわれているため，母体血と胎児血が交わることはないまま，単純拡散，促進拡散，能動輸送により必要な物質・ガスの受け渡しが可能となっている（表Ⅰ-4）．

③胎盤の機能

- ガス交換（図Ⅰ-6，表Ⅰ-4）：母体側からの酸素は子宮動脈を通じて絨毛間腔に運ばれ，臍静脈を通じて胎児へ供給される．胎児側からの二酸化炭素は臍動脈を通じて絨毛間腔に運ばれ，子宮静脈を通じて母体へ戻る．
- 物質交換（図Ⅰ-6，表Ⅰ-4）：母体側から子宮動脈を通じて絨毛間腔に運ばれたグルコース，アミノ酸，遊離脂肪酸，ミネラル，ビタミンなどの栄養は，臍静脈を通じて胎児へ供給される．胎児からの老廃物は臍動脈を通じて母体側へ排出される．
- ホルモン産生（表Ⅰ-5，図Ⅰ-7）：胎盤は，hCG，**ヒト胎盤性ラクトーゲン**（human plazental lactogen：**hPL**）などのタンパクホルモン，**エストロゲン**，**プロゲステロン**などの性ステロイドホルモンを産生している．これらのホルモンは妊娠による機能的・形態的変化を母体にもたらすとともに，妊娠の維持，胎児の発育，さらに分娩の準備に作用する．

(2) 卵膜の形成・構造・機能

卵膜は3層から形成される胎児と羊水を包む膜である．胎児に接している内側から**羊膜**，**絨毛膜**，**脱落膜**（子宮壁側）である．乳白色の半透明の膜であり，細菌は通過できない．

①卵膜の構造・機能

●胎児由来

- 羊膜：卵膜の最内層に位置し，胎児と羊水を包む．羊膜は羊水を分泌する．
- 絨毛膜：卵膜の中央に位置する．胎盤部分では母体側の母体血と接し，母体血で満たされた腔隙を絨毛間腔という．

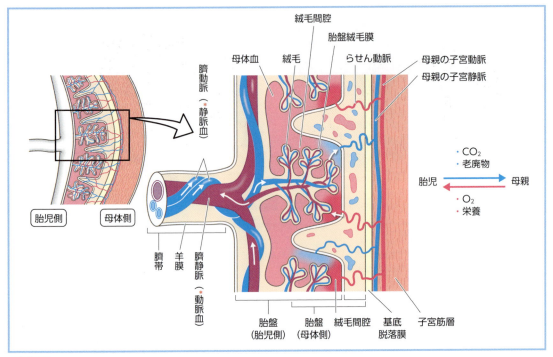

図Ⅰ-6　胎盤の構造

*動脈血とは母体でガス交換が行われ酸素（O_2）化された血液を指す．また静脈血とは胎児の各組織で生じた二酸化炭素（CO_2）および老廃物を含む血液のことである．

表Ⅰ-4　胎盤における物質輸送様式

方　法	機　序	主に輸送される物質
単純拡散	エネルギーを必要とせず濃度勾配[*1]に従って移動する．	気体（O_2，CO_2など） 電解質（Na，Kなど） 尿素，遊離脂肪酸，脂溶性ビタミン
促進拡散	グルコーストランスポーター（担体[*2]）を利用し，単純拡散により移動する．	グルコース（胎児のエネルギー源）
能動輸送	濃度勾配に逆らって移動し，多量のエネルギーを必要とする．	アミノ酸（胎児へのタンパク質供給） 電解質（Ca，Mg，Feなど） 水溶性ビタミン

[*1]濃度勾配：物質の濃度の差があるとき，高濃度側から低濃度側へと物質が移動する．
[*2]担体：ほかの物質を固定する土台となる物質．

● 母体由来

・脱落膜：卵膜の最外側に位置し，分娩時には基底層を残して脱落する．
　脱落膜は，着床卵の栄養，母体の免疫拒絶反応からの保護，内分泌機能（プロラクチン，プロスタグランジンの産生）などにより，妊娠の維持に重要な役割を果たす．

(3) 臍帯の構造

　臍帯は，弾力性のある索状組織で，らせん状に捻転し，表面は羊膜でおおわれている（図Ⅰ-5a，p.180の図Ⅱ-30参照）．内部はワルトン（Wharton）膠質で満たされ，2本の臍動脈と1本の臍静脈が走っている（図Ⅰ-8）．臍静脈には，胎児に酸素や栄養を運ぶ動

表 I-5　胎盤におけるホルモンの産生とホルモンの主なはたらき

ヒト絨毛性ゴナドトロピン (hCG)（タンパクホルモン）	妊娠4週（受精後8～10日）ごろから母体尿中に検出され、妊娠12週ごろ（最終月経初日から60～70日）にピークとなり、その後下降し、妊娠中期以後までほぼ一定のレベルを維持.	・尿中に排出されるhCGは免疫学的妊娠反応に用いられる. ・妊娠黄体にはたらきかけ、子宮内膜を維持することにより、妊娠を継続する. ・子宮の血流を増やし、子宮を柔らかく大きくする.
ヒト胎盤性ラクトーゲン (hPL)（タンパクホルモン）	妊娠進行とともに上昇し、妊娠32～34週にほぼピークとなる.	・母体の糖代謝を亢進させ、血糖上昇作用を示し、胎児へ優先的にグルコースを供給することにより胎児の成長・発達を促す*. ・母体の脂質分解を促進し、グルコースに代わって母体のエネルギー源として、脂質代謝を促進することにより、間接的に胎児の発育を促す.
エストロゲン（性ステロイドホルモン）	妊娠黄体における産生が減少してきた後、胎盤にて産生される. 妊娠早期からしだいに増加し、妊娠末期にピークに達する.	・子宮筋の肥大増殖と子宮内膜の腺と血管を増殖する. ・乳腺を肥大させつつ乳汁分泌を抑制し、授乳に備える. ・皮膚に色素沈着を起こす. ・頸管粘液を分泌させる. ・妊娠末期に頸管の熟化を促し、徐々に柔らかくし分娩に備える.
プロゲステロン（性ステロイドホルモン）	妊娠黄体における産生が減少してきた後、胎盤にて産生される. 妊娠早期から上昇し、妊娠末期にはピークに達する.	・妊娠中の排卵を抑制する. ・乳腺を肥大させつつ乳汁分泌を抑制し、授乳に備える. ・子宮筋の緊張を低下させ、流・早産を予防する.

*胎児は発育エネルギーの大部分をグルコース（ブドウ糖）に依存している. hPLなどはインスリン抵抗性があり、母体がグルコースを取り込みにくくする. そのため、妊婦の食後血糖値は非妊時に比べて上昇する. また、この作用により、母体に取り込まれなかった余剰分のグルコースが胎児へ優先的に供給される（p.120参照）.

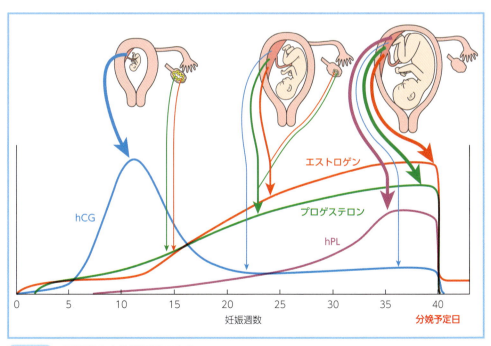

図 I-7　妊娠期の内分泌環境の変化

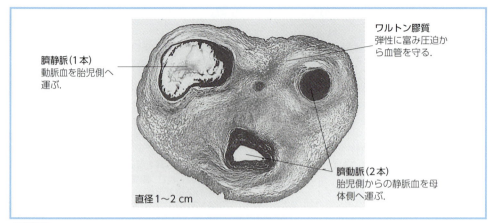

図Ⅰ-8　臍帯の構造（断面図，妊娠40週，鍍銀染色）
［並木恒夫:胎盤―基礎と臨床（高木繁夫,須川　佶,一条元彦ほか編）,p.15,南江堂,1991より引用］

脈血が流れ，臍動脈には，母体へ戻る静脈血が流れている．妊娠末期には長さ約50 cm，直径約1.5 cmとなる．

(4) 羊水の産生・機能

①羊水の産生

羊水とは，羊膜腔を満たす液体である．羊水は，主として，胎児の尿，肺胞から分泌される肺胞液，鼻口腔分泌液，羊膜・絨毛膜を介した母体血漿の滲出液より生産されている．弱アルカリ性の無色透明の液体である．妊娠末期には，胎児の皮脂や脱落上皮，毳毛*，羊膜からの剝脱細胞が混入し，わずかに白濁する．羊水は胎児の消化器および卵膜を介して循環している．妊娠末期には，胎児は1日400〜500 mLの尿を排泄し，ほぼ同量の羊水を飲み込む．羊水量は，妊娠32〜35週ごろ，約700〜800 mLになるといわれているが，その後減少し，妊娠40週ごろには500 mL程度となる．妊娠時期を問わず800 mLを超えると判断されるものを**羊水過多**といい，羊水量が異常に少ないもの（一般的に100 mL以下）を**羊水過少**という．羊水過多・羊水過少ともに超音波断層法による羊水ポケット（amniotic fluid pocket：AFP）や最大羊水深度（maximum vertical pocket：MVP）あるいは羊水インデックス（amniotic fluid index：AFI）により診断される（p.46の**表Ⅰ-14**，**図Ⅰ-20**参照）．

②妊娠中の羊水の機能

羊水は物理的刺激から胎児を保護するとともに，胎児の体温を恒常的に維持し，感染防御作用などの機能がある．また，羊水により胎児が自由に動ける空間が確保されることにより，形態的・機能的発育が促され，**肺サーファクタント**（p.48の**表Ⅰ-16**，p.373参照）産生が亢進することにより肺成熟が促され，羊水の嚥下により消化管発育が促進される．

---

*毳毛：胎児の全身をおおう産毛のこと．通常，胎児の発育とともに抜け落ちる．

2 ● 妊娠の徴候

a. 女性自身の自覚症状

妊娠すると月経は停止する（ただし，着床のころ少量の出血を認めることがある）．しかし，月経が停止したからといって妊娠したとは限らないため，確定診断とはならない．妊娠5～6週ごろになると妊婦の約50％につわり症状を認め約6週間ほど続く．子宮は膀胱の裏に位置するために，子宮が増大することにより，膀胱が圧迫・刺激され頻尿を自覚することがある．

b. 基礎体温

妊娠すると黄体は妊娠黄体として存続し，基礎体温は20日以上の高温相が持続する．ただし，確定診断にはなりえない．

c. 免疫学的妊娠反応

受精後8～10日ごろよりhCGが母体の尿中に排泄されるため，hCGに対する抗体を用いる免疫学的反応に基づく検査（尿中hCG検出試薬）が妊娠診断として用いられている．hCGは，着床直後から急速に増加し，排卵後15日前後（予定月経開始日前後）に検出可能となる．ただし，流産や異所性妊娠，hCG産生腫瘍や絨毛疾患，黄体化ホルモン高値などでも陽性となるために，確定診断とはなりえない．

d. 超音波検査法による妊娠確定

胎児の存在を確認することにより，妊娠を確定診断することができる．超音波検査法（超音波ドプラ法を含む）により，胎嚢，胎児（胎芽）心拍動，胎児心音を確認することにより，妊娠の診断と同時に胎児の生存と胎児が子宮内にいること，すなわち異所性妊娠を否定することができる（表Ⅰ-6）．

e. 分娩予定日の算出方法

(1) 超音波検査法による測定からの算出

妊娠初期の胚の発育は個体差が小さい．そのため，胚の計測から妊娠週数を算出することができる．胎嚢（gestational sac：GS），頭殿長（crown-rump-length：CRL），児頭

表Ⅰ-6 超音波検査法による妊娠確定診断

診断項目	胎嚢 (gestational sac：GS)	胎芽の心拍動 (fetal heart beat：FHB)	胎児心音 (fetal heart sound：FHS)
診断時期	妊娠4週後半～妊娠7週末で胎嚢を確認できる． 胎芽を包む小さな円として確認できる．	妊娠5週以降6週末には，心拍動を確認できる．	妊娠8週以降12週はじめにはドプラ法で心音を聴取できる．
超音波断層像	5W	6W	10W

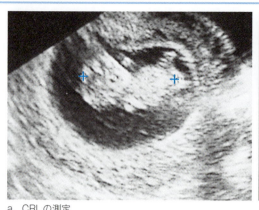
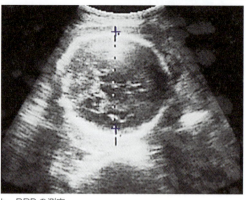

a. CRLの測定　　　　　　　　　　　b. BPDの測定

図Ⅰ-9　CRL，BPDの測定の超音波像
測定部位はp.44の図Ⅰ-18を，基準値はp.45の図Ⅰ-19を参照．

a. 妊娠暦計算機　　　　　　　　　　b. 手動式の妊娠暦速算器

図Ⅰ-10　妊娠暦計算機（a）と手動式の妊娠暦速算器（b）

　大横径（biparietal diameter：**BPD**）の測定値をもとに確認し，必要に応じて最終月経より得られた分娩予定日を修正する（**図Ⅰ-9**，p.44の**図Ⅰ-18**参照）．

(2) 最終月経より算出

　妊娠暦計算機（電卓妊娠暦），妊娠暦速算器を用いて（**図Ⅰ-10**），最終月経の初日を0日（妊娠0週0日）として，そこから数えて280日目（妊娠40週0日）を**分娩予定日**（expected date of confinement）とする．ただし，最終月経から算出する方法は月経周期が28日型の場合は妥当だが，それ以外の周期では誤差が生じるため修正が必要である．

　ネーゲレ（Naegele）概算法では，最終月経を含む月に＋9もしくは−3，最終月経初日に＋7とし，分娩予定日を計算する．

> **ネーゲレ概算法による分娩予定日の算出**
> - 最終月経が3月以前の場合
>   ```
>   2018年  1月  1日
>         +9  +7
>   ─────────────
>   2018年 10月  8日
>   ```
> - 最終月経が4月以降の場合
>   ```
>   2018年  5月  1日
>         -3  +7
>   ─────────────
>   2019年  2月  8日
>   ```
> 計算結果の日にちがその月にある日にちを超える場合，超えた日数は翌月に繰り越す．
> 例：5月36日→6月5日
>   6月36日→7月6日

3 ● 胎児の発育

a. 妊娠10週以降の胎児の大きさと発育状況

妊娠10週以降の各月の胎児の大きさと発育状況は（p.28〜31の表I-7参照）に示すとおりである．

b. 胎児の生理

(1) 呼吸器系

胎児の肺は，妊娠6週ごろから器官の形成が始まり，妊娠24週ごろにはその構造がほぼ完成する．肺は機能していないが，妊娠15週ごろから胎児に呼吸様胸郭運動が認められ始める．肺は肺胞液（肺水）とよばれる液体で満たされており，妊娠20週ごろから肺のⅡ型細胞でサーファクタント（p.48の表I-16，p.373参照）が産生され，妊娠28週ごろから肺胞内に分泌される．妊娠32週ごろより増加し，妊娠34週ごろには，肺の成熟に伴い，母体外での生活（胎外生活）が可能となる．

(2) 循環器系 （p.374の図Ⅵ-2参照）

胎児期の循環の特徴は，肺呼吸を行っていないために，肺に血液がほとんど流れておらず，肺血管抵抗は高い状態である．そのため，胎盤内で酸素を供給された動脈血は，臍静脈を通って，**静脈管（アランティウス[Arantius]管）**に入り，下大静脈から右心房に入る．肺循環がほとんど行われていないために，その大部分が心房に開いている**卵円孔**を通って，左心房に入り，左心室を経て大動脈へ入り，全身に流れる．一方，下大静脈と上大静脈から右心房を経て右心室に入った血液も，肺循環が行われていないために大部分が肺動脈と大動脈を連絡する**動脈管（ボタロー[Botallo]管）**を通って，大動脈を流れ主に下肢と内臓に送られる．全身を流れている二酸化炭素を多く含む静脈血は，左右の内腸骨動脈から分岐する臍動脈へと流れ，胎盤に移行する．

これらの循環器系は，出生後，肺呼吸の開始に伴い，静脈管，卵円孔，動脈管が退縮する．

(3) 造血器系

胎児の造血機能は，卵黄嚢から肝臓に移行し，しだいに骨髄造血が主となる．胎児赤血球のヘモグロビンF（**胎児ヘモグロビン：HbF**）は成人のヘモグロビンA（HbA）よりも酸素親和性が高く寿命も短い．HbFが破壊されるときに産生されるビリルビンは，**腸肝循環**を経て胎盤へと移行し，母体より排泄される．出生後HbFが破壊されるときに産生されるビリルビンが新生児黄疸（p.380参照）の一因となる．

(4) 消化器系

　胎児の消化機能は，妊娠16週ごろから羊水の嚥下運動が認められ，小腸の蠕動運動，水分吸収などの機能がしだいに発達する．妊娠34週ごろには，消化器機能がほぼ完成に近づく．胎児が嚥下した羊水の一部（毳毛，胎脂，上皮細胞など）が，消化管分泌液，胆汁と混ざり，暗緑黒色を呈する粘稠性の胎便となる．通常の状態では，胎児期に胎便が排泄されることはない．

(5) 泌尿器系

　胎児の尿細管は妊娠7週で形成され，妊娠10週には腎臓は尿を生成するようになる．しかし，胎児期の腎機能は未熟であり，老廃物の排泄は胎盤機能に依存している．

c. 胎動（運動機能）

　胎児は羊水のなかで活発に運動しており，超音波断層法にてその様子が観察できる．上肢・下肢の運動，体幹の回転・屈伸運動，呼吸様運動，開口運動，手と顔の接触運動，あくび様運動，おしゃぶり，嚥下，眼球運動，不随意的排尿などである．胎児の成長に伴い，四肢が子宮に接触することにより，母親は胎動として知覚することができる．はじめて胎動を知覚する初覚胎動は，初産婦では妊娠20週ごろ，経産婦では妊娠16〜18週ごろといわれている．

4 妊婦の生理的変化

a. 生殖器の変化

(1) 子宮の変化

　子宮は，胎児の発育に伴い変化し，胎児の発育の指標となる．妊娠に伴い，子宮体部は潤軟になる．妊娠初期の子宮体部の増大は，着床部が膨隆するというピスカチェック（Piskacek）徴候（図Ⅰ-11）を呈する．妊娠した子宮は著しい充血と漿液性浸潤のために，つきたて餅のように柔らかくなる（ヘガール［Hegar］徴候，図Ⅰ-12）．子宮頸部も

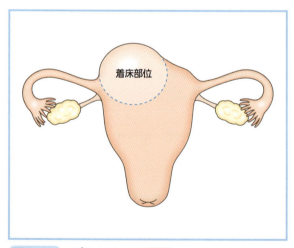

図Ⅰ-11　ピスカチェック徴候

[荒木　勤：最新産科学—正常編，改訂第22版，p.105, 文光堂, 2008より引用]

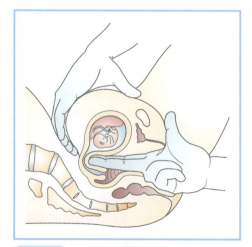

図Ⅰ-12　ヘガール徴候

[荒木　勤：最新産科学—正常編，改訂第22版，p.105, 文光堂, 2008より引用]

軟化し，妊娠末期にはマシュマロ様または口唇様に柔らかくなる（p.12の図I-2参照）．

非妊時の子宮の長さ7 cm，幅5 cm，厚さ3 cm，重量50 gに対して，妊娠末期になると，長さは5倍の約36 cm，重量は15～20倍の約1 kgとなる．

(2) 腟・外陰部の変化

①腟

妊娠初期から，エストロゲンの影響により，子宮腟部や腟壁の血管が怒張，うっ血し紅紫色を呈する．これをリビド着色（チャドウィック徴候）という．腟は，血管が増加し，筋組織が肥大し，結合組織が軟化する．この変化により，分娩時に十分に伸展し，児が娩出するための産道を形成する．また，エストロゲンの影響により，子宮頸管粘液の分泌が増加するために，腟分泌物（帯下）が増加する．腟上皮のグリコーゲンの増量により，腟内常在の乳酸菌類（デーデルライン桿菌）の乳酸や過酸化水素の産生が促進され，腟内は強い酸性（pH 3.5～4.5程度）を呈し，細菌感染を防御する．

②外陰部

外陰部は，大小陰唇が肥大し，潤軟となり，色素沈着を認め，皮脂腺や汗腺のはたらきが活発になる．静脈が怒張することにより，静脈瘤を認めることがある．

(3) 乳房の変化

乳房は，プロゲステロンとエストロゲンの作用により**乳腺**が発育し，脂肪が蓄積することにより大きくなる．妊娠6週ごろから血管が増加し始め，妊娠8週ごろには，乳頭ならびに乳輪の着色が強くなり著明に拡大する．また，モントゴメリー（Montgomery）腺とよばれる多数の小隆起がみられる．妊娠16週ごろから分泌機能が認められ，乳房を圧すると，水様透明な初乳が圧出される．妊娠末期の乳房の大きさは，非妊時の3～4倍程度に変化する．妊娠中は胎盤由来の大量のプロゲステロンとエストロゲンが乳腺に作用しているために，乳汁分泌が抑制されている．分娩により胎盤が娩出されることにより，この抑制が除かれ，乳汁分泌が開始する（p.242参照）．

b. 全身の変化

(1) 体温の変化

妊娠後，妊娠黄体から分泌されるプロゲステロンの作用により，基礎体温は**高温相**を示し，胎盤が完成する妊娠13～16週ごろまで持続する．胎盤が完成するとともに体温はしだいに下降し，妊娠20週ごろには通常の体温に戻る．

(2) 呼吸器系の変化

増大した妊娠子宮により横隔膜が挙上される．胎児に酸素を供給するため，母体の酸素消費量は約20%増加する．呼吸数も10%増加し，呼吸は胸式呼吸へと傾くが，1回換気量が増加して，残気量が少なくなるために，換気の効率は上昇する．

(3) 血液・循環器系の変化

母体の循環血液量は，胎盤血行を維持するために，妊娠6週ごろより増加し始め，妊娠32～36週をピークとし，非妊時の約40%増となる．母体の循環血液量の増大により，心臓はいくぶん肥大し，1回の心拍出量が増大する．妊娠末期は，子宮の増大による横隔膜挙上により，母体の心臓は左上方に移動する．

循環血液量のなかでも，血漿量が約30%増加し，血球量を上回る（図I-13，p.536の

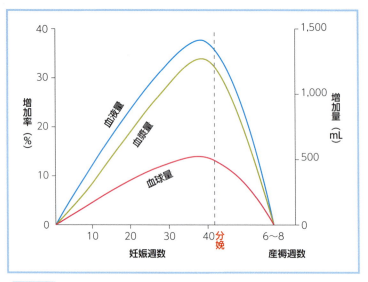

図Ⅰ-13 妊娠，分娩，産褥における血液量，血漿量，血球量の変化
[鈴木正彦：妊婦の血液動態. 周産期医学 **26**(10)：1348, 1996より引用]

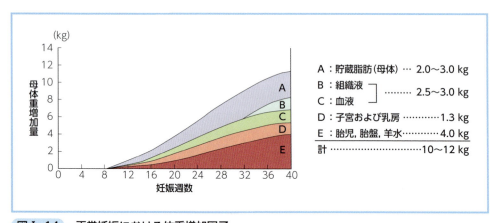

図Ⅰ-14 正常妊娠における体重増加因子
[平山宗宏(監)：母子健康・栄養ハンドブック, p.56, 医歯薬出版, 2000を参考に作成]

資料1参照)．そのために，妊娠期の母体の血液は血漿成分が多く，相対的に薄まっている状況[2]となる（p.54参照）．循環血液量は増加するが，プロゲステロンの作用により末梢血管抵抗が低下するため，血圧は妊娠中期にかけてわずかに低下し，その後，妊娠末期にかけて非妊時の値に戻る．

また，妊娠中は，水分貯留傾向となり，下肢に浮腫（p.54参照）や静脈瘤（p.55参照）が生じやすくなっている．

(4) 体重の変化（図Ⅰ-14）

妊娠期には，胎児や付属物の発育（約4 kg），子宮と乳房の増大（約1.3 kg），母体の循環血液量の増加（約2.5 kg），体液量の増加（約1 kg），皮下脂肪の貯蔵（約2〜3 kg）が

自然に起こるために，妊娠末期までに**10〜12 kg**が自然増加する．

(5) 代謝・栄養の変化
①代謝の変化
- **基礎代謝**：胎児の発育に伴い酸素消費量ならびに基礎代謝は上昇する．基礎代謝は，妊娠10週ごろから上昇し，妊娠末期には，非妊時の20〜30％亢進する．
- **糖代謝**：糖代謝もまた，胎児のエネルギー源の確保や，妊娠の進行に伴う母体臓器の需要の増加，分娩後の授乳のための貯蔵により高まる．非妊時と比較すると，空腹時血糖値は低くなり，食後の血糖値は高くなる傾向があり，食後は高インスリン血症となるが，hPLなどのインスリン抵抗性により相対的にはインスリン不足の傾向となる．妊娠中，一過性の**妊娠糖尿病**（gestational diabetes ［mellitus］：GDM）を合併することがある（p.55参照）．
- **タンパク質・脂質代謝**：タンパク質代謝は，胎児や胎盤の発育，母体の乳房や子宮の増大，分娩時の出血や分娩後の回復に備えるために，また授乳に利用されるために亢進する．
脂質代謝も亢進し，母体の貯蔵エネルギー源として約4 kgの脂肪が蓄積される．

②栄養の変化
各代謝の亢進に伴い，妊娠期に付加される必要がある栄養素と，留意が必要な栄養素がある（p.59参照）．

(6) 消化器系の変化
妊娠中は，プロゲステロンの影響と妊娠末期の子宮増大に伴い機能的変化を生じる．

妊娠初期には，約50〜80％の妊婦に，食欲不振，悪心・嘔吐，嗜好の変化，胸やけ，唾液分泌過多などを主症状とする**つわり**がみられる．

胃，腸管の緊張度と運動性が低下することにより，腸蠕動が低下しやすくなり，胃酸の逆流による胸やけや便秘などの**不快症状**（**マイナートラブル**）が生じやすい（p.56〜58参照）．

(7) 泌尿器系の変化
膀胱粘膜がプロゲステロンの影響により肥厚・充血し，妊娠初期には増大した子宮が膀胱を圧迫したり，妊娠末期には胎児が下降することにより**頻尿**に傾きやすくなる．また，膀胱・尿管の緊張が低下し，尿が停滞しやすくなり，非妊時よりも膀胱炎あるいは腎盂腎炎を併発しやすくなる．

妊娠期の循環血液量の増加により，腎血流量も増大する．それにより，腎臓が肥大傾向となり，糸球体濾過量も増加する．その結果，糖やタンパク質の再吸収が追いつかなくなり，尿中に排出され，一時的に尿糖やタンパク尿が陽性になることがある．

5 ● 妊婦・家族の心理・社会的変化
a. 妊婦の心理・社会的変化
多くの女性にとって，妊娠することや母親になる経験は幸福なことである．その一方で，妊娠に伴う心身の変化も経験する．胎児の発育や子宮の増大，内分泌環境の影響を受け，さまざまな身体的変化を経験する．妊娠によって，社会や他者との結びつきが深くなることもあれば，仕事上の役割変化や周囲からの役割期待の変化なども経験する．

経産婦の場合，過去の妊娠・出産・育児の経験が今回の妊娠・分娩・育児に対して肯定的あるいは否定的な影響を及ぼす．妊婦の心理的特徴は個人差があるが妊娠時期によって特徴がある．

(1) 妊娠初期
①アンビバレントな感情
妊娠初期の心理的特徴は**アンビバレント**（両価的）な感情である．たとえば，「おなかの子どもは可愛いけど，妊娠していなければ，つわりでこんなに苦しむことはないのに」「妊娠したことは幸せだけど，そのためにいろいろ制約があるのは嫌だ」という相反するような感情を同時に，あるいは交互に抱く妊婦が多い．

②漠然とした不安
妊娠初期は妊娠に伴う症状（眠気やつわりなど）があっても，腹部の増大や胎動はない．そのため，妊娠初期は妊娠している実感や胎児の存在を実感することがむずかしい．また，心身の変調が妊娠と結びつきにくいことも多い．この時期は胎児が生きているのか，流産してしまうのではないかというような漠然とした不安が募ることもある．

③周囲からサポートを受ける喜び，葛藤，焦燥感，無力感
夫／パートナーや家族，親しい友人からの祝福や気遣いは母親になる喜び，母親になる実感を高めることを助ける．逆に，周囲が妊娠の事実を把握していないために，妊娠前と変わらない役割を果たすことを期待されるような場合は，頑張ろうとしてもこれまでどおりにいかず，葛藤を生じたり，悲観的になることもある．逆に，周囲が妊婦を気遣い，負担を軽減しようとすることによって，「こんなこともできなくなるのか」というような焦燥感や無力感を抱く場合もある．

(2) 妊娠中期
①自己陶酔的
妊娠中期には妊娠初期の不快感が緩和し，気分の高揚（こうよう）を感じたり，自己陶酔的な状態になる．それに加えて，胎児の発育に伴って腹部が増大してくると，自分に関心が向けられていると感じる機会が増える．たとえば，「何ヵ月ですか？」「はじめてのお子さん？」と声をかけられることで，自分に関心が向けられていることを嬉しく心地よく感じることが多くなる．

②幸福感
妊娠中期に入って，つわり症状が改善し，胎動を感じるようになると，胎児の存在を感じ意識するとともに，「母親になる実感」がわき，**幸福感**に満たされることが多くなる．胎児の存在を実感するにつれて，出産や育児のための準備に取り組み始め，出産後の生活を思い描いて喜びの感情が増す．

(3) 妊娠末期
①内向的
妊娠末期には**内向的**になりやすい．まもなく子どもが生まれてくるという期待感の高まりと同時に，出産への不安に関心が集中するようになる．妊娠末期には腹部の増大に伴い，脚や腰への負担がさらに大きくなり，動きづらく動作が緩慢になるので，外出や活動が億劫（おっくう）になる妊婦が多い．さらに，頻尿や夜間目が覚めるという不快症状の影響により，気持

ちが内向的になりやすい．

②出産に関する不安の増強

出産が間近に迫ってくると，分娩開始の兆しや陣痛や出産に関心が集中し，妊婦健康診査時に，「陣痛は絶対気づくことができるものですか？」「陣痛の痛みはどれくらいですか？」「会陰(えいん)切開は痛いですか？」などさまざまな不安を訴え，不安を軽減するための具体的な質問をして，情報を集めたり助言を求めることが多くなる．

しかし，不安を言葉にして表現したり，具体的な質問ができるということは，出産を自分のこととしてとらえ始めていると考えることもできる．

③母親になる実感

出産後の子どもとの生活を思い描けるようになると，母親になる実感が高まる．おおむね妊娠37週を過ぎると「もう生まれても大丈夫」という安心感とともに，子どもとの生活を具体的に思い描き始めるようになる．

b. 父親の心理・社会的変化

男性も妻が妊娠することにより，夫/パートナーから父親への移行の準備期にある．しかし，男性は自身の身体的変化を伴わないので，父親になることをイメージする際，妊娠している妻の影響を大きく受ける．

男性は父親に移行するなかで，「不確かさの感情」「不十分と不適当の感情」「疎外感」「現実の感情」を経験している[3]．妊娠と診断された当初，男性は，子どもを加えた3人の生活を行うために父親として頑張らなければと思う一方，何をすればよいのだろうと父親としての責任が不確かであることを感じている．また，妻が身体的に変化していく様子や看護職者からのかかわりに対して疎外感を感じることがあるとされている．しかし，超音波検査画像にて胎児を確認することができると，その「不確かさ」や「疎外」感情が縮小し，男性も，新しい生活に触れ，誇り高く，幸せを感じ，崇高な思いを抱く．父親にとっても胎動を感じること，胎児の心音を聴くこと，妊婦健康診査に一緒に行くことは重要なできごとである．また，母親となる妻と一緒に育児用品の準備を行ったり，分娩準備を行ったりすることにより，父親になることへの責任を実感し始める．しかし，父親としての役割が明確になるのは子どもが誕生した後からであり，実際に子どもとかかわることを通して，仕事や生活スタイルを見直し，調整を始めようとする．

c. 兄/姉の心理・社会的変化

兄/姉にとって，新しいきょうだいの誕生は楽しみであると同時に，これまでとは異なる母子関係に対してストレス（危機的状況）を感じることがある．お兄ちゃん/お姉ちゃんになるという自覚より，生活の自立や言語的能力の発達が促されることがある一方で，母親の妊娠による身体的変化に伴い，これまでのように外で体を使う遊びや抱っこをしてもらえなくなること，また切迫早産のための入院管理による母子分離などは兄/姉にとってストレスの大きいできごととなる．

兄/姉のストレスが強くなると，妊娠期より退行現象*が現れてくることがある．

---

*退行現象：かんしゃくを起こすなどの攻撃的行動，甘えが強くなるなどの依存的行動，おもらしを始めるなどの退行，よそよそしくなるなどのひきこもりなどの行動．いわゆる「赤ちゃん返り」の現象をいう．

表 I-7　妊娠期の経過

*妊娠週数は満で表し，妊娠月数はかぞえで表す．

区分			妊娠週数*	妊娠日数*	妊娠月数	胎児図（胎児の体長，体重）	胎児の発育・機能の発達
妊娠初期	妊娠前半期	第1三半期	0週0日〜0週6日	0日〜6日	第1月		
			1週0日〜1週6日	7日〜13日			受精卵→桑実胚→胚盤胞→着床
		胎芽／流産	2週0日〜2週6日	14日〜20日			
			3週0日〜3週6日	21日〜27日			胚盤・羊膜・絨毛の形成
			4週0日〜4週6日	28日〜34日	第2月		視神経盤・神経溝の形成
			5週0日〜5週6日	35日〜41日			心拍動が開始
			6週0日〜6週6日	42日〜48日			眼・耳・下肢・上肢の器官の形成開始
			7週0日〜7週6日	49日〜55日			頭部と体幹部の区別　胎盤の形成開始
		胎児	8週0日〜8週6日	56日〜62日	第3月		四肢の確認
			9週0日〜9週6日	63日〜69日			尾部が消失．骨形成が始まり手足の指が発達する．
			10週0日〜10週6日	70日〜76日			主な器官および器官系の形成
			11週0日〜11週6日	77日〜83日			少量の尿の排泄が始まる．
妊娠中期		第2三半期	12週0日〜12週6日	84日〜90日	第4月		皮膚は赤みを増し，少しずつ不透明になる．
			13週0日〜13週6日	91日〜97日			額に産毛が生え始める，四肢の動きが活発化．男児はペニスが突出（女児の生殖器は遅れて発達）．
			14週0日〜14週6日	98日〜104日			
			15週0日〜15週6日	105日〜111日			呼吸様運動がみられるようになる．
			16週0日〜16週6日	112日〜118日	第5月		胎盤の完成　胴体が頭より大きく，頭部が身長の約1/3を占める．
			17週0日〜17週6日	119日〜125日			外性器で，性別がわかるようになる．飲み込んだりするような口の動きがみられる．
			18週0日〜18週6日	126日〜132日			手足の指がはっきりする．皮下脂肪がつき始める．
			19週0日〜19週6日	133日〜139日		19週末で約310g	

超音波検査での観察内容と標準値	妊婦図（腹部）	妊婦の変化		妊婦健診	主な妊婦健診項目	日常生活注意点
		生理的変化	心理・社会的変化			
		排卵・受精		初診		催奇形因子の防止（服薬・X線）
胎嚢（GS） 胎児心拍 6週でGS：1.5cm		免疫学的妊娠反応陽性（4週以降） 基礎体温高温持続 つわりの出現（5〜6週ごろ）	妊娠に対する喜びや幸福感の肯定的感情と当惑や不安の否定的感情の混在		問診 超音波検査	催奇形因子の防止（服薬など） 流産の予防 つわり症状への対応
胎児心拍 胎動 GS CRL 8週で GS：3.0cm 11週で CRL：4.0cm		頻尿，便秘がち 乳頭・乳輪部の着色	つわりなどの不快症状により否定的感情の強まり （夫/パートナー：父親としての責任の不確かさ，妻が身体的に変化していく様子や周囲の扱いに対する疎外感）		血液検査（血液型，不規則抗体，感染症，随時血糖） 子宮頸がん検診	母子健康手帳の交付 定期健診と診察内容の説明
胎児心拍 胎動 BPD FL 15週で BPD：3.0cm FL：1.6cm		つわり症状消失（12週ごろから） 基礎体温がしだいに低下		4週に1回	血液検査 超音波検査 耐糖能検査 細菌関連検査	体重コントロール 貧血予防 歯科検診
胎児心拍 胎動 BPD FL 19週で BPD：4.4cm FL：2.8cm		乳腺の発達により初乳がみられ始める． 帯下の増量 胎動の自覚（経産婦）	胎動の自覚によるわが子の実感 心理的安定と自己陶酔傾向 自己中心的，受動的感情の高まり			出産場所の決定 着帯とマタニティウェア 兄/姉となる子とのかかわり方

表 I-7 妊娠期の経過（続き）

区分	胎児(児)	出産	妊娠週数	妊娠日数*	妊娠月数	胎児図 (胎児の体長, 体重)	胎児の発育
妊娠中期 / 妊娠後半期 / 第2三半期	胎児	流産	20週0日〜20週6日	140日〜146日	第6月		皮下脂肪の発達が盛んになる.
			21週0日〜21週6日	147日〜153日			21週で体重500gに相当（WHO）.
	胎児（早産児）	早産	22週0日〜22週6日	154日〜160日			22週以降, 人工呼吸器の使用により肺でのガス交換が可能となる.
			23週0日〜23週6日	161日〜167日		23週末で約660g	頭髪が生え始める. 胎脂, 爪が認められる.
妊娠末期 / 第3三半期			24週0日〜24週6日	168日〜174日	第7月		肺の構造がほぼ完成する. 皮下脂肪が蓄積し始める. 眼や耳が外界の刺激に反応し始める. 眼の構造が完成し, 瞼を動かして開閉する. 頭髪, 睫毛, 眉毛が生え始める. 吸啜反射・把握反射などがみられる.
			25週0日〜25週6日	175日〜181日			
			26週0日〜26週6日	182日〜188日			
			27週0日〜27週6日	189日〜195日		27週末で約1,160g	
			28週0日〜28週6日	196日〜202日	第8月		サーファクタントが肺胞内に分泌され始める（出生時啼泣を認める）. 胎児姿勢をとる. 脳が急速に発達する. 光, 音, 痛み刺激に反応する.
			29週0日〜29週6日	203日〜209日			
			30週0日〜30週6日	210日〜216日			
			31週0日〜31週6日	217日〜223日		31週末で約1,800g	嚥下反射が不完全である.
			32週0日〜32週6日	224日〜230日	第9月		肺のサーファクタントが増加する. 嚥下反射が完成する. ほとんどすべての感覚器が整う. 皮膚は赤みをおびしわが多い. 味覚が発達する. 消化器機能がほぼ完成に近づく. 胎外での生活が可能となる.
			33週0日〜33週6日	231日〜237日			
			34週0日〜34週6日	238日〜244日			
			35週0日〜35週6日	245日〜251日		35週末で約2,500g	
			36週0日〜36週6日	252日〜258日	第10月		いつ胎外に出ても生存できる状態となる. 母体から免疫を獲得する. 骨盤内に下降し, 胎動が減少する. 1分間に約40回呼吸するリズムが形成される.
	胎児（正産児）	正期産	37週0日〜37週6日	259日〜265日			
			38週0日〜38週6日	266日〜272日			
			39週0日〜39週6日	273日〜279日		39週末で約3,100g	
			40週0日〜40週6日	280日〜286日			胎脂が減少する.
			41週0日〜41週6日	287日〜293日			
	胎児（過期産児）	過期産	42週0日〜42週6日	294日〜300日			

超音波検査での観察内容と標準値	妊婦図（腹部）	妊婦の変化		妊婦健診	主な妊婦健診項目	日常生活注意点
		生理的変化	心理・社会的変化			
胎児心拍 胎動 BPD FL 23週で BPD：5.6cm FL：3.9cm		胎動の自覚（初産） 初乳 不快症状の出現 （腰痛）	（夫/パートナー：超音波検査画像にて胎児の確認をすることで不確かさや疎外感の縮小，誇り高く崇高な思い）	4週に1回	超音波検査	母乳育児準備 出産前教室の受講 出産育児準備
胎児心拍 胎動 BPD FL 27週で BPD：6.8cm FL：4.9cm		不快症状の出現 （痔，静脈瘤）		2週に1回	耐糖能検査	早産予防 不快症状の予防 里帰り分娩に関する計画 バースプラン
胎児心拍 胎動 胎位 BPD FL 31週で BPD：7.8cm FL：5.8cm		心拍数ピーク 不快症状の出現 （食欲不振，腰痛）	分娩に対する関心の高まり，早く産みたいという期待と分娩に対する不安や恐怖，児の健康や成長についての不安，腹部増大による日常生活制限，不快症状などにより自己や胎児への内向性の助長 （夫/パートナー：妻と一緒に分娩・育児準備を始めることによる父親としての責任への実感）		血液検査 超音波検査	妊娠高血圧症候群の予防 職場への休暇届け
胎児心拍 胎動 胎位 BPD FL 35週で BPD：8.5cm FL：6.4cm		循環血液量ピーク 不快症状の出現 （呼吸苦，頻尿，帯下，こむらがえり） 子宮頸管の熟化開始				入院準備 入院時期・方法の確認 産前休暇
胎児心拍 胎動 胎位 BPD FL 39週で BPD：9.0cm FL：6.8cm		分娩前駆徴候 （胎児下降，前陣痛[前駆陣痛]，産徴など）		1週に1回	血液検査 超音波検査 （NST）	里帰り分娩の場合：帰省時期・方法の再確認
胎児心拍・胎動 胎位・BPD・FL 40週 BPD：9.0cm FL：7.0cm		胎盤の機能が徐々に低下	出産への不安と期待 家族の期待と不安，焦燥感	1週に1〜2回	41週以降は胎児well-beingを1〜2回/週程度評価する	

d. 祖父母の心理・社会的変化

妊婦とその夫/パートナーの両親も子どもの誕生に向けて，祖父母になることへの期待が大きくなる．

妊婦は，親役割モデルとして自己の両親を選択することが多く，妊娠期は妊婦にとってそれまでの親子関係を見直す時期となる．

祖父母は，娘（義理の娘）である妊婦を支援しながら孫の誕生を楽しみにしたいという思いをもつ一方で，世代の違いは，それぞれの社会背景に伴う妊娠期の生活や育児観の違いを生み出し戸惑いを感じることがある．祖父母として次世代を担う妊婦とその家族をどのように支えていくか，生まれてくる孫とどのようにかかわるかを考え，準備する時期である．

学習課題

1. 妊娠に関する用語の定義について整理してみよう
2. 胎児付属物はどのような構造をもち，どのような機能をもっているか整理してみよう
3. 胎内における胎児の各器官の特徴を整理してみよう
4. 妊娠に伴う妊婦の生理的変化について整理してみよう
5. 妊娠に伴う妊婦の心理的変化について整理してみよう

練習問題

Q1 受精と着床についての説明で正しいのはどれか． （第109回国家試験，2021年）
1. 卵子が受精能を持つ期間は排卵後48時間である．
2. 卵管采で受精が起こる．
3. 受精卵は受精後4, 5日で子宮に達する．
4. 受精卵は桑実胚の段階で着床する．

Q2 非妊時と比較し，妊娠期の身体的変化で正しいのはどれか．2つ選べ．
1. 呼吸数は減少する．
2. 食後は高インスリン血症となる．
3. 循環血液量は妊娠中期以降に約30～50％増加する．
4. 心拍出量は変化しない．

[解答と解説 ▶ p.547]

引用文献

1) 松山栄吉：学習ノート―母子保健用語の基礎知識．母性衛生 **35**（1）：7-12，1994
2) 鈴木雅彦：妊婦の血液動態．周産期医学 **26**（10）：1348-1354，1996
3) Finnbogadottir H, Crang Svalenius E, Persson EK：Expectant first-time fathers' experiences of pregnancy. Midwifery **19**（2）：96-105，2003

3 妊娠に伴う生理的変化と胎児の健康状態に関するアセスメントと援助

この節で学ぶこと

1. 妊娠に伴う母体の生理的変化を理解し，胎児の健康状態をアセスメントすることができる
2. 母児ともに健康な状態を維持・増進するためのセルフケア能力を高めるために必要な援助について理解し，立案することができる
3. 妊婦およびその家族員のそれぞれの役割獲得準備状況をアセスメントすることにより，妊婦およびその家族員が円滑に役割調整を行うための援助について理解し，立案することができる

A. 妊婦・胎児のアセスメントの視点

1 ● 妊婦・胎児のアセスメントの視点

妊娠に伴う母体の変化は胎児の発育のための生理的変化である．しかし，母親の年齢や既往歴，家族歴などの背景要因や生活習慣などの影響を受けることにより，正常からの逸脱に移行しやすい時期でもある．胎児も妊娠40週の間に各機能が発育・発達する．その発育過程においては形態異常などの先天的な疾患が生じるリスクがあり，母体の身体的状況が児の成長に影響する．また，胎児付属物などの胎内環境は児の健康状態に影響を及ぼす．妊娠期には定期的に妊婦健康診査を受けることにより，胎児の発育と健康状態，妊娠に伴う母体の生理的変化や不快症状の出現の有無と程度などを把握・アセスメントし，正常からの逸脱の早期発見に努める必要がある．

a. 妊娠期の妊婦・胎児の健康状態に関するアセスメントの視点

〈アセスメントの視点〉

- ＃ 胎児は，妊娠週数と比較して順調に発育しているか（B項参照）
- ＃ 胎児の健康状態は良好であるか（C項参照）
- ＃ 母体の身体的健康状態は正常範囲にあるか（D項参照）
- ＃ 妊娠経過におけるリスクや悪化徴候はないか（D項参照）
- ＃ 妊婦の日常生活は母児の健康状態の維持・向上に適した状態であるか（E項参照）

定期的な妊婦健康診査にて母児の経過をアセスメントし，母児ともに健康な状態を維持・増進することを目指して，母児の健康状態に応じた妊娠生活を送れるよう妊婦のセルフケア能力を高めるための健康相談・教育を提供する（E項参照）．

2 ● 妊婦健康診査

妊婦健康診査は，母子保健法（p.537の**資料2**参照）によりすべての妊婦が定期的に受けられるように勧められており，男女雇用機会均等法（p.539の**資料4**参照）により妊婦健康診査を受けるために必要な時間の確保を事業主に義務づけている．

a. 実施時期と費用

妊婦健康診査は，病院・産院，診療所，助産所にて行われ，医師および助産師が実施する．妊婦健康診査の間隔は，原則として初診から妊娠11週はおおむね3回程度，**妊娠12週～23週までは4週に1回，妊娠24週～35週までは2週に1回，妊娠36週以降分娩までは1週に1回**と定期的に，計13～14回実施されることが望ましい[1]とされている．ただし，正常からの逸脱が疑われる妊婦や既往妊娠異常のあるハイリスク妊婦は，状態に応じて妊婦健康診査の間隔が短くなる．

妊婦健康診査にかかる費用負担については，全都道府県で約14回程度の公費による補助を受けることができる[2]．市区町村の委託を受けた助産所を含む医療機関において受診票あるいは償還払いにより，公費による補助を受けることができる．

b. 妊婦健康診査の項目

妊婦健康診査は大まかに，問診（医療面接），外診，計測診，内診，臨床検査により行われる．子宮底長・腹囲・血圧・浮腫・尿タンパク・尿糖・体重については，母子健康手帳の記載項目であり，胎児心音もあわせて妊婦健康診査ごとにチェックする．また，妊娠時期ごとの妊婦健康診査項目は**表Ⅰ-8**に示すとおりである．

コラム 院内助産・助産師外来

院内助産・助産師外来とは，助産師が主体となって妊産褥婦とその家族の意向を尊重しながら安心・安全で快適な妊娠・出産とするための助産ケア提供体制である．安全な妊娠・出産に十分に配慮するために緊急時の対応が可能な医療機関において行われ，院内助産・助産師外来が可能な対象者の基準や異常の判断の基準，産科医師等への相談・報告の基準が定められており，助産師と産科医師等で情報を共有し，緊急時はすみやかに連携できる体制が整っている．「院内助産」は，助産師が分娩の介助を含め妊娠から産褥1ヵ月ころまで，正常・異常の判断を行い助産ケアを提供する．また「助産師外来」は，助産師が妊婦健診・産後健診において健康診査や保健指導を行う（産科医師が健康診査を行い，保健指導・母乳外来のみを助産師が行う場合はこれに含まれない[1]）．

『産婦人科診療ガイドライン―産科編2020』においても「助産ケア中心の妊娠・出産システム（院内助産システム）は，妊娠から肯定的（満足が高い）評価を受ける可能性があるとされている[2]．妊婦は，緊張感や切迫感なく「気持ちのゆとり」をもって受診でき，自分に関心を向けてもらえることで「助産師とのつながり」を持てる場として助産師外来をとらえている[3]という報告もある．

引用文献
1) 日本看護協会：平成29年度　厚生労働省看護職員確保対策特別事業　院内助産・助産師外来ガイドライン2018, 2018年3月
2) 日本産科婦人科学会/日本産婦人科医会（編・監）：CQ414, 助産ケア中心の妊娠・出産支援システムの対象にできる妊娠および分娩とその管理は？　産婦人科診療ガイドライン―産科編2020, p.241-244, 日本産科婦人科学会, 2020
3) 髙木静代, 小林康江他：妊婦の視点から見た助産外来を受診することの意味, 母性衛生53(2)：242-249, 2012

3. 妊娠に伴う生理的変化と胎児の健康状態に関するアセスメントと援助

表 I-8 妊娠時期ごとの妊婦健康診査項目（リスクのない妊婦を対象とする）

必要な検査	初診時	4〜12週	13〜19週	20週前後	24週ごろ	26週ごろ	30週ごろ	33〜36週	37週ごろ	41週以降
問診	○	○								
子宮頸がん細胞診		○								
計測										
身長	○									
体重	○	○	○	○	○	○	○	○	○	○
血圧	○	○	○	○	○	○	○	○	○	○
子宮底長			(○)	○	○	○	○	○	○	○
胎児心拍		○	○	○	○	○	○	○	○	○
浮腫評価			(○)	○	○	○	○	○	○	○
尿検査										
タンパク半定量	○	○	○	○	○	○	○	○	○	○
糖	○	○	○	○	○	○	○	○	○	○
内診・腟鏡診	○			○	○		○		○	○
血液検査										
風疹（HI）		○								
血液型（Rh含む）		○								
不規則抗体		○								
血球算定検査		○					○		○	
梅毒検査		○								
HBs抗原		○								
HCV抗体		○								
HIV抗体		○								
HTLV-1抗体		○[*1]								
トキソプラズマ抗体		○								
超音波検査										
胎囊・頭殿長	○	○								
胎児心拍確認	○	○								
頸管長					○					
胎児発育	○	○		○			○	○		
胎盤位置・胎位				○			○	○		
羊水量				○			○	○		
耐糖能検査[*2]										
随時血糖		○				○				
50 gGCT						○				
細菌関連検査										
細菌性腟症		○								
クラミジア				○[*3]						
GBS								○		
胎児well-being検査										○

[*1] HTLV-1抗体検査は初期が望ましいが遅くとも妊娠30週までに実施する．
[*2] 耐糖能異常スクリーニングは，全妊婦を対象とすることが望まれる．妊娠初期随時血糖と妊娠中期50 gGCTあるいは随時血糖による2段階スクリーニングが勧められる．
[*3] 治療が必要になることを考慮し，30週ぐらいまでに行うことが勧められる．

［日本産科婦人科学会/日本産婦人科医会（編・監）：CQ001, CQ003, CQ005-1, CQ106-2　産婦人科診療ガイドライン—産科編2020, p.1-2, 日本産科婦人科学会, 2020より作成］

(1) 問　診（医療面接）（表Ⅰ-9）

　問診では妊娠・分娩・産褥に影響すると考えられる基礎的情報について面談により収集し，リスクの有無をアセスメントする．とくに若年妊娠，高齢妊娠の場合は身体・社会的にハイリスクとなりやすい．高齢妊娠とは35歳以上の妊娠，若年妊娠とは20歳未満の妊娠である．いずれも母体の身体的リスクを伴う場合は，胎児への影響が懸念される．また，社会的リスクが高い場合は，親役割への適応状況と併せて基礎的情報を確認していく必要がある．とくにシングルマザー，ステップファミリー，サポート不足，20歳未満の若年妊婦，経済的問題や精神疾患を有している，初診が12週以降である，産後精神障害の既

表1-9　妊娠期の基本的情報の収集内容とアセスメントの視点

基礎的情報	情報収集内容	アセスメントの視点
年齢	若年妊婦：20歳未満 高年妊産婦：35歳以上	身体的リスクとなるか． 親役割への適応はどうか． 親になっていく過程はどうか．
婚姻状況	夫婦関係あるいはパートナーとの関係	婚姻関係にあるか．ひとり親か． 夫婦／パートナー間の関係性はどうか． 夫／パートナーの妊娠の受け止めはどうか．
家族構成	家族構成員の年齢・職業など 家族形態	子どもの誕生に向けて家族内の役割調整はどうか． 家族のセルフケア能力はどうか．
勤労状況 勤労負担	就労時間・内容・環境，通勤時間・手段 労働基準法・男女雇用機会均等法・母子保健法に基づく妊婦保護規定の認知と活用度	妊婦の生活への影響はどうか． 妊婦のストレスの程度はどうか．
経済状況	収入 妊婦健康診査・出産・育児用品の準備・養育環境の準備調整などへの経済的負担の程度	安全かつ快適な生活が送れているか． 母児の健康状態は維持されているか． 養育環境としてはどうか．
住居環境	高層階・過度の騒音 階段の昇降	妊婦の健康状態に影響しているか． 胎児の発育・健康状態に影響しているか． 妊婦にとって安全であるか．
月経歴	月経周期・月経血量・月経困難の有無	分娩予定日に影響を与えるものであるか． 妊娠・分娩に影響を与える状況があるか．
既往歴・現病歴	疾患の程度や治療状況 療養に対する考え方 妊娠に至るまでの経緯 現在の治療方針や妊娠継続の可否 投薬状況	妊娠継続のための治療は継続されているか． 疾患のコントロールに対するセルフケア能力はどの程度か．
家族歴	遺伝性疾患 近親婚 本態性高血圧疾患・糖尿病	妊娠，妊婦，胎児への影響はないか．
既往妊娠・分娩・産褥経過	流・早産の既往 切迫流・早産の既往 前回妊娠時の合併症 前回の分娩経過 前回の産褥・新生児経過（とくに母子分離を経験しているか否か）	今回の妊娠・分娩・産褥への影響はないか． 前回のできごとや経験をどのように受け止めているか． トラウマとして強く残っていないか． 日常生活上のセルフケア能力はどの程度か．
現在の妊娠	最終月経の初日・期間・月経血量 不妊治療の有無・治療期間・治療方法 望んだ妊娠であるか	分娩予定日はいつか． 妊娠や分娩・育児に対する受け止めはどうか． 母親になっていく過程はどうか．

（続く）

表 1-9　妊娠期の基本的情報の収集内容とアセスメントの視点（続き）

基礎的情報	情報収集内容	アセスメントの視点
妊娠前の生活習慣と妊娠後の生活習慣の変化	食生活 排泄習慣 清潔ケア 衣生活 休息・動静 性生活 家族の生活習慣 嗜好：本人および夫／パートナーの喫煙，飲酒	胎児への影響はどの程度か． 母体への影響はどの程度か． 母体の不快症状の程度はどの程度か． 妊婦はどのように調整しようとしているか． 家族員はどのように調整しようとしているか． 食生活・日常生活行動において地域における独特の習慣があるか．
ソーシャルサポート，手段的・情報的・情緒的サポート	実父母・義父母との関係性，居住地，生活状況 誰にどのようなサポートを期待しているか． 家事・育児をサポートしてくれる人は誰か． 誰から助言を得ているか． 不安や心配事の相談に乗ってくれる人は誰か．	家事・育児におけるサポートを得ることができるか． 情緒的なサポートを得ることができるか． 有効な情報が得られているか．
パーソナリティ	妊婦の性格特性 性格・態度・こだわりの強さ・受け止め・自己の自信や他者への信頼感	妊娠経過や妊娠体験のとらえ方はどうか． ストレス対処方法は何か．
自己像 自尊感情	自分はどのような人間であるか． 自分自身がどれくらい大切な人間であるか．	母親になっていく過程における強みは何か． 母親になっていく過程において影響することがあるか．

往があるなどのハイリスク要因を有している妊婦を**特定妊婦**（出産後の子どもの養育について出産前において支援を行うことがとくに必要と認められる妊婦［児童福祉法第6条］）というが，そういったハイリスク要因や妊娠届の提出や妊婦健康診査の受診状況についても確認していく必要がある（第V章参照）．

　問診を行う場合は，妊婦との専門的援助関係を築きながら情報を得ることが重要である．

(2) 外　診
　①視　診
　乳房・腹部・外陰部・皮膚の変化など，妊娠に伴い現れている徴候をみる．
　②触　診
　腹部を触診することにより胎児の胎位・胎向を確認する（レオポルド触診法，p.447 Skill 4 参照）．乳房を触診し，乳腺の発育を確認する．下肢を触診し，不快症状（マイナートラブル）の浮腫や静脈瘤の程度を確認する．
　③聴　診
　胎児心音を聴取する．

(3) 計測診
　妊娠高血圧症候群などの早期発見のために血圧・体重を測定する．また，胎児の発育の指標としている子宮底長・腹囲の測定を行う（p.445 Skill 2 参照）．

(4) 内　診 (p.444 Skill 1 参照)
　子宮・頸管・腟などを診察する方法であり，示指（または示指と中指）を腟内に挿入し，内性器や小骨盤腔内を触診する方法である．
・初診時：子宮，頸管，腟などの妊娠性変化，正常からの逸脱の有無について診察する．
・16週ごろまで：子宮の大きさ，硬さ，形を確認する．

・妊娠末期：子宮腟部の消失や短縮，子宮口開大の程度，胎児下降の程度を診察する．

(5) 臨床検査

①血液検査

・初診時あるいは妊娠初期に行われる臨床検査
- 血液型（ABO 型，Rh 型）．
- 感染症血清学的検査（梅毒血清反応，HBs 抗原，C 型肝炎抗体，風疹抗体，HIV 抗体，HTLV-1 抗体，トキソプラズマ抗体など）．

・定期的に行われる臨床検査
- 血液形態学的検査（白血球数，赤血球数，ヘモグロビン，ヘマトクリット，血小板数）．

・異常の早期発見
- 妊娠糖尿病：2 段階スクリーニング（第 1 段階：随時血糖測定．第 2 段階：随時血糖測定，あるいは 50 g 経口ブドウ糖負荷試験［50 gOGTT］）

・異常が疑われた場合
- 妊娠高血圧症候群が疑われたとき：血液凝固能検査，腎機能検査，肝機能検査．
- 内分泌疾患が疑われたとき：内分泌検査を行うことがある．

②尿検査（表 I-10）
- 妊娠高血圧症候群のスクリーニング：尿タンパク検査．
- 妊娠糖尿病あるいは糖尿病合併のスクリーニング：尿糖検査．

コラム

成人 T 細胞白血病（ATL）

　成人 T 細胞白血病（adult T-cell leukemia：ATL）[1,2]は，ヒト T 細胞白血病ウイルス（human T-cell leukemia virus type 1：HTLV-1）の感染による，120 万人に 1 人という T 細胞の悪化によるリンパ系悪性腫瘍であり，約 40 年の潜伏期間がある．また，成人 T 細胞白血病患者の約半数が九州・沖縄の患者であるという特徴をもつ．HTLV-1 の感染経路の 6 割以上は，母乳を介した母子感染であることから，2010（平成 22）年度より HTLV-1 抗体検査がすべての妊娠している女性を対象に市町村における公費負担のもと，標準的な検査項目に追加されている．HTLV-1 抗体の検査は妊娠初期に行うことが望ましいが，遅くとも 30 週ころまでには行うとされている．

　HTLV-1 の主な感染経路は経母乳による母子感染と性行為感染である．経母乳感染を完全に予防するためには母乳を遮断する必要がある．しかし，母乳育児は母子間の絆を深めるなど多くの利点もある．HTLV-1 母子感染予防対策マニュアル[3]では，母乳感染予防のための乳汁選択として，「原則として完全人工栄養を勧める．母乳による感染のリスクを十分に説明してもなお母乳を与えることを強く望む場合には，母乳による感染のリスクを十分に説明したうえで，短期母乳栄養（日齢 90 未満）や凍結母乳栄養という選択肢もある（p.274 参照）が，いずれも母子感染予防効果のエビデンスが確立されていないことを十分に説明する」としている．なお，母乳栄養に関する選択は妊娠期に説明し，意思決定の支援を行うのが望ましい．

引用文献
1) 日本産科婦人科学会／日本産婦人科医会（編・監）：CQ003　妊娠初期の血液検査項目は？　産婦人科診療ガイドライン―産科編 2020，p.6-7，日本産科婦人科学会，2020
2) 藤野敏則，堂地　勤：成人 T 細胞白血病ウイルス（HTLV-1）と母子感染．周産期医学 36（増）：125-127，2006
3) 板橋家頭夫：HTLV-1 母子感染予防対策マニュアル．平成 28 年度厚生労働行政推進調査事業費補助金・成育疾患克服等次世代育成基盤研究事業　HTLV-1 母子感染予防に関する研究，p.10-11，〔http://www.mhlw.go.jp/bunya/kodomo/boshi-hoken16/dl/06.pdf〕（最終確認：2018 年 2 月 26 日）

表Ⅰ-10 尿検査項目と基準値

尿タンパク		尿 糖	
試験紙反応	尿タンパク量の目安	試験紙反応	尿糖量の目安
(−)	20 mg/dL 未満	(−)	陰性
(±)	20〜30 mg/dL	(±)	50 mg/dL
(+)	30〜100 mg/dL	(+)	100 mg/dL
(2+)	100〜300 mg/dL	(2+)	500 mg/dL*
(3+)	300〜1,000 mg/dL	(3+)	2,000 mg/dL*

尿タンパク：≧＋を2回連続して認めた場合あるいは≧2＋を1回でも認めた場合にスクリーニング陽性と判断する．
尿糖：連続して出現する場合には，空腹時の尿糖および血糖を測定する．
*尿糖量の試験紙における基準は会社によって異なる．

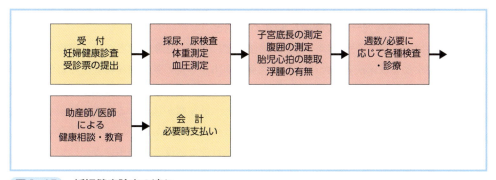

図Ⅰ-15 妊婦健康診査の流れ

c. 妊婦健康診査の流れ （図Ⅰ-15）

妊婦健康診査の主な流れは以下のとおりである．多くの施設では，受付終了後に，尿検査のための採尿を行い，自己測定にて体重測定・血圧測定を行う．

次に，計測診として，子宮底長と腹囲を測定する．腹囲は個人差が大きいこともあり測定していない施設も多くなってきている．続いてレオポルド（Leopold）触診法にて胎位・胎向を確認し，聴診にて胎児心音を聴取する．浮腫も観察する．

さらに週数に応じて，検査項目が組まれる（**表Ⅰ-8**）．貧血や血糖などの血液検査，医師による内診や超音波検査法を用いた診察，ノンストレステスト（non-stress test：NST），糖負荷検査が行われる．

これらの結果をもとに医師により，現在の状況と注意点などが説明される．施設によっては引き続きあるいは一定時期に助産師による健康相談・教育が行われる．

d. 妊娠中の諸手続き

妊娠期間中の手続きには以下のものがある．

(1) 妊娠の届け出と母子健康手帳および妊婦健康診査費用助成の受診票の交付

妊娠の届け出は，母子保健法第15条（p.538の**資料2**参照）に基づき，妊娠したものはすみやかに届け出をする義務があるために，住民票のある市区町村の役所や保健センター

に「妊娠届書」を提出することを伝える．

妊娠の届け出により**母子健康手帳**と**妊婦健康診査費用助成の受診票**が交付されるため，次回受診時より母子健康手帳と受診票を持参するように伝える．

(2) 産科医療補償制度の説明と手続き

産科医療補償制度は，分娩に関連して発症した重度脳性麻痺児と家族の経済的負担をすみやかに補償するとともに，原因分析を行い，同じような事例の再発防止に資する情報の提供などにより，紛争の防止・早期解決および産科医療の質の向上を図ることを目的とした制度である．この制度は分娩機関が加入するものであり，その加入分娩機関で出産した児で，基準を満たすものが補償対象となる．加入分娩機関は，妊婦に対して，制度の対象となる「登録証」を交付するために必要事項を記入することや，補償申請できる期間が満1歳の誕生日から満5歳の誕生日であることから，「登録証」の妊産婦用控を母子健康手帳にはさみこむなどして，満5歳の誕生日まで大切に保管することを伝える．

(3) 出産育児一時金制度に関する手続き

出産育児一時金とは，健康保険法などに基づく保険給付として，健康保険や国民健康保険などの被保険者またはその被扶養者が出産したとき，出産に要する経済的負担を軽減するために，一定の金額が支給される制度である．出産育児一時金の請求と受取を妊産婦に代わって医療機関が行う直接支払制度と，妊産婦が加入する健康保険組合などに手続きをして医療機関などへ直接支給される受取代理制度がある．いずれの場合も妊娠中に手続きが必要であるため，その分娩機関が利用可能な制度とその手続きについて説明する．

e. 健康相談・教育　(p.56参照)

妊婦が自身と胎児の健康を維持し，妊娠期をより快適に過ごし，妊娠・分娩・育児への不安に対してどのように取り組めばよいか準備を行うために，健康相談・教育が行われる．健康相談・教育は妊婦健康診査の結果を受けて個別に行われるものと，出産準備教育のような集団で行われるものがある．個別の健康相談・教育では，妊婦健康診査後に助産師との面談により行われ，妊婦健康診査の結果をもとに，現在の健康状態および生活状況に応じた援助が行われる．一方，集団での健康相談・教育は，複数の対象者に同時に行う講義・演習・グループワークとして行われる．妊娠・分娩・育児に向けた情報を総合的に得ることに加えて，同じ時期の妊婦が集まることにより，仲間づくりも意図することができる．同じ立場で情報交換や悩みの共有をすることにより支え合うことができる仲間づくりは，孤立しやすい現代において意義あるものとなる．妊娠・分娩・育児に向けた総合的な情報を得る集団による健康相談・教育と，個々の健康状態や生活状況に応じた個別の健康相談・教育を組み合わせながら行うことが重要である．

B. 胎児の発育に伴う母体の変化のアセスメント

1 ● 子宮の変化

a. 子宮底長と腹囲測定 （p.445 Skill 2 参照）

(1) 子宮の変化

①子宮底の変化

　子宮は，胎児の発育に伴い変化する．とくに子宮底長は，胎児の大きさに比例しているとされているため，胎児の発育を評価するための重要な指標となる．また，羊水異常を発見する手がかりにもなる．妊娠各期の**子宮底長**（恥骨結合上縁中央から子宮底までの長さ）と子宮底高（子宮底の位置）の平均的なものは表Ⅰ-11と図Ⅰ-16に示すとおりである．

②腹囲の変化

　腹囲も胎児の発育ならびに羊水の量によって変化する．正常妊娠の腹囲は，妊娠末期になると平均85〜90 cmになる．しかし，腹囲は母体の体重増加などの影響を受けやすいため，非妊時および妊娠初期の腹囲を把握しておく必要がある．腹囲が1 m以上になる場合は，羊水過多，巨大児，多胎妊娠などが考えられる．

表Ⅰ-11　妊娠週数と子宮底高・子宮底長の変化

妊娠週数	子宮底の高さ	子宮底長（恥骨結合上縁中央から子宮底までの長さ）	
妊娠16週	恥骨結合上2〜3横指	12 cm	目安：妊娠月数×3 cm
妊娠20週	恥骨結合上縁と臍の中間 臍下2横指	15 cm	
妊娠24週	臍高	21 cm	目安：妊娠月数×3＋3 cm
妊娠28週	臍上2〜3横指	24 cm	
妊娠32週	臍と剣状突起との中央	27 cm	
妊娠36週	剣状突起下2〜3横指	30 cm	
妊娠40週	臍と剣状突起との中央	33 cm	

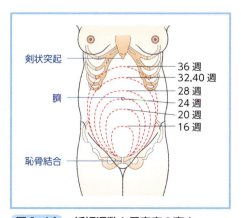

図Ⅰ-16　妊娠週数と子宮底の高さ

表Ⅰ-12 妊娠中の体重増加指導の目安

妊娠前の体格[*1]	BMI[*2]	体重増加量指導の目安[*3]
低体重（やせ）	18.5未満	12〜15 kg
ふつう	18.5以上25.0未満	10〜13 kg
肥満（1度）	25.0以上30.0未満	7〜10 kg
肥満（2度以上）	30.0以上	個別対応（上限5 kg）

[*1] 日本肥満学会の肥満度分類に準じた．
[*2] BMI（Body Mass Index）：体重（kg）/身長（m）^{2}
[*3]「増加量を厳格に指導する根拠は必ずしも十分でないと認識し，個人差を考慮した緩やかな指導を心掛ける」産婦人科診療ガイドライン─産科編 2020，CQ010，2020
[日本産科婦人科学会：妊娠中の体重増加指導の目安について．2021年3月8日より作成]

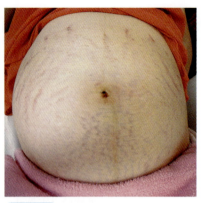

図Ⅰ-17 妊娠線

2● 体重の変化

妊婦の体重の増加量は，胎児の発育状態，妊婦の栄養状態の指標となる．日本産科婦人科学会（令和3年）[3]によると，妊婦の体重管理には，非妊時のBMI（体重kg÷身長m^2）に応じて，推奨される体重増加量が異なる（表Ⅰ-12）．

過度な体重増加は，妊娠高血圧症候群や妊娠糖尿病の誘因となり，少なすぎる体重増加は，胎児の発育障害の誘因となる．児が適正な体重で出生されることと産科的異常が発生するリスクを低く抑えることを目的としている．

体重増加をアセスメントする際は，栄養状態，日常生活動作，合併症の有無などの情報を関連させながら行う必要がある．

3● 皮膚の変化

妊娠第8月以降，胎児の発育に伴う子宮の増大と，母体の皮下脂肪沈着の増大により，腹部の皮膚が伸展すると，**妊娠線**（図Ⅰ-17）が生じることがある．腹部のほか，乳房，大腿，殿部などにも認める．妊娠期の妊娠線は暗赤色であるが，分娩後には退色し，光沢のある白色調となる．

C. 胎児の発育・健康状態のアセスメント

1● 胎児心音聴取

胎児心音は，胎児の生存の証であり，健康状態を反映する．

a. 最良聴取部位の特定　(p.447 Skill 4 参照)

胎児心音を聴取する際には，**最良聴取部位**（児背側）を特定することが重要である．最良聴取部位を特定するためには**レオポルド（Leopold）触診法**にて胎児の胎位・胎向（p.146の図Ⅱ-10参照）を判断し，児背側で聴取する．

b. 胎児心音聴取　(p.449 Skill 5 参照)

胎児心音の聴取には，超音波ドプラと，トラウベ（産科聴診器）が用いられる．

超音波ドプラ法における胎児の心拍数の正常範囲は**110～160回/分**である．トラウベ法にて聴取する際は，5秒間連続して3回聴取方法が用いられる．例「12・12・12」（5秒間の平均12回とすると1分間に144回と換算される．5秒間に平均9回以下である場合は，110回/分を下回っている可能性があり，連続的な胎児心音の観察を要する．

2● 胎児心拍数モニタリング

胎児心拍数モニタリングとは**分娩監視装置**を用いて，子宮収縮および胎児心拍数を連続して記録する検査である．その記録紙を**胎児心拍数陣痛図**（cardiotocogram：**CTG**）という（p.453 Skill 7 参照）．CTGの所見から妊娠期および分娩時の胎児の健康状態を評価することができる．妊娠期では，陣痛発来前の子宮収縮などのストレスのないときにモニタリングし，胎児の健康状態（well-being），中枢系の発達，予備能力（分娩時のストレスに耐えられるか）を評価する**ノンストレステスト**（non-stress test：**NST**）が行われる（p.451 Skill 6，p.458参照）．胎児の異常の有無あるいは異常の程度を確認するためにオキシトシンあるいは乳頭刺激を用いて人工的に子宮収縮を起こし，胎児の健康状態（well-being）を評価することをコントラクション・ストレス・テスト（contraction stress test：CST）という（p.459参照）．

3● 超音波検査 (p.446 Skill 3 参照)

超音波検査によって胎児の推定体重を算出することで（表Ⅰ-13, 図Ⅰ-18），胎児の発育が評価できる（図Ⅰ-19）．推定胎児体重（図Ⅰ-19e）を計算し，体重が10パーセンタイル未満（臨床的には推定胎児体重の−1.5 SD値以下を診断の目安に活用）の場合を**胎児発育不全**（fetal growth restriction：**FGR**）という（p.424参照）．FGRの胎児は発育，成熟の抑制または異常が認められることがあり，胎児機能不全，胎児死亡，周産期死亡につながりやすい．また，胎児の形態異常の有無，羊水量や胎児の運動を観察するためにも超音波検査が活用される（表Ⅰ-14, 図Ⅰ-20）．

超音波検査とNSTを用いて，5つのパラメータから胎児の状態を評価する方法を，**バイオフィジカル・プロファイル・スコアリング**（biophysical profile scoring：**BPS**）（表Ⅰ-15）という．5つのパラメータそれぞれが正常であれば2点，異常であれば0点として，計算し，合計が8点以上であれば，胎児の状態は良好であると判断する．BPSは30分以上の検査時間を要するためmodified BPSが用いられることもある．Modified BPSは，NST所見とAFIの2項目を評価する．いずれかに異常があった場合にBPSを行う．

4● 羊水検査 (表Ⅰ-16)

羊水は羊膜からの分泌物，肺からの分泌物と胎児の尿から産生されているため，羊水を調べることにより，胎児の健康状態をアセスメントすることができる．

5● 母体の感染症

母体の感染症は，胎児の発育ならびに健康状態に影響する．母体に感染している病原体が，妊娠・分娩・授乳を通じて児へ感染することを**垂直感染**（垂直伝播）という．垂直感

表Ⅰ-13 超音波検査における各時期の胎児測定部位

妊娠時期	測定部位	測定方法
妊娠8〜12週	頭殿長 (crown-rump-length:CRL)	頭部から殿部までの直線距離 妊娠初期のCRL値は個体差を認めないため、分娩予定日の算出のためにも用いられる(p.19参照).
妊娠12週以降	児頭大横径 (biparietal diameter:BPD)	頭蓋骨外側〜対側の頭蓋骨内側までの距離 妊娠12〜15週ごろまでは、妊娠週数の確認のためにも用いられる(p.19参照).
妊娠20週ごろ以降	大腿骨長 (femur length:FL)	大腿骨長軸における両端の距離
	体幹前後径 (anterior-posterior trunk diameter:APTD)	腹壁の皮膚中央〜対側皮膚の中央までの距離
	体幹横径 (transverse trunk diameter:TTD)	APTDに直交する横径（腹部の左右の幅）
	腹囲 (abdominal circumference:AC)	APTD, TTDを測定する位置の腹部周囲径

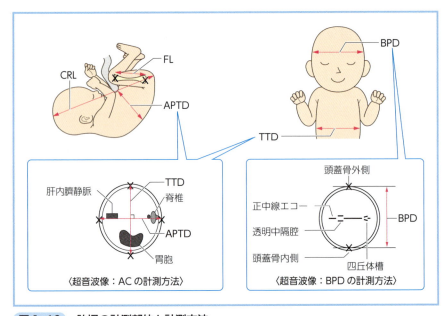

図Ⅰ-18 胎児の計測部位と計測方法

［下図. 日本超音波医学会 用語・診断基準委員会：超音波胎児計測の標準化と日本人の基準値. Journal of Medical Ultrasonics 36(5):420, 2003を参考に作成］

染の感染ルートには，**経胎盤感染**，**経産道感染**，**経母乳感染**などがある（**図Ⅰ-21**）．

主な病原体と感染経路，胎児に対する影響については，**表Ⅰ-17**に示す．

a. 経胎盤感染

経胎盤的に病原体が移行するものの代表的なものに，トキソプラズマ（*Toxoplasma*

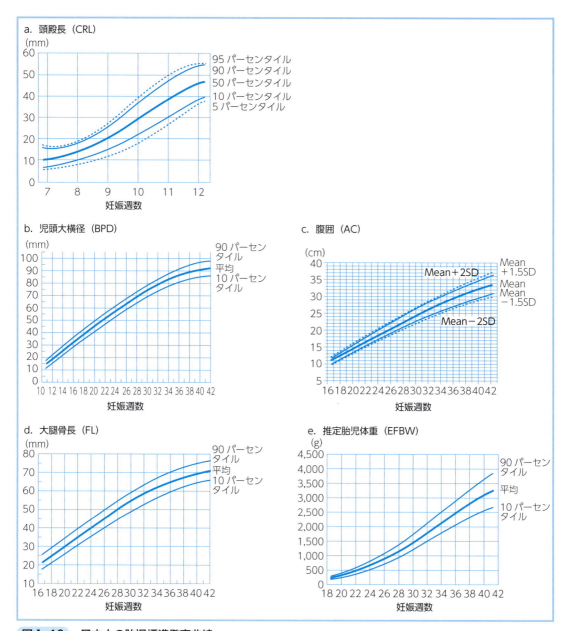

図Ⅰ-19 日本人の胎児標準発育曲線
10パーセンタイル以上90パーセンタイル以下であれば正常経過であると判断する.
［日本超音波医学会 平成14・15年度 用語・診断基準委員会（委員長 岡井 崇）：日本人の胎児標準発育曲線. 超音波医学30(3)：418, 424, 425, 430, 2003より引用］

gondii），風疹ウイルス（rubella virus），サイトメガロウイルス（cytomegalovirus），単純ヘルペスウイルス（herpes simplex virus）があり，その頭文字をとって**TORCH症候群**とよばれる．とくにこれらトキソプラズマ，風疹ウイルス，サイトメガロウィルスや梅毒トレポネーマによる胎内感染は先天異常を引き起こすことがある．胎児の器官の形成期に胎内感染をすると，肝臓，肺，腎臓，中枢神経系の異常が生じ，眼や耳などの感覚器に

表Ⅰ-14 超音波検査における胎児の状態の観察

胎児奇形の有無	頭部・胸部・腹部・脊柱の外表奇形・内臓奇形について確認する. 妊娠20週ごろに,少なくとも1回は異常の有無をチェックする.
胎児の呼吸様運動	胸壁の上下運動,横隔膜の上下運動を確認する.
胎動の観察	体幹の回転,体幹の上下運動,四肢の運動を確認する. 母親が胎動を実際に知覚し始めるのは16〜20週ごろからである. 最初に知覚した胎動を初覚胎動という.
筋緊張	四肢の伸展から屈曲位への復帰,体幹の伸展から屈曲位への復帰,手掌の開閉状態を確認する.
羊水量	羊水ポケット(amniotic fluid pocket:AFP):子宮壁に垂直に羊水腔に描ける円の最大径(cm). 最大羊水深度(maximum vertical pocket:MVP):床面に垂直にもっとも深いところ. 羊水インデックス(amniotic fluid index:AFI):子宮腔を臍窩を中心に4分割にし,それぞれにおける最大羊水深度を測定し合計した数値である.測定方法は図Ⅰ-20参照. 評価方法 ・羊水過多:AFPまたはMVP 8 cm以上,AFI 24または25 cm以上,羊水量800 mL以上 ・羊水過少:AFPまたはMVP 2 cm以下,AFI 5 cm以下,羊水量100 mL以下

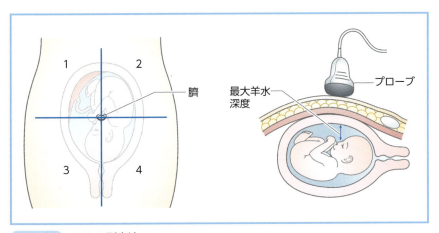

図Ⅰ-20 AFIの測定法
プローブを母体の矢状断面に平行に保ちながら動かして各分画ごとの最大羊水深度を測定する.

も重篤な障害や後遺症を残すことがある.また,胎盤に炎症が起こると胎児発育不全が起こる.

これらの感染症のうち,梅毒,風疹は妊娠中に抗体検査が行われ,トキソプラズマも抗体検査が行われることがある.トキソプラズマは妊娠中に抗菌薬を使用することで胎児の感染による重篤化を防ぐことが期待されている.母体に感染が疑われる場合,妊娠期は超音波検査などにより胎児の異常の有無を確認していく必要がある.また,出生後は新生児の血中(臍帯血)IgM抗体を測定し,感染が疑われる場合は,長期的に経過観察していく必要がある.

表Ⅰ-15 バイオフィジカル・プロファイル・スコアリング（BPS）

a. バイオフィジカル・プロファイル		
観察項目	判定	
	正常（2点）	異常（0点）
呼吸様運動（fetal breathing movement：FBM）	30分間の観察で30秒以上続くFBMが1回以上，しゃっくり様運動も含む．	30分間の観察でFBMが認められないか，30秒以上持続するFBMが認められない．
胎動（体幹の上下運動・体幹の回転・四肢の運動）（gross fetal body movement：BM）	30分間の観察で体幹か四肢の動きが3回以上．	30分間の観察で体幹か四肢の動きが2回以下．
筋緊張（四肢の伸展から屈曲位への復帰，体幹の伸展から屈曲位への復帰，手掌の開閉）（fetal tone：FT）	屈曲位の体幹や四肢が伸展し屈曲位に戻る運動が30分間に1回以上，手掌の開閉運動も含む．	屈曲位の体幹や四肢が伸展し屈曲位に戻る運動が欠如している．
羊水量（quantitative amniotic fluid volume：AV）	直交する2つの垂直平面像で2cm以上の羊水ポケットが1つ以上．	直交する2つの垂直平面像で羊水ポケットが認められないか，2cm以下．
ノンストレステスト（non-stress test：NST）	NSTで胎児運動に一致して15 bpm以上，15秒以上の一過性頻脈が20分間に2回以上．	15 bpm以上，15秒以上の一過性頻脈が20分間に2回未満か，15 bpm以上の一過性頻脈が認められないもの．

b. 診断と管理方針		
合計点	診断	管理方針
10〜8点（羊水量正常）	正常	経過観察とし，週1回の検査を繰り返す．糖尿病妊婦や過期妊婦では週2回再検する．
8点（羊水量過少）	潜在性胎児機能不全の疑い	胎児適応にて分娩．
6点（羊水量正常）	胎児機能不全の疑い	1）36週以上かつ頸管が成熟の場合分娩． 2）36週未満，頸管未成熟，L/S比2未満の肺未成熟の場合24時間以内に再検査． 　┌8点以上であれば経過観察． 　└6点以下であれば分娩．
6点（羊水量過少）	胎児機能不全の疑い	胎児適応にて分娩．
4点	胎児機能不全を強く疑う	同日に再検査し， 　┌8点以上であれば経過観察． 　└6点以下であれば分娩．
0〜2点	胎児機能不全	胎児適応にて即時分娩．

合計が8点以上であれば良好な状態．6点以下は胎児機能不全を疑い急速遂娩が必要と判断する．
［秋山芳晃，北川道弘：Biophysical profile—BPP．周産期医学30（増）：131，2000を参考に作成］

表Ⅰ-16 羊水検査

出生前診断 （しゅっせいぜんしんだん（しょう））	羊水内の染色体を分析することにより，染色体異常（18トリソミー・21トリソミーなど）を診断する． 酵素活性を分析することにより先天性代謝異常疾患，X染色体劣性遺伝疾患を診断する．
胎児の肺の成熟度を評価	羊水中の肺サーファクタント（p.373参照）を測定する． ・肺サーファクタントとは，肺胞虚脱を防ぐための界面活性物質であり，出生後の児の呼吸確立のための重要な物質であり，肺より分泌され，羊水中に流出する． ・肺サーファクタントの一部であるレシチン（lecithin：L）とスフィンゴミエリン（sphingomyelin:S）の比が妊娠期間中ほぼ一定であるという特徴をふまえてL/S比測定が用いられる．L/S≧2（＝レシチンの量が多い）の場合，肺が成熟している． ・羊水の希釈液を試験管に入れ，激しく振った後に泡沫の有無を確認する（シェイクテスト：泡沫が多い場合，肺が成熟している）．
腎機能の評価	羊水中のクレアチニンを測定する：38週以降の胎児では2.0 mg/dL以上．
絨毛膜羊膜炎の診断やウイルス感染の診断	羊水の感染検査を行う．

> **コラム**
>
> **出生前診断**
>
> 　出生前診断は，胎児の異常の有無を診断することを目的に妊娠中に実施する検査のことである．2013（平成25）年に無侵襲性出生前遺伝学検査（non-invasive prenatal testing：NIPT）が導入された．その他に，従来からある母体血清マーカーや羊水検査，絨毛検査がある．詳しくは，『母性看護学Ⅰ』を参照してほしい．これらについては，異常が診断された際に人工妊娠中絶へと意思決定されることも多く，適切かつ十分な遺伝カウンセリングのもとで実施されることが望ましい．一方，超音波検査は，通常の妊婦健康診査の際に妊娠経過の正常・異常の鑑別を目的に行われる．この場合，意図せずに胎児形態異常が発見される場合があり，広義の出生前診断の1つであるとされているが，妊婦にとっては出生前診断という認識が低い．その結果，十分な説明がないまま検査を受け，唐突に胎児の異常が発見されることがあり，文書で同意を得るなどより注意深い実施が求められる．『産婦人科診療ガイドライン―産科編2020』に留意点が記載されているので参照されたい．さらに，異常が疑われた場合，親にとっても衝撃が大きく，さまざまな意思決定が求められるため，十分な支援が必要となる．

b. 経産道感染

　経産道感染としては，B群溶血性連鎖球菌（group B *Streptococcus*：GBS）やカンジダ，B型肝炎（hepatitis B：HB）ウイルスなどがある．GBSは，母体の2割程度が保有しており，放置すればそのうち1％程度の新生児が感染により発症するといわれる．感染した場合，敗血症や髄膜炎を発症し，予後不良例も多い．そのため，米国の疾病管理予防センターのガイドラインにならい，日本でも，妊娠末期に腟前庭におけるGBSの検査を行い，GBS陽性であり経腟分娩する場合には，分娩時（破水後）に抗菌薬を投与することが推奨されている．

　カンジダは，鵞口瘡（がこうそう）や殿部への感染などがよく認められ，1人が発症すると，水平感染し急速に広がることがある．できる限り妊娠中に発見し，抗真菌薬などで治療することが望ましい．

表Ⅰ-17 主な病原体と感染経路，胎児に対する影響

疾患	病原体	主な感染経路	児への感染予防方法	胎児・新生児への影響
風疹	風疹ウイルス	経胎盤感染 妊娠12週未満	〈妊娠前〉風疹ワクチン予防接種 〈妊娠中〉風疹抗体価測定により判断	先天性風疹症候群（CRS） ・白内障 ・心奇形（動脈管開存症など） ・難聴
サイトメガロウイルス（CMV）感染症	CMV DNAヘルペスウイルス	経胎盤感染および経母乳感染	〈妊娠中〉初感染防止 乳幼児からの飛沫・水平感染が多いため小児の唾液や尿との接触に注意（手洗いの励行など） 〈母乳育児〉 超早産児の場合，母乳育児の検討	巨細胞封入体症（CID） ・脳・神経（小頭症・脳内石灰化・神経運動発達遅延） ・目（網脈絡膜炎） ・耳（感音性難聴） ・皮膚（貧血・黄疸・出血斑） ・体重（低出生体重児） ・肝臓・脾臓変化（肝脾腫）
単純ヘルペスウイルス（HSV）感染症	HSV	経産道感染	外陰部潰瘍病変がある場合は帝王切開	新生児ヘルペス ・表在形：皮膚・口腔・目に限局する水疱 ・中枢神経系：脳炎による中枢神経症状 ・全身型：発熱・哺乳量の低下・敗血症様症状・播種性血管内凝固症候群（DIC），多臓器不全
B型肝炎（HB）	B型肝炎ウイルス（HBV）	経産道感染	〈妊娠中〉HBs抗原検査，HBe抗体検査 〈生後〉HBワクチンおよび抗HBs人免疫グロブリン（HBIG）投与	無症候性キャリア （10～30歳代で一過性肝炎を発症することがある） （p.434の図Ⅵ-26参照）
ヒト免疫不全ウイルス（HIV）感染症	HIV	経胎盤感染 経産道感染および経母乳感染	〈妊娠中〉母体・ジドブジン*投与 〈分娩〉帝王切開 〈母乳育児〉禁止，人工栄養を選択 〈生後〉新生児へのジドブジン*投与	新生児後天性免疫不全症候群（AIDS） AIDSキャリア化
HTLV-1感染症	HTLV-1	経母乳感染	母乳育児の検討 （p.38，274参照）	ATLキャリア化 （ごく一部が30歳代以上でATL発症）
C型肝炎（HCV）	C型肝炎ウイルス	経産道感染	〈分娩〉HCV-RNA最高値群の場合の分娩様式を妊婦・家族の意思を尊重して検討 〈生後〉生後3ヵ月から12ヵ月の間に3ヵ月以上開けて少なくとも2回のHCV-RNA検査，生後18ヵ月以降にHCV抗体検査	小児C型慢性肝炎
パルボウイルスB19感染症（伝染性紅斑，リンゴ病）	ヒトパルボウイルスB19	経胎盤感染	〈妊娠中〉胎児の状態を超音波検査にて確認	先天性PVB19感染 ・胎児貧血 ・胎児水腫 ・心不全

（続く）

表Ⅰ-17 主な病原体と感染経路，胎児に対する影響（続き）

疾患	病原体	主な感染経路	児への感染予防方法	胎児・新生児への影響
トキソプラズマ症	トキソプラズマ原虫	胎盤感染	〈妊娠中〉初感染時はスピラマイシンで治療，羊水PCR陽性時はピリメタミン，スルファジアジン，ロイコボリンで治療	先天性トキソプラズマ症 ・水頭症 ・視力障害 ・頭蓋内石灰化 ・精神運動機能障害　など
梅毒	梅毒トレポネーマ	経胎盤感染 経産道感染	〈妊娠中〉18週以前の母体へのペニシリン投与	胎児水腫 流産・早産 胎児発育不全（FGR） 常位胎盤早期剝離 先天梅毒
B群溶血性連鎖球菌（GBS）感染症	GBS（腟内の常在細菌）	経産道感染	〈分娩中〉母体へのペニシリン点滴静注 （妊娠中の経口でのペニシリン投与は無効）	約1％に発症 絨毛膜羊膜炎による早産 呼吸困難 敗血症
性器クラミジア感染症	クラミジア・トラコマチス	経産道感染	〈妊娠中〉母体へのマクロライド系抗菌薬投与	流産・早産 新生児肺炎 新生児結膜炎

CRS：congenital rubella syndrome,先天性風疹症候群，CMV：cytomegalovirus,サイトメガロウイルス，CID：cytomegalic inclusion disease，巨細胞封入体症，HSV：herpes simplex virus，単純ヘルペスウイルス，HB：hepatitis B，B型肝炎，HBV：hepatitis B virus，B型肝炎ウイルス，HBIG：HBs immunoglobulin，抗HBsヒト免疫グロブリン，HIV：human immunodeficiency virus，ヒト免疫不全ウイルス，AIDS：acquired immunodeficiency syndrome，後天性免疫不全症候群，GBS：group B streptococcus，B群溶血性連鎖球菌.
＊ジドブジンはAZT（アジドチミジン）ともいう．抗HIV薬．

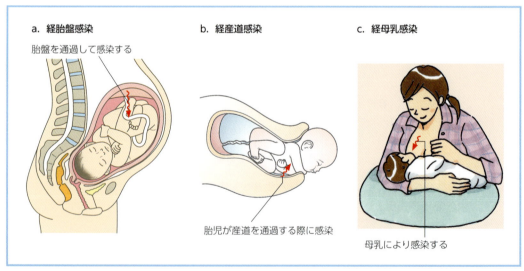

図Ⅰ-21 母子感染経路

コラム 妊娠に影響を与える感染症の動向

母体および胎児に影響を与える感染症はさまざまあるが、近年その動向が注目を集めている感染症について述べる。

●風疹

風疹は、先天性風疹症候群（CRS）のリスクがある。風疹は感染力が強いがワクチンが有効である。しかし、1979（昭和54）年4月生まれ以前の男性は風疹ワクチン接種機会がなかったことから、男性の感染者から妊婦への感染のリスクがある。風疹の症状や感染力、妊婦・胎児への影響等について正しく理解できるよう周知するとともに、妊娠を希望する女性、妊婦およびその同居家族に対し、風疹抗体検査を受けることを促し、抗体検査の結果、抗体価が低かった場合に予防接種を受けることを周知していく必要がある[1]。

●梅毒

梅毒は、流産、死産のリスクのほかに、児の発育不全や先天梅毒のリスクがある。2014（平成26）年以降梅毒が増加している[2]。並行して先天梅毒の報告も増加している[2]という。梅毒は妊娠初期〜23週までの間に血液検査が行われる。梅毒に感染している妊婦に対して、適切な抗菌薬治療を分娩の4週間前までに完遂することにより先天梅毒が予防できるといわれている。梅毒は性感染症であることから感染を防ぐための予防行動の情報提供を行っていくとともに、妊婦健康診査を受けることが、早期発見につながることについても周知していく必要がある。

●ジカウイルス

ジカウイルス感染症は、蚊によって媒介される感染症であり、近年注目されている。妊娠中にジカウイルスに感染することにより、経胎盤および産道感染により小頭症を特徴とした先天異常との関連も指摘されている。妊婦の流行地への旅行の差し控え、流行地における防蚊対策、性交渉による感染の予防について周知する必要がある。

引用文献
1) 厚生労働省健康局：風しんの発生状況について，2018，〔https://www.mhlw.go.jp/content/10601000/000360787.pdf〕（最終確認：2022年3月14日）
2) 厚生労働省健康局：梅毒の発生動向の調査および分析の強化について，〔https://www.mhlw.go.jp/file/05-Shingikai-10601000-Daijinkanboukouseikagakuka-Kouseikagakuka/0000203809.pdf〕（最終確認：2022年3月14日）

コラム 「インフルエンザ、大丈夫？」に答えよう

「インフルエンザの予防接種を受けて大丈夫ですか？」

妊婦・授乳婦へのワクチン接種は、母体だけでなく、胎児または新生児への影響を考える必要がある。すなわち、ワクチン接種は有効性がその危険性を上回ると判断された場合に行われる。通常、妊婦への生ワクチンの接種は、ワクチンウイルスが胎児へ移行する理論上の危険性があるために禁忌である[1]が、日本で使用されるインフルエンザワクチンは、不活化ワクチンであり、インフルエンザシーズン中の妊婦のインフルエンザワクチン接種は妊娠週数にかかわらず推奨されている[2]。また、授乳婦へ生ワクチン、不活化ワクチンを接種しても、母乳の安全性に影響を与えないとされている[2]。

「抗インフルエンザ薬を飲んでも大丈夫ですか？」

2007年米国疾病予防センター（CDC）ガイドラインによると抗インフルエンザウイルス薬を投与された妊婦および出生した児に有害事象の報告はないという記載がある。妊婦および分娩後2週間以内の褥婦がインフルエンザ様の症状を認めた場合は、症状出現後48時間以内に治療を開始するべきであり、また医薬品は吸入薬使用による呼吸器への副作用の懸念から内服薬であるオセルタミビルが望ましいとしている。また、母乳中への移行は少量であり、抗インフルエンザ

ウイルス薬投与と授乳は両立するとしている[3]．さらにインフルエンザ患者と濃厚接触した重症化しやすい妊婦，分娩後2週間以内の褥婦への抗インフルエンザウイルス薬予防投与は有益性があるとしている[3]．

引用文献
1) 日本産科婦人科学会／日本産婦人科医会（編・監）：CQ101妊婦・授乳婦から予防接種について尋ねられたら？ 産婦人科診療ガイドライン―産科編2020, p.52-53, 日本産科婦人科学会, 2020
2) 国立成育医療研究センター 妊娠と薬情報センター：インフルエンザ最新情報，〔http://www.ncchd.go.jp/kusuri/news/h1n1.html〕（最終確認：2020年8月21日）
3) 日本産科婦人科学会／日本産婦人科医会（編・監）：CQ102妊婦・褥婦へのインフルエンザワクチン，および抗インフルエンザウイルス薬の投与について尋ねられたら？ 産婦人科診療ガイドライン―産科編2020, p.54-55, 日本産科婦人科学会, 2020

D. 妊娠に伴う生理的変化および不快症状のアセスメント

1 ● 生殖器の変化のアセスメント

a. 腟・外陰部の変化

(1) 帯下（腟分泌物）

妊娠により，腟の自浄作用は高まるが，酸に強いカンジダは増殖を起こすこともある．外陰部の瘙痒感や疼痛，異常な帯下があるときは，腟炎を疑う（**表Ⅰ-18**）．

(2) 静脈瘤

外陰部に静脈瘤を認めることもあるため，静脈瘤の部位，程度，痛みなどを確認する．

b. 乳房の変化

①乳房の形態，②乳頭・乳輪部の形態は，母乳育児の容易性・困難性をアセスメントするために重要な情報であり，視診や触診により情報を得てアセスメントし，母乳育児を希望する妊婦に対し，準備方法をアドバイスする．

①乳房の形態（p.275の**図Ⅲ-14**参照）

乳房をタイプ別に分類する．乳房を立位側面からみて，乳頭の中心から胸骨上縁からの垂直線が分ける上半分aと下半分bの面積の大きさにより4つに分類する．

表Ⅰ-18 腟炎に伴う帯下（腟分泌物）の状態と症状，治療

疾患名（原因）	帯下（腟分泌物）の状態	症状	治療
トリコモナス腟炎（トリコモナス［原虫］）	多量の泡沫を含む白色や黄色の帯下が増量し，悪臭がある．	腟や大小陰唇の瘙痒感や痛み 腟壁や子宮頸部の発赤 性交痛や軽度の出血 尿道炎や膀胱炎	メトロニダゾール抗原虫薬 内服あるいは腟錠
カンジダ腟炎（カンジダ・アルビカンス［真菌］）	白色帯下（酒かす状，粥状，ヨーグルト状）が増量し，悪臭がある．	外陰部や腟内の瘙痒感や痛み	抗真菌の腟錠・クリーム
クラミジア（トラコマチス［細菌］）	水様透明の漿液性帯下（ただし，症状の乏しい不顕性感染も多い）	頻尿 排尿時や性交時の痛み 不正出血 下腹部痛	抗菌薬の内服

②乳頭・乳輪部の形態

乳頭の大きさと突出の程度が児の吸啜（きゅうせつ）の容易さに影響するため，乳頭の形態および大きさ・長さなどを観察し，妊娠中の手入れ（てっ）についてアドバイスする（p.461 Skill 9 参照）．

裂状乳頭・扁平乳頭・陥没乳頭は，母乳育児時にトラブルを起こしやすくなるため，その程度に応じた手入れが必要となる．また，妊娠中期以降，初乳の分泌が認められるようになり，初乳が乳頭のうえで乾燥し，硬化するとかさぶたのようになる．初乳分泌の程度と乳頭・乳輪部の皮膚の状態を観察し，清潔方法についてアドバイスする．

2 ● 全身の変化のアセスメント

a. 体 温

妊娠初期，非妊時より0.2〜0.3℃高くなり，37℃以上の微熱を示すことも多いが，37.5℃を超える場合は，何らかの感染症による発熱を疑う．多くみられる感染症は，インフルエンザや尿路感染症などである．

b. 呼吸器系

呼吸数は妊娠末期10％程度増加する．また，妊娠末期は，子宮の増大に伴い，呼吸運動が妨げられるため，胸式の肩呼吸や息切れなどの症状に留意する．

c. 循環器系

(1) 脈 拍

脈拍は妊娠14週ごろよりしだいに増加し，妊娠末期に最大となる．安静時100回/分までの頻脈は生理的範囲内である．多くの妊婦が動悸を訴えるが，そのほとんどが一過性のものである．

(2) 血 圧

細動脈の弛緩・弾性増加により，末梢血管抵抗は減少し，血圧には大きな変動は認められない．『高血圧治療ガイドライン2019』では成人の血圧の正常域と高値血圧を**表Ⅰ-19**のように分類している．それ以上の場合は妊娠高血圧症候群（p.115参照）としてほかの症状とともに注意深い観察が必要である．一方，妊娠中は，血管運動神経中枢が不安定であり，起立時に一過性の立ちくらみやめまいを起こしやすくなる（起立性低血圧症）．また，妊娠末期には，仰臥位になると増大した妊娠子宮によって下大静脈が圧迫され，低血圧をきたすことがある（**仰臥位性低血圧症候群**）．

表Ⅰ-19 成人における血圧の正常域と高値血圧の分類

分類	診察室血圧（mmHg）			家庭血圧（mmHg）		
	収縮期血圧		拡張期血圧	収縮期血圧		拡張期血圧
正常血圧	＜120	かつ	＜80	＜115	かつ	＜75
正常高値血圧	120〜129	かつ	＜80	115〜124	かつ	＜75
高値血圧	130〜139	かつ/または	80〜89	125〜134	かつ/または	75〜84

［日本高血圧学会高血圧治療ガイドライン作成委員会（編）：高血圧治療ガイドライン2019, p.18, ライフサイエンス出版, 2019より許諾を得て改変し転載］

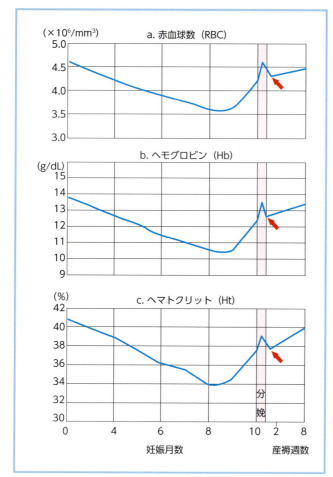

図Ⅰ-22 妊娠中の赤血球数，ヘモグロビン，ヘマトクリットの推移

➡：分娩から3〜4日後，数字が下がりその後上昇する．

[杉山陽一（監）：産科・婦人科臨床マニュアル，p.98, 金原出版, 1986より引用]

(3) 妊娠性貧血

　妊娠32〜36週のころ血漿量がピークとなり（p.24の**図Ⅰ-13**参照），母体の血液は相対的に薄まった状態となる（**図Ⅰ-22**）と同時に，胎児発育のために多くの鉄を胎児に供給するため，妊娠性貧血を合併しやすい．末梢血による妊娠性貧血の診断基準は，ヘモグロビン（Hb）11.0 g/dL未満，および／またはヘマトクリット（Ht）33％未満である．さらに妊娠性貧血のうち，小球性低色素性（平均赤血球容積［MCV］≦80 fL，平均赤血球色素濃度［MCHC］≦30％）で，血清鉄低下，総鉄結合能（TIBC）上昇など鉄欠乏が確認される場合は，妊娠性鉄欠乏性貧血と診断される．多くは無症状であるが，貧血が高度な場合は，易疲労性，めまい，動悸，息切れなどの自覚症状や顔面・爪床の蒼白など他覚症状に留意する．また，胎児への酸素不足により早産や低出生体重児のリスクが高まる．分娩のときに出血量が増加するリスクとなり産後の回復を阻害する．

(4) 浮腫

　浮腫の部位（下肢，手指，腹部，顔面，全身）を観察し，症状の程度を確認する．
　下肢の浮腫は脛骨上あるいは足背を圧迫し，圧痕の程度を観察する（**図Ⅰ-23**）．同時に，下肢のだるさや靴の履きにくさの自覚症状を確認する．手指の自覚症状としては，指

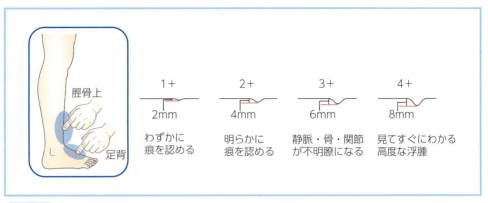

図Ⅰ-23 浮腫の重症度の判断

［籠 玲子：外皮系．NiCEヘルスアセスメント，第2版（三上れつ，小松万喜子編），p.122，南江堂，2017より作成］

の握りにくさ，しびれ感，指輪のきつさなどを確認する．そのほか，尿量の減少や口渇を認める場合は，妊娠高血圧症候群の精査を行う．

(5) 静脈瘤

静脈瘤とは，静脈壁が薄く伸展し，静脈の直径が拡大することをいう．結節状の瘤が血管の走行に沿って現れる．静脈瘤の部位（膝の屈曲部位，外陰部，腟壁，肛門，大腿部，下腿部）を確認し，その症状について確認する．主な症状は，腫瘤の形成，腫瘤部の緊満感，疼痛，色素沈着などである．過度な子宮増大や，長時間の立位姿勢，身体を圧迫する衣服，カルシウムやビタミンCの不足などは静脈瘤を増悪する要因となるため，子宮底長や生活状態を合わせてアセスメントする．

d. 糖代謝

妊娠中は，正常な経過であっても胎児にグルコースを供給するために，血糖値を一定範囲内に保つ耐糖能が低下する（p.25参照）．

妊娠中に発症するあるいは，妊娠中にはじめて発見された糖代謝異常を**妊娠糖尿病**（GDM）という．ただし，妊娠中の明らかな糖尿病はGDMには含まれない．

GDMを早期発見するために，毎回の妊婦健康診査時に尿糖を検査する．また『産婦人科診療ガイドライン—産科編2020』では，妊娠糖尿病スクリーニングを全妊婦に対して行うことを推奨しており，妊娠初期と妊娠中期の2段階スクリーニングを行う．

(1) 妊娠糖尿病（GDM）のスクリーニング

①第1段階

妊娠初期にはとくに「妊娠中の明らかな糖尿病」を見つけるために，随時血糖値測定（食後時間を考慮せず血糖値を測定する方法）を行う．

- 随時血糖値が95 mg/dLあるいは100 mg/dL未満の場合は陰性と判断する．
- 随時血糖値が95 mg/dLあるいは100 mg/dL以上の場合は陽性と判断し，75 g経口糖負荷試験（75 g oral glucose tolerance test：75 gOGTT）を実施する．

②第2段階

妊娠中期（24〜27週）に随時血糖測定あるいは50 g経口ブドウ糖負荷試験（50 gGCT：

食事摂取の有無にかかわらずブドウ糖50gを飲用し，1時間後の血糖値を測定する方法）を行う．
- 随時血糖値100 mg/dL未満，50 g GCTが140 mg/dL未満の場合は陰性と判断する．
- 随時血糖値100 mg/dL以上，50 g GCTが140 mg/dL以上の場合は陽性と判断し，75 gOGTTを実施する．

GDMの診断における75 gOGTTの基準は糖尿病の診断基準（p.120，121参照）よりもさらに厳格なものになっている．

e. 消化器系

妊娠初期にはつわり症状，妊娠中期・末期には，便秘や痔，胸焼けなどの不快症状（マイナートラブル）が生じる．

f. 不快症状（マイナートラブル）（表Ⅰ-20）

妊娠中には，妊娠中のプロゲステロン，エストロゲンのホルモンの作用に伴う不快症状や子宮の増大が加わることによる不快症状が生じる．

E. 妊婦のセルフケア能力を高めるための援助

妊娠によって，女性のからだは生殖器だけでなく全身性にも変化をきたし，心理・社会的にも非妊時とは異なる変化を遂げる．妊婦はこうした変化に適応し，健康の維持・増進を図り，心身ともに快適に過ごすために，異常を回避し不快症状へ対処しながら日常生活を送る必要がある．また出産・産後に向けた心身の準備や，新しい家族を迎えるための親役割の準備も進める必要がある．そのため妊婦が自己の妊娠経過を理解し，**セルフケア**能力を高めることができるように援助が必要となる．

セルフケア能力を高める援助の1つとして**健康教育**がある．一般には，定期健康診査時行われる個別の方法と，母親学級や両親学級に代表される集団で行われる方法がある．より個別に応じた援助が必要な場合は，あらためて場を設定し行われることもある．近年では集団で行われる祖母・祖父を対象とした祖父母学級などもある．いずれの方法も，対象となる妊婦・家族の気持ちや価値観を認め，一方的な情報提供にならないように注意する必要がある．そして，妊婦や家族が主体的に取り組む姿勢を支持し，ともに目標設定をするなど，妊婦の力を引き出し妊婦の自律や自己効力感を高める工夫が必要である．

表Ⅰ-20 妊娠中に起こる不快症状（マイナートラブル）

		妊娠初期に生じる		
つわり	〈原因〉 明らかではないが以下の説がある ・妊娠に伴う高hCG状態が脳の嘔吐中枢に作用する．hCGの上昇時期とつわりの出現時期は妊娠6〜16週ごろと時期が一致する（p.17の図Ⅰ-7参照）． ・プロゲステロンの増加による平滑筋の弛緩による胃の運動性の減弱 ・精神的影響 〈鑑別疾患〉 ・妊娠悪阻 ・消化器疾患など	〈情報収集〉 ・食欲不振の程度 ・悪心の程度 ・嘔吐の状況や回数 ・食生活状況 ・便秘の有無 ・つわりへの対処 ・つわりの受け止め方 ・夫/パートナーや家族のサポート状況	〈身体への影響〉 ・経口摂取不可能による脱水傾向と電解質異常 ・口腔疾患の多発 〈日常生活への影響〉 ・食欲の減退や不振 ・食事回数や食事内容などの食事の変化 ・歯磨き行動の妨げ	〈援助〉（p.66参照） ・つわりについて説明し，安心させるとともに暗示を与える． ・つわりの際の食事のとり方 ・嘔吐が続く場合の援助
		妊娠初期と末期に生じる		
便秘	〈原因〉 ・プロゲステロンの増加による腸蠕動運動の減少 ・子宮増大による腸管の圧迫 ・つわりによる食事摂取不足と脱水傾向 ・妊娠による運動不足 ・腸壁からの水分の再吸収が増す 〈鑑別疾患〉 ・痔疾患 ・消化器疾患	〈情報収集〉 ・便秘の程度 ・これまでの排便習慣 ・食事・生活習慣 ・水分摂取 ・運動量 ・ストレス	〈日常生活への影響〉 ・食欲の減退や不振 ・倦怠感 ・腹部膨満 ・不安や不眠 ・排便時ごとの努責	〈援助〉（p.70参照） ・排便リズムの確立 ・食事療法（繊維の多い食品） ・大腸の刺激（起床後水分摂取） ・適度な運動 ・痔疾患対策 ・内服療法（適切な緩下薬の使用）
頻尿	〈原因〉 ・子宮の増大による膀胱の圧迫・刺激 ・プロゲステロンの増加により膀胱壁の緊張性が低下し，膀胱容量が増加する． ・子宮の増大による尿管の圧迫・拡大により，尿が貯留傾向となる． ・妊娠末期：児頭の下降による膀胱圧迫 〈鑑別疾患〉 ・膀胱炎症状 ・泌尿器系の疾患	〈情報収集〉 ・頻尿の程度 ・排尿回数や時間 ・尿量 ・頻尿に伴う不快感 ・日常生活への支障の程度 ・妊婦の理解の程度 ・対処方法に対する理解の程度	〈日常生活への影響〉 ・睡眠不足	〈援助〉（p.71参照） ・原因を説明し安心感を与える． ・尿意を感じたら排尿することを促す． ・就寝前2〜3時間の水分摂取を控える． ・外陰部の清潔保持を促す．
		妊娠中期に生じる		
皮膚の瘙痒感	〈原因〉 ・エストロゲンの分泌増加 ・子宮増大による胆嚢圧迫に伴う胆汁酸の分泌低下 ・新陳代謝の亢進 〈鑑別疾患〉 ・ほかの皮膚疾患 ・内臓疾患	〈情報収集〉 ・部位や湿疹の有無 ・乾燥の程度 ・アトピー性皮膚炎の有無 ・清潔のセルフケア状況	〈身体への影響〉 ・瘙痒感によるかき傷をつくることがある． 〈日常生活への影響〉 ・瘙痒感による不眠	〈援助〉（p.71参照） ・刺激の少ない石けんにて皮膚の清潔を保つ． ・下着の考慮 ・保湿クリームあるいは副腎皮質ステロイド外用の処方

（続く）

表Ⅰ-20 妊娠中に起こる不快症状（マイナートラブル）（続き）

			妊娠末期に生じる	
浮腫	〈原因〉 ・循環血漿量の増加に伴う腎血漿流量の増加 ・エストロゲンなどの増加によるナトリウムや水分の再吸収率の増加 ・子宮の増大・圧迫により骨盤内静脈の血行が障害され，下肢静脈圧が上昇 〈鑑別疾患〉 ・心疾患，腎疾患，肝疾患，深部静脈血栓症 ・妊娠高血圧症候群	〈情報収集〉 ・血圧や尿タンパク（妊娠高血圧症候群症状との関連） ・体重増加 ・食事摂取の内容・量および水分摂取量 ・間食の量や内容	〈日常生活への影響〉 ・下肢や手指のだるさ，こわばり	〈援助〉 ・浮腫の予防：原因の説明，長時間の立位や歩行を防ぐ，下肢挙上による休息，足首の運動による血液循環促進，衣類による圧迫を避け，塩分を制限 ・浮腫出現時の援助：休息時間の確保，食事への留意，体重を毎日一定時間に測定する．
腰・背部痛	〈原因〉 ・子宮の増大による重心の前方移動に伴う背筋緊張 ・エストロゲンの増加による靱帯結合組織の弛緩に伴う痛み 〈鑑別疾患〉 ・整形外科系，泌尿器系の合併症 ・切迫流・早産症状	〈情報収集〉 ・痛みの程度 ・日常生活への影響 ・対処方法や姿勢についての知識と理解度	〈日常生活への影響〉 ・家事，仕事のときの動きに支障 ・睡眠の妨げ	〈援助〉 ・腰背部痛の予防：正しい姿勢，履き物への留意，骨盤周辺の靱帯の弛緩を防ぐ，物の動かし方への留意，長時間同一姿勢をとることを避ける，かためての布団やマットレスの使用 ・痛みを緩和するための援助：マタニティガードルの使用，温罨法やマッサージ，シムス位，四つんばいの姿勢で腰をゆっくりと動かす運動
静脈瘤	〈原因〉 ・子宮の増大による腹大静脈の圧迫に伴う下肢からの血液の還流の妨げ ・プロゲステロンの静脈壁の緊張低下による静脈拡張	〈情報収集〉 ・静脈瘤の部位（外陰部・下肢） ・血管の怒張の程度 ・痛みや重圧感の程度	〈母体への影響〉 ・分娩時，出血や血腫の形成 〈日常生活への影響〉 ・痛みによる歩行時間や体位の制限	〈援助〉 ・静脈瘤の予防：長時間の立位，歩行や坐位を避け，下肢挙上による休息，シムス位による下腿大静脈圧迫を防ぐ，衣類やガードルによる圧迫を減らす． ・静脈瘤治療への援助：サポートストッキングの着用，食事への留意（カルシウムとビタミンCの摂取，急激な体重増加を避ける）
下肢のけいれん*	〈原因〉 ・子宮増大による重心の変化に伴う無理な姿勢をとることによる筋肉の疲労 ・血液循環の悪化 ・リン酸の過剰摂取 ・カルシウム・ビタミンD不足	〈情報収集〉 ・けいれんの部位，頻度 ・けいれんが起こる時期	〈日常生活への影響〉 ・睡眠不足 ・歩行量の制限	〈援助〉 ・下肢のけいれん予防として下肢挙上による休息，下肢の血液循環をよくする運動，下肢を疲労させない工夫（長時間の歩行を避ける，ヒールの高い靴を避ける）などをする． ・発作時は，けいれんを起こした脚をまっすぐ伸ばし膝を押し下げるようにしながら足関節を背屈させるなどしてけいれんを起こした筋肉を伸ばす． ・リン酸の過剰摂取を避け，カルシウム，ビタミンDの摂取を促す．

*下肢のけいれん：こむらがえり．いわゆる足がつる状態．

1 ● 食生活の援助

妊娠中の栄養は，胎児の発育や母体の分娩・産後に向けて重要である．また「やせ」や「肥満」は児の発育および妊娠・分娩経過に影響するため，体重コントロールも重要である．そのため，低栄養状態や貧血，肥満や合併症の有無など妊婦の健康状態を把握しながら，食事や栄養について健康教育を行う必要がある．

a. 食事摂取基準

「日本人の食事摂取基準（2020年版）」による，妊婦・授乳婦の必要エネルギーや各栄養素の付加量を表I-21，22に示した．妊娠各期のエネルギー付加量を考慮し，各栄養素をバランスよく摂取するよう支援する必要がある．また，妊娠中に摂取しすぎないように注意が必要な栄養素，食品もあるため，正しい知識のもと，食生活に関する支援が必要である．

表I-21　妊婦および授乳婦の推定エネルギー必要量（kcal/日）

		身体活動レベル		
		Ⅰ（低い）	Ⅱ（ふつう）	Ⅲ（高い）
18～29歳		1700	2000	2300
30～49歳		1750	2050	2350
妊婦	初期（14週未満）	+50		
	中期（14～28週未満）	+250		
	後期（28週以降）	+450		
授乳婦		+350		

身体活動レベル
Ⅰ：生活の大部分が坐位で，静的な活動が中心の場合
Ⅱ：坐位中心の仕事だが，職場内での移動や立位での作業・接客など，あるいは通勤・買物・家事，軽いスポーツなどのいずれかを含む場合
Ⅲ：移動や立位の多い仕事への従事者．あるいは，スポーツなど余暇における活発な運動習慣をもっている場合
［厚生労働省：日本人の食事摂取基準（2020年版），p.84, 2019より引用］

コラム

祖父母学級

はじめて孫が生まれることを知った祖父母は，妊婦同様に嬉しいものである．しかし，その気持ちは時に妊婦や新米ママへのお節介という形で表出される．妊娠中は「太った？」「おなかが小さいのでは？」「まだ産まれないの？」，子どもが生まれてからも「母乳は足りているの？」「泣いているからミルクを足したら？」「抱き癖がつく」「私のころは産後すぐでも家事したものよ」など[1]，妊婦や新米ママを悩ませてしまう．そこで，近年は「孫育てセミナー」[2]といった，祖父母を対象にした集団健康教育が開催されるようになってきた．ミルク全盛期時代に子育てしてきた祖母たちは，そこで母乳育児の大切さや母親支援の大切さ，産褥期の養生を学ぶ．沐浴の実演も真剣な表情で見入る．祖父母たちも，内心はドキドキしながらの孫育てデビューとなるのかもしれない．

引用文献
1) 鶴川明子：おばあちゃんとおじいちゃんへのメッセージ—子育て中のお母さんに聞きました！　祖父母に贈るはじめての育孫書　孫育ての時間（山縣威日，中山真由美編），p.164-191, 吉備人出版，2015
2) 鶴川明子：孫育てセミナー—育児支援としての祖父母へのアプローチ．保健師ジャーナル 61(4)：330-334, 2005

表I-22 妊娠期・授乳期における食事摂取基準（1日あたり）

	18～49歳女性の1日推奨量（一部目安量・目標量）	妊婦 初期（14週未満）	妊婦 中期（14～28週未満）	妊婦 後期（28週以降）	授乳婦
タンパク質 (g)	50	-	+5	+25	+20
脂質エネルギー比率 (%)	目標量 20～30		-		-
食物繊維 (g)	目標量 18以上		-		-
ビタミンA (μgRAE)	18～29歳 650 30～49歳 700	-		+80	+450
ビタミンD (μg)	目安量 8.5		-		-
ビタミンB₁ (mg)	1.1		+0.2		+0.2
ビタミンB₂ (mg)	1.2		+0.3		+0.6
ナイアシン (mgNE)	18～29歳 11 30～49歳 12		-		+3
ビタミンB₆ (mg)	1.1		+0.2		+0.3
ビタミンB₁₂ (μg)	2.4		+0.4		+0.8
ビタミンC (mg)	100		+10		+45
葉酸 (μg)	240		+240		+100
マグネシウム (mg)	18～29歳 270 30～49歳 290		+40		-
カルシウム (mg)	650		-		-
鉄 (mg)	月経なし 6.5	+2.5	+9.5		+2.5
銅 (mg)	0.7		+0.1		+0.6
亜鉛 (mg)	8		+2		+4
ナトリウム 食塩相当量 (g)	目標量 6.5未満		-		-

［厚生労働省：日本人の食事摂取基準（2020年版），p.109-368, 2019および厚生労働省：平成30年国民健康・栄養調査結果の概要, Ⅱ結果の概要，第2部基本項目，第2章栄養・食生活に関する状況，2.野菜摂取量の状況，p.17, 2018より引用］

(1) 積極的な摂取が望ましい栄養素

● 食物繊維（表Ⅰ-23a）

「日本人の食事摂取基準（2020年版）」による食物繊維の摂取目標量は18g以上であるが，「令和元年国民健康・栄養調査」[4]では，20歳代女性の摂取量は14.6g，30歳代女性の摂取量は15.9gである．妊娠をすると，子宮の増大やホルモンの影響などにより便秘になりやすい．予防のためにも，食物繊維を積極的に摂取することが望ましい．

● ビタミンD

近年では，**ビタミンD**欠乏症の増加は，世界的に問題となっており，わが国でも小児ビタミンD欠乏性くる病が増加傾向にあることが明らかになっている[5]．その要因の1つとして，自分と児の日焼けを避け，紫外線対策に気をつけている若年女性が増えていることがあり，母親世代にビタミンD不足が多くなり，その影響であるといわれている[6]．

表 I-23　食物繊維，葉酸，カルシウム，鉄を多く含む食品

a. 食物繊維

食品名	1人前の分量 (g)	目安量あたりの含有量 (g)
乾しいたけ	15	7.0
おから	50	5.8
干し柿	40	5.6
とうもろこし	180	5.6
アボカド	100	5.6
モロヘイヤ	80	4.7
いんげん豆（乾燥）	20	3.9
小豆（乾燥）	20	5.0
納豆	50	3.4
そば（生）	120	7.2
ブロッコリー	70	3.6
ごぼう	50	2.9
西洋かぼちゃ	80	2.8
オクラ	50	2.5
さつまいも	100	2.8
ほうれんそう	80	2.2

b. 葉酸

食品名	1人前の分量 (g)	目安量あたりの含有量 (μg)
鶏レバー*	60	780
牛レバー*	60	600
豚レバー*	60	490
菜の花	70	240
モロヘイヤ	80	200
ほうれんそう	80	170
春菊	80	150
ブロッコリー	70	150
いちご	100	90
小松菜	80	88
キャベツ	80	62
納豆	50	60
オクラ	50	55
チンゲン菜	80	53
にら	50	50

*p.63コラム参照

c. カルシウム

食品名	1人前の分量 (g)	目安量あたりの含有量 (mg)
牛乳	200	220
ヨーグルト	100	120
プロセスチーズ	20	130
小松菜	80	140
菜の花	70	110
ししゃも	50	170
しらす干し	25	130
木綿豆腐	150	140
納豆	50	45
たまご	100	46

d. 鉄

食品名	1人前の分量 (g)	目安量あたりの含有量 (mg)
あさり水煮缶	30	9.0
豚レバー	60	7.8
鶏レバー	60	5.4
干しひじき	5	2.9
そら豆（乾）	50	2.9
干しそば（乾）	100	2.6
小松菜	80	2.2
きはだまぐろ	100	2.0
菜の花	70	2.0
納豆	50	1.7
ほうれんそう	80	1.6
大豆（乾）	20	1.4
枝豆	50	1.4
春菊	80	1.4
鶏卵（卵黄）	20	1.0
あさり	30	1.1

［文部科学省：日本食品標準成分表2020年版（八訂），2020年12月，〔https://www.mext.go.jp/content/20201225-mxt_kagsei-mext_01110_011.pdf〕（最終確認：2022年12月26日），および文部科学省：食品成分データベース，2022年5月，〔https://fooddb.mext.go.jp/index.pl〕（最終確認：2022年12月26日）を参考に作成］

ビタミンDは骨代謝にかかわる脂溶性のビタミンの一種であり，ビタミンD不足が深刻化すると，くる病を発症する．妊婦では，次世代への影響もあるため，ビタミンD不足への支援が必要である．ただし，ビタミンDは，紫外線の作用により，皮膚で産生されるため，摂取においては，各個人の環境や生活習慣を考慮することが望ましい．

- ビタミンB_1，B_2，B_6，B_{12}，ビタミンC

これらの栄養素は主に野菜に多く含まれる．日本人の野菜摂取量は，**1日の目標量350g以上**を大きく下回っている（20～40歳代女性約238～260g）．野菜にはビタミンやミネラル，食物繊維などが含まれるが，とくに緑黄色野菜には，葉酸，カルシウム，鉄も多く含まれる．そのため，緑黄色野菜をはじめとした野菜類を積極的に摂取する必要がある．

- 葉酸（表Ⅰ-23b）

葉酸は水溶性ビタミンであるビタミンB群の一種であり，受胎前後において葉酸を摂取することにより**神経管閉鎖障害**のリスクを低減させることが報告されている．日本においても，神経管閉鎖障害のリスク低減のため，妊娠を計画している女性や妊娠の可能性がある女性は，通常の食事からの葉酸摂取に加えて，400μg/日の葉酸を摂取することが望ましいとされている．緑黄色野菜などの食品からの摂取だけでは補うのがむずかしいため，栄養補助食品によって補うことも考慮する必要がある．

- カルシウム（表Ⅰ-23c）

妊娠中は，胎児のからだをつくるために母体から**カルシウム**が失われるため，積極的にカルシウムを摂取することが必要である．日本人女性のカルシウム摂取量は全年代的に推奨量を摂取できていない．乳製品や小魚などに多く含まれていることから，カルシウムを多く含む食品を組み合わせ，摂取量を増やすよう努めることが必要である．

- 鉄（表Ⅰ-23d）

鉄は，妊娠期には胎児の成長や臍帯・胎盤中への鉄貯蔵，循環血液量の増加などに伴い，需要が増加するため，妊娠前よりさらに多くの鉄摂取が必要となる．妊産婦の栄養摂取状況において，鉄が十分摂取できていない状況にあるため，日ごろから偏食はないかなどの情報収集を行い，**妊娠性貧血**による影響を説明するとともに，バランスのとれた食事と鉄分の多い食物の摂取を勧める．

> **貧血予防の食事**
> ①鉄分を多く含む食品を摂取する．
> ②鉄の吸収率を上げるために，タンパク質やビタミンCも合わせて摂取する．
> ③緑茶，コーヒー，紅茶に含まれるタンニン酸や，ココアに含まれるポリフェノールは鉄の吸収を阻害するため，食事の前後1時間くらいは控える．
> ④サプリメントを活用したり，鉄製の調理器具なども上手に活用する．

(2) 摂取に注意が必要な栄養素，食品

- 食塩

食塩の摂取量は妊娠・授乳時も非妊時と同じ1日6.5g未満とする．「令和元年国民健康・栄養調査」[4]では，20歳代女性の摂取量は8.3g，30歳代女性の摂取量は8.5gであり，目標量を超えている．過剰な食塩摂取は，浮腫，妊娠高血圧症候群を引き起こすリスクとなる

ため注意が必要である．

減塩の工夫
①新鮮な食材や旬の食材を活用し，素材の持ち味を活かす．
②ねぎ・あさつき・しょうが・みょうが・カレー粉など，薬味や香辛料を活用する．
③レモン・スダチ・酢などの酸味を活用する（焼き魚，鍋物）．
④しいたけ・こんぶ・かつお節などの旨味を利用する．
⑤調理中に塩分を使わず，食べるときにしょうゆや塩をつけて食べる（かけない）．
⑥甘さも控えめにすると，少量の塩分でも味がしみ，薄味に仕上がる．
⑦減塩しょうゆや割しょうゆ（しょうゆ1：だし1）を使う．
⑧ハム・練製品などの加工品は塩分含有量が多いため避ける．
⑨既製食品も味付けが濃いため，とくに外食時は注意する．
⑩麺類は麺つゆに塩分が多く含まれているため，飲まない．
⑪味噌汁やスープは素材の旨味を活かし，具だくさんにして食べる．

● ビタミンA

ビタミンAの過剰摂取による，胎児の奇形発現率の増加が認められている．過剰摂取の予防のため，妊娠3ヵ月以内の妊婦は，含有量が高い鶏レバー，豚レバーおよびサプリメントの摂取は避ける．次いで含有量の高い牛レバー，マジェランアイナメ（メロ）・うなぎ・銀だら・ホタルイカなど一部の魚介類の摂取もやや控えめとするのが望ましい．

コラム
妊娠初期のレバー過剰摂取の問題点

妊婦貧血の食事として，少量でも多くの鉄分を含むレバーが推奨されることが多い．しかし，レバーに含まれるビタミンAは，妊娠初期に多量に摂取すると先天奇形の発生を誘発するといわれている．そのため，貧血予防や改善のために妊娠初期にレバーを過剰に摂取することは胎児の異常を引き起こす可能性がある．妊娠雌マウスを使用した実験において，胎仔死亡率と外表異常率は，レバーの摂取量の増加に伴い高率となった．ヒトにおいてこうした報告はないが，妊娠初期のレバーの過剰摂取には注意する必要がある．妊婦貧血の食事について説明する場合は，レバーに偏った説明を避け[1]，バランスよく多くの食材から鉄分を摂取できるよう，勧める必要がある．

引用文献
1) 赤瀬智子, 小林敏生：妊娠時鉄欠乏性貧血における適切な食事指導に関する基礎的検討―鉄補充のためのレバー過剰摂取の問題点. 日本看護研究学会雑誌 31(2)：17-24, 2008

● 水銀濃度の高い魚介類

魚介類は，良質なタンパク質，生活習慣病の予防や脳の発育などに効果があるといわれているEPA（エイコサペンタエン酸），DHA（ドコサヘキサエン酸）を多く含んでいる．またカルシウムなどの摂取源となるなど，健康的な食生活にとって不可欠で優れた栄養特性を有している．しかし，カジキ，マグロ，キンメダイなど一部の魚介類については，食物連鎖を通じて，他の魚介類と比較して**水銀**濃度が高いものがある．魚介類を通じた水銀摂取が胎児に影響を与える可能性があるとの報告もあることから，水銀濃度が高い魚介類

を偏って多量に摂取することは避ける必要がある[7].

> **コラム**
>
> ### 妊娠期の低栄養が子どもの生活習慣病の発症に影響する？―DOHad
>
> 　胎生期から乳幼児期に至る栄養環境が，成人期あるいは老年期における生活習慣病発症リスクに影響する[1]という概念"**DOHaD**（ドーハッド，Developmental Origins of Health and Disease)"がある．具体的には，妊娠中の母体の低栄養・合併症により，低体重児として出生した児は，出生後急速に体重増加することで生活習慣病を高率に発症するというものである．低栄養に曝露されると，遺伝子発現制御系が変化し，こうした劣悪な環境に適合した代謝系が形成される．その結果，その代謝系が出生後の高栄養にさらされると疾病が発症すると考えられている[2]．
>
> 　低出生体重児の背景因子となる，日本の女性のやせ（BMI＜18.5）の割合は20歳代が19.8%ともっとも高く[3]，喫煙率もこの10年でみると減少はしているものの20～30歳代の出産年齢に相当する年代の女性で17.7%[4]と2割近くとなっている．また，日本における出生数のなかで，低出生体重児の割合は9.4%であり[5]，この10年9.5%前後で横ばいとなっている．そのため，妊娠前や妊娠中の適切な栄養摂取や禁煙のよびかけは，低出生体重児の減少，ひいては将来の生活習慣病発症リスクの低減にもつながるといえる．
>
> **引用文献**
> 1) 伊東宏晃：胎生期から乳幼児期における栄養環境と成長後の生活習慣病発病リスク．日本産科婦人科学会雑誌 60(9)：306-313, 2008
> 2) 福岡秀興：メタボリックシンドロームと子宮内環境（生活習慣病胎児期発症説から考える）．Life Style Medicine 3(3)：258-265, 2009
> 3) 厚生労働省：平成30年　国民健康・栄養調査結果の概要．Ⅱ結果の概要．第2部　基本項目．第1章　身体状況及び糖尿病等に関する状況．1肥満及びやせの状況．p.11-12
> 4) 厚生労働省：平成30年　国民健康・栄養調査結果の概要．Ⅱ結果の概要．第2部　基本項目．第4章　飲酒・喫煙に関する状況．2喫煙の状況．p.24-25
> 5) 政府統計の総合窓口：人口動態調査．12.出生数．出生時の体重（500g階級）；出生時の平均体重，単産－複産・母の年齢（5歳階級）・性別．〔https://www.e-stat.go.jp/dbview?sid=0003411638〕（最終確認：2020年9月1日）．

b. 妊娠前からはじめる妊産婦のための食生活指針

　厚生労働省は，2006（平成18）年に「妊産婦のための食生活指針」を策定したが，策定から15年が経過し，昨今の若い女性の健康や栄養・食生活に関する課題を含む妊産婦を取り巻く社会状況，さらに"DOHaD"（コラム参照）の概念が注目されるようになったことなど，国内の動きや国際的な動向をふまえ，2021（令和3）年に改訂版「妊娠前からはじめる妊産婦のための食生活指針～妊娠前から，健康なからだづくりを～」[3]を取りまとめた．

　改訂後の指針の対象は妊娠前の女性も含むこととし，妊娠前からの健康づくりや妊産婦に必要とされる食事内容とともに，妊産婦の生活全般，からだや心の健康にも配慮した10項目から構成している．妊娠中の体重増加指導の目安も変更があった（p.42の**表Ⅰ-12**参照）．これを参考に，個人差を考慮した緩やかな指導を心がける．これにより，主食，副菜，主菜，牛乳・乳製品，果実の5区分における妊娠期・授乳期の必要量をSV（サービング：いくつ分か）で具体的に提示した（**図Ⅰ-24**）．これらを活用し妊婦が視覚的にも理解できるよう説明することが大切である．

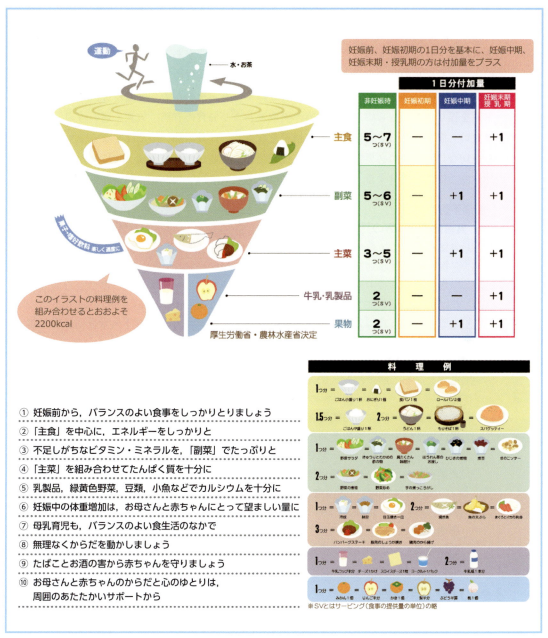

図Ⅰ-24　妊産婦のための食事バランスガイド

[厚生労働省：妊産婦のための食事バランスガイド．妊娠前からはじめる妊産婦のための食生活指針(令和3年3月)，〔https://www.mhlw.go.jp/content/000769970.pdf〕（最終確認：2021年4月22日）より引用]

2 ● 体重コントロールの援助

　非妊時の体格区分別「妊娠中の体重増加指導の目安」(p.42の**表Ⅰ-12**参照) をもとに, 体重コントロールをすることで, 合併症を予防する必要がある. 昨今, 日本の若い女性の低体重 (やせ) の割合が高いという現状があり, 若年女性のやせは, 早産や低出生体重児の出産などのリスクを高めることが報告されている. そのため, 妊婦自身にこれまでの食生活を振り返ってもらい, 食事内容や摂取量および偏食の有無, 欠食・遅い時刻の夕食・早食い・間食などの食習慣について情報を収集し, 体重増加予防だけでなく, やせに対する適切な体重増加の必要性も説明し支援していく必要がある. 肥満予防について, 以下の具体的な情報を提供する.

> **肥満予防の食事**
> 1. **食習慣や食べ方の見直し**
>   ①欠食することなく, 朝食・昼食をしっかり食べ, 夕食を軽くする.
>   ②夕食を20時以降の遅い時間に食べない.
>   ③早食いは, 満腹中枢が刺激される前に多量に食べてしまうため, ゆっくり時間をかけよく噛んで食べる.
>   ④大皿からとる食べ方は食べすぎにつながるため, あらかじめ1人分を皿に盛り付け量を決めて食べる.
> 2. **食事内容の改善**
>   ①主食となるご飯・パン・めん類や, イモ類・果物などの糖分のとりすぎに注意する.
>   ②油やマヨネーズなどの使用を控え, ドレッシングもノンオイルのものを使う.
>   ③揚げ物や炒め物の回数を減らし, 焼く・蒸す・煮るなどの調理を行う.
>   ④テフロン加工のフライパンや電子レンジを活用し, 油の使用を控える.
>   ⑤肉類も, バラ肉やひき肉は脂身が多いためもも肉やひれ肉を使用し, 鶏肉も皮なしの胸肉・もも肉・ささみを使う.
>   ⑥魚類も, たら・えび・いか・まぐろ (p.63参照) の赤身などの脂質の少ないものを使う.
>   ⑦空腹を満たすために食物繊維をたっぷりとる.

3 ● つわり時の食事

　つわり症状 (p.57の**表Ⅰ-20**参照) がある場合は, つわりの程度や嗜好の変化, 体重減少について情報収集し, 「食べたいときに, 食べたいものを, 少量ずつ摂取する」など, 食べられる工夫を提案する. また, つわりによる脱水やそれに伴う便秘への援助も併せて行う.

> **つわり時の食事**
> ①1回の食事量を減らし, 食べたいときに頻回に摂取する.
> ②起床時に出現することが多いため, 軽食を常備し空腹を避ける.
> ③嗜好の変化に合った食物を摂取する.

④においで悪心が誘発されることもあるため，冷やしてから食べる．
⑤既製食品を活用する．外食なども気分転換になる．
⑥脱水予防のため水分補給を促す．一度に多量の飲水は悪心を誘発するため，少量ずつ摂取する．氷片を口のなかでゆっくり溶かすことも有効である．

4 妊娠中の嗜好品

a. タバコ

2019（令和元）年の厚生労働省「国民健康・栄養調査」によると，習慣的に喫煙している女性の割合は7.6％で，この10年でみると減少している．喫煙率がもっとも高かったのは50歳代の12.9％，ついで40歳代の10.3％であり，30歳代では7.3％，20歳代では7.6％であった[8]．妊婦の喫煙に関する調査では，環境省の「子どもの健康と環境に関する全国調査（エコチル調査）」によると，妊娠初期の喫煙率は5％（2014年11月30日時点の回答にもとづくデータクリーニング前の暫定的な結果）と報告されている[9]．さらに妊娠初期の年齢別喫煙率では25歳未満では9％と高くなっている[9]．また，妊婦の妊娠初期の**受動喫煙**については，「毎日」が19.9％，「まれに」が47.3％であり，合わせて約7割の妊婦が受動喫煙していることが報告されている[10]．

妊娠中の喫煙は，胎盤の維持や胎児の発育に悪影響を及ぼす（表Ⅰ-24，25）．とくに

表Ⅰ-24 喫煙が妊娠に及ぼす影響

	調整済み相対危険度（95％信頼区間）
切迫早産	1.38（1.17〜1.64）
常位胎盤早期剝離	1.37（1.10〜1.72）
前期破水	1.67（1.43〜1.96）
絨毛膜炎	1.65（1.36〜2.00）

[Hayashi K, Matsuda Y, Kawamichi Y, et al：Smoking During Pregnancy Increase Risks of Various Obstetric Complications: A case-Cohort Study of the Japan Perinatal Registry Network Database. J Epidemiol 21(1)：61-66, 2011のデータより作成]

表Ⅰ-25 喫煙が胎児へ及ぼす影響

	調整済みオッズ比（95％信頼区間）
自然流産[1]	2.11（1.36〜3.27）
早産[2]（1日10本以上）	2.9（1.5〜5.7）
平均出生体重[3]	125〜136g減少

[1] George L, Granath F, Johansson AL, et al：Environmental tobacco smoke and risk of spontaneous abortion. Epidemiology 17(5)：500-505, 2006
[2] Kyrklund-Blomberg NB, Granath F, Cnattingius S：Maternal smoking and causes of very preterm birth. Acta Obstet Gynecol Scand 84(6)：572-577, 2005
[3] Suzuki K, Shonohara R, Sato M, et al：Association Between Maternal Smoking During Pregnancy and Birth Weight：An Approprately Adjusted Model From the Japan Environmrent and Children's Study. J Epidemiol 26(7)：371-377, 2016のデータより作成]

直接吸いこむ主流煙よりも，点火部分から立ち昇る副流煙に有害物質が多く含まれているため，妊婦の受動喫煙が問題となっている．さらに，サードハンドスモーク（三次喫煙，3rd-hand smoke）も問題になっており，家族への影響も懸念されている．そのため，妊婦の喫煙習慣の有無や夫の喫煙について情報収集し，喫煙（受動喫煙）の母体・胎児に及ぼす影響を説明するとともに，妊婦だけでなく夫・家族へも禁煙が動機づけられるように支援する（図Ⅰ-25）．

また，日本では2013（平成25）年から加熱式タバコが販売開始となり，急速な広がりをみせている．令和元年国民健康・栄養調査結果によると習慣的に喫煙しているもののなかで，使用しているタバコ製品の種類は，「紙巻タバコ」の割合が男性79.0％，女性77.8％であり「加熱式タバコ」の割合が男性27.2％，女性25.2％である[8]．加熱式タバコの場合の受動喫煙による将来の健康への影響は明らかにされていない．しかし，日本呼吸器学会の見解[11]によると，新型タバコは従来のタバコに比べてタール（タバコ煙中の有害物質のうちの粒子成分）が削減されているが，依存性物質であるニコチンやその他の有害物質を吸引する製品であり，喫煙も，受動喫煙も健康に悪影響をもたらす可能性があることが指摘されている．よって，妊婦に対して，紙巻きタバコ同様の対策が必要であること

> **コラム**
> ### 電子タバコなら大丈夫？
>
> 　近年，「電子タバコ」や「加熱式タバコ」などの新しいタバコ製品が流行している．電子タバコはタバコの葉を使わず，カートリッジに入ったリキッドを通電させ蒸気化した水蒸気を吸うものであり，加熱式タバコはタバコの葉の部分に電気を使い加熱して発生させた煙を吸うものである．
> 　妊婦の能動喫煙および受動喫煙は，児に影響を与えることが広く知られているが，電子タバコや加熱式タバコの影響はどうなのだろうか．日本呼吸器学会（2017年10月）は，「加熱式タバコや電子タバコが紙巻タバコよりも健康リスクが低いという証拠はなく，いかなる目的であってもその喫煙や使用は推奨されない」「加熱式タバコの喫煙や電子タバコの使用の際には紙巻タバコと同様な二次曝露対策が必要である」と提言している[1]．加熱式タバコにはニコチンが含まれること，電子タバコにもニコチンを含むリキッドがあること，また，タバコの葉を使用していないリキッドからもニコチンが検出されたとの報告があることから，その安全性が保証されていないとする考え方である．
> 　2020年4月に健康増進法が改正され，原則屋内禁煙となった．子どもの成育環境にも目を向け，子どもの受動喫煙を防止するために取り組みが行われている．
> 　また，「サードハンドスモーク」について聞いたことがあるだろうか．タバコの火が消された後も残留する化学物質を吸入することをいう．タバコ由来のニコチンや化学物質は，喫煙者の手指や顔，毛髪や衣類，部屋や自動車のソファーやカーペット，カーテンなどの表面に付着して残留している[2]といわれている．新生児・乳幼児に残留したニコチンや化学物質が影響を与えることが懸念されている．こうした理由からも完全禁煙の重要性が示唆されている．
>
> **引用文献**
> 1) 「加熱式タバコや電子タバコに関する日本呼吸器学会の見解と提言」（改定2019-12-11），日本呼吸器学会，お知らせ一覧，〔https://www.jrs.or.jp/uploads/uploads/files/citizen/hikanetsu_kenkai_kaitei.pdf〕（2020年9月12日確認）
> 2) 中村正和：三次喫煙（サードハンド・スモーク），e-ヘルスネット〔情報提供〕，厚生労働省生活習慣予防のための健康情報サイト，〔https://www.e-healthnet.mhlw.go.jp/information/dictionary/tobacco/yt-057.html〕（2020年9月12日確認）

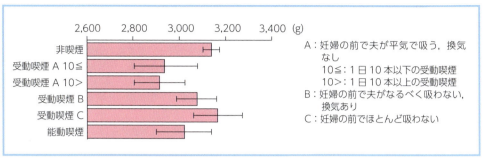

図Ⅰ-25 喫煙・受動喫煙妊婦の胎児体重（37週以降の分娩）
［森山郁子：お酒・タバコ・嗜好品など．周産期医学32（増）：80, 2002より引用］

を説明する．

> **妊産婦および夫/パートナーへの禁煙のはたらきかけ**
> ①妊娠に気づいた時点でできるだけ早く禁煙することを勧める．
>   妊婦が妊娠第3月までに禁煙した場合，新生児の出生時体重に影響はない[8]．
> ②喫煙習慣が妊娠経過や胎児・新生児に及ぼす影響について説明する．
> ③禁煙が生涯の健康維持増進につながることも説明し，動機づける．
> ④夫や家族および周囲の環境からの受動喫煙の害についても説明し，副流煙を回避する工夫を助言する（禁煙席や禁煙車両の活用）．
> ⑤どうしても喫煙してしまう妊婦および夫/パートナーには，禁煙に取り組めない理由や状況を聞き，心理を理解したうえで，まずは本数を減らすことを目標に支援する．

b. アルコール

妊婦がアルコールを摂取した場合，アルコールは胎盤を通過し胎児に直接影響する．アルコールにより，胎児にさまざまな先天異常が生じることがある（**表Ⅰ-26**）．妊娠中に多量に飲酒した母親から生まれた子どもには**胎児性アルコール症候群**（fetal alcohol syndrome：**FAS**）が発症するといわれている．その特徴は①特異的な顔貌，②発育・発達の遅れ，③中枢神経系の障害である．また，近年では母親のアルコール摂取による胎児への影響を含めたより広い概念として**胎児性アルコール・スペクトラム障害**（fetal alcohol spectrum disorders：**FASD**）が注目されている．具体的には，行動や認知の異常をきたすアルコール神経発達障害（alcohol-related neurodevelopment disorders：ARND）や心臓・腎臓・骨・聴覚の障害をきたすアルコール関連先天性欠損症（alcohol-related birth defects：ARBD）などが含まれる．飲酒量が少量でも連日の飲酒により発症したとの報告[12]もあり，妊娠がわかった時点で禁酒を勧める必要がある．そのため，飲酒習慣の有無や飲酒量を情報収集し，禁酒がFASとFASDを100％予防できることを説明するとともに，胎児の存在を意識して行動するよう助言する．

妊娠中の飲酒は常位胎盤早期剥離のリスクファクターであることやHDPとの関連も指摘されている[13]．

表Ⅰ-26　アルコールによる先天異常で観察される特徴

1)	成長	出生前および出生後の成長遅延，脂肪組織の減少
2)	機能	精神遅滞，発育遅滞，微細運動機能不全，乳児期の過敏症，小児期の多動および注意力不良，発語の問題，協調運動不良，筋緊張低下，認識・行動および精神・社会上の問題
3)	頭蓋・顔面	小頭，短眼瞼裂，眼瞼下垂，乳児期の下顎後退，上顎低形成，人中形成不全，薄い上唇，短い上向きの鼻，思春期の小下顎
4)	骨格	関節の変化（屈指，肘の屈曲拘縮，先天性股関節脱臼）
5)	心臓	VSD，ASD，ファロー（Fallot）四徴候，大血管異常
6)	その他	口唇裂/口蓋裂，近視，斜視，内眼角贅皮，歯咬合不全，難聴，耳の隆起，胸郭の異常，乳児血管腫（苺状血管腫），大陰唇低形成，小眼球，眼裂縮小，エナメル質低形成小歯，尿道下裂，小回転腎，水腎症，乳児期の多毛，ヘルニア（横隔膜，臍あるいは鼠径），腹直筋離開

VSD：ventricular septal defect，心室中隔欠損，ASD：atrial septal defect，心房中隔欠損．
［中井章人：飲酒．EBMに基づく周産期リスクサインと妊産婦サポートマニュアル，p.256，ライフ・サイエンス・センター，2005より作成］

c. カフェイン

　カフェインも胎盤を容易に通過し胎児の体内に高濃度にとどまる．これまでの研究では，コーヒーをまったく飲まない妊婦に比べて，コーヒーを飲む妊婦の胎児死亡の発症リスクは，コーヒーの摂取量が多いほど高いという報告がある[14]．そのため，カフェインが含まれているコーヒー・紅茶・緑茶の摂取量や習慣について情報収集し，多量摂取は妊娠経過に影響する場合もあることを説明し，コーヒーは1～2杯/日にとどめるよう助言する．妊婦は，カフェインフリーであるハーブティーを選択し摂取することがあるが，なかでもルイボスティーは，ポリフェノールを多く含んでいる．ポリフェノール高含有食品の摂取が胎児動脈管早期収縮に関連しているとの報告がある[15]ため，摂取には注意が必要である．

5 排泄の援助

a. 排便

　子宮の増大やホルモンの影響により**便秘**（p.57の**表Ⅰ-20**参照）や腹部膨満が出現しやすく，努責による痔核も形成されやすい．そのため，食生活や日常生活および排便習慣に関する情報を収集し，それらの見直しを図るとともに，食物繊維や水分摂取，適度な運動などを勧める．

> **排便を整えるための援助**
> ①規則正しい食生活習慣を促す．
> ②便意を我慢せず，時間にゆとりをもった排便習慣を身につけることを説明する．
> ③ストレスが生じないよう環境を整え，十分な睡眠と適度な運動で体調を整える．
> ④食物繊維や十分な水分摂取を勧める（**表Ⅰ-23**）．
> ⑤腰背部の温罨法や便秘のつぼを刺激し，腸蠕動を亢進させる（**図Ⅰ-26**）．
> ⑥緩下薬の使用については必ず医師に相談し，効果的に使用する．

a. 「合谷」：手の甲側
手の甲の人差し指と親指の骨の間を，両方の骨の交わる方向に親指で押していって，骨にあたる直前のくぼみが合谷．
反対の親指でしびれるような痛みがあるまで押す．
1〜2分または50〜100回ほど押す．

b. 「神門」・「太淵」：手の平側
小指側の，手首の骨の下のくぼみが神門．
親指側の，手首の骨の下のくぼみが太淵．
親指の指先を立て，強く押し込むように何回ももむ．
押すと小指が内側に曲がる．小指がしびれてくる．

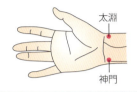

図Ⅰ-26　便秘のつぼ
[早川有子，澤田只夫：便秘のトラブルを解決しよう．なるほど，解決！　妊・産・褥婦のよくあるトラブル，p.24-25，医学書院，2005を参考に作成]

b. 排　尿

妊娠により頻尿（p.57の**表Ⅰ-20**参照）や，逆に尿意鈍麻による排尿回数減少，尿漏れなどが出現することがある．また，頻尿による不眠や，尿意鈍麻による尿停滞から膀胱炎などの尿路感染症を引き起こす場合もある．そのため，排尿回数や排尿痛・残尿感・尿漏れなどの排尿トラブルの有無を確認し，妊娠性の変化を説明するとともに，異常時には早期受診を勧める．また排尿を我慢せず出し切ることを促し，頻尿による夜間不眠に対しては就寝前の水分摂取を控えるなど，対応策について説明する．

6 ● 清潔の援助

a. 皮膚・頭髪

妊娠中は発汗が増加し，瘙痒感（かゆみ，p.57の**表Ⅰ-20**参照）や湿疹が出現する場合がある．頭皮も同様で刺激に敏感になる．そのため，妊婦健康診査時に瘙痒感による引っかき傷や湿疹の出現がないか観察する必要がある．また瘙痒感の有無などを情報収集し，皮膚の妊娠性の変化を説明するとともに，皮膚の清潔とスキンケアについて助言する．

> **皮膚・頭髪の清潔とスキンケア**
> ①刺激の強い石けんやシャンプー剤は避け，皮膚・頭皮の清潔に努める．
> ②石けんやボディーソープをしっかりと泡立て，泡で洗うとよい．肌を傷つけないよう，ボディタオルなどよりも手で洗うことが望ましい．
> ③長時間の入浴は末梢血管が拡張し瘙痒感が増強する．
> 　瘙痒による皮膚トラブルを防止するために，長時間の入浴や頻回な入浴は避ける．
> ④乾燥による瘙痒感の増加を防止するため，保湿クリームを使用する．
> ⑤パーマ液も敏感になっている頭皮を刺激するため，妊娠中のパーマは避けたほうがよい．

b. 外陰部

妊娠中はホルモンの影響により腟内の酸性度が高まり，細菌感染防御機構がはたらき帯

下（腟分泌物）が増加する（p.52参照）．そのため，生理的帯下について説明するとともに，帯下の異常や瘙痒感の有無を確認し，異常がある場合は早期受診を勧める．また外陰部の清潔についても説明する．

外陰部の清潔
①妊娠中は生理的に帯下が増加することを説明し，外陰部の清潔を促す．
②入浴やシャワー浴を毎日行い，外陰部を微温湯で流して清潔にする．
　外陰部をこすることや石けんで洗うこと，腟内を洗浄することは自浄作用を低下させるため，外陰部を流すだけでよいことを説明する．
③通気性のよい綿の下着を使用し，清潔を心がける．おりものシートを活用してもよいが，こまめに取り替えなければ清潔を保てないことを説明する．
④生理的な帯下以外の症状が出現したら，早めに受診するように説明する（p.52の表Ⅰ-18参照）．

c. 口　腔

ホルモンの影響により歯肉の毛細血管が拡張しやすく発赤や腫脹など炎症を起こしやすい．また，つわりや食習慣の変化により口腔内の清潔も保ちにくい．そのため，歯肉の炎症の有無を確認し，歯肉を傷つけないための工夫（小児用歯ブラシで小刻みにブラッシング）や頻回の含嗽（がんそう）を勧めるなど，口腔内の清潔について説明する．また，未治療のむし歯がある場合は安定期に入ってから早めに歯科受診することを勧める．歯周病は早産との関連も指摘されており，口腔内の清潔を保つことの必要性について助言する．

7 衣生活の援助

a. マタニティウェア

一般に妊娠中期に入り腹部が目立ち始めたころから着用する．近年ははたらく女性のためのスーツや仕事着など選択の幅も広がった．そのため，ライフスタイルに合わせてデザインや必要数を考えるなど，計画的に購入するよう助言する．また，大きめの衣類の活用や着回しの工夫など，経済性についても考慮するよう助言する（図Ⅰ-27）．

マタニティウェアの選択基準
①体形の変化に対応できる．
②着脱が容易である．
③デザインや着心地が身体にやさしく安全である．
④吸湿性に優れた素材である（綿・麻など）．
⑤2シーズンは着用するため，寒暖の調整が可能である．
⑥洗濯が手軽で，アイロンの手間もかからない．
⑦経済的である．

b. 下　着

妊娠中は発汗が多く，帯下も増加する．また，皮膚も敏感になる．そのため，吸湿性がよく着心地のよい綿素材の下着や，身体（皮膚）を圧迫することなく腹部・乳房の増大に

図Ⅰ-27 マタニティウェア
妊娠期から，授乳期まで使用できるデザインもある．
[写真提供：有限会社モーハウス]

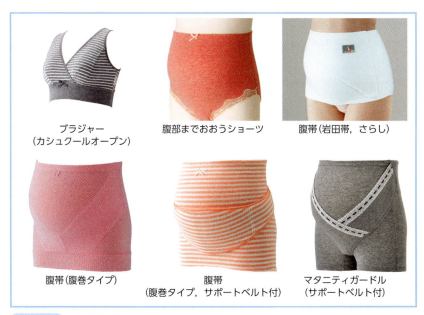

図Ⅰ-28 妊婦用下着
ブラジャーは妊娠中から使用し，産後の授乳期にも使用できる．
[写真提供：株式会社犬印本舗]

対応できる調節可能な下着を選ぶことを勧める．また冷え防止のために腹部や下肢をしっかりとおおう下着や衣類の着用も勧める（図Ⅰ-28）．

c. 腹帯・ガードル

日本では古くから妊娠第5月に入った戌の日に腹帯を巻いて安産を祈願するという慣わしがある．現在では，腹帯は高血圧を誘引すると異議を唱えたり，あせもやかぶれの原因になると必要性を疑問視したりする意見もある．しかし，腹帯を巻くことで腹部の冷えを防止し，支持することで腰痛を軽減する効果もあり，何よりも妊婦の自覚や家族の意識が高まるという考えから，一概に着用を否定するものでもない．そのため，腹帯を巻くことの意義やライフスタイルに合わせた腹帯の選択について説明し，腹部を強く圧迫しないように注意を促しながら勧めることも1つである（図Ⅰ-28）．

d. 靴

腹部の増大により，妊婦はしだいに足元が見えにくくなる．また体重増加や重心の変化により足への負担が増加する．妊婦健康診査時に，履き物の安定性やデザインに危険はないかを確認し，負担軽減や転倒防止を考慮した靴の選択について説明する．

> **妊娠中の靴の選び方**
> ①踵の幅が広く安定感があるもの．
> ②ヒールの高さが3cmくらいまでのもの．
> ③靴の裏に滑り止めが付いたもの．
> ④土踏まずにクッションが入っているもの（疲れにくい）．
> ⑤着脱が容易か，必ず履き心地を確認する（ただし，サンダルや大きめのものは容易に脱げて危険である）．
> ⑥靴ひものあるものはほどけた場合危険なため避ける（靴ひもはしだいに結ぶのも困難になる）．
> ⑦妊娠末期に浮腫（むくみ）が出現した場合，必要に応じ買い換える（甲や幅に余裕のあるサイズへ買い換える）．

> **コラム　妊婦の「冷え症」対策**
>
> ライフスタイルの変化や冷房の普及などにより女性の冷え症が増えている．妊婦の「冷え症」に関しては，非妊時より冷え症を自覚していた妊婦では，約6割の妊婦が妊娠中も冷え症を自覚し，マイナートラブルの有訴率は，非妊時に冷え症の自覚があった妊婦に有意に高い[1]という報告がある．そのため，妊娠初期から「冷え症」対策を講じることは，マイナートラブルの予防につながる．これまでのライフスタイルを見直し，衣生活・食生活・日常生活の多方面から助言する必要がある．妊婦健康診査時に腹部や下半身が冷えていないか触診し，自覚を促しつつ，具体的には以下のような工夫を助言する．
> ①夏でもくるぶしが隠れる靴下を履き保温に努める（5本指靴下もよい）．
> ②体を冷やす飲食物（冷たい飲み物，生ものなど）は避ける．
> ③体を冷やさない番茶やほうじ茶，および温かい食事をとる．
> ④入浴や足浴で体を温める（シャワー浴は体の芯まで温まらない）．
> ⑤足指や足首の回転運動や適度な運動を心がける．　　など
>
> **引用文献**
> 1) 小安美惠子, 内野鴻一, 乾まゆみほか：妊婦の冷え症の自覚とマイナートラブル・深部体温・気分・感情状態との関連. 母性衛生 49(4)：582-591, 2009

立位のポイント
①軽く足を開き,体重は軽く親指にかける.
②下腹部・肛門を引き締める.
③後頭部を上に吊り上げられているような気持ちで,軽くあごを引く.
④目は約6m先を見る.
⑤肩の力を抜いて,膝の後ろの力も少し抜く.

正しい姿勢

悪い姿勢
(腰がそる)

正しい姿勢

正しい姿勢

悪い姿勢

椅子に座るときのポイント
①深く座る.
②背すじを伸ばす.
③両足は床につける.
④腹部がつかえるようになったら腰にクッションを入れる.

立位で家事をするときのポイント
①足は前後に開く.
②台所に立つときは,体を斜めにする.
③ときどき,前後の足を替える.

正しい姿勢
(足は前後に開く)

悪い姿勢

正しい姿勢

悪い姿勢

子どもを抱っこするときのポイント
(物を持ち上げるときも同様)
①一方の足を前に出す.
②膝を曲げて腰を落とす.
③子どもを抱っこして立ち上がる
 (物を膝の上に抱えてから立ち上がる).

図Ⅰ-29 日常生活における正しい姿勢・悪い姿勢
[松本清一監:改訂版妊産婦体操の理論と実際,第7版,p.210,全国保健センター連合会,2002より作成]

8 ● 活動と休息の援助

a. 日常生活行動

増大した腹部を支えている妊婦は，腰背部に負担をかけない姿勢を心がける必要がある．また切迫早産予防のためにも，バランスを崩しやすい姿勢や下腹部に力が入ってしまう動作は慎む必要がある．そのため，妊婦健康診査時の姿勢や動作を観察するとともに，日常生活における正しい姿勢や動作および注意などを説明する（図Ⅰ-29）．

> **妊娠中の日常生活行動（図Ⅰ-29）**
> ①腰背部痛予防のために，正しい姿勢を意識して行動する．
> ②腰背部に負担をかけないように，低い姿勢の動作は，膝を折る．
> ③バランスを崩しやすい動作に注意し，負担になってきたら家人の協力を得る．（高い所の物を取る，布団の上げ下ろし，浴槽内の掃除など）
> ④階段の昇り降りも手すりを利用し，足底をしっかりつきながら体重移動をする．
> ⑤極端に重い物を持ち上げない．とくに切迫流・早産の徴候のある妊婦は注意する．
> ⑥時間に余裕をもち，あわてた無理な行動はしない．
> ⑦長時間同じ姿勢の動作は避け，適度に身体を動かすなど軽い運動を取り入れる．

b. 休息と睡眠

増大した腹部を支えている妊婦は，非常に疲れやすく上手に休息・睡眠をとる必要がある．そのため，仕事の有無や1日の過ごし方，休息状況，夜間の睡眠状況について情報を収集し，効果的な休息のとり方や良質な夜間睡眠のための具体的な方法について説明する（図Ⅰ-30）．

図Ⅰ-30　休息・睡眠時の姿勢

妊娠中の休息・睡眠

① 家事の合間に休息を入れ，体を横たえて足を投げ出して休む．
② 休息姿勢は，妊娠後半期の仰臥位低血圧症候群を予防するために，側臥位やシムス位をとる．休息・睡眠時は，クッションや抱き枕などを利用し，楽な姿勢を工夫する（図 I-30）．
③ 勤労妊婦でも和室や休憩室のベッドを活用し，靴を脱いで休むことが望ましい．
④ 良質な睡眠を得るために，寝室の室温や寝具なども季節に応じて調整する．
⑤ 夜間頻尿により睡眠が中断される傾向の妊婦は，夕方から水分を控える．
⑥ 就寝前の入浴や，温かい飲み物の摂取など，リラックスした状態で眠りにつく．
⑦ 就寝時間を一定にし，早寝早起きの規則正しい生活を送る．

c. 運 動

妊婦は適度な運動により体力を維持し分娩に備える必要がある．また，肥満や便秘予防，疲労回復やストレス解消など快適な生活のためにも適度な運動は必要である．そのため，運動の必要性を説明し，毎日気軽に続けられるウォーキングなどを紹介するのも1つである．またマタニティスイミング，マタニティビクス，マタニティヨーガなどについては，体調管理をしながら行うことを助言する．

妊娠中の運動

① 既往歴，妊娠歴，合併症など確認し，問題がなければ妊婦運動を勧める（表 I-27）．
② 妊娠経過に異常がなく，妊娠12週以降の安定期に入ってから開始する．
③ 運動の種類によっては医師の許可が必要なものもある（マタニティスイミングなど）．
④ 脱水予防のために水分補給はしっかり行い，母体の発熱に注意する．
⑤ 途中で妊娠経過に異常が起きた場合は，中止とする．
⑥ ほかの妊婦と競争せず，あくまでも自分のペースで楽しみながら行う．

表 I-27 妊娠中の運動の禁忌

運動の禁忌	運動中止が必要な症状
重篤な心疾患 呼吸器疾患 頸管無力症 持続する性器出血 前置胎盤 低置胎盤 切迫流・早産 妊娠高血圧症候群	立ちくらみ 頭痛 胸痛 呼吸困難 筋肉疲労 子宮収縮 性器出血 胎動減少・消失 羊水流出感　　など

［日本産科婦人科学会/日本産婦人科医会（編・監）：CQ107妊娠中の運動（スポーツ）について尋ねられたら？　産婦人科診療ガイドライン―産科編2020, p99-101, 日本産科婦人科学会, 2020を参考に作成］

d. 妊婦体操

妊婦体操は，日常生活の姿勢，妊娠中に必要な体操（運動），妊娠中の精神衛生，分娩時に使う筋肉・関節・靱帯などを和らげる体操を指導することにより，分娩の恐怖・疼痛を減少させ，積極的に分娩に対する身体的・精神的準備をさせることを指導理念として体系化したもの[16]である．つまり妊婦体操は分娩準備教育の一環といえる．そのため，妊婦体操に取り組むことで自己の身体や精神と向き合い，分娩準備に向けて自信がもてるよう，心身の準備状態を確認しながら勧めていくことが大切である（図I-31）．

> **妊婦体操の勧め方**
> ①簡単な体操は，12週くらいから始めてよい．16週以降は毎日継続し習慣化する．
> ②運動の目的を説明し，実際の体験を通して効果を実感させ継続の動機づけとする．
> ③1つの動作を3～10回実施し，1つの動作ごとに5～10秒休む．
> ④体操はゆとりのある時間帯に行う．1日の生活リズムをつくりながら数回組み入れる方法もある（朝夕1回）．
> ⑤慣れてきたら日常生活動作に組み入れながら実践することも勧める（あぐらをかいて座る，四つんばいで拭き掃除をするなど）．

e. シートベルト

2008（平成20）年6月に道路交通法が改正され，後部座席者のシートベルトも着用が義務化された．一方，妊婦に対するシートベルト着用は依然義務化されておらず，非着用でも違反にはならない．シートベルトの着用は事故時の子宮内圧上昇を抑制し，胎児予後を良好に保つうえで有用である，という妊婦ダミーを用いた実験結果[17]もあり，日本産科婦人科学会でも妊婦のシートベルト着用を推奨している[18]（図I-32）．近年の実態調査では妊婦の着用率が80～95％[19,20]と，シートベルト着用に対する認識は高まってきている．しかし，妊婦のシートベルト着用法を知っていたのは25～51％[19,21]，正しく装着していたのは11.8％[21]という調査結果がある．現在，母子健康手帳に正しい装着方法がイラス

> **コラム　マタニティウォーキング**
>
> 妊婦の運動として新たに始めるマタニティスイミングなどは，時間的制約もあり，なかなか取り組めない妊婦もいる．しかしウォーキングは，日常生活のなかでいつでも気軽に取り組める運動といえる．日課として，また勤労妊婦も通勤や職場内で意識的に「ウォーキング」を取り入れることは，十分に適度な運動となり，健康管理意識も高めることができる．とくに歩数計を携帯してもらった場合は，歩数を意識するため運動量が増加し，適正体重を保つことができ，心理的にも有益である[1]とした研究もある．新鮮な空気を吸い込み，景色を眺めながら季節を感じて歩くことは，妊婦のストレス解消にもなる．やがて生まれてくるわが子と対話をしながら，また夫とともに子どもが生まれてからの家庭を想像しながら歩くなど，母児や夫婦にとって楽しいひと時になるよう「ウォーキング」を勧めたいものである．
>
> **引用文献**
> 1) 鈴木史明, 小野雅昭, 谷口　武:万歩計を用いた妊婦の生活指導「ずーっと万歩」. 日本臨床スポーツ医学会誌15(1):48-55, 2007

準備体操

●首や肩のストレッチ
首はゆっくり左右前後に回す.
両腕を肩の高さまで上げ肩に指先をおく.
前方・後方から肩を回す.

●側腹部のストレッチ
頭の後ろで手を組む.
ゆっくり上半身を左右に倒す.
このとき呼吸は止めない.

●下腿三頭筋のストレッチ
足を前後に開き,
後足のかかとを床につける.
前足の膝を静かに曲げていく.
このとき,顎を引きながら行う.

椅子に座ってできる体操

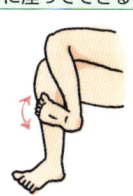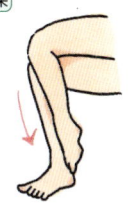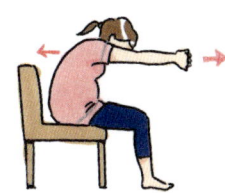

●足首の運動(下肢の疲労回復・けいれん予防)
足を組み,のせた足の足首を上下に動かす.
足を下に向けたとき,膝から下が一直線になるようにする.

●背中・腕のストレッチ(背筋・肩甲骨周囲筋・腕のストレッチ)
両指を組んで手のひらを外側に向ける.前に水平に伸ばす.
手は前に伸ばし,背中は丸くして後ろに引っ張る.

坐位で行う体操

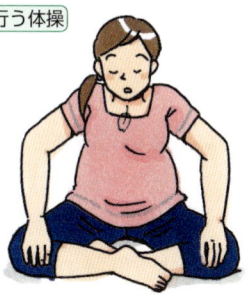

●あぐら(股関節周囲の弛緩,骨盤底筋の伸展)
あぐらを組み背筋を伸ばし,両手は膝の上にのせる.
息を吐きながら上体を前に倒し,両手で両膝を押し開く.

仰向けで行う体操

●足を上げる運動(足の血行促進,下肢の浮腫・けいれん・静脈瘤予防)
仰臥位で両膝を立て,片足を伸ばして高く上げる.
このとき,踵を天井に突き上げるようにする.
膝を曲げてゆっくり足を下ろす.

四つんばいで行う体操

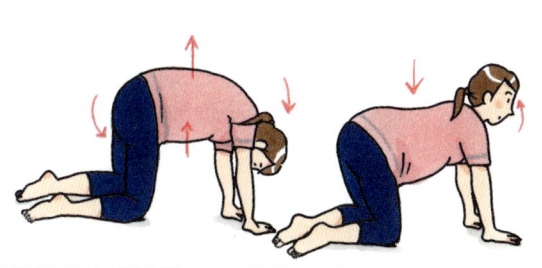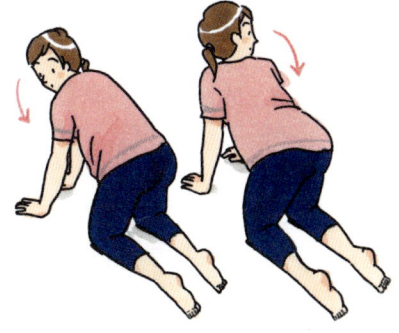

●骨盤を傾ける運動(猫のポーズ)(背筋の伸展,腰痛予防)
①四つんばいになり手足を肩幅に開く.息を吐きながら,背中を丸め頭を両腕の間に入れる.このとき,おなかを引き締め背中で天井を押し上げるようにする.
②一度息を吸って吐きながら,ゆっくり背を反らし頭を上げる.このとき,腹筋・肛門の順で筋肉を弛緩させる.

●骨盤を傾ける運動(犬のポーズ)(側腹筋の強化)
四つんばいになり手足を肩幅に開く.
息を吐きながら,肩と頭を同時に片側にひねる.
一度息を吸って吐きながら,ゆっくり元にもどす.

図Ⅰ-31　妊婦体操の実際

①常に肩ベルトと腰ベルトの両方を装着する．
②腰ベルトは妊娠子宮の膨らみを足側に避けて，腰骨のもっとも低い位置，すなわち両側の上前腸骨棘〜恥骨結合を結ぶ線上を通す．腰ベルトは妊娠子宮の膨らみを，決して横切ってはならない．
③肩ベルトは妊娠子宮の膨らみを頭側に避けて，胸骨前すなわち両乳房の間を通って側腹部に通す．
④ベルトが緩むことなく，ぴったりと心地よく身体にフィットするよう調節する．必要があれば，ベルトが適切に装着できるよう，座席シート自体の位置や傾きを調節する．
⑤妊娠子宮の膨らみとハンドルの間に若干の空間ができるよう，座席シートの位置を前後に調節する．

図Ⅰ-32　妊婦のシートベルトの装着方法

［日本産科婦人科学会/日本産婦人科医会（編・監）：CQ901 妊娠中のシートベルト着用，および新生児のチャイルドシート着用について尋ねられたら？　産婦人科診療ガイドライン─産科編2020, p.369-371, 日本産科婦人科学会, 2020を参考に作成］

ト入りで説明されているが，妊娠中のシートベルト着用とともに，正しいシートベルトの着用法のさらなる啓発が必要である．

f. 妊娠中の旅行

　妊娠中の旅行は，妊娠経過に異常がないことが前提となる．したがって切迫流・早産の徴候がある妊婦や既往に早産があった妊婦は控える．そのため，旅行の必要性が出てきた場合は産科医に相談し，妊娠経過や体調が良好なことを確認してから出かける．相談を受けたら旅行先や目的・交通手段を確認し，身体状況が良好でも注意事項を説明し，自動車による移動であってもシートベルト着用など安全に旅行ができるよう助言する（図Ⅰ-32）．

妊娠中の旅行
①産科医に相談し，妊娠経過に異常がなく合併症がないことを確認する．
②時期は妊娠16週以降の安定期がよい．ただし妊娠末期は早産の危険があるので避ける．里帰り分娩などで帰省する場合も，妊娠32〜35週を目安とする．
③夫や家族同伴で出かけ，時間に余裕のある無理のない計画であるか確認を勧める．
④母子健康手帳と保険証を携帯し，異常を感じたら旅行先の産婦人科受診を勧める．
⑤交通手段として，公共の乗り物を利用する場合，混雑する時間帯は避ける．
⑥自動車で移動する場合，2〜3時間おきのトイレ休憩を入れて体を動かす．
⑦自動車で移動する場合は，シートベルトを安全に着用する（図Ⅰ-32）．
⑧飛行機を利用する場合は，各航空会社の搭乗条件を確認してから利用することを説明する．一般に，妊娠36週以降の搭乗は医師の診断書・同意書が必要である．また国内では出産予定日7日以内の搭乗は，医師の同伴も条件となる．
⑨飛行機で移動する場合，深部静脈血栓症を予防するために，座った状態でかかとの上げ下げ運動や足首の回転運動を行い，立った際は屈伸して足を伸ばす．また，水分摂取に努め，通路側に座席をとり2時間ごとに歩行する．

9 ● 性生活の援助

妊娠中の性欲は，高まる人もいれば減退する人もいるなど個人差がある．避妊をしなくてもよいという解放感や，子宮・胎児への影響の心配など，心理的影響が大きい．そのため夫婦の考え方に相違が生じたり，極端に性交を避ける状態を引き起こしたりする．一般には妊娠初期や末期は流・早産や破水の危険があるため控えたほうがよいが，妊娠経過に異常がない場合は性交を禁止する必要はない．夫婦でいたわりあったスキンシップを楽しむことは大切である．ただし，精液中の**プロスタグランジン**は子宮収縮を誘発する可能性があるため，早産防止・感染防止のために妊娠中であっても**コンドーム**を使用することを説明する．

妊娠中の性生活

① 妊娠初期と末期は流・早産や破水を防止するために，性交を控える．
② 切迫徴候がある妊婦や流・早産の既往のある妊婦は，性交を控える．
③ 妊娠中期の安定期に入ってから，腹部を圧迫しない工夫をする（側臥位など）．
④ 感染防止のため清潔な状態で行う．
⑤ 精液中に子宮収縮を誘発する物質（プロスタグランジン）が含まれているため，コンドームを使用する．
⑥ 乳頭や乳房刺激は子宮収縮が引き起こされることもあるため，避ける．
⑦ 性交中に子宮収縮が出現したら中断し，性交後に異常を感じたら受診する．
⑧ 夫婦でいたわりあい，スキンシップを楽しむ工夫をする．

学習課題

1. 妊娠に伴う母体の生理的変化と胎児の健康状態をアセスメントするための項目を整理してみよう
2. 妊娠生活を円滑に過ごすために必要なセルフケア能力を高めるための援助内容について整理してみよう

練習問題

Q1 正常に経過している妊娠36週の妊婦が，次に妊婦健康診査を受診する時期として推奨されるのはどれか．　　　　　　　　　　　　　（第109回国家試験，2020年）
1．4週後
2．3週後
3．2週後
4．1週後

Q2 レオポルド触診法にて，子宮の左側壁に大部分を，右側壁に小部分を触知した．また，第3段法により球状のかたい部分を触知し可動性が認められた．以下のアセスメントで正しいのはどれか．
1．第1頭位である．
2．第2頭位である．
3．第1骨盤位である．
4．第2骨盤位である．

Q3 妊娠の初期と後期のどちらの時期にも起こるマイナートラブルはどれか．
（第110回国家試験，2021年）
1．下肢静脈瘤
2．瘙痒感
3．悪阻
4．頻尿

Q4 Aさん（30歳，初妊婦）は，夫（32歳，会社員）と二人暮らし．身長は160 cm，非妊時多重60 kgである．妊娠8週の妊婦健康診査を受診し順調な経過と診断された．嘔吐はないが，時々嘔気があると訴え，対処法について質問があった．Aさんへの説明で適切なのはどれか．
（第110回国家試験，2021年）
1．「空腹を避けましょう」
2．「塩味を濃くしましょう」
3．「規則正しく3食取りましょう」
4．「市販の調理済みの食品は控えましょう」

［解答と解説 ▶ p.547］

引用文献

1) 日本産科婦人科学会/日本産婦人科医会（編・監）：CQ001特にリスクのない単胎妊娠の妊婦健康診査（妊婦健診）は？ 産婦人科診療ガイドライン—産科編2020，p.1-2，日本産科婦人科学会，2020
2) 厚生労働省：妊婦健康診査の公費負担の状況にかかる調査結果について．平成28年7月29日付け雇児母発第0729第1号，2016
3) 厚生労働省：妊娠前からはじめる妊産婦のための食生活指針〜妊娠前から，健康なからだづくりを〜，〔https://www.mhlw.go.jp/hourei/doc/tsuchi/T210409N0032.pdf〕（最終確認：2021年4月26日）
4) 厚生労働省：令和元年 国民健康・栄養調査結果の概要《参考》栄養素・食品群別摂取量に関する状況，p.37，2019
5) 時田万英，鈴木光幸，中野 聡ほか：離乳遅延と日光浴不足により発症したビタミンD欠乏性くる病の1幼児例—本邦報告例（166例）の検討．日本小児栄養消化器肝臓学会雑誌 32（1）：1-7，2018
6) 北中幸子：くる病の診断と治療．小児内科 44（4）：583-587，2012
7) 厚生労働省：お魚について知っておいてほしいこと．2005，〔https://www.mhlw.go.jp/topics/bukyoku/iyaku/syoku-anzen/suigin/dl/051102-2a.pdf〕（最終確認：2021年4月28日）
8) 厚生労働省：平成30年 国民健康・栄養調査結果の概要．Ⅱ結果の概要．第2部 基本項目．第4章 飲酒・喫煙に関する状況．2喫煙の状況．p.24-25
9) 環境省：エコチル調査でわかったこと，〔https://www.env.go.jp/chemi/ceh/results/summary.html〕（最終確認：2022年3月7日）
10) Michikawa T, Nitta H, Nakayama SF, et al. The Japan Environment and Children's Study Group: The Japan Environment and Children's Study（JECS）: A Preliminary Report on Selected Characteristics of Approximately 10 000 Pregnant Women Recruited During the First Year of the Study. J Epidemiol 25（6）: 452-458, 2015

11) 日本呼吸器学会：非燃焼・加熱式タバコや電子タバコに対する日本呼吸器学会の見解と提言．2019．〔https://www.jrs.or.jp/uploads/uploads/files/citizen/hikanetsu_kenkai_kaitei.pdf〕（最終確認：2020年9月1日）
12) 中井章人：日常生活サポート―飲酒．EBMに基づく周産期リスクサインと妊産婦サポートマニュアル，p.256，ライフ・サイエンス・センター，2005
13) 前掲書1），p.105
14) Bech BH, Obel C, Henriksen TB, et al：Effect of reducing caffeine intake on birth weight and length of gestation：randomized controlled trial. BMJ **334**(7590)：409-412, 2007
15) 木暮さやか，森田晶人，京谷琢治ほか：胎児動脈管早期収縮と診断した5例とポリフェノール高含有食品摂取歴の検討．日本周産期・新生児医学会雑誌 **52**(1)：205-209, 2016
16) 松本清一：妊産婦体操概論―わが国の母子保健対策と妊産婦体操．改訂版 妊産婦体操の理論と実践，第5版（松本清一監），p.2-6，社団法人 全国保健センター連合会，1993
17) 一杉正仁：妊婦もシートベルトを着用．運転管理 **4**：10-15, 2009
18) 日本産科婦人科学会/日本産婦人科医会編・監：CQ901妊娠中のシートベルト着用および新生児のチャイルドシート着用ついて尋ねられたら？ 産婦人科診療ガイドライン―産科編2020，p.369-371，日本産科婦人科学会，2020
19) 村越友紀，渡辺博，岡崎隆行ほか：妊婦のシートベルト，チャイルドシートに関する実態調査．日本周産期・新生児医学会雑誌 **45**(4)：1410-1414, 2009
20) ヴァルクス公美子，飯田俊彦，本澤養樹ほか：妊婦のシートベルト着用率についての実態調査．日本周産期・新生児医学会雑誌 **46**(1)：49-53, 2010
21) 三宅優美，丸山康世，中島文香ほか：妊娠中のシートベルト着用に関する妊婦の調査～シートベルト着用中の交通事故を経験して～．日本周産期・新生児医学会雑誌 **54**(1)：82-85, 2017

4 妊娠期の親になっていく過程のアセスメントと援助

> **この節で学ぶこと**
> 1. 妊婦およびその家族員のそれぞれの役割獲得準備状況をアセスメントすることにより，妊婦およびその家族員が円滑に役割調整を行うための援助について理解することができる
> 2. 妊娠により，親になっていく心理・社会的変化の過程を理解する
> 3. 母親になっていく準備に影響する要因を理解する
> 4. 母親になっていく準備状況に応じた母親になる準備を整えるための援助のあり方について学ぶ

A. 夫婦関係の再調整と援助

1 ● 夫婦関係の再調整と援助

はじめての子どもの誕生に伴う親への移行は，親になる誰しもが経験するできごとであり，個人あるいは家族の成長・発達段階の時期である．夫婦2人の関係に，子どもとの親子関係を加えるという関係の再調整が求められる．**関係の再調整**とは，それまでの関係性を見直し，新たな関係を構築するために調整することである．妊娠・出産が夫婦関係に与える影響として，第2回妊娠出産子育て基本調査（2011（平成23）年）によると，結婚生活に対する妻の幸せの度合い・夫／パートナーへの愛情のいずれも妊娠期では6～7割と高いが，0歳児期で4～5割と大きく減少している[1]．妊娠中あるいは出産後は，それまでの生活と比較して，夫婦それぞれの生活行動が制限されたり，生活リズムが変化したりする．また，子どもの誕生後は育児役割が加わるだけでなく，家事の全体量が増量する．さらに，経済的負担も加わる．子どもが生まれることに対して出産前にもっていた子どもや夫／パートナー，そして自分自身にもっていた期待と産後の現実の生活とが違っていた場合，夫婦関係は悪化することが予測される[2]．中島ら[3]は，妊娠期の夫婦関係を「夫婦で子どもを迎えるという共同目標をもち，夫婦間の共感的なコミュニケーションの基で精神的な安定が図られ，相互の親密性と連帯性を強めていく関係性」と定義している．また妊娠期の夫婦関係には自分の話を理解してくれる，気持ちをくみとってくれる，話を聞いてくれるなどの「パートナーの受容」や話し合える関係性である，感情を素直に表出できる，共通の話題や興味について話すことができるなどの「良好な人間関係」が影響しているとされる．さらに妻にとっては，「経済・生活の充実」と家事支援や身体への気遣いや精神的支えなど，「夫／パートナーの支援・信頼」が強く関係している[4]とされている．これらのことからも，妊娠期以降の夫婦関係の良好な関係性を維持・向上させるためには，夫婦で

どのような出産・育児をイメージするか，妻は夫/パートナーに対して何を期待するか，夫/パートナーは妻の期待に対してどのように調整することができるのかなど，互いの思いを共有するようなコミュニケーションを図ることが重要になると考える．看護職者は，結婚や妊娠を機に，夫婦の役割がどのように調整されているか，また，産後の生活をどのようにイメージし，互いにどのような役割を期待しているかについて確認し，夫婦それぞれの満足度や負担の程度についても話を聴く必要がある．また，夫婦に対して関係性を維持・向上させるために，共感的なコミュニケーションの重要性について考えてもらうようなはたらきかけを行うことも重要である．

2● 夫婦の役割再調整への援助

産後子育てを行うためには，新生児の生活リズムに合わせて生活することが必要となり，2～3時間おきの授乳を中心とした生活へと変化し，これまでの生活リズムとは大きく異なる．また，家事も育児の合間に行うことが必要であるため，母親1人で子育てと家事を行うことは負担が多く，家族員と分担する必要がある．妊娠期では，妊娠初期の妻のつわりや妊娠末期の腹部増大による制限に伴い，日常生活行動が制限される．

役割再調整とは，これまでの役割に新たな役割を追加して再構築することであり，夫婦間での役割に親役割を追加するためには，産後の育児役割をどのように調整するか，それに伴う家事役割の再調整や，育児を行うために生活習慣を修正することも必要とされる．また妻，夫/パートナーがお互いに望む役割行動として，精神的支援であるという結果が多く出されている．

夫婦の役割再調整に向けて，夫婦自身が現在の生活を振り返り，妊娠を機にどのように役割を調整してきたかを確認する．そして，子育てによる生活の変化について十分に情報提供することにより出産後の生活を具体的にイメージすることを助け，夫婦が互いにどのような役割を期待しているかを表出することを促す必要がある．そのためには，夫婦が産後の生活やそれぞれの役割分担についてどのように子育てしていくかを話し合う機会を提供することにより，必要に応じて，助言することが望まれる．

B. 母親になっていく過程のアセスメントと援助

1● 妊娠期の母親になっていく過程

母親役割は，幼少期や妊娠する以前に幼い子どもとかかわった経験や育った環境の影響などを受けて，発達的な過程（プロセス）で獲得される．妊娠期は，出産後の親子関係発達のための準備期であり，心理・社会的に親になっていく準備をする時期と位置づけられる．つまり，母親役割は単に育児に関する知識や技術の遂行を指すのではない．

母親は妊娠期の親になっていく準備状態を基礎として，産褥期（さんじょくき）に子どもとのかかわりを深めていくなかで，母親としての役割を果たしていく．したがって，**妊娠期の母親になっていく準備**は，不可欠なプロセスである．母親になっていくプロセスにおける妊娠期の課題を達成しないまま産褥期に移行すると，自分自身や他者が期待する母親役割を遂行できず，不安や喪失感を生じる可能性がある．

また，母親になっていくプロセスははじめて母親になるときだけでなく，それぞれの子どもの親・複数の子どもの親としての役割を遂行する（果たしていく）ために心理的変化が生じる．経産婦(けいさんぷ)であっても妊娠経過や出産がそのたびごとに異なるのと同様に，第2子，第3子の母親になる準備や母親になっていく過程は妊娠・出産のたびごとに異なり，それぞれの「この子」との間で独立して始まり，発展していく．

　また，新しい家族との生活を始めるために，家族員の役割関係を調整する，ライフスタイルを見直す，地域社会とのつながりが変化するなど，社会的側面にも変化が生じる．つまり，妊娠期は夫／パートナーや家族，地域社会とのつながりのなかで社会的な側面において，母親になる準備を進めていく．

a. 妊娠の受容

　妊娠期の母親になっていくプロセスは，妊婦自身が妊娠を肯定的に受け止めるところから始まる．妊娠を肯定的に受け止めて受容することは，妊娠期間中の妊婦自身と胎児の健康を守り，出産・育児への心身の準備を進め，母親になっていくプロセスを進んでいくうえで重要である．また，重要他者（夫や家族）が妊娠を喜んでいる，受容していることは，妊婦自身の親になっていくプロセスに肯定的に影響する．

b. 模倣（まねる）／母親役割モデルを探す

　はじめて母親になる女性は**母親役割モデル**を探すようになる．役割モデルとなるのは多くの場合，実母，自分や夫／パートナーの姉妹，友人，職場の同僚，近隣の母親たちである．自分の身近にいる妊婦や母親を役割モデルとして認識すると，役割モデルを「模倣する」（まねる）ようになる．たとえば，妊婦用の衣服を身につける，食事に気を配る，出産や育児に必要なものを準備するなどである．看護師や助産師，医師などの専門家に相談し助言を得ること，マタニティ雑誌などに紹介されている一般的な妊婦の習慣などを取り入れることも，母親になる準備を進めていくための模倣の一部といえる．

　妊婦にとって，もっとも身近な母親役割モデルは実母であり，成人していったんゆるめられていた母娘の絆(きずな)は妊娠中にあらためて形成され，強められる．しかし，これはすべての母娘に当てはまるわけではない．この時期に母親役割モデルとして実母を求めるか否かは，これまでの母子（母娘）関係が影響している場合もある．

　妊娠の進行に伴い，模倣する役割モデルは変化し，妊娠経過や妊婦が置かれている個別的な状況が似ている母親役割モデルを模倣するようになる．

　経産婦の場合は，親になる経験や妊娠，出産，育児の経験はあるが，同時に2人以上の子どもの母親役割を担うことははじめての経験となる．複数の子どもの母親として，またそれぞれの子どもとの親子関係を築いていくために，兄／姉となる子とのかかわり方や2人以上の子どもそれぞれとかかわるための役割モデルを探す．

　母親役割モデルを「模倣する」（まねる）ことは自発的で積極的な探究であり，母親になっていく準備に取り組んでいるということである．

c. ロールプレイ（役割演技）

　両親学級などでモデル人形でオムツ交換，だっこ，沐浴練習をする，また乳幼児と触れあう機会があると，子どもに話しかける，あやすなど，自分が母親になったつもりで，いわゆる**ロールプレイ（役割演技）**をする．役割演技をすることで母親になったときの自分

の力量を試そうとしている．ロールプレイ時に子どもが笑う，喜ぶ，指をつかんでくれるなど肯定的な反応をすると，母親になる自分の力量を肯定的に評価でき自信につながる．一方，子どもが泣く，反応がない，拒絶するなど否定的な反応をした場合は，母親としての力量がないと感じたり，母親としての自信の喪失につながることがある．そのような経験はそれ以降の母親になっていく準備を消極的にする可能性がある．髪を引っ張る，顔をたたくなど，乳児独特の反応や子どもの行動の意味がわからない場合は，否定的な反応と誤解してしまうこともある．

d.「空想」と胎児との絆形成

妊娠の進行に伴う腹部の増大によって，胎児の発育や胎動の知覚により，子どもの存在を実感できるようになると，胎児を意識して腹部を触る，胎児に話しかける，というような胎児との相互作用が活発になる．また，生まれてくる子どもの健康や将来のことや親になった自分自身や夫／パートナーの姿を空想するようになる．妊娠期には，「空想」や胎児との相互作用を通して胎児との心理的な絆が形成される．胎児との絆の形成はわが子の特徴をイメージすることを通してさらに強固なものとなる．

e. 自己像の見直し，「母親としての自己像」の形成

母親になる準備においては，これまでの人生において抱いていた，自分がどんな人間であるかという考え（自己概念）やこれまでの自己像（自己イメージ：女性である私，妻である私，看護職者としての私など）を見直すようになる．妊婦はこれまでの自己像に加えて「母親としての私」，つまり母親としての自己像を形成し始める．しかし，妊娠すれば誰もがすぐに「母親としての自己像」を描くというわけではない．妊娠に対する葛藤がある場合には親としての自己像を描くことは困難となる場合がある．初産婦の場合，まだ母親としての自己像が描けない時期に，「お母さん」とよばれてもしっくりこないことがある．また，妊娠末期になっても「自分が母親になるなんて，まったくイメージできない」ということもある．たとえば，出産・育児の期間，一時的に仕事を休むことで仕事上のキャリアを中断するような場合，「これまでは仕事をバリバリやっていた．でも今は…」というような仕事への未練などを表現することもある．その場合は仕事上のキャリアを母親になるためにあきらめる，失うと認識しているかもしれない．しかし，「子どもが生まれるとこれまでのようには仕事ができなくなるけど，その間は思いきり，育児や母親である自分を楽しもうと思っている」というように未来の自分を受け入れるように変化していくことが多い．このように，妊娠期に経験することを通して過去の自己概念から解放される（自由になる）ことによって，母親としての新しい自己と新しい生活を受け入れるようになり，わが子との絆の形成が促進される．

また，この先どのような生活や役割が待っているのか，自分は子どもをどのように育てていくのだろうか，子どもはどんな反応をするのだろうか，自分はその子どもとどのように接していくのか，などさまざまなことを想像し，自分はどのような母親でありたいかと考えることを通して，「母親としての自己像」を形成していく．身近にいる子どもと接したときの「ロールプレイ（役割演技）」や，おなかを触ったときの胎児の反応から子どもの特徴をとらえ，子どもとの生活や母親である自分を想像してみることなどは，「母親としての自己像」の形成を助ける．

2 ● 妊婦の母親になっていく準備に影響する要因

母親役割獲得の準備は漸進的に(順を追って少しずつ)進んでいく.子どもを産むことを望み,子どもを受け入れる気持ちが母親になる準備を動機づけるエネルギーとなる.

母親になっていく準備に影響する主な要因は,個人的特性(年齢,性格,自信,幼少期の養育者との関係),ストレス,ソーシャルサポート,妊娠の受容,重要他者による妊娠の受け止め,夫/パートナーとの関係の質,過去の妊娠・出産に伴う経験である(表Ⅰ-28).これらの要因は妊婦や家族の状況によって,取り組みの促進,抑制のどちらにもはたらく.

表Ⅰ-28 母親になっていく準備に影響する主な要因

要因[*1]	促進する可能性のある要因[*2]	抑制する可能性のある要因[*2]
妊娠の受け止め	・望んだ妊娠である,計画的である,妊娠を肯定的に受け止めている. ・母親になるためにあきらめることや失うものを認識して,ありのままに他者に表現できる. ・妊娠に対する重要他者(パートナーや家族)からの反応が肯定的である.	・計画的な妊娠ではない,妊娠を受容していない. ・妊娠に伴う社会的役割の変化に適応することに葛藤がある. ・妊娠に伴う不快症状や身体的な負担を強く感じている. ・妊娠に対する重要他者(パートナーや家族)の反応が否定的である,または関心や支援が乏しい.
夫婦関係	・結婚している/結婚の予定がある. ・夫/パートナーとの関係が良好である. ・夫/パートナーとの関係に満足している.	・パートナーがいない/結婚の予定がない. ・夫/パートナーとの関係性が悪い,コミュニケーションが不足している.
生育歴(幼少期の親子・保護者との関係)	・幼少期の自分と親(養育者)との関係を好ましいと受け止めている.	・幼少期の自分と親(養育者)との関係を好ましくないと受け止めている.
胎児との関係性(胎児との相互作用,または胎児への思い)	・胎児との相互作用における体験を肯定的に受け止めている. ・幼い子どもとかかわったときの経験が肯定的である.	・幼い子どもからの否定的な反応(幼い子どもとのロールプレイでの失敗体験). ・胎児との相互作用における肯定的な経験が乏しい(胎児の反応が乏しいなど).
妊娠中のできごとや妊娠のとらえ方	・思い描いていたような妊娠期の経験ができている.	・思い描いていたようにいかなかった妊娠期の生活 ・切迫早産などによる想像や理想とは異なる妊婦生活
自己のとらえ方	・肯定的な自己イメージ(自己概念)をもっている. ・自分なりの母親像のイメージをもっている.	・自己肯定感・自尊感情が低い. ・ステレオタイプの母親像に過度に縛られて,自分なりの母親像を描けていない.
経済的状況	・経済的に安定している.	・経済的なゆとりがない.
ソーシャルサポート	・他者から期待するサポートが得られる.	・期待するソーシャルサポートが少ない.
過去の妊娠・出産に伴う経験	・過去の妊娠・出産・育児に関する肯定的な経験がある.	・過去の妊娠・出産・育児に関する否定的な経験がある. ・過去に流・早・死産の既往がある. ・過去に新生児死亡や乳児死亡を経験している. ・不妊治療の経験がある,今回の妊娠が不妊治療によるものである.

[*1] 状況によって抑制・促進のどちらにもなる要因.
[*2] 促進/抑制する可能性のある要因:ステレオタイプに「促進/抑制」とみるのではなく,その可能性を認識したうえで個別的にアセスメントする必要がある.たとえば「パートナーがいない/結婚の予定がない」場合でも1人で育てる覚悟をしている場合は抑制しないこともある.

3 ● 母親になっていく準備状況のアセスメント

　母親になっていく準備状況のアセスメントでは，母親になっていく準備への取り組み方を観察し，さらにそれらの関連性もみていく必要がある．過去の自己概念（たとえば母親でなかったときの自分など）への未練や妊娠に伴う社会的変化に適応することへの葛藤や困難，妊娠の進行に伴う母親になっていく準備状況の変化もとらえる必要がある．妊婦にとっての重要他者の態度や重要他者の妊婦へのかかわり方も合わせてアセスメントする．これらのアセスメントはポピュレーションアプローチとしての子ども虐待未然防止にもつながる．

〈アセスメントの視点〉
　　# 　妊娠の受け止め方
　　# 　母親役割モデルの探索と模倣の状況
　　# 　乳幼児とのかかわりの経験と子どもの反応の受け止め
　　# 　胎児への関心・胎児との相互作用および絆形成
　　# 　親になることに伴う役割変化や生活の変化への適応
　　# 　母親になっていく準備に影響する要因（表Ⅰ-28）

a. 妊娠の受け止め方のアセスメント

(1) 肯定的な受け止め方

　妊婦が妊娠の喜びや母親になる喜び，夫/パートナーや家族が自分の妊娠に肯定的な反応を示していることを態度や言葉で表出する場合，妊婦が妊娠を肯定的に受け止め受容しているとアセスメントできる．あるいは言葉で表現しない場合は，胎児心音を聴くときや超音波検査で胎児の画像をみるときの表情や関心のもち方から観察することができる．

(2) 否定的な受け止め方

　妊娠を希望していたか，妊娠を計画していたかなど，妊娠がわかったときの妊婦や家族の気持ちを確認する．予期せぬ妊娠であった場合や妊娠を受容していない場合は，母親になっていく準備に取り組むことが遅れたり，積極的に取り組めないことがある．具体的な行動としては，初診の時期が遅い，妊婦健康診査を定期的に受診しない，妊娠していないときと同じようにふるまう，飲酒や喫煙を続けるなど妊婦や胎児の健康に有害なことを避けようとしないなどの行動（**胎児ネグレクト**）が観察されることもある．

(3) 受け止め方の変化

　妊娠がわかったときに予期せぬ妊娠であったり，妊娠を否定的に受け止めていても，不快症状が改善したり，夫/パートナーや家族など重要他者から祝福されたり大切にされる経験によって，肯定的な受け止めに**変化していく**場合もある．また，母親役割モデルと接することで，子どもの可愛さや母親としての喜びを認識することもある．超音波検査の画像で胎児の様子をみる，胎児心音を聴く，胎動が自覚できるようになるなど，胎児の存在を実感することによって，受け止め方が徐々に肯定的に変化することも多い．一方，胎児の先天異常がみつかり，受け止め方が変化することもある．妊娠の受け止め方は一時点の観察ではなく，継続的に観察しその変化をみていくことが重要である．

b. 模倣／母親役割モデル探索のアセスメント

(1) 母親役割モデルの探索と模倣の状況

　多くの妊婦は，妊娠を機に「妊娠するまで，世のなかにこんなに妊婦がいたなんて気づかなかった」と，妊婦や幼い子どもを連れた母親に関心が向いていることを自覚する．また，新聞記事やテレビ番組にも母親役割モデルが満ちているように思える．妊婦や母親と子ども，妊娠・出産・育児に関する話題に関心が向いており出産育児用品の準備をする，出産準備教室に参加する，などは母親になっていく準備への取り組みが進んでいるといえる．たとえば，乳幼児と母親が出ている番組を選択してみるようになる．妊娠中の自分と胎児の健康維持のための食生活を実践する，妊婦が，妊婦とはどういうものか，母親とはどういうものかを知るために，身近にいる妊婦や親子に接触し，妊娠を打ち明けたり経験を聞いたり相談するなどは，親になっていく準備の最初の段階を進み始めていると考えられる．

　妊婦はさらに，出産育児用品の準備や分娩時の状況について具体的な情報を得るために，できるだけ自分の状況に似た役割モデルを探し，接触しているかを観察・確認する．経産婦は妊娠・出産の経験はあるが，同時に2人以上の母親役割遂行ははじめて経験することである．きょうだいの性別が同じ，家族の状況が似ている，仕事の有無など，自分とよく似た状況にある役割モデルを探したり，接触することは母親になっていく準備がより具体化しているといえる．

c. 乳幼児とのかかわりの経験と子どもの反応の受け止めのアセスメント

　妊婦が身近な子どもや偶然出会った乳幼児とかかわったこと（ロールプレイ）があるか，そのときどのように接して，どのような反応があったか，その反応に対し，どのように感じたかは，自分自身の母親の能力を反映していると認識する場合がある．子どもが泣いたり，否定的な反応をした場合は，母親としての能力に自信をなくしている場合もある．

d. 胎児への関心・胎児との相互作用および絆形成のアセスメント

　胎児心音を聴く，超音波検査の画像をみる，胎動を感じるなど胎児の存在を実感することで，胎児のことを思い，空想が増える．また，胎動を感じたり，胎児に話しかけたり腹部をさするなど胎児にはたらきかけたときの胎児の反応を敏感にとらえることは，胎児を「活発な子」「マイペースな感じ」など，子どもの性格や将来像を空想することにつながっていく．子どもへのはたらきかけや，子どもの反応のとらえ方により，胎児との相互作用や絆形成の状況や母親になっていく準備状況を把握することができる．

　一方で，子どもの健康状態，出産や育児において経験する困難など不安を伴う空想によって，過度な不安を感じている場合もある．

e. 母親になることに伴う役割変化や生活の変化への適応のアセスメント

　これまでの自己概念や自己像（自己イメージ）や仕事のしかたや生活スタイルを傾聴し，妊娠によってどのように変化したか，または変化する必要があると思っているかなどを確認する．過去の自己概念から解放されているかもアセスメントする．

f. 母親になっていく準備に影響する要因を踏まえたアセスメントの統合

　母親になっていく準備状況は，妊婦とその家族の個別的な状況により多様である．妊娠期の母親になっていく準備状況は，どのレベルまで進んでいるかという判断や評価ではな

く，母親になっていく準備状況がどのように変化してきたかというプロセスそのものを把握することが重要である．具体的には，妊娠の受け止め方や親になることに伴う役割・生活の変化に対する葛藤や適応状況の変化（プラスの場合もマイナスの場合もある），また，夫／パートナーとの関係やわが子に対する気持ちの変化，出産後の生活に向けた支援者の準備や社会資源活用の準備が具体化しているかなどをアセスメントする必要がある．さらに産褥期へ向けた視点ももってアセスメントするとよい．母親になっていく準備に積極的に取り組み，母親になる実感をもっていても，実際に子どもが生まれると，子どもとの24時間休みのない生活においては，さまざまな困難も経験する．このような場合は，妊娠期に思い描き，準備していた「母親としての自己像」の理想と現実のギャップを感じることになる．妊娠期の母親になっていく準備のプロセスが産褥期の母親になっていく過程にどのような影響を及ぼす可能性があるかを吟味しておくことは，産褥期の母親になっていく過程の観察プランやアセスメントにも役立つ．

4 ● 母親になっていく準備に対する援助

母親になっていく準備状況は妊婦によってさまざまである．したがって，母親になっていく準備状況に応じた，個別的な援助を計画する必要がある．母親になっていく準備に関する援助は妊娠期の身体的，心理的，社会的すべての側面の看護につながる．妊娠を受容することは胎児を受け入れ，胎児の健康維持，発育に関心をもつことにつながる．母親役割モデルの模倣は，妊婦と胎児の健康の維持・増進のために生活を見直し，健康行動をとる源となる．「妊娠中はこうするべき」「母親はこうあるべき」という援助ではなく，その人がどのような母親になろうとするかを自分で考え，「自分なりの母親としての自己像」を形成していくことができるように支援することが重要である．

a. 妊娠をどのように受け止めているか，葛藤や否定的感情も含めて妊婦がありのままに話せる場をつくる

妊娠の受け止めが肯定的な場合は見守りつつ，妊婦としてのあるべき姿にとらわれすぎていないか把握する必要がある．

妊娠に伴う身体の変化に苦痛を感じている場合や，流・早・死産の経験や病気の子どもをもつ母親にとっては，喜びだけで満たされるわけではない．妊婦の言動から妊娠を受容していないことが明確に把握できる場合は，その背景にあるものを把握することに努めつつ，否定的な感情であっても安心してありのままに表出できる場や雰囲気をつくることが必要である．妊娠を受容できない，否定的に受け止めている場合，他者に否定的な感情を吐露することで自分自身の気持ちに気づき，整理がついて，その後は肯定的な感情が湧いてくる「カタルシス*効果」をもたらすこともある．看護職者のほうから妊婦が感じる負担感や戸惑いの例を示すことによって，否定的な感情の表出を助けることもできる．

流・早・死産，新生児死亡，乳児死亡の経験や不妊治療経験，不妊治療による妊娠である場合は，いつ子どもを失うかもしれないという心配から，子どもが元気に生まれてくるまでは，母親になっていく準備に積極的になれない場合もある．具体的に表現・行動する

---

*カタルシス：抑圧されうっ積した感情を除去したり，意識化させて言葉で表現することにより安堵感や心の安定が得られること．

ことが観察できなくても，それはこれまで期待を裏切られてきたための防衛反応であり，胸の内には子どもを無事に出産したいという強い希望があることも多い．

b. 母親役割モデルの探索や役割モデルと接触することを支援する

適切な母親役割モデルを探して模倣しているにもかかわらず，それに気づいていない場合もある．その場合には，「お姉さんは仕事をしながら出産・育児をされていて似た状況で頑張っていらっしゃるんですね」など役割モデルや模倣の内容が適切である理由を具体的にフィードバックすることは，個々の妊婦の状況に適した役割モデルの探索や役割モデルとの接触につながり，その後の母親になっていく準備を促進する．

c. 子どもの世話の練習や「ロールプレイ」時の子どもの反応の理解を助ける

両親学級などで子どもの世話の練習をすることで実際の育児をイメージすることを支援する．さらに，乳幼児との「ロールプレイ（役割演技）」を試したときの子どもの反応やそれに対する自分の感情を表出することを助けることは，子どもの反応の意味をどのようにとらえているかを把握するために重要である．また，子どもの反応の意味を正しく理解していないことは，母親としての力量の評価をゆがめる可能性がある．子どもの反応の特徴やその意味を理解できるような支援が必要である．

d. 母親になっていく準備の過程で経験する葛藤や否定的な感情を含めて妊婦がありのままを話せる場をつくる

母親になっていく準備の過程で経験する葛藤や否定的感情を他者からの評価を心配をすることなく，**ありのままに話せる環境づくり**は重要である．看護職者が妊婦の，妊娠・出産にかかわる複雑な思いや困難などをありのままに受け止めること，妊婦の気持ちを尊重することは信頼関係の構築につながる．その結果，幼少期の親（養育者）との関係を好ましくないと受け止めていることを話すきっかけをつくる場合もあり，妊婦のつらい経験や葛藤を共有することにより，より個別的な支援につながる場合もある．

これまでの自己概念を見直すためには，過去の自分を振り返って，母親になるためにあきらめることや失うものがあることを誰かに話すことも必要である．言葉で表出することによって，あきらめることはあるが，母親になることによって得られるもの，つまり未来の「母親としての自己」を受け入れやすくなることもある．また，妊娠に伴う社会的役割の変化に適応することに葛藤がある場合，妊婦によっては，出産後も「母親役割」に加えて「母親以外の役割」をもつことを好ましくないと認識して，罪悪感をもつ場合がある．看護職者がステレオタイプの母親役割にとらわれず，妊婦が「母親役割以外の役割」ももつことを尊重する姿勢は，それぞれの妊婦が「母親としての自己像」を描くことを助ける．母親になっていく準備の過程で経験する葛藤や否定的な感情の表出を促すためには，どんな感情であっても安心してありのままに受け止める看護職者の態度や表出することができる環境を整えることが必要である．

e. 生まれてくる子どもとの生活のなかで経験することの空想を促す

妊婦健康診査では胎児心音から胎児の様子を伝える（「落ち着いているからきっと寝ていますね」），胎児の各部分の位置を示す（「ここに手がありますよ」），超音波検査の画像を説明する（「手を口にもっていって指しゃぶりしているかもしれませんね」），現在の胎児の発育状態や器官の発達に伴う胎児の能力を伝えるなど，積極的に**胎児に関する情報を共有する**ことで，妊婦の空想を促進することができる．

胎動の印象や胎児にはたらきかけたときの反応や感じたことなどを率直に話せる機会（場）があることは，「やんちゃそう…」「素直な子かも」など，わが子の特徴を空想することを助ける．わが子の特徴の空想を促すことは，「この子」と「母親としての自己」との絆の形成のための重要な援助である．

f.「自分なりの母親としての自己像」の形成を促す

「自分なりの母親としての自己像」は子どもとの生活を始めてから時間をかけて確立していくものである．しかし，妊娠期から，「自分なりの母親としての自己像」を確立する準備を進めていくことができる．固定観念や伝統的な母性観に必要以上にとらわれる必要はない．もし，固定観念や伝統的な母性観にとらわれている場合は，自分らしくていいことを思い起こせるよう援助する．自分らしい母親としての自己像を話してもらうことやおなかにいる「この子」と「母親としての自分」との生活や子どもとの関係性を空想することは，自分なりの母親像の形成を促す．

C. 父親・兄/姉・祖父母になっていく過程のアセスメントと援助

1● 父親になっていく準備についてのアセスメントと援助

夫/パートナーが父親になる過程においては，妊婦である妻/パートナーの影響を受けやすい．また夫/パートナーは，妊娠を体感できないために，親であることを実感する時期は女性よりもやや遅く，その多くが出産後，実際に子どもと接してからである[5,6]といわれる．しかし，妊婦同様，妊娠期よりできるだけ役割獲得のための準備を進める必要がある．

夫/パートナーの父親になっていく準備状況をアセスメントするために，妊娠に対する思い，おなかの子どもに対する思いと胎動へのはたらきかけ，妊娠中の妻に対する思いと具体的行動，妊娠中の情報収集源と収集状況，妊婦健康診査や分娩準備教育への興味や参加状況，出産や育児準備への参加状況，産後子どもとの生活に対するイメージなどについて具体的に聴くことが必要である．

夫/パートナーが父親となる役割を獲得するための援助として，**夫/パートナーの親意識を育てるための援助**が重要である．具体的には下記にあげたように，妊婦同様，夫/パートナーがおなかのわが子を実感する機会を設ける必要がある．

①夫/パートナーが妊婦健康診査に同行し，超音波検査の画像を見たり，胎児心音を聴いたりすることを促し，その機会を提供する．
②日常のなかで，妊婦のおなかに触れ胎動を触知したり，胎児に話しかけたりすることを促す．
③両親学級への参加や育児用品の準備を妊婦とともに行うことを促す．
④小さな子どもと接触する機会を設ける．

2● 兄/姉になっていく準備についてのアセスメントと援助

兄/姉となる子どもにとって，新しいきょうだいの誕生は「お兄ちゃん/お姉ちゃん」

としての成長が促されるとともに，分娩のための入院という母子分離を余儀なくされるストレス（危機的状況）でもある．兄／姉の退行現象（p.27参照）や身体的反応は，母親にとって**産後の育児不安の大きな要因**となる．兄／姉になっていく過程をアセスメントするために，現在の兄／姉の健康状態や発達段階，生活リズム，妊娠後の兄／姉の反応はどのようなものであるか，おなかの赤ちゃんに対して兄／姉の反応や様子はどうであるか，分娩のための入院中あるいは退院後の兄／姉への対応をどのように計画しているか，また，夫／パートナーや祖父母はどのように兄／姉にかかわっているかなどについて情報収集する必要がある．

　兄／姉自身，きょうだいができることを受容するためには，妊娠期から親や家族が日常のかかわりのなかで対応していくことが望まれる．具体的には看護職者は以下の援助を行う．

> ①兄／姉に対して，母親や父親が，きょうだいが生まれることを説明するように促す．
> 「おなかに触れさせ，一緒に声かけする」「妊婦健康診査に同伴させ，おなかのなかの赤ちゃんについて実感させる」「おなかのなかの赤ちゃんが弟や妹になるなど関係性を説明する」「赤ちゃんが生まれてお兄ちゃん／お姉ちゃんになるような絵本を用いながら説明する」など．
> ②兄／姉に対する愛情を十分に伝えつつ，弟／妹となるおなかの子どもに対して関心や愛情が形成されるような接し方について助言する．
> 「兄／姉が赤ちゃんだったときの写真を見せたり話を聞かせたりする」「出産準備に一緒に巻き込む」「兄／姉への尊重を示すために，退院時，兄／姉へのプレゼントを準備する」など．
> ③兄／姉の反応を受容的にとらえられ，同時に発達を助ける育児について知識を提供する．
> 「兄／姉の退行現象（嫉妬心，依存的行動）の表出例について情報提供する」「兄／姉の退行現象が発達過程において，自然な現象であることを説明する」「自我形成期の具体的対処について提案する」「兄／姉の発達過程における特徴と発達を促す対処について情報提供する」など．
> ④分娩入院中に兄／姉と母親との分離の影響が最小限になるよう，兄／姉と母親が積極的に接触することの意義を伝え，入院中の面会を促す．また，母親不在の間，父親が支えられるような準備について確認を行う．

　以上のように，母親にとって，兄／姉の変化は大きな関心事である．妊娠期から，兄／姉が赤ちゃんの誕生を理解し，成長する，あるいは否定的反応が長期化しないようなかかわり方の検討が必要である．

3 ● 祖父母になっていく準備についてのアセスメントと援助

　妊婦の実父母・義父母もまた，妊娠に伴い，祖父母という役割を担う．祖父母にどのような役割を期待するか，あるいは祖父母がどのような役割を引き受けられるかについては，それぞれの家庭において異なる．妊婦にとって祖父母は育児の先輩として頼りになる存在であると同時に，祖父母世代の育児環境と現代の育児環境では異なることも多く，子育てへの意見が食い違うことは互いのストレスになる．親となる妊婦にとって，祖父母がよき

サポート者となり，祖父母自身も孫とのかかわりをかけがえのないものとするために，**期待する役割について話し合う**必要がある．また祖父母の経験の程度に応じて，知識や技術を再度習得する必要がある．

祖父母になっていく過程をアセスメントするために，祖父母の健康状態や就業状況，祖父母の孫育て経験，祖父母宅との距離，育児について互いの思いが食い違っていないか（とくに母乳や離乳食や抱きぐせについてなど），どのような役割をどの程度期待しているか，あるいはどの程度引き受けてくれるかについて，情報を得る必要がある．

祖父母にとって，期待されている役割はその家族によりさまざまである．したがって，以下のようなことについて，妊娠中から，家族間で話し合うことを促すと同時に，祖父母が期待されている役割を遂行できるよう支援する必要がある．

①祖父母自身が期待されている役割を明確にするために，親となる娘・息子夫婦と話し合うように促す．
②祖父母が必要としている育児技術を再学習する機会をつくり，支援する．
③現在，妊婦が受けている保健指導の内容を祖父母も共有する機会をつくり，現代の妊娠・分娩・育児のあり方について理解を深められるよう支援する．

D. 出産・育児に向けた生活の調整

1 ● 妊娠に伴う社会的役割の調整

妊娠の確定診断後，妊婦はすみやかに住民票のある市区町村の役所や保健センターに妊娠の届け出を行い，母子健康手帳交付と妊婦健康診査受診票の交付を受ける（母子保健法第15条・16条，p.537の**資料2**参照）．

就労している女性が妊娠すると，妊娠の継続と仕事の継続についての調整を行う必要が生じる（図Ⅰ-33，表Ⅰ-29）．

妊娠期には定期的に妊婦健康診査および保健指導（健康相談・教育）を受ける必要があり（**母子保健法**第12条，p.537の**資料2**参照），そのための調整が必要となるが，定期的な保健指導（健康相談・教育）または妊婦健康診査を受けるための時間の確保は**男女雇用機会均等法**第12条（p.539の**資料4**参照）にて事業主に義務づけられている．

妊娠経過に問題がなければ仕事を継続することは問題ないが，仕事をもつ妊婦（就労妊婦）は心身ともに相当なストレスが加わる可能性があり，妊娠経過に影響しかねない．職種や仕事内容（立ち仕事か坐位の仕事か），通勤方法や時間，帰宅後の家事や夫／パートナー・家族の協力度について情報収集し，労働条件，労働環境，生活条件によっては時差出勤，勤務時間の短縮などの通勤の緩和，休憩時間の延長や休憩回数の増加，作業の制限や勤務時間の短縮など妊娠中の症状への対応といった保護規定の紹介や効果的な休憩のとり方の説明をするとともに，夫／パートナー・家族と家事の役割調整について話し合いをすることも勧める．

妊婦健康診査の結果，切迫早産などの可能性があり，通勤緩和や勤務時間短縮などの措置が必要であると医師が認めた場合，「**母性健康管理指導事項連絡カード**」（図Ⅰ-34）を

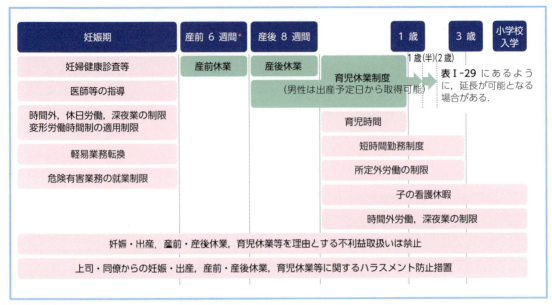

図Ⅰ-33　はたらく母親にかかわる制度の一覧

*多胎妊娠の場合は産前14週間．
[厚生労働省：働きながらお母さんになるあなたへ．2017年8月，〔http://www.mhlw.go.jp/file/06-Seisakujouhou-11900000-koyoukintoujidoukateikyoku/0000174116.pdf〕（最終確認：2018年2月26日）をもとに作成]

表Ⅰ-29　はたらく母親にかかわる主な制度・法律

時期	制度の略称	内容	根拠法
妊娠したとき	妊婦健康診査等	保健指導・健康診査等を受けるための時間が確保される．	男女雇用機会均等法第12条
	医師等の指導	医師等から，妊娠中の通勤緩和，休憩に関する措置，つわりやむくみなどの症状に対応して勤務時間の短縮や作業の制限，休業などの指導を受けた場合には，会社に「母性健康管理指導事項連絡カード」を提出して措置を講じてもらう．	男女雇用機会均等法第13条
	時間外，休日労働，深夜業の制限，変形労働時間制の適用制限	妊婦は，時間外労働，休日労働，深夜業の免除を請求できる．変形労働時間制がとられる場合にも，1日および1週間の法定労働時間を超えて労働しないことを請求できる．	労働基準法第66条
	軽易業務転換	妊娠中は，他の軽易な業務への転換を請求できる．	労働基準法第65条
	危険有害業務の就業制限	一定以上の重量物の取扱い業務，生殖毒性等を有する有害物質が一定濃度以上に発散する場所等における業務については，妊娠・出産機能等に有害であることから，妊娠中はもとより，年齢等によらず全ての女性を就業させることは禁止である．	労働基準法第64条の3
産前・産後休業，育児休業をとるとき	産前休業	出産予定日の6週間前（双子以上の場合は14週間前）から，請求すれば取得できる．	労働基準法第65条
	産後休業	出産の翌日から8週間は，就業することができない．ただし，産後6週間を経過後に，本人が請求し，医師が認めた場合は就業できる．	労働基準法第65条
	育児休業制度	1歳に満たない子を養育する労働者は，男女を問わず，希望する期間，子どもを養育するために休業することができる．両親ともに育児休業を取得する場合，1歳2か月まで取得可能（パパ・ママ育休プラス）．保育所に入所できない場合等，1歳6か月まで取得可能．さらに1歳6か月到達時点でも保育所に入所できない場合等最長で2歳まで取得可能．	育児・介護休業法第5条

（続く）

表I-29 はたらく母親にかかわる主な制度・法律（続き）

幼い子どもを育てながらはたらくとき	育児時間	生後1年に達しない子を育てる女性は，1日2回各々少なくとも30分間の育児時間を請求できる．	労働基準法第67条
	短時間勤務制度	事業主は，3歳未満の子を養育する男女労働者について，短時間勤務制度（1日原則として6時間）を設けなければならない．	育児・介護休業法第23条
	所定外労働の制限	事業主は，3歳未満の子を養育する男女労働者から請求があった場合は，所定外労働をさせてはならない．	育児・介護休業法第16条の8
	子の看護休暇	小学校入学前の子を養育する男女労働者は，年次有給休暇とは別に1年につき子が1人なら5日まで，子が2人以上なら10日まで，病気やけがをした子の看護，予防接種および健康診断のために休暇を取得することができる．時間単位で取得可能である．	育児・介護休業法第16条の2，第16条の3
	時間外労働，深夜業の制限	小学校入学前の子を養育する男女労働者から請求があった場合は，1か月24時間，1年150時間を超える時間外労働をさせてはならない．また，深夜（午後10時から午前5時まで）において労働させてはならない．	育児・介護休業法第17条，第19条
職場において困ったことがあるとき	妊娠・出産，産前・産後休業，育児休業等を理由とする不利益取扱いは禁止	妊娠・出産，産前・産後休業，育児休業等を理由とした解雇，不利益な異動，減給，降格などの取扱いを行うことは禁止されている．	男女雇用機会均等法第9条第3項，育児・介護休業法第10条等
	上司・同僚からの妊娠・出産，産前・産後休業，育児休業等に関するハラスメント防止措置	上司・同僚による，職場における妊娠・出産，産前・産後休業，育児休業等に関するハラスメントを防止する措置を講じることが，事業主に義務づけられている．	男女雇用機会均等法第11条の3，育児・介護休業法第25条
産前・産後休業中，育児休業中の経済的支援	出産育児一時金	健康保険の加入者が出産したとき，1児につき42万円が出産育児一時金として，支給される．	健康保険組合等より
	出産手当金	産前・産後休業の期間中，給与が支払われない場合，健康保険から1日につき，賃金の3分の2相当額が支給される．	健康保険組合等より
	育児休業給付金	1歳未満の子を養育するために育児休業を取得した等の一定要件を満たした方が対象で，原則として休業開始前賃金の67％が支給される．なお，育児休業の開始から6か月経過後は50％になる．育児休業を延長した期間も給付される．	雇用保険，共済等より

［厚生労働省：働きながらお母さんになるあなたへ，令和3年10月，〔http://www.mhlw.go.jp/content/11900000/000563060.pdf〕（最終確認：2021年12月26日）をもとに作成］

活用し事業主に提出してもらうなど，必要に応じてカードの説明も行う．産科医や助産師からの指導事項（通勤の緩和・休憩の変更・妊娠中の症状への対応）が示された場合は，勤務時間の変更，勤務軽減など必要な措置が定められている（男女雇用機会均等法第13条，p.539の**資料4**参照）．

また，**労働基準法**（p.539の**資料3**参照）により産前6週間（多胎妊娠は14週間），産後8週間の休業（第65条）が定められていること，妊婦の申し出により軽易な業務への転換（第65条）や時間外労働や休日労働，深夜業などの変形労働時間制の適用制限（第66条）がある．

産後は1年間の**育児休業**（育児・介護休業法第5条，p.540の**資料5**参照）や1日合計1時間程度の**育児時間**（労働基準法第67条，p.539の**資料3**参照）を取得することができる

母性健康管理指導事項連絡カード

年　月　日

事業主 殿

医療機関等名

医師等氏名

下記の1の者は、健康診査及び保健指導の結果、下記2～4の措置を講ずることが必要であると認めます。

記

1. 氏名 等

氏名		妊娠週数	週	分娩予定日	年　月　日

2. 指導事項

症状等(該当する症状等を○で囲んでください。)

措置が必要となる症状等
つわり、妊娠悪阻、貧血、めまい・立ちくらみ、腹部緊満感、子宮収縮、腹痛、性器出血、腰痛、痔、静脈瘤、浮腫、手や手首の痛み、頻尿、排尿時痛、残尿感、全身倦怠感、動悸、頭痛、血圧の上昇、蛋白尿、妊娠糖尿病、赤ちゃん(胎児)が週数に比べ小さい、多胎妊娠(　胎)、産後体調が悪い、妊娠中・産後の不安・不眠・落ち着かないなど、合併症等(　)

指導事項(該当する指導事項欄に○を付けてください。)

標準措置		指導事項
休業	入院加療	
	自宅療養	
勤務時間の短縮		
作業の制限	身体的負担の大きい作業(注)	
	長時間の立作業	
	同一姿勢を強制される作業	
	腰に負担のかかる作業	
	寒い場所での作業	
	長時間作業場を離れることのできない作業	
	ストレス・緊張を多く感じる作業	

(注) 「身体的負担の大きい作業」のうち、特定の作業について制限の必要がある場合には、指導事項欄に○を付けた上で、具体的な作業を○で囲んでください。

標準措置に関する具体的内容、標準措置以外の必要な措置等の特記事項

3. 上記2の措置が必要な期間
(当面の予定期間に○を付けてください。)

1週間(　月　日～　月　日)	
2週間(　月　日～　月　日)	
4週間(　月　日～　月　日)	
その他(　月　日～　月　日)	

4. その他の指導事項
(措置が必要である場合は○を付けてください。)

妊娠中の通勤緩和の措置(在宅勤務を含む。)	
妊娠中の休憩に関する措置	

指導事項を守るための措置申請書

年　月　日

上記のとおり、医師等の指導事項に基づく措置を申請します。

所属

氏名

事業主 殿

この様式の「母性健康管理指導事項連絡カード」の欄には医師等が、また、「指導事項を守るための措置申請書」の欄には女性労働者が記入してください。

(表)

(参考)症状等に対して考えられる措置の例

症状名等	措置の例
つわり、妊娠悪阻	休業(入院加療)、勤務時間の短縮、身体的負担の大きい作業(長時間作業場を離れることのできない作業)の制限、においがきつい・換気が悪い・高温多湿などのつわり症状を増悪させる環境における作業の制限、通勤緩和、休憩の配慮　など
貧血、めまい・立ちくらみ	勤務時間の短縮、身体的負担の大きい作業(高所や不安定な足場での作業)の制限、ストレス・緊張を多く感じる作業の制限、通勤緩和、休憩の配慮　など
腹部緊満感、子宮収縮	休業(入院加療・自宅療養)、勤務時間の短縮、身体的負担の大きい作業(長時間の立作業、同一姿勢を強制される作業、長時間作業場所を離れることのできない作業)の制限、通勤緩和、休憩の配慮　など
腹痛	休業(入院加療)、疾患名に応じた主治医等からの具体的な措置　など
性器出血	休業(入院加療)、疾患名に応じた主治医等からの具体的な措置　など
腰痛	休業(自宅療養)、身体的に負担の大きい作業(長時間の立作業、同一姿勢を強制される作業、腰に負担のかかる作業)　の制限　など
痔	身体的負担の大きい作業(長時間の立作業、同一姿勢を強制される作業)の制限、休憩の配慮　など
静脈瘤	勤務時間の短縮、身体的負担の大きい作業(長時間の立作業、同一姿勢を強制される作業)の制限、休憩の配慮　など
浮腫	勤務時間の短縮、身体的負担の大きい作業(長時間の立作業、同一姿勢を強制される作業)の制限、休憩の配慮　など
手や手首の痛み	身体的負担の大きい作業(同一姿勢を強制される作業)の制限、休憩の配慮　など
頻尿、排尿時痛、残尿感	休業(入院加療・自宅療養)、身体的負担の大きい作業(寒い場所での作業、長時間作業場を離れることのできない作業)の制限、休憩の配慮　など
全身倦怠感	休業(入院加療・自宅療養)、勤務時間の短縮、身体的負担の大きい作業の制限、休憩の配慮、疾患名に応じた主治医等からの具体的な措置　など
動悸	休業(入院加療・自宅療養)、身体的負担の大きい作業の制限、疾患名に応じた主治医等からの具体的な措置　など
頭痛	休業(入院加療・自宅療養)、身体的負担の大きい作業の制限、疾患名に応じた主治医等からの具体的な措置　など
血圧の上昇	休業(入院加療・自宅療養)、勤務時間の短縮、身体的負担の大きい作業の制限、ストレス・緊張を多く感じる作業の制限、疾患名に応じた主治医等からの具体的な措置　など
蛋白尿	休業(入院加療・自宅療養)、勤務時間の短縮、身体的負担の大きい作業の制限、ストレス・緊張を多く感じる作業の制限　など
妊娠糖尿病	休業(入院加療・自宅療養)、疾患名に応じた主治医等からの具体的な措置(インスリン治療中等への配慮)　など
赤ちゃん(胎児)が週数に比べ小さい	休業(入院加療・自宅療養)、勤務時間の短縮、身体的負担の大きい作業の制限、ストレス・緊張を多く感じる作業の制限、通勤緩和、休憩の配慮　など
多胎妊娠(　胎)	休業(入院加療・自宅療養)、勤務時間の短縮、身体的負担の大きい作業の制限、ストレス・緊張を多く感じる作業の制限、通勤緩和、休憩の配慮　など
産後体調が悪い	休業(自宅療養)、勤務時間の短縮、身体的負担の大きい作業の制限、ストレス・緊張を多く感じる作業の制限、通勤緩和、休憩の配慮　など
妊娠中・産後の不安・不眠・落ち着かないなど	休業(入院加療・自宅療養)、勤務時間の短縮、ストレス・緊張を多く感じる作業の制限、通勤緩和、休憩の配慮　など
合併症等(自由記載)	疾患名に応じた主治医等からの具体的な措置、もしくは上記の症状名等から参照できる措置　など

(裏)

図Ⅰ-34　母性健康管理指導事項連絡カード

仕事をもつ妊産婦が，医師等から通勤の緩和・休憩などの指導を受けた場合，指導内容が事業主に的確に伝えられるようにするために利用される．このカードが提出された場合，事業主は記載内容に応じた適切な措置を講じる必要がある．

［厚生労働省：母性健康管理指導事項連絡カード，〔http://www.bosei-navi.go.jp/common/pdf/bosei_kenkoukanri_r030701.pdf〕（最終確認：2021年12月26日）］より引用］

ため，妊娠中にこれらの情報を提供し，妊婦が産後の休業について検討し，手続きできるように促す必要がある．

2 ● 出産準備のための援助

出産準備とは，妊婦とその家族にとって分娩が安全かつ満足度の高いものとなるように，分娩に向けて，心身ともによりよい状態で臨めるよう整えることである．

また，**出産準備教育**とは，正常な分娩の経過と分娩進行に伴う心身の変化に対する理解を促し，分娩に対して主体的に取り組み，心身ともによりよい状態で分娩に臨めるよう妊婦自身が準備できることを援助することである．

a. 出産場所の選択

どこで出産するかという出産場所を選択することは分娩準備の第一歩となる．出産場所としては，病院・診療所・助産院などの**施設分娩**と**自宅分娩**に大きく二分される．また，オープンシステム，セミオープンシステムなど，妊婦健康診査は診療所など住居地の近くで行うが，分娩は異常発生時にも対応可能な病院で行うというシステムもある．出産場所を選択する際には，母体の健康状態を考慮し，住居地からの距離や提供されるケアなどの

人的環境，施設・設備などの物的環境など，妊婦自身が重要視する内容についての情報を得て，母児にとっての安全な分娩に加えて，満足度の高い分娩となるために検討できるよう必要な情報を提供することが大切である．

b. 里帰り出産

妊婦の実家近くで分娩し，退院後，早期の生活を妊婦の実家にて過ごすことを，**里帰り出産**（帰省出産）という．日本での伝統的な出産時の過ごし方であり，約15％程度の妊婦が里帰り出産を選択している．

里帰り出産にもメリットとデメリットがあるため，その両面を理解したうえで選択できるよう促すとともに，デメリットを最小限にするための援助が必要である．

(1) 里帰り出産のメリット

実父母からの家事・育児などの身体的・精神的援助を得ることができる．

(2) 里帰り出産のデメリット

妊娠末期および産褥早期の居住地と実家間の移動に伴う母子の身体的負担，妊娠期からの一貫した健康管理や保健指導の中断，分娩施設に対する情報不足，実家（実父母）への依存傾向，夫／パートナーと分離する場合は役割調整の遅れなどがあげられる．

> **里帰り出産を希望する妊婦への援助**
> ①妊婦および家族が話し合い，里帰り出産の選択とその時期が適切に決定できるよう，必要な情報を提供する．
> ②出産予定の施設における分娩予約やその施設における分娩環境や方法・産褥生活などについて，具体的に情報収集するよう促す．
> ③出産予定の施設を受診する際は，これまでの妊娠経過を記録した紹介状を持参させることにより，出産施設との情報交換や健康管理の継続を図る．
> ④妊娠中の旅行について健康教育を行う（p.80参照）．
> ⑤実家へ帰省中，夫との連絡方法や分娩時の対応について，調整するよう促す．また，帰省中の夫の予定を確認し，できるだけ夫を育児に巻き込むための方法を妊婦とともに考える．
> ⑥実家における育児物品などの準備状況に応じて，保健指導を行う．
> ⑦実家から自宅へ戻った後の育児や生活に関する地域の資源について伝える．

c. 出産方法の選択

出産の方法は経腟分娩，帝王切開術による分娩に分けられる．さらに経腟分娩には自由な体位によるフリースタイル分娩，水中分娩，自宅分娩，無痛・和痛分娩などさまざまな方法があり，母子の健康状態に問題がなければ妊婦自身で選択することが可能である．それぞれの出産方法のメリット・デメリットを理解したうえで，妊婦自身がどのような出産にしたいかを考え，希望する出産が可能な施設を選択していくことが重要である．

しかし，出産におけるリスクは母児の生命に影響するものもあり，安全に分娩することはどの出産方法においても重要な視点である．たとえば経腟分娩を希望していても，妊娠経過や出産の途中で母児の生命を守るために出産方法の変更を余儀なくされる場合があるということも説明しておく．事前に理解してもらうことで，分娩方法が変更になった場合でも安全に児を分娩するために産婦自身が意思決定したと納得しやすくなる．

表Ⅰ-30　バースプランの質問票の例

1. どんなお産にしたいですか？
   （はじめてなので，不安がいっぱいですが，無事に赤ちゃんが生まれるよう呼吸法等を練習し，陣痛を乗り越えられるように頑張りたい．）
2. 陣痛室や分娩室での過ごし方や立ち会いについて希望をご記入下さい．
   （出産には夫に立ち会ってほしい．できるだけ楽な体位で過ごしたい．
   夫も付き添っていて不安だと思うので，いまどのような状態なのか，お産の進み具合について詳しく説明してほしい．
   赤ちゃんが生まれたらすぐに裸のままで抱きたい．）
3. 出産時の処置（薬剤の使用，導尿や浣腸，会陰切開術など）についてあなたの考えをご記入ください．
   （できるだけ，自然に産みたいので，処置はどうしても必要なとき以外は行わないでほしい．
   赤ちゃんを無事に産むために必要な処置については，早めに説明をしてほしい．）
4. 産後の過ごし方（母乳栄養，母児同室など）について希望をご記入ください．
   （できるだけ母乳で育てたい．）

　妊婦が自らの出産方法について，自分らしいお産にするために，また母児の安全を見据えた意思決定ができるために必要な情報を提供し，支援することが重要である．

d. バースプラン（表Ⅰ-30）

　バースプランとは，妊婦とその家族が，出産およびその後の育児に対して，自分たちらしく産み育てるための出産計画書である．バースプランを立てることを通して，妊娠・出産・育児に対して主体的に向き合うことを助けるとともに，出産に対する姿勢や考え方，入院中のケアに対する希望を医師や助産師などのケア提供者に伝え，相互理解を図ることを助ける．看護職者は，妊婦とその家族がバースプランを立てるにあたり，妊娠・出産・育児をイメージすることを助けながら，陣痛室での過ごし方，分娩室での過ごし方（出産時の立ち会いの有無，出産時の体位，出産直後の新生児との接触方法など），出産方法，出産時の処置（薬剤の使用，導尿や浣腸，会陰切開術など），産後の過ごし方（母乳育児，母児同室など）に対してどのような希望や考え方をもっているのか引き出し，言語化することを支援する．その際，看護職者は，妊婦の思いに耳を傾け，妊婦との信頼関係を築くことが重要である．また，より安全な分娩を目指すためには，母児の健康状態に応じて必要な処置やケアが実践されることが重要であり，鉗子分娩・吸引分娩，緊急帝王切開術など必要な医療処置について十分な情報を提供することにより，妊婦とその家族の希望や要望と照らし合わせながら，実現可能な内容に近づけるために一緒に検討を重ねていくことが重要である．立案されたバースプランは，医師や助産師をはじめとするケア提供者間で共有し理解することにより，可能な限り妊婦とその家族の希望や要望の実現に近づけられるようケアに活かすことが重要である．また，バースプランを立案した場合は，出産後に，出産体験に対する振り返りを促し（バースレビュー，p.294参照），出産体験をどのように受け止めているか，評価することも重要である．

e. 入院のための準備

(1) 入院時期についての説明

　入院時期は，①破水したとき，②初産婦の場合は1時間に6回あるいは10分間隔の規則

的な陣痛が発来したとき，経産婦の場合は時間に関係なく規則的な陣痛が開始したとき，③月経と同程度の出血が生じたときを目安とする（第Ⅱ章2．分娩時の前兆や分娩開始の定義参照）．その他，腹部の強い痛み，胎動の減少・消失など妊婦が不安と感じる症状を自覚したときも連絡してもらう．このような症状が生じた際は，出産施設に電話にて連絡をし，看護職者の指示を受けながら，入院のタイミングを決定することを説明する．

(2) 入院に向けての説明

①入院について（入院案内書を手渡し説明する）
- 入院のための交通手段と所要時間について（とくに日中に入院する場合と夜間に入院する場合のそれぞれについて）確認する．
- 入院時，夫あるいは他の付き添い者が不在の際の連絡のとり方について確認する．
- 経産婦の場合，兄/姉の預け先や連絡方法などについて確認する．
- 入院に必要な物品の準備については，緊急時に備えて，妊娠22週ごろより開始する．

②入院に必要なもの（施設により異なる）
- 入院手続きに必要なもの：母子健康手帳，保険証，診察券
- 妊産婦の日常生活用品：寝巻き・下着（産褥ショーツ，授乳用ブラジャー），そのほか日用品
- 新生児の退院時に必要なもの：肌着と長肌着，ベビー服，おくるみ，チャイルドシート（車の場合）

f. 分娩時の不快症状や産痛に対処するための準備

分娩時の産痛や不快症状に伴う筋の緊張を緩和する方法を妊娠中よりトレーニングすることにより，分娩時に看護職者の支援のもと実施できるよう，主体的な取り組みを促す．

(1) 弛緩法

弛緩法とは，産痛に伴う筋の緊張を緩和する方法である．弛緩法の主な目的は，以下の3つである．

①緊張から生じる軟産道の抵抗を少なくすること
②分娩経過中のエネルギー消費を節約すること
③心理的に落ち着くこと

弛緩法には，タッチリラックスやイメジェリーなどがある．タッチリラックスとは，四肢の筋肉を系統的に緊張させた後，弛緩する際に，第三者のタッチングによって弛緩した感覚を理解する方法である．

イメジェリーとは，心理療法の1つであり，分娩への肯定的な考えを映像化してとらえることにより，精神的安定と筋緊張の緩和を体得する方法である．映像化する例として，「静かな森林での小鳥のさえずり」「柔らかい子宮口に向かって赤ちゃんの頭が降りてくる様子」「好きな花のつぼみがふくらみ，花が開いていく様子」などである．

(2) 呼吸法

陣痛時に呼吸をコントロールすることにより，産痛を緩和する方法である．呼吸法の主な目的は，以下の3つである．

①陣痛発作時に呼吸に集中することにより，緊張を緩和させること
②陣痛間欠時に深呼吸することにより，胎児へ十分な酸素を供給すること

③努責時には娩出力を高め，児頭が会陰部を通過する際には力を調節すること
呼吸法には，ラマーズ（Lamaze）法，ソフロロジー式の呼吸法，リーブ法などがある．

弛緩法・呼吸法ともに，知識だけでは実際に活用することは困難である．妊娠中期ごろより練習を始め，継続的に練習することにより，出産時に活用することが可能となる．

3 ● 育児準備のための援助

a. 育児に関する知識・技術

育児準備をすることは，同時に親役割の獲得準備の役割モデルの探索やロールプレイ，空想を促すことにつながる．

誕生後早期の新生児の特徴など，新生児に関する知識を提供するだけでなく，経産婦の実体験を聞く機会を設けて，新生児の実際や，退院後の生活や育児についてより現実的なイメージが描けるよう支援する．また，オムツ交換や沐浴などの育児技術についても，人形を用いて練習することを通して具体的な育児方法のイメージが描けるよう支援する．

b. 育児用品の準備

育児に必要な環境づくりや育児用品について情報提供を行い，準備行動を促す．

（1）育児に必要な環境を整えるための準備

新生児に適切な環境とは，清潔で安全で光や音の刺激が過剰でない場所であることを考慮し，赤ちゃんをどの部屋に寝かせるか，どの場所にどのように寝かせるかなどについて検討し，部屋の模様替えを促す．とくに室内にてペットを飼っている場合は，赤ちゃんとペットを分離させる必要があるか否かを検討する必要がある．ペットからの感染症，毛やダニによるアレルギー，ペットがやきもちを焼き赤ちゃんを傷つけることなどへの対応を考えていく必要がある．

（2）物品の準備

衣類・オムツに関する物品，寝具に関する物品，沐浴に関する物品，調乳に関する物品，新生児期から使用可能なチャイルドシート・ベビーカー・抱っこひもなど予定している赤ちゃんの移動手段に関する物品など退院後すぐに必要なものを最小限そろえることが必要である．

これらの物品を準備するためには，どのような方法で育児していくか，たとえばオムツは何を使用するか，人工乳を使用するのか否かなどについて夫婦あるいは家族間で検討する必要がある．インターネットや雑誌，知人からの情報収集を促し，自分たちの育児方法について夫婦あるいは家族間で話し合うことを促す．また，赤ちゃんのための部屋をつくることや育児用品の準備行動そのものが，親役割の獲得準備におけるロールプレイを促すことにつながる．

c. 母乳育児のための準備

母乳育児を希望する妊婦に対して，妊娠期より実施可能な乳房のケアについて説明し，セルフケアを促す．

母乳育児が早期に確立するためには，母親の乳房の順調な変化と，新生児の健康状態だけでなく，相互が授乳行動を習得するための期間を要する．子どもが生まれれば母乳育児

はスムーズに行えるとイメージしている初産婦も多い．妊娠期より，母乳育児の利点と欠点や，産後の乳房の生理的変化について理解を促し，妊娠中から実施できる乳房ケアについて説明する．

一方，近年，ハイリスク妊娠の増加やライフスタイルの多様さにより母乳育児が選択できないあるいは選択しない妊婦もいる．妊婦の背景やニーズに応じた配慮や援助も重要となる．

(1) 乳房のケア

①乳房の支持

妊娠に伴い乳房が増大するため，乳房を圧迫しないために，乳房の変化に合わせたブラジャーを選択する必要がある（p.73の図Ⅰ-28参照）．

②乳頭の清潔

妊娠16週ごろより微量ながら初乳が分泌される．粘稠性（ねんちゅうせい）が高いため，放置すると痂皮（かひ）化して乳口をふさいでしまう．妊娠20週ごろより，入浴時に乳頭を清潔に保つように説明する．

学習課題

1. 妊娠の進行に伴う母親になっていく準備状況の変化について考えてみよう
2. 妊娠期の母親になっていく準備に影響することを整理してみよう
3. 母親になっていく準備状況に応じた，母親になる準備を整えるための援助方法を整理してみよう
4. 妊婦およびその家族員が円滑に役割調整を行うことができることを目的とした家族員それぞれに対する援助内容について整理してみよう
5. 妊婦が分娩や育児について準備するために必要なことについて整理してみよう

練習問題

Q1 Aさん（24歳，初産婦），事務職．妊娠8週である．現在両親と妹との4人で暮らしている．パートナーは24歳の大学院2年生で就職が内定しており，Aさんと結婚する予定である．

妊娠16週の妊婦健康診査で，Aさんは「母親になる実感はまだありません．結婚するといろいろなことが起こってくるので驚くばかりです」と話した．妊娠経過は順調である．すでにパートナーと結婚し，新居に引っ越している．

Aさんへの指導でもっとも優先度が高いのはどれか．　　　（第102回国家試験，2013年）

1. 保育所の選択
2. 育児用品の準備
3. バースプランの立案
4. 出産準備教室への参加

> **Q2** 妊婦の親役割準備について，誤っているものを選びなさい．
> 1．育児用品の準備や胎児に話しかけるという行動は，親役割演技の1つである
> 2．母親としての自己像は妊娠中期までに確立する
> 3．妊娠を受容しているか否かは，親役割準備に影響する
> 4．妊娠末期に，「親になる実感がない」と感じている妊婦は，親役割に適応していない

[解答と解説 ▶p.547]

引用文献

1) 高岡純子：第3章家族の関わり，第2節配偶者との関係．第2回妊娠出産子育て基本調査（横断調査）報告書，p.58-63，ベネッセ次世代育成研究所，2012
2) 伊藤規子，別府 哲，宮本正一：子どもの誕生による夫婦関係の変化に関する研究．岐阜大学教育学部研究報告．人文科学 47（1）：207-214，1998
3) 中島久美子，常盤洋子：妊娠期の妻への関わりと夫婦関係に関する研究の現状と課題．群馬保健学紀要 29：111-119，2008
4) 岩尾侑充子，斎藤ひさ子：妊娠期の夫婦関係に関連する要因．日本助産学会誌 26（1）：40-48，2012
5) 高橋種昭，高野 陽，小宮山 要ほか：父性の発達―新しい家族づくり，p.99-102，家政教育社，1994
6) 柏木惠子（編著）：父親の発達心理学―父性の現在とその周辺．p.246-249，川島書店，1993

5 ハイリスク妊婦への看護の実際

> **この節で学ぶこと**
> 1. ハイリスク妊娠についての理解を深め，ハイリスク妊婦に対する看護について理解できる

　この節では，切迫流・早産，妊娠悪阻，妊娠高血圧症候群，糖代謝異常，胎盤の位置異常，多胎妊娠を取り扱う．

A. ハイリスク妊婦への看護の視点

　ハイリスク妊娠とは，妊娠の継続や分娩時，分娩後間もなく，母児のいずれかまたは両者に健康状態の悪化や妊産婦死亡，周産期死亡，将来の後遺症などの重大な予後が予想される医学的なリスクや，経済的・環境的側面からの社会的リスクを有する妊娠のことである．ハイリスクの程度は幅広く，通常の日常生活を送りながら増悪予防のためのセルフケアを必要とするものから，正常からの逸脱への移行による治療のために入院加療を強いられ，心身に対するきめ細やかな支援を必要とする者もいる．また，ハイリスク妊婦の分娩は，リスクの増悪により急速遂娩が必要となる状況のものから，正常な経過をたどり経腟分娩を行うことができる状況のものまで幅広さがある．

　いずれにおいてもハイリスク妊婦は，ハイリスクであることに対して今後の妊娠・分娩がどのように経過するのか，胎児の健康状態や起こりうる健康問題に対する不安，自分の望む分娩・育児を行うことができるのかということに対する不安を抱えながら，母親になるための準備，分娩・育児の準備を進めていかなければならない．ハイリスク妊婦に対しては，**増悪予防**のための日常生活における正常からの逸脱の早期発見や症状に対する対応，予防のためのセルフケア能力の向上のための支援とともに，**母親になるための心理的準備**を進めるために，リスクに応じた個別的な支援が必要である．

B. 切迫流・早産妊婦への看護の実際

　流産とは妊娠22週未満で妊娠が中断することをいう．流産が生ずる時期により，妊娠12週未満の流産を早期流産，妊娠12週以降妊娠22週未満の流産を後期流産という．流産の種類には**表Ⅰ-31**のようなものがある．

　切迫流産とは，少量の不正性器出血はあるものの，胎芽あるいは胎児が子宮内にあり，

表Ⅰ-31 流産の種類

進行流産	子宮内容物（胎芽あるいは胎児およびその付属物）の排出はまだだが，下腹部痛，出血，子宮頸管開大を伴い，流産が開始された状態．治療によっても流産を防止できない．
完全流産	子宮内容物が，完全に子宮外に排出されてしまった状態．通常，子宮内容除去術を必要としない．
不全流産	子宮内容物の一部が子宮内に残存している状態．子宮内容除去術が必要となる．
稽留流産	胎芽あるいは胎児が子宮内で死亡したにもかかわらず，流産の徴候がなく，子宮内に停滞している状態．
習慣流産	連続して3回以上の自然流産を繰り返した状態．胎児側の偶発的な染色体異常を除く．

頸管の開大はまだなく，流産に至らずに正常妊娠過程に戻る可能性のある状態である．

早産とは妊娠22週以降，妊娠37週未満の分娩をいう．

切迫早産とは，規則的な子宮収縮が認められ，かつ子宮頸管の開大度・展退度に進行が認められる場合，あるいは初回の診察で子宮頸管の開大が2cm以上となっているなど，早産となる危険性が高いと考えられる状態である[1]．

1 流・早産の原因（表Ⅰ-32）

a. 流産

早期流産のうち50％以上は胎児側の因子によって起こり，その多くが染色体異常である．また，生殖補助医療（assisted reproductive technology：ART）後の妊娠の場合，年齢の上昇とともに流産率も上昇し，40歳で35.1％，43歳で55.2％とされている[2]．後期流産の大部分は頸管無力症や絨毛膜羊膜炎，自己免疫異常（抗リン脂質抗体）などの異常により生じる．

b. 早産

早産のハイリスク因子には，早産既往，円錐切除術[*1]などの既往，多胎妊娠，細菌性腟症（図Ⅰ-35）などの現病がある．

早産の原因でもっとも多いのは絨毛膜羊膜炎である．絨毛膜羊膜炎とは，腟の常在菌が上行することによる卵膜の炎症である．炎症に対する防御因子の過剰反応により，**プロスタグランジン**（prostaglandin：PG）の産生が行われ，子宮平滑筋の収縮による子宮収縮が起こり，子宮頸管熟化が生じる．また炎症性サイトカインが好中球（顆粒球）の遊走を誘導し，好中球が放出するエラスターゼがコラーゲン分解を引き起こし，頸管熟化に作用したり，前期破水が引き起こされる．

2 切迫流・早産の症状と検査

a. 主な症状

主な症状は，規則的な子宮収縮（腹部緊満感）とそれに伴う子宮頸部の熟化傾向（開大あるいは頸管長の短縮などビショップ（Bishop）スコア[*2]（p.161の**表Ⅱ-7**参照）の進行），

[*1]円錐切除術：子宮頸がんなど子宮頸部の病変に対して行う手術方法であり，子宮頸部を円錐状に切除すること．
[*2]ビショップスコア：子宮頸管部の成熟度評価．

表Ⅰ-32 流産，早産の原因

		流産の原因	早産の原因
母体側の原因	社会的背景	高齢妊娠など	若年妊娠，高齢妊娠など
	全身性疾患	内分泌異常（甲状腺機能低下症，糖尿病，副腎皮質機能障害など），自己免疫疾患，抗リン脂質抗体症候群[*1]など	流早産・死産・複数回の中絶の既往，抗リン脂質抗体症候群，全身性エリテマトーデス（SLE），腎疾患など
	感染	麻疹，インフルエンザ，結核，循環器系疾患，梅毒，子宮頸管炎，絨毛膜羊膜炎など	絨毛膜羊膜炎，細菌性腟症など
	生殖器の異常	子宮奇形，子宮発育不全，子宮筋腫，頸管無力症，卵巣嚢腫など	頸管無力症，子宮奇形，子宮筋腫，子宮発育不全，子宮頸がんによる子宮頸管円錐切除など
	合併症	妊娠高血圧症候群，重篤な母体合併症など	
	生活習慣	タバコ，アルコール，薬物使用，放射線被曝，過度の性交，ストレスなど	タバコ，アルコール，薬物使用，ストレス，やせ（ダイエットによる低栄養），過度の性交，重労働，住宅環境など
胎児側の原因	胎児の異常	染色体異常，病的卵，異常発育卵など	児の奇形，巨大児，多胎妊娠など
	胎盤付属物の異常	受精卵の着床不全，絨毛発育不全，胞状奇胎，臍帯異常など	前期破水，羊水感染，前置胎盤，常位胎盤早期剥離，羊水過多，羊水過少症，胎盤機能不全など
母児双方の原因		Rh不適合，免疫不適合など	
夫婦間による要因		免疫異常，血液型不適合，均衡型転座[*2]など	

[*1] 抗リン脂質抗体症候群：母体血中から抗リン脂質抗体が検出され，血栓形成傾向と習慣流産をきたす自己免疫疾患である．
[*2] 均衡型転座：転座とは，染色体の配列が通常と異なることであり，500人に1人は転座を有しているが，夫婦のいずれかが均衡型転座を有する場合，子どもが不均衡転座（染色体の一部が余分であったり失われたりする）を受け継ぐ可能性がある．

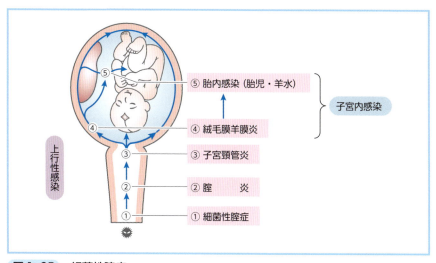

図Ⅰ-35 細菌性腟症

頸管開大や絨毛膜炎の進行に伴う性器出血，前期破水・水様性帯下などである．

b. 検査方法

(1) 胎児心拍数陣痛図（p.453 の Skill 7 参照）

胎児心拍数陣痛図を用いて，子宮収縮の間隔と強さおよび胎児心拍数パターンを確認する．異常な胎児心拍数パターンが認められる場合は，常位胎盤早期剝離など（p.125 参照）との鑑別診断を行う．

(2) 内診・超音波検査

頸管長の長さを測定することにより，子宮頸管の展退と軟化状態を検査する．正常妊婦の頸管長は，妊娠30週未満では，38～40 mm，妊娠32～40週では，25～32 mmである．妊娠28週未満で頸管長が30 mm未満の場合は，切迫早産の所見となり，妊娠24週未満で頸管長が25 mm未満の場合は，早産になる危険性が高い．

(3) 腟分泌の採取

腟分泌中の好中球エラスターゼとがん胎児性フィブロネクチンを測定することにより，絨毛膜羊膜炎の診断を行う．これらは早産マーカーとされている．症状のある妊婦でがん胎児性フィブロネクチン陽性である場合は，早産リスクが高い．

(4) 血液検査

性器感染症の有無を確認するために，定期的に，白血球数，CRP値を計測する．

3● 切迫流・早産の治療

a. 安 静

切迫流・早産ともに，安静を保ち妊娠を継続させることが重要であり，症状や家庭環境に応じて，入院安静となる．

b. 薬物療法

妊娠16週以降で子宮収縮がある場合は，子宮収縮抑制薬を継続投与する．妊娠の継続が可能であると判断された場合は，子宮収縮抑制薬（リトドリン塩酸塩・硫酸マグネシウムなど）の継続投与が行われる．また同時に，タンパク分解酵素のはたらきを阻害し，頸管の熟化を抑制する薬剤（ウリナスタチン）が併用されることもある．

細菌性腟炎，頸管炎，絨毛膜羊膜炎などの性器感染症が認められた場合，あるいは，破水している場合には感染波及防止のために抗菌薬を投与する．羊水感染が疑われる場合は，早期に児を娩出することを考慮するため，必要に応じて低出生体重児収容可能施設と連携し，母体搬送して管理する．また，34週未満の切迫早産の場合には，呼吸窮迫症候群（respiratory distress syndrome：RDS）*（p.424参照）予防のために，胎児肺の成熟を促進させる副腎皮質ステロイドの投与が行われる．

c. 頸管縫縮術

頸管無力症（何らかの原因によって頸管が脆弱化することにより，妊娠中期に子宮口が開大する病態）の場合は，頸管縫縮術（シロッカー［Shirodkar］手術，マクドナルド［McDonald］手術）が行われる場合もある（図I-36）．シロッカー手術とは，子宮頸部の高い位置（内子宮口の位置）で腟壁を切開し，頸管の筋層に糸をかけて縛る方法である．

---

*呼吸窮迫症候群：肺の未熟性に伴い，肺サーファクタント不足のために起こる呼吸不全．

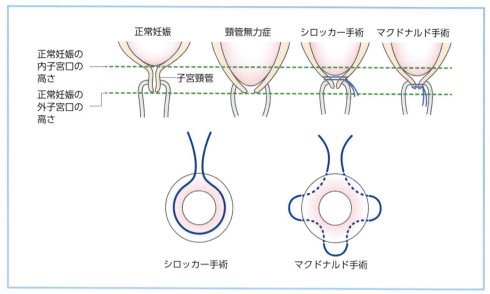

図Ⅰ-36 シロッカー手術とマクドナルド手術
抜糸は36週で行うことが多い.

高い効果が得られるが子宮収縮や破水などの侵襲も大きい．また，マクドナルド手術とは子宮頸部の低い位置（外子宮口の位置）で腟壁を切開することなく頸管にクローバー状に糸をかけ巾着状に縛る方法である．簡便であり陣痛発来時にすぐに抜糸できる．

4 ● 切迫流・早産の予後

a. 切迫流産
自然流産の発生頻度は一般に10〜15％である．

b. 切迫早産
切迫早産の場合，前期破水をしており，子宮内感染または胎児機能不全がある場合は，娩出後の児に異常を認めることがあるため，帝王切開の適応となる．

また，絨毛膜羊膜炎に起因する切迫早産のうち，38℃以上の発熱，100回／分以上の頻脈，子宮体部の圧痛，抑制困難な子宮収縮，悪臭を伴う腟・頸管分泌物，白血球やCRPの上昇などの血液検査所見を認める場合は，子宮収縮抑制薬の効果が乏しく，数日中に早産となることが多い．早産率は全出生数の約6〜7％とされている．

5 ● 切迫流・早産妊婦への看護援助

a. 正常からの逸脱の早期発見
流・早産の徴候である，子宮収縮の程度（規則性，間隔，収痛に伴う下腹痛など），子宮頸管の開大および展退，性器出血の有無と程度，破水の有無などを定期的に観察する．とくに子宮収縮抑制薬を用いている場合は，定期的に胎児心拍数陣痛図を用いて，子宮収縮の状態を判断する．

また，体温の変化や血液検査を定期的に確認し，性器感染の早期発見を行う．

b. 薬物療法時の援助

　薬物療法として子宮収縮抑制薬による持続投与を行う場合は，輸液の管理を行うことと，副作用の観察が重要である．輸液の管理においては，輸液ポンプを用いて投与するが，指示された輸液量が投与されているか，刺入部の腫脹などのトラブルは生じていないかなど観察し，適切に管理する．主な子宮収縮抑制薬の副作用としては，頻脈・動悸・息切れ・頭痛・手指の振戦がある．副作用について十分に説明を行い，妊婦の訴えをよく聴き，その不快感が強い場合は薬剤の変更や投与方法について医師に検討を依頼する必要がある．
　また，持続点滴中は清潔保持について支援を行う．

c. 安静治療時の援助

　切迫流・早産における安静療法については，有効であるとする十分なエビデンスはないとされている[3]が，破水の有無や子宮頸管長の短縮など施設によって安静療法の必要性の判断やその程度は異なる．臥床安静を余儀なくされる場合は，血栓塞栓症，骨量の低下，筋肉の機能低下，便秘などの体調不良，抑うつやストレスなどの精神的リスクがあげられるため，これらに対する援助が必要である（表Ⅰ-33）．
　安静療法時は，活動可能な範囲について生活場面を具体的にあげながら十分に説明を行い，入院生活をイメージできるように促す必要がある．

(1) 四肢などの筋力低下や深部静脈血栓症のリスク予防

　安静により四肢などの筋力低下や**深部静脈血栓症**のリスクが高まる．筋力の低下は，分娩時の体力や産後の育児にも影響する．腹部に負担を与えることなく，下肢挙上，膝の屈伸，足の背屈運動，弾性ストッキングの着用などを勧める[4]．

(2) 清潔保持への援助

　切迫早産のなかでも破水している場合や持続点滴をしている場合や安静の程度によって，シャワー浴が禁止となるため，清潔保持への援助が必要となる．とくに外陰部や腟内の清潔保持（陰部洗浄や医師による腟洗浄）は絨毛膜羊膜炎を予防するためにも重要である．

(3) 便秘への援助

　妊娠中は，ホルモンの影響に加え安静にすることにより便秘が悪化する傾向がある．硬い便の排出や1回に大量の便を排出することは子宮収縮を促すことへとつながりやすいために，薬剤などを用いた**排便コントロール**を行うことが必要である．

d. 精神的支援（表Ⅰ-33）

　安静を強いられている妊婦は，現在の症状や治療への思い，不信感や誤った認識，胎児への不安な感情などを抱く．安静を自らコントロールするためには，妊婦の現状に対する思いや感情の表出を促すことが重要である．表出された思いを受け止め，改善できることは何かを一緒に考えることにより，入院生活を自己コントロールする力を引き出すことが可能となる．
　入院を強いられている妊婦の多くは，家庭においては主婦であり母親である．経産婦の場合，家庭は夫/パートナーが主婦役割あるいは母親役割を担わなければならず，兄/姉となる子どもたちとも母親との分離状態に置かれる．夫/パートナーや子どもたちなど家族との面会がゆっくりと行えるように面会時間や面会場所への配慮，家族との連絡が負担なくとれるような配慮を行うことも必要である．また，家族からも妊婦の症状や入院に対す

表Ⅰ-33 長期入院における影響と援助内容

	長期入院における影響	援助内容
24時間持続点滴実施による影響	・刺入部の痛みや腫脹のつらさ ・24時間拘束されることへの煩わしさ ・トイレ，シャワー，洗髪など日常生活活動のしにくさ ・同室者へのアラーム音の気兼ね ・子宮収縮抑制薬による副作用症状のつらさ	・定期的な観察による不快感の早期発見と緩和への援助 ・輸液管理の徹底 ・副作用症状の確認と軽減 ・薬剤の作用機序，副作用についての説明と理解の促し
清潔への影響	・活動制限あるいは持続点滴によるシャワー，洗髪などの制限による不快感 ・汗や帯下のにおいが気になる．	・妊婦の状況に合わせた清潔ケアの頻度と方法の計画，実施
睡眠への影響	・運動不足や安静による睡眠リズムの変化 ・大部屋での生活，夜間や早朝の看護職者の訪室による睡眠の妨げ	・入眠を妨げる要因の明確化と除去 ・病室の室温・騒音・寝具環境の調整
食事への影響	・運動不足による食欲や消化機能の低下 ・自分の好みのものが食べられない．	・妊婦の嗜好や胃腸症状などに応じた管理栄養士との連携
排泄への影響	・持続点滴をしながら頻回にトイレ歩行しなければならないことへの負担感 ・妊娠による生理的変化に加え，活動制限や薬剤の副作用などによる便秘傾向の増強	・水分・食物繊維の摂取を勧める． ・同時刻に排便をするなどの習慣確立への援助 ・緩下薬の処方の調整
体力への影響	・活動制限による筋萎縮と筋力の低下 ・体力低下による疲労感 ・活動制限による腰痛やむくみなどのマイナートラブルの増強	・筋力維持，マイナートラブル軽減のための腹部に負担のかからない運動計画の立案と実施支援 ・医師・理学療法士との連携 ・安静拡大時のリハビリテーション
気分の変化	・退屈，イライラ ・抑うつ	・共感的態度で気持ちの表出を促し，傾聴する． ・気分転換への支援
症状に関する不安	・胎児の健康状態への不安・不確かさ ・妊娠継続への不安	・症状および治療方針に関する一貫した説明，不明な点についての説明の補足，医師と話ができるように調整 ・NICUなどの情報提供，NICUの事前見学の設定
治療，入院生活に関する不安・ストレス	・見通しが立たないことへの不安 ・プライバシーの欠如 ・日常生活のコントロール感の喪失，同室者への気遣い ・思い描いた妊娠生活を過ごせなかったことへの無念さ	・入院の目標週数（胎児が胎外で生活可能な週数，妊婦自身が耐えることができる週数）の設定とクリアできたことへの賞賛 ・援助的信頼関係の構築
家族，社会的役割に関する悩み・自責・葛藤	・家族・職場などからの分離による孤独感 ・役割を果たせないことへの自責・葛藤 ・夫/パートナーや他の家族員への負担感への自責・葛藤 ・経済的負担	・家族との面会時間，面会方法，面会時の環境への配慮 ・共感的態度で気持ちの表出を促し，傾聴する． ・活用できる制度の紹介

る思いを聴き，家庭内での役割調整がよりスムーズに行われるように，必要に応じて援助する．また，今後の家族の生活について夫婦で話し合うことを促し，機会を提供することも大切である．

e. 母親になっていく準備への援助

切迫流・早産の診断を受けた妊婦は流・早産してしまうのではないかという不安，胎児の生命や健康問題などに対する不安を抱く．分娩監視装置装着時や超音波検査時には，胎

児の健康状態や成長・発達についてともに確認し説明するとともに胎児に対する思いの表出を促し，不安の傾聴，妊婦が必要としている情報の提供などの援助が必要である．

また，切迫早産の診断により自宅あるいは入院による安静を強いられている場合，積極的な出産・育児準備を行うことができない．安静の程度により，個別に，あるいは病室内か病棟内にて集団で出産・育児準備教育を行うことを計画する．集団で行うことにより，他者と交流することができ，ストレス解消や情報交換につながるメリットがある．

早産になる可能性が高い場合，あらかじめ新生児集中治療室（neonatal intensive care unit：NICU）に出生前に訪問する，あるいはNICUスタッフが病室に訪問する計画を検討する．出生後の新生児の状態やその後の経過，NICU入院中の育児方法について説明を受けることにより，出生後の新生児や育児に対するイメージが具体的になり親役割準備を進められるよう促すことができる．

6 ● 流・早産時の看護

a. 流産時の看護 （p.333 参照）

妊娠12週までに流産と診断される**早期流産**の場合，子宮内容除去術が行われることが多い．手術後は，麻酔からの覚醒状態，疼痛の有無や程度，異常な外出血について観察する．また，妊娠12～22週未満の**後期流産**と診断された場合は，人工的に陣痛を起こし，経腟的に亡くなった胎児を娩出する．いずれにおいても，流産した女性は，**胎児を失った悲しみ**と同時に**心理的苦痛**を訴えることが多い．処置についての説明を十分に行い，できるだけそばに付き添い，女性の悲しみや苦痛に対する思いを受け止める支援が重要である．また，胎児娩出後は，できるだけ夫婦で過ごせる部屋を準備するとともに，夫婦が希望する場合は，児との面会の機会をつくる．また，いつでも思いを表出してよいことを伝え，表情や言動を注意深く観察する．退院に向けては，退院後の身体症状において受診が必要な子宮収縮不全症状としての腹痛や性器多量出血，凝血塊の排出，子宮内感染徴候として

> **コラム**
>
> ### 総合周産期母子医療センターと地域周産期母子医療センター
>
> ハイリスク妊婦および胎児に対する高度医療や救急医療を提供する施設を，各都道府県が総合周産期母子医療センターまたは地域周産期母子医療センターとして指定している（『母性看護学I』第III章3節参照）．
>
> **1. 総合周産期母子医療センター**
> 妊婦と胎児の搬送の受け入れ体制が整備され，ハイリスク妊婦への医療と高度な新生児医療の提供が可能な施設であり，MFICU*が設置されている．
>
> **2. 地域周産期母子医療センター**
> 産科・小児科（新生児医療を担当するもの）を備え，ハイリスク妊婦と新生児への比較的高度な医療の提供が可能な施設であり，地域によっては，MFICU*を有している場合もある．
>
> *MFICUとは，maternal-fetal intensive care unit（母体・胎児集中治療室）の略である．対象となる合併症妊娠は，妊娠高血圧症候群，多胎妊娠，切迫早産や，胎児に超低出生体重，先天性異常などの可能性があるなどの，ハイリスク妊婦または胎児に対して，妊娠期間中に医療を行うための集中治療設備である．

の発熱などについて説明を行う．また日常生活方法として，自宅安静の期間，シャワー浴のみの期間，次回外来受診日について説明を行う．性生活開始の目安については外来受診日において異常がないことを確認し，次回月経後1〜2週間程度が目安となるが，次の妊娠の希望時期も考慮し，医師に相談するよう説明する．

b. 早産時の看護

早産時の身体的ケアは，正常分娩に準じ，生殖器および全身の復古を促進する（Ⅲ章「産褥期の看護」参照）．出生した新生児の状態によっては**直接授乳できる時期が遅れる**ことがある．新生児が直接授乳できるようになるまでの間，母親自身による定期的な乳頭マッサージや**搾乳**を継続していくことが必要となる．看護職者は，新生児の状態を母親に伝え，母乳育児の重要性や定期的なマッサージと搾乳の必要性を説明し，入院中だけでなく，退院後も定期的にかつ継続できるように搾乳の手技，母乳の保存方法なども含めて支援していく．

早産した場合，新生児の管理（p.425参照）のために**母子分離**を余儀なくされる．母親は早産してしまったことやわが子の世話ができないことに対して自責の念を抱きやすく，また育児に対して自信をもちにくくなる．分娩の振り返りを十分に行うとともに，定期的な母子接触を促し，新生児の成長に対する理解や新生児の状態に応じた育児方法について支援していく．

C. 妊娠悪阻妊婦への看護の実際

つわりの症状が悪化し，食物の摂取が損なわれることによる栄養障害・体重減少のほか，さまざまな症状を呈し，治療を必要とする状態を**妊娠悪阻**という．

1 ● 妊娠悪阻の症状

主な症状は，1日中続く頻回の嘔吐，食事摂取困難，5％以上の体重減少，脱水・飢餓状態，**尿中ケトン体**陽性である．

2 ● 妊娠悪阻の診断

脱水・飢餓状態による乏尿，体温上昇，代謝性アルカローシス（胃液の喪失による脱水・電解質異常），代謝性アシドーシス（代謝異常により血液pHが酸性に傾く病態．飢餓状態によりケトン体が上昇することが原因）の程度を確認する．また，尿中ケトン体の検出（体脂肪の分解亢進により増加）を行う．

鑑別が必要な疾患には，食道炎，胃・十二指腸疾患，虫垂炎などの消化器疾患や，前庭機能異常，脳腫瘍，精神疾患などがある．

3 ● 妊娠悪阻の予後

水分喪失による肝・腎障害，飢餓状態による代謝性アシドーシスや**ビタミンB_1**の不足が悪化すると**ウェルニッケ**（Wernicke）**脳症**を引き起こすことがある．これは，脳疾患の一種であり，視床や乳頭体の不完全壊死が生じ，意識障害，眼振，小脳障害などの症状

を呈する．

4 ● 妊娠悪阻の治療

a．心身の安静と休養
心身の安静を保つために入院療法が必要となる．

b．少量の食事摂取と水分補給
脱水・飢餓に対する治療として，食事療法と輸液療法が用いられる．食事療法としては，摂取可能であれば好きな物を少量ずつ与える．

摂取量が不十分な場合，悪心・嘔吐が激しく食事の摂取が困難な場合は絶食とし，**輸液療法**に切り替える．輸液療法としては，糖質を含む電解質の輸液にビタミン剤を添加する．ビタミンB_1の添加はウェルニッケ脳症の予防として用いられる．また，ビタミンB_6の投与は，悪心重症度を低下させる効果がある．絶食の場合は，中心静脈栄養を行うことがある．

上記の治療が無効もしくは症状が増悪する場合は制吐薬を使用するが，種々の治療によっても治療の効果がなく，全身状態が著しく悪化し，ウェルニッケ脳症が疑われる場合は，**人工妊娠中絶**が選択される．

5 ● 妊娠悪阻妊婦への看護援助

a．精神的支援
妊娠悪阻の妊婦は，心理的ストレスや社会的ストレスを受けていることが多く，夫婦関係も影響するといわれている．心身の安静への援助として，妊婦が抱えている精神的要因をアセスメントし，できるだけ軽減できるような環境の整備を図る．時には面会者の制限なども考慮する．また，妊娠早期の時期は，食事が摂取できなくても胎児の成長を妨げないことを伝え，母親としての自己を責めるのを防ぐことも重要である．

b．食事への援助
悪心・嘔吐の症状に応じた食事への援助として，食べられるものを食べたいときに，食べたいだけ食べられるように，食事内容・量・時間を配慮し，冷たくするなどの食べやすさへの配慮を行う．

c．排泄への援助
脱水・飢餓状態の程度を把握するために，排便・排尿の観察が必要である．便秘に傾くことが多いために，排便コントロールへの援助が必要である．

d．清潔への援助
身体の清潔として，皮膚の観察と保清への援助が必要である．とくに，口腔内は，悪心・嘔吐などから清潔にすることが不十分になりやすいので，清潔の援助をする必要がある．

e．症状の観察
正常からの逸脱の早期発見を行うために，症状の程度や増悪の有無を観察する．全身の栄養状態の観察としては，血液検査やケトン尿の検査を定期的に確認する．

D. 妊娠高血圧症候群妊婦への看護の実際

　妊娠高血圧症候群（hypertensive disorders of pregnancy：**HDP**）とは，妊娠時に高血圧を認めるものである．高血圧とは，診察室で計測したとき収縮期血圧が140 mmHg以上，かつ/または拡張期血圧が90 mmHg以上の場合をいう（p.53の表Ⅰ-19参照）．以前は「妊娠中毒症」と診断されていたが，2005（平成17）年4月に日本産科婦人科学会によって「妊娠高血圧症候群」へと改名され，2018（平成30）年に新定義・分類が改訂[5]された．

1 ● 妊娠高血圧症候群の発生機序

　妊娠期は，循環血液量が増大することに加えて，妊娠高血圧症候群では血管攣縮による末梢血管の抵抗も増大し，血圧が上昇する．

　妊娠高血圧症候群の発生機序は，胎盤形成障害と母体の要因とに大きく分かれる．胎盤形成障害は妊娠早期に発症し，児の発育に影響し，**胎児発育不全**（fetal growth restriction：**FGR**）を引き起こす．一方，母体の要因としては妊娠末期に発症し，胎児発育への阻害はないか，あっても軽度である．両者は相互に影響し合って妊娠高血圧症候群の病態が形成される．

2 ● 妊娠高血圧症候群の症状と分類

a. 妊娠高血圧症候群の症状

　妊娠高血圧症候群の症状は，**血管内皮細胞障害**をもととした血管攣縮による高血圧である．

　血管内皮細胞障害（炎症性サイトカインの亢進）により，血管透過性が亢進することにより浮腫が出現する．また，凝固機能が亢進すると慢性播種性血管内凝固症候群（disseminated intravascular coagulation syndrome：DIC）傾向となる．

　子宮胎盤循環不全（慢性的な絨毛膜間腔の低酸素状態）により，児の栄養障害と低酸素血症が生じるとFGRが生じ，胎児機能不全になる．

　主な症状は，高血圧，タンパク尿*，浮腫，体重増加，血液濃縮（ヘマトクリット［Ht］上昇），DIC傾向，溶血（乳酸脱水素酵素［LDH］上昇，ビリルビン［Bil］上昇）である．

b. 妊娠高血圧症候群の病型分類

　妊娠高血圧腎症，**妊娠高血圧**，**加重型妊娠高血圧腎症**，**高血圧合併妊娠**に分類される[5]．

(1) 妊娠高血圧腎症（preeclampsia：PE）

　①妊娠20週以降にはじめて高血圧が発症し，かつタンパク尿を伴うもので，分娩後12週までに正常に復する場合．

　②妊娠20週以降にはじめて発症した高血圧に，タンパク尿を認めなくても，基礎疾患

---

*タンパク尿の診断には，24時間尿でエスバッハ法などによって300 mg/日以上のタンパク尿が検出された場合，あるいは随時尿でprotein/creatinine（P/C）比が0.3 mg/mg・CRE以上である場合をいう．

表Ⅰ-34 妊娠高血圧症候群の重症の規定と発症時期による病型分類

重症*	妊娠高血圧，妊娠高血圧腎症，加重型妊娠高血圧腎症，高血圧合併妊娠において 収縮期血圧　160 mmHg 以上の場合 または 拡張期血圧　110 mmHg 以上の場合	
	妊娠高血圧腎症，加重型妊娠高血圧腎症において 母体の臓器障害または子宮胎盤機能不全を認める場合	
発症時期による 病型分類	早発型	妊娠34週未満に発症するもの
	遅発型	妊娠34週以降に発症するもの

*タンパク尿の多寡による重症分類は行わない．

のない肝機能障害，進行性の腎障害，脳卒中・神経障害，血液凝固障害のいずれかを認める場合で，分娩12週までに正常に復する場合．
　③妊娠20週以降にはじめて発症した高血圧に，タンパク尿を認めなくても子宮胎盤機能不全（胎児発育不全，臍帯動脈血流波形異常*，死産）を伴う場合．
　妊娠高血圧腎症では，妊娠高血圧よりも母体合併症や子宮内胎児死亡，胎児機能不全を呈する頻度が高い．

(2) 妊娠高血圧 (gestational hypertension：GH)
　妊娠20週以降にはじめて高血圧を発症し，分娩12週までに正常に復する場合で，かつ妊娠高血圧腎症の定義に当てはまらないもの．

(3) 加重型妊娠高血圧腎症 (superimposed preeclampsia：SPE)
　①高血圧が妊娠前あるいは妊娠20週までに存在し，妊娠20週以降にタンパク尿，もしくは基礎疾患のない肝腎機能障害，脳卒中，神経障害，血液凝固障害のいずれかを伴う場合．
　②高血圧とタンパク尿が妊娠前あるいは妊娠20週までに存在し，妊娠20週以降に，いずれか，または両症状が増悪する場合．
　③タンパク尿のみを呈する腎疾患が妊娠前あるいは妊娠20週までに存在し，妊娠20週以降に高血圧が発症するもの．
　④高血圧が妊娠前あるいは妊娠20週までに存在し，妊娠20週以降に子宮胎盤機能不全を伴う場合．

(4) 高血圧合併妊娠 (chronic hypertension：CH)
　高血圧が妊娠前あるいは妊娠20週までに存在し，加重型妊娠高血圧腎症を発症していない場合．

c. 妊娠高血圧症候群の重症の規定と発症時期による病型分類 （表Ⅰ-34）
(1) 重症の規定
　高血圧，母体の臓器障害または子宮胎盤機能不全の有無をもとに重症が規定されている．
(2) 発症時期による病型分類
　妊娠34週未満に発症するものを早発型，妊娠34週以降に発症するものを遅発型とする．ただし，わが国では妊娠32週で区別すべきという意見があり，今後も検討される．

*臍帯動脈血管抵抗の異常な高値や血流途絶あるいは逆流を認める場合をいう．

表Ⅰ-35　子癇の病期

病　期	症　状
誘導期	突然の意識不明，顔面蒼白で無表情，眼球の上転固定，顔面筋（顔面と眼瞼）がけいれん，瞳孔散大，顎の緊張が数秒から10数秒起こる．
強直性けいれん期	けいれんが項部→上肢→体幹→下肢の順に全身におよび，拳を握りながら全身を弓なりにそらす後弓反張が出現する．呼吸が停止し，顔面チアノーゼになる．持続期間は10～30秒．
間代性けいれん期	チアノーゼ，瞳孔散大，対光反射消失がみられ，口角から泡をふく．舌をかむことがあり，1～2分持続する．
昏睡期	けいれん発作がおさまると，いびきをかいて昏睡状態になる．このような発作が1回から10数回反復するものがある．昏睡のまま死亡することもある．肺炎，脳出血を起こすこともある．

d. 関連疾患

(1) 子　癇

妊娠20週以降にはじめてけいれん発作を起こし，てんかんや二次性けいれんが否定されるものである．けいれん発作の発症時期により妊娠子癇，分娩子癇，産褥子癇とする．子癇は大脳皮質での可逆的な血管原性浮腫によるけいれん発作と考えられており，各種の中枢神経障害を呈することがある．新定義・分類では，妊娠高血圧腎症に含まれる．症状として，頭痛，頭重感，めまい，視野異常，眼華閃発，上腹部痛，悪心・嘔吐などがみられ，誘導期・強直性けいれん期・間代性けいれん期・昏睡期などの病期（表Ⅰ-35）がある．60～70％に視覚障害などの前駆症状が認められる[6]．光や大きな物音による刺激が誘因となりやすい．

(2) HELLP症候群

HELLP症候群とは重症妊娠高血圧症候群の10～20％に発症し[6]，溶血（hemolysis），肝酵素の上昇（elevated liver enzymes），血小板減少（low platelet count）の3徴候をきたす症候群であり，急速にDICや胎児の状態の悪化につながる．症状として不快感，右上腹部痛，心窩部痛，悪心・嘔吐，頭痛などがある．

3 ● 妊娠高血圧症候群の合併症

血管内皮細胞障害による血管攣縮と血管透過性の亢進が全身にみられるとさまざまな合併症を引き起こす．

- 全身の末梢血管に異常が生じると，DICが引き起こされる．
- 脳血管に異常が生じると，脳浮腫，子癇，脳内出血が引き起こされる．
- 脈絡膜血管に異常が生じると，網膜剥離，網膜虚血が引き起こされ，視力障害が起こる．
- 肺血管に異常が生じると，肺水腫が引き起こされる．
- 上腸管膜動脈，肝動脈に異常が生じると，HELLP症候群が引き起こされる．
- 腎血管に異常が生じると，腎機能障害が引き起こされ，タンパク尿や乏尿が起こる．
- 子宮，胎盤の血管に異常が生じると，常位胎盤早期剥離，FGR，胎児機能不全が生じる．

4 妊娠高血圧症候群の治療

妊娠を継続するためには，詳細かつ連続的な母児の観察と評価を行い，病態に対する対症療法が行われる．本症の根本的な治療は妊娠の終了（ターミネーション termination）であり，母体の安全を優先しながら，適切な分娩時期を決定することが重要である．

a. 薬物療法

重症高血圧症例（160/110 mmHg 以上）の場合，母体臓器保護と胎児発育を目指した妊娠延長のため経口投与による降圧療法を行う．拡張期血圧は 90〜100 mmHg，収縮期血圧は 140〜150 mmHg を降圧目標とする[7]．臓器障害のある場合は，血圧が重症域になくとも降圧薬投与を考慮し，140/90 mmHg 未満を降圧目標とする[5]．

b. 食事療法

通常の高血圧治療では減塩指導が行われているが，過度の減塩は胎盤血流量の低下を招く危険性が高いことから，妊婦では急激な減塩は勧められない[8]．それまでの塩分摂取量をチェックし，6.5 g/日未満を目安とする．水分制限も循環血液量の減少をきたすため，口渇を感じない程度の摂取とし，特別に制限しない．

また，摂取エネルギーの制限については有効なエビデンスはないとされている[9]．適正なエネルギー摂取へと改善することにより，妊娠期の過度の体重増加を抑制する．

以上のことからそれまでの食生活の傾向を確認し，適正な食生活となるよう，改善可能な方法について妊婦とともに話し合いながら実践を促す．

c. 安静療法

妊娠高血圧腎症の妊婦は胎盤機能不全，胎児機能不全，子癇などの重篤な合併症を引き起こしやすいために原則として入院管理となる．しかし，厳格な安静は，静脈血栓症のリスク要因ともなり，安静の有効なエビデンスは低いため，厳格な床上安静は必要としない[10]．

d. 妊娠の終了（ターミネーション）

重症の場合には，胎児の肺が成熟する時期である 34 週まではできれば妊娠を継続させ，34 週を過ぎたら副腎皮質ステロイドを投与して，48 時間後に分娩へと導く．コントロール困難な重症高血圧や胎児の健康状態が悪化する場合は，さらに早く分娩に導くこともある．

重症ではない場合には，36〜37 週まで，または頸管熟化がみられるまで妊娠を継続させ，陣痛誘発をして分娩へと導く．

5 妊娠高血圧症候群妊婦への看護援助

a. リスク因子の有無の把握

妊娠高血圧症候群における母体の主な要因は表I-36のようなものがある．問診を行うなかで，リスク因子が複数存在する場合は，妊娠高血圧症候群の発症の危険性をアセスメントし，発症の予防に対する支援が必要となる．

b. 異常の早期発見

血圧の監視とともに，体重，尿タンパク，浮腫の程度について定期的に観察する．血圧は変動性の高い測定項目であるために正しく測定することが求められる（表I-37）．な

表Ⅰ-36 妊娠高血圧症候群のリスク因子

年齢	35歳以上，とくに40歳以上
家族歴	高血圧，妊娠高血圧腎症（とくに母親・姉妹） 糖尿病
既往歴	高血圧症，腎疾患，糖尿病 自己免疫疾患（抗リン脂質抗体陽性を含む） 甲状腺機能異常，易血栓形成素因 前回妊娠高血圧症候群の既往
体重	肥満（非妊時BMI：25以上）
今回の妊娠	初産婦，妊娠間隔の延長（とくに5年以上） 生殖補助医療 妊娠初期母体血圧比較的高値，尿路感染症，歯周病 多胎妊娠

表Ⅰ-37 診察室（外来）血圧の測定方法

1. 5分以上の安静後，坐位にて上腕で1～2分間，2回測定し，平均値をとる．2回目の測定値が5 mmHg以上低下する場合には安定するまで数回測定する．カフは心臓の高さにあることを確認する．30分以内のカフェイン含有物および喫煙は禁止する．
2. 初回測定時は左右両側で測定し，10 mmHg以上異なる場合には以後は高いほうを採用する．
3. カフの位置は心臓の高さに保持し，大きさは日本工業規格（JIS）に準拠したものを使用する．カフの長さは上腕周囲径の80％，幅は少なくとも40％のものを使用する．
4. 測定機器は水銀血圧計もしくは同程度の制度を有する自動血圧計とする．コロトコフ法によらない血圧測定法として，カフオシロメトリック法がある．
5. 収縮期血圧よりも20～30 mmHg上までカフ圧を上昇させ測定する．
6. カフの降圧スピードは20～30 mmHg/秒が望ましい．
7. 聴診法による測定では収縮期血圧はコロトコフⅠ音，拡張期血圧はコロトコフⅣ音を採用する．Ⅴ音が0の場合にはⅣ音も同時に記載する．（例：148/84/0 mmHg）
8. 血圧の診断は，数回測定し安定した時点で診断する．

表Ⅰ-38 妊婦における家庭血圧測定時の注意点

1. 上腕式自動血圧計を用いて，心臓の高さで測定する．手首のタイプのものは心臓よりも低い位置で測定される傾向があり，血圧が高めに出るので使用しない．
2. 適切なカフサイズは上腕周囲長に応じて決める．
3. いつも同一側の上腕で測定する．
4. 静かで適切な室温の環境で測定する．
5. 背もたれ付きの椅子に足を組まずに座って（あるいはあぐら，正座で）1～2分の安静後に測定する．
6. 家族，友人と会話をしない状態で測定する．
7. 測定前に，喫煙・飲酒・カフェインの摂取は行わない
8. 薄地の着衣の上にカフをまくことは実用上許容される．
9. 1機会の血圧測定は1～3回行う．複数回測定する場合は，15秒以上の間隔をあける．
10. 排尿後に十分な安静をとった後で測定する．
11. 起床1時間以内，排尿後，朝食前（服用している場合は服用前），就寝前に測定する．
12. できるだけ毎日行う．
13. 血圧は，原則として，数日間（3～7日）の平均値により評価する．

お，白衣性高血圧を疑う場合や妊娠高血圧症候群発症のハイリスク妊婦に対しては家庭血圧測定が奨励される（**表Ⅰ-38**）．

子癇の前駆症状として，眼症状（眼華閃発）・脳症状（頭痛）・胃症状（気分不快・悪

心）の有無の観察，常位胎盤早期剥離（p.125, 205参照）の徴候として，腹部の圧痛・子宮底部の激痛・胎動の減少の有無などを観察する．また，肝機能・腎機能・血液凝固検査，ノンストレステスト（non-stress test：NST）・胎盤機能検査などの検査結果の確認を行う．

超音波検査法により胎児の発育と羊水量を評価する．

c. 薬物療法時の援助

降圧薬を使用している場合は，過度の血圧低下や子宮胎盤血流量の減少による，胎児心拍数の低下に留意する必要がある．静注薬による降圧を行う場合，胎児の状態に留意するために胎児心拍数モニタリングを行う．

E. 糖代謝異常妊婦への看護の実際

妊娠中に取り扱う糖代謝異常には，**妊娠糖尿病**（gestational diabetes mellitus：**GDM**），**妊娠中の明らかな糖尿病**（overt diabetes in pregnancy），**糖尿病合併妊娠**（pregestational diabetes mellitus）の3つがある．いずれも高血糖状態による胎児や母体への合併症をもたらし，周産期のリスクが高くなることや，出産後母体が糖尿病を発症するリスクが高くなる可能性があり，妊娠前，妊娠中および分娩後の血糖管理を行う必要がある．

1 ● 糖代謝異常の分類と診断基準

妊娠糖尿病，妊娠中の明らかな糖尿病，糖尿病合併妊娠の診断基準は以下のとおりである．

〈診断基準〉
- **妊娠糖尿病**
75gOGTT（75g経口ブドウ糖負荷試験）において，以下の1つ以上を満たした場合に診断する．
①空腹時血糖値≧92 mg/dL（5.1 mmol/L）
②1時間値≧180 mg/dL（10.0 mmol/L）
③2時間値≧153 mg/dL（8.5 mmol/L）
- **妊娠中の明らかな糖尿病**
以下のいずれかを満たした場合に診断する．
①空腹時血糖値≧126 mg/dL
②HbA1c値≧6.5％
  - スクリーニングにより，随時血糖値≧200 mg/dLあるいは75 gOGTTで2時間値≧200 mg/dLの場合は，妊娠中の明らかな糖尿病の存在を念頭に置き，①または②の基準を満たすかどうかの確認をする．
  - 妊娠中，とくに妊娠末期は妊娠による生理的なインスリン抵抗性の増大を反映して糖負荷後血糖値は非妊時よりも高値を示す．そのため，随時血糖値や75 gOGTT負荷後血糖値は非妊時の糖尿病診断基準をそのまま当てはめることはできない．

- **糖尿病合併妊娠**
  ①妊娠前にすでに診断されている糖尿病．
  ②確実な糖尿病網膜症があるもの．

a. 妊娠糖尿病（GDM）

「妊娠中にはじめて発見または発症した糖尿病に至っていない糖代謝異常」と定義され，妊娠中の明らかな糖尿病，糖尿病合併妊娠は含まない．GDMは，尿糖陽性，糖尿病家族歴，肥満，過度の体重増加，巨大児出産の既往，加齢が危険因子となる．妊娠糖尿病は，妊娠に伴う一時的な症状であり，出産後に糖代謝異常がいったん改善しても，一定期間後に糖尿病を発症するリスクが高いため，出産後も定期的な経過観察が必要である[11]．

b. 妊娠中の明らかな糖尿病

妊娠初期と中期のスクリーニングの結果が，妊娠糖尿病の診断基準よりもさらに高く，空腹時血糖値とHbA1c値が糖尿病の診断基準を満たすものをいう．この妊娠中の明らかな糖尿病には，妊娠前に見過ごされていた糖尿病と，妊娠中の糖代謝の変化の影響を受けた糖代謝異常，および妊娠中に発症した1型糖尿病が含まれる．妊娠中の合併症や将来の糖尿病の発生率が高いため，厳重な管理とフォローアップが必要である．また，分娩後はあらためて「糖尿病の診断基準」に基づき再評価することが必要である[12]．

c. 糖尿病合併妊娠

妊娠前にすでに診断されている糖尿病であり，確実な糖尿病網膜症があるものである．妊娠時はインスリン抵抗性が増すため，耐糖能は悪化しやすく，妊娠の経過に伴い血糖コントロールのためのインスリン注射量が妊娠前よりも増加する．妊娠初期の高血糖は胎児奇形率を増加させるため，妊娠前から適切な血糖値を維持することが必要となる．

2 ● 糖代謝異常妊婦の合併症

母体血糖値が上昇することにより，母体および胎児・新生児にさまざまな影響を及ぼす．

a. 母体への影響

母体血糖値が上昇することにより，血管障害や感染が起こりやすくなり，流・早産，妊娠高血圧症候群などの合併症の誘因となる．また，児が巨大児となった場合，肩甲難産，遷延分娩・分娩停止，帝王切開率の上昇など分娩時のリスクが上昇する．

妊娠中に糖代謝異常がみられた妊婦は，出産後に糖尿病が進行する場合が多い．

> **コラム**
> **糖代謝異常と巨大児の関係**
>
> 母体が高血糖にある場合，大量のグルコースが胎盤を通過し，胎児へ移行する．高血糖を感知した胎児の膵臓β細胞が過形成をきたし，インスリンの分泌が過剰になる．胎児インスリン分泌が増加することにより，グリコーゲン，脂肪，タンパク質の合成が促進されるために，巨大児となる．糖代謝異常合併妊娠の場合，生まれた児は将来的に肥満，糖尿病，脂質異常症，高血圧をきたすリスクが正常児よりも高くなるといわれている．

b. 胎児・新生児への影響

母体血糖値が上昇することにより，血管障害による母体アシドーシスが生じると，FGR，胎児機能不全，子宮内胎児死亡を引き起こすことがある．

胎児が高血糖となることにより，浸透圧利尿となり，羊水過多症が生じる．器官形成期に高血糖となると，先天奇形を合併しやすい．また高血糖はさまざまな臓器へ障害を与え，RDS，多血症，高ビリルビン血症，低カルシウム血症を引き起こす．

また胎児インスリン分泌過剰となることにより，グリコーゲン，脂肪，タンパク質の合成が促進され，巨大児となる．出生後もβ細胞がインスリンを過剰に分泌し続けることにより新生児低血糖になる．

3 ● 糖代謝異常妊婦の管理（血糖管理）

妊娠中の血糖管理の目標は，低血糖の危険を最小限にとどめ，可能な限り健常妊婦の血糖日内変動に近づけることであり，血糖コントロール目標値は，空腹時血糖値70〜100 mg/dL，食後2時間値120 mg/dL以下，HbA1c値は6.2％未満，グリコアルブミン（GA）15.8％未満に保たれるようにする[13]．HbA1c値は過去1〜2ヵ月の血糖コントロールを反映し，GAは2〜3週間の血糖変動を示している．

糖尿病合併妊娠の場合は，妊娠前からHbA1c値を7.0％未満の良好な血糖値を維持し，合併症の状況を把握しながら，妊娠による悪化を防ぐことが重要である．食事療法のみで目標値が達成できない場合は厳密な血糖管理を行う必要があるため**インスリン療法**を行う．経口血糖降下薬は胎児に影響がないことが日本では確認されていないため，妊娠中は使用しない．

4 ● 糖代謝異常妊婦への看護援助

a. 血糖コントロールに対するセルフケア能力向上のための援助

妊娠期間を通して血糖値を良好にコントロールする必要があるため，定期的に**血糖測定**を行い（毎食30分前，毎食2時間後，就寝前），血糖値を確認する必要がある．そのための自己測定ができるよう援助する．

b. 食事療法によるコントロールへの援助

胎児に十分な栄養が行き届くことが大切であり，**適正な栄養を摂取**する．1日の摂取エネルギー量は，標準体重*×30 kcalを基本とし，エネルギー，タンパク質，ミネラルなど妊娠時に必要な付加量を加える．付加量については母体の体格に応じて異なり，肥満妊婦（非妊時BMI≧25）の場合，原則として妊娠全期間エネルギー付加は行わない．非肥満妊婦（非妊時BMI≦25）の場合，妊娠時期によって付加量を変更する方法と，妊娠時期にかかわらず+200 kcalとする方法[14]がある．母体の体重減少や胎児発育状況，血糖コントロール，ケトン体の有無をみながら妊娠中の体重増加指導の目安（p.42参照）を参考に付加量の調整を行っていく．また，食事を規則正しくとり，血糖の変動を少なくすることが必要であり，総量は変えずに食事を1日4〜6回に分けてとる**分割食**を取り入れることが

---

*標準体重＝身長（m）×身長（m）×22

重要である．妊婦に応じた食事療法については栄養士の栄養指導に対する理解の程度や取り組みの状況を確認しながら，継続できるよう支援していく．

c. 運動療法への援助

妊娠糖尿病や2型糖尿病合併妊娠の場合，補助療法として**運動療法**を取り入れることでより良好な血糖コントロールを得ることが可能である．中程度の強度の有酸素運動（母体心拍数150 bpmを超えない程度）を20～60分/回，2～3回/週以上取り入れられるよう妊婦とともに計画していく．糖代謝異常妊娠においての運動療法は，心血管系の機能改善や妊娠高血圧症候群の予防にも効果があるといわれている．切迫流・早産の既往の有無，産科合併症の有無を確認しながら，開始時期，運動の種類など検討して計画していく．インスリン治療を行っている場合は，運動前や運動中の低血糖を予防するために捕食を行うことや，運動前後のインスリン量を減らすなどの対応について細やかに検討することが必要である．

5 ● インスリンの自己注射法によるコントロールへの援助

妊娠中の厳格な血糖コントロールを達成するために食事療法だけでは不可能な場合，インスリン療法を行う．インスリン需要量は妊娠中に増加し，中期から末期にかけて急増する．頻回インスリン注射による強化インスリン療法により，厳格な血糖コントロールを行う場合には，1日7回（毎食前30分，および毎食後2時間，就寝前）の測定により血糖を把握することが必要不可欠である．自己測定の必要性を理解できるよう説明するとともに，妊婦自身が血糖自己測定を行えるよう技術の習得を支援していく．またインスリンの使用量や注射の回数は，個々の病態により異なるため，病態，生活状況，妊婦自身の管理に関する意向をふまえて決定するプロセスを支援する．また，どの時点で注射したインスリンが血糖を測定した時間帯に効いているか否かを確認することを支援する．

6 ● 産後の管理

妊娠糖尿病妊婦は，産後数年または数十年を経過して糖尿病に移行することが多い．産後1年以内の糖尿病発症率は2.6～38％ともいわれており，妊娠糖尿病妊婦では，糖代謝が落ちてくる分娩後6～12週に75 gOGTTを行うことが勧められている．

母乳育児を継続することにより，児の肥満のリスクが低下する，出産後の母体の体重が減少する，その後の母親の2型糖尿病やメタボリックシンドロームの発症のリスクが減少すると報告されており[15]，母乳育児を勧める支援も重要である．

F. 胎盤位置異常妊婦への看護の実際

胎盤の一部または大部分が子宮下部（子宮峡部）に付着し，内子宮口に及ぶものを**前置胎盤**という．前置胎盤は胎盤が内子宮口にかかる程度により，辺縁前置胎盤，部分前置胎盤，全前置胎盤に分類される（図I-37）．胎盤の下縁が子宮下部にかかるものを低置胎盤という．

正常な位置の胎盤	低置胎盤	前置胎盤		
		辺縁前置胎盤	部分前置胎盤	全前置胎盤
	2 cm 以内		2 cm 未満	2 cm 以上
胎盤は子宮口から十分に離れた位置に付着.	胎盤の下縁が内子宮口に達しないが内子宮口から2 cm以内にあるもの.前置胎盤には含まれないが,前置胎盤と類似した所見を示す.	胎盤の下縁が内子宮に達するが,内子宮口をおおっていないもの.	胎盤の一部が内子宮口をおおうもの.	胎盤が内子宮口を全部おおっているもの.

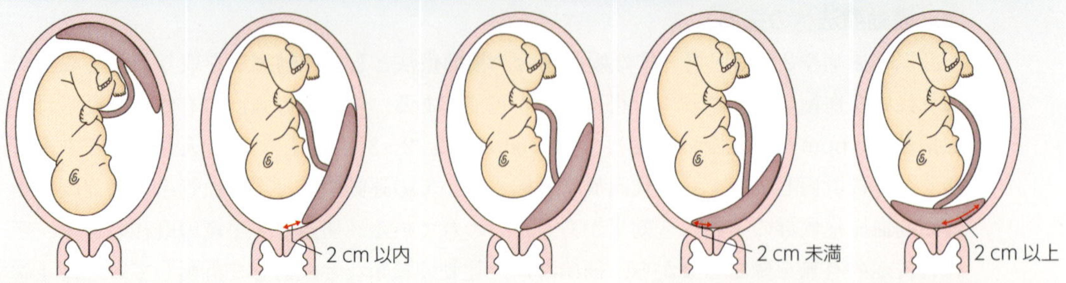

図Ⅰ-37　胎盤位置の分類

1 ● 胎盤位置異常の診断

妊娠20週以降に経腟超音波検査にて，胎盤が子宮口をおおう所見が認められた場合，前置胎盤と診断される．

2 ● 胎盤位置異常のリスク要因

高齢・喫煙・帝王切開の既往・子宮内搔爬・人工妊娠中絶・筋腫核出術などの既往により，子宮内膜の荒廃が起こると，着床部位の異常，子宮下部伸展不全が起こる場合がある．また多胎妊娠・胎盤の形態異常により胎盤面積が拡大し，前置胎盤が発生することがある．

3 ● 胎盤位置異常の症状

a. 主な症状

無痛性の外出血が主な症状である．

(1) 妊娠末期

子宮下部の伸展，子宮口の開大により，子宮胎盤血管が断裂して，突発性で無痛性の外出血が反復・持続する．少量ですぐに止血することが多いが末期に近づくほど多量になっていく（警告出血）．

(2) 分娩時（陣痛発作時）

陣痛発作時に子宮口は開大し，胎盤剝離面積が大きくなるため，出血量は増加する．陣痛間欠時は剝離面積が小さくなるため出血量が減少する．

(3) 分娩後・産褥期

子宮下部，頸部では平滑筋成分が少なく収縮が弱いため，弛緩出血を起こしやすい．前置胎盤は癒着胎盤となりやすく，胎盤が剝離しにくい．とくに既往帝王切開の創部と一致

表Ⅰ-39 前置胎盤と常位胎盤早期剝離の鑑別

	前置胎盤	常位胎盤早期剝離
出血の種類	主に外出血	主に内出血
出血の状態	陣痛発作時に多く，破水により減少	陣痛とは無関係
痛み	なし	胎盤付着部位に激烈
子宮底	上昇せず	上昇する
外診	胎児部分を触知	胎盤部分不明瞭
母体貧血	外出血量と相関する	外出血量と相関しない
分娩監視装置における所見	胎児低酸素症の所見：比較的少ない	胎児低酸素症の所見：多い
超音波所見	胎盤が子宮口をおおう	非特異的，胎盤後血腫像
DIC	少ない	合併しやすい

した部位に胎盤が付着する例では，高率で癒着胎盤となる．前置胎盤の約5～10％が癒着胎盤合併である[16]．

b. 常位胎盤早期剝離との鑑別 （表Ⅰ-39）

常位胎盤早期剝離との鑑別が必要である．常位胎盤早期剝離とは，正常位置（子宮体部）に付着している胎盤が，妊娠中または分娩経過中の胎児娩出前に子宮壁から剝離した状態をいう（p.205参照）．

急激な下腹部痛がみられ，外出血は少量またはみられないにもかかわらず，貧血が進行し，子宮壁は板のように硬く（板状硬），圧痛が著明であり，超音波検査にて胎盤異常所見（胎盤辺縁の不整や膨隆，子宮壁からの剝離像，胎盤肥厚や隆起像，胎盤内の不均一な低～高エコー域など）を認め，胎児心拍数陣痛図（CTG）にて遅発性一過性徐脈やサイヌソイダルパターンが認められる．

4 ● 前置胎盤妊婦の管理と看護

a. 超音波検査

経腟超音波検査にて，妊娠中期に「前置胎盤の疑い」と診断された場合は，その後の胎盤辺縁と内子宮口の位置関係に留意する．前置胎盤は妊娠31週末までに診断する．

b. 安静入院

前置胎盤であると診断された場合，出血などの症状を認めなくても，安静のための入院を余儀なくされることがある．時に長期入院となることもあり，安静治療の必要性について理解を促すとともに，長期安静における心理的，身体的援助が必要となる（p.111参照）．

c. 帝王切開への準備

前置胎盤は帝王切開の適応である．予定帝王切開は妊娠38週までに行うことが推奨されている[16]．低置胎盤／辺縁前置胎盤であり児頭が十分下降していて頸管が熟化している場合には，経腟分娩が選択可能である．しかし，出血多量の場合は，緊急帝王切開となる可能性を告知し，理解を促すことが重要である．また，緊急帝王切開や分娩時の出血に備えて，**自己血を保存**することを説明し，準備を行うことが必要である．癒着胎盤により止

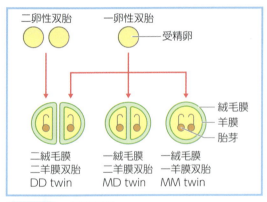

図Ⅰ-38　膜性診断

血が困難になる場合は，**子宮動脈塞栓術**や**単純子宮全摘術**を行うことがある．帝王切開におけるインフォームド・コンセントが十分に行えているか，確認していく必要がある．

d. 出生後の新生児の管理のための準備

早産期で娩出した場合，新生児の未熟性に伴う問題を生じることがあるため，新生児集中治療ができる施設との連携を図る必要がある（p.112参照）．

G. 多胎妊婦への看護の実際

多胎妊娠とは，子宮内に複数の胎児が存在する状態であり，2人の胎児が子宮内に存在する状態を双胎妊娠，3人の場合を三胎（品胎）妊娠という．

1 ● 多胎妊娠の診断

双胎の場合，一卵性双胎と二卵性双胎がある．多胎妊娠では，妊娠10週ごろまでに経腟超音波検査により絨毛膜と羊膜の数により双胎のタイプを診断する**膜性診断**を行う（図Ⅰ-38）．

a. 一卵性双胎

一卵性双胎は，1個の卵子と1個の精子が受精し2個の胎芽に分化したものであり，受精卵が分割・分離する時期によって絨毛膜と羊膜の数が異なる．

- 受精後3日以内に分割：二絨毛膜二羊膜双胎（dichorionic-diamniotic twin：DD twin）
- 受精後4〜7日に分離：一絨毛膜二羊膜双胎（monochorionic-diamniotic twin：MD twin）
- 受精後8日以降に分離：一絨毛膜一羊膜双胎（monochorionic-monoamniotic twin：MM twin）

b. 二卵性双胎

二卵性双胎は，2個の卵子と2個の精子が受精し，別々に着床・発育したものであり，二絨毛膜二羊膜双胎である．

表Ⅰ-40　多胎妊娠による合併症

母体	胎児
・流・早産 子宮の過度の増大により子宮収縮が起こりやすい.	・双胎間輸血症候群 胎盤を両児で共有している場合（一絨毛膜双胎），胎盤の吻合血管を介して両児の間の循環血液量の不均衡による両児の循環不全による症候群.
・分娩時の微弱陣痛・分娩後の弛緩出血 子宮壁の過伸展のため，子宮収縮が弱い.	・双胎一児死亡 一絨毛膜双胎の1児に子宮内胎児死亡を生じた場合，他方の児が脳障害をきたしたり，死亡したりする.
・母体貧血 循環血漿量の増大と胎盤発育に伴い鉄の需要が増大する.	・胎位異常：懸鉤 胎児が互いに絡み合って小骨盤腔に嵌入し，分娩の進行が停止した状態．一絨毛膜双胎に多く，第1児と第2児が骨盤位-頭位の組み合わせの場合に好発する.
・妊娠高血圧症候群・HELLP症候群 循環血液量増大により母体の循環・腎機能に過度の負担がかかる.	・胎児奇形 一絨毛膜双胎の場合，卵が分割することによる形態欠損：中枢神経，心臓，消化管などがみられやすくなる.
・妊娠糖尿病 単胎と比べ2児以上の児の発育のため，母体のインスリン抵抗力がより亢進する.	・胎児発育不全 双胎間輸血症候群の場合，一方に発育不全がみられる．また単胎と比較して，二児ともに発育遅延のリスクも高まる．頭部の発育はみられるが体幹の発育が抑制され，体幹がやせた体型となりやすい.

2 ● 多胎妊娠の合併症

多胎妊娠では，単胎妊娠に比べて，切迫早産，貧血，妊娠高血圧症候群，妊娠糖尿病，胎児発育不全などの合併症が多い（表Ⅰ-40）.

3 ● 多胎妊娠の管理

膜性診断のもと，切迫早産や妊娠高血圧症候群などのリスク因子や，臍帯が相互に巻絡しているなど胎児にリスクを認める場合は早期に管理入院となる．また **双胎間輸血症候群** がある場合も，必要に応じて管理入院とする.

a. 栄養管理

栄養摂取は，単胎妊娠の場合と変わらない．しかし多胎妊娠では妊娠高血圧症候群や貧血などの合併症を引き起こしやすく，予防のための食事管理が必要である.

双胎妊娠の母親の体重増加について米国医学研究所（Institute of Medicine：IOM）のガイドラインでは，妊娠前BMI 18.5～24.9（普通）の場合16.8～24.5 kg，BMI 25.0～29.9（overweight）の場合14.1～22.7 kg，BMI 30以上の場合11.4～19.1 kgの体重増加を推奨しているが[17]，日本の妊婦における妥当性は不明である[18].

b. 薬剤管理

切迫早産の徴候を認める場合は，子宮収縮抑制薬を使用し，子宮収縮をコントロールする.

c. 分娩様式の選択

胎位の組み合わせや医療施設体制など総合的に判断して，分娩様式を選択する．とくに，

両児の先進部が同時に下降し引っかかってしまうことを懸鉤（けんこう）という．もっとも多い体位は第1骨盤位と第2頭位の組み合わせの場合である．経腟分娩によるリスクが高いと判断された場合は，帝王切開を選択することが多い．

4● 多胎妊婦への看護援助

多胎妊婦にとって，多胎児を生み育てる過程には，リスクや負担が存在する．多胎であることを受け止め，多胎児の母親としての役割を担うことを受け入れていくために，さまざまな支援を行う必要がある．

a. 不快症状（マイナートラブル）・合併症に対する援助

単胎に比べ，子宮が増大し，さまざまな不快症状・合併症を伴う．腹部増大に伴う腰痛，入眠困難に対する予防と対応，妊娠高血圧症候群予防のための体重コントロール，早産予防としての腹部の張りに対する対応などについて，現在の状態をアセスメントしつつ，予期的に援助することが必要である．

b. 育児の準備について

多胎の場合，単胎と比較し，育児負担は大きなものとなる．妊娠期から産後の育児や生活をイメージするために，育児用品の準備について，授乳方法について，沐浴（もくよく）方法について，紹介しながら，自分たちに合ったものを選択できるよう支援することが重要である．育児や生活についてはその家庭に応じたさまざまな方法があるため，集団指導の場で，先輩家族に実践的な話をしてもらうことによってイメージをつくれるような機会を設けることも必要とされる．

c. 分娩方法について

胎児の体位や母親のリスクの程度により，分娩方法が選択される．とくに，児の安全のために帝王切開を選択するケースが増えている．予測される分娩方法について，母親とその家族が受け入れられるよう十分に説明すると同時に，どのように受け止められているか確認することが重要である．また，多胎の50％は早産になるといわれている．早産で生まれた場合，児がNICUに収容されることが予想されるため，NICUについての説明や入院中の子どもたちの紹介，見学などを通して，生まれてきた後のわが子の経過について理解を促すことも児を受け入れる過程として重要である．

多胎の場合，産前14週間（単胎6週間），産後8週間の産休が取得できる（p.539参照）．

d. 多胎妊婦の家族への支援

多胎妊婦とその家族は，妊娠・分娩・育児の長期にわたり，さまざまな不安を抱える．とくに経済的負担も大きくなるため，今後予測される負担，活用可能な公的サポートの情報を提供することも重要である．それぞれの家庭の状況に応じて，継続的支援が必要である場合は，ソーシャルワーカーなどを紹介し，個別に対応する必要がある．

また，単胎であっても，妊娠期・分娩期・育児期を順調に経過するためには，家族との役割分担が必要となる．単胎以上に身体的・精神的負担が多くなる多胎妊婦にとって，家族との役割分担は不可欠なものである．2人以上の子どもを育てるために必要な役割とは何か，それらにかかる負担はどの程度かについて紹介するとともに，誰がどのような役割をどの程度担えるかについて，妊娠期から話し合いをもてるよう支援することが重要である．

e. ピアサポート

多胎妊娠・分娩・育児をより現実的に，具体的にとらえられるよう，また，育児上の不安を軽減し，大変さが少しでも喜びに変わることを目指すために，多胎家族どうしの交流が有効である．先輩家族からの体験談を聞いたり，似たような思いを共有したりすることにより，より現実的なこととして受け止め，より具体的なイメージを抱くことが促される．ピアサポートが受けられるような場の運営，あるいは保健センターやNPOなどの多胎児サークルを紹介することが望ましい．

学習課題

1. 切迫早産の主な症状をあげ，切迫早産妊婦への看護援助について整理してみよう
2. 妊娠悪阻の治療について整理してみよう
3. 妊娠高血圧症候群の病型分類について整理するとともに，妊娠高血圧症候群妊婦への看護援助について整理してみよう
4. 主な胎盤位置異常について整理してみよう
5. 多胎妊婦への看護援助方法について整理してみよう

練習問題

Q1 Aさん（25歳，初産婦，会社員）は，最終月経から50日たっても無月経のため，市販の妊娠検査薬で妊娠を確認したところ陽性で夫婦でよろこんでいた．しかし，産婦人科を受診すると，超音波検査で胎嚢が確認されず，少量の性器出血が認められた．Aさんの既往歴に特記すべきことはない．Aさんは，血圧118/60 mmHgである．
この時点のAさんのアセスメント項目で適切なのはどれか．2つ選べ．
(第103回国家試験，2014年)

1. 浮腫
2. 嘔吐
3. 頭痛
4. 出血量
5. 下腹部痛

Q2 Aさん（35歳，初産婦）は，夫と二人で暮らしている．妊娠28週2日，妊婦健康診査で胎盤が内子宮口を全部覆っていると指摘された．自覚症状はない．その他の妊娠経過に異常はみられていない．Aさんは，身長155 cm，体重56 kg（非妊時体重50 kg）である．
Aさんの観察項目でもっとも注意するのはどれか． (第104回国家試験，2015年)

1. 破水
2. 激しい腹痛
3. 子宮底の上昇
4. 痛みを伴わない出血

> **Q3** 妊娠高血圧症候群（pregnancy-induced hypertension）について正しいのはどれか．2つ選べ．
> （第102回国家試験，2013年（一部改変））
> 1．有酸素運動で軽快する．
> 2．高蛋白質食で軽快する．
> 3．肥満妊婦に生じやすい．
> 4．関連疾患に子癇（eclampsia）がある．
> 5．胎児の健康状態への影響はない．

［解答と解説 ▶p.547］

引用文献

1) 日本産科婦人科学会編：産科婦人科用語集・用語解説集，第4版，p.196，日本産科婦人科学会，2018
2) 一般社団法人日本生殖医学会：Q16．生殖補助医療の治療成績はどの程度なのですか？，〔http://www.jsrm.or.jp/public/funinsho_qo16.html〕（最終確認：2018年2月26日）
3) 平田良恵，名取初美：「切迫早産妊婦の安静」の概念分析．山梨県立大学看護学部紀要 **14**：11-19，2012
4) 日本産科婦人科学会/日本産科婦人科医会（編・監）：CQ004-1　妊娠中の静脈血栓塞栓症（VTE）の予防は？　産婦人科診療ガイドライン―産科編2017，p.10-14，日本産科婦人科学会，2017
5) 日本妊娠高血圧学会（編）：妊娠高血圧症候群　新定義・分類　運用上のポイント，p.2-15，メジカルビュー社，2019
6) 日本産科婦人科学会/日本産科婦人科医会（編・監）：産婦人科診療ガイドライン－産科編2020，p.173，日本産科婦人科学会，2020
7) 前掲書5），p.67
8) 日本高血圧学会高血圧治療ガイドライン作成委員会（編）：高血圧治療ガイドライン2019，p.162-163，ライフサイエンス出版，2019
9) 日本妊娠高血圧学会（編）：妊娠高血圧症候群の治療指針2015―Best Practice Guide，p.91，メジカルビュー社，2015
10) 前掲書9），p.90
11) 日本糖尿病学会（編著）：糖尿病治療ガイド2020-2021，p.101-103，文光堂，2020
12) 前掲書6），p.25-28
13) 前掲書9），p.20
14) 平松祐司：糖尿病合併妊娠，妊娠糖尿病管理の留意点―産科医的立場から．糖尿病の栄養指導2007，p.173-177，診断と治療社，2007
15) 日本糖尿病・妊娠学会編：改訂第2版 妊婦の糖代謝異常　診療・管理マニュアル，Ⅳ産後の管理：母乳育児が良いと聞いたのですがそのメリットは？，p.187-189，メジカルビュー社，2019
16) 前掲書6），p.148
17) Weight Gain During Pregnancy：Reexamining the Guidelines, Report Brief, Institute of Medicine (IOM) of National Academies, 2009（Guideline）
18) Suzuki S：Optimal weight gain during twin pregnancy in Japanese women with favorable perinatal outcomes. J Matern Fetal Neonatal Med **31**：119-122，2018

第Ⅱ章

分娩期の看護

学習目標

1. 分娩期に用いられる用語の定義について理解する
2. 分娩進行に応じた母体と胎児の生理・身体的変化について理解し必要な援助を導き出すことができる
3. 産婦の心理的変化について理解し，必要な援助を導き出すことができる
4. 正常分娩の経過を理解し，分娩進行を促進するために必要な援助を導き出すことができる
5. 出生直後の新生児の生理・身体的変化について理解し，必要な援助を導き出すことができる
6. 分娩期の家族について理解し，必要な援助を導き出すことができる

1 分娩期の概観

A. 分娩期の看護の視点

　出産は女性の身体に起こる新しい命を産み出す自然な現象（生理的な現象）である．この現象を無事に乗り越えることによって人の命は受け継がれてきた．しかし，すべての出産が無事に終わるとは限らない．だからこそ，母児ともに元気に出産を終えることが唯一無二の目標となる．

　分娩では産婦がもっている産み出す力と胎児がもっている生まれる力を引き出し，産婦がもつセルフケア能力や自己決定能力が発揮できるように支援することが求められる．産婦や胎児の状態によっては帝王切開（術）による出産となる場合もある．帝王切開の目標も母児ともに元気に出産を終えることである．出産方法の違いはあっても母児の安全を一番に考え，新たな命を生み出すことに変わりはない．ただし，帝王切開を受ける母児には経腟分娩時の看護とは異なる看護も必要とされる（p.340参照）．いずれにしても，分娩は家族で新しい命を迎える大切なイベントでもある．家族がもっている産婦を支える力を引き出し，その力が発揮できるようにすることも大切な支援の1つである．このように分娩期の看護には，ウェルネス，エンパワメント，自己決定の視点が不可欠である．

　また，分娩は時間的現象でもある．さまざまな変化を時間的視点でとらえることが必要である．これまでの経過から今の状態をアセスメントし，今の状態から今後の経過を予測し，そして今の援助を考える．分娩が終了するまでこのプロセスを幾度となく繰り返すことになる．分娩経過は順調に進行しているのか，産婦の状態や胎児の状態は良好か，正常からの逸脱の可能性はないかを常にアセスメントし支援しなければならない．

　さらに，分娩期は正常からの逸脱が起こりやすい時期でもある．看護職者には分娩期の正常経過，観察のポイントとアセスメント，異常発生時の対処法に関する知識と技術の習得が必要である．

　出産を体験することで女性は母となり，男性は父となり，子育てを通して親性を育んでいく．家族は新たなメンバーを迎え，個々の役割が変化し，新たな家族へと発達していく．また，出産は女性のライフイベントとしても大きな意味をもち，出産を通して女性は大きく成長するといわれている．分娩は命を生み出す生理的な現象としてだけでなく，人々の新たな変化へのスタートのときでもある．出産を通して人として，親として，新しい家族として成長できるように支援していくことも大切である．

B. 分娩期の経過の全体像 (表Ⅱ-1)

　分娩期は分娩の経過によって4期に分けられている．
　分娩第1期は分娩開始から子宮口全開大までの時期である．分娩第1期は4期のなかでももっとも長く，産婦や家族にとってつらい時期である．産婦は分娩が進行するに伴い陣痛が徐々に強くなるだけでなく，さまざまな身体的変化が起こってくる．そのような変化は産婦の心理にも影響し，産婦は心理的にも変化する．産婦の変化は，産婦を支えようとする家族の気持ちや行動にも影響し，家族みんなが揺らぐ時期でもある．産婦の身体は分娩に適応し，胎児は陣痛により産道を少しずつ下降してくる時期ではあるが，この時期に起こりやすい正常からの逸脱があるため注意して経過をみていかなければならない．
　分娩第2期は子宮口全開大から胎児が娩出するまでである．分娩第2期は，産婦と家族にとって待ちに待った児の誕生の時期である．産婦にとっては最後の頑張り時であり，気持ちも前向きになる．家族も産婦のあと少しの頑張りを支えながら出産に臨む．この時期は産婦の腟・会陰裂傷が起こりやすく，胎児は分娩のストレスをもっとも受ける時期で胎児心拍数の低下や分娩時外傷が起こる可能性もあり，注意が必要な時期でもある．
　分娩第3期は胎児の娩出後から胎盤が娩出されるまでである．分娩第3期は，無事に出産が終わり，産婦と家族にとっては喜びと安堵の時期である．しかし，分娩第2期同様，母子ともに一転して生命の危機に陥るリスクがある．褥婦においては児の出産によって起こる分娩時異常出血のリスクが高くなる時期でもあり，注意が必要である．児においては分娩により受けたストレスの状態によっては，新生児蘇生などの処置が必要となる．児の胎外生活への移行の状態を早急にアセスメントしなければならない時期である．
　分娩終了後から2時間までの時期は分娩第4期とも呼ばれ，分娩に伴う処置が終わり，褥婦や家族が生まれたばかりの児とはじめて一緒に過ごす大切な時期である．褥婦や新生児の状態がよければ，初回授乳が行われるのもこの時期である．この時期の褥婦はまだ出血のリスク状態が続いているため厳重な観察が必要である．
　分娩期は経過という一連の流れではあるが，各期によって産婦や胎児の状態は異なり，起こりやすい正常からの逸脱も違う．各期の特徴を理解し，各期の特徴に合わせた援助をしなければならない．

表Ⅱ-1　分娩期の経過と全体像

経過		分娩の前兆	分娩第1期（開口期）分娩開始から子宮口全開大まで	分娩第1期活動期の所要時間（子宮口5cmから全開大まで）初産婦12時間　経産婦10時間
胎児の状態			児頭固定 / 第1回旋　頭を胸に引きつける　児頭嵌入，児頭前屈	第2回旋　小泉門が母体の前方へ大泉門が母体の後方へ向くように回転しながら下降
産婦の身体的変化	陣痛周期・陣痛発作		10分周期	
	痛みの部位			産痛部位が変化する
	痛みの程度		軽度の痛み ───	中等程度の痛み～
	体温の上昇			0.1～0.2℃の上昇　発汗がみられる
	心拍数　血圧の上昇　血液　泌尿器系　消化機能		凝固系の亢進状態は継続　尿量は増加する　消化・吸収の機能は低下　排便はわずか	陣痛発作時にわずかに増加するが，血圧は上昇するが，最高血圧が
	物質代謝		アシドーシス状態に傾く	
			血性分泌物がみられる	
産婦・家族の心理的変化と行動	産婦	不安・恐怖・焦り　喜びと期待　どうなっていくのか？　いよいよ始まった	頸管の熟化　／　分娩の開始	緊張　陣痛の痛みはもっと強くなるの？　いよいよかな…　子宮口の開大
		間欠時に入眠できる　家族と談笑　病院に連絡		発作時手を握りしめる　少し顔をしかめる
		食事ができる	自宅　／　病院へ	間欠時に食事ができる　待機室
	家族	不安　どうしよう，どうしたらいいのか…		落ち着かない　大丈夫かな…　妻の身体が心配
		産婦の世話をする　産婦と談笑		
	新生児			
起こりやすい正常からの逸脱	娩出力の異常			微弱陣痛　過強陣痛
	産道の異常　胎児の異常	骨産道の異常：児頭骨盤不均衡（CPD）　胎勢の異常：反屈位　胎児機能不全　回旋の異常：高在縦定位		回旋の異常
	胎児付属物の異常	早期破水　臍帯脱出　常位胎盤早期剝離		
教育・相談	産婦	陣痛発作時の呼吸法　分娩期の過ごし方		
	家族	産婦への支援方法　分娩期の過ごし方		

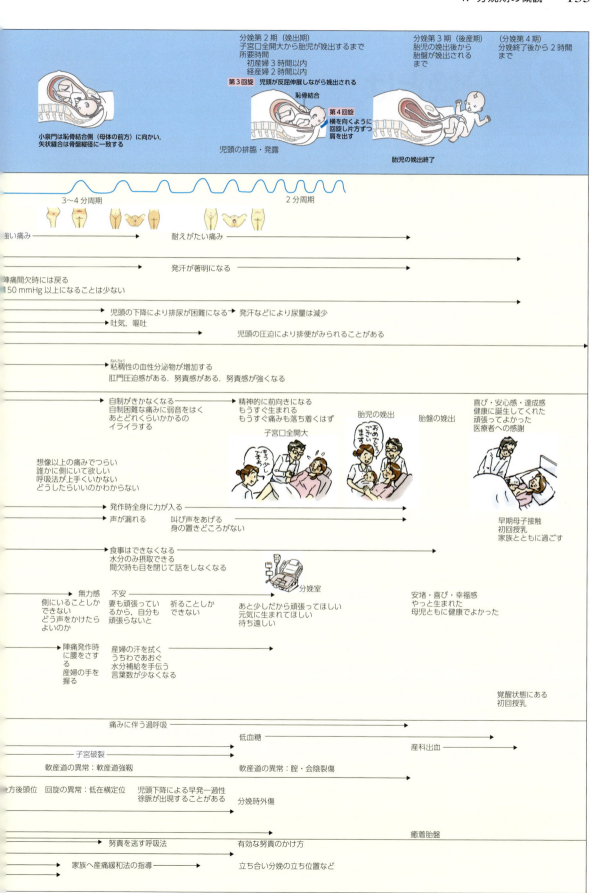

2 分娩とは

> **この節で学ぶこと**
> 1. 分娩時に起こる母体と胎児の生理的・身体的変化を学ぶ
> 2. 分娩の自然なしくみを理解する
> 3. 母体が本来もっている産む力や，胎児が本来もっている生まれる力について理解する

A. 分娩の定義

　分娩（labor）とは，「**娩出力**」「**産道**」「**胎児および胎児付属物**」の3つの要素が作用し合って起こる現象であり，「胎児および胎児付属物」が「娩出力」により「産道」を通って母体から娩出，または排出されることをいう．

　分娩開始は「周期的かつしだいに増強して分娩（胎児娩出）まで持続する**陣痛**が開始した場合に周期が10分以内，または頻度が1時間6回以上になった時点」[1]をいう．

　分娩第1期開始から分娩第3期終了までの期間にある女性を**産婦**（さんぷ）という．はじめて分娩する女性を**初産婦**（しょさんぷ）といい，過去に妊娠22週以降の分娩を経験している女性を**経産婦**（けいさんぷ）という．

B. 分娩の分類

　分娩は，娩出の方法，正常性，時期，胎児数によって分類される（表Ⅱ-2）．

（1）娩出の方法による分類

①自然分娩

　自然分娩（spontaneous labor）とは，自然に起こる娩出力によって産道から胎児および胎児付属物が娩出する分娩をいう．

②人工分娩

　人工分娩（artificial labor）とは，医療的な介助（薬剤，理学的処置，手術など）を行

表Ⅱ-2　分娩の分類

基　準	分娩の種類
娩出の方法	自然分娩，人工分娩
正常性	正常分娩，異常分娩
時期	流産，早産，正期産，過期産
胎児数	単胎分娩，多胎分娩

うことによって胎児および胎児付属物を娩出する分娩をいう．

(2) 分娩の正常性による分類
①正常分娩

正常分娩（normal labor）とは，正期産の時期（37週0日から41週6日）に自然に陣痛が発来し成熟児が経腟的に正常胎位・胎勢（前方後頭位）をもって娩出され，母児ともに安全な自然分娩をいう．さらに分娩経過において，通常の範囲内の会陰切開以外の手術的操作を行うことなく，**分娩所要時間**が初産婦では30時間未満，経産婦では15時間未満である分娩をいう．

②異常分娩

異常分娩（abnormal labor）とは，流・早産，過期産のように分娩時期に異常のあるもの，または胎位，胎勢などに異常があって母児に危険を伴うもの，および人工分娩などをいう．

(3) 時期による分類

分娩の時期により，分類する．
- 流産：妊娠22週未満．
- 早産：妊娠22週から37週未満．
- 正期産：妊娠37週から42週未満．
- 過期産：妊娠42週以降．

(4) 胎児数による分類
①単胎分娩

単胎分娩とは，胎児が1人（単胎）の分娩をいう．

②多胎分娩

多胎分娩とは，胎児が2人以上（多胎）の分娩をいう．胎児が2人の場合を双胎分娩，3人の場合を三胎（品胎）分娩などという．

C. 分娩3要素

分娩の現象は，「**娩出力（陣痛と腹圧）**」「**産道（骨産道と軟産道）**」「**娩出物（胎児および胎児付属物）**」の3要素が時間の経過とともに相互に作用し合って進行していく（**表Ⅱ-3**）．したがって，分娩の経過（分娩進行）をアセスメントするためには，これらの3要素を総合的に判断し，今後の経過を予測することが必要である（**図Ⅱ-1**）．

表Ⅱ-3 分娩3要素

娩出力	陣痛	
	腹圧	
産道	骨産道	寛骨（腸骨・恥骨・坐骨）・仙骨・尾骨
	軟産道	子宮下部・子宮頸部・腟部・外陰および会陰部
娩出物	胎児	
	胎児付属物	胎盤・臍帯・卵膜・羊水

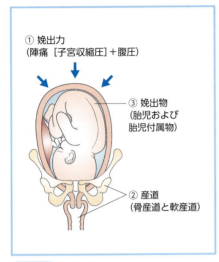

図Ⅱ-1　分娩3要素

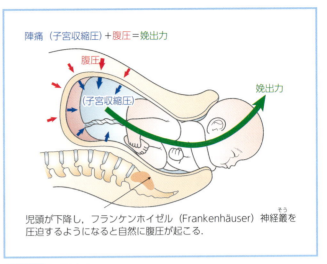

図Ⅱ-2　娩出力

1 ● 娩出力（陣痛と腹圧）（p.191参照）

　娩出力とは，胎児を母体外に娩出させる力で，陣痛（子宮収縮圧）と腹圧からなる（図Ⅱ-2）．児を娩出するために有効な娩出力であるか，娩出力が正常から逸脱する可能性はないか（過強陣痛，微弱陣痛の可能性はないか）など，分娩経過を予測するためには，娩出力のアセスメントが重要である．

a. 陣　痛

　娩出力の要素である**陣痛**（labor pains）は，分娩時の規則的な子宮収縮をいうが，広くは妊娠中の子宮収縮も含めて表現されている．本来は子宮収縮そのものを指し，疼痛を伴うことが絶対的な条件ではない．しかし，分娩時の有効な陣痛は陣痛発作時に疼痛を伴う．

(1) 陣痛の種類

①妊娠陣痛

　妊娠経過中にたまにみられる不規則な子宮収縮を妊娠陣痛という．ブラクストンヒックス収縮ともよばれ，流産や早産を誘発することはない．

②前陣痛（前駆陣痛）

　妊娠末期，分娩が近づくと比較的頻繁に起こる不規則な子宮収縮を前陣痛（前駆陣痛）という．子宮収縮が周期的な場合には分娩開始と間違うこともあるが，やがて消失し，分娩開始には至らない．子宮頸管の熟化作用がある．

③分娩陣痛

　子宮収縮が規則的でしだいに強くなり，疼痛，腹部不快感を伴い，児娩出まで消失することはない．

④後陣痛

　胎児・胎盤娩出後，産褥期にみられる不規則な子宮収縮をいう．一般に経産婦のほうが強く，随伴する疼痛も強いが，これにより胎盤剥離面からの出血防止（生体結紮）や子宮筋の退縮（子宮復古）が促進される．

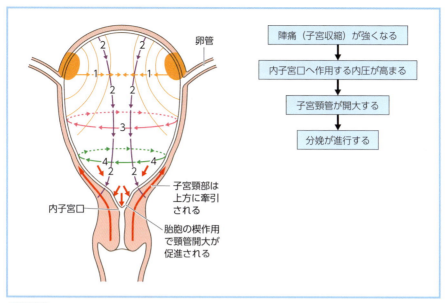

図Ⅱ-3 陣痛発作と頸管開大の機転
［荒木 勤：最新産科学—正常編，改訂第22版，p.232，文光堂，2008を参考に作成］

(2) 陣痛発作と頸管開大（図Ⅱ-3）

陣痛発作は，両側卵管と子宮の左右の付着部の2点から同時に起こり始める（図Ⅱ-3の図中番号「1」）．その収縮は楕円形の波長を描いて両側から中央に向かって進み，子宮の正中線で相合すると，縦径方向の収縮によって子宮長径は短縮する（図中番号「2」）．同時に陣痛は子宮内圧も上昇させる（図中番号「3」）が，この内圧が抵抗の小さい内子宮口に作用し頸管が開大する（図中番号「4」）．

(3) 陣痛の徴候

陣痛発作が起こると，子宮の下部が伸びるために子宮体は延長するとともに前屈を強めて前方（母体の腹壁側）に隆起し，触診すると子宮体が硬く感じられる（図Ⅱ-4）．分娩監視装置の陣痛プローブ（陣痛計）もこの隆起を利用して陣痛図を作成している．

陣痛発作時には，子宮収縮が実際に起こっている時間，産婦が子宮収縮を自覚し疼痛を感じている時間，触診で認知できる時間にはそれぞれに若干のずれがある．このことを理解したうえで陣痛を観察することが必要である．

(4) 陣痛の周期

陣痛は，**陣痛発作**（増進期，減退期）と**陣痛間欠**（静止期）からなり，**陣痛発作時間**と**陣痛間欠時間**を合わせたものが**陣痛周期**である（図Ⅱ-5）．

(5) 陣痛の観察法

陣痛周期・子宮内圧は，分娩進行状況に合わせて変化するため，現時点の子宮口開大に見合った陣痛周期であるか，陣痛発作持続時間であるか，産婦の疼痛の訴えであるか，子宮内圧であるかなどの視点でアセスメントする（表Ⅱ-4）．

陣痛の観察法には，触診法，外測法，内測法の3つの方法がある．

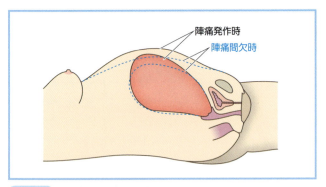

図Ⅱ-4　陣痛発作時の子宮
陣痛発作が起こると子宮の前屈に合わせて母体の腹壁は前方(図では上方)へ隆起し，触診すると硬く感じられる．陣痛発作がおさまると隆起はもとへ戻り，触診でも軟らかく感じられる．

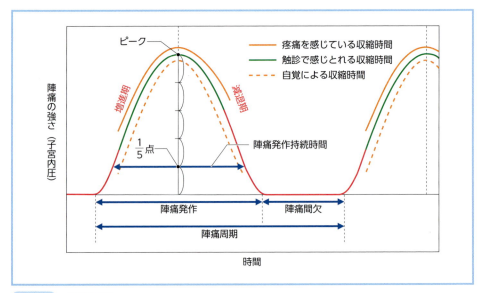

図Ⅱ-5　陣痛周期

①触診法
　手を子宮底部や体部に置き，収縮の強さ（子宮底部の硬さ）の程度や部位，収縮時間などを計る方法．

②外測法
　産婦の腹壁上（子宮底部付近）に分娩監視装置の陣痛プローブを装着し，子宮収縮による子宮の変形による圧力の発生をとらえる方法（p.451 Skill 6 参照）．**陣痛発作持続時間**は外測法では振幅の1/5点の曲線の距離の時間で表現する（**図Ⅱ-5**）．陣痛発作時に描き出される曲線は陣痛プローブ装着の状態によって変化するので，子宮収縮圧そのものを表しているものではないが，子宮収縮の周期，持続時間などは内測法のそれとほぼ一致する．

表Ⅱ-4 正常の陣痛，微弱陣痛，過強陣痛

		子宮口開大度		
		4〜6 cm	7〜8 cm	9〜10 cm （子宮口全開大）
微弱陣痛	子宮内圧	10 mmHg未満	10 mmHg未満	40 mmHg未満
	陣痛周期	6分30秒以上	6分以上	初産婦で4分以上 経産婦で3分30秒以上
	持続時間	40秒以内	40秒以内	30秒以内
正常の陣痛	子宮内圧	40 mmHg	45 mmHg	50 mmHg
	陣痛周期	3分	2分30秒	2分
	持続時間	70秒	70秒	60秒
過強陣痛	子宮内圧	70 mmHg以上	80 mmHg以上	55 mmHg以上
	陣痛周期	1分30秒以内	1分以内	1分以内
	持続時間	2分以上	2分以上	1分30秒以上

③内測法

　破水後に羊水腔にオープンエンドカテーテルを挿入し，直接羊水内腔の圧を測定する方法．陣痛発作持続時間は，内測法は基本圧10 mmHgの点での曲線の距離の時間で表現し，陣痛周期は陣痛発作開始時から次の発作開始までの時間で表現する．

b. 腹　圧

　腹圧は，腹壁筋や横隔膜筋を収縮させることにより腹腔内圧を上昇させ，その内圧が子宮に作用し胎児の娩出を助ける．本来，腹圧は意図的にかけるものであるが，分娩が進行し胎児の下降部が軟産道を強く圧迫するようになると陣痛発作によって反射的に腹圧が生じ，努責が起こる．この状態を**共圧陣痛**といい，児娩出にはもっとも有効な陣痛である．児娩出時には無理に腹圧（努責）をかけるのではなく，この自然にかかる努責を利用すると産婦の疲労も少なく，児娩出にも効果的である．

2● 産道（骨産道と軟産道）

　産道は分娩の際に児が通過する管腔であり，骨からなる**骨産道**（外側）と軟部組織からなる**軟産道**（内側）に分けられる．

a. 骨産道　（p.194 参照）

　骨盤は骨盤分界線により大骨盤と小骨盤に分けられるが，直接分娩に関係するのは小骨盤で，骨産道（bony birth canal）とは小骨盤の内腔のことであり，骨盤腔ともよばれる．骨産道は寛骨・仙骨，尾骨で構成され，骨盤腔は骨盤入口部，骨盤濶部，骨盤峡部，および骨盤出口部の4部に分けられる．骨盤各部の前後径の中点を結ぶ曲線を**骨盤誘導線**または骨盤軸とよび，分娩時には胎児はこの軸方向に娩出される（図Ⅱ-6）．

　女性型骨盤は，円形または横長の卵円形であり，幅が広く，空間容積も大きく，骨盤腔が円筒状に近い．男性型骨盤は仙骨側が狭く，ハート型を呈している（図Ⅱ-7）．

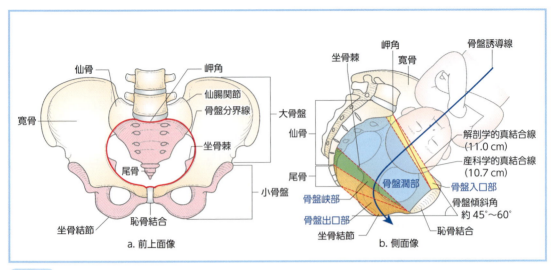

図Ⅱ-6　骨産道
骨盤分界線より上の部分を大骨盤，下の部分（aのピンク色部分）を小骨盤という．

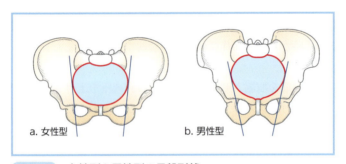

図Ⅱ-7　女性型と男性型の骨盤形状

(1) 古典的骨盤平面系による4つの部
①骨盤入口部
　骨盤入口部とは，前方は恥骨結合，後方は岬角（仙骨の上縁にあるもっとも前に出っ張った部分），側方は腸骨弓状線からなる骨盤入口平面と平行した平面に囲まれた部分をいう．この断面は横径が長い楕円の形をしている．
　岬角と恥骨結合後面との最短距離である**産科学的真結合線**（正常10.5～12.5 cm，平均10.7 cm）は，児頭骨盤不均衡などの診断に用いられるなど，骨盤諸径線のなかで産科学的にもっとも重要な径線である．
②骨盤濶部
　骨盤濶部とは，骨盤入口部下面から，恥骨結合下縁，左右坐骨棘を通り，仙骨前面まで延長した面で囲まれた部分をいう．この断面は円形でもっとも広くなっている．
③骨盤峡部
　骨盤峡部とは，骨盤濶部下面から，恥骨結合下縁と仙骨の先端を結ぶ平面で囲まれた部

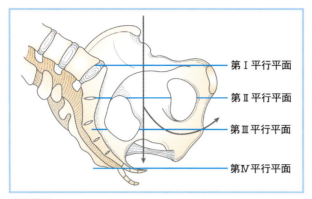

図Ⅱ-8 ホッジの平行平面系

分をいう．この断面は縦長でもっとも狭くなっている．
　④骨盤出口部
　骨盤出口部とは，骨盤峡部下面から，坐骨結節間径を底辺とし，この底辺と恥骨結合下縁を結ぶ面，およびこの底辺と尾骨先端とを結ぶ平面の2面からなる部分をいう．

(2) ホッジの平行平面系による4つの部（図Ⅱ-8）
　骨盤入口面に平行した4つの平面により骨盤を区分し，胎児先進部との関連から下降度を表現する方法である．
- 第1平行平面（ⅠP）：平行恥骨結合上縁と仙骨岬角を結んだ入口面
- 第2平行平面（ⅡP）：第1平行平面に平行し，恥骨結合下縁を通過する面（デ・リーのステーション-2に相当する）
- 第3平行平面（ⅢP）：坐骨棘間を結ぶ面（デ・リーのステーション0に相当する）
- 第4平行平面（ⅣP）：尾骨先端を通過する面

b. 軟産道 （p.197参照）
　軟産道（soft birth canal）は，軟部組織からなる産道の部分（子宮下部，子宮頸部，腟，外陰および会陰）をいう．分娩時は，子宮体部の子宮筋は収縮して胎児娩出の原動力になるが，それ以下にある子宮頸部は受動的に拡張して通過管を形成する．

(1) 子宮下部・子宮頸部の変化（図Ⅱ-9）
　分娩進行に伴い「子宮口の開大」「子宮頸管長の短縮」「外子宮口の位置の変化」「子宮頸部の軟化」が起こる．
　子宮口の開大はcmで表現され，児を娩出するためには約10 cmまで開大しなければならない．約10 cmまで開大した状態を**全開大**と表現する．ただし，児頭が相当体重児よりも小さい場合は子宮口の開大が約10 cmまで開大していなくても児娩出となることがあり，児頭が大きい場合は10 cm以上開大しなければ児娩出に至らないことがある．初産婦と経産婦で子宮頸管開大の状態は異なる．子宮頸管長は子宮口の開大に伴い短縮してくるが，この際の頸管の長さを展退度といい，パーセント（％）で表現される．また，分娩開始前，子宮頸管（外子宮口）は後方の仙骨側を向いているが，児の下降に伴い前方の恥骨結合側を向いてくる．子宮頸部の硬度も分娩進行に伴い軟化してくる．

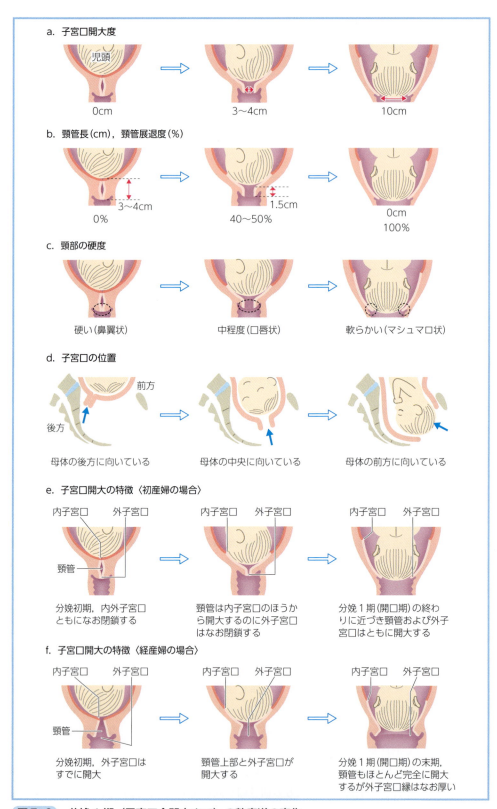

図Ⅱ-9 分娩1期(子宮口全開大まで)の軟産道の変化

(2) 外陰および会陰部

児頭が骨盤底まで下降してくると，会陰部は膨隆し，肛門が開く（哆開）ようになってくる．この状態になると肛門部を圧迫している手が児頭で押されるのを感じることができる．

児娩出時，児頭または肩甲部が陰門を通過する際に，会陰部が強く伸ばされて会陰裂傷をつくりやすい．とくに初産婦は会陰部が伸展しにくいため会陰裂傷に気をつけなければならない．

3 ● 娩出物（胎児および胎児付属物）

a. 胎 児 （p.198 参照）

(1) 胎位・胎勢・胎向

胎位・胎向はレオポルド触診法（p.447 Skill 4 参照）や超音波検査法により確認することができる．妊婦健康診査や分娩の際は，胎児心音聴取部位を推定するためにこれらを確認しておく必要がある．胎位異常や胎勢異常の場合は，分娩経過の異常が起こったり，分娩様式の選択にも影響を及ぼす．

①胎 位（図Ⅱ-10）

胎位（presentation）とは，胎児の縦軸と母体（子宮）の縦軸との位置関係を表したものである．

胎児の縦軸が子宮の縦軸に一致するものを**縦位**とし，縦位で児頭が子宮の下方にあるものを**頭位**，胎児の骨盤が下方にあるものを**骨盤位**という．

両軸が直角に交差するものを**横位**，子宮の縦軸に対して胎児の縦軸が斜めに交差するものを**斜位**という．

骨盤位，横位および斜位は**胎位異常**であり，分娩時には注意が必要である．

②胎 向（図Ⅱ-10）

胎向（position of presentation）とは，胎児の背中または頭部が母体の左右・前後のどこに位置するかを表したものである．

縦位の場合，児背が母体の左側にあるものを第1胎向，右側にあるものを第2胎向という．横位の場合，児頭が母体の左側にあるものを第1胎向，右側にあるものを第2胎向という．さらに，児背が母体の前方（腹壁側）にあるものを第1分類，後方（脊椎側）にあるものを第2分類という．

たとえば児頭が子宮の下方にあり（＝頭位），児背が母体の左側にあり（＝第1胎向），なおかつ児背が母体の前方（腹壁側）にある（＝第1分類）ものを頭位第1胎向第1分類（第1頭位）という．

③胎 勢（図Ⅱ-11）

胎勢（fetal attitude）とは，胎児の姿勢をいう．

胎児は，脊柱を軽く前彎し顎が胸壁に接し，肘・股・膝関節がいずれも屈曲している屈位の姿勢をとっているのが正常である．胎児の顎が胸壁を離れ，児頭や脊椎が伸展・後彎する**反屈位**の姿勢をとっている場合は胎勢異常である．反屈位（胎勢異常）の場合は，分娩時に回旋異常が起こる場合があるので注意して経過観察を行わなければならない．

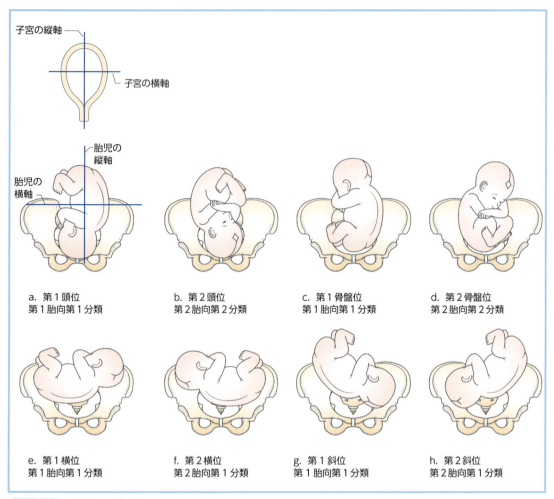

図Ⅱ-10　胎位と胎向

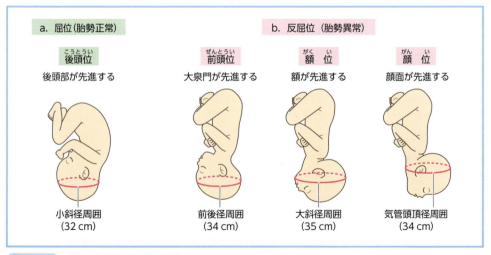

図Ⅱ-11　胎勢と産道通過先進部

(2) 児の娩出機転

骨盤腔は各部位によって，広さおよび形が異なっているうえに，児の娩出方向（骨盤誘導線）も彎曲している．胎児は，骨盤腔の各部位に児頭を適合させるため，応形機能や4つの回旋を行いながら産道を通過してくる．

①児頭の応形機能

胎児の頭部は胎児部分のなかで最大の周囲径をもち，卵形に近い形状をしている（**図Ⅱ-12**）．そのため分娩時に狭い骨盤腔を通過する抵抗を少なくするために，児頭を骨盤軸の方向に長く変形させ，これと直角の方向に短縮させる（**図Ⅱ-13**）．さらに，児頭の頭蓋骨は狭い産道を通り抜けるために，産道の圧迫により骨どうしが重なり合って（**骨重積**）児頭を小さくし，産道の通過を容易にする（**図Ⅱ-14**）．これらの機能を**児頭の応形機能**（**図Ⅱ-13**）という．

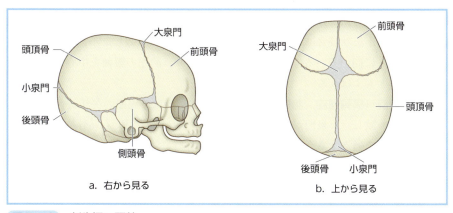

図Ⅱ-12　新生児の頭蓋

a. 右から見る　　b. 上から見る

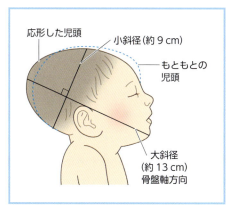

図Ⅱ-13　児頭の応形機能

小斜径：大泉門と後頭結節窩，大斜径：頤と後頭の最長部．
児頭の卵形に近い形状は骨盤腔を通過しやすいように骨重積され，児頭の大斜径が長くなり，これを直角の方向の小斜径が短縮する．

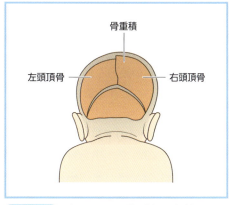

図Ⅱ-14　児頭の骨重積（第1胎向）

骨重積では，頭頂骨は骨盤入口部で母体の後方にある側が，岬角に押されて前方にある側の下方に進入する．第1胎向では左頭頂骨が下に（図Ⅱ-14），第2胎向では右頭頂骨が下に重なる．

②4つの回旋（分娩機転）（図Ⅱ-15）

- 第1回旋（横軸回旋，胎勢回旋）：分娩初期は児頭が骨盤入口にあり，児頭の矢状縫合は骨盤横径に一致しており，大泉門と小泉門は同じ高さにある．陣痛によって児頭が骨盤腔に進入するにしたがって，脊柱に続く後頭部が強く押され，小泉門が下降し，頤部が胸部に接近して屈曲し屈位の姿勢になる．この回旋が第1回旋であり，胎児の横軸を中心に回旋を行うので横軸回旋ともよばれる．この回旋により，**小泉門（後頭）が先進部となり**，児頭はもっとも小さい小斜径周囲（図Ⅱ-11参照）をもって骨盤を通過することができる．

- 第2回旋（縦軸回旋，胎向回旋）：児頭先進部が骨盤腔を下降するにしたがって，小泉門は母体の側方からしだいに母体の前方（腹壁側）に向かって回旋し，矢状縫合は骨盤濶部では斜径に一致する．さらに下降し，児頭先進部が骨盤峡部あるいは骨盤出口部に達すると，**矢状縫合は骨盤縦径（前後［縦］径）に一致し**，小泉門は母体の前方（恥骨結合側）に向いている．これが第2回旋であり，胎児の縦軸を中心に回旋を行うので縦軸回旋ともよばれる．

- 第3回旋（横軸回旋，胎勢回旋）：骨盤出口部では，児頭の矢状縫合は骨盤出口部の前後径に一致し，小泉門が前方側で下降し，児頭に続く児背も恥骨結合側に回旋する．児頭が陰門を通過する直前になると，陣痛発作時に陰裂が少し開き児頭の一部が現れるようになるが，陣痛間欠時には再び児頭は後退し陰裂も閉じる排臨の状態となる．排臨を繰り返しながら，陰裂に現れる児頭部分が徐々に大きくなる．やがて児頭の先進部が間欠時にも陰裂に現れたままの状態の発露となる．その後，後頭が恥骨弓下に現れ，後頭結節下方の項部が恥骨結合下縁に支えられ，これが支点となり胎児の頤部は胸部を離れて**児頭は反屈伸展し**，頭頂，前頭，額，顔面，頤が陰門を通過して全児頭が娩出する．これが第3回旋であり，胎児の横軸を中心に回旋を行うので横軸回旋ともよばれる．

- 第4回旋（縦軸回旋）：児頭娩出直後，肩甲が骨盤出口部を通過する際に，**肩幅は骨盤出口の前後径に一致する**ように回旋する．このように肩甲の回旋につれて，娩出直後，母体の後方を向いていた児の顔面は母体の側方に向かい，通常は分娩開始前の胎向に戻る．これを第4回旋という．胎児の縦軸を中心に回旋を行うので縦軸回旋ともよばれる．

(3) 児頭の下降

児頭の骨盤内における下降度を評価する方法には，外診（レオポルド触診法の第3段・第4段，ザイツ［Seitz］法，ガウス［Gauss］頤部触診法*）による方法と，内診による方法がある．

内診による下降度の表現方法には，ホッジ（Hodge）の平行平面法（parallel pelvic

---

*ガウス頤部触診法：レオポルド触診法第4段を用い，胎児の頤部（頭位の場合のみ）を触診し，その高さと位置を調べることによって，児頭の下降度，回旋の状態を知る触診法である．

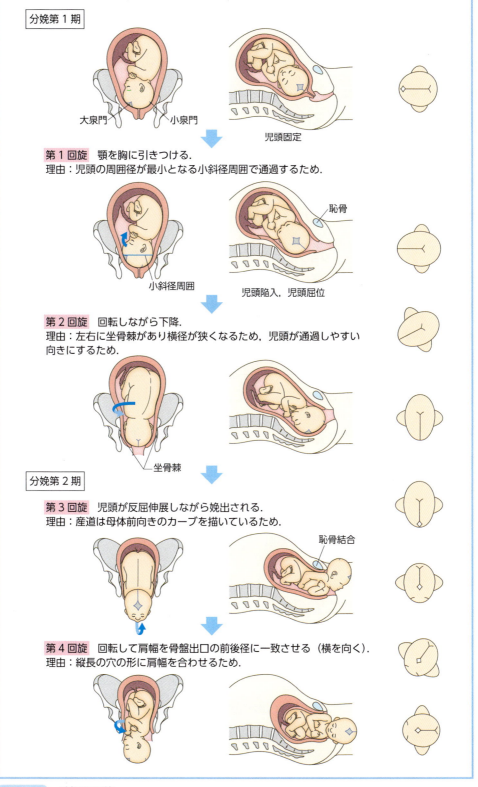

図Ⅱ-15 胎児の回旋

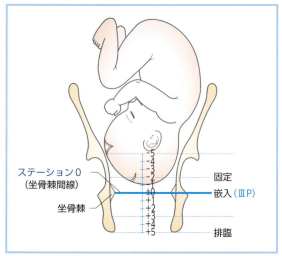
図Ⅱ-16　デ・リーのステーション法

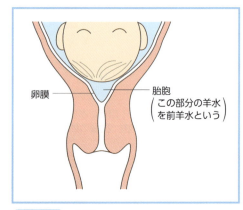
図Ⅱ-17　胎胞

planes）のⅢPから児頭の先進部への垂直距離を測るデ・リー（De Lee）のステーション法が用いられる．

●デ・リーのステーション法（図Ⅱ-16）

坐骨棘間を結ぶ線をステーション0とし，そこから先進部までの距離（cm）で下降度を表現する方法である．

先進部が坐骨棘間線より上方にあれば-1，-2，-3，下方にあれば+1，+2，+3と表現する．坐骨棘間線（ステーション0）はホッジの第3平行平面に一致する．

児頭が骨盤入口部から骨盤腔に進入し移動性を失った状態を**固定**といい，児頭の先進部はステーション-2あたりに下降している．さらに，固定した児頭が第1回旋を経て下降し，児頭最大周囲径が骨盤入口部を通過した状態を**嵌入**といい，児頭の先進部はステーション0程度かそれよりも下にある．

b. 胎児付属物　（p.203参照）

胎児付属物には，胎盤，卵膜，羊水，臍帯が含まれる（p.13〜18参照）．

（1）胎　盤

胎盤は妊娠の進行に伴い増大し，正期産ではおよそ500 g，直径20 cm，厚さは中央部で2 cmの扁平な円盤状の形をしている．

胎盤は，胎児娩出後に起こる子宮の収縮，腹圧，胎盤にかかる重力などにより排出される．分娩時における胎盤の異常としては，癒着胎盤（p.205参照），子宮内反症[*]などがある．

胎盤精査時，胎盤実質に石灰沈着，あるいは白色胎盤梗塞すなわち凝固壊死を認めることがある．これは絨毛が徐々に壊死に陥った状態を示したもので，予定日超過や過期産，

---

[*]子宮内反症：分娩第3期において，胎盤の剝離前または剝離後に子宮体が反転して頸管内に下降するか，またはこれを通過して脱出したものをいう．

妊娠高血圧症候群または腎炎を伴う妊産婦の胎盤にみられることが多い．

(2) 卵　膜

卵膜は，羊膜，絨毛膜，脱落膜からなる．

分娩進行に伴い子宮頸管が開大し，卵膜の下端部と子宮壁にずれが生じることにより，卵膜が剝離し，脱落膜血管が破綻して起こる出血と子宮頸管の粘液が混ざり，血性分泌物（**産徴，おしるし**）が排出される．産徴は分娩の進行とともに増えてくる．また，子宮壁から剝離した卵膜は，陣痛発作の子宮内圧の上昇に伴い，子宮頸管内に**胎胞**を形成し，頸管を上方から徐々に開大させる（図Ⅱ-17，p.139の図Ⅱ-3参照）．胎胞内の羊水を前羊水，児頭後方の子宮内の羊水を後羊水とよぶ．子宮口が開大し，陣痛が強くなると胎胞の緊張は極限に達し，やがて発作時に破裂し内部にたまった前羊水が流出する．この現象を**破水**という（p.203参照）．一般に破水は子宮口全開大ごろに起こるのが正常とされ，**適時破水**という．

(3) 羊　水

分娩時の羊水の役割は，①胎胞を形成し子宮頸管の開大を促進する，②陣痛の圧力から胎児を保護する，③胎盤を子宮壁に押しつけることで胎盤の早期剝離を防止する，④破水後は産道の潤滑油として胎児の通過を容易にするなどである[2]．

(4) 臍　帯

妊娠中の超音波検査装置で臍帯が胎児のからだの一部に絡まっていないか（**臍帯巻絡**）を確認しておく必要がある．臍帯巻絡があると分娩進行中に臍帯圧迫が起こり，胎児機能不全が起こることもある．また，巻絡の程度によっては胎児の下降が妨げられることもある．

学習課題

1. 分娩の3要素についてまとめてみよう
2. 分娩経過についてまとめてみよう

練習問題

Q1 正常の分娩経過で正しいのはどれか．　　　　　　　　　　（第100回国家試験，2011年）

1. 第1頭位では右臍棘線上で胎児心音を聴取する．
2. 陣痛周期が10分以内になった時点を分娩開始にする．
3. 排臨は胎児先進部が陰裂間に常に見えている状態である．
4. 分娩第2期は子宮口全開大から胎盤が娩出するまでである．

> **Q2** 産婦の胎児心拍数陣痛図の所見で正常なのはどれか.
>
> （第109回国家試験，2020年より一部改変）
>
> 1．胎児心拍数基線が110〜160 bpmである．
> 2．胎児心拍数基線細変動の幅が5 bpm以下である．
> 3．一過性頻脈を認めない．
> 4．子宮収縮の最強点に遅れて15 bpm未満の心拍数の低下がみられる．

［解答と解説 ▶ p.548］

引用文献

1) 日本産科婦人科学会（編）：産科婦人科用語集・用語解説集，第4版，p.325，日本産科婦人科学会，2018
2) 池ノ上 克，鈴木秋悦，髙山雅臣ほか（編）：NEWエッセンシャル産科学・婦人科学，第3版，p.292，医歯薬出版，2004

3 正常分娩の経過とアセスメントと援助

この節で学ぶこと

1. 正常な（自然な）分娩経過を理解する
2. 正常に分娩が経過しているかをアセスメントする視点を学ぶ
3. 正常な分娩経過を促す援助について学ぶ
4. 正常な分娩経過からの逸脱状態を知り，アセスメントの視点とその対応の方法について学ぶ

　分娩期の看護の目的は，**母児ともに安全に分娩が終了する**ことである．分娩は生理的な現象（自然な現象）であるが，この経過は個々に違い，産婦や家族が分娩に対してもっている価値観や分娩後に行う意味づけもさまざまであり，個別性が大きい．分娩にかかわる医療者には，正常な分娩経過を理解したうえで，母児ともに安全に分娩が終了するように，個々の経過に応じた援助を行うことが求められる．また，分娩期は，正常経過からの突然の逸脱が起こる時期でもある．そのため，分娩の進行状態により産婦や胎児の状態のアセスメントを繰り返し行い，今後の分娩経過や正常からの逸脱の可能性について予測することが必要となる．さらに，分娩の時期は，**分娩第1期**（分娩開始から子宮口全開大までの時期），**分娩第2期**（子宮口全開大から児娩出までの時期），**分娩第3期**（児娩出から胎盤娩出までの時期），**分娩終了後2時間**（胎盤娩出から2時間．分娩第4期ともいう）の4期に分けられ，それぞれの時期の特徴に合わせたアセスメントと援助が必要となる（**表Ⅱ-5**）．

〈アセスメントの視点〉
  # 分娩進行は順調か
  # 産婦の分娩進行に合わせて起こる身体的・心理的変化の適応過程は順調か
  # 胎児の健康状態は良好か

表Ⅱ-5 分娩各期の定義と分娩所要時間と出血量の見方

各期	定義	時間	出血量
第1期	分娩開始から子宮口（子宮頸管）が全開大するまでの時期	A	a
第2期	子宮口全開大から児娩出までの時期	B	b
第3期	児娩出直後から胎盤娩出までの時期	C	c
分娩終了後2時間	胎盤娩出直後から2時間まで		d
分娩所要時間　A＋B＋C			
分娩時出血量　a＋b＋c＋d			

\# 産婦が主体的に，安楽に過ごせているか
\# 家族も一緒に分娩に参加できているか
\# 分娩直後の褥婦の回復過程は順調か
\# 親子関係の形成のスタートは順調か

A. 分娩の前兆

　分娩の前兆とは，胎児が骨盤内へ向かって下降することによって起こるさまざまな変化をいう（図Ⅱ-18）．これらの変化（分娩の前兆）を知ることによって，分娩が近いことをアセスメントすることができる．

　妊娠週数が正期産の時期に入ると，いつ分娩開始するかわからない状態となる．そこで，看護職者は，分娩予定日が近くなった妊婦の健康診査の際は，分娩の前兆の情報を収集し，アセスメントを行う．分娩の前兆が認められた場合は，近いうちに分娩開始する可能性があることを妊婦に伝え，妊婦が入院の準備や分娩に対する心の準備を整えられるように援助する．

1 ● 自覚症状

a. 胎児の下降による変化

①子宮底の下降
　胎児の下降により子宮底の位置も下降し，下腹部が突出してくる．

②胎動の減弱
　児頭が骨盤内に下降することで，胎児の動きが制限されるために起こる．しかし，**胎動が消失することはない**．胎動の減少や消失は，胎児機能不全や胎児死亡など胎児の健康との関連があるとされており，妊婦より胎動の減少や消失感の訴えがあった場合は，胎児が健康かどうかの評価（well-being）が必要となる．

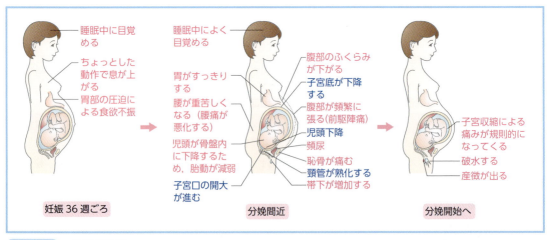

図Ⅱ-18 分娩の前兆

③頻　尿
児頭の下降により膀胱が圧迫され，膀胱の容量が少なくなることによって生じる．
④胃のすっきり感
胎児の下降によって，いままで子宮底により圧迫されていた胃部が圧迫から解放されるために起こる．

b. そのほかの自覚症状
①前陣痛（前駆陣痛）
不規則で弱い子宮収縮が起こり，下腹部の痛みや緊張感および腰痛を伴う．比較的周期的な子宮収縮の場合は，分娩開始と間違われることがあるが，いったんおさまる（偽陣痛）．その後，数日以内に真の分娩陣痛が始まることが多い．
②子宮頸管の熟化
分娩前の子宮腟部は軟化する能力が亢進するため，前陣痛により子宮下部が伸展し，頸管の短縮（展退）と潤軟化，子宮口の開大が進み，分娩準備状態となる．
③恥骨の痛み
妊娠性の変化によって恥骨結合は多少の離開が起こるが，胎児の下降により恥骨結合が児頭の圧迫を受け，痛みを生じることがある．
④帯下の増加
分娩に向けて帯下（腟分泌物）が増加する．
⑤産　徴
産徴（血性分泌物）が排出される（p.151参照）．一般に「おしるし」とよばれている．

B. 分娩開始

分娩開始時期[*]は周期的な陣痛が約10分以内（または頻度が1時間6回以上）になった時点である．しかしながら，すべての産婦がはじめから10分以内（または1時間に6回以上）の陣痛が開始するわけではなく，場合によっては20分ごとの子宮収縮で始まり，しだいに陣痛の周期が短くなり分娩開始となることもある．あるいは，いきなり7分ごとの子宮収縮で始まることもあり，分娩開始にも個別性がある．周期的な子宮収縮が始まった時点で，かかりつけの施設へ連絡を入れるなど，産婦とは事前に相談して決めておくとよい．産婦が施設へ連絡を入れる際に「氏名，診察券番号，施設までの移動手段，施設までの所要時間」などの情報が必要になるので，事前に準備しておくように伝える（p.100参照）．

a. 入院の時期
入院時期は，初産婦では陣痛が10分ごとに規則的になった時点で，経産婦では時間に関係なく規則的な陣痛が開始した時点で検討される．その際，①陣痛の程度，②破水の有無，③出血などの異常の有無，④その他（産婦の妊娠合併症，分娩既往歴，入院施設まで

---

[*]分娩開始時期：入院後に子宮収縮薬を用いて陣痛を起こす誘発分娩の場合も，10分以内（または1時間に6回以上）の周期的な陣痛が発来した時点で分娩開始とする．

の所要時間など）を考慮して入院の時期が決定される．

b．入院までの準備

　産婦の入院が決定した時点で，妊娠期の診療録より**表Ⅱ-6a**の情報を収集し，以下についてアセスメントする．

　①分娩予定日を確認し，入院時の妊娠週数が正期産か
　②胎児の発育や健康状態に正常からの逸脱はないか
　③分娩経過に影響する産科的異常はないか
　④分娩経過に影響する合併症はないか
　⑤分娩進行が速いかどうか

　アセスメントを行い，分娩進行中に異常が起こる可能性が考えられる場合は，異常発生時の対応を準備しておく（必要物品の準備，医療関係者への連絡など）．また，分娩経過が速いことが予測される場合は，分娩室の準備をしておくとよい．

c．入院時の看護

　来院した妊婦は，分娩開始により「いよいよわが子に会える」という喜びと期待，「大丈夫かな，これからどうなるのだろう」という不安と恐怖というさまざまな感情を抱いて緊張している．看護職者は，妊婦の緊張が和らぐような声かけや態度で接することが大切である（例：「○○さん，お待ちしておりました．大丈夫ですか」）．また，一緒に来院した家族も緊張しているので声かけや配慮が必要である．

　最初に面接により**表Ⅱ-6b**の情報を産婦に尋ねるが，個人的な情報が含まれるため，個室で1対1にて行い，**プライバシーの保護**に留意する．その際，陣痛発作時は一緒に呼吸法を行ったり，腰を摩るなど配慮しながら行い，産婦が安心して話せる雰囲気をつくることが大切である．その後，外診，触診，聴診，計測により**表Ⅱ-6c**の情報収集を行うが，診察時は産婦の羞恥心への配慮が必要である．医師または助産師が行った内診所見の情報を合わせて以下についてアセスメントする．

　①分娩開始しているか
　②分娩期のどの時期にあるか
　③産婦や児の健康状態に正常からの逸脱はないか
　④分娩は順調に経過するか

　診察が終わったら，診察結果（現在の分娩進行状態），今後の経過予測と過ごし方について医師と一緒に説明を行う．説明後は陣痛室*へ移動し産衣に着替え，分娩監視装置を20分以上装着し（p.451 Skill 6 参照）胎児心拍数陣痛図により胎児の健康状態と陣痛の状態の評価を行う（p.453 Skill 7 参照）．産婦が落ち着いた時点で，家族に声をかけ入室してもらい一緒に過ごせるように配慮する．今の産婦の状態，胎児の状態，分娩進行の状態について，家族にも説明し，家族も状況を理解し安心して出産へ参加できるようにする．

---

*陣痛室：診察後，陣痛室で経過観察をするか，分娩室で経過観察をするかは，産婦の状態に合わせて医師や助産師と相談して決める．

表Ⅱ-6　入院時に必要な情報

a. 妊娠期の診療録より得られる情報

- 分娩予定日
- 本日の妊娠週数
- 今回の妊娠経過
- 産科の既往歴（妊娠歴，妊娠・分娩・産褥の異常の有無，胎児の異常の有無）
- 既往歴（合併症，手術・輸血の有無）
- 家族歴（合併症の有無，実母・姉妹の妊娠・分娩歴）
- 家族状況（結婚歴，同居者，支援者の有無）
- 出産準備教育の状況（分娩進行の知識，呼吸法やリラックス法の練習など）
- 社会・経済的背景
- 緊急連絡先
- バースプランの有無と内容

b. 医療面接により得る情報

- 陣痛の状況（分娩開始時間，陣痛発作・間欠の持続時間，強さ，産痛部位）
- 産痛の状況（痛みの有無，程度，部位）
- 血性分泌物の有無（時刻，性状，量）
- 破水の有無（時刻，性状，量，その後の羊水漏出状況）
- 胎動の有無，胎児の下降感の有無
- 基本的なニーズ：食事，排泄，睡眠，清潔などの状況
- 分娩に対する気持ち：不安の有無，緊張の程度
- 出産立ち会い者の確認
- バースプランの内容の再確認

c. 外診により得られる情報

1) 視診
- 陣痛の状況（顔をしかめるなどの表情の変化，陣痛発作時の声漏れ）
- 肛門・外陰部の状態（肛門・会陰哆開の程度，静脈瘤の有無と程度）
- 発汗の程度

2) 触診
- 胎児の胎位・胎向・胎勢（レオポルド触診法）
- 胎児先進部と骨盤入口部との関係（レオポルド触診法第3・4段，ザイツ法）
- 胎児先進部の進入状態［レオポルド触診法第3・4段，ガウス頸部触診法（p.148参照）］
- 肛門圧迫感の有無
- 陣痛の状況（陣痛発作・間欠の持続時間，強さ）
- 羊水の多少（レオポルド触診法第2段）
- 膀胱充満の有無
- 全身の緊張状態
- 産婦の浮腫の有無と程度

3) 聴診
- 胎児の健康状態（胎児心拍数聴取）

4) 計測
- 母体のバイタルサイン
- 腹囲・子宮底長
- 胎児心拍数陣痛図（CTG）

d. 助産師や医師が行う内診より得られる情報

- 外陰部の浮腫，静脈瘤，瘢痕，潰瘍などの有無
- 分泌物の多少，性状
- 会陰や腟壁の伸展性の良否
- 子宮頸管の開大度，展退度，硬さ ⎫
- 子宮口の位置　　　　　　　　　⎬ ビショップスコア
- 児頭の位置　　　　　　　　　　⎭

コラム
LDRシステム

　LDRとはlabor-delivery-recovery（陣痛-分娩-回復）の略で，多くの産科施設でLDRシステムが導入されている．LDRシステムとは，産婦が部屋を移動することなく1つの部屋を待機室-分娩室-回復室として使えるシステムである．LDRのベッドは，分娩第1期や分娩終了後は普通のベッドとして使え，分娩時には分娩台として使えるようになっている．また，分娩に必要なライトなどの機器も普段は部屋の壁などに収納されており，見た目にはわからないようになっているが，必要時には取り出して使用できるようになっている．産婦は分娩進行に合わせて部屋を移動する必要がなく，慣れた環境のなかで過ごすことでリラックスし，安心感にもつながる．また，部屋は個室になっているので，プライバシーが守られ，家族と一緒に過ごせるのもよいところである．

平常時

分娩時

［写真提供：産婦人科 平野エンゼルクリニック］

コラム
バースプランと分娩

　バースプランは，ほとんどが妊娠期に作成される．バースプラン作成により妊婦は出産に対するイメージが具体化し，分娩期における希望や期待が形成される．イメージしていたとおりの正常な経過をたどる分娩であれば，産婦のバースプランを尊重したかかわりができ，希望や期待に応えることができる．

　しかし，分娩はいつ緊急事態になるかわからないという救急的な側面も併せもっている．そうなると予想していなかった医療介入がされ，産婦が希望していた分娩方法（経腟分娩）とは異なる分娩方法（帝王切開など）の選択を余儀なくされる．このような急変にも産婦が対応できるように，バースプラン作成時に緊急事態の対応（医療介入など）についても説明を行い，同意を得ておくことが必要である．さらに実際に緊急事態になった場合でも，説明を行い産婦が納得した状態で援助を行っていくなど産婦を尊重し，信頼関係を大切にしたかかわりを保つことで，出産に対する満足度を高めることができる．

　母子ともに安全に分娩を終えることが最大の目的であり，看護職者は，命を最優先するということを忘れてはならない．

C. 分娩第1期のアセスメントと援助

1● 分娩第1期（開口期）

分娩開始から**子宮口**（子宮頸管）**全開大**（**約10 cm**）までの時期を**分娩第1期**という．

分娩開始時は，陣痛発作時も会話ができる程度で産婦にも余裕がみられるが，徐々に増強する陣痛，子宮口の開大，胎児の先進部の下降など，分娩が進むにつれて産婦の余裕もなくなり，分娩に集中していく時期でもある．

初産婦で平均10～12時間，経産婦で4～6時間を要し，分娩期のなかでもっとも長時間を要する時期である．フリードマン（Friedman）曲線では，分娩第1期は，潜伏期，活動期（加速期＋極期＋減速期）に分かれ，各期によって所要時間，子宮口の開大速度，胎児下降度・回旋の状態が異なっている（**図Ⅱ-19**）．日本の自然分娩症例における初産婦の分娩経過曲線では，少しずつ子宮頸管の開大が進む徐進期，順調に開大が進む開進期，ゆっくりと開大が進む緩進期，最後に開大が進む急進期に分かれており，自然分娩ではフリードマン曲線にみられるような急激な進行がないことがわかる（**図Ⅱ-20**）．WHOも分娩第1期潜伏期は初産・経産にもかかわらず，痛みを伴う子宮収縮と，子宮口が5 cmに開くまでの子宮頸管の緩やかな展退などに特徴づけられる時期であり，活動期は5 cmから全開大に急速に開大するまでの子宮頸管の着実な展退に特徴づけられる時期と定義している[1]．

2● 分娩進行のアセスメント

分娩は，**分娩の3要素**（娩出力，産道，娩出物）が影響し合って進行する（**図Ⅱ-21**）．

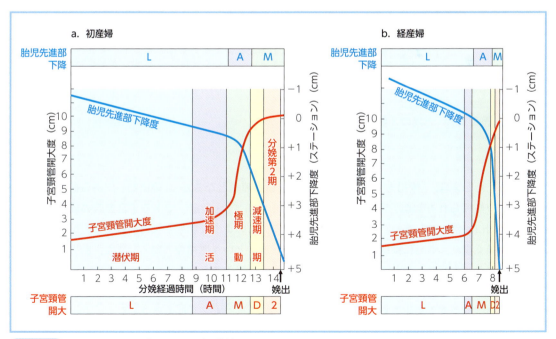

図Ⅱ-19 フリードマン（Friedman）曲線

L：潜伏期（latent phase），A：加速期（acceleration phase），M：極期（最大開口［下降］期）（phase of maximum slope），D：減速期（deceleration phase），2：分娩第2期（second stage）．

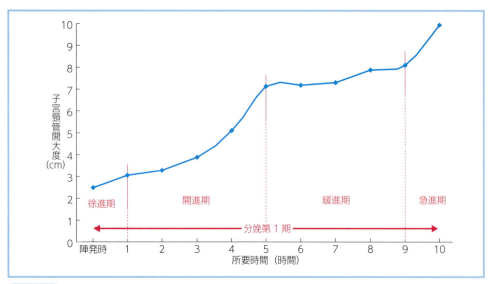

図Ⅱ-20 日本の自然分娩症例における初産婦の分娩経過曲線
［立岡弓子ほか：初産を対象とした自然分娩症例の分娩経過曲線の作成．助産雑誌62(10)：994, 2008より引用］

図Ⅱ-21 分娩の3要素の作用

　たとえば，「娩出力」である陣痛が弱い微弱陣痛となると，「娩出物」である胎児の下降が妨げられ有効な子宮内圧が子宮頸部にかからず，「産道」である子宮頸管の展退および開口が滞ってしまい，分娩が進まなくなる．このような状態が長時間続くと産婦の疲労も強くなり，さらに微弱陣痛を増強させてしまうという悪循環に陥る．また，胎児には長時間のストレスが加わり，胎児機能不全の状態に陥ることもある．
　このように分娩の3要素が作用し合って分娩が進行していくため，分娩を促進するための援助を導き出すためには，分娩の3要素のアセスメントが必要である．
　分娩第1期の分娩進行のアセスメントでは，分娩3要素の情報を以下についてアセスメントする．
　①分娩進行の時期に応じた娩出力であるか

表Ⅱ-7 ビショップスコア

点数 因子	0	1	2	3
子宮頸管の開大度 (cm)	0	1〜2	3〜4	5〜6
子宮頸部の展退 (%)	0〜30	40〜50	60〜70	80〜
児頭の下降度 (ステーション)	-3	-2	-1〜0	+1
子宮頸部の硬度	硬（鼻翼）	中（口唇）	軟（マシュマロ）	—
子宮口の位置	後方	中央	前方	—

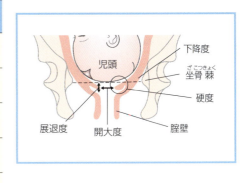

13点満点で評価する．
4点以下を頸管未成熟とする．8点以上では分娩誘発を行うと分娩に至る確率が高い．9点以上を頸管成熟とする．

②分娩進行の時期に応じて子宮頸部が成熟しているか
③分娩進行の時期に応じた胎児の下降や回旋状態であるか
④胎児付属物が正常に機能し，産婦と胎児の安全が保たれているか
⑤今後の経過で正常からの逸脱が予測されるか
⑥分娩進行状態は順調であるか

a. 娩出力（陣痛と腹圧）

娩出力は，時間の経過とともに陣痛発作持続時間が長くなり，陣痛周期も短くなる．それに伴い子宮内圧は高まり，胎児の下降，子宮口の開大が進む（図Ⅱ-19）．

陣痛の測定は，子宮底部に手を置き，子宮の収縮状態を触知し，子宮収縮の強さ，収縮時間，陣痛周期を観察する．また同時に産婦の表情，声もれの有無，努責の有無についても観察を行う．この際，胎児心拍数陣痛図（cardiotocogram：CTG）の陣痛の波形，産婦の自覚，触診による知覚では若干の差がある（p.140の図Ⅱ-5，p.453 Skill 7 参照）．

b. 産　道

陣痛が強くなり，子宮内圧が高まるとともに胎児は骨産道を回旋しながら下降し，軟産道も子宮口の位置が後方（肛門側）から前方（恥骨結合側）へ変わり，子宮頸部の柔軟化，子宮頸管の展退，子宮口の開大が進んでいく（p.144の図Ⅱ-9参照）．分娩進行に伴う軟産道の変化をアセスメントする際には，これらの所見を内診にて確認し，子宮頸管の成熟度を評価するビショップスコアが用いられる（表Ⅱ-7）．

しかし，内診は産婦にとっては侵襲的であり，苦痛や羞恥心を伴う診察である．必要時以外の内診を避け，そのほかの所見によって産道のアセスメントを行うことが望ましい．援助のなかで産婦の言葉に耳を傾け（聴く），看る，触るなどの内診以外の観察を通して分娩進行状態のアセスメントを行う必要がある（表Ⅱ-8）．

c. 娩出物（胎児および胎児付属物）

この時期の胎児は，第1回旋・第2回旋を行いながら骨盤内を下降するが，陣痛も経過とともに増強し，胎児が受けるストレスも増大してくるため，胎児機能不全にも注意して経過観察を行う．

表Ⅱ-8 非侵襲的観察でみられる産婦の身体の変化，心の変化と様子

分娩進行	身体の変化	心の変化	産婦の様子
分娩開始徴候	・前陣痛がある． ・胎児が下降する． ・産徴（おしるし）がみられる． ・前期破水がある場合もある．	・身体の変化から出産が近づいていることを感じる． ・いよいよ出産が始まるという期待と喜び，不安と緊張が入り混じる． ・陣痛がわかるだろうか，入院のタイミングがわかるだろうかと心配になる．	・胎児の下降に伴い食が進むようになる． ・胎児の下降による膀胱の圧迫により頻尿になる． ・破水を尿漏れとして自覚することがある．
分娩の開始	・規則的な陣痛（6回/時間以上）が開始する． ・子宮頸管の展退が進む．	・出産が始まったことで緊張し，不安になる． ・本格的に陣痛が始まったことで，頑張ろうと思う．	・陣痛の間隔を時計で計り，病院への連絡のタイミングを図る． ・陣痛発作時に顔をしかめることがあるが，普通に会話ができる．
分娩第1期	・陣痛間欠が徐々に短くなり，陣痛発作持続が長くなる． ・子宮頸管の展退と開大が進む． ・陣痛を産痛として感じるようになる． ・血性分泌物がみられる． ↓ ・子宮頸管の展退と開大が進むにつれて，血性分泌物が増加する． ・産痛部位が下方へ拡大し，おなかとともに腰も痛くなる． ・胎児の下降により肛門圧迫感が生じる． ・胎児心音聴取部位も下がってくる． ・陣痛とともに努責感が生じてくる． ・体温調整ができず，寒気や暑さを感じることがある． ・発汗がみられる． ↓ ・強い陣痛時には，努責感を我慢できず，いきみたくなる． ・産痛部位が，仙骨部・尾骨部の圧迫痛に移行する． ・粘稠性の血性分泌がみられる． ・悪心の訴えや嘔吐がみられることがある． ・全身が緊張し，発汗が著明になる． ・胎児心音が恥骨結合上で聞こえる． ・遅発一過性徐脈が現れる． ・破水がある．	・入院になることが多く，環境の変化で不安，緊張する． ・心に余裕があり，冷静さを保とうとする． ↓ ・陣痛の増加に伴い，精神的な余裕がなくなってくる． ・1人になることに不安を感じ，常に誰かに付き添ってもらいたいと思う． ・積極的に産痛に対処するように努力する． ・感覚が研ぎすまされ，周囲に対してイライラしたり，焦ったりする． ↓ ・陣痛時は身の置き所がないように感じる． ・努責感が増強し，自制心がきかなくなる． ・陣痛に意識が集中し，周囲に気を遣えなくなる． ・陣痛間欠時に眠気を感じる． ・疲労感を強く感じることがある． ・これ以上の痛みは我慢できない，限界だと感じる．	・発作時でも返事ができ，間欠時には家族と会話を楽しむことができる． ・発作時，普通の呼吸で痛みを逃せられる． ・食事を食べることができる． ↓ ・発作時に会話ができなくなり，動けなくなる． ・発作時，普通の呼吸で痛みを逃せなくなり，発作時に呼吸を止めるようになる．看護職者の誘導に合わせて呼吸で痛みを逃すことができるが，1人になるとできないことがある． ・食事は勧めれば食べられるが，分娩が進むにつれて食べなくなる． ↓ ・間欠時にも会話ができない． ・問いかけに答えられない． ・大きい声を出して叫ぶ． ・手を借りなければ動けない． ・ベッド柵などを握り始める． ・発作維持に眉間にしわを寄せ，「ウーッ」とこもるような声が出る． ・呼吸が荒くなる． ・水分摂取量が減る． ・間欠時にぐったりしている． ・全身が汗ばんでいる．

(1) 児頭の下降度の状態

胎児の下降度は，内診によりステーションを確認する方法（p.150の図Ⅱ-16参照），ガウス頤部触診法にて確認する方法（p.148参照），胎児の下降と第2回旋により胎児心音

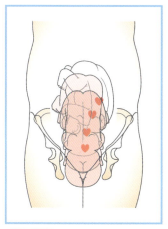

図Ⅱ-22 分娩進行に伴う胎児心音最良聴取部位の移動
(第1頭位で第1胎向第1分類の場合)

最良聴取部位が移動することを利用して確認する方法（**図Ⅱ-22**）がある．

(2) 胎児の回旋の状態

胎児の回旋の状態は，内診により児頭の矢状縫合や泉門（小泉門，大泉門）を触診することによって確認する方法（p.148，149の**図Ⅱ-15**参照），胎児心音最良聴取部位の移動によって確認する方法（**図Ⅱ-22**），超音波診断法にて眼球の位置で確認する方法（胎児の眼球が前方［産婦の腹壁側］にある場合は後方後頭位になっている）がある．

(3) 胎児付属物の状態

胎児付属物では，胎胞形成の有無，破水の有無，破水した場合は破水した時間，胎児心拍数，破水後の臍帯脱出の有無，羊水の流出感の有無，羊水流出量，羊水混濁の有無（羊水の色）の観察を行いながら，感染のリスク状態や胎児機能不全のリスク状態についてアセスメントし，分娩の正常経過からの逸脱状態について判断する（p.176参照）．

d. パルトグラム （p.490参照）

記録紙上に，胎児の心拍数所見，陣痛の発作時間・間欠時間，子宮口の開大度，胎児の下降度，先進部の回旋状況，産婦の一般状態，処置などが記載され，分娩の経過が一目でわかるようになっている．また，子宮口の開大度，胎児の下降度を記入する部分はグラフになっており，パルトグラムを用いると分娩進行状況の判断と今後の予測が行いやすい．

3● 産婦の身体的および基本的ニーズのアセスメントと援助

産婦は，分娩進行状態に合わせて起こる身体的変化に適応し，分娩第1期を過ごす．分娩第1期は分娩期のなかでもっとも長い時間を要し，苦痛が大きい時期である．看護職者は，産婦が分娩進行に適応し，安全に安楽に過ごせるように援助する．

また，産婦が主体的に分娩期を過ごし，達成感を味わえるように妊娠期に作成したバースプランに基づいて援助していく．

そのためには，以下についてアセスメントする．

①分娩経過に応じた身体的変化であるか
②分娩経過に合わせた対処行動がとれているか
③基本的ニーズが満たされているか
④産婦本人が中心となってケアの意思決定ができているか

a. 母体の身体的変化と援助

分娩期の痛みや不安は産婦の生理的変化に影響するといわれている．分娩進行中は正常な経過であっても4時間ごとにバイタルサインの測定を行い，分娩進行に伴う身体的変化が生理的範囲を逸脱していないかを確認することが必要である．妊娠高血圧症候群などの合併症がある場合は頻回に測定を行う．

(1) 体温

産婦の体温は，分娩による筋肉労作によって0.1～0.2℃程度上昇する．体温の上昇に伴い発汗も多くなる．団扇であおいだり，汗を拭いたり，必要なときは更衣を行ったり，破水していなくて分娩までの時間的余裕がある場合などはシャワーや入浴（下半身浴）を勧めるなど，産婦にとって快適な状態を保つための援助が必要である．0.3℃以上の上昇が認められた場合は感染などを考える．とくに破水している場合は，産婦の体温の変化を経時的に観察し，感染徴候である体温の上昇に注意する．

(2) 呼吸

分娩第1期の呼吸数には変化はみられない．しかし，産痛に対して不安の強い産婦や陣痛発作時の呼吸法によって呼吸数が増加し，過換気に陥りやすくなる．過換気により生じた$PaCO_2$の低下は血管収縮を生じさせ，子宮胎盤血流の減少を引き起こし，胎児の低酸素状態を生じさせる危険性がある．過換気を起こさないためには，分娩経過についての準備教育や陣痛発作時の呼吸法の誘導，産痛緩和ケアが重要となる．

(3) 心拍数

陣痛発作時にわずかに増加するが，陣痛間欠時には戻る．

> **コラム**
>
> ### β-エンドルフィンのはたらき
>
> 人のからだは，ストレスを受けると外部刺激に対する生体防御反応として恒常性維持の方向に副腎皮質刺激ホルモン（adrenocorticotropic hormone：ACTH）がはたらき，それらに付随して発生した疼痛を軽減するためにβ-エンドルフィン（脳内神経伝達物質）が作動すると考えられている．大きなストレスを受ける分娩時もACTHとβ-エンドルフィンの血中濃度は分娩進行とともに高くなり，胎児娩出時にもっとも高値となることが報告されている[1]．β-エンドルフィンは産痛を緩和する．また，多幸感を誘発する領域に作用し，満足感や多幸感を感じさせてくれる．
>
> 出産は命を生み出す尊いプロセスであるが，痛みという大きなストレスを伴うプロセスでもある．そのプロセスを乗り越えられるように痛みを緩和してくれる自然なからだのメカニズム．人間のからだの神秘と現在まで続いてきた人類の命のつながりを感じさせてくれるのがβ-エンドルフィンである．
>
> **引用文献**
> 1) 淵 勲：周産期の麻痺硬膜外麻痺による分娩管理 母児副腎皮質・髄質機能への影響．日本周産期・新生児医学会雑誌 44(4)：1001-1004, 2008

(4) 血　圧

心拍出量の増加とアドレナリンの分泌により上昇し，陣痛発作時にはさらに5～10 mmHg程度上昇するが，最高血圧が150 mmHg以上となることは少ない．妊娠高血圧症候群妊婦への看護援助についてはⅠ章5節参照（p.115参照）．

(5) 心拍出量

母体の疼痛と不安により交感神経が刺激されるのと同時に子宮収縮により下大静脈への圧迫が減少して静脈還流が増加し，心拍出量は15～20％増加する．そのため，心疾患合併妊婦が陣痛発作時に努責をかけると心臓への負担が増大し，心機能の低下が起こる場合があるので注意が必要である[2]．

(6) 血　液

妊娠により，非妊時と比較して赤血球数は約10％増加する．白血球数も増加し11,500～15,000/μLまでになる．ヘモグロビン値も上昇し，妊娠中の凝固系の亢進状態は分娩時も継続している．これは分娩時の止血のための生理的適応でもあるが，一方では血栓症のリスクファクターでもあることに注意し観察を行う．

(7) 泌尿器系

胎児の下降に伴う先進部の圧迫により尿道が延長し，排尿が困難になる．腎機能は亢進するため，分娩第1期の初期は尿量が増加するが，分娩第2期が近くなると産婦の発汗などにより尿量は減少する．また，分娩中はタンパク尿や尿中に円柱，赤血球，白血球がみられることがあるが病的な所見ではない．

(8) 消化機能

産婦は交感神経の高まりにより消化管運動や消化・吸収の機能が低下し，食物が消化管内に長時間停留するために嘔吐が誘発されやすい状態にある．そのため，消化・吸収のよい食べ物や水分補給のための飲み物の摂取を勧める．また，消化管運動が低下するために分娩進行中に起こる排便はわずかなものである．

(9) 物質代謝

分娩進行中の筋収縮作用により産婦はアシドーシス状態に傾き，この状態は分娩第2期の終わりまで増強する．産婦の血糖値は分娩のストレスにより低下傾向となるため，ストレスが大きい場合は低血糖に注意が必要である．また，糖尿病合併産婦は，5％ブドウ糖やインスリンを使用し血糖コントロールをしながらの分娩となる．

b. 産婦の基本的ニーズと援助

(1) 体位の工夫（表Ⅱ-9）

産婦は，破水などの特別な理由がない限り臥床している必要はなく，胎児の下降や陣痛の増強を図るためにも産婦が**安楽と感じる体位**を自由にとれるように援助する．

体位では，上体を起こした姿勢は産道の面積を広くする．歩行などの産婦の自由な動きは骨盤の可動性を広げ産道を広くし，さらに子宮収縮を増強させ子宮口の開大を促す効果があるといわれている．また，児頭が固定していない状態で臥床する場合，児背が下になるように臥床すると先進部の骨産道への嵌入が起こりやすい．または，頭部を少し上げてセミファウラー位に近い体位や，仰臥位性低血圧症候群予防のためにシムス位をとることもある．このように体位と分娩進行促進との特徴（**表Ⅱ-9**）をふまえ，産婦への体位

表II-9 産婦の体位

体位	特徴	分娩第1期	分娩第2期
仰臥位, ファウラー位	骨盤誘導線が上を向き胎児重力の方向と逆になる体位	・内診などの診察や処置が行いやすい. ・分娩監視装置が装着しやすい. ・胎児重力に逆らうため娩出力の効果が得られず分娩が遷延しやすい. ・下大静脈が圧迫されるため仰臥位性低血圧症候群を起こしやすい. ・産婦は仙骨が圧迫されて腰部や殿部痛が強くなるが, 腰部などのマッサージが行いにくい.	・胎児の長軸と骨盤誘導線が一致するため, 努責(腹圧)など娩出力をより効果的にする. ・胎児の健康状態などによって急速遂娩が必要となった場合, 医療介入がしやすく, 肩甲難産ではマックロバーツ(McRoberts)の体位もとりやすい.
四つんばい (産婦が楽なようにクッションなどを用いて体位の調整を行う.)	腹筋が緩み骨盤誘導線の方向が胎児重力とは別の方向にはたらく体位	・陣痛が弱まり, 産痛緩和が図られる. ・骨盤が圧迫されず, 骨盤腔が広がるため, 回旋異常が修正される. ・産婦の下大静脈への圧迫がない. ・腰背部のマッサージが行いやすい. ・産婦の顔色や表情の観察が行いにくい.	・児頭娩出時の軟産道の抵抗が少なく, 分娩第2期がスムーズに進行するだけでなく, 会陰の抵抗も少なく, 会陰裂傷が生じにくいが, 児の落下に注意が必要である.
側臥位	骨盤誘導線の方向と胎児重力の方向とは一致しない体位	・腰部のマッサージが行いやすい. ・産婦の下大静脈への圧迫がない. ・胎児重力の効果が得られないため, 児頭の子宮頸部への圧迫がとれ, 陣痛間欠が長くなり, 分娩所要時間が長くかかることがある.	・分娩台のうえでもとりやすく, 片方の大腿のみを外転するだけなので, 股関節への負担が少ない. ・娩出力を効果的に用いることがむずかしい反面, 会陰への負担も少ない.
蹲踞位, 坐位, 立位	骨盤誘導線と胎児重力との方向がほぼ一致する体位	・骨盤の圧迫がなく, 骨盤腔が広がるため分娩進行がスムーズである. ・産婦の下大静脈への圧迫がない.	・骨盤の出口部も広がり, 娩出力が効果的にかかるため, 児の娩出もスムーズで, 会陰への負担も少ない. しかし, 腹圧がかけやすいため, 腹圧をかけすぎると急速遂娩となり, 会陰裂傷が生じやすい. ・立位の場合, 娩出時の児の落下に注意が必要である. また, 急速遂娩になりやすいため, 児娩出後の出血が多くなる傾向がある.

図Ⅱ-23　フリースタイル分娩
陣痛発作時，妊婦は蹲踞位で夫にしがみつき自然な努責をかけている．助産師は，子宮収縮と努責による胎児の急激な下降に伴う痛みが増強しないように肛門部を圧迫し産痛緩和を行っている．

の説明や体位保持のための援助を行うとよい．

　産婦が積極的に自由な体位をとるためには，分娩準備教育などで体位の説明を行い，イメージづくりをすることが大切である．自由な体位を援助するためには，枕，クッション，ボール，アクティブチェアなどを用いるとよい．

　最近では，分娩第1期に引き続き，分娩第2期においても可能な限り，産婦の求めに応じて自由に体を動かし，産婦の希望する体位で分娩をする**フリースタイル分娩**の様式をとる施設が増えている．

　フリースタイル分娩の体位は，分娩進行に伴い，さまざまな体位を産婦が無意識のうちに取り入れていくのが理想である（**図Ⅱ-23**）．フリースタイル分娩には以下の効果がみ

> **コラム**
> ### フリースタイル分娩
> 　分娩開始からずっと臥床していた産婦さん．分娩もなかなか進まないし，産婦さんの表情もさえない．そこで「自分がとりたい姿勢をとっていいんですよ」と声をかけた．産婦さんは「寝てなくてもいいんですか？だったら私，座りたいです」とサッサと動いてベッドに腰かけた．体位を変えたら，表情も明るくなった．すると瞬く間に陣痛が強くなり，分娩室へ．
> 　フリースタイル分娩は，産婦自身が過ごしやすく，痛みが和らぎ，疲れない自由な体位で分娩第1期から第3期までを過ごすことである．産婦自身が過ごしやすい…つまり産婦が分娩中の自身の状態を理解し，こうしたいという希望を伝えられること，自身の分娩に対して主体的で積極的であることが求められる．医療者へのお任せの分娩では，フリースタイル分娩はちょっとむずかしいかもしれない．そのためには分娩準備教育だけでなく，妊娠期の妊婦健康診査のときも妊婦の主体性や積極性を引き出すかかわりが必要である．

られる．
　①子宮の収縮が強まる
　②子宮収縮の規則性，頻度が増す
　③骨盤関節が弛緩する
　④子宮口の開大が促進される
　⑤間欠期により深いリラックスが得られる
　⑥不安，緊張，痛みが減少する
　これらの効果により，**分娩所要時間**は短くなる傾向があり，産婦は精神的にもより充足感を得られやすい．しかし，産婦のみで体位を選択することはむずかしいので，看護職者は必要な場面で産婦に適切な助言を与えることも必要である．

(2) 食　事
　産婦は多くのエネルギーを必要とする．子宮筋はグルコースが十分に供給されないと，子宮収縮が弱くなり，分娩は遷延(せんえん)する．また，骨格筋中のグリコーゲンが消費されると疲労を招く．グルコースの不足は子宮収縮力の低下だけでなく，全身の疲労も招き，さらに分娩が遷延するという悪循環に陥る．
　産婦は陣痛の痛みや緊張のために食欲が低下するうえに，消化管運動や消化・吸収の機能も低下する．効率よくグルコースを補給するためには，消化吸収が速く，短時間で血糖値を上昇させる食べ物がよく，さらに分娩進行に伴う発汗も多くなるので水分を多く含むものが望ましい．たとえば，食べやすくした小さなおにぎりや果物，のどごしのよいプリン，ゼリー（エネルギー補給用のゼリー飲料など），アイスクリーム，糖分の多い果汁，スポーツドリンクなどの飲み物がある．
　分娩第1期は経過が長く，経過とともに陣痛の痛みや緊張が増強すること，分娩第2期も多くのエネルギーを必要とすることなどを考慮し，産婦に余裕がある時期はできるだけ通常どおりの食事の摂取を促し，その後は前述の食べ物や飲み物の適宜摂取を促す．産婦にキャップ付きのペットボトルストローを準備してもらっておくと，産婦はベッドに横になったまま水分補給ができるので便利である．

(3) 排　泄
　胎児の下降・回旋を促し分娩進行を促進するためには，膀胱や直腸の充満を避ける必要がある．そのためには，尿量が増加している時期でもあるので，2～3時間ごとの排尿を促す．排尿がみられず，膀胱が充満しているときは導尿を行うこともある．
　積極的な排便処置（浣腸など）は行わないが，産婦の希望や分娩経過が長くなったときは検討することもある．

(4) 休息・睡眠
　分娩第1期の潜伏期は上手に休息をとり，その後の活動期に向けてのエネルギーを保持しておかなければならない．そのためには，部屋の温度，湿度，付添い人や面会者などの環境を整え，産婦が安心してリラックスできるようにする．産婦のリラックスできる音楽や香り（アロマエッセンシャルオイルなど）を使うとさらに効果的である（p.173の表Ⅱ-10参照）．また，眠気を訴える産婦には，部屋を暗くするなど入眠できる環境を整え，陣痛間欠時に入眠を促すこともある．

(5) 清　潔

産婦は発汗が多く，分娩が進行し子宮口が開大してくると血性分泌物も多くなるため，全身の清潔と外陰部の清潔を保つことが必要である．破水していない場合は入浴・シャワーを勧めることもある．入浴により身体全体を温めると血行がよくなり，筋緊張が緩和し，疼痛に対する感受性が低下することによって産痛緩和や分娩進行を促進する効果がある．破水している場合は感染の危険性があるので入浴・シャワーは避け，清拭や更衣，パッドの交換を適宜行う．

また，呼吸法による口腔内の乾燥や口臭予防のために，含嗽（がんそう）や歯磨きの援助も必要である．

(6) 産痛緩和

産痛は，分娩時の子宮収縮，軟産道開大，骨盤壁や骨盤底の圧迫，子宮下部や会陰（えいん）の伸展などによって生じる下腹部痛や腰痛などの疼痛の総称である．

分娩第1期の産痛は，子宮頸管の開大，子宮下部の伸展，子宮体部の収縮が主な要因と考えられ，これらの痛覚刺激が，子宮知覚神経（第10胸神経［T10］〜第1腰神経［L1］の神経）支配領域に伝わる（**図Ⅱ-24**）．そして，この刺激は腹壁，腰仙部（ようせんぶ），腸骨稜（ちょうこつりょう），殿部，大腿部に放散し，多くの場合，収縮時の下腹部痛として自覚される（**図Ⅱ-25**）．

産痛の認知には，過去の痛みの体験，環境や文化および教育により形成されたパーソナ

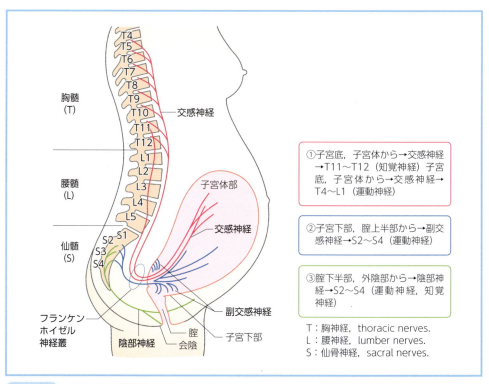

図Ⅱ-24　産痛の伝達経路

［北川眞理子, 谷口千絵：産痛の伝達経路. 今日の助産−マタニティサイクルの助産診断・実践過程, 第4版（北川眞理子, 内山和美編）, p.407, 南江堂, 2019を参考に作成］

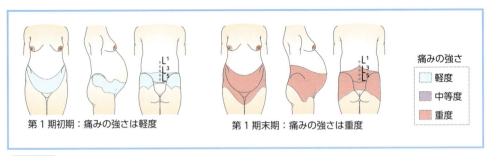

図Ⅱ-25　分娩第1期の産痛部位と強さ
[北川眞理子, 谷口千絵:産痛の伝達経路. 今日の助産—マタニティサイクルの助産診断・実践過程, 第4版(北川眞理子, 内山和美編), p.407, 南江堂, 2019より引用]

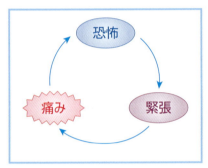

図Ⅱ-26　ディック・リードの理論
恐怖心があると緊張して, 痛みをより強く感じる.
逆にマッサージなどを行い緊張をとることにより痛みが軽減し, 恐怖心も小さくなる.

リティ, 分娩に対する心理状態(不安など)が影響するといわれている. また, 痛みの感じ方には個人差があり, 産婦が痛みに対してどのような経験(月経痛の程度, 過去の分娩など)をしているのか, 分娩に対してどのような思いを抱いているのかなどを把握したうえで, 産婦の表情, 言動, 態度, 行動などを観察し, **産痛緩和**のための援助を行う.

　産痛緩和を目的とする援助方法には, 分娩に対する恐怖や緊張を取り除くことで産痛を緩和する方法(ディック・リード[Dick Read]の理論, **図Ⅱ-26**)と, ゲートコントロール説を用いて行う方法がある.

　以下に示す(1)〜(4)の方法は, 家族もできる産痛緩和の方法である. この時期の家族は産婦のために何かしたいが何をしてよいかわからずとまどっていることがある. 家族も分娩に参加し産婦を支えられるようにこれらの方法を説明し, 実施してもらうとよい.

①呼吸法
　呼吸の呼気時に副交感神経が亢進することを利用し, リラックス反応を引き出し, 筋緊張を解き, 疼痛に対する感受性を低下させることによって痛みを緩和する. あるいは, 陣痛発作時に呼吸に集中することで痛みを緩和しようとする方法である. 産婦には楽な姿勢で坐位(あぐら, 背もたれに寄りかかるなど)をとってもらい, 陣痛発作時に呼気を意識して腹式呼吸を行ってもらうが, 産婦が陣痛発作に合わせて呼吸しやすい方法を選択することが大切である. よく用いられるのは鼻から息を吸い, 口をすぼめて長くゆっくり息を吐く呼吸法である. 分娩第1期は, 過換気にならないように注意が必要である.

　呼吸法は分娩準備教育の際に分娩経過に合わせて練習しておくと, 分娩開始後も効果的

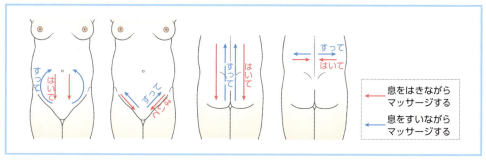

図Ⅱ-27　分娩時のマッサージ法

に呼吸法を実施できる．さらに看護職者も一緒に呼吸法を行うことで，産婦はより効果的な呼吸法ができるようになる．また，子宮頸管裂傷予防のために，子宮口が全開大するまでは呼吸法で上手に努責を避けることが必要である．

②温罨法（湯たんぽ，入浴，足浴など）

全身，腰部，下腹部，足首などを温めることで血行がよくなり，筋緊張が緩和し，疼痛に対する感受性を低下させることによって痛みを緩和する．

③マッサージ法（図Ⅱ-27）

陣痛発作に合わせて，産婦が痛みを感じる部位をマッサージし，太い神経線維を刺激し，痛みを緩和する（ゲートコントロール説を用いた方法）．マッサージは産婦の呼吸に合わせ，産婦の好む力や速度によって行うと効果的である．

④圧迫法

陣痛発作に合わせて，腰部や鼠径部など産婦が痛みを感じる部位を圧迫することによって太い神経線維を刺激し，痛みを緩和する．圧迫する際は，痛みの部位を産婦に確認し，産婦の好む力や速度によって，産婦の呼吸に合わせて呼気時に圧迫し，吸気時に力を抜き圧迫をゆるめると産婦の呼吸を妨げることなく，さらには，呼吸法の誘導も一緒にでき，産痛緩和となる．圧迫法よりも軽く手を当てるだけや，マッサージを好むこともあるので，産婦の反応を見ながら，産婦の好みに合わせて行うとよい．

⑤有効な経穴（つぼ）（図Ⅱ-28）

全身にある経穴（つぼ）のなかには，産痛緩和や分娩進行促進に有効とされている経穴がある．

コラム　ゲートコントロール説

末梢から痛みが伝わる際に，痛みをコントロールするゲート（関門）が脊髄にあり，中枢神経系への痛みの情報を調整している．痛みの情報を伝達する感覚神経には太い神経線維と細い神経線維があり，太い神経線維は痛みの伝達を抑制するためにゲートを閉じ，細い神経線維は痛みの伝達を促進しゲートを開く役割をしている．また，太い神経線維は触覚や圧覚を伝える役割もある．つまり，触覚や圧覚によって太い神経線維を使い，ゲートを閉じさせることで，痛みを緩和することができるという説である．

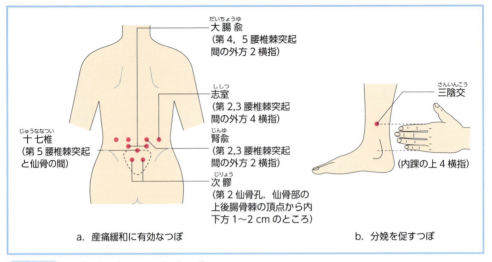

図Ⅱ-28　分娩時に有効な経穴（つぼ）

- **志室**：産痛緩和とともに児頭の下降に効果的とされる
- **次髎**：児頭が骨盤内に入り強い産痛を訴えるころの産痛緩和に効果的とされる
- **三陰交**：分娩所要時間を短縮する分娩促進の効果や産痛緩和，子宮周囲の血流をよくする効果があるとされる

　産婦には安楽な体位をとってもらい，産婦の痛みの部位に合わせて，図Ⅱ-28に示した腰背部の経穴を刺激していく．陣痛発作に合わせて経穴を押し始めて，痛みのピークに強い刺激を与えると産婦は気持ちよい．これらの経穴の位置全体に，温罨法を用いるのも効果的である．三陰交は圧迫して刺激を与えたり，お灸をしたり，足湯などで温めると効果的である．

　⑥アロマテラピーによる産痛緩和（表Ⅱ-10）

　エッセンシャルオイル（精油）には，身体のリラックスを促す効果がある．しかし，精油の成分によっては子宮を収縮させる作用があるものもあるため，精油の効用について把握したうえで，産婦の好みの香りを分娩前に準備しておくと効果的である．また，精油の種類や濃度によっては，皮膚の弱い人は炎症を起こしたり，アレルギー疾患をもつ人はアレルギー反応を起こすこともある．精油の性質，起こりうる副作用，禁忌についての情報を確認して使用する．使用方法には，芳香浴，入浴，足浴，温湿布，オイルマッサージ，飲用などがある．

4 ● 産婦の心理的変化のアセスメントと援助

　分娩が開始すると産婦はいよいよわが子に会える喜びと期待が高まる．しかし，その一方では，分娩の経過や痛み（産痛）に対する不安と恐怖があり，これらの感情が入り混じった複雑な心理状態となる．このような分娩や陣痛に対する不安や恐怖は産婦の緊張を増強させ，さらに緊張が産痛を増強させるといわれている（ディック・リードの理論，図Ⅱ-26参照）．このような連鎖を断ち切るためにも分娩経過に伴って変化する産婦の心理

表Ⅱ-10 分娩期のアロマテラピー

投与方法	特徴	方法	精油の例
芳香浴・吸入法	精油を空中に拡散させ,呼吸器から有効成分を身体に取り入れる.	【乾式吸入法】 ・精油をティッシュなどに直接滴下し,室内に置く,または,滴下染み込ませたものを鼻に近づけ深呼吸を行う. ・ディフューザーなど専用の器具を用いて,精油を霧状に噴霧するタイプと,ファンで香りを拡散させるタイプがある. ・アロマポットなどを用いて,精油を自然に揮発させ,ゆっくりと拡散させる. 【湿式吸入法】 深めのボールやマグカップにお湯(60〜80℃)を入れ,精油を滴下し,吸入する.	【陣痛の緩和】 ラベンダーなど. 【リラクセーションの促進】 ローズウッドなど.
湿布（温・冷）	皮膚や呼吸器から有効成分を取り入れる.	鎮痛作用,鎮静作用のある精油を数滴入れたお湯や水でタオルを濡らし,患部を湿布する.	【陣痛の緩和】 ラベンダー,ゼラニウムなど. 【ストレスの緩和】 オレンジ,プチグレンなど. 【ストレス・緊張・不安感の緩和】 マジョラムなど. 【リラクセーションの促進】 ローズウッドなど.
入浴法		バスタブにお湯をため,神経強壮作用,鎮痛作用,血管拡張作用などの精油を落とし,入浴する. ・全身浴,半身浴,坐浴（腰湯）,手浴,足浴などの方法がある.	【陣痛の緩和】 ラベンダーなど. 【ストレス,不安感の緩和】 グレープフルーツなど. 【リラクセーションの促進】 マンダリンなど. 【不安】 フランキンセンスなど.
トリートメント	植物油を用いて,精油の有効成分をさらに皮膚から浸透させる.	・精油を,植物油を用いて希釈し,オイルを手掌につけ,手掌全体を体に密着させ,ゆっくりとなでさする. ・筋肉の弛緩,血行の促進,痛みの緩和,精神的なリラクセーション,コミュニケーションの促進など.	植物油:オリーブ油,スイートアーモンド油（*アレルギーに注意）など.

[日本アロマセラピー学会（編）:精油の投与方法.アロマセラピー標準テキスト（基礎編）,p.41-49,丸善出版,2015およびデニス・ティラン:妊娠と出産のためのクリニカル・アロマセラピー（宮原英二監,鈴木宏子訳）,p.95-98,フレグランスジャーナル社,2011を参考に作成]

状態に合わせて援助していくことが必要である.

また,産婦の出産に対する満足度が高いほど児に対する愛着が良好であるなど,出産体験はその後の育児にも影響するといわれており,満足感のある出産体験への援助も大切である[3].さらに,この時期は新しい家族関係が形成される時期でもある.この時期を家族の個々がどのような気持ちで過ごすかということも重要である.

産婦や家族にとって出産がよい体験となるように以下についてアセスメントする.

①分娩経過に応じて落ち着いて行動できているか

②自分自身の気持ちを表出できているか

③主体的に分娩に臨めているか

④胎児に関心を示しているか

⑤家族との関係性が良好に保たれているか

a. 分娩第1期：潜伏期
(1) 産婦の心理的変化
　分娩第1期潜伏期では，陣痛の痛みも自制できる状態であり，身体的なストレスも少なく，産婦も心理的に余裕があり「頑張ろう」と前向きな気持ちと，「これから自分に起こる変化に対応できるだろうか」という不安な気持ちをもっている．そのような心理状態ではあるが，できるだけ冷静な自分であろうと努力している．

(2) 援　助
　産婦の「頑張ろう」という気持ちが分娩終了まで持続できるように支持することが大切である．その一方で産婦の，不安な気持ちが表出できるように産婦の希望や状態に合わせて産痛緩和法を行いながら寄り添い，産婦の言葉に耳を傾ける．産婦の質問や疑問に対しては真摯に対応し，診察などの処置を行う際は産婦に必要性を説明し，実施後は現在の状態についてわかりやすく説明するなど，少しでも不安が軽減できるように援助を行っていく．

　この時期は家族も心配や不安な気持ちでいる．家族へも分娩進行状況を説明したり，産婦への支援へ参加できるように配慮することが大切である．産婦や家族にとっては，このようなかかわりを通して「家族で一緒に分娩を乗り越えた」「頑張れた」という達成感をもつことができる．分娩の場の雰囲気をつくることも大切な援助の1つである．ただし，産婦が誰といると落ち着くのか，誰と一緒にいたいのかなどを確認する．これらの情報を事前に得ておくことも必要である．

b. 分娩第1期：活動期
(1) 産婦の心理的変化
　このころになると産婦は，陣痛や痛みの増強により精神的な余裕がなくなり，不安も強くなってくる．そのため，少しでも自身で痛みが軽減できるように積極的に産痛緩和を行うようになる．また，不安が強いため，常に誰かが側にいることを望むようになるが，その一方で感覚が研ぎ澄まされ周囲の人に対してイライラしたりする姿がみられる．時には「もうダメ，頑張れない」と訴えることもある．

(2) 援　助
　この時期の産婦は，精神的な余裕がないので不必要な心理的負荷をかけず，産婦が分娩（陣痛）に集中できるように援助する．産婦の「頑張ろう」という気持ちが途切れそうになったときはつらい気持ちを受け止め，今まで頑張ってきたこと，そして今も頑張れていることを伝え，産婦の頑張ろうという気持ちを支援することが大切である．また，この時期は産婦の主体性が発揮できるように援助を行う．

　この時期，家族も産婦の余裕のない様子やイライラに戸惑う．時には看護職者が代弁者となって「本当は感謝しているけど，今はつらくて余裕がないのよね」など産婦の気持ちを家族に伝えることも必要かもしれない．また家族の不安や戸惑いを軽減するために家族の気持ちを聴くなどの配慮も必要である．

c. 分娩第1期：活動期の終わりごろ
(1) 産婦の心理的変化
　この時期になると産婦は努責感が強くなり，疲労感が強くなることもあり，これ以上の痛みに耐えることができないという思いがわき，心理的にも限界を感じるようになる（p.162の**表Ⅱ-8**参照）．自制心がきかなくなり大きな声を出すこともある．しかし，その一方で冷静にまわりの状況を見たり，感じたりしている．

(2) 援助
　産婦の限界という気持ちを受け止めながらも「あと少しですよ」など，最後の頑張りを支持する言葉かけが必要である．陣痛発作時に大きな声を出したり，騒いだりすることもあるが，産婦の安全を守りながらありのままの状態を受け入れ援助することが大切である．家族も驚き戸惑うことがあるが，今が一番つらい時期であること，分娩経過のなかではこのような状態は特別ではないことを伝え，安心させることが必要である．兄/姉が立ち会っている場合は，産婦の姿に驚き，母親の命が危ないのではないかという恐怖と不安から泣き出すこともある．このような状況は，産婦の不安や戸惑いを助長することになる．このような場合は，兄/姉へ産婦の状況と大丈夫であることを説明し，意思を確認したうえで，分娩室の外へ連れて出てもらうこともある（p.218参照）．

5 ● 胎児の健康状態のアセスメントと援助

　分娩進行中の胎児の健康状態は，胎児心拍数の測定や観察によって判断し，以下についてアセスメントする．

　①胎児の健康状態は良好な状態か

　②胎児は分娩のストレスに耐えられる状態か

　③急速遂娩が必要か

　分娩第1期には分娩監視装置を20分以上装着して，**胎児心拍数陣痛図（CTG）**を確認することが勧められる（p.453 Skill 7 参照）．胎児心拍数陣痛図は，胎児心拍数波形のレベル分類を用いて判定を行う．胎児心拍数波形のレベル分類は，胎児の低酸素・酸血症などへのリスクの程度を推測するためのものであり，5つのレベルに分類されている．また，レベルごとに対応と処置が示されている．分類のレベル1で経過観察と判断した場合は，次の分娩監視装置使用までの6時間以内は，胎児心拍数は超音波ドプラを用いて15～90分ごとに胎児心音を聴取する．聴取は子宮収縮直後に60秒間行い，胎児心拍数（110～160回/分），リズム，徐脈・頻脈の有無を観察する．経過観察中に破水，羊水混濁あるいは血性羊水，徐脈・頻脈が認められた場合は，分娩監視装置を20分以上装着し，胎児心拍数陣痛図の判定を行う．入院時の胎児心拍数陣痛図のレベルが2以上の場合は，連続モニタリングを行う．ただし，レベル1であったとしても，子宮収縮薬使用中，無痛分娩中，産婦の38℃以上の発熱，分娩第2期の産婦は連続モニタリングを行う．また，糖尿病合併，コントロール不良なGDM，妊娠高血圧症候群などのあるハイリスク妊娠も連続モニタリングを行う．看護職者の対応・処置は，レベル2以上は医師への報告が必要である．

6 ● 胎児付属物のアセスメントと援助

胎児付属物の状態は分娩経過へ影響することがあるため，胎児付属物の正常からの逸脱はないかアセスメントを行う．

a. 羊水・卵膜

分娩経過における**羊水**は分娩促進ならびに胎児の保護などの役割を担っている（p.151参照）．十分な羊水量があるかどうか，腹部触診による確認や妊婦健康診査での超音波診断の情報から羊水量を確認しておく（p.46の**表Ⅰ-14**，**図Ⅰ-20**参照）．

分娩進行に伴い子宮口の開大が進むと血性分泌物（産徴，おしるし）（p.151参照）の量が増加するが，常位胎盤早期剥離などの異常出血の場合もあるため，血性分泌物なのか出血なのかに注意して観察する．また，陣痛の増強に伴い子宮頸管内に**胎胞**が形成される．胎胞の形成は，陣痛発作時の子宮内圧の上昇を反映しているだけでなく，胎胞によって子宮口の開大が促進されるため，今後の分娩経過をアセスメントするためには胎胞形成の有無，胎胞の緊張度の情報が必要である．早期破水が起こった場合は，感染のリスクが高まるため注意が必要である（p.203参照）．

b. 臍 帯

妊婦健康診査での超音波診断から胎児に臍帯巻絡があるかどうかの情報を確認する．**臍帯巻絡**がある場合は，CTGで変動一過性徐脈を認めることがあるが，胎児心拍数波形のレベル分類によりレベルを判定し，レベルに応じた対応（p.453 Skill 7 参照）をとる．また，**臍帯下垂**や破水後の**臍帯脱出**などへの注意も必要である（p.204の**図Ⅱ-39**参照）．

c. 胎 盤

分娩進行中に起こる胎盤の異常としては，**常位胎盤早期剥離**がある（p.125，205参照）．産婦の急激な下腹部痛や圧痛，出血，子宮壁の板状硬，CTGの基線細変動の減少・消失，遅発一過性徐脈の有無などの観察が必要である．常位胎盤早期剥離が生じた場合は，早急に急速遂娩や帝王切開の準備を行う．

D. 分娩第2期のアセスメントと援助

1 ● 分娩第2期（娩出期）

子宮口全開大から**児娩出**までの時期を**分娩第2期**という．

子宮口が全開大し，胎児先進部はステーション＋3～＋4まで下降する．産婦は陣痛発作時には耐えがたい産痛に声が漏れる状態となるが自然な努責を有効に使い，最後の力を振り絞って児を娩出する時期である．

初産婦で3時間以内，経産婦で2時間以内に児娩出に至るのが一般的である．この時期は胎児心拍数の低下，産婦の異常出血などが多く，もっとも注意を要する時期である．また，医師・看護師・助産師のチームワークがよりいっそう必要になる時期でもある．

2 ● 分娩進行のアセスメント

この時期は児を娩出するためにもっとも強い娩出力を必要とする．陣痛周期は約2分と短くなり，子宮内圧も高まり強さを増す（p.141の**表Ⅱ-4**参照）．さらに，児頭の下降に

よって子宮頸部神経叢（フランケンホイゼル神経叢，p.169の図Ⅱ-24参照）が刺激され，自然に腹圧（努責）がかかり共圧陣痛（陣痛＋腹圧）となって，胎児を娩出させる．この時期は，以下についてアセスメントする．

①分娩進行の時期に応じた陣痛か
②産婦は有効な腹圧（努責）がかけられているか

3 ● 産婦の身体的アセスメントと援助

産婦の疲労はピークに達しているが，陣痛発作時には自然に努責が入り，児を産み出す力がみなぎる時期である．産婦の産み出す力と児の生まれ出ようとする力を調和させ，児を娩出することが必要である．この時期は，産婦は児を産み出すのに必要な体力を有しているかアセスメントする．

a. 母体の生理的変化と援助

(1) 体温

産婦は陣痛の増強により，筋肉労作がさらに高まるため，体温上昇と発汗が多くなる．この時期の産婦は体熱感を訴えるが，過度の冷房の使用などは身体を冷やし，筋緊張を高めるので，団扇であおいだり，氷水でタオルを絞り汗を拭くなどの援助を行う．

(2) 呼吸

呼吸は，陣痛発作時に自然な努責がかかるため，努責による呼吸の中断が長時間にならないように声をかける．陣痛発作後にはゆっくり深呼吸を促すなどして，産婦はもちろんであるが胎児への酸素供給にも配慮して呼吸を誘導することが必要である．また，呼吸の調整がうまくできずに過換気を起こす産婦もいるため，ゆっくりした呼吸を行うよう誘導する．

(3) 血圧

陣痛の増強や努責など血圧が上昇する状態となるが，通常，最高血圧が150 mmHgを超えることはない．初産婦など経過に時間を要する場合は，進行中も陣痛間欠時に血圧を測定し観察を行う．児娩出により腹腔内圧が急激に下がることに伴う血圧の低下を観察するため，児娩出直後は血圧，脈拍数の測定を行う．

b. 産婦の基本的ニーズと援助

(1) 分娩時の体位（p.165〜168参照）

分娩時の体位には仰臥位，側臥位，坐位，立位などがあり，それぞれの体位によって特徴がある（p.166の表Ⅱ-9参照）．特徴を理解したうえで，産婦を観察しニーズを読み取り，適切な体位がとれるように援助を行う．夫/パートナーにも協力を求める．

(2) 水分補給

発汗が著明で，呼吸法により口渇があるため，頻回の水分補給が必要である．

(3) 排泄

児頭の下降により尿道・膀胱が圧迫伸展され，排尿できなかったり，尿意を感じにくくなっている．そのため，前回の排尿した時間を考えながら，膀胱が充満していて，自然排尿がむずかしい場合は導尿を行い，膀胱を空虚にすることによってさらに児頭の下降を促す．導尿は陣痛間欠時に行われる．分娩介助の助産師が導尿を行う場合は，看護職者は，

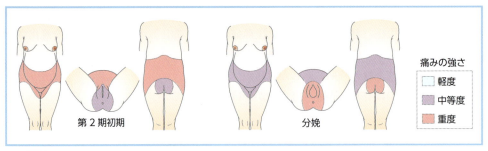

図Ⅱ-29 分娩第2期の産痛部位と強さ

[北川眞理子, 谷口千絵：産痛の伝達経路. 今日の助産—マタニティサイクルの助産診断・実践過程, 改訂第4版（北川眞理子, 内山和美編）, p.407, 南江堂, 2019より引用]

下腹部（膀胱側部）の鼠径部近くを軽く圧迫しながら排尿を促す.

産婦が便意を訴えてくることがあるが, 児頭の下降により直腸が圧迫されたため便意を感じていることを説明し, もし便が出ることがあっても大丈夫だと伝える. この時期に産婦の便意の訴えを「便」と考えトイレでの排泄を促すとトイレで児を娩出することになるので, トイレでの分娩ということがないように十分注意する. 陣痛発作時に便が出た場合は肛門を圧迫しながら, ティッシュやガーゼ, 綿花などで拭き取りすみやかに処理する.

(4) 休 息

陣痛発作時は全身の力を使い努責をかけるため疲労はピークに達している. そのため, 陣痛間欠時には, 次の陣痛発作時に有効な努責がかけられるように, 体の力を抜き, リラックスして休息がとれるように援助を行う.

(5) 産痛緩和

分娩第2期の産痛は, 胎児が下降して骨盤底や外陰部, 会陰部などが伸展圧迫されることに伴う痛みである. 分娩第1期に引き続き陣痛発作時に**圧迫法**や**マッサージ法**を行うが, 分娩第2期の産痛の部位を頭に入れながら行うと効果的である（**図Ⅱ-29**）.

この時期は, 陣痛の増強と自然な努責により陣痛発作時に全身に力が入りすぎるので, 呼気時に吸気時よりも2倍程度長い時間をかけて, ゆっくりと集中して息を吐くように声をかけ, 呼気に集中させることによって産痛の緩和を図るとともに, 児への酸素供給を促すようにする. 自然な努責が入る場合は, 努責の時間が長時間にならないように声かけをしながら努責をかけさせる. 陣痛間欠時は下半身の力が入ったままになっていることがあるので, 大腿部の内側や下肢をさすりながら, 力を抜くように勧める. 産婦によっては, 陣痛発作時に声を出すこともあるが, 産婦は声を出すことによって, 不必要な力を抜くことができるため, あえて制止する必要はない.

c. 児娩出時の援助

この時期は陣痛室から**分娩室**への移動が行われる時期でもある. 入室の時期はそれまでの分娩の経過や産婦の状態を考慮して決めるが, 一般的に初産婦の場合は, 子宮口が全開大し, 肛門・会陰部の抵抗感・努責の増強, 陰裂から胎胞や児頭が見え始めた時期とされる. 経産婦は, 子宮口が7〜8cm開大したときに分娩室に移動する.

入室後は助産師によって外陰部が清潔にされた後，滅菌シーツを用いて**清潔野**(せいけつや)がつくられ，分娩の準備が整えられる．立会いを希望する夫/パートナーや家族も一緒に入室するが，産婦が分娩に集中できるように，居場所を考慮し，夫/パートナーや家族の緊張を和らげるような声かけを行う．

分娩の準備が整うと，陣痛極期のピークを過ぎたころに入る自然な努責により児の下降を促す．児の下降を促すために意図的に努責をかけることもあるが，その場合は分娩介助を行っている助産師の誘導に合わせて声かけをし，産婦の努責を補助する．仰臥位での分娩の場合は，努責をかけるときは，分娩台の側方についているレバーを産婦に握ってもらい，顎(あご)を引き，腹部を覗きこむようにしながら，腰部を分娩台につけて骨盤誘導線と同じ方向に向かって努責をかけるようにするとよい．いずれにしても，努責を行う際は，1回の努責が長時間にならないように気をつけなければならない．産婦の呼吸を中断する時間が長くなると，胎盤の絨毛間腔の血流量を減少させ，胎児機能不全の原因にもなるのでできるだけ避けたい．発作持続時間が長い場合は，途中で息継ぎをしながら，短時間で数回努責をかけるほうが，胎児心拍数の低下は少ない．

児頭の後頭結節が恥骨結合弓下を滑脱(かつだつ)後は，胎児のもっとも大きい部分が陰裂(いんれつ)を通過するため，損傷が起こりやすい．できるだけ母体の会陰部の裂傷や損傷を予防することが必要である．分娩介助を行っている助産師の誘導に合わせ，努責を止め，産婦の手を胸の上に持っていき，「ハッ，ハッ，ハッ」と**短息呼吸**(たんそくこきゅう)を促す．短息呼吸により助産師は児頭娩出のスピードをコントロールし，できる限り児頭の陰門通過をゆっくり行い，会陰部の損傷を防止する．しかし，状況によっては会陰切開が行われることがある．いずれにしても会陰裂傷や会陰切開がどの方向にどの程度の深さで入ったかは，産褥期の母体の復古状態に影響するので確認が必要である．その後，児の前在肩甲娩出時に軽く努責をかけさせることがあるが，いずれも分娩介助を行っている助産師の誘導に合わせる．

児が完全に娩出されたら，**出生時間を確認**し記録する．産婦に装着していた分娩監視装置は電源を切り，胎児心拍プローブと陣痛プローブを外す．児娩出直後の子宮底の高さと硬さ，産婦の血圧，脈拍の観察を行い異常がないことを確認する．子宮収縮状態，産婦の血圧は声に出して報告し，分娩介助を行っている助産師やほかの医療スタッフも確認できるようにする．

4 ● 産婦の心理的変化のアセスメントと援助

この時期の産婦は，自己の内面・身体に起こっていることに意識を集中させながらも，周りの人々の言葉や状況の変化に敏感に反応を示す．産婦への声かけなども最小限にし，産婦の内に向けられている世界を一緒に大切にするかかわりを行う．また，産婦が集中しているそばでは，産婦が不安になったり不快に感じる会話は避けたい．このような状態で産婦が何を望んでいるかなどを察するためには，産婦の表情や変化，動きなどを観察し，援助することが必要となる．

分娩室へ入室し，分娩の準備が進められることで，産婦は陣痛の苦しみから解放されるという安堵感・安心感や，もうすぐわが子に会えるという期待感から，いままでくじけそうになっていた気持ちを持ち直し，再び分娩に対しての主体的な気持ちが芽生えてくる．

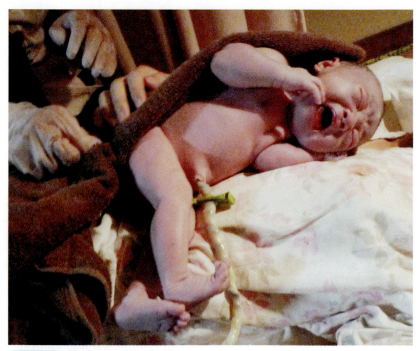

図Ⅱ-30　誕　生

　産婦は児を娩出すると，いままでの緊張が解けて楽になり，児の産声や人々の反応や様子に対してさらに敏感になる．そして児の無事の誕生を知ることで，喜び・安堵感・達成感・幸福感に包まれる（図Ⅱ-30）．援助者やそばにいる家族も産婦と一緒に児の誕生を喜んでいる気持ちが産婦に伝わるような言葉かけや表情を産婦に向けることも大切である．この際看護職者などからの過剰な声かけは避け，産婦が幸福感を味わっている場に流れている雰囲気や家族の時間を大切にする．

5 ● 胎児の健康状態のアセスメントと援助

　この時期は陣痛の増強ならびに胎児が産道を下降することにより，胎児の受けるストレスも大きくなる．胎児心拍数陣痛図では，早発一過性徐脈が出現することがあるが，胎児の先進部となっている（頭位の場合）児頭の圧迫による迷走神経反射で，生理的な心拍数低下がみられる．また，産婦の努責による胎児への酸素供給の長時間の中断などが起こると低酸素症による胎児心拍数の低下（遅発一過性徐脈や遷延一過性徐脈）が出現することがあるため，注意が必要である（p.453の Skill 7 参照）．この時期の胎児の状態は出生直後の児の状態や胎外生活への適応過程に影響するため，胎児に過剰なストレスがかかるのを避けたい．

　分娩第2期になると分娩監視装置を連続して装着することが推奨されているが，胎児心音聴取部位も恥骨結合上縁まで移動してきており，陣痛発作時や努責をかけているときなどに胎児心音の聴取がむずかしくなることがある．その際はプローブの角度を調整しながら胎児心音の聴取に努める（p.163の図Ⅱ-22参照）．

6● 胎児付属物のアセスメントと援助

この時期は，適時破水が起こる．破水が起こらない場合は，コッヘル止血鉗子（ペアン止血鉗子の場合もある）を用いて人工的に卵膜を破り破水させる（**人工破膜**）ことがある．破水した場合，胎児心拍数の変化を確認し，**破水の時刻**，羊水の量・性状を記録する．羊水の性状からは，感染の有無や胎児ストレスの程度，胎児機能不全の可能性などをアセスメントし，児の胎外生活への適応を阻害する因子が認められないかを確認し，またそれらがあった場合は適切な処置が受けられるように援助する．児の娩出時に臍帯が児の頸部や体幹に巻いている臍帯巻絡の有無や程度・部位なども記録する．

E. 分娩第3期のアセスメントと援助

1● 分娩第3期（後産期）

児娩出直後から**胎盤娩出**までの時期を**分娩第3期**という．初産婦で15～30分，経産婦で10～20分を要する．産婦は出産を無事に終えたことに安堵する．しかし，胎盤娩出後に起こる弛緩出血など重篤な異常が起こる危険な時期でもある．

2● 分娩進行のアセスメント

児娩出の5～15分後に，いったん休止していた陣痛が再び起こるが，これは後産期陣痛とよばれ，胎盤娩出のためである．4～5分周期で起こる弱い陣痛で，子宮収縮による痛みと胎盤通過による頸管開大のための痛みからなる．後産期陣痛についてはほとんど痛みを伴わない産婦もいる．胎児娩出後の子宮底は臍高まで下降し，軽く弛緩しているが，**後産期陣痛発作**のたびに再び収縮して硬くなり，子宮壁と胎盤との間にずれが生じ，胎盤が剥離することによって胎盤後血腫が形成され，後産期陣痛開始から数分から30分前後で子宮体は右腹部に上昇し，恥骨結合上に柔らかい隆起が生じ，胎盤が娩出される．この時期は以下についてアセスメントする．

①後産期陣痛がみられるか
②胎盤剥離徴候がみられるか
③遺残の可能性なく胎盤・卵膜が完全に娩出されたか

a. 胎盤の剥離徴候

以下に示した胎盤の剥離徴候のうち2つ以上を確認した後，行われる．剥離徴候が認められない場合は癒着胎盤の可能性を考え対応が必要となる（p.205参照）．また，無理に臍帯を牽引して娩出を試みると子宮内反症を起こすこともある（p.150参照）．

①アールフェルド（Ahlfeld）徴候
胎児娩出直後に，会陰に接していた臍帯部が陰裂より10～15 cmほど下降する．

②キュストナー（Küstner）徴候
恥骨結合直上を押さえたとき，臍帯が少し排出される．もし腟内に引き込まれるときはまだ剥離していない．

③ストラスマン（Strassmann）徴候
片方の手の2指の間に臍帯をはさみ，もう片方の手で子宮底を軽く打ち，この振動が2

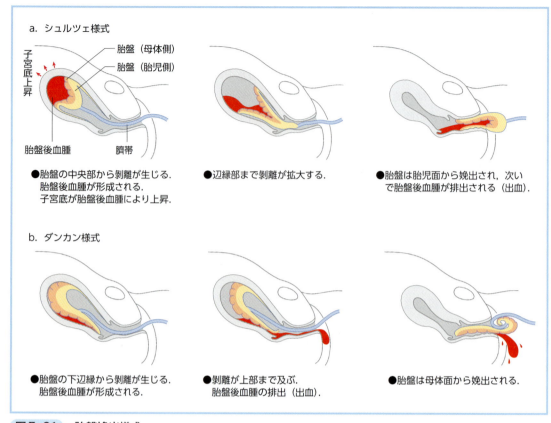

図Ⅱ-31　胎盤娩出様式

[杉山　隆, 豊田長康：Schultze型, Duncan型. Newエッセンシャル 産科学・婦人科学, 第3版（池ノ上　克, 鈴木秋悦, 髙山雅臣ほか編）, p.345, 医歯薬出版, 2004を参考に作成]

指の間の臍帯に伝わってこなければ胎盤は剥離している.

④シュレーダー（Schröder）徴候

子宮は右に傾き細長くなり，硬くなって，子宮底は臍上3横指くらいまで上昇する．

b. 胎盤の娩出様式（図Ⅱ-31）

胎盤娩出様式には，以下の3つがある．

①シュルツェ（Schultze）様式

胎盤のほぼ中央部より剥離し，しだいに剥離面が拡大していき胎盤辺縁まで剥離が進み，胎児面が先に娩出される様式．胎盤や卵膜の遺残が少なく，胎盤後血腫も卵膜に包まれきれいに娩出される．

②ダンカン（Duncan）様式

胎盤下方の辺縁から剥離が始まり，徐々に上方まで剥離し，母体面が先に娩出される様式．

③混合様式

シュルツェ様式，ダンカン様式両者の混合した様式で，胎盤辺縁から娩出される様式．

表Ⅱ-11 胎児付属物の観察とアセスメント

胎児付属物	観察とアセスメント
胎盤	［第1次精査］娩出直後に，娩出を行った助産師が卵膜の欠損，胎盤の欠損がないか確認し，子宮内への卵膜片や胎盤片の遺残の可能性についてアセスメントする． ［第2次精査］分娩が終わった後に，胎盤，臍帯，卵膜について再度観察を行う．胎盤は母体面と胎児面の観察が行われる．母体面では，胎盤の分葉状態を観察し，もう一度欠損の有無を確認する．欠損の確認後，組織内出血の有無（常位胎盤早期剝離で見られる所見），石灰化・白色梗塞の有無，胎盤実質の硬さ（妊娠高血圧症候群では硬くて弾力がない）が観察され，胎盤実質の形・大きさ・厚さ・重量が計測される．胎児面では，黄染の有無（羊水混濁があった場合見られる），臍帯付着部位の観察が行われる．
臍帯	臍帯動脈・静脈の数（単一臍帯動脈は胎児の異常を伴うことがある），真結節・偽結節の有無，捻転の方向が観察され，臍帯の長さ・太さを計測する．
卵膜	再度欠損を確認し，卵膜の強さ，胎便着色の有無が観察される．
羊水	破水時の前羊水と児娩出の際の後羊水があり，量，性状（透明・白色・胎便黄緑色・血性），混濁の有無，悪臭の有無が観察される．

3● 胎児付属物の観察とアセスメント

胎児付属物を観察することで，胎児が育った胎内環境，新生児の感染症，母児の異常の予後を予測する情報が得られる（表Ⅱ-11）．

4● 産婦の身体状態のアセスメントと援助

後産期陣痛は弱い陣痛で，子宮収縮による痛みと胎盤通過による頸管開大のための痛みからなる．産痛の刺激は，第11，12胸神経を経て脊髄に入るので，痛みの部位は分娩第1期と同じ部位に感じる．産婦は軽い牽引(けんいん)として感じるか，あるいは感じないことすらある．胎盤娩出直後の子宮底は，臍下2〜3横指の高さになり，硬さは硬式テニスボールの硬さになる．この時期は以下についてアセスメントする．

①児娩出後の子宮収縮は良好か
②児娩出後の異常な出血はないか
③産婦の全身状態に異常はないか

胎盤娩出時は，今から胎盤が娩出されることを説明し，産婦が努責をかけないように口を開けて軽く呼吸をするように促す．

胎盤娩出時間を確認し，胎盤娩出直後の子宮底の高さ・硬さ，異常出血の有無の確認を行い，産婦の**血圧・脈拍を測定し記録**する．子宮収縮状態，産婦の血圧は声に出して報告し，分娩介助を行っている助産師や他の医療スタッフも確認できるようにする．

5● 産婦の心理状態のアセスメントと援助

産婦は，陣痛の痛みから解放され，児が無事に生まれたことによる安堵感で満たされている．いままで，陣痛を乗り越えるために自己の内面の世界に集中していた感情が，一気に生まれた児に向けられる．児に対して「よく頑張ってきたね」「生まれてきてくれてありがとう」などの声かけを行う産婦も少なくない．そして，児の性別，児が五体満足であ

 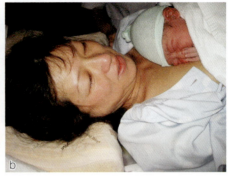

図Ⅱ-32 早期母子接触（skin-to-skin contact）
a. 出生直後，児の呼吸状態を確認しながら母親の胸に裸の新生児を直接抱けるように援助する．
b. 母子の触れ合いを見守る．

るか，元気であるかなどに関心が向けられる．クラウス（Klaus）らは，「この時期に母親と子どもは恋に落ちる」と表現しており，この瞬間を医療者の不必要な声かけや処置などによって邪魔をしてはいけないと述べている[4]．まさに母子の絆形成のスタートとなる大切な時期である．児は出生直後から約1時間程度は覚醒した状態にあり，周囲の刺激に反応しやすく，母親も出産の達成感や体内変動するホルモンにより母性行動を引き起こしやすくなっている．母子双方が周囲への高い感受性をもつ「感受期」とよばれるこの時期に早期母子接触や初回授乳が行われると，母子の絆形成に大きな効果がもたらされる．看護職者は産婦に出産の喜び，よく頑張ったことへのねぎらいの言葉をかけた後は，産婦や家族が児に集中できるように，不必要な声かけや処置は避け，周りも静かな環境に整える（図Ⅱ-32）．

6 ● 分娩直後の早期母子接触

早期母子接触（skin-to-skin contact）は，分娩直後に母児が直接肌を触れ合わせる，お互いの五感を通じての交流である．早期母子接触は，母子の絆形成，母乳育児への効果，新生児（正期産児）において心拍数，呼吸数，血糖値，体温の安定化の効果があるとされている．しかし，早期母子接触が行われる出生直後は，胎児から新生児へと呼吸・循環の適応がなされる不安定な時期でもあり，厳重な観察が必要である．

a. 早期母子接触の効果

①体温が安定する．母親の皮膚に密着することで保温ができる．
②児の啼泣が少なく，リラックスした手足の動きなど，代謝エネルギーが減少し血糖が維持され代謝性アシドーシス*の改善も良好である．
③呼吸が安定する．腹臥位のため咽頭や口腔内の羊水が自然排出されやすい．
④出産直後に授乳を行うことで，高濃度のプロラクチンが産生され，母乳分泌が促進され，その後の母乳育児がスムーズになる．

---

*代謝性アシドーシス：①酸の過剰産生，②酸の排泄低下，③HCO_3^-の過剰消失によってpHの低下が起こる．出生直後の新生児においては，循環不全・低酸素症に伴う乳酸アシドーシスが代謝性アシドーシスの原因となることが多い．

⑤早期に母親の常在菌（正常な細菌叢）が児の皮膚に移行して，母乳を飲むことによって胃腸にも定着する．このことにより，皮膚や胃腸トラブルが減少するなど，児は自己免疫を獲得し感染防御力をもつことになる．

⑥広範囲の皮膚接触による刺激体験，やさしい眼差し，声かけなどの快感刺激は，児の大脳辺縁系を介して安らぎや発達をもたらし，母親との親密な絆の形成に貢献する．

⑦母親にとっても児の肌・体温・におい・重み・湿度を感じることで，愛情がいっそう増す．

b. 早期母子接触の実施の基準 （p.460 Skill 8 参照）

早期母子接触の実施にあたっては，以下の基準を満たしていることが求められている．

①母　親
- 本人が早期母子接触を実施する意思がある
- バイタルサインが安定している
- 疲労困憊していない
- 医師，助産師が不適切と認めていない

②新生児
- 分娩経過において胎児機能不全がない
- 新生児仮死がない（1分・5分のアプガースコアが8点以上）
- 正期産新生児
- 低出生体重児でない
- 医師，助産師，看護師が不適切と認めていない

(1) 実施方法

実施にあたっては，出生後できるだけ早期に開始し，30分以上，もしくは児の吸啜まで継続することが望ましい．継続時間は最大2時間以内とする．

コラム

早期母子接触（skin-to-skin contact）

早期母子接触（skin-to-skin contact）は1979年にコロンビアの首都ボゴタでの経済危機による保育器不足や低出生体重児の養育放棄に対して，低出生体重児の体温を維持する目的で，母親の乳房の間に裸で抱かせて保温を行ったことが始まりである．この方法は，低体重児の死亡率を低下させ，養育放棄も減少させた．当初は，途上国の保育器の代替法として広がったが，新生児集中治療室（neonatal intensive care unit：NICU）における極低出生体重児への過剰刺激からの保護と母子の絆形成に有効であることが欧米でも認められ，1990年代初頭には一般的に取り入れられるようになった．日本では1995年にはじめて取り入れられて以降，多くの施設が取り入れるようになってきている．

なお，NICUで実施されるskin-to-skin contactは「カンガルー・マザーズ・ケア」とよばれ，出産直後の分娩台のうえで行われる母子のはじめてのskin-to-skin contactは「早期母子接触」とよばれる．しかし，母親たちの間では出生直後の早期母子接触も含め，「カンガルーケア」とよんでいることが多い．

F. 分娩後2時間のアセスメントと援助

　分娩後2時間は，分娩第4期ともよばれ産道の裂傷や子宮の弛緩により異常出血がみられる場合もあり，注意が必要な時期である．また，褥婦にとっては，身体の回復を促すとともに児に対しての愛情を強め，母乳育児のスタートとなる時期でもある．

1 ● 褥婦の身体状態のアセスメントと援助

　胎盤娩出後は，産道・会陰の裂傷の有無の確認，裂傷部位の縫合などが終わると，清拭・更衣を済ませ，2時間後までは安静とする．その間は子宮収縮の状態や出血の状態，会陰裂傷部位の状態，褥婦のバイタルサインなどを適時観察し，異常の予防と早期発見に努める．この時期は以下についてアセスメントする．

①子宮収縮は良好か
②異常な出血はないか
③褥婦の全身状態に異常はないか
④創部の状態は良好か
⑤早期授乳は可能か

a. 一般状態

　褥婦のなかには，分娩による熱量の損失や筋肉労作による疲労のため37℃程度の微熱，悪寒を訴える褥婦もいるが，経過を観察し一過性のものであることを確認する．通常は，12時間後に下降し，24時間以内には平熱に戻る．

　分娩第4期までの出血が500 mLを超えるものは**異常出血**（p.206参照）であり，**ショック症状**（顔面蒼白，チアノーゼ，脈拍数の増加，血圧の低下など）が起こる可能性が高いので，褥婦の表情や言動とともに30分〜1時間ごとのバイタルサインのチェックが必要である．

　児娩出時の努責や児頭による圧迫により痔核や脱肛を起こしている褥婦もいる．痔核や脱肛の有無を確認し，整復が可能ならば還納する．

b. 退行性変化

　分娩終了直後の子宮底は臍下2〜3横指の高さになり，硬さは硬式テニスボールの硬さになる．子宮底は分娩終了12時間後は臍高〜臍上2横指の高さになるが，その後徐々に収縮が起こり，下降する（p.239参照）．悪露は，子宮壁の胎盤や卵膜の剝離面などの創傷面からの出血および分泌物などである．

　分娩終了後は，30分から1時間ごとに**子宮の収縮状態**（子宮底の高さ，硬度）と**悪露の量**の観察を行う．子宮の収縮状態は悪露や出血の貯留，膀胱充満の状態に影響を受けるため，褥婦の腹壁から子宮底の高さ，硬さの確認後，子宮収縮を促すために子宮底部を軽くマッサージし（図Ⅱ-33），悪露や出血の流出がないか観察し，最後に再度子宮底の高さ，硬さの観察を行い，輪状マッサージ前後の子宮底の高さ，硬さを記録する．輪状マッサージ後も硬度不良で収縮が悪い場合は，医師に報告し，必要な処置が受けられるようにする．会陰部に損傷がある場合は，創状態の観察とともに血腫の形成の有無などについても観察を行う．

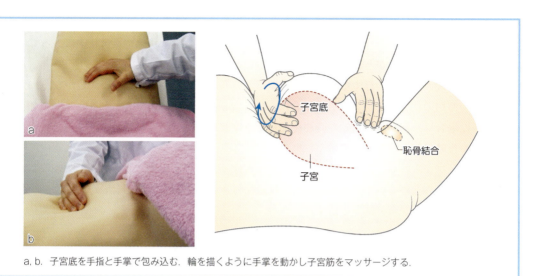

a, b. 子宮底を手指と手掌で包み込む．輪を描くように手掌を動かし子宮筋をマッサージする．

図Ⅱ-33　子宮底部の輪状マッサージ
分娩直後は，子宮下垂予防のために左手を褥婦の恥骨結合上縁に置き，右手で子宮底部をマッサージする．オキシトシン予防的投与を受けた産婦に対しては，持続的なマッサージは行わない．

産褥期における褥婦のセルフケアを導き出すために，子宮の収縮状態を観察する際は分娩後の子宮底を触ってもらい，良好な子宮収縮状態を知ってもらうことも必要である．

異常出血になることが予測される場合も，ただちに医師に報告する．

c. 進行性変化　（p.245 の図Ⅲ-5 参照）

分娩によってプロゲステロンとエストロゲンの血中濃度が急激に低下するとプロラクチンが作用し，乳汁の分泌が開始される．プロラクチンは乳汁分泌維持に必須のホルモンであり，その濃度は分娩直後が最高で，その後は，乳頭の刺激によって上昇する．WHOとUNICEFの「母乳育児成功のための10ヵ条」の共同声明のなかにも「産後30分以内に母乳育児が開始できるよう，母親を援助しよう」という条文が入っている（p.278の**表Ⅲ-13**参照）．分娩直後のこの時期，母児とも特別な理由がない限り，**最初の授乳**ができるように援助することが必要である（p.184，早期母子接触参照）．この時期は母児ともに元気であれば，母児同床とし，授乳介助を行うこともある．

d. 食　事

分娩による体力・エネルギーの消耗や多量の発汗により，空腹感や口渇を訴える褥婦もいる．とくに異常が認められないときは，温かい食事や水分の摂取を促す．

e. 排　泄

分娩時の膀胱・尿道の圧迫や伸展によって尿意を感じなかったり，尿閉が起こることもある．安静中はトイレ歩行ができないため，尿意の訴えや子宮復古の確認の際に恥骨直上の下腹部の膨隆が認められた場合は，尿による膀胱充満を考え尿器を使用し排尿を促すか，排尿がみられないときは導尿を行い子宮の収縮を促す．

f. 休息・睡眠

分娩直後の褥婦は，分娩を無事に乗り越えることができた喜びやわが子に会えた喜びで

感情が高ぶっているが，徐々に落ち着き，疲労感と安心感により入眠する者もいる．十分な休息や睡眠がとれるように，環境を整える．褥婦の全身状態や疲労状態によっては，児を預かり，休息がとれるように配慮することが必要である．

分娩後最初に歩行することを**初回歩行**というが，分娩経過にとくに問題がなく，分娩後の褥婦の状態も安定している場合は，分娩後2時間で行われることが多い．出血が多かった場合は，初回歩行開始の時間を遅らせるなど，褥婦の状態に合わせて実施される．初回歩行時は起立性低血圧症状や転倒などが起こりやすい．バイタルサインの確認後にヘッドアップから始め，次に坐位，そしてベッドサイドでの立位と，気分不良でないことを確認しながら進めていく．最初の歩行には必ず付き添い，ふらつきがないか気分不良がないかを確認しながら転倒を予防する．

2 ● 褥婦の心理状態のアセスメントと援助

褥婦は，分娩が無事に終了し，わが子と会えたことを家族と一緒に喜び，充実感や幸福感に満たされている．

この時期は，以下についてアセスメントする．
①褥婦から達成感や喜びが感じられるか
②わが子との絆形成が始まっているか
③家族と喜びを共有できているか

コラム
助産師のやりがいって何？

助産師のAさんは，「助産師の仕事は責任が重いけど，やりがいがあって楽しいよ」と話してくれた．看護職者のなかで唯一分娩介助ができ，助産院を開業することができる，そんなイメージしか私にはなかった．Aさんは助産師の仕事はいのちのつながりにかかわる仕事だという．出産のとき，女性は自分の命をかけて新しい"いのち"を生み出す．男性は自分の命の分身であるいのちと出逢う．互いに協力しながら自分たちの新しいいのちとその子どもの心を育み，一人前の人間に育てていく．いのちを授かった子どもはいのちを輝かせ自らの人生を生き，次の新しい命を育む．当たり前のことだけど，それが当たり前といえるようにお手伝いするのが助産師．お産は，助産師としての責任と緊張がマックスになるとき．誰一人として同じお産はない．産婦や家族の前では笑顔で接しているが，助産師は五感や六感を使いながらさまざまな情報を集め，瞬時のアセスメントを繰り返している．頭のなかは大忙しなのだそうだ．「でも，お産が無事に終わり，家族が寄り添う祝福のとき，その場に流れるしあわせな時間は何ともいえない」とAさんはやさしく微笑んだ．それは，心の底から本当によかったと思える瞬間であり，その場に立ち合わせてもらえる助産師って本当によい仕事だなと感じる瞬間でもあるそうだ．そのために妊娠期の妊婦とその家族を支援するし，時には思春期の子どもたちへ性教育を行うこともあるという．助産師としてほかにもいろいろな支援をするが，分娩介助ができるからこそできる支援があると教えてくれた．最後にAさんはこうも話してくれた．「いのちの誕生と向き合う助産師だからこそ，いろんないのちと出逢う．いつもよかったねというお産だけではない．これも現実．そんななかでいのちと向き合うということについて考えさせられ，そして教えられる．日々勉強．だけど，その経験が助産師としての自分を成長させてくれている」と．Aさんの話を聞いて，自分もそのしあわせな時間に立ち合ってみたいと思った．

まだ分娩の興奮が冷めず，いま終了した分娩の体験について話すこともある．看護職者は褥婦の話に耳を傾け，一緒に分娩に立ち会ったものとして喜びや思いを共有することが大切である．時には，褥婦が分娩に対して「うまくできなかった」「皆に迷惑をかけた」など否定的な感情を表出することがあるが，その気持ちを受け止め，その後その気持ちが否定的なもので終わらず自分の体験を肯定的に意味づけし統合できるように話をしていくことが大切である．

学習課題

1．分娩期の観察ポイントについて整理してみよう
2．分娩第1期の看護について整理してみよう

練習問題

Q1 正常経過してる分娩第1期の産婦への説明で適切なのはどれか．

（第102回国家試験，2013年）

1．「食事は摂らないようにしてください」
2．「ベッド上で安静にしていてください」
3．「2，3時間に1回は排尿をしてください」
4．「眠気を感じても眠らないようにしてください」

Q2 順調に分娩が進行している産婦から「腟から水っぽいものが流れ，下着が濡れた」と看護師に訴えがあった．流出したものを確認すると，量は少量で，羊水特有の臭いを認めた．
その時の産婦への対応で優先されるものはどれか．　　（第109回国家試験，2020年）

1．更衣を促す．
2．体温を測定する．
3．食事摂取を勧める．
4．胎児心拍数を確認する．

[解答と解説 ▶ p.548]

引用文献

1) WHO：WHO recommendations: intrapartum care for a positive childbirth experience，〔https://apps.who.int/iris/bitstream/handle/10665/260178/9789241550215-eng.pdf〕（最終確認：2022年3月14日）
2) 牧野康男，松田義雄：陣痛発作時の努責は産婦の循環動態にどのように影響を及ぼすのか？　ペリネイタルケア 26（11）：18-19，2007
3) 有本梨花，島田三恵子：出産の満足度と母親の児に対する愛着との関連．小児保健研究 69（6）：749-755，2010
4) Klaus MH, Kennell JH, Klaus PH：親と子どものきずなはどうつくられるのか（竹内　徹訳），p.67-111，医学書院，2001

4 分娩期の正常経過からの逸脱と看護

この節で学ぶこと
1. 分娩の経過のなかで起こりうる正常からの逸脱を理解する
2. 分娩の経過が正常から逸脱したときの看護援助を理解する

A. 分娩期の正常経過からの逸脱への看護の視点

　分娩は女性と胎児が有している自然な現象であり，命を生みだす正常な経過であるが，同時にいつ異常へ移行するかわからない危険性を伴っている．分娩で起こる正常からの逸脱（表Ⅱ-12）は，場合によっては母児の命を奪うことさえある．看護職者は，産婦や胎児がもっている自然な力を支援しながらも，正常な経過からの逸脱を常に念頭に置きながら予防的に支援すること，逸脱が認められた場合は，母児の生命の危険性が高くなる前に医療介入を支援することが大切である．また，分娩期の正常からの逸脱は，分娩が開始する前から予測できるものがあり，逸脱の徴候が認められた場合は，すぐに帝王切開へ移行できる準備を整えたうえで経腟分娩を試みる場合や，最初から帝王切開での出産となることもある．帝王切開をネガティブにとらえる産婦もいるが，分娩でもっとも重要なことは母児ともに安全に出産を終えることであり，無事に出産が終えられたことを喜べるように

表Ⅱ-12　分娩期の主な異常

娩出力の異常	陣痛	微弱陣痛 過強陣痛
産道の異常	骨産道	狭骨盤 児頭骨盤不均衡（CPD）
	軟産道	軟産道強靱
娩出物の異常	胎児（物理的）	胎位異常（骨盤位，横位，斜位）
		胎向異常（後方後頭位，前方前頭位など）
		胎勢異常（反屈位：前頭位［頭頂位］，額位，顔位など）
	（機能的）	胎児機能不全
	胎児付属物	臍帯下垂・臍帯脱出
		前期破水
		癒着胎盤，常位胎盤早期剝離
出血量の異常		異常出血，弛緩出血
所要時間の異常		遷延分娩

支援することが大切である．

　正常な経過でも不安な気持ちで出産に臨んでいる産婦(さんぶ)にとって，正常からの逸脱は予想外の展開であり，不安や恐怖心が増強するため，より細やかな説明や精神的な支援が必要になる．また，産婦のそばで心配そうに出産を見守る家族にとっても，正常からの逸脱は予想外の展開であり，心配や不安が増強する．産婦だけでなく，家族への説明や精神的な支援も忘れてはならない．

B. 娩出力の異常と看護援助 (p.138参照)

1 ● 娩出力の異常

a. 微弱陣痛 （p.141の表Ⅱ-4参照）

　微弱陣痛（weak pains）は，陣痛の強さが弱い状態をいう．微弱陣痛の判定基準は，分娩進行状況（子宮口開大）によって定められている（p141の**表Ⅱ-4**参照）．微弱陣痛になると遷延(せんえん)分娩（p.209参照）となる場合が多い．また，微弱陣痛は，発生時期により原発性微弱陣痛と続発性微弱陣痛に分類される．

(1) 原発性微弱陣痛

　原発性微弱陣痛とは，分娩開始時より陣痛が弱く分娩進行がみられないものをいう．

　原因としては，母体の全身状態の不良（貧血，低栄養など），子宮筋の機能不全（頻回分娩，子宮発育不全，子宮の奇形など），子宮筋の変化（子宮筋腫，手術後の瘢痕(はんこん)など），子宮筋の過伸展（多胎妊娠，羊水過多など），**胎位(たいい)，胎勢(たいせい)の異常**（**反屈位など**）などで起こる．

(2) 続発性微弱陣痛

　続発性微弱陣痛とは，分娩開始時は正常陣痛で分娩進行がみられたが，分娩経過中に陣痛が微弱になり分娩進行がみられなくなったものをいう．

　原因としては，母体の疲労・心理的要因（全身衰弱を起こす疾患，エネルギーの不足，睡眠不足，分娩に対する恐怖など），子宮の過度の収縮による疲労（過強陣痛など），胎児の異常（巨大児，水頭症など），産道の異常（児頭骨盤不均衡［cephalopelvic disproportion：CPD］，軟産道強靱(なんさんどうきょうじん)など）などで起こる．

b. 過強陣痛 （p.141の表Ⅱ-4参照）

　過強陣痛（excessively strong pains）とは，子宮収縮が異常に強く，長く持続する状態をいう．過強陣痛の判定基準は分娩進行状況（子宮口開大）によって定められている（p.141の**表Ⅱ-4**参照）．

　原因としては，産道抵抗の増大（CPD，軟産道強靱，回旋(かいせん)の異常，胎位・胎勢の異常など），子宮収縮薬（陣痛促進薬）の不適切な使用などで起こる．

　産婦は激痛のために不穏，苦悶，悪心・嘔吐を伴い，**子宮破裂の徴候**である**収縮輪の上昇**（バンドル［Bandl］収縮輪，病的収縮輪）がみられる（**図Ⅱ-34**）．胎児は子宮胎盤循環障害，臍帯圧迫のため胎児機能不全に陥る．

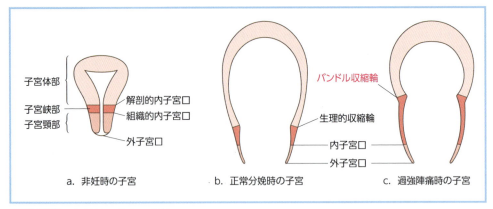

図Ⅱ-34　収縮輪の位置の比較

正常分娩の第1期でも陣痛によって生理的収縮輪が形成されるが，腹壁上から観察はできない(b)．しかし，異常分娩ではバンドル収縮輪が腹壁上に横または斜めに走る溝として観察できる(c)．さらに異常分娩時(c)では正常分娩時(b)に比べて収縮輪が上昇する．

2 ● 娩出力の異常への看護援助

a. 異常の早期発見と早期介入

娩出力の異常が原因で分娩の進行が滞ってしまうことがよくあるため，分娩を順調に進めるためには，娩出力の異常の予防と早期発見が大切である．娩出力の異常の可能性をアセスメントするためには，カルテより微弱陣痛や過強陣痛の原因となる既往歴や妊娠経過の情報を収集する．その後は，分娩の進行状況（子宮口の開大など）に応じた陣痛の強さであるかについてアセスメントを繰り返し行い，娩出力の異常の有無とその可能性について観察を行っていく．

b. 微弱陣痛への看護援助

微弱陣痛は，分娩が長時間になるために起こる母体の疲労や心理的要因により生じることが多く，産婦の疲労状態（表情，言動，行動，食欲の有無，口渇の有無，陣痛間欠時の虚無感など）や心理状態（表情，言動，家族とのかかわりなど）を注意深く観察し，微弱陣痛へ移行する前に娩出力を強める援助が必要である．

(1) 産婦の疲労の緩和への援助

陣痛が弱く，分娩時間が長時間になると産婦の心身だけでなく子宮筋も疲労し収縮力が弱くなり，さらに陣痛が弱くなってしまうという悪循環が起こる．そこで，産婦の疲労を緩和するために，**栄養と水分摂取**，**産痛緩和**（p.169参照），休息がとりやすい**環境の調整**が必要である．栄養と水分は，産婦のエネルギーになりやすいグルコースの補給を考え，産婦の好みに合わせて食品と水分を準備し，少しずつでも摂取できるように促す．ただし，帝王切開になる可能性が高い場合は，点滴で補液を行う．産痛緩和のほかに，リラックスを促すために筋肉の緊張をほぐすマッサージなども効果的である．産婦が陣痛間欠時に休息をとりやすいように，部屋の温度・湿度，音，光などを産婦の好みに合わせて調整する．また，産婦が眠気を訴えた場合は，眠れる環境を整える．眠ることにより産婦の疲労が回復するだけでなく，全身の筋肉の緊張を緩め，分娩を進行させることもある．

(2) 胎児の健康状態の観察と対応

微弱陣痛により長引く分娩は，胎児へも影響する．長い陣痛のストレスは胎児を疲労させ，胎児機能不全の状態となるリスクを高める．そのため，胎児心拍数陣痛図（cardiotocogram：CTG）は連続モニタリングを行い，波形レベルを注意深く観察し，必要な対応と処置を行う（p.453 Skill 7 参照）．

(3) 精神的支援

産婦はなかなか進まない分娩に対して不安な気持ちになる．産婦が精神的に落ち着けるように看護職者はそばに寄り添い，産婦の訴えに耳を傾けながら，産婦の気持ちが前向きになるように援助を行う．また，同席している家族の不安への援助も大切である．

(4) 娩出力への援助

陣痛が弱い場合は，産婦の疲労状態に合わせながら，産婦に歩行や階段の上り下り，アクティブチェアの使用などを提案し，陣痛が増強するかどうか経過をみる．また，陣痛を増強するといわれている経穴（つぼ）の三陰交や合谷，次髎を指圧により刺激する方法もある（p.171参照）．

(5) 薬物療法・急速遂娩術への援助

微弱陣痛では，オキシトシン，ジノプロスト（プロスタグランジン$F_{2\alpha}$：$PGF_{2\alpha}$）などの子宮収縮薬（陣痛促進薬）を用いて積極的な陣痛の促進が行われる場合がある．子宮収縮薬の使用についてはp.224を参照されたい．さらに母児に危険がある場合は，吸引分娩術，帝王切開術など急速遂娩術を行うため，他の医療スタッフとの連携や分娩室・手術室の早急な準備が必要となる．

c. 過強陣痛への看護援助

(1) 早期発見と早期介入

過強陣痛の早期発見には，陣痛周期・陣痛発作持続時間と強さはもとより，産婦の陣痛時の激しい疼痛の訴え，苦悶様表情，自制のきかない反射的な努責，胎児心拍数陣痛図（CTG）の所見，収縮輪の上昇（図Ⅱ-34参照）に注意して観察する．過強陣痛は子宮収縮薬を使用している際，とくに気をつけなければならない．子宮収縮薬の使用や過強陣痛となる要因がある場合は，子宮破裂や胎児機能不全を避けるために，CTGで連続的にモニタリングを行い，過強陣痛へ移行する前に早期に対応することが必要である．

(2) 胎児の健康状態の観察と対応

強い陣痛は，胎児へのストレスも大きく，胎児は胎児機能不全の状態に陥りやすい．そのため，CTGは連続モニタリングを行い，波形レベルを注意深く観察し，必要な対応と処置を行う（p.453 Skill 7 参照）．

(3) 精神的支援

産婦は陣痛による痛みが強いだけでなく，間欠の時間も短いため，身体的な疲労だけでなく陣痛に対する恐怖心を抱くことがある．ディック・リードの理論（p.170の図Ⅱ-26参照）からも産婦の恐怖心を癒し，緊張を解いてリラックスを促すことが必要である．産婦のそばに寄り添い，産痛緩和法のマッサージなどを行いながら，産婦の恐怖を軽減させられるような声かけを行う．

(4) 陣痛を抑制するための援助

陣痛が過強気味になった場合は，陣痛を抑制するために産婦の体位を側臥位や胸膝位へ変え，ゆっくりした呼吸を促し，努責をかけているときには中止させ，リラックスを促す．

(5) 薬物療法・急速遂娩術への援助

子宮収縮薬を投与している場合はただちに中止する．場合によっては，子宮収縮抑制薬を投与する．さらに，胎児機能不全や子宮破裂の危険性（収縮輪の上昇が著明）が高い場合は，帝王切開などの急速遂娩術を行うため，他の医療スタッフとの連携や分娩室・手術室の早急な準備が必要となる．

C. 骨産道の異常と看護援助（p.141参照）

1 ● 骨産道の異常

a. 狭骨盤（表Ⅱ-13）

狭骨盤とは，骨盤の小骨盤腔の一部または全部が正常より狭いか，正常分娩を妨げるほど変形しているものをいう．産婦の身長が150 cm以下，とくに145 cm以下の産婦は狭骨盤の危険性が高い．

分娩時は，児頭の下降が妨げられるため，子宮頸部神経叢（フランケンホイゼル神経叢，p.169の図Ⅱ-24参照）への刺激が不十分になり微弱陣痛となりやすい．また，児頭の骨盤腔への進入の異常や胎位・胎勢異常（p.145, 146の図Ⅱ-10, 11参照）をきたしやすい．

b. 骨産道の諸検査

(1) 触診による計測法

①骨盤外計測法（図Ⅱ-35）
②レオポルド触診法（p.447 Skill 4 参照）
第3段，第4段を用いて，児頭の浮動程度をみる．

表Ⅱ-13 狭骨盤

計測部位	産科学的真結合線	入口横径	外結合線（参考）
狭骨盤	9.5 cm未満	10.5 cm未満	18.0 cm未満
比較的狭骨盤	9.5〜10.5 cm未満	10.5〜11.5 cm未満	—
正常骨盤（平均値）	10.5〜12.5 cm (10.7 cm)	11.5〜13.0 cm (12.3 cm)	18.0〜20.0 cm (19.3 cm)

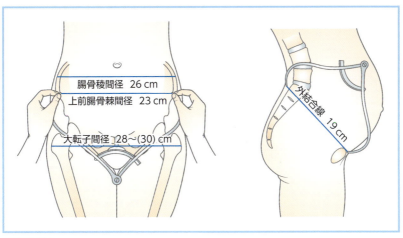

図Ⅱ-35　骨盤外計測法
骨盤外計測（大骨盤の諸径線を身体の外側から測定すること）によって，間接的に小骨盤の状態を推定するために行われる．数値は骨盤の平均的な値を示した．

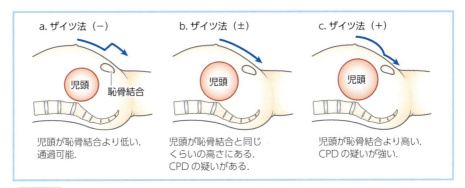

図Ⅱ-36　児頭と母体の恥骨結合の位置関係（ザイツ法）
産婦を仰臥位にして下肢を伸展してもらい，恥骨結合上縁を境に片手を恥骨結合上に，もう一方の手を胎児の頭部へ置き，双方の手の高さの違いにより児頭の骨盤入口部への嵌入の状態を調べる方法である．

③ザイツ法（図Ⅱ-36）

　恥骨結合より児頭前面が低ければザイツ法（-），同じ高さなら（±），児頭前面が隆起していれば（+）と判定する．ザイツ法（+）の場合はCPDの疑いが強くなる．

(2) 骨盤X線計測法（図Ⅱ-37）

①マルチウス（Martius）骨盤入口面撮影法

　骨盤入口部の形態（女性型，男性型など），骨盤入口部の横径・前後径，児頭骨重積の程度，撮影時における入口面と児頭の位置関係をみる．

②グースマン（Guthmann）骨盤側面撮影法

　児頭の大きさと浮動性，産科学的真結合線と児頭との位置関係，仙骨の形態，児頭の進入状況をみる．

c. 児頭骨盤不均衡　（表Ⅱ-14）

　児頭骨盤不均衡（cephalopelvic disproportion：**CPD**）とは，児頭が母体の骨盤より大

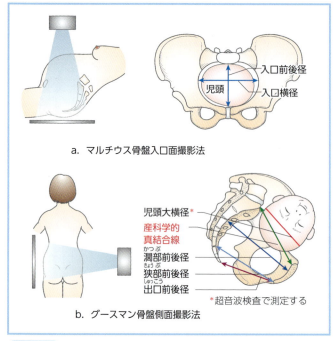

図Ⅱ-37 骨盤X線計測法

表Ⅱ-14 児頭骨盤不均衡（CPD）を疑うべき対象

1. 初産婦で妊娠36週以降，先進児頭の浮動を示す．
2. 尖腹，懸垂腹．
3. 身長150 cm以下，とくに145 cm以下のもの．
4. 子宮底長36 cm以上，とくに38 cm以上で巨大児が疑われるもの．
5. 骨盤外計測値が基準値より1 cm以上短縮しているもの．
6. 脊柱，骨盤，下肢などの骨または関節の疾患，外傷による高度骨盤変形，運動障害の後遺症のあるもの．
7. 既往分娩において帝王切開，鉗子手術，困難な吸引分娩，遷延分娩，周産期死亡など．
8. 分娩開始後長時間たっても児頭の下降徴候のみられないもの．
9. 内診によって骨盤腔の狭小，変形あるいはCPDが疑われるもの．
10. 高年初産婦，長期不妊の既往のあるもの．

［荒木　勤：児頭骨盤不均衡（CPD）を疑う対象．最新産科学—正常編，改訂第22版，p.282，文光堂，2008より引用］

きいため，児頭と骨盤に不均衡が生じ，正常な陣痛にもかかわらず，児頭が骨盤入口部に固定しない状態，また，児頭が下降せず分娩が進行しない状態をいう．

産婦の身長，骨盤外計測の値（**図Ⅱ-35**），児の体重，経産婦では既往の分娩経過などからリスクを考え，分娩前はザイツ法（**図Ⅱ-36**），超音波検査，骨盤X線計測法（**図Ⅱ-37**）による児頭計測所見を参考に，分娩進行中であれば，さらに内診所見，分娩進行，分娩所要時間を参考に総合的に診断を行う．

2 ● 骨産道の異常への看護援助

骨産道の異常で分娩時に問題となるのは，**児頭骨盤不均衡（CPD）** である．CPDの場合は，妊娠末期にスクリーニングが行われている場合が多く，CPDと診断された場合は

帝王切開となる．しかし，CPDの可能性があるが，確定できない場合は，帝王切開ができるように整えたうえで経腟分娩を試みる場合もある（**試験分娩** trial of labor）．その場合は，経腟分娩進行状態は正常か，帝王切開へ変更する必要があるかなどの見極めが大切になる．

a. 早期発見と早期介入

　CPDの可能性がある場合，児頭の下降度，児頭浮遊感の有無，CTGの所見に気をつけながら，陣痛周期・発作持続時間と強さ，内診所見，分娩開始からの経過時間を総合的にみていく必要がある．CPDにより分娩が遷延すると，産婦は疲労し，その結果微弱陣痛へ移行し，さらに児の下降が進まず分娩が遷延するという悪循環を起こすこともある．そうならないように，早期から微弱陣痛を予防するための援助が必要となる（p.192，微弱陣痛への看護援助参照）．

b. 帝王切開への援助

　児頭の下降が悪く，児頭浮遊感があり，分娩が遷延している場合や胎児機能不全がある場合は，帝王切開へ変更される（p.340参照）．他の医療スタッフ，手術室へ連絡をとり，早急に帝王切開が受けられるように準備する．

D. 軟産道の異常と看護援助 (p.143参照)

1 ● 軟産道の異常

a. 子宮下部および頸管の強靱

　妊娠経過に伴う子宮下部および頸管の軟化が不十分で，子宮口の開大（子宮頸管の開大）が進まない状態をいう．これは，頸管の手術処置による瘢痕，既往分娩時の損傷の瘢痕，子宮下部の筋腫などが原因で起こる器質的強靱と，子宮口の強靱・狭窄のために，頸管の伸展・拡張が妨げられ，外子宮口が十分に開大しない機能的強靱がある．

　子宮口の強靱や狭窄があると，頸管の伸展・拡張が妨げられ，分娩が遷延し，続発性微弱陣痛になる．また，陣痛が強い場合は子宮破裂や頸管裂傷のリスクが大きくなる．

b. 腟，外陰の強靱・狭窄

　腟，外陰の伸展性の不良や狭窄があると分娩は進行しない．高年初産婦，既往分娩などの手術，処置による瘢痕などにより起こるため，妊娠中あるいは分娩前の診察時には，これらの瘢痕について確認しておく必要がある．

c. 子宮破裂

　子宮破裂とは子宮の裂傷をいう．子宮破裂は突然に起こり，急速に母児の状態が悪化し死に至ることがあるため，すみやかに帝王切開術が行われる．子宮破裂には，全子宮破裂と不全子宮破裂がある．全子宮破裂は子宮壁の全層が断裂し，子宮腔と腹腔が通じるものであり，不全子宮破裂は子宮壁の筋層のみが裂傷し，漿膜（子宮外膜）には裂傷が及んでいないものをいう．原因は，子宮の手術創の瘢痕（帝王切開術，子宮筋腫核出術，子宮腔内掻爬術など），過強陣痛，多胎妊娠，羊水過多，多産婦，子宮収縮促進薬の過剰投与，外傷などがある．子宮破裂の前兆として，陣痛が過強あるいはけいれん性となり，収縮輪は生理的高さ（恥骨結合上 6 cm）を越えて上昇する（p.192の**図Ⅱ-34**参照）．子宮破裂が

起こった場合，産婦は下腹部の激痛を訴え，子宮動静脈の破綻により急激な出血性ショックを起こし，ショック症状（顔面蒼白，冷汗，頻脈，血圧低下，チアノーゼなど）が出現する．全子宮破裂の場合，出血は腹腔内に出血することが多く，外出血（血性羊水）は少量である．胎児と胎盤は裂口部から腹腔内に排出され，胎児が死亡することが多い．胎児心拍数陣痛図では，突然高度変動一過性徐脈が出現し，その後遷延一過性徐脈，徐脈へと急速に変化する．

2 ● 軟産道の異常への看護援助

母児に危険がないかぎり，自然に分娩経過を観察するが，子宮頸管の開大，腟，外陰の伸展性が分娩の経過とともに進行していくのを観察することが必要である．とくに頸管が強靱な場合，過強陣痛や微弱陣痛のリスクを考え，陣痛周期，陣痛発作持続時間，陣痛の強さ，CTGの観察が必要になる．また，腟，外陰の強靱・狭窄では，経腟分娩にて出産した場合，腟，外陰部の裂傷を生じることがあるので，児の娩出時には努責のコントロールに注意する必要がある（p.229参照）．

軟産道の異常で母児の危険が増した場合は帝王切開を行うことになるが，いずれにしても，分娩所要時間が長くなることが多く，間欠的，または連続的に分娩監視装置を使用したモニタリングによる胎児の健康状態の観察を行いながら，産婦の疲労防止や軟産道の弛緩を促すためのリラクセーションの看護援助が必要になる．

E. 胎児に関する異常と看護援助 (p.145参照)

1 ● 胎児に関する異常

分娩に関連する胎児の異常には，骨盤位，横位などの胎位異常（p.146の図Ⅱ-10参照），低在横定位，高在縦定位，後方後頭位などの回旋異常（p.200の図Ⅱ-38参照），額位，顔位などの胎勢異常（第1回旋の異常）（p.146の図Ⅱ-11参照），頭位における上肢の下垂および脱出などの異常，および巨大児，水頭症，奇形児などの形態異常，胎児機能不全がある．

a. 胎位異常

(1) 骨盤位

骨盤位は，縦位で胎児の殿部または下肢が母体の下方にあるものをいう（p.146の図Ⅱ-10参照）．さらに，分娩時における先進部の状態により，殿部が先進する殿位，下肢が股関節で伸展し，膝関節で屈曲して膝部が先進する膝位，下肢が伸展して足踵が先進する足位に大きく分類される．

骨盤位の原因としては，母体側では子宮の形態異常（子宮奇形，子宮筋腫など），胎盤の異常（前置胎盤，低置胎盤など），狭骨盤などがあげられる．また，胎児側では早産，多胎妊娠，羊水過多，胎児奇形（無脳児，水頭症など）などがあげられる．

骨盤位の分娩は，胎児へのリスクが大きいため帝王切開術が行われることが多くなっているが，表Ⅱ-15の条件がすべて満たされれば経腟分娩も可能である．骨盤位の分娩は頭位分娩と異なり，児の体幹と**小部分**（四肢）が娩出された後，最後に胎児でもっとも大き

表Ⅱ-15 骨盤位の経腟分娩の条件

産科的因子	1. 妊娠34週未満での分娩開始ではない. 2. 単胎である. 3. 胎児の推定体重が2,000〜3,800gである. 4. CPDがない. 5. 先進部付近より下方に臍帯が存在しない. 6. 児頭反屈位でない. 7. CTGに異常所見がみられない.
施設因子	1. 緊急帝王切開に対応できる. 2. 骨盤位娩出術への十分な技術を有する医療スタッフが常駐している.
その他	1. 経腟分娩と帝王切開双方の危険と利益について産婦および家族が十分に説明を受けている. 2. 1の結果,経腟分娩に同意している.

な部分である児頭が母体の骨盤を通過する.最初に娩出される部位が大きいほど軟産道が十分に開大・伸展し,児頭の娩出困難の危険が小さくなる.骨盤位の経腟分娩では,殿位＜膝位＜足位の順に分娩時の危険が大きくなる.

骨盤位の経腟分娩は,前期・早期破水の可能性が高く,頸管の開大が遅れ,微弱陣痛,遷延分娩となりやすい.また,母体の子宮口全開大前に体幹を娩出した場合は,その後の児頭(もっとも大きな胎児部分)の通過に伴い軟産道裂傷,会陰裂傷などの損傷や最後に頭が娩出されることによる分娩の遷延や微弱陣痛,弛緩出血などが起こりやすい.胎児は,臍帯脱出や臍帯が児頭と骨盤腔との間に挟まれて圧迫されることにより胎児機能不全を起こしやすい.

(2) 横位および斜位

横位および斜位では,陣痛ごとに胎児の脊柱は強く屈曲し,肩甲が先進し,胎児の大部分が子宮下部に下降する.

横位および斜位の原因としては,母体側では子宮の形態異常(子宮奇形,子宮筋腫など),胎盤の異常(前置胎盤,低置胎盤など),狭骨盤,頻回経産婦(腹壁および子宮筋が弛緩している)などがあげられる.また,胎児側では,早産,多胎妊娠,羊水過多,胎児奇形(水頭症など)などがあげられる.

b. 胎勢異常(第1回旋の異常)

胎勢異常では,陣痛によって児頭が骨盤入口に進入するにしたがって胎児が屈位の姿勢になる第1回旋が行われず,児頭がもっとも小さい小斜径周囲で産道を通過することができない(p.146の図Ⅱ-11参照).

胎勢異常の原因としては,母体側では子宮の形態異常,骨盤の異常(狭骨盤,広骨盤など),胎盤の異常,頻回経産婦,過強陣痛などがあげられる.また,胎児側では,胎児奇形(無脳児など),頸部の異常(頸部腫瘍,臍帯巻絡など),頭部の異常(過小頭部,過大頭部など)などがあげられる.

前頭位(p.146の図Ⅱ-11参照)の場合は,骨盤入口に固定,進入するのに時間がかかり,第2回旋ができず低在横定位(p.200の図Ⅱ-38参照)となることもある.額位の場合は,児頭の骨盤内への下降が認められない.分娩に至った場合でも額部に著明な産瘤(面瘤)が生じ,大斜径周囲が短縮する.いずれにしても分娩経過では産道の抵抗が大きく

なり，微弱陣痛，遷延分娩，会陰裂傷，弛緩出血，胎児機能不全となりやすい．

c. 回旋異常（第1, 2回旋の異常）（図Ⅱ-38）

(1) 高在縦定位

第1，2回旋が行われず，矢状縫合が骨盤入口の縦径（前後径）に一致して進入し，長時間その高さで分娩が停止した状態をいう．

高在縦定位の原因としては，母体の狭骨盤（骨盤入口部縦径が長い），扁平骨盤，胎児の児頭過小などがあげられる．

児の後頭が母体の仙骨（後方）に向かう後方高在縦定位では経腟分娩は無理であるが，後頭部が恥骨結合（前方）に向かう前方高在縦定位では経過中に改善されることもある．

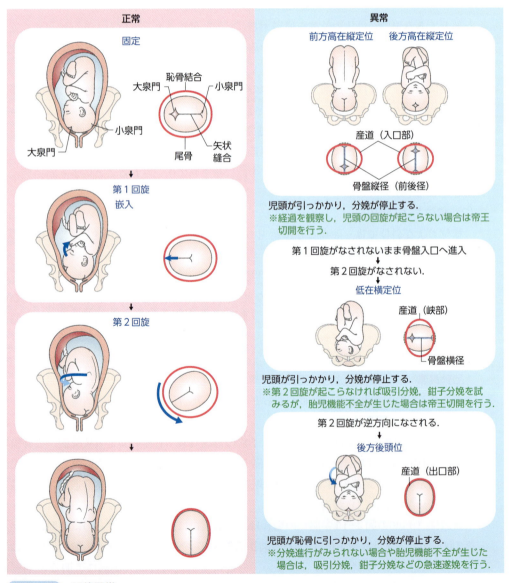

図Ⅱ-38 回旋異常

表Ⅱ-16 骨盤位分娩児の分娩外傷

1. 頭蓋内出血
    a) 硬膜下出血（とくに小脳天膜下裂傷）
    b) 脳室内出血（とくに未熟児）
    c) 脳幹脳底部出血
2. 骨折
    a) 頭蓋骨骨折と脳挫傷の合併
    b) 脊椎骨折と脊椎損傷との合併
    c) 鎖骨骨折
    d) 上腕骨骨折
    e) 大腿骨骨折
3. 神経麻痺
    a) 上位型上腕神経叢麻痺（エルブ [Erb]），時に横隔膜神経麻痺の合併
    b) 下位型上腕神経叢麻痺（クルンプケ [Klumpke]），時にホーナー（Horner）症候群の合併
4. その他
    a) 胸鎖乳突筋血腫
    b) 腹腔内臓器損傷（とくに肝，副腎，脾）
    c) 股関節脱臼

[荒木 勤：骨盤位分娩児の分娩外傷．最新産科学―異常編，改訂第22版，p.315，文光堂，2012より引用]

いずれにしても経過を観察し，児頭の自然な回旋が起こらない場合は帝王切開術を行う．

(2) 低在横定位

児頭が骨盤底に達したにもかかわらず，第2回旋が行われず矢状縫合が骨盤横径に一致しているものをいう．

低在横定位の原因としては，母体の広骨盤，骨盤底筋の強靱，微弱陣痛，過強陣痛，胎児の児頭過小，臍帯巻絡などがあげられる．

(3) 後方後頭位

第2回旋において児の先進部である後頭が母体の仙骨（後方）に向かって回旋している状態をいう．

後方後頭位の原因としては，母体の軽度の狭骨盤や扁平骨盤，胎児の児頭過小などがあげられる．

2 胎児に関する異常への看護援助

a. 胎位異常への看護援助

骨盤位分娩は，多くの場合帝王切開となる．とくに横位および斜位の場合は，予定帝王切開となるため，帝王切開の看護が必要となる（p.340参照）．単胎単殿位の経腟分娩の場合は，分娩監視装置により連続的に胎児心拍数モニタリングを行い，胎児の健康状態に注意する．産婦は児背側を下にして側臥位にし，腹圧をかけることを禁じる．また，可能なかぎり破水を防ぎ，破水した場合は羊水漏出，臍帯脱出を予防し，子宮口が全開大するまで胎児の一部が娩出されないように呼吸法などを用いて努責を回避できるよう支援する．

さらに，児の分娩外傷についても十分な予防と処置や対応が必要である（表Ⅱ-16）．いずれにしても骨盤位娩出術への十分な技術を有する医療スタッフが常駐していることが必要になる．

b. 胎勢異常への看護援助

　前頭位の場合は，分娩所要時間が長くなるが，多くの場合は経腟分娩が可能である．そのため，分娩監視装置によりモニタリングを行い，胎児の健康状態の観察を行いながら，産婦の疲労防止への援助が必要になる．額位，顔位の場合は，反屈の程度が増すにしたがい，母体，胎児の損傷の程度が増加するため，帝王切開が行われる．いずれにしても帝王切開への看護が必要となる．

c. 回旋異常への看護援助

　胎児の回旋が順調に進行しない場合は，微弱陣痛によると考えられる場合は陣痛を強める支援を行う（p.191参照）．また，産婦の体位を側臥位や四つんばいにすると回旋が修正，促進されることがある．骨盤内での児頭の回旋・下降を促すには，産婦の長時間に及ぶ同一体位を避け，坐位，四つんばいなどの体位をとるとよい．これらの体位では，骨盤が胎児が下降しやすい角度になり，さらに娩出力の方向と胎児重力が同じ方向になるため胎児の回旋・下降に効果的である．坐位でもとくに蹲踞位（スクワット）は骨盤出口部を開大させるので，より胎児の回旋，下降を促す（p.166の**表Ⅱ-9**参照）．

　胎児の回旋・下降には，産婦の歩行や立位で腰を左右に動かすこともよい．立位は胎児重力を効果的に利用でき，さらに歩行すると骨盤内の関節を動かすので児の回旋・下降をより促進させる．高在縦定位の場合は，児頭の自然な回旋が起こらない時は帝王切開の準備が必要である．低在横定位・後方後頭位の場合は，子宮口全開大し，児頭の下降が十分であれば，吸引分娩，鉗子分娩の適応となる．いずれにしても**分娩停止**[*]や胎児機能不全となった場合は，帝王切開となる．

3 ● 胎児機能不全

　妊娠中あるいは胎児が子宮内において呼吸ならびに循環機能が障害された状態を**胎児機能不全**（non-reassuring fetal status）という．

　胎児の状態を評価する所見としては，**胎児心拍数陣痛図**（**CTG**，p.453 Skill 7 参照）やバイオフィジカル・プロファイル・スコアリング（BPS，p.47の**表Ⅰ-15**参照）が用いられる．分娩時のCTGでは，胎児心拍数波形のレベル分類を用いて判定が行われ，レベル3以上を胎児機能不全とする（p.453 Skill 7 参照）．

　胎児機能不全の原因としては，母体の合併症，胎児発育不全，臍帯・胎盤の異常，羊水の異常，薬剤の使用などがあるが，胎児の低酸素症やアシドーシスが増悪すると低酸素性虚血性脳病変（脳性麻痺）や胎児・新生児死亡を起こすことがある．そのため，胎児が胎児機能不全に陥る前に胎児の健康状態を評価し，早期に対応することが必要である．**低酸素性虚血性脳病変**（**脳性麻痺**）は，主として成熟児が周産期に仮死に陥り，酸素欠乏と脳血流の途絶により生じる脳障害の臨床的・病理学的所見の総称である．致死的ではないがさまざまな障害をきたす程度に脳細胞が死滅した状態であり，成長とともに後遺症として脳性麻痺（知的障害や運動障害）が発現することがある．

---

[*]分娩停止：分娩開始して分娩が進行していたが，それまで同様の陣痛が続いているにもかかわらず2時間以上にわたって分娩の進行が認められない状態をいう．

F. 胎児付属物の異常と看護援助 (p.150参照)

1 ● 胎児付属物の異常と看護援助

a. 卵膜の異常

(1) 妊娠37週以降の前期破水・早期破水

①定義，症状，原因，治療

　分娩開始に卵膜の破綻をきたし，羊水が子宮外に流出することを**前期破水**（premature rupture of the membranes：PROM）という．分娩開始後，子宮口全開大前に生じた破水を**早期破水**という．子宮口全開大後の破水を**遅滞破水**という．また，何らかの原因で，頸管腔に面しない上のほうの部分で起こった破水を**高位破水**という．高位破水はその後羊水の流出が止まることが多い．

　破水は羊水の流出や流出感によって自覚される．尿漏れやお水が流れる感じがしたなどの自覚症状がある．分娩期の破水の確認は，視覚的に羊水の流出を確認する以外に，羊水が弱アルカリ性であるために破水により腟内pHが酸性から弱アルカリ性に変化することを利用して行われるブロムチモール・ブルー（bromthymol blue：BTB）法（破水時はBTB試験紙が青変）などのpH検査法が多く行われる．

②看　護

　産婦が**破水感**を訴えた場合は，産婦が使用していたパッドの吸着物にBTB試験紙などをつけてpHを確認する．それによって腟分泌液がアルカリ性である（羊水である）ことを確認できないときは内診・腟鏡診を行い，腟内貯留液のpHの確認や，子宮口からの羊水流出の確認を行う．それでも確認できない場合は，羊水中成分の検出キットを用いて破水を診断する．

　破水直後は，**破水時間**，胎児心拍数，羊水の量，混濁の有無，悪臭の有無や程度，臍帯脱出の有無の観察が必要である．早期破水後は，上行感染から子宮内感染を起こし，胎児は胎児機能不全を起こす危険性がある．産婦には清潔なパッドを当て入浴は避け，抗菌薬を内服してもらう．助産師や医師は，内診などは極力避け，実施する際は滅菌手袋を用いるなど清潔を保ち，感染予防に注意しながら援助を行う．感染徴候を早期に発見するためには，産婦のバイタルサイン，胎児心拍数陣痛図（頻脈，遅発一過性徐脈，基線細変動の消失など）を適宜チェックしながら経過を観察する．その際，母体の38℃以上の発熱，子宮圧痛，白血球数15,000/μL以上，CRP値の上昇，悪臭を伴う帯下や羊水などが認められたら，子宮内感染を疑う．子宮内の羊水量減少が著しい場合，人工羊水注入法が行われることもある．産婦は突然の破水に戸惑い，不安になる．破水の状況や今後の処置・対応について説明し，産婦の不安な気持ちを軽減できるように援助する．

b. 羊水の異常

①定義，症状，原因，治療

　羊水過少の場合は，**胎児機能不全**のリスクが高いため，分娩監視装置によるCTGの継続的な観察を行い，異常所見時の対応に備える．また，必要に応じて人工羊水注入法などの処置が行われることもある．

　羊水過多の場合は，子宮収縮が弱く微弱陣痛となり，結果として遷延分娩や弛緩出血

(p.206参照)となることもあるため，子宮収縮の強さや分娩進行状態を注意して観察していく．状況によっては陣痛誘発・陣痛促進法を用いることもある．

羊水の異常として，胎児の排泄した**胎便**で羊水が黄褐色に混濁した**羊水混濁**と，絨毛膜あるいは羊膜に感染が及んだ状態である絨毛膜羊膜炎の際にみられる**膿性混濁**がある．羊水混濁は，胎児が低酸素状態に陥ることにより反射的に腸管運動が亢進し，肛門括約筋が弛緩して，胎便が排泄されることによる．また，消化管系の成熟によって起こる生理的現象としての排泄もあるといわれている．**胎便吸引症候群**（MAS）を引き起こし，新生児予後に重篤な影響を及ぼすこともある（p.428参照）．

②看　護

羊水混濁が認められた場合，一定時間（20分以上）分娩監視装置を装着し，胎児心拍数陣痛図を記録し，胎児のwell-beingを評価する．胎児心拍数波形のレベル分類でレベル1であれば経過観察とする．産婦の発熱や頻脈にも注意する．出生後は，新生児仮死や胎便吸引症候群（p.428参照）の発生など呼吸障害に注意が必要である．対応できるスタッフ，新生児蘇生などに必要な器具・薬品，NICU入室の準備が必要となる．産婦は，破水だけでなく，羊水混濁という状況にさらに不安になる．産婦へは今の状況や今後予測される経過，それに伴い行われる処置・対応について説明が行われるが，産婦の状況に合わせて追加の説明を行うなど，産婦の不安の軽減が必要である．

c. 臍帯の異常

(1) 臍帯下垂・臍帯脱出（図Ⅱ-39）

①定義，症状，原因，治療

胎児先進部より臍帯が下降している状態を**臍帯下垂**，破水後に臍帯が子宮口から脱出し触れるものを**臍帯脱出**という．

臍帯下垂・臍帯脱出の原因としては，前・早期破水，胎児の横位・骨盤位，水頭症，過小児頭，狭骨盤，羊水過多，過長臍帯，多胎妊娠などがあげられる．

臍帯脱出が起こると臍帯は胎児と子宮壁に挟まれて圧迫され，胎児は低酸素血症となり，胎児機能不全に陥る．胎児心拍数陣痛図では変動一過性徐脈や遷延一過性徐脈が観察される．

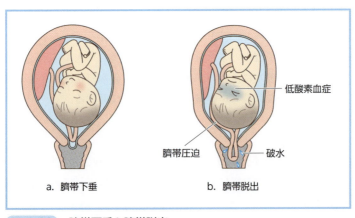

図Ⅱ-39　臍帯下垂と臍帯脱出

表Ⅱ-17 癒着胎盤

単純癒着胎盤	絨毛が子宮筋層の表面にのみ癒着し筋層内に侵入していない状態 ＊胎盤用手剥離が可能
侵入胎盤	絨毛が子宮筋層深く侵入し剥離が困難な状態
穿通胎盤	絨毛が子宮壁を貫通し漿膜面にまで及んでいる状態

［日本産科婦人科学会（編）：産婦人科用語集・用語解説集，改訂第4版，p.357，日本産科婦人科学会，2018を参考に作成］

②看　護

前期・早期破水時に，臍帯脱出を起こす危険性があるため，破水時は胎児心音をチェックし，臍帯圧迫による胎児心拍数の低下がないことを確認する．臍帯下垂が確認された場合は，臍帯を圧迫しないように下垂している側を上にして産婦に側臥位をとらせ，さらに骨盤を少し高くするか，胸膝位をとらせ自然な還納を試みる．臍帯下垂が自然整復できない場合や臍帯脱出が確認された場合は，帝王切開となる．臍帯脱出の場合は，帝王切開が始まるまで助産師や医師が内診指で児頭を押し上げ，児頭による臍帯の圧迫を防ぐ．

d. 胎盤の異常
(1) 癒着胎盤
①定義，症状，原因，治療

癒着胎盤とは，胎盤の脱落膜基底層の形成不全や欠損のために，絨毛が子宮筋層内に侵入し，胎盤の一部または全部が子宮壁と癒着したものをいう（**表Ⅱ-17**）．

癒着胎盤の原因としては，帝王切開後，子宮腔内搔爬術後，前置胎盤などがあげられる．

胎児娩出後の子宮収縮による自然な胎盤剥離が長時間みられず，一部剥離した部分から大出血を起こし母体がショック状態に陥ることもある．

胎児娩出後の胎盤剥離徴候が認められない場合は，癒着胎盤を考え，直接子宮体に触れないで上腹部をつかんで間接的に子宮に圧を加えて胎盤を娩出させるバッハ（Behr）胎盤娩出法やクレーデ（Credé）胎盤娩出法を行い，それでも娩出できない場合は子宮腔内に手を挿入し，子宮壁と胎盤との間を用手的に剥離させる**胎盤用手剥離法**を行うが，それでも剥離されない場合は単純子宮全摘術も考慮しなければならない．輸血と手術の準備が必要となる．

②看　護

強い痛みを伴う積極的な処置が行われるなかで，産婦はとまどいと恐怖を抱くため，産婦への声かけが必要である．また，出血によるショック状態に陥る場合もあるため，バイタルサインやショック症状（顔面蒼白，冷汗，不穏状態など）の観察を行う．

(2) 常位胎盤早期剥離
①定義，症状，原因，治療

常位胎盤早期剥離とは，正常な位置（子宮体部）に付着している胎盤が，妊娠中または分娩経過中の胎児が娩出される前に子宮壁から剥離した状態をいう．剥離面の出血によりできた血腫がさらに周囲の胎盤を剥がし，剥離面と血腫が増大していく．胎盤の剥離の進行とともに母体では**播種性血管内凝固症候群**（disseminated intravascular coagulation syndrome：**DIC**，p.206参照）が起こり重症例では母体死亡となる．胎児は胎盤からの酸

素供給量が低下もしくは遮断されるため**胎児機能不全**となり，重症例では**子宮内胎児死亡**となる．

常位胎盤早期剥離の原因は明らかとなっていないが，35歳以上，喫煙，IVF-ET妊娠，高血圧合併妊娠，妊娠高血圧症候群，切迫早産，早剥既往妊婦，子宮内感染，前期破水，腹部の鈍的外傷（打撲）などの危険因子がある．

症状として多いのは急激な下腹痛，子宮壁が板のように硬くなること（板状硬(ばんじょうこう)），子宮収縮，少量の外出血，外出血がみられない場合でも胎盤と子宮壁の間に血腫を形成する潜伏出血が起こっており，貧血が進行する（p.125参照）．

②看　護

常位胎盤早期剥離が認められた場合，出血によるショックを予防するために，ただちに血管確保と輸液を行い，輸血の準備をする．同時に分娩監視装置で連続的にモニタリングを行い，胎児の状態を観察しながら，急速遂娩あるいは帝王切開の準備を行う．

積極的な処置が行われるなかで，産婦は戸惑いと恐怖を抱くため，産婦への声かけが必要である．また，出血によるショック状態に陥る場合もあるため，バイタルサインやショック症状（顔面蒼白，冷汗，不穏状態など）の観察を行う．

G. 周産期の異常出血と看護援助

1 ● 周産期の異常出血

周産期の異常出血の多くは分娩時と分娩後に起こるが，その多くは大量出血となり，産婦はショック状態に陥り，最悪の場合は命を落とすことさえある．周産期の出血の原因には，前置胎盤，常位胎盤早期剥離，産道損傷，弛緩出血，子宮内反症，癒着胎盤などがあるが，常位胎盤早期剥離，妊娠高血圧症候群，子癇，羊水塞栓，癒着胎盤などの基礎疾患がある場合は，中等量の出血でも容易に**産科DIC**を併発するため注意が必要である．とくに産後の過多出血は，経腟分娩では産後24時間以内に500 mL（帝王切開では1,000 mL）を超えるものと定義されており，産後出血が500 mLを超えた時点で，出血に対する初期治療が開始される．治療を開始したにもかかわらず，**ショックインデックス**（shock index：SI）が1.5以上，産科DICスコアが8点以上となると**産科危機的出血**となり，ただちに輸血が開始され，必要であれば高次施設への搬送となる（**表Ⅱ-18**，**図Ⅱ-40**）．産後に起こる出血の代表的なものとして**弛緩出血**がある．弛緩出血は，児の娩出後，子宮筋が収縮せず子宮全体が弛緩する子宮弛緩症により，胎盤剥離部の断裂血管や子宮静脈洞が閉鎖されないために起こる出血のことをいい，多くの場合大出血を伴う．弛緩出血の原因としては，子宮筋腫などによる局所的障害，双胎や羊水過多症による子宮筋の伸展，急速遂娩，胎盤片・卵膜片または血塊の子宮腔内への遺残(そうたい)などがある．

2 ● 周産期の異常出血への看護援助

周産期の出血は，外出血が少量でも，頸管裂傷や子宮破裂などにより腹腔内出血や後腹膜出血を起こしていることもあり，計測された出血量だけにとらわれず，バイタルサインの異常にSIを用いてアセスメントし，「**産科危機的出血への対応フローチャート**」に沿っ

表Ⅱ-18 産科DICスコア

基礎疾患（1項目のみ）	点数	臨床症状	点数	検査	点数
早剝（児死亡）	5	急性腎不全（無尿）	4	FDP：10μg/mL以上	1
〃 （児生存）	4	〃 （乏尿）	3	血小板：10万/mm³以下	1
羊水塞栓（急性肺性心）	4	急性呼吸不全（人工換気）	4	フィブリノゲン：150mg/dL以下	1
〃 （人工換気）	3	〃 （酸素療法）	1	PT：15秒以上	1
〃 （補助換気）	2	臓器症状（心臓）	4	出血時間：5分以上	1
〃 （酸素療法）	1	〃 （肝臓）	4	その他の検査異常	1
DIC型出血（低凝固）	4	〃 （脳）	4		
〃 （出血量：2L以上）	3	〃 （消化器）	4		
〃 （出血量：1〜2L）	1	出血傾向	4		
子癇	4	ショック（頻脈：100以上）	1		
その他の基礎疾患	1	〃 （低血圧：90以下）	1		
		〃 （冷汗）	1		
		〃 （蒼白）	1		

該当する項目の点数を加算し，8〜12点：DICに進展する可能性が高い，13点以上：DIC

[日本産科婦人科学会，日本産婦人科医会，日本周産期・新生児医学会，日本麻酔科学会，日本輸血・細胞治療学会：産科DICスコア，産科危機的出血への対応指針2017，2017年1月（改訂），〔http://www.jaog.or.jp/all/letter_161222.pdf〕（最終確認：2018年2月26日）より許諾を得て転載]

て判断・行動する．また，異常出血が認められた時点で，ただちに他の医療スタッフをよび，分娩に付いていた看護職者はその場を離れず，全身状態と出血の観察を行う．産婦の出血を受けるために置かれている膿盆内にたまった血液や使用したガーゼは，外回りの看護職者が受け取り適宜出血量の測定を行い報告する．場合によっては，分娩の際に清潔野をつくっていたシーツも測定する．

とくに**弛緩出血**の場合は，胎盤娩出前の出血であれば，軽く子宮体部の輪状マッサージを行うが，出血量が500mLを超える場合は，クレーデ胎盤娩出法や用手剝離により積極的な胎盤娩出を試みる．胎盤娩出後は，子宮収縮薬の点滴を行い，それでも出血が止まらない場合は，腹壁上から子宮の上方で大動脈を脊椎に向かって圧迫する（大動脈圧迫法）などを行う．子宮収縮が不良で出血が持続する場合は，プロスタグランジンを腹壁上から直接子宮筋に筋注するか，経腟的に長針を用いて子宮腟部より子宮筋に筋注するが，なお出血が続く場合は，片手で腹壁から子宮体部をつかみ強く引き上げながら前屈させ，もう片方の手で子宮頸部を輪状につかみながら，内子宮口の部分で折れ曲がった子宮を恥骨結合へ向けて強く圧迫する**双手子宮圧迫法**が行われる．それでも出血が止まらない場合は，単純子宮摘出術が行われる．看護職者は全身状態の観察，出血量の測定，医師の処置の介助，輸液・輸血の介助，記録者と役割分担を行いながら処置にあたる．

異常出血の際は，医療者の動きやその場の緊迫した雰囲気に産婦や家族は大きな不安を覚える．緊急時であっても，産婦と家族に対して現在の状況や行われる処置について説明し，不安の軽減に努める．

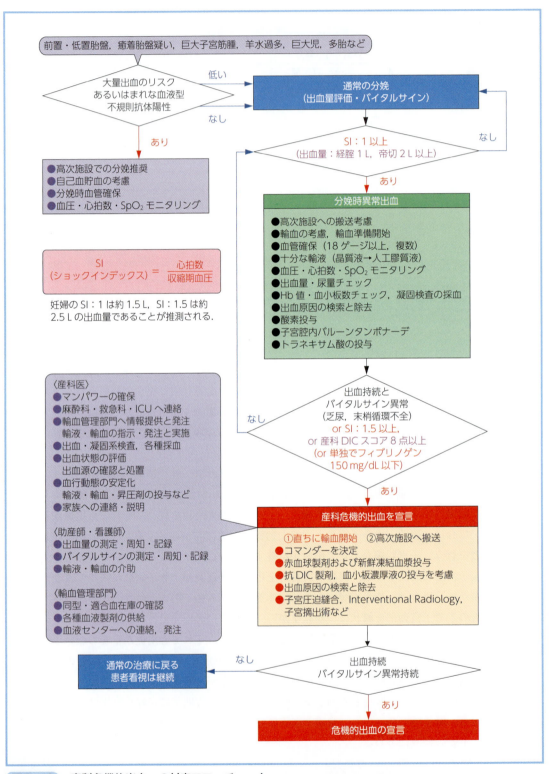

図Ⅱ-40 産科危機的出血への対応フローチャート

[日本産科婦人科学会,日本産婦人科医会,日本周産期・新生児医学会ほか：産科危機的出血への対応フローチャート,産科危機的出血への対応指針2017, 2017年1月（改訂）,〔http://www.jaog.or.jp/all/letter_161222.pdf〕（最終確認：2020年8月28日）より許諾を得て転載]

H. 遷延分娩と看護援助

1 ● 遷延分娩

遷延分娩とは，分娩開始後，陣痛周期が10分以内になった時点から，初産婦では30時間，経産婦では15時間を経過しても児の娩出に至らないものをいう．しかし，WHO recommendationsでは，分娩第1期潜伏期は分娩開始からの経過時間で考えるのではなく，分娩開始から子宮口が5 cm開大するまでのゆっくりとした子宮開大の時期で産婦によって大きく異なる可能性があるとし，子宮口の5 cm開大から子宮口の全開大までを活動期とすることを推奨している．そのうえで，分娩第1期の活動期が，初産婦で12時間，経産婦で10時間を超えないのが一般的としていることから，これらを超える場合は分娩第1期が遷延していると考えられる（**表Ⅱ-19**）．分娩を遷延させる原因としては，微弱陣痛，胎児回旋異常，CPDなどがある．遷延分娩は，母体の疲労を増すだけでなく，陣痛による胎児への長時間のストレスは胎児機能不全をまねく可能性もあるため，遷延分娩になる前に分娩を促進する必要がある．

2 ● 遷延分娩への看護援助

分娩開始から長時間を経過した場合，分娩を遷延させている原因をアセスメントし，その原因を取り除き，分娩を促進する援助が必要となる．遷延分娩は産婦の疲労などによる微弱陣痛が原因で起こる場合が多く，産婦の疲労回復と陣痛を増強するための援助が必要となる（p.192参照）．また，子宮収縮薬を用いた陣痛促進が行われることもある（p.224参照）．胎児回旋異常の場合は回旋を促す体位を試みるが，回旋異常が改善されず分娩が進行しない場合は，帝王切開あるいは吸引分娩・鉗子分娩が，CPDの場合は帝王切開が行われるため，それらの準備が必要となる．

表Ⅱ-19 分娩の遷延

子宮口開大	5〜10 cm
初産婦	12時間以上
経産婦	10時間以上

学習課題

1. 「第Ⅱ章1節　分娩期の概観」の表Ⅱ-1（分娩期の経過と全体像, p.134, 135参照）で, 起こりやすい正常からの逸脱に着目して, 経過の全体を見直してみよう
2. Skill 7（p.453参照）の胎児心拍数モニタリングを確認し, 胎児の健康状態を読み取ってみよう

練習問題

Q1 Aさん（30歳, 初産婦）は, 妊娠39週2日で前期破水と診断され入院した. 胎児は頭位で臍帯下垂は見られず, 胎児心拍数は正常である.
Aさんへの看護師の対応で適切なのはどれか. （第102回国家試験, 2013年）
1. 入浴を勧める.
2. 歩行を禁止する.
3. 3～4時間ごとに導尿をする.
4. 3～4時間ごとに外陰部のパットを交換する.

［解答と解説 ▶ p.548］

5 出生直後の新生児のアセスメントと援助

> **この節で学ぶこと**
> 1. 出生直後の新生児の特性を学び,基本的な援助について学ぶ

　出生直後の新生児のアセスメントと援助の目的は,出生した児が**子宮外環境に適応**していけるのかを見極め,また,順調に適応していけるよう援助することである.出生直後の児にとって子宮外環境への呼吸・循環系を中心とする生理的機能の適応は劇的なものであり,生命やその後の成長発達に大きく影響する.とくに出生後の6~12時間は呼吸循環動態の適応過程にあるため,変化が著しく,さまざまな異常が起こりやすい時期である.看護職者はすみやかな全身状態の観察を行い,子宮外環境への適応を評価し,正常からの逸脱や異常に対し適切に対応する必要がある.出生直後は呼吸数・心拍数が増加し,体温が上昇し,しばらく覚醒し敏感に反応しているが,やがて睡眠状態となり,2~3時間で覚醒してくる.近年は出生直後の早期母子接触(p.184参照)を行う施設が多くなっており,出生直後の児の状態がよければ,詳細な計測,診察,処置などを経ず,まず母親の胸に抱かれるよう支援するため,より的確な観察とアセスメントが求められる.

〈アセスメントの視点〉
\# 出生直後の健康状態は良好か
\# 在胎週数相当に発育しているか
\# 分娩による外傷はないか
\# 児が子宮外環境に適応できる状態か

A. 出生前からの準備

　新生児期に起こる問題の多くは,出生前の妊娠経過や分娩経過から予測することができる(p.49の**表Ⅰ-17**,p.107の**表Ⅰ-32**)ため,出生前のリスク因子を確認し,予測される状態を考慮しながら出生の準備を行う.とくに早産児など出生直後の蘇生が必要となることが予測される場合は酸素吸入器,バッグ・マスク,換気装置,アドレナリン,新生児用喉頭鏡,新生児用気管挿管チューブ,胃管チューブなどを準備しておく[1].

B. 出生直後の新生児のアセスメントと援助

　出生直後，新生児は**呼吸**を開始し，胎児循環を新生児循環へ移行させ（p.174の**図Ⅵ-2**参照），**体温**を保持することによって，子宮内での母親に依存した環境から，子宮外での独立した状態へと変化する．これらが生理的範囲内で順調に行われるかを観察し，妨げとなる要因を排除することでその適応を援助する．

a. 出生直後のアセスメント

(1) NCPRアルゴリズムの出生直後のチェックポイントの評価（図Ⅱ-41）

　出生前にはチームメンバーによるブリーフィング，感染予防，物品の確認を行う．
　出生直後，①**早産児**，②**弱い呼吸・弱い啼泣**，③**筋緊張の低下**の3項目について確認を行う．早産児については出生前の情報から確認できるため，出生直後は他の2項目について確認する．出生直後に，四肢を動かしながら強く泣いていれば②と③の2項目には当てはまらない．

(2) アプガースコアの評価

　アプガー（Apgar）スコア（**表Ⅱ-20**）[2]は蘇生の必要性の判断基準ではないが，児の状態を表す客観的な評価であり，新生児の全身状態や蘇生への反応を評価するには有用である．1分値と5分値の判定を記録する．

b. 出生直後のアセスメントで当てはまる項目がなかった場合

　母親のそばでルーチンケアを始める．インファントラジアントウォーマー等を使用して児の低体温の予防に努めながら，温めた乾いたタオルで皮膚の羊水をふき取って乾燥させ（**保温，皮膚乾燥**），**気道を確保する体位**（sniffing position）をとらせる（**気道開通**，図Ⅱ-42）．鼻や口の分泌物の吸引は必要ない．ここまで行った後に下記の順に沿って処置と観察を進めていく．

(1) 新生児の標識

　新生児の取り違えを予防するため，児に**標識**を装着する（**図Ⅱ-43**）．本来は臍帯切断前に行われることが理想的であるが，実際は分娩介助者が臍帯を切断し，児がインファントラジアントウォーマーへ移動した後に行われることが多い．標識には新生児用と母親用がつながっており，新生児と母親に切り離して装着するタイプもある．新生児用と母親用の両方の標識に，母親のフルネーム，出生日時，児の性別（性別で色を変える場合もある）を記載する．記載後は，記載内容を母親へ見せて間違いがないことを確認した後，新

表Ⅱ-20　アプガースコア

	0点	1点	2点
心拍数	なし	100以下	100以上
呼吸	なし	弱々しい泣き声	強く泣く
筋緊張	だらんとしている	いくらか四肢を曲げる	四肢を活発に動かす
反射	反応しない	顔をしかめる	咳・くしゃみ，泣く
皮膚の色	全身蒼白または暗紫色	体幹ピンク，四肢チアノーゼ	全身ピンク

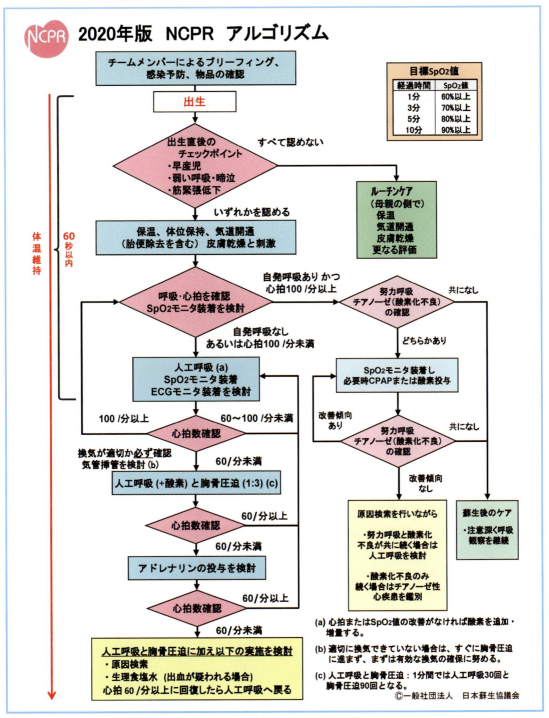

図Ⅱ-41 2020年版新生児蘇生法（NCPR）アルゴリズム

[日本蘇生協議会（監修）：JRC蘇生ガイドライン2020 NCPRアルゴリズム, p.234, 医学書院, 2021, [https://www.ncpr.jp/guideline_update/pdf/ncpr_algorithm2020.pdf]（最終確認：2021年5月17日）より許諾を得て転載]

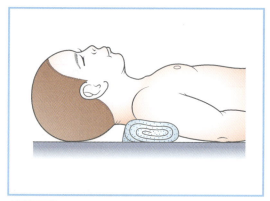

図Ⅱ-42　sniffing position

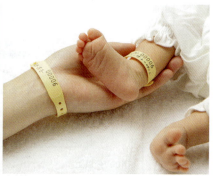

図Ⅱ-43　母子の標識

[写真提供：アトムメディカル株式会社]

生児と母親の双方に装着する．脱落に備えて複数の標識を新生児に装着することが望ましい．施設によっては下肢などに皮膚用マーカーで母親の名前を記入する場合もあるが，事前に母親に対して必要性と安全性を説明し同意を得て行う．

(2) 臍処置

臍帯の断端部の臍帯動静脈の本数，出血の有無を確認する．確認後は，感染予防のため断端部をアルコールで消毒する（p.411参照）．とくにガーゼなどでおおう必要はない．

(3) 点　眼

新生児眼炎（生後2週間以内の結膜炎）を予防するために抗菌薬の眼軟膏を生後1時間以内に塗布する．

(4) 全身の観察（p.393の表Ⅵ-7参照）

出生直後の新生児の観察は，新生児チェックリストを用いて頭から爪先（head to toe）へと系統的に行う．

①体重計測

出生直後の体重は，その後の経過のなかでさまざまな基準値として用いられるため，同じ体重の値が2度表示されるのを確認するなど，慎重に計測する．

②バイタルサイン

　出生直後の新生児の体温は，鎖肛（さこう）などの異常を観察するために直腸用体温計を用いて測定される（直腸温の目安：36.5～37.5℃．分娩進行に伴う母体熱の上昇による影響やインファントラジアントウォーマーなどの保温の影響を受けて出生直後は37.5℃以上になることもある）．出生直後の新生児の心拍や呼吸は速くなることが多く，心拍数は120～160回/分，呼吸数は40回前後/分が目安である．心拍数を聴診する際は心雑音の有無に注意し，呼吸状態を聴診する際は肺の末端まで空気が入っているかを確認する．

　母親と児に異常が認められなければこの時点で早期母子接触を開始する．ただし，児の下肢にパルスオキシメーターのプローブを装着するか，看護職者が必ず付き添う．

③全身の観察

　全身の観察は，表Ⅱ-21，22の項目について行われる．

(5) 感染防止のための出生直後の沐浴

　母親がB型・C型肝炎ウイルス，HIV（human lmmunodeficiency virus，ヒト免疫不全ウイルス）のキャリアである場合は，児のからだに付着した母体血や体液からの感染を予防するために沐浴を行う．

c. 出生直後のアセスメントで当てはまる項目があった場合

　a項の①早産児，②弱い呼吸・弱い啼泣（ていきゅう），③筋緊張の低下の3項目について1つでも当てはまる項目があった場合は，ただちに**新生児の蘇生アルゴリズム**（図Ⅱ-41）のステップに沿って処置と評価を始める．蘇生の初期処置の項目はルーチンケアと同じだが，児の皮膚の羊水を拭き取るときには，タオルで児の背部，体幹，あるいは四肢をやさしくこすり，自発呼吸を促す（保温，皮膚乾燥と刺激）．気道確保の体位（図Ⅱ-42）をとらせても呼吸が弱々しい場合や十分な換気が得られない場合は，気道の閉鎖が考えられるため，

表Ⅱ-21　出生直後の新生児の観察

観察項目	観察のポイント
全身の姿勢・筋緊張	姿勢が左右対称で，四肢が軽く屈曲しているか．
手足の運動性	手足を元気に動かしているか．
皮膚	皮膚に発赤など特徴的な所見があるか．
頭部	頭の形はどうか，骨重責・産瘤があるか．
顔全体	顔が左右対称か，顔貌に特徴的な所見があるか．
眼	両目の間隔や眼球に異常はないか．
鼻	鼻腔の閉鎖はないか．
耳	耳介の高さはどうか，副耳・耳瘻孔がないか．
口	口唇・口蓋裂がないか．
頸部	翼状頸や斜頸がないか．
胸部	鎖骨の骨折や乳房の腫脹はないか．
腹部	腹直筋の離開や腫瘤が触知されないか．
性器　男児	男児は精巣が両側下降しているか．
女児	処女膜ポリープなどがないか．
肛門	体温計測時に体温計が挿入できたか．
背部	脊椎の側弯や二分脊椎がないか．
四肢	多指や合指，先天性股関節脱臼や内反・外反はないか．
排泄	出生直後の排尿・排便があれば時間を記録する．

表Ⅱ-22　新生児チェックリスト

新生児氏名	性別　男・女	在胎週数　　週　　日	出生体重　　　　　g
生年月日　　　年　月　日	チェック時間　生後　　時間		

＜出生時の情報＞
分娩様式　正常・吸引・鉗子・帝王切開
前期破水　無・有（破水から出生までの時間　　　時間）
アプガースコア　1分後　　点, 5分後　　点
蘇生の有無　O₂使用　無・有（　　L/分　　分間）

＜バイタルサイン＞
体温　　℃, 心拍数　　回/分（整・不整　　回/分）, 心雑音　無・有（レヴィン　　度）
呼吸　　回/分（air入り　良・浅表性・不良, 喘鳴　無・有, 湿性ラ音　無・有）

＜シルバーマンのretraction score＞

徴候	0	1	2
胸壁と腹壁の動き	同時に上昇	吸気時に胸部の上昇が遅れる	シーソー運動
肋間の陥没	なし	軽度	著明
剣状突起窩の陥没	なし	軽度	著明
鼻翼または下顎呼吸	なし	軽度	著明
呻吟	なし	聴診器で聴取可能	聴診器なしで聴取可能

＜全身観察＞

姿勢	四肢を屈曲	腕はわずかに屈曲, 脚は屈曲外転	脚が弱く屈曲, 腕は伸展	股関節, 膝関節でわずかに屈曲, 腕は伸展	腕と脚を伸展

意識レベル：啼泣・活動覚醒・静覚醒・もうろう状態・活動睡眠・静睡眠
皮膚色　　紅潮・淡紅色・四肢末端チアノーゼ・全身チアノーゼ・蒼白・黄色
皮膚　　　湿潤・乾燥・落屑
　　　　　冷感　無・有（四肢末端・体幹・　　　　　　）
　　　　　胎脂　無・有（肩・背・腋窩・鼠径・全身）
　　　　　毳毛　無・有（肩・背・殿部・　　　　）
　　　　　発疹　新生児中毒性紅斑・膿痂疹
　　　　　母斑　サーモンパッチ・毛細血管奇形・乳児血管腫・蒙古斑
頭部　　　骨重　無・有（右上・左上）　癒着・矢状縫合離開
　　　　　頭蓋骨　頭蓋癆
　　　　　産瘤・頭血腫・帽状腱膜下血腫
　　　　　頭皮　発赤・剥離・びらん・頭皮欠損
　　　　　大泉門　平坦・膨隆・陥没
眼　　　　特記事項　無・有（結膜出血・白内障・落陽現象・瞼裂狭小・眼脂　　　　）
鼻　　　　特記事項　無・有（鼻腔閉鎖・鼻汁・キュストナー徴候［鼻皮脂］・　　　　）
口　　　　特記事項　無・有（口唇裂・口蓋裂・舌小帯短縮・高口蓋・小顎症・先天性歯・
　　　　　上皮性真珠腫・　　　　）
耳　　　　特記事項　無・有（耳介低位・耳介変形・外耳道閉鎖・副耳・耳瘻孔・耳汁・　　　　）
頸部　　　特記事項　無・有（翼状頸・斜頸・　　　　）
胸部　　　特記事項　無・有（鎖骨骨折・乳房肥大・乳汁分泌・副乳・漏斗胸・膨隆・　　　　）
腹部　　　特記事項　無・有（膨隆・緊満・陥没・腹壁破裂・臍帯ヘルニア・臍出血・　　　　）
　　　　　腸蠕動音　有・弱い・無
四肢　　　特記事項　無・有（左右非対称・四肢短縮・上腕神経麻痺・多指［趾］症・合指症・内反足・
　　　　　外反足・　　　　）
股関節　　特記事項　無・有（開排制限・　　　　　　　　）
背部　　　特記事項　無・有（脊椎欠損・二分脊椎・髄膜瘤・　　　　　　　）
性器　　　男児：精巣　2つとも陰嚢内・精巣は1つのみ陰嚢内・精巣は2つとも下降していない
　　　　　　　　特記事項　無・有（尿道下裂・陰嚢水腫・　　　　）
　　　　　女児：大陰唇　小陰唇をおおう・大陰唇は小陰唇をほとんどおおう・大陰唇は離開し小陰唇突出
　　　　　　　　特記事項　無・有（新生児月経・陰核肥大・膣口欠損・　　　　）
肛門　　　特記事項　無・有（鎖肛・瘻孔・　　　　）
排便・排尿　初回排尿　無・有（生後　　時間）
　　　　　　初回排便　無・有（生後　　時間）
反射　　　モロー反射（＋・－）・ルーティング反射（＋・－）・吸啜反射（＋・－）・把握反射（＋・－）

口，鼻の順序で吸引を行う（体位保持，気道開通）．吸引は口腔・鼻腔ともに5秒程度にし，吸引圧は100 mmHg（13 kPa）を超えないようにする．出生後数分間に後咽頭を刺激すると迷走神経反射を起こし，徐脈や無呼吸を誘発することがあるため，カテーテルを咽頭まで深く挿入しない．この時点で児の**右手にパルスオキシメーター（SpO₂モニタ）を装着**しておくとよい．出生直後の目標SpO_2値は1分60％以上，3分70％以上，5分80％以上，10分90％以上とし，上限は95％とする．

その後，自発呼吸と心拍数の観察を行う．しっかりとした呼吸や啼泣があるか，無呼吸やあえぎ呼吸がないか，心拍数が100/分未満（徐脈）でないかを評価する．この評価が分岐点となり，その後はアルゴリズムに沿って処置と評価を続けていく（蘇生後の援助についてはp.421参照）．

学習課題

1. 出生直後の観察項目をまとめてみよう
2. 出生直後の新生児への援助の目的をまとめてみよう

練習問題

Q1 在胎38週4日，骨盤位のため予定帝王切開術で出生した男児．看護師はインファントウォーマー下で児の全身を観察した．羊水混濁はなかった．

身体所見：身長49.0 cm，体重2,900 g，頭囲33.0 cm，胸囲32.0 cm．直腸温37.8℃，呼吸数55/分，心拍数150/分．大泉門は平坦，骨重責なし，産瘤なし，頭血腫なし．胎脂は腋窩にあり．筋緊張は強く，四肢は屈曲位．皮膚は厚い．うぶ毛は背中の1/2にあり．耳介は硬い．精巣は両側共に完全に下降．外奇形はなし．

検査所見：Apgar（アプガー）スコアは1分後9点，5分後10点．臍帯動脈血pH 7.30．
この児のアセスメントで適切なのはどれか． （第107回国家試験，2018年）

1. 新生児仮死
2. 成熟児
3. 高体温
4. 水頭症

［解答と解説 ▶ p.548］

引用文献

1) 日本産科婦人科学会/日本産婦人科医会（編・監）：CQ401 緊急時に備え，分娩室または分娩室近くに準備しておく医薬品・物品は？ 産婦人科診療ガイドライン―産科編2020, 日本産科婦人科学会，2020
2) Virginia Apgar : A proposal for a new method of evaluation of the newborn infant. Current Researches in Anesthesia and Analgesia **32**（4）: 260-267, 1953

6 家族のアセスメントと援助

この節で学ぶこと
1. 家族の視点で分娩期をとらえることの必要性を理解する
2. 新しい家族としてのスタートのために分娩期に必要な援助について理解する

　家族にとって子どもの誕生は，新しい家族メンバーを受け入れるだけでなく，お互いの関係性や役割などさまざまな変化へのスタートでもある．分娩期を通して，一緒に出産に取り組んだり，支え合うことで家族としての絆を深め，その後の新たな家族関係の構築や役割獲得が順調に進むように援助することが大切である（図Ⅱ-44）．
　産婦，夫/パートナーや付き添いの家族のそれぞれの表情や言動，産婦と夫の会話やかかわり方などについて観察し，以下についてアセスメントを行う．

〈アセスメントの視点〉
\# 家族が出産を喜びとして受け入れられているか
\# 家族で出産を乗り越えようという連帯感が感じられるか
\# 夫/パートナーや家族が出産に積極的に参加することができているか
\# 家族にとって出産がよい体験となっているか

図Ⅱ-44　新しい家族

1 ● 夫/パートナー

(1) 出産前

　産婦が出産時に分娩室で誰と一緒に過ごすことを望んでいるのか，夫/パートナーにどのようなかかわりを望んでいるのかなどについては，出産前あるいは分娩開始の早い段階で把握し，その希望に応えられるように援助を行っていく．できれば，バースプラン（p.100の**表Ⅰ-30**参照）にも記入できる欄を準備しておくなど，妊娠期から妊婦・夫/パートナーが家族としてどのような出産にしたいと思っているのか，そして，そのためにそれぞれがどのようなかかわりを望んでいるのかについての情報を得られるようにすることも大切である．夫/パートナーは，出産に立ち会う希望があるのか，産婦にどのようなかかわりをしたいと思っているのか，出産に関する知識の程度などについての情報を得て，産婦の希望と調整を行いながら，夫/パートナーが希望どおり産婦にかかわることができるように援助する．

(2) 出産中

　分娩期では，夫/パートナーは産婦のために何かしたいという思いはあっても，何をしてよいのかわからないうえに，いつもと違う産婦の状態に戸惑っていることがある．それぞれの気持ちの状態を言葉，表情，行動などから感じとり，戸惑いや不安を軽減できるようにかかわることが大切である．産痛緩和法（マッサージ法や圧迫法など）を夫/パートナーに指導したり，産婦が自由な体位をとる際の援助を求めたり（p.166の**表Ⅱ-9**参照），出産における夫/パートナーの役割がとれるようにはたらきかけるとよい．さらに，マッサージの効果について産婦に確認を求めるなどして，産婦と夫/パートナーのコミュニケーションの機会をつくる援助も必要である．分娩進行状態や処置などの説明は，産婦と一緒に夫/パートナーへも行う．

　また，夫/パートナーも緊張を解き放ちリラックスできる時間がもてるように，休憩や食事への配慮も忘れてはならない．時には産婦と夫/パートナーだけの時間と空間をつくることも大切である．

　出産に立ち会う際は，夫/パートナーが分娩台の横に立ち，産婦の手を握ったり，汗を拭いたりなど産婦の援助となる具体的な行動がとれるように配慮する．分娩室では，過度の緊張状態で気分が悪くなる夫/パートナーもいるため，夫/パートナーの様子も観察し，転倒防止のための配慮も必要である．

　夫/パートナーが出産に立ち会わず外で待っている場合も，時折様子を伝える．

(3) 出産後

　児の出生直後は，夫/パートナーは子どもの誕生の喜びと無事に出産が終わったという安堵の気持ちを同時に感じる．一緒に出産を頑張った夫/パートナーへも「おめでとうございます」「一緒によく頑張られましたね」などの言葉かけが必要である．ただし，過剰な声かけは避け，夫/パートナーが褥婦と一緒に幸福感を味わっている家族の時間を大切にする．その後，褥婦が分娩第3・4期へと進むと，夫/パートナーは再び褥婦の状態を心配する．褥婦の現在の状態や行われる処置については，褥婦と夫/パートナー両方への説明が必要である．場合によっては，児の出生後は，夫/パートナーは分娩室の外で待ってもらうこともある．その際は褥婦や新生児の状況，今後行われる処置や今後の予定などに

ついて適宜伝え，不安の軽減に努める．立会い出産をしない場合も同じである．

　処置などが終わり褥婦の状態が落ち着いたら，家族で過ごし，児の誕生を喜ぶ時間と空間の提供が必要である．父親になる夫/パートナーには，看護職者の支援のもと出生直後の児を抱っこしてもらい，さらに父親になったことを実感してもらう．これは夫/パートナーが父親になるための大切な援助でもある．

2 ● 兄/姉

(1) 出産前

　経産婦では兄/姉を出産に立ち会わせることもある．そのためには，妊娠期からの準備が必要である．産婦が兄/姉を出産に立ち会わせたい理由と一緒に，兄/姉の年齢や妊娠期からおなかにいる赤ちゃんに関心を示しているか，出産についての話ができているか，兄/姉が立ち会うことを望んでいるかなどの兄/姉の出産に向けての準備状況もふまえ，実際に出産に立ち会わせるか否かについて，産婦や夫/パートナー，兄/姉と一緒に検討することが大切である．

(2) 出産中

　兄/姉にとって出産への立ち会いは，不安と緊張のときでもある．時には，痛みに苦しんでいる表情や声を見たり聞いたりして，いつもと違う母親の姿に戸惑い，母親がどうかなってしまうのではないかという恐怖心を感じていることもある．看護職者は兄/姉の様子を観察するとともに，コミュニケーションをとりながら不安や緊張を軽減することも大切である．場合によっては，兄/姉の出産への立ち会いを中止せざるをえない状況も起こりうる（p.178参照）．そのため，兄/姉が出産に立ち会う際は，陣痛室や分娩室の外で兄/

コラム

産科医療事故

　医療事故とは，医療にかかわる場所で，医療の全過程において発生するすべての人身事故をさし，医療従事者の過誤，過失の有無を問わないとされている．そして，これらには下記①〜③を含む．

①死亡，生命の危機，病状の悪化などの身体的被害および苦痛，不安などの精神的被害．
②患者が廊下で転倒して負傷した事例のように，医療行為とは直接関係しない場合．
③注射針の誤刺のように，医療従事者に被害が生じた場合．

　産科，とくに分娩期における医療は，同時に母親と胎児という2つの命を対象としており，突然に起こる大量の出血や胎児機能不全など命の危険性が高い状況で医療が行われている．産科では，いつ，何時，医療事故が起こるかわからない．そして，事故が起こると最悪の場合は，同時に2つの尊い命を失うことになる．医療事故が起こった場合は，初期対応としてさらなる被害を回避するための行動をとり，対象および家族にはすみやかに誠意をもって事故の説明などを行うことが大切である．さらに医療事故の報告書の作成や事実経過の記録をすみやかに行う[1]．

　産科医療に従事している医療者は，2つの命に携わらせていただいているという謙虚な気持ちと責任の重さを十分自覚し，真摯な姿勢で母子にかかわることが必要である．

引用文献
1）北井啓勝：医療紛争とその解決法—紛争をおそれることなかれ．周産期医学 40(11)：1648-1653，2010

姉と一緒にいられる家族が必要である．

(3) 出産後

出産後は，兄/姉へもよく頑張ったことを伝え，家族で一緒に出産を乗り越えられた達成感や幸福感を共有できるように母親や父親，そして新しく生まれた子どもと一緒に静かに過ごせる時間と空間をつくり援助する．

3 ● 夫/パートナーや兄/姉以外の家族

夫/パートナーや兄/姉以外の家族（実父母，産婦の姉妹，義父母）が産婦に付き添うことを希望したり，出産に立ち会うことを希望する場合がある．出産で大切にしなければならないのは産婦の気持ちである．産婦の希望を大切にし，産婦の希望に添うように人的環境の調整を行う援助も必要である．しかし，他の家族にとっても新しい子どもの誕生は喜びである．時間，状況，タイミングなどを考えながら喜びを産婦，夫/パートナーや兄/姉と共有できるように配慮することも大切である．

学習課題

1. 分娩期の夫/パートナーや兄/姉への援助をまとめてみよう

練習問題

Q1 分娩期の家族への援助に関する記述で誤っているのはどれか．1つ選べ．
1. 家族が一緒に分娩期を乗り越えようという連帯感を支援する．
2. 夫/パートナーにできる産痛緩和法は積極的に行ってもらう．
3. 兄/姉の出産への立ち会いは，兄/姉の気持ちを尊重して決める．
4. 分娩期の家族の付き添いは，産婦以外の家族の希望によって決められる．

[解答と解説 ▶ p.548]

7 産科処置と産科手術

> **この節で学ぶこと**
> 1. 産科で行われる処置について理解する
> 2. 産科手術について理解する
> 3. 産科処置と産科手術が行われる際の援助について学ぶ

　誰もが自然で安全な出産を望んでいる．しかし，その自然な分娩経過に何らかの原因で問題が生じた場合，産婦や胎児の状態によっては，産科処置や産科手術による医療介入が必要となる．産科処置や産科手術を受ける産婦やその家族には，その心境を汲み取りつつ，十分なインフォームド・コンセントを行うことが重要である．ここでは，産科処置や産科手術による介入の概要について述べる．なお，帝王切開については第Ⅳ章で述べる．

〈アセスメントの視点〉
- ＃　産科処置・産科手術を受ける産婦の身体的状態は良好か
- ＃　産科処置・産科手術を受ける産婦の心理的状態は良好か
- ＃　産科処置・産科手術を受ける産婦の胎児の健康状態は良好か
- ＃　産科処置・産科手術を受けた褥婦の身体的状態の回復過程は順調か
- ＃　産科処置・産科手術を受けた褥婦の心理状態は良好か

A. 分娩誘発・促進

　分娩誘発とは子宮収縮薬（陣痛促進薬）などにより人工的に陣痛を誘発することであり，分娩開始後に陣痛の増強を図ることが**分娩促進**である．

1 ● 分娩誘発・促進の適応

a. 医学的適応
　妊娠継続が母体あるいは胎児に何らかの危険をもたらす可能性があり，早く妊娠を終了させる必要がある場合に行われる．母体側の適応で多いのは，微弱陣痛，前期破水，妊娠高血圧症候群などである．胎児側の適応で多いのは，児の救命や新生児治療を必要とする，絨毛膜羊膜炎，過期妊娠またはその予防，胎児発育不全，子宮内胎児死亡などである．

b. 社会的適応
　産婦や家族の都合による産婦自身の希望，ハイリスク分娩などで人員確保や他部門との協働が必要な場合である．ただし，産婦の希望の場合は，分娩誘発のリスクなども考え慎重に判断される．

c. 分娩誘発・促進の実施の条件

母児の安全を確保するためには次の条件を満たすことが必要である．
① 母児ともに経腟分娩に耐えうる状態である
② 妊娠週数が明確である
③ 子宮の収縮，頸管の熟化などの分娩準備状態を確認している
④ 児頭骨盤不適合の所見がない
⑤ 必要時に帝王切開ができる施設で実施する

さらに社会的適応の場合は，妊婦側からの分娩誘発の希望には応えられない，あるいは勧められない場合があることを説明したうえで，医学的適応と同じように分娩誘発をしなかった場合と行った場合の危険性について，文章による説明と同意が得られていることが必要となる．

2 ● 分娩誘発・促進の方法

分娩誘発・促進の方法には**卵膜用手剥離**，**吸湿性頸管拡張材**（図Ⅱ-45a），**メトロイリンテル**（図Ⅱ-45b）を用いた器械的誘発，**PGE$_2$**（ジノプロストン）**腟剤**を用いた子宮頸管の熟化の促進，**子宮収縮薬**の投与（オキシトシン，プロスタグランジン：PG）などがある．卵膜用手剥離は，1～2指を頸管から子宮下部に挿入し，挿入指を使って卵膜を子宮下部から剥離する方法である．PGE$_2$腟剤は子宮頸管を柔らかくする腟用薬で，分娩開始前に本剤を腟の奥へ留置（最長12時間）し，子宮口を開大しやすくする方法である．

3 ● 分娩誘発・促進の看護

a. 卵膜用手剥離

処置は痛みを伴うこともあるため，実施前に説明し，実施中と実施後の妊婦の様子に注意して介助を行う．施行後に少量の出血が持続する可能性について妊婦に伝える．

b. 頸管拡張材

吸湿性頸管拡張材の挿入から12～24時間後に抜去して陣痛の誘発が行われる．挿入の処置が行われた後は，妊婦に処置の刺激により子宮の収縮が起こることがあること，破水することがあるなどについて説明し，変化があった場合はすぐに教えてほしいことを伝えておく．また，予防的に抗菌薬の投与が行われるので薬剤の管理も行う．吸湿性頸管拡張材の抜去を行った後は，挿入された本数がすべて抜去されているかの確認を行う．

メトロイリンテル挿入中に子宮の収縮が開始した場合は，分娩監視装置を装着しモニタリングを開始する．また，メトロイリンテルが腟内や腟の外に脱出した場合は，臍帯下垂や臍帯脱出がないかをすぐに確認するとともに胎児心音聴取を行い，胎児の健康状態の確認を行う．

c. PGE$_2$腟剤

PGE$_2$腟剤を腟内へ挿入した後は取り出し紐が腟の外に出ていることを確認し，少なくとも30分間は安静にする．本剤を使用中は，分娩監視装置による連続的なモニタリングを行い，妊婦の定期的なバイタルサインの確認を行う．予定した留置時間前に腟剤が腟内から脱出した場合は，自分で再挿入せずに看護職者へ知らせるように妊婦へ伝える．また，

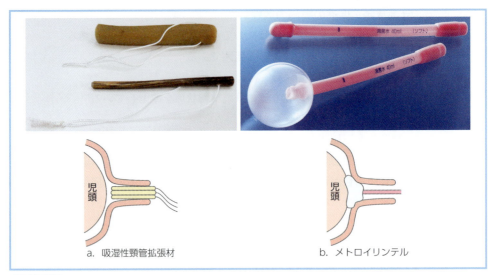

図Ⅱ-45　分娩誘発・促進のための器具

a. 吸湿性頸管拡張材
上は膨張後，下は膨張前の吸湿性頸管拡張材．
乾燥した海藻成分が水分を吸収することにより膨張し，子宮頸管を開大（熟化）させることを目的としている．子宮頸管内に1本ずつ挿入していき，頸管を損傷させないように，計4～10本挿入し，約12～24時間をかけ膨張させて子宮頸管の開大を図る．感染を起こしやすいため，抗菌薬の投与が同時に行われることが多く，処置後は早期娩出を心がける必要がある．
［写真提供：日本ラミナリア株式会社］

b. メトロイリンテル
上はバルーン膨張前，下はバルーン膨張後のメトロイリンテル．
子宮腔内に挿入し，シリコンゴムのバルーンを膨らませることで子宮内圧を上昇させ，子宮収縮を誘発することを目的としている．頸管未開大例では挿入が不可能なため，吸湿性頸管拡張材などの前処置を行う．子宮頸管が1cm開大したことを確認し，子宮腔内に挿入する．ゴム管の部分に滅菌蒸留水を30～40mLを注入し留置する．12時間程度の留置で子宮口3cm程度までの開大が期待でき，3～3.5cm開大後には，腟内に自然脱出させる．
［写真提供：ソフトメディカル株式会社］

以下に該当した場合は，医師へ報告し，腟剤をすみやかに除去する．
- 規則的（3分間隔）で痛みを伴う子宮収縮が30分続く場合
- 破水が起きた場合
- 妊婦の悪心，嘔吐，低血圧などの症状が出現した場合

d. 子宮収縮薬

投与は，感染などの危険も少なく分娩開始や陣痛を強くする効果が期待できるが，過強陣痛，子宮破裂，胎児機能不全を起こす危険性がある．看護職者はこれらの危険が起こらないように，あるいは早く対応できるようにしなければならない．

子宮収縮薬の投与時は，下記をルーチンで行う．
①産婦の血圧と脈拍のチェックは2時間ごとに行う．
②分娩監視装置を装着し，連続モニタリングを行う．
③胎児心拍数陣痛図の評価は，分娩第1期は約15分間隔，第2期は約5分間隔で行い，下記のいずれかがあれば過強陣痛を疑い，すぐに医師へ報告する．
　　ⓐ子宮の収縮が10分間に5回以上ある．

表Ⅱ-23 オキシトシン（子宮収縮薬）の使用法

	開始時投与量	維持量	最大投与量
低用量法	1〜2ミリ単位/分 （6〜12 mL/時間）	5〜15ミリ単位/分 （30〜90 mL/時間）	20ミリ単位/分 （120 mL/時間）

＊オキシトシン5単位を5％糖液，リンゲル液あるいは生理食塩水500 mLに溶解（10ミリ単位/mL）で使用．
＊増量法：30分以上経てから時間あたりの輸液量を6〜12 mL（1〜2ミリ単位/分）増やす．
［日本産科婦人科学会/日本産婦人科医会（編・監）：産婦人科診療ガイドライン―産科編2023，p.256，日本産科婦人科学会，2023より許諾を得て転載］

ⓑ胎児心拍数波形がレベル3〜5（胎児機能不全）である．
　また，ⓑの場合，波形レベルに応じた処置の準備を行う（p.453 Skill 7 参照）．これらの所見以外にも子宮破裂の前兆（p.197参照）が認められた場合はすみやかに医師へ報告する．

(1) 子宮収縮薬の使用法と注意点

　子宮収縮薬の経静脈投与開始時は，大量の子宮収縮薬が血管内に流入するのを防止するために子宮収縮薬が入っていない薬液でルート確保を行い，ルートが確保されたことが確認された後，**精密持続点滴装置（輸液ポンプなど）を用いて投与**が開始される．投与量は厳重に管理されなければならない（表Ⅱ-23）．薬剤投与量と増量は医師の指示により行われるが，看護職者も開始時投与量，1回の増加量，最大投与量，増量の条件を念頭に置きながらの実施が大切である．開始時間，増量した時間さらにそのときの産婦の状態や胎児心拍数陣痛図の所見は必ず記録する．

　子宮収縮薬が増量（静脈内投与時）できる条件を以下に示す．
①子宮収縮が不十分と判断される
②胎児心拍数波形がレベル1もしくはレベル2である（p.453 Skill 7 参照）
③子宮の収縮が10分間に5回以上みられない
④前回の増量時から30分以上，内服薬では最終投与から1時間以上経過している
⑤最大投与量に達していない

　分娩誘発・促進時は，産婦や家族も不安が強いため，状況や経過の説明はていねいに行う．また，産婦によっては気持ちや身体の準備が整わない状態で陣痛が強くなり，不穏状態になることもある．経過観察と分娩進行への適応を支援する援助が必要である．また，急速遂娩の可能性や新生児蘇生の必要性を考えた準備も必要である．

B. 吸引分娩，鉗子分娩

　吸引分娩（術），鉗子分娩（術）は，分娩第2期の分娩停止や胎児機能不全が起こった場合に吸引カップや産科鉗子の器械を使うことにより，児頭の娩出を助ける急速遂娩法である．いずれも，分娩を補助するための介入であり，産婦に対し呼吸法や体位の協力が通常と変わらず得られるような声かけや援助を行う必要がある．

①母体の適応
  ●分娩第2期遷延または分娩第2期停止

- 母体合併症（心疾患合併など）または著しい母体の疲労のため，分娩第2期の短縮が必要な場合

②児の適応
- 胎児機能不全

(1) 吸引分娩

吸引分娩（術）は，児頭の位置や回旋を確認し，吸引カップを腟内に挿入し，吸着面を児頭に密着させた後，陣痛発作に合わせて吸引カップのスイッチを入れ，吸引圧を高め，児頭を骨盤誘導線の方向に牽引し娩出させる方法である（図Ⅱ-46a, 47）．牽引力は鉗子分娩に比べ弱いが，母児の損傷は比較的少なく，吸引分娩を施行する施設は多い．母体損傷としては，腟・会陰裂傷，頸管裂傷などがある．児の損傷としては，頭皮損傷，頭血腫，帽状腱膜下血腫，頭蓋内出血，網膜出血などがある．

吸引分娩を実施する際は以下の条件を満たしていることが必要である．
① 妊娠34週以降の分娩である
② 子宮口全開大かつ破水している
③ 児頭が骨盤内に陥入（ステーション0以下に下降している）している（より成功が見込まれる児頭の位置［ステーション＋2より下降］での吸引が望ましい）

(2) 吸引分娩の看護

吸引分娩の吸引圧は40〜50 cmHg*で実施される．看護職者は吸引圧の目盛りを声に出して読み上げ，児頭が吸引圧40〜50 cmHg以上で牽引されることがないように援助する．陣痛が終了したら吸引術は行わない．初回の吸引カップ装着時点から複数回の吸引分娩終了までの総牽引時間は**20分**を超えないように注意する．20分を超える場合は鉗子分娩（術）や帝王切開（術）を行う．20分以内であっても吸引術（牽引の際に吸引カップが児頭から外れてしまう滑脱回数も含める）は**5回**までとし，6回以上は行わない．看護職者は総牽引時間と吸引回数をカウントしておく．児頭が発露になった時点で吸引カップは除去され，正常な分娩経過と同じように児の娩出が行われる．吸引分娩中は，可能な限り胎児心拍数モニタリングを行う（鉗子分娩も同じ）．

吸引分娩を行う際は，産婦や家族の理解が必要である．医師や分娩介助を行っている助産師から説明が行われるが，産婦や家族の様子を観察し補足説明の必要性を感じた際はその旨を医師や助産師へ伝える．場合によっては看護職者が説明を補足することが必要である．吸引カップを挿入する際には，会陰切開術（p.230参照）が行われることもあり，挿入に際して苦痛を伴うこともある．また，努責が禁止されていない産婦には，陣痛発作に合わせて努責を促すこともある．看護職者は医師や助産師と協力して，産婦の状態に合わせた声かけや援助を行う．

(3) 鉗子分娩

鉗子分娩（術）は，産科鉗子を用いて児頭を把持して牽引し娩出させる方法で（図Ⅱ-46b），牽引力が強く児娩出の確実性が高い．鉗子分娩の手技に習熟した医師が必要なことや母児の損傷のリスクが高いため，鉗子分娩を施行する施設は少ない．母体損傷として

---

*1 cmHg＝1.359 cmH$_2$O＝1.333 hPa（ヘクトパスカル）

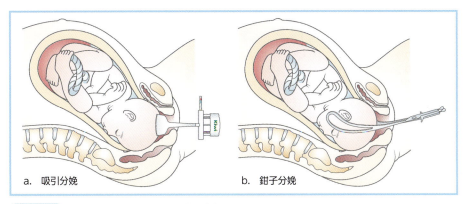

図Ⅱ-46　吸引分娩（a），鉗子分娩（b）

図Ⅱ-47　吸引娩出器と吸引カップ
[写真提供：アトムメディカル株式会社]

は，腟・会陰裂傷，頸管裂傷，肛門括約筋損傷などがあり，児の損傷としては，鉗子圧痕，表皮剝離，顔面神経麻痺，角膜損傷などがある．

　鉗子分娩は，原則として児頭が骨盤出口部まで下降し（ステーション＋3〜＋4），かつ矢状縫合が縦径に近い状態で実施される．内診にて児頭の回旋を確認し，鉗子の左葉を挿入した後に右葉を挿入し接合する．吸引分娩と同じく陣痛発作時に，骨盤誘導線の方向に牽引する．児頭が発露になった時点で鉗子を除去し，正常な分娩経過と同じように児の娩出が行われる．

C. 無痛分娩

　無痛分娩は，薬剤を使用することにより分娩時の疼痛をできる限り緩和あるいは除去することを目的とした分娩法である．最近では，医学的適応がなくても，出産の痛みを避けるために無痛分娩を希望する妊婦が増えてきている．安全な無痛分娩を提供するためには，施設に無痛分娩麻酔管理者がいること，定期的に産婦の状態の観察ができ緊急時に対応できる麻酔担当医がいること，無痛分娩の研修を受けた習熟した助産師・看護師などの医療スタッフがいること，必要な設備や医療機器が整備されていること，そして妊婦への無痛分娩に関する説明（まったくの無痛ではないことも含め）が説明書を用いて行われ，妊婦

表Ⅱ-24　無痛分娩のメリット・デメリット

メリット	デメリット・合併症
お産の痛みが軽くなる 分娩の予定が立てられる 産婦の酸素消費量の減少 疲労が少ない 産後の回復が早い	＜分娩に関すること＞ ・微弱陣痛による分娩遷延 ・分娩第2期の延長 ・鉗子・吸引分娩の増加 ＜母体に関すること＞ ・絶飲食になる ・仰臥位性低血圧症候群が起こりやすい ・分娩時の出血量の増加 ・腰痛や背部痛の出現 ・頭痛 ・皮膚の瘙痒感 ・呼吸の抑制 ・体温の上昇 ・血圧の低下 ・尿意の消失 ・下肢の筋力低下や麻痺 ・局所麻酔薬中毒によるけいれんや心停止

が同意書に署名を行い，それらが保存されていることが求められている（表Ⅱ-24）．

(1) 無痛分娩の方法

　無痛分娩の方法には，**硬膜外麻酔**，脊髄くも膜下麻酔，陰部神経ブロックなどがあるが，硬膜外麻酔による方法がもっとも一般的となっている（硬膜外麻酔についてはp.341を参照）．

(2) 硬膜外麻酔無痛分娩の適応・禁忌

　適応は妊娠高血圧症候群，心疾患，脳血管障害，緊張による軟産道強靱，母体の疲労，産痛からの解放である．ただし，脊髄・脊椎疾患，大動脈弁狭窄症・閉鎖性肥大型心筋症，出血傾向などがある場合は禁忌となっている．

(3) 硬膜外麻酔の副作用

　頭痛，背部痛，出血，感染，神経損傷，局所麻酔薬中毒などがある．

(4) 硬膜外麻酔無痛分娩の看護

　硬膜外カテーテル挿入前から分娩監視装置を装着し，持続的モニタリングを行い胎児の健康状態を観察する．硬膜外カテーテルを挿入する際は，産婦には側臥位をとってもらい，産婦の背中が可能な限り丸くなるように看護職者は介助を行う．硬膜外麻酔開始後は呼吸数，心拍数，血圧を観察していくが，開始直後の10分間は2分ごと，次の20分は10分ごと，それ以降は1時間または必要に応じて頻回に行う．血圧測定は15分ごとに行い，3時間を目安に導尿を行う．産婦からの痛みの訴え，下肢運動の異常，低血圧，胎児心拍数の異常，そのほか産婦の訴えがある場合は，麻酔担当医師へ報告する．硬膜外麻酔による無痛分娩の場合，麻酔開始後から絶食となるが，水分は清澄水であれば摂取ができる．分娩第2期は，産婦が努責のタイミングがうまく取れない場合，分娩監視装置の陣痛や腹部の触診を行いながら努責のタイミングを誘導する．分娩後，硬膜外カテーテルは抜去されるが，歩行開始のときに起立性低血圧や下肢運動麻痺が残っており転倒することがあるので注意する．

D. 軟産道の損傷

　分娩時に生じる**軟産道の損傷**の主なものは会陰部・外陰部の裂傷であり，多くは**腟裂傷**を合併し，腟・会陰裂傷，外陰部裂傷とよばれ，頻度の高い分娩時損傷である．会陰部・外陰部の縫合に伴う産後の疼痛は育児行動の制限にもつながるため，可能であれば避けたいものである．しかし，産婦の会陰の伸展状況や急速遂娩の必要性によっては，重度の腟・会陰裂傷・外陰部裂傷を避けるために会陰切開の処置がとられることもある．

(1) 腟・会陰裂傷，外陰部裂傷

　会陰は分娩の進行に伴って徐々に伸展し，時間をかけることで損傷は最小限にとどめられるため，産婦の努責のコントロール，適切な**会陰保護法**や会陰切開により防止に努める．腟壁裂傷は後壁に多く，出血量は裂傷の部位と程度によって異なるが，腟円蓋部の裂傷では大出血を起こす．また，後腹膜腔への内出血が起きた場合はショックに陥る危険もある．外陰部裂傷は小陰唇，陰唇小帯，尿道口縁に起こりやすい．第1度会陰裂傷では縫合が必要ない場合もある．また，分娩による産道周辺の血管の断裂や腟・会陰裂傷後の縫合止血が十分でない場合，内出血を起こし血腫が形成されることがある．褥婦の拍動性疼痛の訴えや皮膚の暗赤色の膨隆には注意が必要である．

　①原　因
- 会陰の伸展が不良：軟産道強靱，会陰浮腫，会陰縫合の瘢痕など．
- 会陰の急速な伸展：不十分な会陰保護，急速遂娩の必要など．
- 胎児の問題：巨大児（p.371参照），反屈位（p.146の**図Ⅱ-11**参照）など．

　②会陰裂傷の分類（図Ⅱ-48）

　会陰裂傷には4つの分類があり受傷後の治癒の経過や管理も異なるため，裂傷の分類の確認が必要である．また，裂傷部位と縫合の状態（何針縫合を行ったのか，縫合糸の種類など）を確認する．

- 第1度会陰裂傷：損傷は会陰の皮膚，腟粘膜の表層のみに限局する軽度なもの．
- 第2度会陰裂傷：損傷は会陰の皮膚，腟粘膜のみならず，筋層に及ぶが，肛門括約筋は

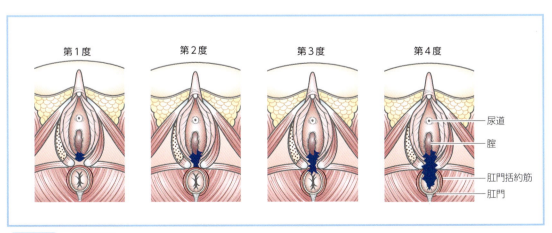

図Ⅱ-48　会陰裂傷

損傷していないもの.
- 第3度会陰裂傷：肛門括約筋や直腸・腟中隔まで損傷が及ぶが，直腸粘膜には達していないもの.
- 第4度会陰裂傷：肛門粘膜や直腸粘膜まで損傷したもの.

(2) 会陰切開

会陰切開は，腟入口部から会陰の皮膚および腟壁を切開することにより，児の娩出を容易にするとともに，重度の裂傷を防ぐために行われる小切開である．分娩に際して行われる頻度の高い小手術であるが，母児の安全を確保するために限って行われることが望まれる．WHOの56カ条では自然な経腟分娩では，慣例的あるいは積極的な会陰切開の実施は推奨していない．会陰切開の時期としては，児の状態が良好であれば，児頭が発露（児頭が5～6cm径ほど見える状態）し会陰が伸展した状態で，陣痛発作時に行われる．リドカイン塩酸塩などによる局所浸潤麻酔が使用されることが，陣痛発作時は，産婦は強く努責をかけているため切開しても強い痛みを訴えることがないため麻酔をせずに行われる場合もある．代表的な切開部位には以下がある.

- 正中切開：会陰を肛門へ向かって中央切開する．切開部の癒合が容易で出血も少ない．しかし，肛門括約筋を損傷する危険がある.
- 正中側切開（図Ⅱ-49）：会陰を坐骨結節と肛門の中央に向けて切開する．肛門括約筋・肛門挙筋の損傷が少ない．正中切開と比べて，癒合がやや劣り，出血もやや多い．疼痛も正中切開に比べて強い.

(3) 腟・会陰裂傷を生じた産婦・褥婦，会陰切開術を行った褥婦の看護

分娩時の会陰の伸展から縫合部は腫脹や熱感をもち，褥婦は疼痛を訴えることも多く，冷やしたアクリノール水和物（リバノール®）の湿布を貼用することもある．また，縫合術後にさらに強い疼痛を訴える場合は，腟壁の血腫の形成の可能性も考える．縫合部からの感染を予防するために外陰部の清潔保持が必要である．

(4) 頸管裂傷

頸管裂傷は，分娩時における子宮頸管の損傷で，子宮腟部から頸管の範囲に限られた裂傷のことをいう（p.12の図Ⅰ-2参照）．分娩終了後に腟鏡診を行い，頸管裂傷の有無を確

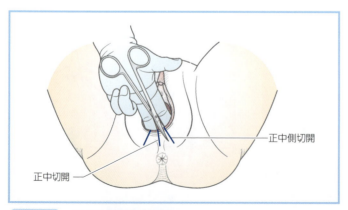

図Ⅱ-49 左正中側切開の方法

認する．3時と9時の方向に起こることが多いが，裂傷が子宮峡部や腟壁に延長し，また子宮傍結合組織・腹部に達し大出血の原因となることがある．このような場合，子宮全摘出術を行うこともある．分娩経過のなかで子宮口全開大前に産婦が努責をかけてしまわないように援助し，頸管裂傷を予防することが大切である．

①原　因
- 急速に分娩が進行する場合：子宮口全開大前の努責，鉗子・吸引分娩など．
- 子宮頸管が過度に伸展する場合：巨大児，回旋異常など．
- 頸管の伸展が不良である場合：軟産道強靱，頸管縫縮術の既往など．

②頸管裂傷を生じた褥婦の看護

頸管裂傷は，胎児娩出時に裂傷が起きても，裂傷部が児頭や体幹に圧迫されて出血はみられない．胎児娩出後に，子宮の収縮状態もよく，軟産道に大きな損傷がないにもかかわらず，出血がある場合は，頸管裂傷を疑わなければならない．裂傷が小さく，出血が少ない場合は自然治癒する．大きな動脈枝が断裂され出血が多い場合は，裂傷部を縫合し止血が行われる．縫合に必要な大きな腟鏡や頸リス鉗子などの準備が必要となる．また，出血が多い場合，産科ショックや産科DICを起こすため，それらの治療の準備と処置が必要となる．

学習課題

1. 会陰切開を行った褥婦の援助のポイントについてまとめてみよう

練習問題

Q1 産科処置の看護について正しいのはどれか．2つ選びなさい．
1. 産婦のメトロイリンテルが脱出したため，胎児心拍数陣痛図で児心拍数を確認した．
2. 産婦が子宮収縮薬を使用していたため，分娩監視装置を装着し連続的にモニタリングを行った．
3. 前回の子宮収縮薬増量から20分が経過したため，輸液を増量した．
4. 会陰裂傷縫合術を受けた褥婦から拍動性疼痛の訴えがあったので縫合部の離開をアセスメントした．
5. 吸引分娩の吸引圧を60〜80 cmHg以上になるように注意してメモリを読み上げた．

[解答と解説 ▶ p.548]

第Ⅲ章

産褥期の看護

学習目標

1. 産褥期の女性の生理・心理・社会的特徴を理解する
2. 褥婦の健康課題について生理・心理・社会的側面を統合し総合的にアセスメントできる基礎的知識を獲得する
3. 対象の個別性を理解したうえで、セルフケア能力の向上、エンパワーメント、意思決定を支える援助について理解する

1 産褥期の概観

A. 産褥期の看護の視点

産褥期の看護においては，対象者が，出産を終えた褥婦だけでなく，新しく生まれた子どもとその父親，兄／姉，祖父母など家族であることを忘れてはならない．新しい子どもの誕生は，家族の構成員が増えるだけでなく，家族員それぞれの関係性や家族役割に影響を及ぼすことになる．褥婦や新生児の生理的健康のみならず，母子はもちろん家族の心理・社会的健康への看護も必要となる．

しかしながら，分娩直後は，急激な生理的変化を経験している褥婦への看護や，出生によって胎内生活から胎外生活への適応過程にある新生児への看護が優先される．褥婦と新生児の生理的状態が安定した後は，退院し家庭に戻った後に，母子と家族が日常生活を円滑に営むための看護が提供される．つまり，産褥期の看護は，分娩直後は母子の生理的健康課題への看護，退院前には母子と家族の新しい生活への適応を支援する看護が必要ということになる．

アセスメントにおいては，産褥期の褥婦の生理・心理・社会的変化についてアセスメントすることはもちろん，褥婦と新生児の間の生理・心理・社会的な相互作用についてもアセスメントする．さらに，家族の心理・社会的変化と褥婦・新生児との相互作用に関するアセスメントも必要である．

産褥期の援助においては，正常経過の促進や正常経過からの逸脱を予防し，異常の早期発見などの視点が必要である．妊娠，分娩，産褥は生理的プロセスであり，発達プロセスであることから，何よりも母子とその家族をウェルネスの視点でとらえることが大切である．よりよい健康レベルへ向かうヘルスプロモーションの視点から看護課題を抽出し，褥婦と家族をエンパワメントする援助やセルフケア能力の向上のための援助を提供する．

忘れてはならないのは，看護課題や看護目標，援助方法を決定する際に，看護職者は母子と家族のパートナーとして褥婦と家族の意思決定を尊重するということである．家族のあり方，家族の生活スタイルは多様である．それぞれの母子と家族にとって健康的な生活とはどのようなものか，看護職者は褥婦や家族とともに考え，それぞれの家族に合わせた援助を提供すること（家族中心的看護）が大切である．

B. 産褥期の経過の全体像 (表Ⅲ-1)

分娩後6～8週間が経過すると，褥婦の身体は妊娠する前の状態まで回復する．多くの家族は新しい子どもを迎えた生活に適応しているころである．妊娠期間が受胎後約38週間であることを考えると，分娩後の身体回復や新たな生活への適応に要する時間は非常に

短い．つまり，出産（出生）後の母子と家族はそれだけ急激な変化を体験するということである．

出産後の身体状態は，生殖器も全身状態もおよそ分娩後6～8週間で妊娠前の状態に回復する．とくに分娩直後から産後1週間ごろまでの生殖器の回復は急激である．乳房は，分娩後2日目ごろまでは初乳とよばれる乳汁が分泌されている．母乳育児は開始しているものの乳汁産生量は少ない．しかし，この時期の授乳回数は後の乳汁産生量に影響するため頻回授乳が推奨されている．初産婦のなかには安定した授乳姿勢をとることがむずかしい者も多いが，授乳回数を重ね徐々に技術を上達させていく．産褥2～4日目ごろになると乳房が緊満し乳汁産生量が増してくる．このころには褥婦も自身のやりやすい授乳姿勢で安定して授乳ができるようになる者も多い．

心理面は，分娩直後から2日目ごろまでは依存的で受容的であるが，3～4日目になると自立的状態へ徐々に移行し，育児技術の習得への関心が高まる．分娩後2日目ごろまでは，褥婦は基本的ニーズの充足を優先した生活を送る．子どもの世話や生活行動は身体の回復に合わせて拡大していく．育児については，分娩直後は看護職者の介助を得て授乳をすることから始まり，赤ちゃんを抱くこと，オムツを替えること，お風呂に入れることなど，徐々にむずかしい技術を習得していく．生活行動では，出産後に歩行を開始すると排泄や悪露の観察は自身で行うようになる．多くは出産後1日目にはシャワー浴を開始し清潔行動も自立する．さまざまな健康教育を受けながら退院後の生活に必要なセルフケア能力を獲得していく．

近年では，分娩後の入院期間は経腟分娩では4～5日，帝王切開分娩では7日間程度である．妊娠期からの健康教育に加え分娩後から退院までの短期間に，身体の回復状態に合わせてセルフケア能力の向上や育児技術の獲得のために健康教育を受けることによって，はじめての子どもを出産した褥婦であっても，その多くは家庭での育児を「何とかやっていける」ようになっていく．当然，個人差がありなかには「やっていけそうにない」者もいる．母子と家族の事情に合わせたきめ細やかな対応が必要となる．

退院後は，育児に加え身体状態や心理状態に合わせて家事なども徐々に拡大し，産後1ヵ月から2～3ヵ月を目途に妊娠する前の生活に移行させていく．退院後の母子と家族の支援は地域の母子保健担当者が担うようになる．家庭訪問や健康診査などを通して支援が提供される．

一方，新生児は出生と同時に胎内生活から胎外生活への適応過程が始まる．出生時はもっともクリティカルな時期である．「産声をあげる（肺呼吸を開始する）」ことは胎外生活への適応過程において重要な第一歩である．元気な状態で生まれた新生児は，出生直後から母乳を吸うことができ，1日に10回前後哺乳する．排泄も生後24時間以内にみられ，以降1日に数回排泄する．日齢1～2には呼吸循環状態も安定する．

予定日ごろに生まれた新生児は体重約3kg，身長約50cmである．体重は出生後に一時的に減少する．生理的なもので日齢3ごろにピークとなる．また，日齢3ごろから新生児生理的黄疸もみられるが1～2週間で軽減する．新生児の成長は著しく，生後1ヵ月で体重は1kg程度増加する．

表Ⅲ-1　産褥経過と新生児の胎外生活への適応過程の概観

		0日目	1日目	2日目	3日目	4日目	5日目 退院
褥婦	褥婦の身体 - 子宮	臍下2〜3横指　1,000g	臍下1〜2横指		臍下2〜3横指		臍恥中央
	悪露・全身	赤色悪露 ————————————————————————→ 褐色悪露 ／ 体重4〜6kg減少 ／ 赤血球数・血色素数最低値 ——→					
	乳房		初乳（水様性, 半透明, 黄色）2〜3本　じわり　エンドクリン・コントロール		移行乳（不透明, 黄白色）4〜5本　ポタポタ　生理的緊満〜	6〜7本　射乳	
	不快症状 起こりやすい逸脱		創痛・後陣痛・痔核（痔痛）	便秘 浮腫	乳房トラブル	マタニティーブルーズ ————————→	
			←——— 子宮復古不全 ———→ ←——— 肺塞栓症 ———→ ←——— 産褥熱 ———→				
	褥婦の心理		←———— 受容期 ————→		←———— 保持期 ————→		
			受容的で依存的　不快症状からの解放, 基本的ニーズの充足　出産体験の振り返り			依存性が減少し自立的状態へ移行していく　自分自身をコントロールしたい　育児技術の習得, 児の世話	
	家族の心理		立ち会い出産　新しい家族の誕生		褥婦の精神的支援		
	褥婦の生活		生理的ニーズ優先　授乳時間に合わせた生活（10〜12回/日の授乳）——　シャワー浴開始				退院後は軽い家事から始める　疲れたら休息できる環境
			授乳開始　赤ちゃんの世話を始める		自分のことと赤ちゃんの世話ができる ——→		
	教育・相談		悪露セルフケア　←— 授乳教育（ラッチ・オン, ポジショニング, 乳房セルフケア）育児技術教育（抱っこ, オムツ交換, 新生児の発育・発達, 沐浴練習）			退院教育（身体回復過程セルフケア・手続き・家族計画）	
新生児	身体的変化	呼吸開始 新生児循環への移行 哺乳開始		呼吸状態安定化			
		胎便排泄〜			生理的黄疸〜 ←— 移行便 —→ 尿酸塩尿がみられることあり	～乳便～ 生理的体重減少ピーク	黄疸ピーク〜 以降 20〜40g/日で増加
	起こりやすい異常	新生児仮死, 低体温, 低血糖 分娩外傷 新生児一過性多呼吸（帝王切開出生児）			高ビリルビン血症		

| | 6日目 | 7日目 | 2週
2週間健診 | 3週 | 4週
1ヵ月健診 | 5週 | 6〜8週 |

わずかに触れる 500 g

触れない

250 g

非妊時大約 7 cm

鶏卵大 60 g

黄色悪露
循環血液量非妊時へ

白色悪露
腎機能非妊時へ

成乳（不透明，乳白色）
10〜10数本

産後 9, 10 日〜
オートクリン・コントロール

← 乳腺炎 →

← 産後うつ病 →

← 解放期 →

母親役割を受け入れその人らしい母親へ
身体回復し，子どもに合わせ生活を調整
新しい家族の関係を再調整

家事・育児役割の調整
退院後，子どもとの生活のなかで役割・関係性を調整していく

家事を徐々に増やす　ちょっとした外出　非妊時の生活活動へ

清潔なお湯に浸かって
入浴してもよい

母乳相談（受診）　　　　　　1ヵ月健診で
育児相談（受診）　　　　　　相談
電話訪問
2週間健診
　　　　　　電話相談

臍帯脱落

〜黄疸消失

児体重：出生時より 1,000〜1,500 g 程度増

2 産褥期の経過

この節で学ぶこと

1. 産褥の定義について述べることができる
2. 産褥期に起こる生理的変化について説明することができる
3. 産褥期の褥婦の心理・社会的変化について説明することができる
4. 出産前後の家族員の役割，家族の関係性について説明することができる

A. 産褥の定義

　妊娠・分娩によって起こった生殖器や全身の変化は，分娩後約6〜8週間を要して非妊時の状態（妊娠していない状態）に戻る．この現象を**復古**（involution）あるいは退縮といい，この変化は**退行性変化**ともよばれる．また，この期間を**産褥**（puerperium, postpartum）といい，**産褥期**にある女性を**褥婦**という．ただし，母子保健法第6条（p.537の**資料2**参照）において，褥婦は『「妊産婦」とは妊娠中または出産後1年以内の女子をいう』と定義され「妊産婦」に含まれる．

　産褥期に生じる生理的変化のなかで，乳腺に起こる変化は**進行性変化**とよばれる．乳腺では，乳腺細胞が活発に活動し乳汁が産生される．

　また，産褥期は心理・社会的変化も大きい時期である．新しい子どもの誕生によって，夫婦/カップルは親役割を担うことを求められる．2人目・3人目の子どもの誕生であっても，1人の子どもをもつ親としてではなく，2人の子どもをもつ親として，あるいは3人の子どもをもつ親として，新たな親役割を獲得していくことになる．同時に，新しい子どもの誕生は，兄/姉や祖父母などの家族にとっても，新しい関係性の構築と新しい役割の再調整

> **コラム**
> **法律は根拠に基づく？**
>
> 　産褥期の復古には6〜8週間必要です．WHOのICD-10で，産褥期は42日間（6週間）と定義されています．産後6〜8週間経つと，身体は妊娠前の状態に回復するということですね．
> 　さて，『労働基準法第65条』では，「使用者は，産後8週間を経過しない女性を就業させてはならない．ただし，産後6週間を経過した女性が請求した場合において，その者について医師が支障がないと認めた業務に就かせることは，差し支えない」と規定されています（p.539の**資料3**参照）．労働基準法に産褥期の説明はありませんが，出産を終えた女性が仕事に復帰する時期は，身体的に回復した後でなければならないということですね．

表Ⅲ-2 産褥期の変化

生理的変化		心理社会的変化
退行性変化（復古）	進行性変化	
• 生殖器 　• 子宮復古 　• 創傷の治癒 　• 月経再来 • 全身 　• 体重 　• 血液循環 　• 呼吸 　• 栄養代謝 　• 泌尿器　など	• 乳腺	• 母親となることに対する心理的適応 • 夫婦関係から夫妻，父母，親子関係への関係性の変化における新しい関係性の形成（p.218参照） • 親役割獲得 • 就労や地域社会における社会的役割の調整

を迫られる大きなイベントである．

　産褥期は褥婦が身体的に回復するとともに，褥婦とその家族が新しい子どもを迎え，新たな生活へ適応していく重要な時期である（**表Ⅲ-2**）．

B. 褥婦の生理的変化

1 ● 生殖器の変化

a. 子宮の変化

(1) 子宮復古（involution of the uterus）

　分娩によって子宮内から胎児および胎児付属物が排出された後，子宮は強く収縮し硬くなる．この強い子宮収縮は，子宮内膜の胎盤や卵膜の剝離面に生じた創面からの出血を止めることに寄与するため，子宮が硬く収縮した状態が維持されることが重要である．産褥期の子宮は，硬式テニスボール様に硬く触れるのが正常である．

　分娩直後の子宮底は臍下約2～3横指である．その後，徐々に上昇し分娩後約12時間後には臍高～臍上1～2横指に達する．この子宮底上昇の理由としては，骨盤底筋群の緊張の回復や子宮腔内への血液の貯留，膀胱の充満などが考えられる．さらにその後，子宮底は経日的に下降し，産褥10～14日ごろには腹壁上から触知できなくなる（**図Ⅲ-1**，**表Ⅲ-3**）．

　子宮の重量は，分娩直後は約1,000gである．その後，分娩後1週間で約500g，2週間で約300g，3週間後で約250gと減少し，4～6週間で非妊時と同じ約60gに退縮する[1]．

(2) 悪露の排泄

　分娩後に子宮と腟から排泄される分泌物を**悪露**（lochia）という．胎盤剝離や卵膜剝離によって生じた子宮内の創傷面からの分泌物と頸管や腟前庭からの分泌物が主なもので，血液，リンパ液，粘液，脱落壊死組織などを含む．分娩直後は創面からの出血が主な成分であり，続く産褥2～3日間も血液を主成分とするアルカリ性の赤色を呈し，**血性（赤色）悪露**という．その後，血液成分は減少し血色素は変色，白血球成分が増し，4～8日で**褐色悪露**となる．さらに赤血球成分が減少し白血球が増加して，酸性へ変化しクリーム色の**黄色悪露**となる．分泌量はさらに減少し**白色悪露**となり4～6週で停止する[2]．

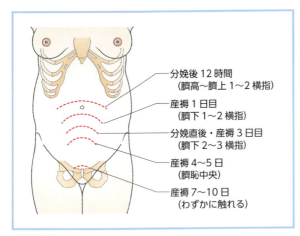

図Ⅲ-1 産褥期の子宮底の変化

表Ⅲ-3 産褥復古に要する時間

子宮体部	4〜6週
子宮内膜	4〜6週
子宮頸部	8〜10日
腟	3週
外陰部	4〜8週
創傷	1〜2週
卵巣機能：非授乳	6週
授乳	3ヵ月以降

[安永洸彦：産褥の生理と異常．NEW産婦人科学，第2版，p.313，314，南江堂，2004と荒木勤：産褥の生理．最新産科学—正常編，第22版，p.309-313，文光堂，2008を参考に作成]

悪露の総排泄量は500〜1,000gといわれる．大部分は産褥4日目ごろまでに排出される．産褥1日目で100g以上，2日目以降は30g以上，赤色悪露が産褥2週間以上持続する場合は胎盤・卵膜の子宮内遺残，悪露の子宮内滞留などの可能性があるため診察が必要となる[2]（表Ⅲ-4）．

悪露の性状の変化は，生殖器に生じた創傷面の治癒過程を反映する．

(3) 後陣痛

後陣痛（afterpains）は分娩後から産褥早期にみられる．産褥期の生理的な子宮収縮で下腹部痛を伴うことも多い．授乳時の乳頭刺激に伴う**オキシトシン**分泌によって増強する．疼痛の強さは個人差が大きく，まったく感じない褥婦や，睡眠や休息が妨げられ鎮痛が必要なほど強い褥婦もいる．後陣痛は分娩直後から産褥1日目がもっとも強く，多くは産褥2〜3日で軽快する．一般的に初産婦より経産婦が強く，とくに頻産婦に多くみられる．後陣痛を増強させる要因として，妊娠期の子宮の過度の伸展，急激に進行した分娩，授乳，子宮内の悪露や胎盤・卵膜の遺残などがある．

b. 腟・外陰部の変化

(1) 創傷治癒

分娩直後の腟壁は，腫脹し青紫色を呈し，腟腔は伸びて皺がなくなる．しかし，すみやかに回復し，約1週間後には腟腔の広さは分娩前に近くなり，4週間後には皺が生じてほぼ妊娠前に戻るが，皺は減じ，腟腔はやや広いままとなる．

外陰の腫脹もすみやかに消退して緊張を回復する．陰裂は分娩直後には開いているが24時間後には閉鎖する．骨盤底筋群の緊張も回復し，4〜8週間後には妊娠前の状態に回復する．

裂傷や挫傷，切開創などは，1〜2週間で治癒するが大きな損傷は瘢痕を残す．

①外陰部疼痛・縫合部痛

分娩直後から産褥早期にかけて外陰部の疼痛を訴える褥婦は多い．原因は，会陰切開・会陰裂傷縫合部痛や，腟・外陰部血腫などによるものが多い（p.229参照）．

会陰切開・会陰裂傷縫合部痛は分娩直後から持続する疼痛であるのに対し，血腫では疼

表Ⅲ-4 悪露の変化

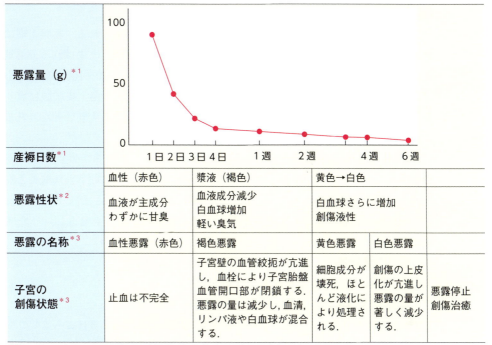

悪露性状[*2]	血性（赤色）	漿液（褐色）	黄色→白色		
	血液が主成分 わずかに甘臭	血液成分減少 白血球増加 軽い臭気	白血球さらに増加 創傷液性		
悪露の名称[*3]	血性悪露（赤色）	褐色悪露	黄色悪露	白色悪露	
子宮の 創傷状態[*3]	止血は不完全	子宮壁の血管絞扼が亢進し，血栓により子宮胎盤血管開口部が閉鎖する．悪露の量は減少し，血清，リンパ液や白血球が混合する．	細胞成分が壊死，ほとんど液化により処理される．	創傷の上皮化が亢進し悪露の量が著しく減少する．	悪露停止 創傷治癒

[*1]岡田弘二：産褥　局所変化　子宮復古　新産科データブック．産婦人科の世界：p.327, 328, 1985
[*2]荒木　勤：最新産科学—正常編，第22版，p.312, 文光堂，2008
[*3]篠原康一，若槻明彦，深谷孝夫：子宮復古—悪露の性状．看護のための最新医学講座15—産科疾患，第2版（岡村州博編），p.295, 中山書店，2005を参考に作成］

痛がしだいに増強し自制困難となることも多い．通常，血腫は外陰部や腟壁の縫合部，腟壁の皮下または粘膜下に圧痛と波動を伴う暗紫色の腫瘤として認められる．

c. 卵巣機能

(1) 排卵と月経の再開

妊娠中は胎盤性の性ステロイドホルモンによって下垂体からの黄体化ホルモン（luteinizing hormone：LH）と卵胞刺激ホルモン（follicle stimulating hormone：FSH）の分泌が抑制されている．性ステロイドホルモンは分娩による胎盤娩出によって産褥早期に非妊時レベルまで回復し，LHとFSHの分泌は産褥4～6週間で非妊時のレベルに回復する．そのため，妊娠期に引き続き産褥期の一定期間は**産褥無月経**となる．

この無月経は，授乳の有無と授乳期間および授乳回数に影響され，**授乳性無月経**（lactation amenorrhea）ともよばれる．授乳による下垂体前葉からの**プロラクチン**（prolactin：**PRL**）の分泌がゴナドトロピン放出ホルモン（gonadotropin-releasing hormone：GnRH）の分泌を抑制し，排卵（ovulation）を抑制することによる[3]．

非授乳婦では多くが産褥80日以内に月経（menstruation）を認めているが，母乳のみで育てている授乳婦では90日以降に月経を認めるものが多い．約1/3の女性で初回月経前に排卵を認める．そのため，産褥期に月経をみないまま妊娠する例もある[4]．

産褥3ヵ月末の時点で，非授乳婦の約9割に，授乳婦の約3割に月経の発来をみる．

2 ● 乳房の変化

a. 乳房の解剖

乳房（breast）は乳腺組織と結合組織，脂肪組織から構成される．乳腺組織は樹枝状に分岐した腺房からなる．腺房は腺房分泌上皮細胞（腺房細胞）とよばれる分泌細胞が房状になって形成され，筋上皮細胞で取り囲まれている．腺房が10～100個集合し小葉を形成する．20～40個の小葉が集合して乳腺葉を形成する[5]．腺房分泌上皮細胞に取り囲まれた腺房腔は小管につながり，合流を繰り返しながら乳管へ導かれ主乳管となり乳頭の開口部に達する．主乳管は5～15本程度である[6]（図Ⅲ-2, 3）．

妊娠期には胎盤性のプロゲステロン（progesterone），エストロゲン（estrogen），ヒト胎盤性ラクトーゲン（human placental lactogen：hPL），母体の下垂体前葉と脱落膜からのPRL，副腎皮質刺激ホルモン（adrenocorticotropic hormone：ACTH），成長ホルモン（growth hormone）などの分泌の影響を受け乳腺組織が著しく発達し，分娩後の乳汁分泌に備える．

b. 乳汁分泌機序

乳汁の分泌は3つの段階を経る（表Ⅲ-5）．

(1) 乳汁生成Ⅰ期

乳腺が乳汁を分泌できるようになる妊娠16週ごろから産後2, 3日ごろまでの時期をいう．この時期の乳汁は**初乳**（colostrum）とよばれ，免疫グロブリン，ラクトフェリンなど感染防御因子を多く含んでいる（表Ⅲ-6）．免疫グロブリンのなかでは，**分泌型免疫グロブリンである免疫グロブリンA**（IgA）がもっとも多く含まれている．

妊娠期には，乳腺房の上皮細胞が分泌細胞に分化し，乳腺葉が発育することにより，乳房が大きくなる．妊娠末期には，母体の下垂体前葉と脱落膜から分泌されるPRLの血中濃度はさらに高まり，乳汁産生の準備が整っている．しかし，妊娠中は，多量に分泌されている胎盤性のプロゲステロン，エストロゲン，hPLなどにより乳汁産生が抑制されてい

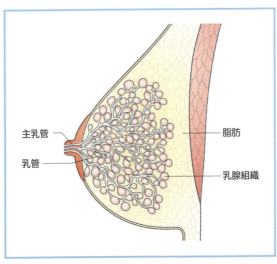

図Ⅲ-2 乳房の解剖

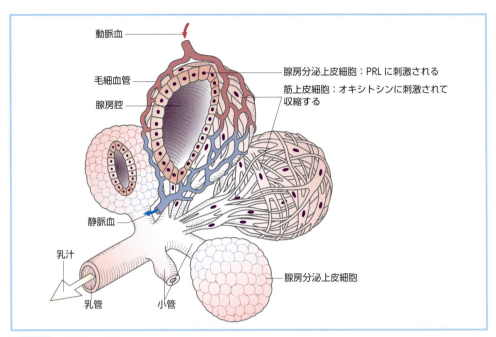

図Ⅲ-3　乳腺の構造

表Ⅲ-5　乳汁分泌の3段階

段階	時期	乳汁の種類と色	分泌と成分の特徴
乳汁生成Ⅰ期	妊娠16週ごろ〜産後2,3日	初乳 粘稠で水様性 半透明 黄色〜黄白色	エンドクリン・コントロールで乳汁産生が制御される. PRLの作用によって，腺房分泌上皮細胞から乳汁産生が開始する. プロラクチン濃度が高いため乳汁が生成されるが少量である. ミネラル，タンパク質が多い.
乳汁生成Ⅱ期	産後2,3日〜産後8〜10日	移行乳 不透明 淡黄白色	エンドクリン・コントロールからオートクリン・コントロールへ移行する. プロゲステロンの急激な減少によるPRL作用が発現し，乳汁産生量が急激に増加する. 児の吸啜や搾乳によって乳房内の乳汁が排出されない場合は乳汁分泌は低下する.
乳汁生成Ⅲ期	産後9,10日〜	成乳 不透明 乳白色	オートクリン・コントロールで乳汁産生が制御される. 乳房内に乳汁が貯留すると乳腺細胞から乳汁産生抑制因子が分泌され乳汁産生が抑制される．児の吸啜や搾乳によって乳房内の乳汁を排出することによって乳汁産生が促進される. 乳糖，脂質の割合増加.

表Ⅲ-6　初乳中に多く含まれるタンパク質

タンパク質		出産後1〜5日	出産後6〜10日
分泌型IgA	(g/dL)	0.40±0.36	0.20±0.11
ラクトフェリン	(g/dL)	0.34±0.12	0.32±0.10
リゾチーム	(μg/dL)	6.0±4.5	3.9±2.2

[木ノ内　俊:母乳成分の科学—蛋白質.周産期医学38(10)：1211-1215, 2008より引用]

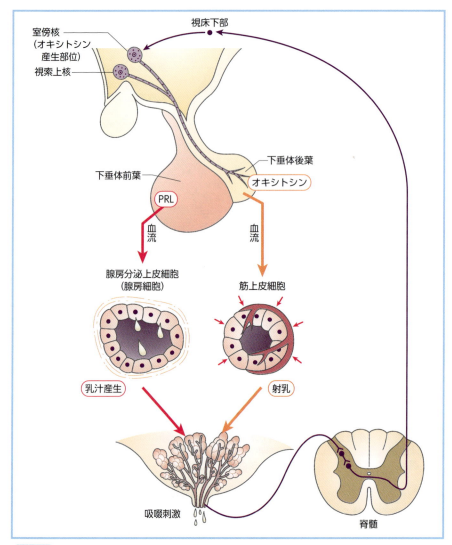

図Ⅲ-4 エンドクリン・コントロールによる乳汁分泌のしくみ

る．分娩によって胎盤が娩出され，胎盤性のホルモンの血中濃度が低下すると，乳汁産生抑制が解除され，PRLの作用により乳汁産生が徐々に開始される．産褥期は，児が乳頭を吸啜することによりPRLが脳下垂体前葉から分泌される．PRLによる乳汁産生のしくみは，内分泌による調整であり**エンドクリン・コントロール**（endocrine control）とよばれる（**図Ⅲ-4**）．

乳腺組織の腺房分泌上皮細胞で産生された乳汁は腺房腔へ分泌される．腺房腔へ分泌された乳汁は小管を経由し乳管へと押し出され，乳頭の乳管開口部から排出される．乳汁の排出において，オキシトシンは，児が乳頭を吸啜する刺激に対して脳下垂体後葉から分泌され，腺房の筋上皮細胞を収縮させ乳汁を乳管へと押し出す**射乳反射**を引き起こす（**図Ⅲ-4**）．

乳汁生成Ⅰ期の産褥早期は母体中のPRL濃度が高いため（**図Ⅲ-5**），初乳が生成される．

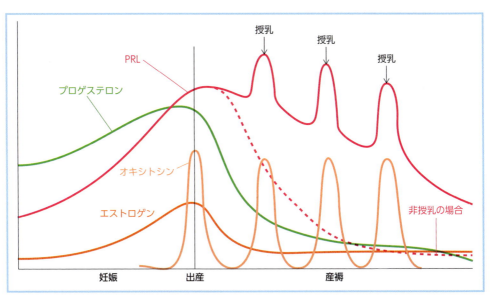

図Ⅲ-5　妊娠・授乳によるホルモン変動
分娩によってプロゲステロンとエストロゲンが急激に減少することでプロラクチンの作用が発現し乳汁産生が本格化する．児の乳房への吸啜によってPRLとオキシトシンの分泌が促され，乳汁産生と乳汁排出が維持される．
［Riordan J：Breastfeeding and Human Lactation, 3rd ed, p.76, Jones and Bartlett Publishers, 2005を参考に作成］

しかし少量である（p.276，**表Ⅲ-12**参照）．この時期は，母乳育児を支援するうえで重要な時期であると考えられている．分娩直後の早期に頻回の授乳をしたほうが，乳腺の**PRL受容体**の発現が促進され，乳汁産生量が早く増加すると考えられている．しかも，PRL受容体は乳汁生成の初期に増加し，その後は一定であるともいわれている．乳汁の産生量がPRL濃度よりもPRL受容体の数によって調整されていると考えられているため，産褥早期の頻回授乳が推奨されている．

(2) 乳汁生成Ⅱ期

産後2，3日～産後8～10日までの時期をいう．

分娩による胎盤娩出後は，それまで抑制されていたPRLの作用が本格化し乳汁産生が急激に増加するとともに乳汁成分が大きく変化する．ミネラルとタンパク質が多く含まれる初乳は産後2，3日以降には**移行乳**へ変化し，産後9～10日ごろ以降には乳糖と脂質の割合が増加する**成乳**へと変化する（表Ⅲ-7）．

この乳汁成分の変化は，早産した母親の母乳でも同様に起こる．そして，早産した母親の成乳のエネルギー量は正期産の母親の成乳より高いことがわかっている（表Ⅲ-8）．

PRL濃度は分娩終了後から緩やかに低下するが，授乳によって一過性にPRL濃度が上昇し乳汁産生を維持することができる（**図Ⅲ-5**）．

適切な授乳や搾乳が行われ，産生した乳汁を適度に排出していれば軽度の**乳房緊満**がみられ乳汁産生量は経日的に増加する（p.276，**表Ⅲ-12**参照）．乳房から乳汁が排出されない場合は，乳房の腫脹や発赤，疼痛が生じ直接授乳が困難となることがある．また，授乳や搾乳を行わない場合には血中のPRL濃度は急激に低下し産褥1～2週間程度で非妊時のレベルまで減少し，乳汁産生が停止する．つまり，乳汁産生のためには新生児の効果的

表Ⅲ-7 乳汁成分表（100 mL 中）

	ヒト初乳	ヒト成乳	調整粉乳
エネルギー (kcal)	60	65	68
タンパク質 (g)	2.1	1.1	1.6
脂質 (g)	2.8	3.5	3.6
糖質 (g)	6.7	7.2	7.3
ミネラル (g)	0.3	0.2	0.3

［武田英二：小児の栄養．標準小児科学，第8版（山内聖監），p.31，医学書院，2013を参考に作成］

表Ⅲ-8 早産と正期産の主な母乳成分の比較

	エネルギー kcal/dL		タンパク質 g/dL		脂質 g/dL		乳糖* g/dL		オリゴ糖* g/dL	
	早産	正期産	早産	正期産	早産	正期産	早産	正期産	早産	正期産
1～3日	49	54	2.7	2.0	2.2	1.8	5.1	5.6	―	1.6
4～7日	71	66	1.7	1.6	3.0	2.6	6.3	6.0	2.1	1.9
2週	71	66	1.5	1.3	3.5	3.0	5.7	6.2	2.1	1.9
3～4週	77	66	1.4	1.1	3.5	3.4	6.0	6.7	1.7	1.6
5～6週	70	63	1.1	1.0	3.2	3.6	5.8	6.1	―	1.4

* 糖質（炭水化物）は乳糖とオリゴ糖を示した．
注：母乳成分は褥婦の身体的特徴や食生活，測定方法による影響を受けるため相対的特徴をとらえる．
［Gidrewicz DA, Fenton TR：A systematic review and meta-analysis of the nutrient content of preterm and term breast milk. Pediatrics 14：216, 2014を参考に作成］

な吸啜または搾乳により，PRLの分泌を維持することに加え，産生された乳汁を乳房内から排出することが重要である．

(3) 乳汁生成Ⅲ期

産後9，10日ごろ～乳汁生成が維持されている時期をいう．

継続的な授乳によって成乳の産生が維持される．血中PRLの濃度は産褥経過とともに徐々に低下し，授乳によるPRL血中濃度の一過性の上昇は，3ヵ月を過ぎるとみられなくなる[7]．この時期は，授乳や搾乳によって乳房内から乳汁が排出されることによって乳汁産生量が調節・調整されるしくみが確立する．乳汁が乳房内に残っていると乳汁は産生さ

> **コラム**
> **乳汁産生を調節する2つのしくみ**
>
> 1. エンドクリン・コントロール（endocrine control）
>   細胞から分泌された伝達物質（ホルモンなど）が，血流を経て離れた他の細胞に作用し，機能を調節するしくみ．内分泌による調節．
> 2. オートクリン・コントロール（autocrine control）
>   細胞から分泌された伝達物質が，分泌細胞自身に作用し，機能を調節するしくみ．

れなくなり，逆に乳房内の乳汁を排出することによって乳汁産生が亢進する．つまり，新生児の哺乳量（あるいは搾乳量）によって乳汁産生量が決定するようになる．

このしくみは，乳房内に乳汁が貯留することによって乳腺内圧が高まり腺房分泌上皮細胞を圧迫し毛細血管の血液循環が低下することに加え，腺房分泌上皮細胞から分泌されている乳汁産生抑制因子（feedback inhibitor of lactation：FIL）の濃度が上昇することにより乳糖とカゼインの産生を抑制し，腺房分泌上皮細胞における乳汁産生が抑制される（**オートクリン・コントロール**，autocrine control）と考えられている．

したがって，乳汁産生機構にのみ着目すると，母乳育児を確立するためには，PRL受容体の発現と乳汁産生を促すために分娩直後の**早期からの頻回授乳**を行うこと，**新生児の欲求に合わせた自律授乳**を行うこと，医学的に必要でないかぎり母乳以外のものを補足しないことが勧められる．

3 ● 全身の変化

a. 体重の変化

分娩により子宮の内容物が排出されることで，体重は分娩直後に**4〜6 kg程度減少**する．その後，産褥早期には利尿がつき，さらに1.5〜2 kg程度減少する．産褥早期の体重減少が少ない場合は浮腫を考える必要がある．その後，授乳や育児などによって多くは産褥4〜6ヵ月で非妊時の体重に戻る．

b. 血液・循環系の変化

赤血球数や**血色素数**は分娩直後にやや減少し，**産褥3〜5日に最低値**となり，産褥1ヵ月程度で非妊時の状態に回復する．白血球数は妊娠末期に増加しているが，分娩直後にさらに増加する．その後，徐々に減少し産褥1ヵ月程度で非妊時の状態に回復する．妊娠中から亢進していた**血液凝固能**は，産褥早期にさらに亢進し1週間程度で分娩前の状態へ戻り，さらに産褥1ヵ月程度で非妊時の状態に回復する．

経腟分娩では，平均500 mL程度の血液を喪失するが，分娩後の子宮収縮や静脈の虚脱によりほぼ同量が回収されるため，分娩前後の循環血液量は維持される．したがって，500 mLを超える出血は注意を要する．妊娠中に30〜45％増加した循環血液量は産褥2〜3週間で非妊時の状態に回復する．

血圧も産褥2〜3週間で非妊時の状態に回復する．

c. 呼吸器系の変化

増大していた子宮によって押し上げられていた横隔膜は，分娩直後に非妊時の位置に下降する．それにより，褥婦は非妊時に行っていた呼吸様式に戻る．妊娠時の過換気による呼吸性アルカローシスは改善され正常に戻る．

d. 代謝・栄養の変化

産褥期は，母体の回復と良好な乳汁分泌を促進するために，妊娠末期に近い栄養摂取が必要である．栄養付加量は，妊娠期の肥満度や産褥期の運動量，授乳期間，乳汁分泌量などから個別に検討する必要があるが，授乳婦の推定エネルギー必要量は「日本人の食事摂取基準（2020年版）」に基づき350 kcal/日程度を付加する．なお，この付加量は1日780 mLを泌乳するものとして算出されている．人工栄養のみの非授乳婦の場合は身体活

動レベルに見合ったエネルギーを摂取する（妊娠期・授乳期における食事摂取基準［p.60の表Ⅰ-22参照］）．カルシウム摂取量に関しては，妊娠期および授乳期の食事摂取基準ではカルシウムの付加はない．しかし，日本人女性のカルシウム摂取量は推定摂取必要量に及ばない[8]ため650 mg/日の推奨量を目安に積極的に摂取することが望ましい．

一方，妊娠期に変化した代謝は産褥期の間に非妊時の状態に回復していく．

タンパク質代謝は，妊娠中に胎児の成長や子宮の増大のため異化[*1]より同化[*2]が亢進していたが分娩後5〜6週で同化と異化が平衡状態となり，血漿タンパク質濃度は産褥2〜3ヵ月で非妊時の値に戻る．

糖代謝については，妊娠期は胎盤性ホルモンの影響を受け耐糖能が低下していたが産褥期にはしだいに回復する．さらに，妊娠期に上昇していた血清脂質濃度は，産褥2ヵ月までに徐々に非妊時の値に戻ることが多い．

体温は，分娩直後から産褥早期に多少の体温上昇はみられるが，胎盤剥離面の創傷や会陰部の創傷の炎症反応による体温上昇と考えられ，通常は24時間以内に平熱に解熱する．

e. 消化器系の変化

産褥早期は一時的に食欲が減退することもある．

(1) 便　秘

産褥0〜2日は，分娩時の食物摂取の減少，腸管の緊張低下，運動不足，会陰部創痛などのために**便秘**（constipation）を生じやすい．継続する便秘によって直腸および下行結腸内に便が貯留すると，容積が変わらない骨盤腔では，腸管の前方に位置する子宮の収縮を妨げる．

(2) 痔　核

妊娠期の肛門静脈系のうっ血は内痔核と外痔核の発生を助長する．分娩期に腹圧を長時間にわたって加えると**痔核**（hemorrhoids）**の脱出**（脱肛/肛門脱）を起こしやすく，痔核の脱出は疼痛を伴う．痔核の脱出があれば還納し，緩下薬を用いて便通を整えるとともに坐薬などで治療する．疼痛が強ければ鎮痛を行う．

f. 泌尿器系の変化

分娩終了とともに**尿量の増加**がみられ，1,500〜2,000 mL/日程度の排泄がある．

血漿中の**心房性ナトリウム利尿ペプチド**が，妊娠期に増加し産褥1週間でピークに達するが，これが産褥早期の利尿に関与していると考えられている[9]．

腎血漿流量と糸球体濾過値は，産褥6週ごろまでに基準値に回復する．

C. 新たな関係性の獲得

出産後，褥婦とその家族は大きな変化を体験する．初産婦であれば，子どもがいない生活から子どもがいる生活へと大きく変化し，親になっていくプロセスという人生のなかでも大きな発達課題に現実的に直面する．経産婦であっても，2人以上の子どもの親になる

[*1] 異化：物質を分解しアデノシン三リン酸（ATP）を得る反応．
[*2] 同化：ATPを使って化合物を合成する反応．

ことははじめての経験であるし，上の子どもにとっては，兄/姉という役割を獲得しなければならないし，親はその支援をしなければならない．褥婦とその夫/パートナーの双方の両親にとっても祖父母になるという新たな役割を獲得しなければならない．社会的に変化し，心理的にも強く影響を受ける．また，心理的な状態は，身体的な状況からも強く影響を受ける．

1 ● 家族の関係性の変化と再調整

a. 家族・夫婦/カップルの関係性

家族に新たに子どもが加わることは，家族にとって大きな変化をもたらすことになる．

はじめての子どもの誕生であれば，それまでの夫婦2人だけの二者関係1つから，夫婦・母子・父子と二者関係が3つになり，三者関係が1つとなる（**図Ⅲ-6**）．夫婦は妻と夫という役割に，父・母という役割を獲得しなければならない．親となった夫婦の父母にとっても，祖父母という役割を獲得していくことになる．経産婦の場合はさらに複雑になる．このように，新たに家族員が加わることによって，互いの**関係性を調整**しながら個々人が**新たな役割**を獲得することが必要になり，**生活の再調整**が行われることとなる．

デュバル（Duvall）の家族ライフサイクル理論では，はじめて妊娠・出産を迎える家族は，**第2段階**（出産家族：年長児が生後30ヵ月までの段階）にいる．その段階の課題としては，新たな子どもを迎え入れるために，物理的にも精神的にもスペース（空間）を確保し，育児を習得し，責任をもって養育するという親の役割に適応することである．さらに，

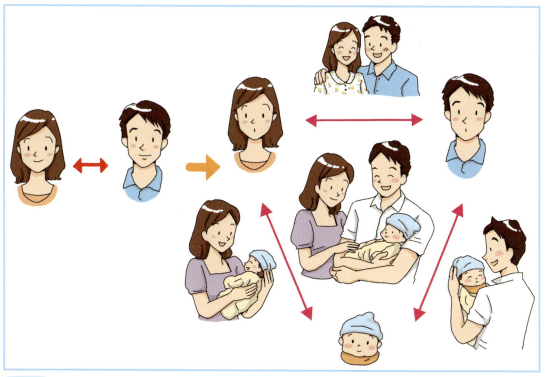

図Ⅲ-6　家族関係の変化

第1段階（家族の誕生：結婚の段階）で始めた夫婦としての関係性を修正し，夫婦としての絆(きずな)を強めることも課題である．

しかし，はじめて親となるカップルについての研究[10]では，出産後夫婦間の緊張状態は高まり，互いの思いに**不一致**があることを感じていた．これらは，夫婦間のコミュニケーションの不足による夫婦間の役割調整不足または不明瞭なままにしておくことによって，夫婦それぞれの役割に対する期待と実践に差異が生じているためである．この時期の夫婦の関係性の悪化についてマスコミュニケーションが「産後クライシス」と名付けたことから周知されるようになってきている．なおかつ，この時期の不一致が修正されることがなければ，中高年期の夫婦の関係性にも影響を及ぼすと考えられている．また，夫婦関係の悪化は，夫・妻ともに産後の抑うつに関連することからも，支援が必要である．

また，近年は，妊娠が判明してから婚姻に至る夫婦（**妊娠先行婚**）が約1/4[11]いる．この場合，前述の家族ライフサイクル理論における発達課題について，第1段階と第2段階を同時に対処していかなければならない．第1段階の発達課題としては，お互いに満足できる結婚生活の確立（個人のニーズを充足させつつ，新しい生活様式を2人で調整する）と，親族ネットワークとの調和（実父母，義父母との関係性の調整），家族計画を立てることである[12]．妊娠先行婚の場合は，家族の第1段階の発達課題が未達成のまま，さらなる発達課題に取り組まなければならない状態となる．報告では，妊娠先行婚の若い年齢層において新生児に対する接近感情（児に対する肯定的受容的感情）がやや低いという差が認められたのみであるが，多重課題となることから課題達成がより困難になることは否定できない．とくに，ずっと実家で生活し，生まれ育った家族への依存性が高い場合には，新たな夫婦としてのアイデンティティを築くことがむずかしくなりやすい．

b. 母と子の関係性

母と子の関係性は親になっていくプロセスにおいて重要で，基盤となる要素である．

アタッチメント（attachment，**愛着**）は，ボウルビィ（Bowlby）によって提唱された概念で，「子どもが特定の人（養育者）との間に形成する情緒的な絆（an affectional tie）」を指す（p.414参照）[13]．**ボンディング**（bonding，**絆**）は，クラウス（Klaus）とケネル（Kennell）によって提唱された概念で，「2人の人間の間のユニークな関係であり，特異的でかつ長期にわたり持続する関係」である[14]．ボンディング形成のためには，出産直後の早期接触が重要であると強調しており，その研究成果から母子の早期接触，早期授乳，夫/パートナーの立ち会い出産などが推奨され，定着してきた．アタッチメントが子どもから親への愛着を意味しているのに対し，ボンディングという用語は，出産直後からの母親から子どもへの愛着（特定の人に対する特別な絆の形成を伴う愛情）を意味している．

現在では，出産直後の早期接触の有無によって，長期的な絆形成や母子関係に大きく影響することはないと考えられているが，絆形成の基盤となるのは，やはり，**母子相互作用**である．母子相互作用とは，母親と子どもがともに五感のすべてを活用し，互いの存在を感じ合い，反応し合うことである（p.414参照）．したがって，母子いずれかの健康状態に不調を認めたり，母親の精神的状態が不安定にあるときは，母子相互作用がうまく機能しないために，母子の絆形成が阻害される．出産後の抑うつ状態，母親の体調不良（睡眠不

足・疲労・腰痛など）および混合栄養とは，ボンディングと有意な関係があることが報告されている[15]．また，母親自身の「内的ワーキングモデル*」を基盤とする「アタッチメントスタイル」もボンディングに影響するといわれている．

c. 父と子の関係性

父親役割とは，岩田らは「父親としての価値観，態度，行動を含む文化的総体であり，父親と母親および子どもを含む家族システム内のメンバーに対する責任を伴うもの」と定義し，父親役割への適応は「父親であるという状況における，その人と環境との相互作用の結果，その人と父親であるという状況が，調和のある満足すべき関係を保っているということ」[16]と定義している．すなわち，父親役割は，その時代・文化によって大きく影響されるものであり，具体的にどのような価値観，態度，行動をとるかは，その夫婦，その家族にとって満足のいく状態となるようなものであるということになるので，その夫婦，家族によって異なる．昭和の時代，父親は比較的，稼ぎ手（経済的支援）や協力者（精神的支援）としての役割を担うことが多かったが，平成に入り，「イクメン」という言葉が用いられたように，日本においても，育児に積極的に参加する男性（父親）が増えてきており，令和の現在では，実際に子どもとかかわるということも役割として期待され，実践する質・量ともに変化している．母親という役割に比べ，父親という役割は，その目指すものがややあいまいな役割であることから，父親になるプロセス（父親役割への適応）についての心理的変化についても十分に明らかにされているとはいえない．また，近年の研究では，父親も約1割程度抑うつになることが報告されている[17]．

d. きょうだいとの関係性

年長のいわゆる上の子にとって，新たにきょうだいが誕生し，兄/姉の役割を担うことは**ストレスフル**な状態である．兄/姉となる子にとってのストレス源は，母親を独占できなくなったことにほかならないが，そのほかに，母親が出産の際に入院することによって母子分離を余儀なくされること，それに伴いなじみのない環境（たとえば祖父母宅）に置かれたり，弟/妹誕生後も，弟/妹である新生児にとって外出が望ましくないために，合わせて兄/姉となる子の外出（外遊び）も抑制されることなどの生活習慣に変更が生じることがあげられる．兄/姉となる子は，その子の発達状況に応じて，ストレス対処行動としてさまざまな反応を示す．その反応には，攻撃的反応や依存的反応，引きこもりなどがある．この発達状況とは，単に年齢だけでなく，認知的，言語的，行動的な発達状況に影響されるという意味である．たとえば，言語的発達能力が比較的進んでいない場合は，**攻撃的反応**としては物にあたったり，直接新生児をたたいたりすることもあるが，ある程度言語的発達が進んでいる場合は，「赤ちゃんなんかイラナイ，返してきて」と言う場合もある．おおむね3歳未満の年少児はストレスの対処方法も少なく，遊びも子どもたちどうしというよりは親に依存しているために，身体的な攻撃的反応や依存的反応が認められやすい．**依存的反応**としては，たとえば，今まで1人で食事できていたのに「食べさせて」と言ったり，抱っこをねだることが多くなる，泣き虫になる，などの反応である．しかし，

---

* 内的ワーキングモデル：ボウルビィによれば，幼少期の被養育体験により形成され，ほぼ変わらないとされてきたが，その後の大きなライフイベントなどにより変化することも報告されている．

弟/妹が生まれるとき，兄/姉となる子は2〜3歳であることが多く，これらの反応は，弟/妹が生まれなくても自我形成期としてよくみられる反応でもあるので，弟/妹が誕生しなくても生じていたかもしれないし，実際に弟/妹の誕生とは関係ないと親から認識されることもある．ただ，根源的には母親との排他的な関係の喪失というストレス源から生じており，弟/妹に対する嫉妬心・ライバル心があるため，これらの反応は母親が授乳などの新生児の世話をしているときに認められることが多い．その場合は，弟/妹誕生の影響と周囲の大人から認識されやすい．また，生活習慣およびリズムの変更も幼児にとっては適応しにくい．もちろん，あまり知らない場所に突然預けられることはショックであるが，多少祖父母たちにはなついていても，生活の場所が変わりいつもの遊びや入眠のための習慣が保てない（お気に入りのタオルやぬいぐるみをもつ，母と手をつなぐなど）ことも影響を与える．とくに，もともと外遊びが好きであった子どもにとっては，母親との外遊びの制限は非常に大きなストレスとなり，前述のような攻撃的行動なども著明となりやすい．

e. 祖父母との関係性

孫の誕生は，祖父母にとって大きな喜びである．孫の存在そのものが喜びであり，孫と接することが楽しみとなり，接することで孫からエネルギーをもらうような感じも得ている．この喜びは，わが子の誕生やわが子の育児のときとは異なるようである．とくに，現在祖父となる男性は，わが子の誕生のときには立ち会い出産を経験した者は少なく，時には誕生後すぐにわが子に会うこともない人もいるが，孫の出産に際しては，娘の「里帰り出産」の場合，祖母となる妻とともに病院の分娩室の近くで待機し，孫の誕生後早期に対面することもあり，この場合はことのほか，愛情を抱くようである．

日本では，母親にとって実母の支援は大きい存在である．「里帰り出産」という習慣があるように，かなりの割合で，実母である祖母が出産後早期の家事・育児支援者として期待されている．娘からみれば，自分を育ててくれた親であり，信頼も厚い．十分なサポートが得られることは母親の育児不安の軽減につながることからも，信頼できる祖父母からの支援は重要である．祖父母としても，ひときわかわいい孫の世話をすることは楽しみでもあり，祖父母という新たな役割を獲得し，自尊感情を高め，ひいては自分たちの健康増進のきっかけともなる．

しかし，育児において推奨される方法は時代とともに多少の変化がある．母乳育児の方法や，沐浴の方法も少しずつ変化し，育児用品に至っては毎年のように新たな工夫が加えられた商品が開発されている．そのようななかで，娘夫婦にとって病院で教えられたことやインターネットで得られた情報と異なることを祖父母が勧めたり実践したりすると，娘夫婦も祖父母も戸惑うこととなる．そのことで，祖父母の自尊感情が低下することもある．一方，祖父母があまり主体的に育児を行うと，娘夫婦が依存的になってしまい，親として成長しないということもありうる．また，2人目以降の出産後の場合も，娘夫婦にとっては祖父母の支援は非常にありがたい存在ではある．しかし，経産婦の場合は，1人目の子どもを養育するなかで，より自分たち家族のやり方，方針が定まっており，さらに祖父母世代のやり方と食い違うことがあると，ともに不全感が生ずることになる．

また，孫の誕生をきっかけに，娘の配偶者の親たちとの関係も再調整が必要となるようである．娘夫婦が孫を介在として，両家の祖父母世代との交流を深めることから，祖父母

どうしても子どもとの距離感や，どの程度自分たちが支援し，どの程度相手の親に委託するかということなどを考慮している．そのバランスをとることが，娘にとって，配偶者や配偶者の親とうまくいくことになると考えていると思われる．

2 ● 家族の再構成のプロセス

a. 母親になっていくプロセス

(1) ルービンの母親役割獲得過程

女性は出産後，母親とよばれる存在になるが，出産したというだけで母親になれるわけではない．女性は，妊娠中に「空想」「模倣」「ロールプレイ」などを重ね，それまでの自己像に投影し，「自分なりの母親像」を形成している．同時進行で胎児への愛着を高め，母親となる準備を進めている．そして，出産という体験を経てわが子と対面し，育児を通してしだいに母親という役割を獲得していくことになる．

女性が母親として心理的に適応していく過程については，妊娠期の母親となるプロセスを概念化した**ルービン**（Rubin）が，妊娠期同様に産褥早期に関しても明らかにしている．ルービンは，産褥早期の母親となるプロセスを産褥期の経過に応じて，「受容期（taking-in phase）」「保持期（taking-hold phase）」「解放期（letting-go phase）」という3つの期間，3つの段階で説明している．母親は出産によって，強い疲労を伴うなか，自己の一部分であった胎児が自己から分離し，大きく変化した自己とわが子の確認を行い，家族の関係調整と母子の絆形成を行っていかなければならない[18]．

①受容期

産褥1〜2日目にあたる．母親自身が**受容的**で**依存的**な態度を示す時期である．この時期の褥婦は，疼痛や支持力の低下などからくる身体活動の制限や拘束など，出産による種々の**不快症状**（マイナートラブル）が残っている．このような不快症状によって自分自身の活動が制限された状況は抑うつや敵意を引き起こす．とくに，疼痛とその後の育児などに伴う睡眠障害による疲労はこの状況を助長する．そのため，褥婦自身の不快症状からの解放や基本的ニーズの充足がもっとも優先される段階である．褥婦は周囲からのサポートが得られてはじめて児に向かうことができる[19]（**図Ⅲ-7**）．同時に，自己の確認として，出産体験を振り返ること（**バースレビュー**，p.294参照）を求める．バースレビューを行うことによって，出産中に起こったできごとや自分自身の態度を思い起こし，それらのできごとについて個人の体験としての意味を見出すことによって，肯定的な自己概念を促すことができる．

この時期，誕生した**子どもの確認**にも関心が注がれる．目で見て触れて観察したいという思いがある．確認の作業は，子どもの身体の周辺部から始まり，体幹へと進む．顔や髪，手や足は無傷であるかを確かめるために，目で見て，そして触れる（軽い指先でのタッチ）ことによって，手触り，輪郭，温度，うるおいなどのより多くの情報を引き出す．

こうして，現実に目の前に現れたわが子の特徴を発見し，それが楽しい驚きの要素を含んでいるたびに，母親の子どもとの絆が増していく．

②保持期

産褥3〜10日間にあたる．自立的な状態に移行する段階である．受容期を過ぎ，心理的

図Ⅲ-7　母親の育児する力への支援

[Clausen JP : Maternity Nursing Today, p.410, Mc Graw-Hill, 1973 より筆者が翻訳して引用]

な安定を得て，依存性は減少し，自分で自分自身のコントロールを要求する時期である．妊娠中の身体-自己イメージを破棄し，妊娠前の身体-自己の継続としてよい状態へと転換が図られる．身体的なコントロールを取り戻すにしたがい，育児技術の習得や子どもに対する世話を積極的に行うようになる．授乳の相互作用のなかで自分と子どもとの適合度を確認していく．授乳はこの子の母親としての自己価値の基準となり，この関係の適合度の基準となる．母親は授乳に一生懸命努力し，子どもの反応に敏感になり，授乳がうまくいくと満足感を味わい，うまくいかない場合には失敗感をもってしまう．

　③解放期

　産褥10日～1ヵ月にあたる．子どもの母親であること，すなわち母親役割を受け入れていく時期である．自分自身の身体的な回復を確認し，産褥期の閉じ込もりから出る時期でもある．子どもを別個の存在として確認し認識する．そして，子どものいない生活，母親以外の役割を放棄し，子どもの生活に合わせて自分の生活を整えていく．同時に，新たに生まれた子どもを加えた家族における，各家族員との関係を再調整していく．

(2) マーサーの母親役割獲得過程

　マーサー（Mercer）は，ルービンの研究を発展させ，母親となるプロセスを「母親がその役割における能力を達成し，自己の確立された役割のなかに，母親としての行動を統合することにより，母親としての自我に苦痛を感じなくなるという，相互作用的，発達的プロセス」と定義し，そのプロセスを概念化した[20]．

　マーサーによると，母親役割の発達段階は，予期的段階（anticipatory stage），形式的段階（formal stage），非形式的段階（informal stage）を経て，個人的段階（personal stage）へと移行し，マターナルアイデンティティ（maternal identity，母親としての自我同一性）が確立するプロセスである．予期的段階は，妊娠期にあたり，役割についての情報収集やイメージ化を行う段階である．子どもの誕生により，形式的段階に入る．形式

的段階では，母親役割として望ましいと思われることが専門家などの指示によって導かれ，子どもの確認をし，育児の仕事を引き受ける．非形式的段階は，少し進んだ段階である．非形式的段階では，育児を実践するなかで，わが子の独特の合図を学び，他者の助言や規則に厳重に縛られることなく，わが子と自分に適合した方法を模索し，独自の役割関係を発達させる．個人的段階は最終段階である．母親は役割を遂行するなかで，調和感，満足感，役割能力感を感じ，自分自身の役割と役割期待が一致していることを主観的に感じ，母親である自分自身に心地よい感覚をもつ．すなわち，自分自身のなかに母親という役割を統合させ，新たなアイデンティティを構築した状態である．

(3) 母親になっていくプロセスに影響を及ぼす要因

10歳代の心理・社会的に未熟な女性は獲得しづらいなど，年齢は母親となるプロセスに影響を及ぼすとされている．出産体験の自己評価または満足度が低い場合，母親役割獲得が遅れる可能性があることも報告されている[21]．疲労や授乳状況も母親役割獲得に影響する．そのほか，夫婦関係やソーシャルサポートの有無や，ストレスの有無が母親役割獲得に影響を及ぼすことが報告されている[22]．日本での研究結果においても，初産婦における母親役割の満足度に関連する要因としては，評価的サポートの満足度，出産体験の満足度，母親役割の自信，産後の抑うつ傾向，疲労，生活の変化に対する受け止め方などであった[23]．とくに高齢初産婦の場合は，疲労が強く産後うつのリスクも高いため，母親役割獲得に影響が認められる[24]．

はじめての児を出産した母親が母親役割を獲得していくためには，児とかかわるなかで満足感と自信を身につけていくことが重要である．そのためには，入院中の授乳時などを中心に，児の合図を読み取り，適切に応答できるよう支援し，適切な対処をしている場合には，肯定的な評価を伝えていくことで自信を得させることが重要である[25]．それにより，退院後に自分とわが子に合ったやり方を模索し確立していき，さらなる親としての自信と満足感につながり，親役割獲得が促進される[26]．

b. 父親になっていくプロセス

父親は，はじめての児の誕生後，直接育児にかかわるなかで，家事役割，妻に対する精神的支援，育児や家事を行うためのそれまでの**生活習慣の修正**を行っている[27]．子どもにかかわるためには，仕事の時間や余暇の過ごし方などの生活習慣を修正する必要性が生じ，育児にかかわることで，妻の負担が理解でき，家事や妻への精神的支援を行うようになってくる．父親が父親としての役割行動を実践するには，妻からどのようなことを期待されているかを理解し，どのようなことをどのぐらい実践しようとするかという父親自身の**自己決定**が大きく影響している．そして，父親の自己決定には，役割行動を実践することがどの程度負担であると感じるか，子どもの世話にどの程度「慣れ」を感じているか，また妻の評価が影響するとされている．やはり，父親として適応していくためには，実際に子どもの世話をする機会を得て実施することにより，子どもの反応や，**妻から肯定的な評価**を得ることなどによって，少しずつ自信を得ていくことが重要であろう．

しかし，父親は，この子どもの世話に「慣れる」時期や円滑さなどの過程が母親とは異なる．母親が妊娠中に胎動を感じ，身体的にさまざまに変化するなかで胎児との絆を形成し，母親学級などで準備すべきことについて学び，それによって喪失することを受け止め，

悲嘆作業を行い，母親としての自己像を描き，母親となる準備を整えているのに対して，父親が妻/パートナーの妊娠中に胎児の存在を意識し，出産後の父親としての準備を整える機会は非常に少ない．さらに，出産や母乳育児では，当事者になることはできない．また，日本では「里帰り出産」という習慣があり，出産前後の母子が不在になることも多い．里帰りしない場合でも，かなりの割合で実母が家事・育児支援のために夫婦の家に来ることが多い．そのため，父親が直接，新生児の世話をする機会が少なくなりやすい．結果として，父親役割を獲得していく過程，父親として適応していく過程は母親より時間がかかることが推測される．

c. 兄/姉になるプロセス

弟/妹の誕生は，兄/姉となる子にとっては大きなストレスであると同時に，**兄/姉という新たな役割**を獲得する発達の機会でもある．兄/姉としての役割獲得においては，弟/妹に愛着をもち，きょうだいであること，すなわち家族の一員であることを認識し，両親の愛情を共有でき，待つ・我慢するといった社会性が発達し，生活行動を自立できることなどが期待されている．これらは，実際に弟/妹出産後数ヵ月で急速に発達することも，弟/妹誕生後の兄/姉となる子の反応として認められている．たとえば，弟/妹に対する愛着は，新生児を覗き込んだり，触ろうとしたり，新生児が泣き出したとき親に知らせたり，トントンとやさしくたたきあやそうとするといった行動に見出すことができる．少し年長児であれば，保育所や幼稚園で弟/妹のことを自慢したり，逆に友達が触ろうとすれば弟/妹を守るかのように妨げる行動もとる．このように急速に発達する兄/姉となる子において，攻撃的反応や依存的反応は同時に認められることがほとんどである．

兄/姉となる子は，親から十分な注目と愛情が注がれ，ストレス反応に適切に対処されるなかで，やがて兄/姉という役割を獲得していくと考えられる．それには，弟/妹誕生後数ヵ月を要する．

3 ● 新たな子どもを迎えた生活への適応 （アセスメントと援助は p.296 参照）

退院後の**親として家庭生活に適応する**ということは，新たに生まれた子どもに合わせて，育児・家事など生活習慣を変更し，そのために家族内のそれぞれの家族員の役割を調整し，そのことに負担感・困難感がなくなる状態である．社会生活に適応するということは，新しく生まれた子どもも含めた家族として，地域社会システムに組み込まれ，必要な支援を得たり，仕事も含めた家庭外の役割に戻るまたは新たな役割を担うなどの生活の変更に慣れていくことである．

また，家庭生活への適応のためには，生活の変化に適応することも重要である．出産後は，妊娠以前の生活とは一変する．とくに母乳育児を行っていれば，1ヵ月間ぐらいは2時間ごとに授乳することもよくある．その前後にオムツ交換を行い，1日1回は沐浴を行う．それらの合間を縫って，掃除，洗濯，炊事，自分自身の身の回りのことも行わなければならない．まとまった時間がとれないことが多いため，家事などをしていても不全感が生ずるかもしれない．また，新生児にとって，退院直後は感染予防のために外出は控えることが望ましい．だからといって，新生児を家において母親が買い物に出ることは，安全とはいえない．もちろん，授乳による睡眠不足などで慢性的に疲労している母親自身の身体の

回復のためにも，退院後早期の外出は望ましいものではない．そのため，買い物は，父親などの他者に依頼するか宅配を依頼することになる．いずれも，実際に見て選ぶことができず，不満足であるかもしれない．しかし，すべてを実施することは母親にとってかなりの負担であり，疲労をさらに蓄積させることになる．身体的な疲労は，産褥の抑うつ状態の要因ともなる．また，孤独な育児も育児不安・育児ストレスの原因となり，抑うつ状態の要因となる．できれば，母親は，産後1ヵ月ぐらいは支援を得て，授乳など新生児の育児の合間に適度に休息をとりながら，家事などはほどほどに行っていくことが望ましい．そのためには，妊娠中からの夫婦間の役割調整や，祖父母からの支援を受けるよう調整しておくことが必要となる．また，社会資源による支援を受けることも有効である．

D. 社会的役割の調整と社会的手続き

新しい子どもの出生は，父母または家族が担う社会的役割に多少の変化を生じさせる．それぞれの役割を遂行するために，役割を調整する必要が生じる．

父母が有職である場合，就業に関する調整を行う必要がある．育児休業の取得や短時間勤務制度は，育児・介護休業法（p.540の**資料5**参照）によって父母に保証されている．しかし日本では，育児休業について女性の取得率が8割を超えているのに対し，男性は近年，増加しているものの令和元年度で7.48％と10％に満たない（**図Ⅲ-8**）.

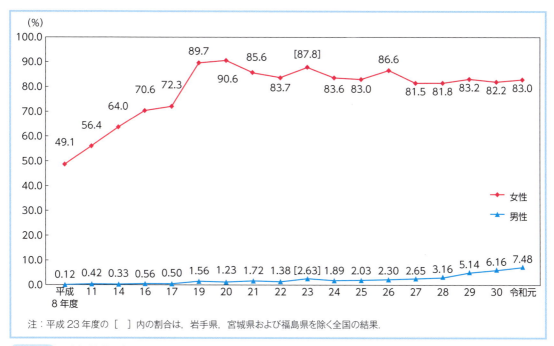

注：平成23年度の［ ］内の割合は，岩手県，宮城県および福島県を除く全国の結果．

図Ⅲ-8　育児休業取得率の推移

育児休業取得率＝（出産のうち，調査時点までに育児休業を開始した者（開始予定の申出をしている者を含む）の数）／（調査前年度1年間の出産者（男性の場合は配偶者が出産した者）の数）

［厚生労働省：「令和元年度雇用均等基本調査」の結果概要，〔https://www.mhlw.go.jp/toukei/list/dl/71-r01/07.pdf〕（最終確認：2020年11月17日）より作成］

2021（令和3）年6月に改正された育児・介護休業法では，男性の育児休業取得促進のための**出生時育児休業**（出生後8週間以内に4週間まで取得可能．分割は2回まで）が創設された．育児休業についても夫婦ともに**分割取得**（2回まで）が可能な制度に改められた．これらの制度は2022（令和4）年10月から施行される．

一方，新しい子どもの出生に伴いさまざまな社会的手続きが必要となる．社会的支援を受領するためにも届け出や申請が必要である．

a. 出生に関する届け出 （『母性看護学Ⅰ』第Ⅲ章2節参照）

出生届は児の本籍地または住所地の役所に出生後14日以内に出生証明書を添付し届け出る（戸籍法第49条，p.543の**資料6**参照）．また，届け出を受けた住所地の役所の母子保健担当部署から**新生児の訪問指導**（母子保健法第11条，p.537の**資料2**参照）や**乳児家庭全戸訪問事業**（こんにちは赤ちゃん事業，児童福祉法第6条の3，p.544の**資料9**参照）などが提供される．出生した新生児が，体重2,500g未満の場合にも届け出が必要である（**低体重児の届出**，母子保健法第18条，p.537の**資料2**参照）．その児について，養育上必要と認められるときは，訪問指導（**未熟児の訪問指導**）が受けられる（母子保健法第19条，p.537の**資料2**参照）．

b. 経済的支援に関する申請

経済的支援としては，健康保険法など（p.543の**資料8**参照）による出産手当金，**出産育児一時金**，雇用保険法に基づく**育児休業給付金**などがある．これらは書類をそろえて申請する．

c. 就業の再開

労働基準法では，産前産後休業，危険有害業務の就業制限，変形労働時間制の適用制限，妊産婦の時間外労働・休日労働・深夜業の制限，育児時間などが定められている（p.539の**資料3**参照）．

父母の再就労に伴い，子どもを保育所や幼稚園へ預けることも多い．

> **コラム**
>
> **保育所と幼稚園と認定子ども園**
>
> **1. 保育所**
> 　児童福祉法に定められた保育のための機関．0歳から就学前（小学校入学前）の保育に欠ける子どもを対象とする．保育時間は長いが，教育機関ではない．
>
> **2. 幼稚園**
> 　学校教育法に定められた幼児教育のための機関．3歳から就学前の子どもを対象とする．幼児教育が目的で保育時間が短い．
>
> **3. 認定子ども園**
> 　就学前の子どもに関する教育，保育などの総合的な提供の推進に関する法律（平成18年10月施行）によって定められた機関．保護者の就業を問わず，就学前の子どもに幼児教育・保育を提供する機能と地域における子育て支援を行う機能をもつ．保育時間は4～8時間程度と柔軟である．

学習課題

1. 産褥期の生理的変化を促進する要因を具体的にあげてみよう
2. 産褥期の生理的変化に対して獲得・向上が期待されるセルフケア能力を具体的にあげてみよう
3. 産褥期の母親役割獲得過程とそれに伴う危機についてまとめてみよう
4. 産褥期の家族の心理・社会的特徴についてまとめてみよう
5. 産褥期の家族員の役割と関係性の変化についてまとめてみよう
6. 子どもの誕生に伴う社会的手続きを具体的にあげ，その方法についてまとめてみよう

練習問題

Q1 妊娠39週目で2,970gの児を正常分娩した．産褥6日の経過で順調なのはどれか．
（第94回国家試験，2005年）

1. 乳房緊満感の消失
2. 子宮底臍恥中央の高さ
3. 赤色悪露
4. 分娩直前より体重減少3.0kg

Q2 産褥3日の褥婦の状態で処置が必要なのはどれか． （第92回国家試験，2003年）

1. 悪露が赤色である．
2. 子宮底が臍恥中央である．
3. 分娩以降に排便がない．
4. 授乳時に後陣痛がない．

Q3 産褥期の生理的変化で正しいのはどれか． （第98回国家試験，2009年）

1. 胎盤娩出後プロゲステロンが血中に増加し乳汁分泌が始まる．
2. 初乳は成乳に比べ免疫グロブリンの濃度が高い．
3. 子宮が非妊時の大きさに戻るのは分娩後約2週である．
4. 月経の発来は授乳女性で分娩後平均8週である．

Q4 授乳している褥婦の乳房の変化で正しいのはどれか．（第91回国家試験，2002年を一部改変）

1. 産褥1日に白色の乳汁が分泌される．
2. 産褥6日ごろに乳房緊満がもっとも強くなる．
3. 産褥3週ごろに乳腺炎になりやすい．
4. 産褥1ヵ月ごろに乳頭亀裂が生じやすい．

［解答と解説 ▶ p.548］

引用文献

1) 荒木 勤：産褥の生理．最新産科学―正常編，第22版，p.309, 312, 文光堂，2008
2) 喜田伸幸，野田洋一：産褥の管理と検診．臨床エビデンス産科学，第2版（佐藤和雄，藤本征一郎編），p.555, メジカルビュー社，2006

3) 安井敏之, 苛原 稔: 授乳と性機能. HORMONE FRONTIER IN GYNECOLOGY 14(2): 143-149. 2007
4) 青野敏博: 正常産褥. NEWエッセンシャル産科学・婦人科学, 第3版(池ノ上 克, 鈴木秋悦, 高山正臣ほか編), p.366, 医歯薬出版, 2004
5) 涌谷桐子, 所 恭子: 母乳分泌の解剖・生理. 母乳育児支援スタンダード, 第2版(NPO法人日本ラクテーション・コンサルタント協会編), p.94-102, 医学書院, 2015
6) Ramsay DT, Kent JC, Hartmann RA, et al: Anatomy of the lactating human breast redefined with ultrasound imaging. J Anat 206(6): 525-534, 2005
7) 谷口友基子, 木村 正: 乳汁分泌とホルモン. 産婦人科治療 99(4): 325-331, 2009
8) 厚生労働省: 表13 栄養素等摂取量(1歳以上, 女性・年齢階級別). 令和元年国民健康・栄養調査結果の概要, 2019〔https://www.mhlw.go.jp/content/10900000/000687163.pdf〕(最終確認: 2020年11月17日)
9) 小国信嗣, 光井行輝, 水谷靖司ほか: 正常妊娠および妊娠中毒症におけるヒト心房性Na利尿ペプチドの変化に関する研究. 日本産婦人科・新生児血液学会誌 2(2): 1-5, 1992
10) 川畑摩紀枝: 育児期の家族のストレス認知とコーピング行動—生後3から4ヶ月の第1子をもつ核家族に焦点を当てて. 神戸大学医学部保健学科紀要 14: 71-77, 1998
11) 厚生労働省: 人口動態統計特殊報告平成22年度,「出生に関する統計」の概況, 出生動向の多面的分析, 結婚期間が妊娠期間より短い出生の傾向,〔http://www.mhlw.go.jp/toukei/saikin/hw/jinkou/tokusyu/syussyo06/syussyo02.html#02〕(最終確認: 2018年2月26日)
12) Friedman MM: 家族看護学―理論とアセスメント(野嶋佐由美監訳), へるす出版, 1993
13) ボウルビィJ: 愛着行動. 母子関係の理論Ⅰ(黒田実郎, 大羽 蓁, 岡田陽子ほか訳), 岩崎学術出版社, 1991
14) Klaus MH, Kennell JH: 親と子のきずな(竹内 徹, 柏木哲夫, 横尾京子訳), 医学書院, 1985
15) 藤田佳代子: 妊娠期から産後3か月の児へのボンディングと妊婦のアタッチメントスタイルおよび諸要因との関連. 日本母性看護学会誌 21(2): 1-8, 2021
16) 岩田裕子, 森 恵美: 父親役割への適応を促す看護援助に関する文献研究. 千葉看護学会会誌 10(1): 49-55, 2004
17) 櫻沢亜紀子: 生後3〜4か月の第1子をもつ父親の育児不安と抑うつ状態. 日本母性看護学会誌 13(1): 9-16, 2013
18) ルヴァ・ルービン: 母性論. 母性の主観的体験(新藤幸恵, 後藤桂子訳), 医学書院, 1997
19) 新藤幸恵, 和田サヨ子: 母性の心理社会的側面と看護ケア, 医学書院, 1990
20) Mercer RT: A theoretical framework for studying factors that impact on the maternal role. Nurs Res 30(2): 73-77, 1981
21) 常盤洋子: 出産体験の自己評価と産褥早期の産後うつ傾向の関連. 日本助産学会誌 17(2): 27-38, 2003
22) Walker LO: Stress process among mothers of infants: preliminary model testing. Nurs Res 38(1): 10-16, 1989
23) 前原邦江: 初産婦の産後1ヵ月における母親役割満足感に関連する要因. 千葉大学大学院看護学研究科紀要 38: 21-29, 2016
24) 森恵美: 分娩施設退院前の高年初産婦の身体的心理社会的健康状態 年齢・経産別の4群比較から. 母性衛生 56(4): 558-566, 2016
25) 前原邦江: わが子の合図を読み取る敏感性を高める看護援助. 母性衛生 47(2): 429-438, 2006
26) 前原邦江: 産褥期の母親役割獲得過程を促す看護介入―母子相互作用に焦点をあてて. 日本母性看護学会誌 5(1): 38-45, 2005
27) 林 ひろみ, 大月恵理子, 森 恵美: 初めての児の誕生にともなう父親役割行動の調整過程に関する研究. 日本母性看護学会誌 4(1): 30-37, 2004

3 産褥期の身体状態のアセスメントと援助

この節で学ぶこと
1. 産褥期の身体状態のアセスメントの視点を説明できる
2. 産褥期の身体状態のアセスメントに基づく援助について説明できる

A. 産褥期の身体状態のアセスメントの視点

産褥期の身体状態のアセスメントにおいては，褥婦の身体的変化が産褥日数に応じた生理的変化の過程をたどっているのか，生理的変化の過程を促進する要因や遅延させる要因の特定も行いながらアセスメントする．同時に，産褥期に起こる変化が急激であることから，今後の経過予測を行い予防的介入につなげることが重要である．また退院後はセルフケアによって生殖器の復古や身体回復を促進し母乳育児を継続していく必要があるため，褥婦の**セルフケア能力**のアセスメントも重要となる．

本書では母乳育児については，母乳栄養を選択しない場合もあることや乳汁分泌機序という生理的側面の影響も大きいことから，「産褥期の身体状態のアセスメントと援助」に位置づけた．一方，産褥期の親になっていく過程について次のようにとらえることとした．実際的な育児に関連した知識や技術を習得する過程，新しい子どもとの絆を形成する過程，新しい子どもを迎えて家庭や社会生活へ適応していく過程の3つの過程である．しかしアセスメントの枠組みや視点は固定されたものではないため母子と家族に合わせて柔軟に活用するとよい．

〈アセスメントの視点〉

\# 生殖器の復古状態（B項参照）
\# 生殖器の復古を促進する要因や遅延させる要因（B項参照）
\# 全身の回復状態（C項参照）
\# 全身の回復を促進する要因や遅延させる要因，不快症状（C項参照）
\# 乳房・乳汁産生状態（D項参照）
\# 新生児の哺乳力（D項参照）
\# 母乳育児に関連する知識や技術の獲得状態（D項参照）

B. 生殖器の復古状態のアセスメントと援助

1 ● 生殖器の復古状態のアセスメント

a. 子宮復古状態のアセスメント

子宮復古状態をアセスメントするために必要な主な情報は，①産褥子宮の収縮状態，②悪露の排泄状態，③排尿・排便状態，④母乳の授乳状況，⑤褥婦の活動状態，⑥後陣痛の状態，⑦妊娠・分娩経過，⑧バイタルサイン，などである．これらの情報やこれ以外の必要な情報について，産褥期の子宮復古を促進する要因や遅延させる要因を明らかにするとともに，それら要因が子宮収縮状態にどのように影響しているのかをアセスメントする（子宮復古不全については，p.318参照）．

復古を促進する要因についてはそれを維持し，遅延させる要因についてはそれを排除または影響が軽減するよう援助する．妊娠・分娩経過において子宮復古不全の要因（p.319の表Ⅲ-21参照）をもつ褥婦に対しては，子宮収縮を促進するための援助を分娩直後から積極的に実施する．

(1) 子宮復古状態の観察

①産褥子宮の収縮状態

子宮の収縮状態は，触診により子宮底の高さ（場合によって長さ）と子宮の硬さ（硬度）を観察し，産褥日数に応じた変化となっているか評価する（図Ⅲ-9，p.240の図Ⅲ-1，表Ⅲ-3参照）．子宮の収縮状態の観察は，妊婦健康診査時と同様に，排尿を済ませ仰臥位にて膝関節を伸展させて行う．

子宮底の高さを測定する簡易な方法として，臍と恥骨を基準に指幅を用いて表現する方法がある．子宮底長を測定する場合は，恥骨結合上縁中央から子宮底の長さを測定する．臨床では前者がよく用いられている．

②悪露の排泄状態

悪露の観察は，褥婦が歩行を開始するまでは産褥パッド（産褥用ナプキン）に吸収された悪露を観察する．歩行開始後は，褥婦自身がパッドを交換する際に悪露を観察し，看護職者は褥婦から得た情報によって悪露の排泄状態を評価する．したがって，歩行開始時に褥婦に対して悪露の観察について説明しておく必要がある．ただし，必要性に応じて看護職者自身による観察も怠ってはならない．

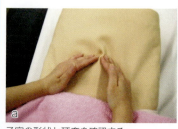  

a 子宮の形状と硬度を確認する． b 子宮底の高さを臍を基準に確認する． c 臍を基準に○横指と表現する．

図Ⅲ-9 産褥子宮の触診技術

悪露の観察は，**色調**，**排泄量**（重量を測定するとよい），**凝血塊・卵膜・胎盤片の有無**，**におい**，**粘性**などで，悪露の排泄状態は産褥日数に応じた変化（p.241の**表Ⅲ-4**参照）となっているのか評価する．子宮内膜炎など，子宮内感染時は，悪露は腐敗臭となり全身の発熱を認める．

(2) 子宮復古に影響を及ぼす要因の観察

①排尿・排便状態

骨盤内臓器の位置関係から（**図Ⅲ-10**），膀胱の**尿の貯留**および直腸の**便の貯留**は子宮復古を妨げる．子宮復古に影響を及ぼす要因として排尿状態および排便状態についても観察しアセスメントする．

排尿については，分娩の影響による尿意の鈍化と排尿障害を有する褥婦がいるため，産褥早期から排尿状態の観察と排尿の促進が必要である．排尿状態の観察は，尿意，残尿感，排尿痛，排尿回数，尿量，尿の色調などに加え，排尿状態に影響する水分摂取，浮腫，発汗，乳汁分泌量なども観察し，関連をアセスメントする．

排便については，排便の有無，排泄量に加え，食事摂取量，水分摂取，活動状態，腸管の蠕動運動，会陰部創痛，痔核の有無との関連をアセスメントする．継続する便秘に対しては，緩下薬の使用も考慮する．

②母乳の授乳状況

授乳状況については，授乳頻度と乳頭への刺激による子宮収縮の状態を観察する．乳頭刺激によって**オキシトシン**が分泌され子宮収縮（後陣痛）が誘発される場合は，授乳によって子宮復古が促進されていると判断できる．

③褥婦の活動状態

坐位や起立の姿勢をとることによって悪露の排泄が促進されるため，褥婦の活動状態も子宮復古に影響する．また早期離床，産褥体操などの運動は子宮収縮を促すとともに血液循環を促し復古を促進する．したがって，褥婦の活動状態に関する情報は子宮復古に影響する要因としてアセスメントする．

④後陣痛の状態

後陣痛は産後の子宮収縮であり，子宮復古が促進される要因としてアセスメントする．

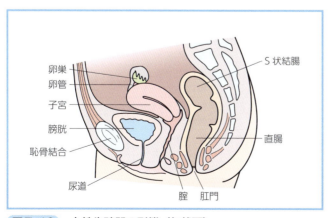

図Ⅲ-10　女性生殖器の形態（矢状面）

ただし，後陣痛が強く，痛みを伴い継続する場合には子宮内に**胎盤・卵膜の遺残**を伴う場合もある．この場合は，子宮復古を妨げる要因となるため，子宮内容物の排泄を促す援助が必要である．また，後陣痛に伴う痛みが強いと授乳や活動，睡眠に影響を与えることがあるため，疼痛の程度を評価するためにも併せてアセスメントする．

⑤妊娠・分娩経過

妊娠・分娩経過については，子宮復古不全の要因（p.319の**表Ⅲ-21**参照）となる多胎妊娠，巨大児分娩，羊水過多症，微弱陣痛，長期間の子宮収縮抑制薬投与，母体疲労，子宮内感染などがないかを確認する．また，年齢や現疾患などの妊娠・分娩への影響が子宮復古にも影響を及ぼしているのかを分析する必要がある．

⑥バイタルサイン

産褥早期の大量出血や子宮内への感染，さらに強い後陣痛などはバイタルサインにも影響を及ぼす．バイタルサインに影響を及ぼす要因を検討する．

b. 腟・外陰部・会陰部の復古状態のアセスメント

腟・外陰部・会陰部の復古状態をアセスメントするのに必要な主な情報は，①腟・外陰部・会陰部の創傷の治癒状態，②骨盤底筋群の緊張回復状態，③陰部の清潔状態，④排泄状態，などである．これら以外の関連する情報についてもアセスメントが必要である．

(1) 腟・外陰部・会陰部の復古状態の観察

①腟・外陰部・会陰部の創傷の治癒状態

腟・外陰部・会陰部の創傷部位の炎症所見を観察し，創部の**治癒状態**を観察する（**表Ⅲ-9**）．また，**血腫**を形成している場合は，大きさ，色調，疼痛などを観察する．

②骨盤底筋群の緊張回復状態

骨盤底筋群の緊張回復によって，分娩直後に臍下2〜3横指の位置にあった子宮底は産褥1日目に臍下1〜2横指に上昇する．骨盤底筋群の緊張回復が遅れると，腟や子宮の下垂を生じやすく，褥婦はしばしば頻回に尿意や便意を催したりする．また，尿道括約筋や肛門括約筋などの緊張回復が遅れると腹圧性尿失禁や痔核などにつながる．骨盤底筋群の緊張を回復するためには産褥体操や骨盤底筋のトレーニングなどの実施が効果的である．

表Ⅲ-9 縫合部治癒状態の評価（REEDA スコア）

ポイント	発赤 (redness)	浮腫 (edema)	皮下出血 (eccymosis)	分泌物 (discharge)	癒合 (approximation)
0	なし	なし	なし	なし	閉じている
1	創面の両側0.25 cm以内	会陰・創面から1 cm以下	両側0.25 cm 片側0.5 cm以内	血清	皮膚の離開3 mmまたはそれ以下
2	創面の両側0.5 cm以内	会陰・陰唇または創面から1〜2 cm間	両側0.25〜1 cm 片側0.5〜2 cm	持続的出血	皮膚と皮下脂肪が離開
3	創面の両側0.5 cm以上	会陰・陰唇・創面から2 cm以上	両側1 cm以上 片側2 cm以上	出血・化膿	皮膚・皮下脂肪・筋肉層の離開
スコア					計

[森　圭子：産褥経過の診断．今日の助産，第2版（北川眞理子編），p.678, 南江堂, 2006（原著Davidson N：REEDA：evaluating postpartumhealing. J Nurse Midwifery 19(2)：6-8, 1974)より引用]

(2) 腟・外陰部・会陰部の復古に影響する要因の観察
①陰部の清潔状態
　陰部の清潔は，腟・外陰部・会陰部の創傷の治癒と関連する．産褥期は悪露の排泄によって陰部や創部が不潔になりやすいため，感染予防の観点から陰部の清潔状態を確保することが重要である．排泄後の陰部洗浄や清拭，シャワー浴の実施状況を確認する．
②排泄状態
　腟・外陰部・会陰部の疼痛や不快感のために排尿や排便が障害されている褥婦がいる．排泄状態からも腟・外陰部・会陰部の復古状態を推察できる．また，排泄の障害が腟・外陰部・会陰部の不快症状の原因となることもある．

2 ● 生殖器の復古を促進する援助
a. 復古を促進する援助
(1) 早期離床
　分娩後2時間以上を経過し，褥婦の全身状態に異常が認められない場合は，分娩経過を考慮しつつ，なるべく早期に起立・歩行を開始することが子宮復古を促進するうえで重要である．

　分娩後のはじめての歩行は，**排尿**と合わせて行われることが多い．歩行する前には，子宮収縮状態と悪露の流出状態の観察およびバイタルサインが安定していることを必ず確認する．**起立性低血圧**を予防するために，まず，坐位をとり，次にベッドサイドに起立し，眩暈やふらつきや気分不良がないことを確認したうえでゆっくりと歩行する．分娩時出血量が多い場合などは，ベッドのギャッジアップから段階的に離床を進めるなど，安全に配慮する．また，歩行中は褥婦のそばに付き添い転倒など引き起こさないよう注意する．

　歩行開始に伴い排尿を試みる場合は，排尿による腹腔内圧の急激な低下や便座からの起立によって血圧が低下し，排尿後に気分不快となる場合がある．トイレ内や帰室時の転倒には十分に注意する．歩行開始や排尿後の急な体調変化に備えて，このときだけは，トイレのドアのカギをかけないよう褥婦に依頼することや，あらかじめ帰室用に車椅子を用意しておくなど，**転倒事故**を予防する援助も必要である．

(2) 早期授乳開始と頻回授乳
　乳頭刺激によって脳下垂体後葉からオキシトシンが分泌され子宮収縮が促進される．したがって，分娩後早期に授乳を開始することや頻回の授乳は子宮復古を促進する．

　早期授乳開始と**頻回授乳**は母乳育児の確立にも効果的な方法である．ただし，頻回授乳は母体の疲労につながり褥婦の活動を減少させることもあるため，母体回復と乳汁分泌促進の両方の観点から，適度な授乳回数や授乳時間となるよう援助する必要がある．

(3) 子宮底輪状マッサージ（p.187の図Ⅱ-33参照）
　産褥早期の子宮収縮を促進するには**子宮底輪状マッサージ**が効果的である．腹壁上から子宮底を触診し子宮が硬く触れる場合は収縮良好と判断するが，弾力性があり，柔軟な場合は硬度良好とはいえず，子宮収縮状態は不良ということになる．分娩直後は援助者によって子宮底輪状マッサージを行うが，歩行開始後は褥婦自身で実施できるよう援助する．

(4) 産褥体操（図Ⅲ-11）

産褥体操などの適度な運動は，全身の血液循環を促すとともに筋力を回復させ，子宮復古および全身の復古を促進することができる．さらに，乳汁分泌促進，産褥血栓症の予防，

図Ⅲ-11 産褥体操の具体例と開始時期の目安

リラクセーションの効果も期待できる．

産褥体操は，産褥日数に応じて軽度の運動から開始し，徐々に運動の種類と実施回数を多くしていく．分娩経過によっては産褥1日目から実施できない場合もある．また，会陰部の縫合部痛が強い場合は疼痛が増強しない運動から実施する．

産褥期は授乳に時間を費やすことが多いが休息の時間も必要であり，どのような運動をどのような場面で実施するか，褥婦の生活に合わせて実施できるよう援助する．

b. 生殖器の復古に伴う不快症状への援助

(1) 後陣痛に伴う疼痛の緩和

後陣痛に伴う疼痛は多くは産褥2～3日で軽快する．後陣痛は生理的なものであるが，睡眠や休息を妨げるほど疼痛が強い場合は緩和するケアが必要である．また，授乳によってオキシトシン分泌が促され後陣痛が増強するために，授乳に消極的になる場合にも疼痛に対する援助が必要である．

褥婦の訴えを詳細に聞き共感しつつ，子宮収縮に伴う痛みは正常なものであり徐々に軽減することを説明する．そのうえで，疼痛の状態，授乳との関連，悪露や胎盤の子宮内遺残の有無，睡眠や休息への影響などの観察を行う．悪露や胎盤の子宮内遺残が原因と考えられる場合は，子宮底輪状マッサージや産褥体操，母乳育児を促すなど子宮内容物の排泄を促す援助を実施する．また，必要に応じて医師に診察を依頼する．

子宮収縮が良好で子宮内遺残がない場合は，臥床時に腹部の緊張を低減する**体位の工夫**（シムス位や腹臥位）や，**腰部の温罨法やマッサージ**などを行う．看護援助によっても後陣痛の痛みの軽減が図れない場合は，鎮痛薬の適用をアセスメントし医師に処方を依頼する．褥婦によっては母乳への影響を心配し，痛みを我慢している場合がある．用いられる鎮痛薬を確認したうえで，母乳に影響がないことを褥婦に説明する．

c. 外陰部・会陰部の創傷への援助

(1) 第3・4度会陰裂傷の場合の援助

会陰裂傷が第3度以上の場合，損傷は肛門括約筋に達している（p.229の図Ⅱ-48参照）ため，排泄機能に影響を及ぼす可能性が高い．排便に伴う疼痛や便により創部が汚染されるのではないかというおそれから便秘になる褥婦もいる．便秘になると，硬便となり排便量も増すなど，かえって排泄時の疼痛を増強させたり，縫合部に強い圧迫や緊張をかけることにつながる．したがって，会陰裂傷が第3度以上の場合には，食事や水分摂取，適宜，緩下薬を用いるなど，適切な**排便コントロール**を行う．

(2) 会陰縫合部の疼痛の緩和

会陰裂傷や会陰切開による創の縫合部に**疼痛**が生じる．多くの場合産褥3日ごろには軽減し，4～6日にはかなり改善する．まれに産褥3～6ヵ月継続することもある．強く疼痛を訴える場合や持続する場合は，**血腫**の形成や**感染**が疑われるため，注意深い観察が重要である．

会陰縫合部痛も後陣痛と同様に，褥婦の訴えを詳細に聴き共感しつつ，産褥経過とともに徐々に軽減することを説明する．縫合部の観察は治癒状態や感染徴候の有無などの確認を行う．

①縫合部の観察

縫合部の癒合状態，疼痛，発赤，腫脹（しゅちょう），発熱，滲出液，皮下出血に加え，縫合部周辺の浮腫，皮膚色，血腫，全身の発熱の有無を観察する．また，疼痛は持続的か間欠的か，自発痛か，外陰部の緊縛感（きんばくかん）の有無なども観察し治癒過程における生理的な疼痛であるのか判断する．

②縫合部の安静

縫合部への刺激を避け安静を保ちつつ，**清潔**と**循環促進**を図る．坐位をとる場合は，縫合部に体重が直接かからないよう重心をずらすなど，体位を工夫したり，円座や産褥用の椅子を用いて縫合部への刺激を避ける．

③血液循環の促進

産褥数日間の会陰縫合部の疼痛では，局所の血流低下をきたす炎症反応が起こるため，局所に必要とされる酸素供給が不足し発痛物質を増加させる．下着やパッドなどによる圧迫を避け，温罨法などにより血液循環をよくすることで発痛物質の局所内濃度を低下させ痛みを軽減することができる．

④縫合部の緊張の低減

縫合による創部の緊張の程度と疼痛が相関することも多いため，産褥経過とともに創部の治癒が進むと疼痛は軽減することが多い．創部の治癒が順調でも縫合による緊張が強く，緊縛感を伴う疼痛が軽減しない場合は産褥4日目ごろに抜糸（ばっし）を行うこともある．

C. 全身の回復状態および不快症状のアセスメントと援助

1 ● 全身の回復状態および不快症状のアセスメント

妊娠・分娩経過を分析し，産褥の全身状態に及ぼす影響や不快症状の出現・増悪の可能性を予測しながら褥婦を観察することが必要である．全身の回復状態および不快症状をアセスメントするために必要な主な情報は，①体温・血圧などのバイタルサイン，②体重変化，③血液像と体液分布，④活動と休息の状態，⑤栄養・代謝の状態，⑥排泄状態，⑦清潔の状態，⑧疼痛などの不快症状，⑨妊娠・分娩経過などである．

（1）バイタルサイン

産褥早期はバイタルサインが変動しやすい．分娩により代謝が亢進し体温が変化すること，胎盤循環がなくなることや分娩時の出血などによって循環動態が変化し，血圧が変動すること，児や胎盤の娩出により横隔膜の挙上が解除されることによる呼吸状態の変化などが起こるためである．また，体温は分娩直後から産褥早期に多少の上昇はみられるが，37.5℃を超えて持続する場合は感染など病的な発熱の可能性を考える．たとえば，前期破水，異常出血，胎盤用手剝離，分娩により生じた胎盤剝離面や軟産道の損傷，膀胱への尿の貯留などは生殖器・泌尿器への感染のリスクを高める要因となりうる．妊娠高血圧症候群を合併していた場合は，血圧の変化に注意するなど，妊娠・分娩経過から，産褥期のバイタルサインに影響を及ぼす諸要因についてあらかじめ予測して注意深く観察することが必要である．

（2）体重変化

産褥期に胎児および胎児付属物の重量に見合う体重減少がみられない場合は，浮腫や排

尿状態，血圧や血液検査結果（血球検査，腎機能，肝機能など）などを確認し異常徴候の有無を確認する．著しく減少する場合も，食物や水分の摂取量，排泄状態を確認し，全身的な回復状態をアセスメントする．

(3) 血液像と体液分布

分娩時の出血が500 mLを超える場合は産褥期の**貧血**に留意する．とくに，赤血球や血色素数が最低値となる産褥3〜5日目に注意が必要である．貧血が著明な場合は全身の回復が遅れる可能性もある．

また産褥早期は，分娩後の身体回復のための休養や授乳中の坐位，下腿の運動不足により下肢に浮腫をきたしやすい．

さらに，産褥早期は**静脈血栓症**（p.320参照）のリスクがあることを認識し，**下肢痛**（ホーマンズサインなど）や下肢の**浮腫・皮膚色・熱感**などを注意深く観察する．

(4) 活動と休息の状態

活動と休息の状態に関しては，妊娠による生理的変化に加え，分娩疲労や分娩損傷からの身体的回復過程と，褥婦の生理的ニーズを満たすためのセルフケア行動に授乳行動・育児行動が加わって変化した新しい生活様式への適応過程のバランスと優先度をアセスメントすることが重要である．一般的に産褥早期には身体的回復過程を優先し，産褥2〜3日目以降には新しい生活様式への適応過程が優先されるが，分娩・産褥経過，心理状態，社会的背景など，褥婦の個別性も考慮する必要がある．

(5) 栄養・代謝の状態 （p.247参照）

食事摂取状態は褥婦の身体的回復過程と乳汁産生に影響を及ぼすため，看護職者による摂取状況の観察はもちろん，退院後の生活を考慮し褥婦の食事摂取に関するセルフケア能力をアセスメントすることが重要である．

褥婦が自身に必要な食事摂取量や栄養素について理解し，そのような食事を準備し摂取することができるのか確認する．食事摂取基準は褥婦の年齢，身体活動レベルによって異なるが，授乳を行わない褥婦の場合は非妊時の女性における食事摂取基準が基準となる．また，授乳期の褥婦の食事摂取基準は非妊時の女性における基準値にエネルギー量350 kcalを目安に付加される．これは，1日の泌乳量を780 mLとして策定されたものであるため，混合栄養（母乳と人工乳の併用）の場合は母乳の比率に応じて，エネルギー付加量を減じてもよい（p.59の**表Ⅰ-21**参照）．

(6) 排泄状態

産褥期の排泄状態は，泌尿器や消化器機能の状態を反映するだけでなく，子宮復古や尿路感染症とも関連する．

排尿については，産褥早期は**利尿期**となり尿量の増加がみられる．排尿状態のアセスメントのためには，排尿回数（排尿頻度），尿意，残尿感や排尿痛など随伴症状の有無，水分摂取量，浮腫の有無，体重減少，発汗，発熱など，水分出納や体液分布について，尿の産生と排出の視点からアセスメントする．

排便については，分娩後0〜2日間は便秘になる褥婦が多い（p.248参照）．しかし，長引く便秘は子宮復古に影響するだけでなく，硬便の排泄による痔核の疼痛や外陰部創痛に対し褥婦に恐怖感を生じさせ悪循環となる．食事摂取，水分摂取，活動状況，外陰部創痛，

痔核の疼痛など，排便に影響する要因についてアセスメントする．

(7) 清潔の状態
　外陰部の清潔状態は，子宮内膜炎などの産褥熱や尿路感染症の発症，外陰部の皮膚トラブルと関連する．また，産褥期は発汗や脱毛などがみられる褥婦も多く，全身の清潔も重要である．したがって，悪露の排泄状態，悪露の性状，排尿状態，体温，外陰部の皮膚の汚染，外陰部の創部状態，皮膚トラブルなど生殖器や泌尿器はもちろん全身の清潔状態を観察しアセスメントする．

(8) 疼痛などの不快症状
　産褥期の疼痛などの不快症状（マイナートラブル）は，後陣痛，外陰部の創痛，血腫，痔核，下肢浮腫，乳頭・乳房痛などが主なものである．不快症状の原因と程度，症状と関連する要因についてアセスメントする．

(9) 妊娠・分娩経過
　妊娠および分娩経過について，妊娠貧血，妊娠高血圧症候群，遷延分娩，異常出血など産褥期の全身の復古に関連する要因を確認しアセスメントする．

2● 全身の回復促進および不快症状への援助
(1) 活動と休息
　全身状態の回復促進と子宮復古促進には早期離床と適度な活動が望ましい．しかし，妊娠・分娩経過に異常が認められる場合は，全身状態の改善のために安静や休息，休養を優先し，活動の拡大を制限し徐々に行うことのほうが回復を促進する場合もある．一般に産褥早期の母親の関心は自身の基本的欲求の充足に向けられ，受動的で依存的であることも考慮する．産褥期の活動と休息のバランスは，妊娠・分娩経過が褥婦の身体および心理状態に及ぼす影響をアセスメントして決定する．

①産褥早期
　産褥早期（とくに分娩当日〜2日ごろまで）の褥婦は，分娩による疲労や疼痛，産褥早期から開始される授乳や児の世話などによって疲労しやすい．身体回復のためには，適度な休息も重要である．この時期の褥婦の活動は，授乳行動，育児行動，排泄行動，清潔行動が中心となる．産褥体操など回復を促進する運動は，ごく軽いものから開始し徐々に拡大する．褥婦が望むときには，いつでも休息や睡眠をとることができるよう授乳以外の健康教育や検温などのスケジュールの調整や病室の環境を整えるなどの援助を行う．

②産褥3〜4日目以降
　分娩による疲労や疼痛が軽減し褥婦の活動はさらに拡大されるが，褥婦は自身の生理的ニーズの充足行動と児の世話を中心とした生活を送る．また，退院後の生活への適応に向けて，褥婦自身の身体回復や育児に関連するセルフケア能力向上のための健康教育が実施される．

(2) 栄養
　妊娠期・授乳期の食事摂取基準（p.60の表Ⅰ-22参照）を参考にバランスのよい食事が摂取できるよう援助する．単に，基準量を説明するだけでなく，献立や摂取量を具体的にイメージできるような情報提供が必要である．

表Ⅲ-10　乳汁中の栄養素含有量に影響する因子

乳汁中の栄養素含有量に影響する因子	栄養素
授乳婦の摂取状況	脂質*，ビタミンA，ビタミンE，ビタミンK，ビタミンB_1，ビタミンB_2，ナイアシン，ビタミンB_6，パントテン酸，ビオチン，ビタミンC，マンガン，ヨウ素，セレン
授乳婦の体内貯蔵量	脂質，ビタミンD，葉酸
授乳婦の摂取状況および体内貯蔵量にかかわらず一定	タンパク質，ビタミンB_{12}，ナトリウム，カリウム，カルシウム，マグネシウム，リン，鉄，亜鉛，銅，クロム
不明	モリブデン

*摂取状況により脂肪酸組成が変化．
〔厚生労働省：乳汁中の栄養素含有量に影響する因子．日本人の食事摂取基準（2010年版），〔http://www.mhlw.go.jp/shingi/2009/05/dl/s0529-4as.pdf〕（最終確認：2017年8月28日）より引用〕

　とくに母乳育児を行う褥婦には，母親が摂取した栄養素や薬物，嗜好品などが母乳成分に及ぼす影響について理解できるよう援助する．母体の摂取状況が乳汁中の含有量に影響する栄養素として多くのビタミン類があげられている（**表Ⅲ-10**）．体内貯蔵量が乳汁中の含有量に影響するものとしてビタミンDや葉酸があげられている．これらの栄養素については授乳中に適切に摂取することが新生児の成長発達に適した乳汁を産生するために大切となる．一方，摂取状況や体内貯蔵量にかかわらず一定のものとしてタンパク質，カルシウム，鉄などがあげられている．摂取不足の場合には，乳汁成分を一定に保つためにこれらの栄養素が母体から喪失していくということであり，適切な摂取がなされないまま母乳育児を行うことは母体の健康を損なうことにつながる．

　アルコール，ニコチンは乳汁に移行し，乳児発育や母乳分泌に影響することが知られている．授乳中も妊娠期同様に禁酒，禁煙を支援する．

(3) 排　泄

　分娩後の歩行開始後は，子宮復古の促進と尿路感染症を予防するためにも3～4時間おきの**排尿**を促す．分娩による影響で尿意の消失や減弱がみられる場合には，排尿間隔を意識して排尿することが重要である．

①排尿時の工夫

　排尿時に外陰部の創部や擦過傷に尿がしみて疼痛がある場合は，上半身を前傾させた姿勢で排尿するとよい（**図Ⅲ-12**）．また，排尿後は微温湯で洗浄した後，外陰部を押さえ拭きするのもよい．

②排尿障害への支援

　排尿困難や**尿失禁**がみられる場合は，尿意，恥骨上部の膨隆，外陰部疼痛などの有無を確認する．まず，排尿困難や尿失禁のほとんどが一過性であり時間とともに回復することを説明する．外陰部の疼痛が強く排尿が困難な場合は鎮痛薬の必要性をアセスメントし医師に依頼する．尿意の有無にかかわらず，3～4時間おきの排尿を促し，トイレの温水洗浄機能を活用し温水をかけたり流水音を流して排尿を誘導する．自然な排尿が困難な場合は必要に応じて導尿を行う．膀胱圧迫は膀胱から尿管への尿の逆流をきたす可能性があるため行わない．

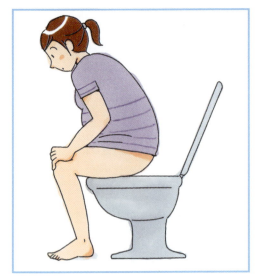

図Ⅲ-12 排尿姿勢の工夫
前傾姿勢をとり，創部に尿が流れないようにする．

また，尿失禁は骨盤底筋群の機能が回復することで軽快していく．**骨盤底筋のトレーニング**を行うとよい（**図Ⅲ-13**）．

③便秘への援助

産褥0〜2日間は便秘となる褥婦が多いが，長く続く便秘は子宮復古を妨げるため**排便**を促す援助を行う．便意の有無，水分摂取量，食事内容や食事摂取量，活動状態，不快症状などを観察し，必要時は緩下薬や浣腸などを用いて早めに排便を促す．分娩後に便秘になりやすいことは明らかであるから，便秘は予防することがもっとも大切である．胃結腸反射を利用して朝食後にトイレに座るなど排便習慣をつける，便意を我慢しない，水分や食物繊維を摂取する，指圧やマッサージを行うなどのセルフケアを促す（p.70, 71参照）．

④痔核への援助

分娩直後に肛門粘膜が反転した脱肛や内痔核が肛門外に脱出した状態で確認されることが多い．可能であれば分娩直後に潤滑油や表面麻酔薬のゼリーなどを使用し還納（かんのう）を試みるが，疼痛が強い場合は軽減してから行う．脱出した痔核はうっ血し腫脹することがあり，強い疼痛を伴うことがある．疼痛や腫脹に対しては，痔核の血液循環を促すための温罨法やシャワー浴を行う，痔疾治療薬を用いる，圧迫を避けるために円座を用いるなどの援助を行う．また褥婦には，便秘を予防し排便時の努責を避ける，排便後の清潔，温罨法，うっ血予防のためのこまめな還納，骨盤底筋や肛門括約筋の回復や強化のためのトレーニングなどのセルフケアを促す[1]（**図Ⅲ-13**）．

(4) 清 潔

①外陰部の清潔

外陰部には清潔な産褥パッド（産褥用ナプキン）を当てる．パッドのサイズは悪露の流出状態に合わせて調整する．パッドの交換は排尿に合わせて3〜4時間おきに行う．

分娩直後の安静時は看護職者がパッド交換を行う．子宮収縮状態や悪露の流出状態の観

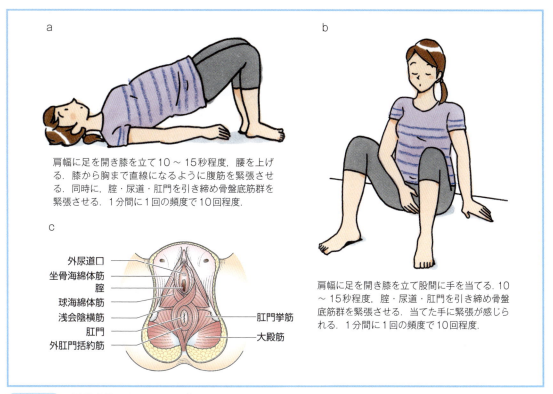

図Ⅲ-13 骨盤底筋のトレーニング
日常生活のなかに取り入れる．骨盤底の筋肉（c）を意識し緊張させることで，坐位でも立位でも行うことができる．

察を兼ねて交換することが多い．

歩行開始後はセルフケアとして褥婦自身がパッド交換を行うため，パッドの交換頻度，悪露の観察，排泄後の外陰部の清拭方法について説明する．排泄後は微温湯で外陰部を洗浄し，トイレットペーパーで押さえ拭きする．

②全身の清潔

分娩直後は看護職者が全身を清拭する．分娩当日の歩行開始後は褥婦自身で清拭を行ってもよい．

産褥1日目に，子宮収縮状態，悪露の流出状態，外陰部の創状態，褥婦の一般状態を確認し，問題がない場合はシャワー浴が許可される．分娩後のはじめてのシャワー浴では一過性の血圧低下をきたし気分不良や眩暈を起こす褥婦がいる．初回のシャワー浴は10分程度とし，定期的に声をかけ，浴室内には椅子を準備するなど浴室内での気分不良や転倒に十分留意する．とくに，妊娠期から貧血がある褥婦や分娩時に異常出血をきたした褥婦など，リスクのある褥婦については，洗髪台で援助者が洗髪を行うなどシャワー浴の時間を短縮する援助を行う．

とくに異常がなければ，産後間もなくから清潔な湯に浸かって入浴してもよい．湯の汚染が気になる場合は，悪露量が減じるまでシャワー浴を行ってもよい．実際には，産褥1ヵ月に行われる健診において，生殖器の復古状態に問題がないことを確認した後に入浴

する褥婦が多い．

D. 母乳育児に関するアセスメントと援助

1 ● 母乳育児に関するアセスメント

　母乳育児を支援するためには母乳育児の一般的な利点と欠点について知る必要がある．利点として，栄養学的利点があげられる．母乳は新生児の成長発達に必要な成分を含み消化吸収に優れている．ただし，**ビタミンK**の含有が少ないことは欠点としてあげられる（p.378参照）．母乳中に含まれる**免疫グロブリン**（immunoglobulin：Ig）は感染防御機能を有しており免疫学的利点がある．小児期の肥満や2型糖尿病の発症リスクの低下なども報告されている[2]．母親にとっても，児が乳首を吸啜することで分泌されるオキシトシンの作用によって子宮復古が促進される．母子相互作用を促進する．当然，人工乳に対して安価であるという経済的利点もある．

　一方で，乳汁が母親の乳腺で産生されるために生じる欠点もある．母親が摂取する食品や薬物が乳汁中に排泄されることがある．アルコールやニコチンは乳汁中に移行する．**ヒト免疫不全ウイルス（HIV）・ヒトT細胞白血病ウイルス（HTLV-1）**などの一部の感染症は母乳を介して児に感染する．HIV感染の場合は原則人工栄養による哺育を行う．HTLV-1感染の場合も完全人工栄養を勧める（表Ⅲ-11）．また，母乳育児のために授乳をほかの人に代わることができないなどの欠点もある．

　母乳育児状態をアセスメントするために必要な主な情報は，①母親の母乳育児に対する

表Ⅲ-11　母親がHTLV-1キャリアの場合の母子感染予防のための乳汁選択

栄養方法	推奨される方法	母親が母乳を与えることを強く望む場合	
	完全人工栄養	凍結母乳栄養	短期の母乳栄養
考え方	・乳汁中の感染Tリンパ球を子どもに一切与えない	・乳汁の凍結によって感染Tリンパ球が不活化され感染予防効果が得られる ＊母子感染予防のエビデンスが不十分	・乳汁中の感染Tリンパ球を子どもに与える期間を制限する ・母体からの移行抗体が母乳を介したウイルスの侵入をブロックすると推測
長所	・経母乳感染予防にはもっとも効果的	・ある程度母乳栄養の利点を付与できる	・短期間ではあるが母乳栄養の利点を付与できる ・直接授乳が可能
短所	・母乳栄養の利点を付与できない ・母子感染を完全には予防できない	・煩雑である（搾乳した母乳を家庭用冷凍庫で24時間以上冷凍し，解凍後，哺乳びんで与える） ・使用できない冷凍庫（cell alive system：CAS）がある ・母乳パック購入費用がかかる ・直接授乳ができない	・短期（90日）で授乳を中止することがむずかしく母乳栄養が長期化すると感染リスクが高くなる

・HTLV-1は成人T細胞白血病（ATL）の原因ウイルスでありキャリアのATL生涯発症率は3〜7%程度，HTLV-1関連脊髄症など，HTLV-1関連疾患の原因ウイルスである．
・感染経路は，母子感染（主に経母乳感染），性行為感染，輸血である．
・原則として完全人工栄養を勧める．母乳による感染のリスクを説明しても母親が母乳を与えることを強く望む場合には，短期母乳栄養や凍結母乳栄養という選択肢もあるが，母子感染予防効果のエビデンスが不十分であることを説明する．

意欲，②乳房・乳頭の状態，③乳汁産生・分泌状態，④母親の授乳技術，⑤母親の栄養状態・休息状態，⑥新生児の哺乳状態，⑦新生児の健康状態などである．

(1) 母親の母乳育児に対する意欲

母乳育児の援助においてもっとも重要なことは，母親の母乳育児に対する意欲をアセスメントすることである．新生児にとって母親の母乳がもっとも適した栄養であることから，多くの母親は母乳育児を希望する．しかし，なかには母親の健康状態や心理・社会的要因から母乳育児を選択しない母親もいる．母乳育児を選択しない母親のなかには，母乳を与えないことに対し，**罪悪感**や**悲しみ**などの気持ちを抱く母親もいる．母乳育児を選択しない意思決定をした母親への心理的支援も重要である．

母親が児の栄養法についてどのような理由でどのような考えをもっているのかていねいに傾聴し，意思決定のプロセスで必要な情報が得られていたのか，その母子にとって最良の選択がなされているのかアセスメントする．

さらに母乳育児にもさまざまな方法があるため，母乳だけで育てたい（完全母乳栄養）のか，短期間の母乳栄養なのか長期間なのか母乳と人工乳との**混合栄養**なのか，など，母乳育児に対する母親の希望を確認する．また，その希望は変化する可能性がある．

(2) 乳房・乳頭の状態 (p.461 Skill 9 参照)

視診では乳房全体と乳頭の形・大きさ（図Ⅲ-14），**乳頭トラブル**（発赤，浮腫，疼痛，水疱，亀裂など）を観察する．触診では乳房全体の乳腺組織の発達状態や緊満状態，硬結などを観察する．乳頭と乳輪の触診では柔軟性や伸展性を観察し，鼻翼の硬さと同等の場合は硬い，口唇は普通，耳たぶは柔軟と評価する．これらの観察をもとに児の適切な抱き方をアセスメントする．さらに，**副乳**（milk line）の有無を観察する（図Ⅲ-15）．

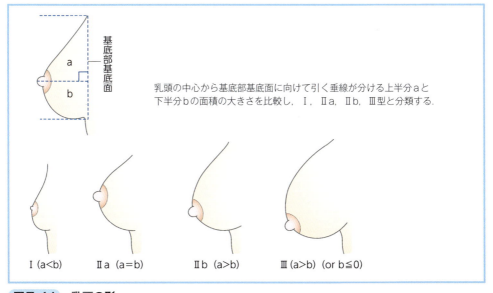

図Ⅲ-14　乳房の形

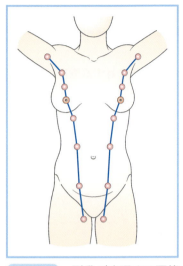

図Ⅲ-15 副乳が出現する可能性がある部位

表Ⅲ-12 乳汁の変化

産後日数	分泌量（1日, mL）	色	性状
1	5〜20	水様性・半透明	粘稠性強
2	50〜70		
3	140〜250	やや黄色	
4	230〜310		粘稠性やや弱
5	270〜400	クリーム色	
6	290〜450		
7	320〜	乳白色	
8〜14	500〜	白青色・不透明	さらさら
15〜28	700〜		

［北川眞理子, 内山和美（編）: 産褥経過の診断. 今日の助産, 第2版, p.691, 南江堂, 2006より許諾を得て一部抜粋して転載］

(3) 乳汁産生・分泌状態

①乳汁産生状態

乳房の緊満状態, 熱感について母親の自覚と触診で観察する. また, 乳汁産生が活発化すると乳汁の貯留により乳房内の圧が上昇し静脈の怒張などがみられるようになる.

②乳汁分泌状態

乳頭部に開口する乳管口の数と太さを観察し, 乳栓（乳管口を塞ぐ白色の脂肪や乳固形など）がみられる場合は除去する. 乳管口の開口数は経日的に増加し, 太さも増す. 乳管口の開口数には個人差が大きいが, 産褥1〜2日目で2〜3本, 3〜4日目で4〜5本, 4〜6日目以降は6〜7本以上が開口し, 最終的には5〜15本程度開口する. 乳輪部を1〜2回圧迫し乳汁を圧出した際の排出状態を観察する. 産褥1〜2日目はじわりとにじむ程度であるが, 産褥3〜4日目になるとポタポタと滴る程度になり, 産褥4〜6日目には射乳がみられるようになる. 通常, 乳汁の分泌量は, 児の必要量に見合う程度に経日的に増加していく（表Ⅲ-12）.

一般的に以前に母乳育児を行った経験のある経産婦は, 母乳育児が順調に進むことが多く, 初産婦に比べると乳管開口や乳汁分泌がやや早い.

(4) 母親の授乳技術

母親の授乳技術については, 児が乳房に適切に吸い着き（吸着, latch on［ラッチ・オン］）, 母子の姿勢が安定し安楽な状態で授乳を行うことができているか観察する. 母親はリラックスし肩や腕, 頸部に不必要な緊張はないか, 児の顔面が乳房を向き腹部が母親の体に密着しているか, また, 児の口の位置は乳頭の高さと一致しているか, 乳輪部まで十分にラッチ・オンできているか, その姿勢が維持できているかを観察する. 必要に応じて乳房や乳頭のマッサージの方法や搾乳の方法を母親が理解し実施できるか観察する.

(5) 母親の栄養状態・休息状態

栄養状態について，妊娠期の体重増加は適切か，妊娠貧血はなかったか，分娩期の異常出血による貧血はないか，必要な食事摂取量や水分を摂取できているかなど観察する．休息状態に関しては，短時間でも質のよい睡眠や休息が得られているか，分娩からの回復の遅延，頻回授乳による疲労，精神的ストレスなどはないかを観察し，乳汁産生・分泌状態との関連をアセスメントする．

(6) 新生児の哺乳状態

母親の乳房へのラッチ・オン，哺乳意欲，児の口の大きさと乳頭の適合度，吸啜，嚥下が適切であるか観察する．適切なラッチ・オンが困難な場合は，母親の乳房，乳頭状態に加え，児の口腔内を観察し舌小帯短縮症，鵞口瘡，口蓋裂などの有無を観察する．

(7) 新生児の健康状態

新生児仮死，感染症，消化器疾患，高ビリルビン血症，低血糖など，異常のある新生児または異常をきたす可能性のある新生児については母乳育児を制限する場合がある．また，明らかな異常や疾患はみられなくても，初期嘔吐や胎便の排泄遅延などによって哺乳意欲が低下することがある．

生理的体重減少や排泄回数は哺乳状態に影響を受けるため，これらの情報のアセスメントも必要である．

2 ● 母乳育児確立への援助

a. 母乳育児開始時の援助

母子の健康状態や母親の乳房に異常がない場合，母乳育児を確立するポイントは児が乳房に適切にラッチ・オンし吸啜できること，早期授乳開始，児の欲求に合わせた自律授乳によってエンドクリン／オートクリン・コントロールで決まる乳汁産生量を適切に調節することである．

「母乳育児成功のための10ヵ条」は1989年にWHO/UNICEFの共同声明として発表された「母乳育児の保護，推進，支援：産科医療施設の特別な役割」の要約であり，母乳育児を離乳まで継続するために必要な支援内容が明記されている（**表Ⅲ-13**）．

(1) 早期授乳開始

①早期授乳の効果

分娩後早期からの母子の肌と肌の触れ合い（早期母子接触，p.184参照）と授乳開始により母乳育児の確立が促進される．また，母子の肌と肌の触れ合いは体温維持，血糖低下の予防，アシドーシスの改善など，出生後の新生児の生理的変化を早く安定させる効果がある．

②出生直後の授乳援助

出生直後から母子の肌と肌の触れ合い（早期母子接触）を行った場合は生後40分ごろから児が哺乳行動を開始することがわかっている．したがって，分娩後できるだけ早期から母子の肌と肌の触れ合いを行うなかで早期の授乳を支援することが望ましい．

この時期，児は胎外生活への適応のために生理的変化が急激に起こる時期でもある．低体温を予防するため温かく柔らかいタオルで児をおおい，呼吸状態，四肢冷感，チアノー

表Ⅲ-13　母乳育児成功のための10ヵ条（WHO/UNICEF共同声明，1989年）

産科医療や新生児ケアにかかわるすべての施設は以下の条項を守らなければなりません．

1. 母乳育児についての基本方針を文書にし，関係するすべての保健医療スタッフに周知徹底しましょう．
2. この方針を実践するのに必要な技能を，すべての関係する保健医療スタッフに訓練しましょう．
3. 妊娠した女性すべてに母乳育児の利点とその方法に関する情報を提供しましょう．
4. 産後30分以内に母乳育児が開始できるよう，母親を援助しましょう．
5. 母親に母乳育児のやり方を教え，母親と赤ちゃんが離れることが避けられない場合でも母乳分泌を維持できるような方法を教えましょう．
6. 医学的に必要でないかぎり，新生児には母乳以外の栄養や水分を与えないようにしましょう．
7. 母親と赤ちゃんが一緒にいられるように，終日，母子同室を実施しましょう．
8. 赤ちゃんが欲しがるときに欲しがるだけの授乳を勧めましょう．
9. 母乳で育てられている赤ちゃんに人工乳首やおしゃぶりを与えないようにしましょう．
10. 母乳育児を支援するグループをつくり後援し，産科施設の退院時に母親に紹介しましょう．

表Ⅲ-14　児がお乳を欲しがるサイン

早期のサイン	遅いサイン
・吸うように口を動かす． ・吸うときのような音を立てる． ・手を口にもっていく． ・急速な眼球運動（レム睡眠時）． ・クーとかハーとかいうような柔らかい声を出す． ・むずかる．	・啼泣する． ・疲れきってしまう． ・眠り込んでしまう．

［国際ラクテーション・コンサルタント協会(ILCA)：母乳だけで育てるための臨床ガイドライン，NPO法人 日本ラクテーション・コンサルタント協会 翻訳部 張 尚美・南田智子(翻訳)，宮川桂子(再翻訳)，NPO法人 日本ラクテーション・コンサルタント協会，2008より許諾を得て一部抜粋して転載］

ぜの有無を注意深く観察しながら授乳を援助する．

(2) 児の欲求に合わせた授乳（頻回授乳と自律授乳）

　乳房の乳汁産生量は**エンドクリン・コントロール**と**オートクリン・コントロール**で調節されるため，児の欲求に合わせた自律授乳を行うことは合理的である．授乳回数や1回の授乳時間を制限する必要はない．乳頭トラブルの予防法として根拠があるのは適切な**ラッチ・オン**と**ポジショニング**のみである．授乳回数を制限することは乳汁産生を遅らせることや乳房緊満の原因となる．また，1回の授乳時間を制限することは，エネルギーの多い**後乳**（1回の授乳において飲み始めではなく後のほうの乳汁）と，初乳と後乳に多く含まれる脂溶性ビタミン類の摂取を妨げることにもなる．健康な児の場合，児が授乳中に眠ったときにわざわざ刺激して起こす必要はない．

　①授乳のタイミング

　児が**お乳を欲しがるサイン**（表Ⅲ-14）を目安に，空腹の徴候があれば授乳するよう母親に説明する．児のサインがわかりにくい場合は看護職者が母親とともに児を観察しサインを確認することが必要である．授乳のタイミングがわるいと児の欲求に合わせた自律授乳がむずかしくなるばかりでなく，児が乳房に吸い着かず母親の母乳育児への自信を失わせることにつながる．

②授乳回数

自律授乳を行った場合の日齢0～5までの授乳回数は10～12回/日程度である．しかし個人差が大きく，15～16回/日程度となることもある．自律授乳における授乳回数はおおむね日齢2がもっとも多く，その後は若干減少し日齢5には10回/日程度となる[3]．母親に対して頻回授乳が母乳分泌不足や児の飢餓状態を意味するものではないことを十分に説明するとともに，授乳の合間に十分休息できるよう，褥婦の検温や健康教育の時間調整や病室の環境調整を行う．

(3) 授乳姿勢（ポジショニング）

母親がリラックスし楽な姿勢をとり，児も安定し母親に密着した姿勢で授乳できるよう援助する．母親が自然にとる授乳姿勢が授乳姿勢のポイント（表Ⅲ-15）を実践できているかを確認し，必要に応じてクッションなどを利用して適切なポジショニングがとれるよう援助する．

母親が自分で授乳姿勢を見つけられない場合は，基本的な授乳姿勢を提案し試みるのもよい（図Ⅲ-16）．

①横抱き

ゆりかご抱きともよばれ，多くの褥婦が行う授乳姿勢である．児の体幹は授乳する乳房側の前腕全体で支え殿部は手で支える．乳房は反対側の手で支える．母親が児を支えている腕の下にクッションやタオルなどを挿入すると児の姿勢が安定しやすい．

②交差抱き

授乳する乳房と反対の手で児の後頭部を中心に背部から後頭部までを把持し，授乳する側の手で乳房を支える．児が乳房にしっかりとラッチ・オン（吸着）し吸啜を始めたら，手を替えて横抱きにすることもできる．

③縦抱き

児を母親の授乳する側の大腿にまたがらせるようにし，授乳する乳房の側の手で児の後頭部を中心に背部から後頭部までを把持し児頭を支え，乳房は授乳する反対の手で支える．児頭が軽度の反屈位をとり，乳房にラッチ・オンできる姿勢をとる．母親は背筋を伸ばし乳頭を突き出す．児の殿部にタオルを敷き込んだり，母親用の足台を用いるなどし，児を乳房の高さに合わせるとよい．

④脇抱き

フットボール抱きともよばれ，母親の授乳する側の手で児頭を支え同側の母親の脇に児を抱えるように支える．乳房は授乳する側と反対の手で支える．

表Ⅲ-15 授乳姿勢のポイント

母親の姿勢	児の姿勢
・頭，背中，腕，足が安定している． ・首，肩，背中，腕，足が緊張していない．	・児の耳，肩，腰が一直線でねじれていない． ・児の身体が母親の身体に密着している． ・児は頭や肩だけではなく身体全体を支えられている． ・児の鼻と乳頭が向き合っている．

[井村真澄：授乳支援の基礎Ⅲ直接授乳を支援する．母乳育児支援スタンダード，第2版（NPO法人日本ラクテーション・コンサルタント協会編），p.164-165，医学書院，2015を参考に作成]

図Ⅲ-16　授乳姿勢

⑤添え乳（添い乳）

　添え乳は新生児の窒息などの事故のリスク要因[4]となるため，実施に際しては細心の注意が必要である．とくに，出生直後の授乳時に添え乳を行う場合は，看護職者は母子のそばを離れることなく児の呼吸状態やバイタルサインを観察しながら行う．米国小児科学会（American Academy of Pediatrics：AAP）は，安全のために児との添い寝や添え乳を行わないよう推奨している[5]．

　添え乳を行う場合は，母親も児も横になった姿勢で向かい合い，児と母親の体が密着するようにクッションやタオルを用いて姿勢を保持する．

⑥レイドバック法（リクライニング法）

ベッドやソファーの角度を調整し背中をもたれかからせて授乳を行う方法．枕やクッションを用いて母子の姿勢が安定し，リラックスして授乳できるよう体勢を整える．

⑦双子の同時授乳

授乳クッションなどを用いて，双子を同時に授乳する方法もある．はじめはむずかしいと感じることもあるが，利点が多く，勧めたい方法である．母親の乳房のタイプや児の体格，哺乳力に合わせて授乳姿勢を決めるとよい．母子ともに安定感があり，楽な姿勢がよい．

(4) ラッチ・オン（吸着）と吸啜

母乳育児の確立のためにもっとも大切なのが，適切なラッチ・オン（吸着）である．児が適切に乳房にラッチ・オンしているとき，児の口は大きく開き，口唇は外側にめくれるようになっている．アサガオの花やラッパのような形である．また児の舌は下顎の歯茎（はぐき）より前に出て，乳頭・乳輪部に巻きつく．乳頭の先端は児の軟口蓋に達するほど深くラッチ・オンしている（図Ⅲ-17）．

①ポジショニングを確認（図Ⅲ-18，表Ⅲ-15）

児頭と児のからだが母親の乳房に向かい合い，児の体と母親の体が密着しているか確認する．児の口が乳頭の高さになる位置で，児頭がやや反屈した状態からラッチ・オンを試みる．

②ラッチ・オンのテクニック（図Ⅲ-19）

片手で児頭をコントロールできるように児を抱き，乳房で児の口唇を刺激し大きく口を開けさせ，舌が下がったタイミングで舌の上に乳頭を置くように児を乳房へ引き寄せるようにする．うまくラッチ・オンできた場合は，児は吸啜を開始する．

不適切なラッチ・オンとなった場合（表Ⅲ-16）は，児の口が口笛を吹くようにとがる，吸啜をしない，乳頭痛がある，などがみられる．不適切なラッチ・オンのサインがある場合は，適切なラッチ・オンとなるよう一度乳頭を児の口から外して，ラッチ・オンしなおす必要がある．不適切なラッチ・オンのまま吸啜させると乳頭痛や傷の形成，乳汁を十分

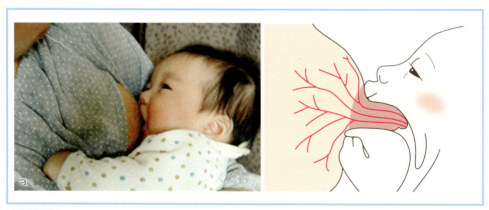

図Ⅲ-17　適切なラッチ・オンの状態
a．口が大きく開き，口唇が外側にめくれ，乳輪部まで含んでいる．
b．舌が下顎の歯茎より前に出て乳頭・乳輪部に巻きつき，乳頭先端は軟口蓋に達する．

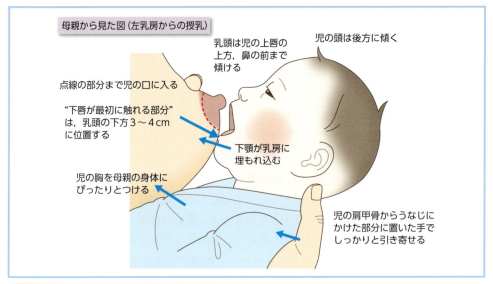

図Ⅲ-18 ラッチ・オン開始時の児の位置

ここでは交差抱きの場合を示しているが，どの抱き方であっても基本ポイントは同じである．
[井村真澄：ポジショニングとラッチ・オン．母乳育児支援スタンダード，第2版(NPO法人日本ラクテーション・コンサルタント協会編)，p.169，医学書院，2015より許諾を得て転載，原著Rebecca Glover：Attachment-The key to successful breastfeeding，〔www.rebeccaglover.com.au〕（最終確認：2017年4月6日）]

に飲み取れないための乳房緊満，十分に哺乳できないために児が不機嫌になる，授乳量が少ないために体重が適切に増加しないなどの影響が出る．乳頭を外すときは，吸啜の休止中に児の口腔内の陰圧を解除して静かに離す．

③乳頭・乳輪部の圧迫

乳頭や乳輪部の柔軟性が乏しいために乳房へのラッチ・オンがうまくいかない場合には乳頭・乳輪部の圧迫が効果を示す場合もある．乳頭・乳輪部が浮腫などを生じ緊満している場合は，乳輪部を圧迫することで浮腫が軽減し，柔軟性が得られる．授乳前に乳頭・乳輪部の圧迫をていねいに行い，柔軟性を確保したうえでラッチ・オンを試みるとよい．最初は力を入れずやさしくゆっくりと行い，徐々に圧力を強くしていくと疼痛が少なく行える（**図Ⅲ-20**）．

④母乳育児の観察

ポジショニングやラッチ・オンだけでなく母乳育児が適切に行われているのか，授乳状態を総合的に観察し，母子に必要な援助について考えることが必要である（**表Ⅲ-17**）．母乳育児の援助において大切なことは，看護職者が不適切であるととらえても母親が快適で安楽と感じている場合，母子に問題が生じていなければ介入は必要ない，ということである[6]．

b. 乳房トラブルへの対処

(1) 乳頭痛

①原　因

産褥早期の母乳分泌が順調に開始される前に，一過性の**乳頭痛**がみられることがある．これは授乳を中止したいほどの痛みではなく，母乳分泌の増加とともに消失していく．

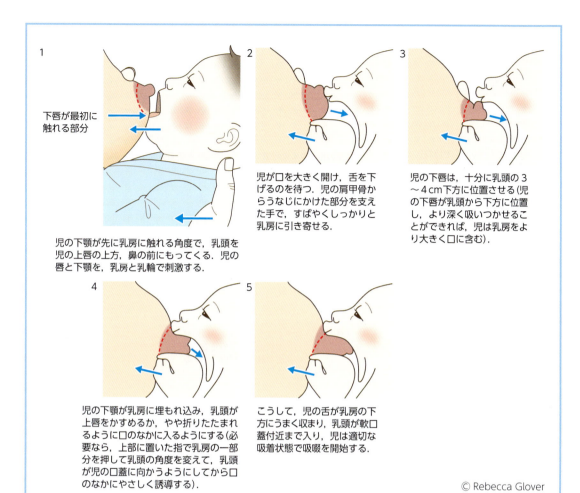

図Ⅲ-19　ラッチ・オンの方法
点線の部分まで児の口に入る．
[井村真澄：ポジショニングとラッチ・オン．母乳育児支援スタンダード，第2版（NPO法人日本ラクテーション・コンサルタント協会編），p169，医学書院，2015より許諾を得て転載，原著Rebecca Glover：Attachment-The key to successful breastfeeding，[www.rebeccaglover.com.au]（最終確認：2017年4月6日）]

表Ⅲ-16　不適切なラッチ・オンのサイン

- 口を開けなかったり，おちょぼ口をする．
- 唇を巻き込んでいる．
- 児の舌が見えない．
- 頬がぴんと張っている，またはくぼみがある．
- 早い吸啜しかしない．
- 舌打ちをするような，舌を鳴らすような音が聞こえる．
- 授乳終了直後の乳頭が，平らになったりすじができていたりする．
- 授乳中や授乳後に痛みを感じる．
- 乳房から母乳が十分飲みとられず，乳房が張りすぎることがある．

[井村真澄：ポジショニングとラッチ・オン．母乳育児支援スタンダード，第2版（NPO法人日本ラクテーション・コンサルタント協会編），p169，医学書院，2015より許諾を得て転載，原著WHO/UNICEF（1993）．Breastfeeding counselling：a training course. Participants' manual. Breast observation form]

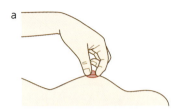
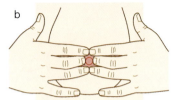
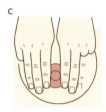
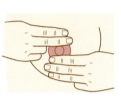
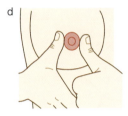
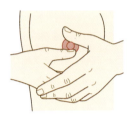

図Ⅲ-20　reverse pressure softening の方法

乳頭や乳輪部を柔らかくすることで児がラッチ・オンしやすくなるよう，図にあげたa～dいずれかの方法を行う．いずれの方法においてもまず爪は短く切っておく．やさしくかつしっかりと肋骨側に向かって深く圧迫する．そのまま1～3分間圧迫し続ける．その間，楽に呼吸してリラックスする．乳頭が柔らかくなるまで必要回数を繰り返してもよい．

［Cotterman KJ：Reverse pressure softening,〔http://www.salactationconsultants.co.za/Articles/Reverse%20Pressure%20Softening.pdf〕（最終確認：2017年8月28日）より作成］

　授乳を中止したいほどの強い乳頭痛がみられる場合は，産褥早期では不適切なポジショニングや不適切なラッチ・オンによる疼痛が考えられる．その原因としては，母親の授乳技術の未熟さ，舌小帯短縮症などにみられる児の吸啜パターンの問題，陥没・扁平・巨大乳頭など形態の問題，乳房緊満による問題，乳房から不適切な児の離し方などがある．

②援　助

　原因を発見し対処することが必要である．ポジショニングの工夫や，より深いラッチ・オンを母親に伝え介助する．ほとんどはポジショニングとラッチ・オンの問題であるのでこれで解決する．必要に応じて授乳前に乳頭・乳輪部のマッサージを行い柔軟になったところで授乳を行う．乳房緊満を予防するために自律授乳を促す．痛くないほうの乳房から授乳する．乳房から児を離すときは吸啜の休止中に児の口腔内の陰圧を解除してから静かに離すなどの工夫をする．

(2) 乳頭亀裂（損傷）

①原　因

　乳頭亀裂（**損傷**）の主な原因は，産褥早期の不適切なポジショニングやラッチ・オンによる．児が吸着するたびに不快感や疼痛がある．

表Ⅲ-17　直接授乳観察用紙

母の名前＿＿＿＿＿＿＿＿＿＿＿＿＿	日　付＿＿＿＿＿＿＿＿＿＿
赤ちゃんの名前＿＿＿＿＿＿＿＿＿	赤ちゃんの年齢（日齢）＿＿＿＿
授乳がうまくいっているサイン：	困難がありそうなサイン：

全体

母親

□健康そうに見える	□病気または落ち込んでいるように見える
□リラックスしており，居心地がよさそう	□緊張しており，不快そうに見える
□母親と赤ちゃんとの絆のサイン	□母子が目を合わせない

赤ちゃん

□健康そうに見える	□眠そう，具合が悪そうに見える
□穏やかでリラックスしている	□落ち着きがない，泣いている
□空腹時，乳房に向かったり探したりする	□乳房に向かわない，探さない

乳房

□健康そうに見える	□発赤，腫脹，あるいは疼痛
□痛みや不快感がない	□乳房や乳頭が痛い
□乳輪から離れた位置でしっかり指で支えられている	□乳輪に指がかかったまま乳房を支えている
□乳頭の突出	□乳頭が扁平で，突出していない

赤ちゃんの体勢

□頭と体がまっすぐになっている	□授乳するのに，首と頭がねじれている
□母親の体に引き寄せられて抱かれている	□母親の体に引き寄せられて抱かれていない
□体の全体が支えられている	□頭と首だけで支えられている
□赤ちゃんが乳房に近づくとき，鼻が乳頭の位置にある	□乳房に近づくとき，下唇，下顎が乳頭の位置にある

赤ちゃんの吸着

□乳輪は赤ちゃんの上唇の上部のほうがよく見える	□下唇の下部のほうが乳輪がよく見える
□赤ちゃんの口が大きく開いている	□口が大きく開いていない
□下唇が外向きに開いている	□唇をすぼめている，もしくは巻き込んでいる
□赤ちゃんの下顎が乳房に触れている	□下顎が乳房に触れていない

哺乳

□ゆっくり深く，休みのある吸啜	□速くて浅い吸啜
□哺乳しているときは頬が膨らんでいる	□哺乳しているときに頬が内側にくぼむ
□哺乳を終えるときは，赤ちゃんが乳房を離す	□母親が赤ちゃんを乳房から離してしまう
□母親がオキシトシン反射のサインに気がつく	□オキシトシン反射のサインに気がつかない

備考：

［BFHI2009翻訳編集委員会（訳）：直接授乳観察用紙．母乳育児支援ガイド ベーシック・コース，p.166，医学書院，2009より引用］

②援　助

　適切なポジショニングとラッチ・オンができるよう援助する．授乳回数を減らしたり，授乳時間を短縮する必要はない．しかし，母親の乳頭痛が強く授乳への拒否的感情がある場合は，搾乳を行いながら一時的に授乳を中止することもある．

③創部の治療

　保湿療法が行われる．搾母乳を乳頭に塗布した後にパッドか食品用ラップを当てる方法がある．

　軟膏やクリームを塗布する場合は，児が食べても安全でアレルギーを起こさないもの，乳管口を詰まらせず，授乳の前に拭き取る必要がないものを選択する．

(3) 乳房緊満

①原　因
産褥2〜4日ごろに乳房内への血液流入が活発になり乳汁産生が増加し乳管内に乳汁がうっ滞することで静脈還流が阻害され，浮腫と乳汁うっ滞を伴う**乳房緊満**が生じる．軽度の乳房緊満では乳房の弾力性は保たれ乳汁分泌は良好である．急激な乳汁産生増加に伴う生理的な緊満と考えてよい．高度な乳房緊満では乳房の熱感と疼痛を訴える母親もいる．乳房が緊満すると乳輪部の柔軟性が乏しくなり，児の適切なラッチ・オンが困難になることがある．

②援　助
乳房へのラッチ・オン状態を観察し，適切なラッチ・オンを援助する．乳頭や乳輪部まで腫脹し緊満している場合は，ラッチ・オン前に乳頭・乳輪部の柔軟性が確保されるよう圧迫（**図Ⅲ-20参照**）やマッサージ，搾乳などを行う．

コラム
母乳育児支援における hands on と hands off の援助

援助における hands on とは「手を添えて」援助すること，hands off とは「手を触れずに」援助することである．母乳育児支援では2つの援助を適切に用いて支援する．

1. hands on の援助
援助者が母親の乳房や児に触れながらポジショニングやラッチ・オンを援助することである．搾乳を介助することなども含まれる．

2. hands off の援助
援助者は母親や新生児に極力触れないように支援する．口頭での説明や乳房模型と新生児人形を使ってモデルを示すなどの方法で，母親自身が正確なポジショニングとラッチ・オンを習得することがポイントである．この方法は，母乳育児に対する自信やセルフケアの向上，母乳育児継続につながるといわれている．褥婦が自身の身体をコントロールできる状態であることが必要である．

3. hands on と hands off の援助をどのように用いるか
産褥入院期間，分娩後の心身の回復状態，退院後の継続支援など，総合的にアセスメントして決めるとよい．母子の健康状態に問題がなければ母親と相談しながら hands off の援助だけで支援することも可能である．

1) hands off の援助方法
①援助者は椅子に腰かけて目線を合わせ，ゆったりとした態度で支援する．
②児の母乳を欲しがるサインや覚醒状態，哺乳意欲などに母親の関心が向くよう支援する．
③児の抱き方，乳房の支え方，乳頭の含ませ方，適切なラッチ・オンのサイン，適切な授乳姿勢のポイントについて説明しながら模型を使ってモデルを示す．
④母親が授乳しやすい安定した姿勢で同時に児が哺乳しやすい姿勢となる抱き方を見つけられるよう支援する．
*妊娠中から模型や新生児人形を使ってポジショニングやラッチ・オンの練習をしておくとより効果的である．

2) hands on の援助が有用な場合
①経腟分娩直後や帝王切開術後など，褥婦が自身で身体活動を自由に行えない場合
②hands off の援助では適切なポジショニングやラッチ・オンができず母親が援助を求める場合
③安静や休息が必要な母親の搾乳介助　　など

授乳回数や授乳時間を制限せず乳房から乳汁の排出を促す．授乳や搾乳によって適切に乳汁が排出されれば，数日で血流が改善し，浮腫を伴う乳房緊満は軽減する．乳房緊満による疼痛に対しては，乳汁の排出を促し乳房内の圧を軽減することや冷湿布を行う．

学習課題

1. 産褥期の生理・心理・社会的変化の特徴から，ヘルスアセスメントに基づいて褥婦の健康課題を考えてみよう
2. 褥婦の健康課題について産褥日数において優先する看護についてまとめてみよう

練習問題

Q1 28歳の初産婦．妊娠39週0日．午後8時15分に正常分娩した．分娩所要時間は12時間15分であった．
　産褥1日における母親役割の獲得への援助で適切なのはどれか．2つ選べ．
（第99回国家試験，2010年）
1. 身体の疲労回復を促す．
2. 分娩の振り返りを行う．
3. 児の沐浴について指導する．
4. 母乳不足の見分け方について説明する．
5. 育児分担について夫と話し合うことを促す．

Q2 産褥3日の授乳のケアでもっとも適切なのはどれか．（第92回国家試験，2003年）
1. 頻回の授乳を継続する．
2. 乳房マッサージを行う．
3. 授乳後に搾乳する．
4. 人工乳を補充する．

Q3 30歳の初産婦．昨日20時に正常分娩した．今朝の観察では，体温37.1℃，脈拍72/分，血圧118/76 mmHg．乳房緊満感（−），乳管開口左右4，5本，子宮底臍高，子宮は硬く触れ，血性悪露中等量，後陣痛がみられる．会陰裂傷の縫合部痛があるが発赤はない．「昨夜は興奮してなかなか眠れなかった」という．（第98回国家試験，2009年）

[問1] 健康状態のアセスメントで適切なのはどれか．
1. 子宮復古は順調である．
2. 創部感染徴候がみられる．
3. 分娩の受け止めに問題がある．
4. 産褥日数に比べて進行性変化が遅い．

[問2] 産褥2日．母子同室を開始した．児が欲しがる様子をみせると授乳するが，うまく吸ってくれず児の口がすぐに乳頭からはずれてしまうという．乳房緊満はみられず，乳房の形態はⅡa型，乳頭の形は正常である．優先して確認すべきことはどれか．
1．授乳回数
2．児の抱き方
3．乳汁分泌状態
4．乳頭の傷の有無

[問3] 産褥3日．分娩後排便がみられない．褥婦は「おなかが張った感じがするが授乳や子どもの世話が忙しくて，ゆっくりトイレに行けない」という．対応で適切なものはどれか．
1．安静臥床を勧める．
2．母子同室を中止する．
3．腹部マッサージを勧める．
4．食事摂取量を減らすよう勧める．

[解答と解説 ▶ p.549]

引用文献

1) 中田真木，中津雅子：痔核，産褥復古への支援．ペリネイタルケア 25(3)：26-27，2006
2) 「授乳・離乳の支援ガイド」改定に関する研究会：授乳・離乳の支援ガイド（2019年改定版）．厚生労働省，2019年．〔https://www.mhlw.go.jp/content/11908000/000496257.pdf〕（最終確認：2021年5月19日）
3) 佐々木くみ子：分娩後入院中の乳児栄養法及び新生児の生理に関する考察「母乳育児を成功させるための10ヶ条」導入が及ぼした影響．鹿児島大学医学部保健学科紀要，p.7-16，1999
4) Herlenius E, Kuhn P：Sudden unexpected postnatal collapse of newborn infants：a review of cases, definitions, risks, and preventive measures. Transl Stroke Res 4(2)：236-247，2013
5) American Academy of Pediatrics：SIDS and Other Sleep-Related Infant Deaths：Evidence Base for 2016 Updated Recommendations for a Safe Infant Sleeping Environment. Pediatrics 138(5)：1-12，2016
6) 井村真澄：授乳支援の基礎．母乳育児支援スタンダード，第2版（NPO法人日本ラクテーション・コンサルタント協会編），p.164-174，医学書院，2015

4 産褥期の親になっていく過程のアセスメントと援助

この節で学ぶこと
1. 産褥期の親になっていく過程のアセスメントの視点を説明できる
2. 産褥期の親になっていく過程のアセスメントに基づく援助について説明できる

A. 産褥期の親になっていく過程のアセスメントの視点

親になっていく過程をアセスメントする場合には、**親子と家族の個別性**をより重視することが大切となる。褥婦や家族の育児技術は経験によって洗練され、子どもとの関係性は相互作用するなかで個性豊かに構築されていき、家庭・地域での生活への適応状態は実際の私的な生活を通して適応が進む。洗練された育児技術や構築された関係性、適応した生活状況はそれぞれの親子と家族に固有のものであり、きわめて個別性の高いものだからである。

〈アセスメントの視点〉
育児に関連した知識の習得状況（B項参照）
育児技術の習得状況（B項参照）
母子の絆形成に影響する要因（C項参照）
母子相互作用の状況（C項参照）
新しい子どもとの生活の具体的なイメージ（D項参照）
家庭生活における家事・育児役割の調整の状況（D項参照）
新しい子どもの誕生に伴う社会的手続きの状況（D項参照）

B. 育児知識・技術習得状態のアセスメントと援助

1 ● 育児知識・技術習得状態のアセスメント

褥婦およびその家族には、新生児が心身とも健康的に成長・発達するために必要な知識と技術を習得することが求められる。日本では多くの場合、母親が子どもの世話の中心的役割を引き受けているため、育児知識・技術の習得は産褥期の褥婦の課題ともいえる。しかし、母親だけが育児を担うわけではない。ともに育児する父親や家族への育児知識・技術習得支援も求められることがある。育児技術は徐々に習得されるなかで、親自身のやり方が確立していくものであり、決まった方法があるわけではない。入院中には、褥婦が、「これなら自分でもやっていける」と思える方法を一緒に見つける支援を行う。褥婦が育

児技術を産褥期の短期間の入院中に完全に習得する必要はない．育児技術の習得を援助する場合には，知識や情報の提供はもちろん，褥婦の実践を支援し見守ることが重要である．援助者はモデルを示しながら，褥婦や家族による実施を促す．本人が実施することで知識と技術を習得し，できたことを保証されることで自信につながる．

一般に初産婦は育児の経験がなく育児技術に不慣れな場合が多いが，技術習得には個人差が大きい．また，たとえ経産婦であったとしても適切な育児知識・技術であるかを確認することが大切である．

育児知識・技術習得状態のアセスメントで必要な情報は，①乳幼児の世話や育児経験の有無，②妊娠期の育児教室への参加状況や育児に関連する情報の収集状況，③夫／パートナーや家族の育児経験と役割分担状況，④褥婦の疾患や健康問題の有無，身体的回復状態，⑤褥婦の子どもに対する感情，⑥児の健康状態などである．これまでの生活のなかで培われた育児に関連するレディネスをアセスメントすることに加え，育児知識や育児技術の現在の習得意欲をアセスメントする．

(1) 乳幼児の世話や育児経験の有無

乳幼児の世話や育児経験は，褥婦の育児知識・技術の習得状況に影響する．しかし，経産婦であっても沐浴の実施経験がないなど，育児知識・技術の習得状況は個人差が大きい．

(2) 妊娠期の育児教室への参加状況や育児に関連する情報の収集状況

妊娠期の育児教室への参加状況は親になっていく姿勢や育児知識・技術の学習経験などを把握するための情報となる．自治体主催や周産期医療施設主催などさまざまな教室がある．また，インターネットや書籍，家族や友人などから育児に関連する情報を収集し，知識を得ていることも多い．褥婦がどのような知識をもっているのか，どのような情報を必要としているのか確認する．

(3) 夫／パートナーや家族の育児経験と役割分担状況

退院後，夫／パートナーや家族と育児をどのように分担するのか，褥婦が主に育児を担う場合は，どのようなサポートを，どの程度得られる予定なのか，夫／パートナーや家族の育児能力はどの程度あるのかを確認する．そのうえで，褥婦は入院中にどのような育児知識・技術をどの程度習得する必要があるのか，褥婦とともに目標を決める．

(4) 褥婦の疾患や健康問題の有無，身体的回復状態

分娩からの回復状態を含め，褥婦が育児技術を実際に経験することが可能な健康状態であるのかについてもアセスメントする必要がある．

褥婦が疾患や健康問題を有する場合は，児の主たる養育を誰が行うのかを確認し，主たる養育者が育児知識・技術を習得できるよう支援する．褥婦の健康状態において実施できる育児があれば，その知識・技術を提供する．

(5) 褥婦の子どもに対する感情

子どもに対する感情は，褥婦の育児知識・技術の習得意欲と関連する．また，不適切な養育とも関連するため，褥婦の関心が児に向いているのかアセスメントする必要がある．

(6) 児の健康状態

児の健康状態によっては育児上の注意や個別的な育児知識・技術の習得が必要となる場合がある．

2 ● 育児知識・技術習得への援助

(1) 新生児の抱き方 （p.462 Skill 10, p.463 Skill 11, p.464 Skill 12 参照）

新生児は神経系が未発達のため随意運動ができない．そのため，**定頸**（首が座る）しておらず，重い頭部を安定させることができない．また，体幹や四肢は屈筋群が優位なために**屈曲位**をとっている（p.389の図Ⅵ-9参照）．

新生児を抱くときは，頭頸部から背部にかけて，常に支えた状態で，姿勢の安定に注意して抱くよう説明する．**股関節脱臼を予防**するために，なるべく下肢がM字の屈曲位となるように抱くとよい（p.463参照）．

(2) 新生児の栄養

新生児の栄養方法には**母乳栄養**，**人工栄養**，**混合栄養**の3つの方法がある（p.404参照）．

①新生児の栄養方法の選択

新生児の栄養方法を決定するには，新生児の成長・発達にもっともよい方法を選択するだけでなく，母親の健康状態や就業などの社会的背景，家族環境などが影響する．したがって，看護職者は母親が母子と家族にとってもっともよい方法を選択できるよう，正確でわかりやすい情報を提供し，母親の考えや思いを傾聴するなど意思決定プロセスを支援する．

②具体的方法の説明

栄養方法が決定したら，それぞれの方法を習得できるように援助する．人工栄養や混合栄養を行う場合は，人工乳と**哺乳びん・人工乳首**が必要となる．また，新生児が免疫学的に未熟であるため感染症を発症しやすいことから，授乳用品は消毒して用いなければならないなど母乳育児とは異なる手間もある（p.476 Skill 22 参照）．

(3) 新生児の清潔

新生児は，成長発達が著しく代謝が活発で排泄回数も多い．免疫力が未熟な新生児の健康を維持するうえで清潔保持は重要である．退院後の生活において児の清潔を保持する方法を母親や家族が習得できるよう援助する．

①沐浴 （p.479 Skill 24 参照）

沐浴の必要性を説明し，ベビーバスや沐浴に必要な物品の準備状態，沐浴を実施する場所などを確認する．退院後の沐浴実施予定者の沐浴技術を確認し，必要に応じて実際に児の沐浴を体験する機会を提供し，家庭で実践できるよう援助する．児の健康状態や汚れの状況によっては清拭法や殿部浴を行うことも情報提供する．また，児の成長や皮膚の状態に合わせて石けんを用いることや，沐浴を行う期間について説明する．

②オムツ交換 （p.465 Skill 13 参照）

便や尿の長時間の汚染によってオムツかぶれ（オムツ皮膚炎）を起こし，びらんを形成することもある．そのため，オムツは排尿・排便のたびに交換するのが原則であることを伝える．

新生児の排泄のサインには，ぐずり，啼泣，排ガス（おなら），腹圧をかけるなどがある．退院前には，新生児のオムツやおしり拭き綿の準備状況などを確認する．

- 陰部の清拭：陰部の清拭は新生児のおしり拭き用の不織布や湿らせたコットンなどを用いて行う．女児の場合は，陰裂や陰唇の間，男児の場合は陰茎と包皮の間や陰嚢の皺の

間に便が付着しやすい．陰部の皮膚は粘膜部分が多く，また重なる部分も多いため，皮膚を伸展させていねいに清拭する．慣れない母親や家族がオムツを交換する場合は，活発に動かしている児の下肢に便が付着するのを防ぐために，同じオムツの汚染のない場所で汚染された部分を隠すように折り返した状態で，陰部の清拭をするとよい．

- **股関節脱臼の予防**（p.465参照）：オムツを交換するために児の殿部を挙上するときは，股関節脱臼の予防のために殿部に深く手を挿入して殿部全体を持ち上げるとよいことを伝える．足関節を把持して引き上げるのは股関節脱臼のリスクとなる．
- **紙オムツと布オムツ**：紙オムツの場合，オムツを当てた後には股関節の開排制限はないか，腹式呼吸を妨げていないかを確認する．紙オムツの逆流防止ギャザーを立てて殿部の体のラインに沿わせておく．

　布オムツではオムツカバーの汚染がない場合は，内側のオムツだけを交換する．新しいオムツを当てオムツカバーでオムツを固定した後，カバーからオムツがはみ出していないか，股関節の動きを制限していないか，腹式呼吸を妨げていないか確認する．

③**更　衣**（p.466 Skill 14 参照）

新生児は随意運動ができず屈曲位をとっていることが多い．更衣を行う際には上肢の衣服の着脱に注意する．肌着と上着の2枚重ねで着衣させることが多い．新しく着衣する衣類は外側の衣類に内側の袖を通しておき，更衣時にも**迎え袖**の方法で袖を通すと児の上肢を伸展させる必要もなく短時間で更衣ができる．

退院前には，衣類の種類や数量など準備状況を確認する．肌着は吸湿性，通気性に優れたものが望ましい．また，新生児の皮膚色や顔色を観察するには色の薄いものが望ましい．

(4) 新生児の健康管理

親は子どもを保護し養育する責任がある．子どもの健康な成長と発達のためのケアを提供することも親の役割となる．親にとって子どもの健康状態は重大な関心事であり，子どもが順調に成長発達しているのか不安も大きい．したがって看護職者は，親が子どもの健康状態を観察し判断する能力と新生児にとって安全な環境を準備する能力を習得できるよう援助する必要がある．

①知識・情報の提供と技術の提供

新生児の生理的特徴と起こりやすい異常や疾患についての基本的な知識を提供する（p.301，**表Ⅲ-18**参照）．一般的知識は母子健康手帳にも記載されている．

より実践的な方法は，母子の入院中から新生児の健康状態の観察を母親と一緒に行い，判断や対処の方法を伝授する方法である．また，退院に向けて，家庭生活において異常を疑う症状がみられた場合の具体的対処方法を，母親と一緒に考えることも大切である．

提供する知識・情報は，対象者のレディネス（予備知識や関心，意欲など）や支援者の有無など，個別性を考慮し選別する．

②生活環境の整備

児の安全な生活を確保できる環境をどのように準備しているのかを確認することが必要である（p.301参照）．

C. 母子の絆形成の状態のアセスメントと援助

1 ● 母子の絆形成の状態のアセスメント

母子関係は最初に形成される濃密な人間関係である．単に養育者と被養育者の関係というだけでなく，強い情緒的な絆を形成する（『母性看護学Ⅰ』第Ⅰ章3節参照）．母子の**絆**形成のアセスメントは子どもとの絆形成が順調でない母子の場合に，より重要となってくる．**不適切な養育**（マルトリートメント）へつながる可能性があるだけでなく，時には母親の精神的問題や児の発達上の問題が発見されることもある．

母子の絆形成をアセスメントするために必要な主な情報は，①母親の成育歴・人格的特性，②夫/パートナーや家族との関係，③妊娠・分娩の受け止め，④妊婦健康診査の受診状況や健康教育の受講と自身の健康管理，⑤子どもの特徴，⑥児へのかかわり・児に対する反応，などがある[1]．

(1) 母親の成育歴・人格的特性

親と子の関係性には，親自身の成育歴が関連することが知られている．親自身が虐待や厳しすぎるしつけなど，愛情を感じ取りにくい不適切な養育を受けていた場合，子どもに対して愛情深く大切に接することがむずかしい場合がある．

また，精神障害や人格的特性によっては，子どもに関心が向かないこともある．

これらは父母ともにいえることである．

(2) 夫／パートナーや家族との関係

夫/パートナーや家族から，産褥期の母親へ愛情やサポートが提供され，母親自身が精神的に満たされ安定した状態となることで，母親の児への関心がさらに強まり，児に愛情を注ぐことができると考えられている（p.249の図Ⅲ-6参照）．

(3) 妊娠・分娩の受け止め

多くの母親は妊娠期から胎児の存在を実感し愛情を抱いていく．胎児も妊娠後半になると知覚と学習能力を獲得しており母親の心音やにおいを記憶し，母子関係は妊娠期からすでに形成され始めている．妊娠期・分娩期における母親の妊娠の受け止めや胎児に対する発言やはたらきかけ，分娩に対して取り組む姿勢，出産直後の児への発言内容や行動から，児との絆形成をアセスメントすることができる．

さらに，褥婦自身の分娩体験の受け止めは，心理状態に影響し，とくに妊娠期にその後の母子関係にも波及するため，必要性をアセスメントし分娩後の適切な時期にバースレビュー（分娩の振り返り）を行い，褥婦が自身の分娩体験を適切に受け止められるよう援助することが望ましい．

(4) 妊婦健康診査の受診状況や健康教育の受講と自身の健康管理

自らの権利と健康を守りつつ，胎児の環境としての母体を認識し，自身の健康状態への気遣いがあったか，定期的な健康診査の受診，健康教育の受講状況などもアセスメントする情報となる．妊婦健康診査の未受診は，不適切な養育のリスクである．

(5) 子どもの特徴

早産児や疾患など健康問題のある子ども，病気ではないが「よく泣く」「飲まない」「眠らない」など，いわゆる「育児に手のかかる子ども」の場合，親の育児ストレスが増し，

子どもとの絆形成に影響を与える場合がある．

　健康問題のある子どもの場合，出生とともに児が入院し，母親と児が接触する機会が少なくなることもあるため，子どもとの絆形成について注意深く観察し支援することが必要となる．

(6) 児へのかかわり・児に対する反応
　産褥期に入ると，母親の態度や行動のみならず，新生児の反応や行動，母子間の相互のはたらきかけも子どもとの絆形成の状態をアセスメントする情報となる．子どもとの関係性の深まりは，子どもが生まれた後に子どもと直接かかわることによっていっそう加速する．つまり，母子相互作用が順調に機能することによって母子の絆が形成されていく．その過程をアセスメントする（p.414参照）．

2 母子の絆形成を促進する援助
(1) バースレビュー
　バースレビューとは，出産体験の振り返りである．褥婦自身が語ることによって出産を追体験し，その意味づけをし，やがて体験を自分自身のものとすることである．バースレビューによる出産体験の統合は，肯定的な自己概念をもつことや，母親になっていくことを促進することにつながると考えられている．出産体験を肯定的に受け止めている母親ばかりではなく，自分の思い描いた出産ができず不満や否定的感情を抱いている母親もいる．語ることで自分自身の出産体験を理解し「私のお産はこれでよかったのだ」と自分なりに意味づけができるよう援助する．なかには，分娩を振り返ることを望まない褥婦もいるため，バースレビューの必要性をアセスメントしたうえで実施する．

①バースレビューの方法
　バースレビューは，インタビューで行う方法と紙面に記述してもらう方法がある．インタビューを行う場合は，自由に語れる環境を準備する必要がある．記述の場合は，体験の意味づけや統合が不十分な場合はインタビューなどを追加で行い，十分に振り返りができるよう支援する．

②バースレビューの実施者
　分娩に立ち会った看護職者が行うことが多い．分娩経過中の母親の状況を理解しているため共感しやすく，母親が事実を誤解している場合は正しい情報を提供できるという利点がある．分娩に立ち会ったかどうかにかかわらず，褥婦が語りやすい看護職者や退院後の育児期を支援する看護職者が行うこともある．

③バースレビューを行う時期
　褥婦が出産体験を振り返りたいときに行うことが望ましい．
　褥婦の体調や心理状態を考慮しながら，分娩後から産後1, 2日目ごろまでに行われることが多い．褥婦によっては段階的に数回のバースレビューを行う必要のある者もいる．退院後の生活を送るなかで出産体験を思い出し，語る場合もある．

④バースレビューの内容
　実際にバースレビューを行うときには，分娩をねぎらう言葉をかけた後で分娩中の体験について話すことを促す．褥婦が話し始めたら途中で中断することなく，出産が褥婦に

とってどのようなものであったのか，バースプランを立てていた場合は，それが実践できたのかなど，褥婦が体験したことを自由に話せるよう受容的態度で傾聴する．褥婦によっては，妊娠期の体験を多く語る場合もある．もし，褥婦が事実と異なる理解をしていた場合は，まずは，なぜそう思ったのか，褥婦の主観的体験をゆっくり傾聴する．褥婦が一通り話した後で褥婦の思いを否定することなく，必要であれば正確な情報を提供する．褥婦の疑問や質問に対しても後で説明を行う．正確な情報を知ることは褥婦の分娩に対する理解を促し，分娩の受け止めに影響するだけでなく，医療や医療者に対する誤解を解き互いの理解にもつながる．

ただし，正確な情報の提供や説明が褥婦に肯定的な認知を押しつけるものとならないよう注意する．

(2) 母子同室制での援助

産褥期の母子相互作用が円滑に行われる環境として，**母子同室制**は母子の関係性を形成するうえで有利である．母子が常に一緒にいる状況においては，児の行動や反応に対し母親はいつでも応答することができはたらきかけることができる．児の睡眠・覚醒リズムに合わせて母親の生活リズムを調整することも可能である．しかし，母親の身体的疲労が著しい場合や，新生児の生理的特徴について十分理解しておらず育児技術も未熟な場合などは，子どもの世話や健康状態に関する不安など，母子同室制がかえって褥婦の不安を強める場合もある．褥婦の全身の回復状態や心理状態のアセスメントを行いながら母子同室を援助する．

母子同室制でもっとも大切なことは，母親が安楽で安心して児と一緒に過ごすことができるということである．看護職者は，母親が母子同室に慣れ安心して児と過ごすことができるようになるまで，適度に訪室し児の世話やかかわり方のモデルを示す．また，児の健康状態の確認や啼泣への対処などを母親とともに実践するなど，褥婦が常に**見守られているという感覚**をもてるように援助する．

(3) 母子分離状況での援助

帝王切開による分娩や児が新生児集中治療室（neonatal intensive care unit：NICU）に収容されるなどの理由で母子分離が余儀なくされる場合にも，母子の絆の形成の援助は重要である．出生後に母子分離状況となることが予測される場合は，出生直後に母子の状態が安定していることを確認後，短時間であっても早期母子接触（p.184参照）などを行い，母親が児の出生を実感できるよう援助する．母子分離後も，母親の身体的回復を考慮しながらなるべく早期に面会を行い，タッチングや児の世話など直接的なかかわりがもてるよう援助する．母子が直接かかわれない場合は，写真や日記を用いるなど児の特徴や成長発達の変化がわかるような情報を母親に提供する．母親は児に関する情報を得ることによって，生まれた子どもをよく知ることができ絆を深めていく．

D. 家庭・地域社会での生活を見すえたアセスメントと退院支援

1 ● 新生児を迎えた生活

　新しい子どもの誕生は，家族に喜びや幸福をもたらすと同時に，新生児の養育という役割をもたらす．新生児の養育は簡単なことではない．授乳だけでも1日8回以上はふつうのことで，夜中も2〜3時間おきに授乳する．授乳の前後にはオムツを確認し交換する．さまざまな機能の未熟性や脆弱性へのケアが必要になる．たとえば，免疫機能の未熟性から感染予防のために大人とは別のお風呂（沐浴槽）を用意して入浴させ，哺乳びんは消毒が必要で，衣類の洗濯や掃除もこまめに行わなければならない．体温調節機能の未熟性に対しては，室温や衣類を調整する．さまざまな欲求は泣きや体動で伝えてくるが，最初は泣きの意味を理解することがむずかしく，体動も随意運動ではないため読み取りにくいことが多い．意味もなく泣くこともある．新しい子どもと生活するためには，それまでの家族の生活を調整・変更する必要がある（図Ⅲ-21）．生まれた子どもに病気などの健康問題がある場合や，親や家族が養育に関連する問題を抱えている場合は，生活の変更・調整はなおいっそうむずかしくなる．

　核家族化が進み，子育てを手伝ってくれる身近な存在が得られにくいなか，出産後の褥婦は妊娠・分娩後の自身の身体回復に気を配りつつ，夫／パートナーや家族と協力して（あるいは協力者がいない状況で）新生児との新しい生活を開始することになる．新生児を迎えた生活への適応は容易なことではないが，それでも多くの母親・父親・家族は生まれた子どもを愛し，養育役割を積極的に引き受け，新しい子どもを迎えた新しい家族として家庭・地域社会での生活に適応していくことができる．

2 ● 家庭・地域社会での生活を見すえたアセスメント

　母子が退院後に家庭・地域社会での生活に適応できるかをアセスメントするためには，以下の点を把握したうえで，家事や育児といった生活をどのように営んでいく予定なのか，具体的な生活行動レベルで確認する．具体的に確認することによって実際の生活のイメージが形成され，あらかじめ準備することができる．

　①母子の健康状態
　②母親や父親・家族の育児能力や役割分担の調整状況
　③夫婦関係（夫／パートナーとの関係）
　④家族の健康状態
　⑤褥婦の就業の有無
　⑥経済状態
　⑦兄／姉の反応
　⑧家族計画
　⑨子どもの誕生に伴う社会的手続きの理解状態
　⑩社会資源の利活用に対する意向など

(1) 母子の健康状態

　母子が退院できる健康状態かアセスメントが必要である．母子の健康状態は，妊娠経

時刻	母の生活	父の生活	家事
0:00	授乳・オムツ交換		
3:00	授乳・オムツ交換		
6:00	起床,授乳・オムツ交換 洗面・整容 朝食	起床,洗面・整容 朝食 出勤	炊事 食器洗い ゴミ出し,そうじ
9:00	授乳・オムツ交換		洗濯 洗濯物干し
12:00	昼食 授乳・オムツ交換 昼寝		炊事 食器洗い
15:00	授乳・オムツ交換		買い物 炊事
18:00	授乳・オムツ交換 沐浴	帰宅・沐浴準備 沐浴・片付け	お風呂そうじ 食器洗い
21:00	夕食・入浴 授乳・オムツ交換	夕食 入浴	洗濯物たたみ,片付け
24:00	歯磨き,就寝 授乳・オムツ交換	歯磨き・就寝	

※母親:産後1ヵ月ごろまでは家事や外出は控えめに.家事は産後2～3週ごろ,軽いものから再開し,身体回復に合わせて徐々に増やして普段に戻します.
※児:新生児期は外出を控える.児を1人で家に残して外出できない.母子だけで過ごしている昼間は,買い物はもちろん,ゴミ出しでさえ行けません.
※産後1ヵ月ごろまでの褥婦は,身体回復と児の世話を中心に生活します.その間,誰かと家事や育児を分担していかなければ生活することはとてもむずかしいです.

図Ⅲ-21 退院後の生活のイメージ

過・分娩経過の影響を強く受けるため,妊娠・分娩経過をふまえてアセスメントを行う.退院に向けた母子の身体的な健康状態は,医師による**退院診察**で確認される.褥婦の退院診察は,内診,バイタルサイン,血液検査,尿検査,体重測定,医療面接(問診)などの結果から,主に生殖器の復古状態や全身の回復状態について評価される.新生児はバイタルサイン,哺乳状態,排泄状態,体重増加,黄疸などの結果や全身診察(外表・神経学的診察)が行われ退院可能な健康状態か評価される.褥婦のメンタルヘルスは主に看護職者の観察によって評価され,必要に応じて医師への報告やエジンバラ産後うつ病質問票などによるスクリーニング,精神科受診が検討される.母子の健康状態に多少の課題がある状態で退院する場合は,どのような支援によって家庭や地域での生活が営めるのか分析し,退院後の継続的支援を調整する.

(2) 母親や父親・家族の育児能力や役割分担の調整状況

母子が家庭に戻るためには,児を健康的に育てていくための養育能力が家族に備わっている必要がある.児の栄養・排泄・清潔の世話をし,愛情深くかかわることができるか,今後の児の成長発達に関する基礎的な知識があるかなどについてアセスメントする必要がある.誰が主な養育者となるか確認するとともに家族の役割分担の調整状況を把握する.

食事，洗濯，掃除，買い物，ゴミ出しなどの家事や，授乳，沐浴，オムツ交換などの育児，さらに経産婦の場合は兄/姉の世話や園への送迎や遊び相手などを，誰がどのように分担するのか，具体的な調整が済んでいるのか確認する．

(3) 夫婦関係（夫/パートナーとの関係）

夫婦関係は育児・家事・仕事の分担や互いのサポートに影響する．生活の変化に適応する際，互いのサポートは不可欠である．

(4) 家族の健康状態

新しい子どもの誕生によって家族が変化し生活も変化する．家族のなかに療養や介護が必要な人がいる場合などではいっそう多くの努力を必要とする場合もある．あるいは，生活の変化に適応することがむずかしく，健康状態に変調をきたす可能性もある．

(5) 褥婦の就業の有無

退院直後の生活への適応のみにとどまらず，中長期的な生活の変化にも目を向けることが大切である．母親が有職の場合，仕事への復帰の時期，復帰後の就業形態などについての考えを確認する．また，そのための準備状況についても確認する．仕事への復帰によって，家事や育児の分担，サポートを再調整する必要がある．父親が育児休業制度を利用しない場合，父母の勤務時間中の子どもの養育を誰に（あるいはどこに）依頼するのか検討しておくことも必要となる．

(6) 経済状態

新しい子どもの誕生で家族が増えることによって経済的負担が増すことになる．家族の経済状態は家庭・社会生活への適応に密接にかかわっている．家族が生活するための十分な収入があるのかを確認することも必要である．経済状態によっては公的扶助などについてソーシャルワーカーに説明を依頼する．

(7) 兄/姉の反応

きょうだいが増えることによって兄/姉に与える影響について観察する．これまで周囲から受けていた愛情が新しい子どもに向かうことに不安や怒りを感じ退行することもある．逆に兄/姉になったことにより，自立が促進されると同時に欲求を過剰に我慢するなどの反応がみられることもある．

(8) 家族計画

今後の家族計画について情報を得ることが大切である．次の妊娠を希望するか，家族にとって，適切な妊娠の時期について検討しているかなどの情報を得る．妊娠合併症や帝王切開分娩の場合は，母体の健康状態が完全に回復するまでの期間，妊娠を避けることが望ましい．適切な時期に妊娠するためには受胎調節が必要になる．そのために避妊の知識についても確認する．

(9) 子どもの誕生に伴う社会的手続きの理解状態

出生届，出生連絡票，健康保険の加入手続き，出産育児一時金の請求，有職の場合は，産後休業や育児休業などの手続きについて，対象となる手続きの種類や方法が理解できているか確認する．

(10) 社会資源の利活用の意向

親や家族が，自分たちが利活用できる社会資源の種類や内容を理解しているか，それら

を利活用する意向があるか確認する．

3● 家庭・地域社会での生活を見すえた援助
a. 家庭・地域社会での生活への適応を促進する援助

家族全員がそれぞれの役割を調整・分担し，新しい生活へ適応していくために，それぞれの家族員の家庭・地域社会での生活を**具体的にイメージ**しながら準備する．それぞれの母子と家族の置かれている状況はさまざまであるため，**個別性**の高い援助が重要になる．

現代は，子どもを産み育てる親自身が核家族のなかで育ち，生育過程においても養育に関する知識や技術を習得する機会を得ずに親となり，自らも核家族を形成する者がほとんどで，地域社会とのつながりも希薄である．現代の親は不安を抱きながら孤立したなかで育児をしていることも多く，**アウトリーチ型の支援***の必要性が高まっているといえる．

(1) 入院中の援助
①入院中の母子の生活

家庭・地域社会での生活に向けて，妊娠期からの支援に引き続いて，分娩後の短期間の入院中にも褥婦とその家族に対してさまざまな支援が提供される．産褥早期は身体回復への支援が優先されるが，**産褥3～4日目以降は育児技術の習得や母子の退院後の生活に向けた支援**を提供する（図Ⅲ-22）．

②退院後の生活を具体的にイメージすることを支援する

多くの親は，新しい子どもを迎え，新たに始まる生活に適応する力を十分に備えている．援助のポイントは，親のもつ力を発揮することを支援（**エンパワメント**）することである．新しい子どもが加わった日常生活がどのように変化するのか，褥婦に具体的にイメージすることを促すことが援助となる．うまくイメージできない褥婦に対しては，たとえば，食事の準備と片づけ，掃除，洗濯，買い物など，生活に必要と考えられる具体的活動を提示し，「誰が」「どのように」分担することになるのかを尋ねることで，退院後の生活を具体的にイメージすることができる．

③予測される課題への対処方法を準備する

退院後の生活を具体的にイメージすることで，その家族ならではの課題が見えてくる．

多くの場合，課題に対する具体的対処方法は，それぞれの家族で準備できる．家族の力で対処できない課題に対しては，**産後ケア事業**，**子ども・子育て支援事業**などの公的社会資源の活用や，宅配サービスなどの民間の資源の活用などを検討し手続きなどを支援する．社会資源の利活用に関する支援を行う場合は，親や家族の意向を尊重し，必要な資源を自ら選択して有効に利活用できるよう支援する．

家庭での養育に不安があり，退院後も専門職が継続して支援が必要な家族に対しては，地域の保健・福祉担当者と連携することも必要である．複雑な問題を抱える母子や家族に対しては，問題や課題の内容に応じて専門職（看護師・助産師，医師，ソーシャルワーカー，臨床心理士・公認心理師，理学療法士，言語聴覚士，管理栄養士など）が招集され

---

*アウトリーチ型の支援：外に手を伸ばす支援．支援が必要であるにもかかわらず，支援を受けていない親や家族に対して訪問支援などで積極的に支援を届けること．

	分娩当日	1日目	2日目	3日目	4日目	退院
検査・処置		診察		採血	退院診察（母子）	血圧・体重測定 検尿
健康教育	悪露観察 授乳・抱っこ・オムツ交換		沐浴見学		退院指導 沐浴実施	
子宮底	分娩直後は臍下指2～3本分のところ　1日目は臍高くらいにありますが，以降は徐々に下がっていきます　　臍と恥骨の中央くらいの高さ					
悪露	真っ赤な鮮血の色　→　暗い赤色の悪露　→　徐々に褐色になっていきます					
後陣痛	授乳で痛みが強くなります　→　徐々に軽減します					
活動	順調なら分娩後2時間で歩きます　病棟内・病院内は自由に動けます（体力の回復状態をみながら）					
排泄	歩行後は，自分でトイレに行きます			分娩後に排便がない場合は，緩下薬などを使って便通を整えましょう		
清潔	タオルで体を拭きます　問題なければシャワーができます					
赤ちゃんのお世話	分娩直後の赤ちゃんのお世話は看護師が行います 2～3時間おきに授乳します オムツ交換と授乳の練習をします ビタミンKシロップを飲ませます		2日目か3日目に沐浴を見学します		4日目以降に実際に沐浴をしてみます（お父さんも可）	

図Ⅲ-22 入院中のスケジュール（経腟分娩後の褥婦用クリティカルパスの例）

チームが結成される．専門職は医療施設内に限定されるものではなく，地域の保健，福祉，医療専門職（保健師，児童福祉士，保育士，訪問看護師など）も加わることがある．チームで**多職種カンファレンス**などを開催し，それぞれの専門職が実践可能な具体的支援が提案・提供される（第Ⅴ章参照）．

退院後，家庭での生活を送るなかで明らかになる課題もあるが，予測できる課題に対してあらかじめ準備することは，新しい生活に対する不安の軽減につながる．

④子どもの誕生に伴う社会的手続きの説明

出生届，出生連絡票，出産育児一時金など，対象者に応じて各種手続き方法を説明する．

⑤退院指導

退院指導として，入院中に退院後の生活に向けて，時間をとって健康教育を提供する．

主な内容は，①産褥経過とセルフケア，②新生児を迎える準備（部屋の準備，物品準備，健康管理と事故予防），③母乳育児，④産後の家族計画，⑤子育て支援サービスに関する情報提供，などである．

・産褥経過とセルフケア：産褥経過とセルフケアについては，主に子宮の復古と悪露の変化，陰部の創傷の治癒，受診を要する身体状態，産後の心理的変化，日常生活活動（ADL）の拡大の目安についてパンフレットなどを用いて説明する．

具体的には，子宮は産後1週間～10日程度で腹壁上から子宮が触れなくなり，産後4週間程度で非妊時の状態に回復すること，腟や会陰の損傷は1～2週間程度で治癒すること，悪露は産後2週間程度で褐色から黄色に変化していくことを説明する．生殖器が復古するまでの期間は，腟からの上行感染や創部の感染予防のために外陰部や創部の清潔保持を促す（p.272参照）．赤色悪露が2週間以上持続する場合，悪臭のある悪露が排泄される場合，持続する創部痛や発熱などがみられる場合は，子宮復古不全や感染が疑

われるため受診が必要であることを説明する．日常生活行動の拡大は，身体の回復状態に合わせて徐々に進め，産後1〜2週間は褥婦自身と児の世話のみを行い，産後3週ころから徐々に軽い家事を開始し，産後4〜5週ころを目途に普段の生活活動に戻すのを目安にすることを説明する．あくまで目安であり体調に合わせて無理をせず活動を拡大する．正常産褥経過においては，1ヵ月健診で子宮復古が良好で悪露が白色であれば，**性交を含めた通常の日常生活が可能**となる（p.236, 237参照）．

　心理的変化について，出産後はホルモンバランスが急激に変化することにより**精神的に不安定になりやすい**ことや，マタニティーブルーズ，産後うつ病などの症状や対処方法について説明する．退院後に相談事や困り事が生じた場合の連絡先についても伝えておく．

・新生児を迎える準備（部屋の準備，物品準備，健康管理と事故予防）：新生児がより安全で快適に生活するための準備状況を確認する．部屋の間取りや家具の配置，児が使う寝具，空調，ペットの有無，育児物品などを確認する．準備できていないものがあれば必要性や入手方法について説明する．退院時に自家用車を利用する場合は，チャイルドシートが必要になることを説明しておく．

　新生児の健康管理については，体温，呼吸，哺乳，排泄，清潔，黄疸，臍部などについて説明する（**表Ⅲ-18**）．

　家庭での新生児の事故予防は，**窒息事故**への注意を促す（**表Ⅲ-19**）．また，新生児をあやす際には激しく揺さぶらないことを説明する．新生児は頸部の筋肉が未発達なため激しく揺さぶると脳が衝撃を受け損傷し（乳幼児揺さぶられ症候群）重大な障害を負うことや，場合によっては命を落とすことがあることを説明する．

・母乳育児：**母乳育児**については，母乳育児がうまくいっているサイン，母乳が足りている目安など，安心して母乳育児を継続するための観察ポイントについて説明する

表Ⅲ-18　自宅での新生児の健康管理

体温，呼吸	新生児の体温の測定方法と基準値，呼吸回数の基準値や呼吸様式，異常呼吸について説明する．新生児は体温調節機能が未熟なため保温に注意すること，体温や呼吸は普段の正常な状態を知っておくことで異常に気づきやすくなるため，たまに測定してみるとよいことを説明する．
哺乳，排泄	1日の授乳回数，授乳量の目安（人工乳の場合），排尿や排便回数などについて説明する．排泄に関しては胆道閉鎖症など肝胆道系疾患の早期の発見のために母子健康手帳の色見本を用いて便の観察を行うことを促す．児へのビタミンK投与の必要性と与薬方法を説明する．
清潔	新生児は免疫機能が未熟で感染予防が重要となるため，新生児の世話をする前には手洗いを行うことや寝具や衣類は清潔なものを用い，沐浴は毎日行い皮膚を清潔に保つことを説明する．
皮膚，臍部	黄疸については，皮膚や眼球結膜（白目の部分）の黄染を観察することを説明する．臍部は臍脱し乾燥するまで消毒（消毒を勧めない場合もある）を行い，出血，滲出液，発赤，腫脹などがないかを観察するように伝える．
受診の必要な場合	新生児の呼吸がおかしい，顔色が悪い，母乳やミルクをいつもより飲まない，発熱があり元気がない，下痢やけいれんがある，便の色が白っぽい，黄疸が強い，何となくおかしい，などの症状がみられた場合，臍部に出血，滲出液（臭気や色調），発赤，腫脹などが生じた場合はすみやかに医療機関を受診するよう説明する．
小児科，予防接種	退院時あるいは退院後なるべく早く，小児科のかかりつけ医を決めておくことも説明する．また，生後2ヵ月ころから予防接種開始が推奨されているので予防接種スケジュールも相談しておくことが望ましい．

表Ⅲ-19　自宅での窒息事故の予防

- 新生児のベッド周囲にタオルやクッション，ぬいぐるみなどを置かない．
- 柔らかい敷布団やマット，枕を使用しない．
- うつぶせ寝を避ける．
- 落下物によるケガを予防するためにも新生児のベッド周辺には物を置かない．
- 疲労時や夜間の添い寝は避ける．

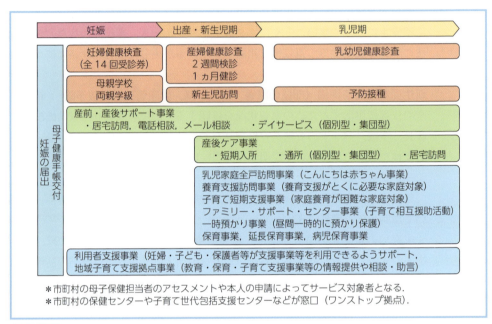

図Ⅲ-23　妊娠期からの主な子育て支援サービス

（p.274参照）．母乳育児では**児が欲しがるときはいつでも授乳**（自律授乳・頻回授乳）することを説明する．加えて，主な乳房トラブルやその原因（p.275参照），乳腺炎予防（p.323参照）に関するセルフケアと受診の目安について説明する．

- **産後の家族計画**：**産後の家族計画**については，産後の排卵の時期，母乳育児中でも用いることのできる避妊法などがポイントとなる（p.313参照）．個々の褥婦や家族のニーズを把握し，状況に応じて教育内容を変更・修正して提供する．
- **子育て支援サービスに関する情報提供**：退院後に活用できる**子育て支援サービス**の情報を提供する（図Ⅲ-23）．新しい子どもを迎えた家庭での生活に不安や問題を抱えたまま退院する母子・家族については，母子や家族の承諾のもと，地域の保健師や関連機関の専門職との間で退院後の支援について入院中に調整を行うことも重要である．
- **就業への支援**：育児休業の取得手続き，育児休業取得後の仕事への復帰に伴う手続き，保育の手続きに関する情報や各種手当金について，褥婦自身で収集するよう促す．

(2) 退院後の支援（図Ⅲ-23）

①出産施設の支援

- **訪問・相談**：出産施設では，退院後の電話相談の対応や母乳外来，産褥早期の育児相談

4. 産褥期の親になっていく過程のアセスメントと援助

母氏名＿＿＿＿＿＿＿＿＿＿＿＿　実施日　年　月　日（産後　　日目）
あなたへ適切な援助を行うために，あなたのお気持ちや育児の状況について以下の質問にお答え下さい．
あなたにあてはまるお答えのほうに，○をして下さい．

1. 今回の妊娠中に，おなかの中の赤ちゃんやあなたの体について，またはお産の時に医師から何か問題があると言われていますか？

　　はい　　　　いいえ

> 帝王切開，切迫流産，不妊治療歴等は母親の心理に影響を与えるので，加療を受けた時や振り返っての思いなどを把握する．

2. これまでに流産や死産，出産後1年間にお子さんを亡くされたことがありますか？

　　はい　　　　いいえ

> 喪失体験による悲嘆は数年持続するが個人差が大きく，一生続くとも言われている．次の妊娠時に不安，抑うつ，PTSDの危険性があること，子どもの愛着障害と関連するとも言われている．

3. 今までに心理的な，あるいは精神科的な問題で，カウンセラーや精神科医師，または心療内科医師などに相談したことがありますか？

　　はい　　　　いいえ

> 精神科・心療内科の既往歴は周産期うつ病の発症リスクとして関係が深く，重要である．主治医からの説明，現在の治療状況，家族の理解の程度などを把握する．

4. 困ったときに相談する人についてお尋ねします．
　①夫には何でもうち明けることができますか？

　　はい　　いいえ　　夫がいない

> 「はい」と回答していても，困ったことが何割程度相談できるか踏み込んで質問を行う．困ったことに対して，具体的・実際的または情緒的なサポートを受けることが可能であるか把握する．「いいえ」と回答した場合は，一人で解決できない困ったことが生じた時の対応について質問する．

　②お母さんには何でもうち明けることができますか？

　　はい　　いいえ　　実母がいない

> 夫からのサポートの欠如は，周産期うつ病と関連がある．また，詳細な聞き取りからDVが明らかになることもある．

　③夫やお母さんの他にも相談できる人がいますか？

　　はい　　　　いいえ

> 実母からの情緒的なサポートが十分受けられない場合は，妊娠・出産の相談をできないか尋ねる．詳細な聞き取りから，自分の母親からの被虐待歴が明らかになることもある．

5. 生活が苦しかったり，経済的な不安がありますか？

　　はい　　　　いいえ

> 具体的な不安の内容について尋ねる．
> 例：失職等

6. 子育てをしていく上で，今のお住まいや環境に満足していますか？

　　はい　　　　いいえ

> 具体的な不満足の内容について尋ねる．
> 例：近隣への気兼ね等

7. 今回の妊娠中に，家族や親しい方が亡くなったり，あなたや家族や親しい方が重い病気になったり，事故にあったことがありましたか？

　　はい　　　　いいえ

> ライフイベントの内容や現在の心情について尋ねる．

8. 赤ちゃんが，なぜむずかったり，泣いたりしているのかわからないことがありますか？

　　はい　　いいえ

> 赤ちゃんの機嫌や，表情，泣き声が何を求めているか汲み取ることが可能か質問している．「いいえ」と回答した場合は，赤ちゃんの要求を汲み取れずに，赤ちゃんのケアが十分にできていないと考え，苦痛となっていることがある．具体的な状況を傾聴しながら，ネグレクトにならないための支援を検討する．

9. 赤ちゃんを叩きたくなることがありますか？

　　はい　　いいえ

> 赤ちゃんへの嫌悪感や拒否感を母親が抱いているか把握するための質問である．「はい」と回答した場合は，実際に行ったことがあるかどうか，踏み込んで質問し，母親の思いを傾聴する．

妊娠中に使用する場合は省いて使用する

（九州大学病院児童精神医学教室―福岡市保健所使用版）

図Ⅲ-24　育児支援チェックリスト

［日本産婦人科医会（編）：育児支援チェックリスト．妊産婦メンタルヘルスケアマニュアル―産後ケアへの切れ目のない支援に向けて，p.84，中外医学社，2021より許諾を得て転載］

| 母氏名 _____ | 実施日　年　月　日（産後　　日目） |

あなたの赤ちゃんについてどのように感じていますか？
下にあげているそれぞれについて，いまのあなたの気持ちにいちばん近いと感じられる表現に○をつけて下さい．

	ほとんどいつも強くそう感じる	たまに強くそう感じる	たまに少しそう感じる	全然そう感じない
1) 赤ちゃんをいとおしいと感じる．	(0)	(1)	(2)	(3)
2) 赤ちゃんのためにしないといけないことがあるのに，おろおろしてどうしていいかわからない時がある．	(3)	(2)	(1)	(0)
3) 赤ちゃんのことが腹立たしくいやになる．	(3)	(2)	(1)	(0)
4) 赤ちゃんに対して何も特別な気持ちがわかない．	(3)	(2)	(1)	(0)
5) 赤ちゃんに対して怒りがこみあげる	(3)	(2)	(1)	(0)
6) 赤ちゃんの世話を楽しみながらしている．	(0)	(1)	(2)	(3)
7) こんな子でなかったらなあと思う．	(3)	(2)	(1)	(0)
8) 赤ちゃんを守ってあげたいと感じる．	(0)	(1)	(2)	(3)
9) この子がいなかったらなあと思う．	(3)	(2)	(1)	(0)
10) 赤ちゃんをとても身近に感じる．	(0)	(1)	(2)	(3)

項目2について：陽性点数が付いた場合は，状況を詳細に尋ねる．家事，育児の優先順位を自分で決めて実際にできているかどうか判断する．

項目3について：どんな時にそのような気持ちが起きるか，強く感じた場合のストレスはどう考え，対処しているか尋ねる．点数が高く，強く腹立たしさを感じている場合は，虐待傾向が疑われる．

項目5について：どんな時にそのような気持ちが起きるか，強く感じた場合のストレスはどう考え，対処しているか尋ねる．点数が高く，強く怒りを抱いている場合は，虐待傾向が疑われる．

項目9について：理想の子どもとギャップがある場合は，どんな点が違うのか質問する．

質問項目 2, 3, 5, 6, 7, 10 が 1 点以上で総合点が高得点となっている場合は，抑うつ症状と関連が深いので注意深く支援が必要である．カットオフ値はないが，合計点が 3 点以上つけば，詳細な聴き取りを行い，児に対する否定的な気持ちの強度や行動などを把握する．

（吉田ら（2003）による日本語版）

図Ⅲ-25　赤ちゃんへの気持ち質問票

[日本産婦人科医会（編）：赤ちゃんへの気持ち質問票．妊産婦メンタルヘルスケアマニュアル—産後ケアへの切れ目のない支援に向けて，p.88，中外医学社，2021より許諾を得て転載]

外来などを実施する．妊娠から出産までの経過を施設の看護職者が理解しているため，母親は気安く援助を受けられる．可能であれば，妊娠期から産褥健康診査までを同一の看護職者が継続的に支援することで，ニーズに合致したより個別的な支援を提供できる．医療者側のアセスメントによりとくに支援が必要と判断した母子と家族へは，退院

・産婦健康診査（2週間健診，1ヵ月健診）：**産婦健康診査（産後健診**ともいわれる）では，褥婦の身体的・心理的健康状態や育児の状況，児の発育や健康状態などを確認し，必要に応じて適切な支援を提供する．問診（医療面接）によって褥婦の生活状況（睡眠や休息状況，疲労状況，食事や清潔，家事や育児のサポート状況）を確認するとともに，気分（抑うつ，焦燥，イライラなど）や児に対する思いなどを把握する．褥婦の身体的な健康状態の観察は，体重，血圧，尿タンパク，尿糖，子宮復古状態，悪露の性状，乳房状態などを観察する．児の健康状態の観察では，体重測定や全身観察が行われる．褥婦の心理的健康状態の把握には，問診以外に「**育児支援チェックリスト**」「**赤ちゃんへの気持ち質問紙**」「**エジンバラ産後うつ病質問票**」などが用いられることが多い（図Ⅲ-24，25，表Ⅲ-20）．これらは妊娠中のメンタルヘルスやマルトリートメント（不適切な養育）のスクリーニングにも活用可能となっている．これらの質問票や面接内容，育児状況，言動や行動などから，褥婦のメンタルヘルスやマルトリートメントを総合的にアセスメントする（図Ⅲ-26）．

褥婦や児の身体的・心理的健康状態に合わせて必要な支援が検討され提供される．必要性に応じて地域の子育て世代包括支援センター，産後ケア事業，精神科や小児科とも連携し母子と家族の支援を継続的に行う．

②産後サポート事業・産後ケア事業

両事業とも市町村が実施主体となり実施される．**産後サポート事業**は，妊娠・出産・子育てに関する相談支援を行うもので専門的知識やケアを要する相談や支援は含まれない．支援には，アウトリーチ（パートナー）型の自宅訪問や電話相談・メール相談と，デイサー

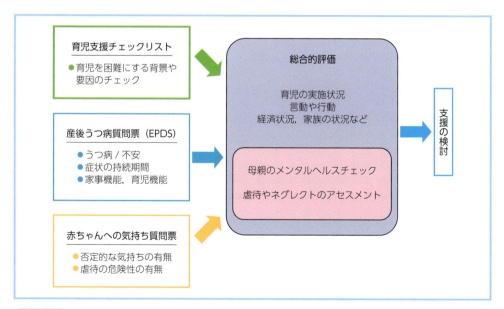

図Ⅲ-26　褥婦のメンタルヘルスやマルトリートメントのアセスメント

[日本産婦人科医会（編）：妊産婦メンタルヘルスケアマニュアル—産後ケアへの切れ目のない支援に向けて，p.91, 中外医学社，2021より許諾を得て転載]

表Ⅲ-20 エジンバラ産後うつ病質問票（採点者用）

採点のために（　）内に得点を示しているが実際の質問票では（　）内は空欄とする.

ご出産おめでとうございます．ご出産から今までの間どのようにお感じになったかをお知らせください．今日だけでなく，過去7日間にあなたが感じられたことにもっとも近い答えにアンダーラインを引いてください．必ず10項目に答えてください．
例）幸せだと感じた．……はい，常にそうだった．
　　　　　　　　　　　　　はい，たいていそうだった．
　　　　　　　　　　　　　いいえ，あまり度々ではなかった．
　　　　　　　　　　　　　いいえ，まったくそうではなかった

"はい，たいていそうだった"と答えた場合は過去7日間のことをいいます．このような方法で質問にお答えください．

【質問】		
1. 笑うことができたし，物事のおかしい面もわかった．	(0) いつもと同様にできた． (2) 明らかにできなかった．	(1) あまりできなかった． (3) まったくできなかった．
2. 物事を楽しみにして待った．	(0) いつもと同様にできた． (2) 明らかにできなかった．	(1) あまりできなかった． (3) まったくできなかった．
3. 物事が悪くいったとき，自分を不必要に責めた．	(3) はい，たいていそうだった． (1) いいえ，あまり度々ではない．	(2) はい，時々そうだった． (0) いいえ，そうではなかった．
4. はっきりした理由もないのに不安になったり，心配した．	(0) いいえ，そうではなかった． (2) はい，時々あった．	(1) ほとんどそうではなかった． (3) はい，しょっちゅうあった．
5. はっきりした理由もないのに恐怖に襲われた．	(3) はい，しょっちゅうあった． (1) いいえ，めったになかった．	(2) はい，時々あった． (0) いいえ，まったくなかった．
6. することがたくさんあって大変だった．	(3) はい，たいてい対処できなかった． (2) はい，いつものようにはうまく対処しなかった． (1) いいえ，たいていうまく対処した．	(0) いいえ，普段どおりに対処した．
7. 不幸せなので，眠りにくかった．	(3) はい，ほとんどいつもそうだった． (1) いいえ，あまり度々ではなかった．	(2) はい，時々そうだった． (0) いいえ，まったくなかった．
8. 悲しくなったり，みじめになった．	(3) はい，たいていそうだった． (1) いいえ，あまり度々ではなかった．	(2) はい，かなりしばしばそうだった． (0) いいえ，まったくそうではなかった．
9. 不幸せで，泣けてくる．	(3) はい，たいていそうだった． (1) ほんの時々あった．	(2) はい，かなりしばしばそうだった． (0) いいえ，まったくそうではなかった．
10. 自分自身を傷つけるという考えが浮かんできた．	(3) はい，かなりしばしばそうだった． (1) めったになかった．	(2) 時々そうだった． (0) まったくなかった．

(Edinburgh Postnatal Depression Scale : EPDS, J. L. Cox et al., Brit. J. Psychiatry, 1987)
エジンバラ産後うつ病質問票の著作権はThe Royal College of Psychiatristが保有しているため，無断転載は禁じられています．また，この日本語版は再英訳済みです．
※各質問とも4段階の評価で，10項目を合計する．
[日本周産期メンタルヘルス学会：エジンバラ産後うつ病質問票．周産期メンタルヘルスコンセンサスガイド2017, p.5-6, 2017より引用]

ビス（参加）型の事業（個別型・集団型）がある．地域の親どうしの交流の促進や妊産褥婦と家族の孤立感を解消し安心して育児に臨めるようサポートすることを目的としている．

産後ケア事業は，市町村が分娩施設退院後から一定期間，出産施設等の医療施設や助産所，保健センターや対象者の自宅などにおいて，助産師などの看護職者が中心となり母子に対して，母親の身体回復の支援，授乳や母乳育児支援，育児指導，家族との関係調整支援，心理的支援，必要な社会資源の紹介等を行うものである．母と家族が健やかな育児ができるよう支援する．

③子ども・子育て支援事業

市町村では，母子保健や子育て支援に関連するさまざまな法令のもとで保健センターや

子育て世代包括支援センターなどが母子と家族の支援事業を展開している（コラム参照）．産褥期の母子と家族に提供される主な支援は，**新生児訪問，育児相談，育児教室，子育てサロン**（交流の場の提供），**一時預かり，乳幼児家庭全戸訪問事業（こんにちは赤ちゃん事業）**などがある．これらの支援は，妊娠の届出をして母子健康手帳を交付された時や出生届け時に案内される．市町村のホームページや広報などで母子保健サービスに関する案内を確認することもでき，希望すればサービスを利用することができる．

　一方，母子健康手帳の交付時や子育て支援事業への参加時などに，保健師や助産師を中心とした看護職者が面談などによるスクリーニングを行い，育児に関連した問題を抱える母子と家族についてアセスメントした結果，子育て支援事業の利用を積極的にはたらきかける場合もある．必要に応じて，ピアサポートグループや他の専門職を紹介する場合もある．

④その他の子育て支援の資源

- ピアサポートグループ：**ピアサポートグループ**では，同じ年代の子どもをもつ親が集まり，育児に関する悩みや不安，楽しみや喜び，体験などさまざまな思いを分かち合うなかで育児不安を軽減し解決策を見出すことなどができる．分娩施設での入院中にピアグループが形成されたり，市町村の子育て世代包括支援センターなどでグループが形成されることもある．
- ICT（information and communication technology）の活用：スマートフォンやパソコンの普及により日常生活におけるICTの活用はごく当たり前のこととなっている．ICTの活用によって，妊娠・出産・子育てに関連したさまざまな情報や有用なアプリケーションなども簡単に入手できる．妊娠中や子育て中の人々との交流にも活用されている．ICTは非常に便利で有用な子育て支援の資源の1つである．しかし一方で，妊娠・出産・子育てについて専門的知識をもたない親や家族の場合，溢れる情報のなかから正しい情報を選択すること，自分にとって有用で適切な情報を選択することは困難なことも多い．情報過多で混乱することもある．ICTの活用においては，**信頼できる情報源**（公的機関や医療機関など）を選択することが重要となる．

(3) 子育て支援などの法的根拠

　母子保健法（p.537の**資料2**参照），労働基準法（p.539の**資料3**参照），雇用の分野における男女の均等な機会及び待遇の確保等に関する法律（男女雇用機会均等法，p.539の**資料4**参照），育児休業，介護休業等育児又は家族介護を行う労働者の福祉に関する法律（育児・介護休業法，p.540の**資料5**参照）に育児支援に関連する規定がある．

　さらに少子化対策として，2003（平成15）年に次世代育成支援対策推進法が制定され，国や地方公共団体に加え，はたらく親を雇用する事業主に対しても子育て支援の充実が求められることになった．加えて，2012（平成24）年には幼児期の学校教育・保育，地域の子ども・子育て支援を総合的に推進する子ども・子育て関連3法（子ども・子育て支援法，認定こども園法の一部改正法，児童福祉法の一部改正等関係法律の整備法）が制定された．

　これらの法律によって，幼児期の学校教育・保育の支援として，認定こども園・幼稚園・保育所・小規模保育などの財政支援が行われている．また，地域における子育て支援として，ファミリーサポートセンターの拡充，乳児家庭全戸訪問事業（こんにちは赤ちゃ

ん事業），養育支援訪問事業，子育て短期支援事業，延長保育事業などがある．このように多様な支援を適切に提供するしくみとして，国は妊娠期から子育て期にわたるまでのさまざまなニーズに対して総合的相談支援を提供するワンストップ拠点となる子育て世代包括支援センターの整備を法定化した（下記コラム参照）．さらに，仕事と家庭の両立の支援として，育児・介護休業制度の充実，事業所内保育施設に対する支援の充実と地域開放，職場における男女雇用機会均等法の推進などがある（p.96，97の表Ⅰ-29，図Ⅰ-33参照）．そのための企業の育児支援制度としては，子どもの看護休暇，配偶者出産休暇，育児のた

> **コラム**
> ### 子育て世代包括支援センター（母子健康包括支援センター）
>
> 　近年は地域のつながりの希薄化により妊産婦らが孤立し不安を抱えやすくなっていることから，国は少子化社会対策として「結婚，妊娠・出産，子育ての各段階に応じた切れ目ない取り組み」を推進している．そのために妊娠期から子育て期にわたるまでのさまざまなニーズに対して総合的相談支援を提供するワンストップ拠点が「子育て世代包括支援センター」である．妊娠や子育ての不安，孤立などに対応することは児童虐待のリスクを早期に発見・低減することにもつながることから，2016（平成28）年の児童福祉法の改正に伴い，母子保健法第22条を法的根拠に「子育て世代包括支援センター」の整備が法定化された．
>
> **「子育て世代包括支援センター」の基本3要件**
> ①妊娠期から子育て期にわたるまで，地域の特性に応じ，「専門的な知見」と「当事者目線」の両方の視点を活かし，必要な情報を共有して，切れ目なく支援すること．
> ②ワンストップ相談窓口において，妊産婦，子育て家庭の個別ニーズを把握したうえで，情報提供，相談支援を行い，必要なサービスを円滑に利用できるよう，きめ細かく支援すること．
> ③地域のさまざまな関係機関とのネットワークを構築し，必要に応じて社会資源の開発などを行うこと．
>
> 　「子育て世代包括支援センター」は基本3要件を満たしたうえで，地域ごとに関係機関と情報を共有し連携して切れ目ない支援を確保する機能をもつ「しくみ」のことを指す．しくみそのものを指して「子育て世代包括支援センター」と位置づけることもできるし，個別の相談場所を設置して「子育て世代包括支援センター」という名称で事業を行うこともできる．
>
>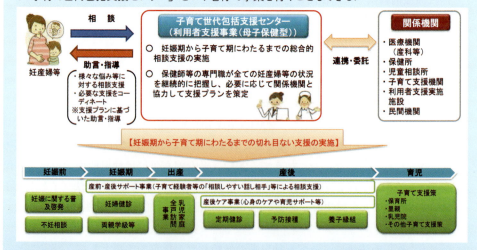
>
> ［内閣府：地域子ども・子育て支援事業について(平成27年1月)，[http://www8.cao.go.jp/shoushi/shinseido/administer/setsumeikai/h270123/pdf/s3-1-1.pdf]（最終確認：2018年2月26日）より引用］

めの短時間勤務制度などがある．しかし，これらの子育て支援制度の導入が進んでいるとはいいがたい．

b. 家族の役割獲得・関係調整への援助
(1) 父親への援助
　産褥期の母親は，自身の身体回復を図りつつ，多くが母乳育児を行っているため，それぞれの家庭において，生まれた子どもの世話（育児）をしながら過ごしていることが多い．
　一方，父親の場合は母親とは異なり，父親役割が，必ずしも育児を積極的に実践することとはいえない．父親役割として求められる役割は家庭によって多様である．したがって，一定のあり方を押し付けないように注意する必要がある．しかし，家事や妻への精神的支援や，そのための生活習慣の修正などが，育児にかかわることから始まるため，実際に育児をする機会を得ることは重要である．実際に育児にかかわり，児に慣れ，愛情を抱き，妻が行っていることを理解することから，父親像もさらに明確になり，どのような役割行動を引き受けるかについて考慮することにつながる．また，父親役割（像）というものが各家庭で異なることから，重要になるのは妊娠期からの**夫婦間の話し合いによる役割調整**となる．

①子どもとの直接的かかわりの支援
　父親は，妻／パートナーの妊娠期から父親となる意識をもち，妻／パートナーのおなかに手を置き胎動を感じることで児の存在を実感することなどを通して父親になっていく過程を進めている．そして，この過程は実際に子どもとかかわることでさらに促進される．子どもの誕生後に，実際に子どもに会い，触れ，抱くなど，直接子どもとかかわることで，母親同様，児への関心・愛情も高まり，絆（ボンディング）の形成が促進される．児の誕生後は，母親と子どもだけでなく，なるべく早期にできるだけ多く**父親と児が直接触れ合える機会**を提供する．

②育児技術の習得支援
　父親が，児の世話をした際に失敗感を抱いてしまうと，その後，継続して育児行動を引き受けることが困難になりやすい．母親は入院中に繰り返し教育を受けることによって，ある程度慣れた状態で帰宅するが，父親は育児技術を習得する機会を得にくい．また，里帰りをする場合には，その間に，父親と母親の育児技術習得の差はさらに開く．父親は，母子の退院後ないし里帰りが終わり自宅に帰宅後，母親を介して育児を習得していくことが多い．父親が育児により積極的にかかわるためには，母親に父親の**育児**の機会を与え，育児を促すよう伝えるとともに，育児技術（たとえばオムツ交換など）の方法を具体的に伝えることや父親が実施した後には肯定的な評価も伝えるよう話しておくことも必要となる．そして，いずれ母親と同様に自分なりの工夫も加えて育児をするようになるが，その際も児に危険がないかぎりは，**父親なりのやり方を尊重する**ことも父親が育児を継続することにつながる．
　看護職者としては，母親の状況や他の支援者の状況を判断し，必要に応じて，入院中の面会時などを利用して，父親への育児指導を行うことも考慮する．家族によっては，父親への沐浴指導を希望することもある．その場合は，母親とともに父親にも沐浴指導を行うとよい．また，母親にとっても児の反応は絆形成に重要であるが，父親にとっても児の反

応を理解することは，育児継続・拡大にとって効果的である．育児技術とともに，児の反応や合図について教育の機会を設けることも必要となる．

③子どもを迎えた新しい生活への適応支援

父親は，育児役割の拡大や家事役割の拡大に伴い，**生活行動の修正**（少し早く帰る，休日の余暇の時間を減らすなど）も必要となるが，その際に，父親自身の喪失感に対する悲嘆作業についての支援が必要である．育児技術同様，母親が父親の生活行動の修正について，言語的に肯定的な評価を伝えることは，父親にとって効果的である．そのほか，看護職者が直接父親に支援を提供する場合もあるかもしれないが，父親どうしのピアサポートによる支援の機会を設けることも方策である．

(2) 夫婦間の役割再調整への援助

新たな子どもの誕生によって，育児・家事など家庭内での仕事量は大幅に増加し，経済的負担も増加する．そのことを母親だけ/父親だけが負うことは困難であり，夫婦で子どもの誕生に伴う役割の変化について理解し，話し合い，新たな役割分担に向けて**再調整**することが必要である[2]．

①産後（育児期）の役割調整の進行状況の確認

産後の役割調整に対する支援は，妊娠期から行う必要がある．産後における支援は，まず妊娠中に，産後の生活がどのように変化するかについてどの程度具体的なイメージを形成できているか，どの程度夫婦間で話し合いがなされているか，具体的な調整が行われているかということを把握する必要がある．具体的には，妻に夫/パートナーがどのような行動をとることを期待しているかを確認する．この確認するという援助が，同時に妻の考えを整理することにつながる．そして，同様に，これまでの夫/パートナーの役割行動に対してどのように評価しているかを確認し，妻の考え方に共感を示すとともに，否定的な評価がある場合には，妻がなぜそのようにとらえているかを振り返り整理できるように促したり，夫/パートナーの役割行動の特徴を理解できるように情報提供を行う．一般的に夫/パートナーは育児・家事に協力したいと考えているが，実際に自分が何をしたらよいか，また，どのようにしたらよいか理解できていないことが多いようである．そのため，妻が夫/パートナーに行ってほしいと期待する役割行動については，家事においても育児においても，**そのつど具体的に順序立てて伝える**ことで，夫/パートナーは実践しやすくなるようである．

②実践可能な役割分担のための調整支援

夫婦の役割調整方法を確認した結果，どちらかの負担が大きくなると予測された場合は，調整の必要性について情報提供し，調整のための**話し合い**をすることを促す．その際，ただ促すだけでなく，必要なときは看護職者が**同席**し，話し合いが円滑に進むよう援助することも考慮する．夫婦間の話し合いや，両者の期待のすり合わせが不十分である場合，仮に夫/パートナーが一時的にかなり努力して育児・家事を実践して妻が非常に満足感を得ても，その後，妻の期待がさらに高まってしまうと，夫/パートナーがその期待に応えられず，夫婦間の思いに差が生じてしまうこともある．夫婦ともに過剰な期待を抱かず，現実的に実行可能な程度で折り合いをつけ，互いの実践に肯定的な評価ができるように，夫婦が建設的に話し合いをもつことができるよう援助する．

(3) 新生児の兄/姉への援助

弟/妹が生まれたことによる兄/姉になるきょうだいへの直接の援助は少ない．最近は「きょうだい準備教室」が出産準備教室の1つとして，弟/妹の誕生が予定されている子どもたちを集めて，赤ちゃんの妊娠・出産や，赤ちゃんの特徴，自分が生まれたときの話などを伝えることもあるが[3]，まだ一般的ではない．基本的には，母親を中心とする親に情報を提供し，親自身が家族内での役割を調整し，新生児を迎えるきょうだいが，兄/姉としての役割を獲得できるよう支援することになる．また，情報提供の場においても，経産婦のみを対象とした出産準備教室が開催されることも多くはなく，妊娠中や，産褥入院中，産後1ヵ月健診などの保健相談時での個別相談が中心になるであろう．できれば，妊娠中から相談に応ずることが望ましいが，産褥入院中のほうが，より多く相談・情報提供の機会が得られる時期となるので，折をみて，兄/姉についての準備状況を把握し，準備状況に不足があれば情報提供を行う．

①弟/妹の誕生に対して生じる兄/姉の一般的反応に関する情報提供

まずは，親たちが一般的な兄/姉にどのような**反応**が生ずるかについて知っているかどうか，そのような反応がすでに妊娠中または出産後みられているか，反応が生じている場合は，そのことをどのように受け止めているかを確認する．受け止めは，楽観的すぎても，悲観的すぎても適切とはいえない．子どもの反応をあるがままに受け止め，そのような反応が認められることが当然のことで，ある意味，親への愛着がきちんと形成されていたからこその反応であることも理解できるよう，親としての思いを傾聴し情報提供を行う．

②兄/姉の反応に対する親の対処方法への支援

弟/妹の誕生に対して兄/姉が示す反応に関する情報提供の後，対処方法について夫婦間で話し合いをしたり，具体的に準備しているかを確認する．兄/姉が弟/妹に関心をもち愛情を抱くためには，きょうだいのかかわる機会を多くすることが必要である．そのためには，弟/妹のオムツ交換などの際には，兄/姉にできるお手伝いを依頼し，**一緒に育児をする**ことなどの対処方法が提案できる．また，同時に，兄/姉が赤ちゃんだったときの話をすることなどで，自分が大切に育てられてきたことや，**変わらず愛情を受けている**ことを実感できるようにすることも勧められる．

しかし，実際には，2人同時に泣かれてしまったり，2人一緒に育児の手が必要になることも多い．兄/姉の役割獲得を促しつつ，生活の自立度の低い幼い兄/姉と新生児の2人の育児を母親1人でこなすには，負担が大きすぎる．しっかりものの母親ほど，1人でこなそうとして，周囲に頼らないことも多く，出産後に困難感を抱くことも多い．はじめての児の誕生後の生活変化についてイメージ化を図るのと同様に，2人目以降の誕生後の生活の変化についてイメージ化を図り，どのようなときに困難になるのかを考える機会を提供し，あらためて夫婦の役割分担について調整を図ることを促すことも重要である．

(4) 祖父母への援助

祖父母は，非常に強力な支援者である．はじめて親になる母親にとっては実母である祖母からは，父親より多くの手段的援助を受けることも少なくない．しかし，妊産婦の高齢化が進む現代では，祖父母も高齢化していることも多い．一方，若い祖父母では2人とも仕事をもっていることも多い．祖父母たちが援助したい思いはあっても，実際に支援でき

ないこともある．支援が得られる場合も，祖父母たちの育児能力を把握することが必要である．祖父母たちのころと現在とでは育児方法が異なっていることも多く，それにより育児に戸惑いが生じることも多い．また，祖父母たちが，その祖父母たちから十分な支援を得ていた場合，自分の子を沐浴したことのない祖父母も存在する．なかには，孫の育児に介入し過ぎないほうがよいだろうと考えている祖父母もいる．**さまざまな状況にある祖父母**たちが，その能力を十分に発揮し，夫婦にとっても祖父母にとっても，より満足が得られる育児支援となるように援助することが望まれる．

①祖父母の育児支援能力の確認と情報提供

祖父母の育児支援能力について，母親を通じて情報収集を行う．母親を通じて情報収集を行うことで，母親自身もどのような支援を期待するのか，期待できるのかということを整理する機会となる．最近は，「祖父母教室」や「孫育て教室」なども開催されるようになっているため，妊娠期間中に準備できることが望まれるが，その準備がなされていないことも多い．

②育児支援能力向上のための支援

育児技術などに不足または相違があることが予測される場合は，入院中の面会時を利用して，直接祖父母に育児方法についての情報提供やときには技術指導を行うことも必要である．その際には，祖父母の意欲を減退させないように，祖父母の経験や思いをよく聞き，否定せず，**育児方法が変化した理由**を説明し，**理解を得る**よう留意する．退院後も，夫婦と祖父母との間に混乱が生じることがあるので，相談する場ができることが期待される．

孫の養育にかかわる祖父母たちは，実際に孫育児を始めてから娘／息子世代との相違に気づいたり，混乱が生ずることも多いと考えられる．出産後も祖父母たちを対象とした「孫育て教室」なども開催されているので，地域で開催されているようであれば，情報提供しておくことが望ましい．

③祖父母の発達課題達成に向けての支援

孫の誕生をきっかけに，祖父母たちは自らの妊娠・出産・育児期を思い起こすことが多い．**人生の統合**という老年期の発達課題の達成に向けて，人生の大きな節目となったこれらの時期を振り返り，自分自身で肯定的に評価することは非常に重要である．そのためには，できれば，出産時の立ち会いや出産後の面会時に，祖父母が話せるような機会を設けることも必要かもしれない．

c．家族計画への援助

(1) 産後の家族計画

家族計画とは，その夫婦が望む時期に望む数の子どもを得ることである．出産したばかりの母親の多くは，すぐに次子の出産を考えることはないようである．日本のある調査では，理想的には3人の子どもをほしい夫婦が多く，現実的には2人の子どもをもつ夫婦が多い．第1子出産後，いずれ第2子の出産を希望していても，母体の回復や，新しい子どもを迎えてからの新しい生活への適応という意味でも，数年は空けることが望ましいかもしれない．とくに帝王切開後の場合は，子宮の修復状況から，1年程度経過してから妊娠することが望まれる．これ以上子どもを希望しない夫婦，あるいは今すぐに次子を希望しない夫婦には，望まない妊娠を避けるための方策が必要である．一方で，高年出産や不妊

治療後妊娠の褥婦については，女性の妊孕性を考慮すると年齢があまり高くなり過ぎないうちに次子の妊娠を検討することが望ましい．

(2) 産後の性交

1ヵ月健診で子宮復古，腟・外陰部の状態が良好であれば性交が再開できる．産後の性交の再開時期は，産後1ヵ月半〜2ヵ月が多いようであるが，出産後5ヵ月を経過しても性交を再開していない夫婦が31％おり，この産後のセックスレスは年々増加傾向にある[4]．出産後は，女性においては，エストロゲンが減少し腟分泌物も減少しており，出産時の外陰部の創部痛や，授乳などの育児の疲労とその生活における余裕のなさから性的欲求は低下しやすい．また，否定的な出産体験をもつ者は，次子の出産に不安を抱き，性交についても避けたいと思うこともある．男性においては，妊娠期では性欲が抑制されていたことから，早々の性生活の再開を望む者もいる一方で，妻を労わる思いや育児に没頭する妻の姿を見ることにより性的欲求が低下する者もいる．

夫婦における性的関係はコミュニケーションの1つでもある．長い生殖可能期間において，健全な性的関係を保ち，夫婦にとって望ましい形で子どもを得ることができるように必要な情報を提供することは重要で，助産師をはじめとする専門家と接する機会の多い産褥期は，家族計画の支援を行うのに最適な時期である．

(3) 産後の避妊法

産後の月経および排卵の再来を予測することは困難である．また，最初の月経が無排卵性の月経である保証はなく，月経に先行して排卵があると考え，産後の性交時に避妊を行わない場合は，妊娠する可能性があると考えるべきである．仮に，早い時期の次子妊娠を希望していたとしても，月経をみないまま次の妊娠に至ることは，妊娠判明が遅れ，妊娠中の十分な健康管理が受けられないことにつながるため，健康上課題が多く避けるべきである．産後の性交の再開時から一時的にせよ避妊は必要であり，それらの知識を褥婦に提供する．

産褥期の避妊法の基本的な考え方は，一般的な避妊法と同様であるので，姉妹書の『母性看護学I』第VIII章3節を参照されたい．産後には若干の制限が生ずるので，ここではそのことを中心に説明を加える．

①コンドーム

コンドームは産後いつからでも使用可能である．とくに産後はエストロゲンが減少し腟分泌物が減少するために性交痛が生じやすく，ほとんど普及していないが女性用コンドームがその予防に有効である．

男性用コンドームも潤滑ゼリー付のものは，女性用コンドームほどではないが，性交痛を軽減する効果が期待される．どちらも感染症予防効果もあり，産褥期に推奨される方法である．

②低用量ピル（OC）

低用量ピル（oral contraceptives：OC）は，産後2〜3週以内では血栓症の発症のリスクがあることや，母乳育児中の場合には乳汁中へのプロゲステロンの移行などにより，産褥6週間以内には使用すべきではなく，産後6ヵ月までの使用は推奨されない．産後6ヵ月以上経過したら，授乳中で無月経であってもピルの使用を選択できる．妊娠高血圧症候群

が認められた場合には，使用に注意が必要である．

③子宮内避妊具（IUD）

子宮内避妊具（intrauterine contraceptive device：**IUD**）は，母乳育児中でも使用できる．従来のIUDは産後8週以降に装着することが推奨されていたが，銅付加IUDは，産後4〜8週以降に装着可能である．授乳中の女性では子宮が硬く収縮するので，1年目のIUD脱出率は低いといわれている．

④子宮内避妊システム（IUS）

子宮内避妊システム（intrauterine system：**IUS**）は，授乳中でも使用可能であるが，微量の黄体ホルモンが母乳中に移行することや子宮穿孔のリスクが増すことが報告されている．

⑤基礎体温法，オギノ式（リズム法）

月経が再開し，規則的になるまでは利用できない．

⑥不妊手術

避妊法ではないが，今後出産を希望しない場合は，かなり確実な方法である．女性の場合，**卵管結紮術**が行われるが，帝王切開であれば，手術中に同時に行うことができる．経腟分娩の場合は，産後2日目ごろ行う．

(4) 生殖補助医療などによる次子の妊娠を希望する場合

生殖補助医療などにより妊娠した場合，次子を希望する場合にも生殖補助医療が必要となることが多い．そのため，比較的早期から治療を再開する必要が生ずるため，夫婦の意見が一致したら早めに前回治療を受けた医療機関に相談に行くことを勧める．しかし，幼い子どもを養育しながらの不妊治療は非常に負担も大きいので，夫婦でよく相談することを促す．

E. 事 例

事例① 退院後の育児・生活に気がかりがある褥婦

32歳の初産婦．妊娠・分娩経過は正常，妊娠40週4日に自然分娩で2,960 gの男児をアプガースコア1分後9点，5分後10点で出産した．

本日は産褥3日目，体温36.3℃，心拍数68回/分，子宮底高は臍下3横指，子宮の硬度は良好，赤色悪露がみられる．後陣痛はなく，会陰の縫合部痛は軽快し日常生活に支障はない．排尿は3〜4時間おきにあり，排便は分娩後2日目から毎朝1回みられる．

分娩当日から母子同室で自律授乳を行い，1日10〜12回授乳している．乳房はIIb型，乳頭は突出し，左右の乳房に緊満感と軽度の熱感がある．乳管は左右7〜8本開口し，黄白色の乳汁が分泌され射乳もみられる．乳輪部に軽度浮腫を認め，授乳前の柔軟性・伸展性はやや不良であるため，児に吸着させる前に自分で乳輪を圧迫し柔軟性と伸展性を確認した後に含ませている．乳頭の発赤や損傷はない．「吸わせ始めは乳首が痛いがしばらくすると痛みはなくなる」新生児の日齢3の体重は2,850 g（日齢2は2,820 g），体温37.2℃，心拍数136回/分，呼吸数44回/分であった．日齢2の排尿は6回，排便は5回排泄され乳便であった．黄疸は生理的範囲内，臍は乾燥している．

本日，褥婦ははじめての沐浴を見学した．「退院後は，自宅に帰って夫と2人で子育てする予定なんです．夫も私も実家の方はそれぞれの仕事と介護で大変なんです．夫は仕事から帰宅するのが19時くらいなので，沐浴は昼間に1人でしようと思っていたけど，見学したら，ちょっと心配になってきました．かけ湯とか1人ではむずかしいですよね」「母乳育児さえうまくいけば育児は何とかなると思っていたんですよ．今，母乳は出ているし赤ちゃんの飲みもいいし」「退院後1週間は夫が産後パパ育休を取ってくれるので，その間に赤ちゃんとの生活を整えようと思っていたけど，甘かったかも・・・」オムツ替えや授乳の手技は1人で実施できている．妊娠末期の個別面談では，出産後の育児や生活の準備は整えたと話していた．明日は午前中に褥婦の沐浴実施，午後から退院指導が計画されている．退院は6日目の予定．

事例1のアセスメント

　褥婦の生殖器の復古や全身の回復状態，児の胎外生活への適応状態は良好である．母乳育児も順調に進んでおり，母子ともに身体的健康状態は良好である．家庭での生活に向けた準備に関しては，生活場所，育児物品の準備は整えられている．また，夫の育休取得予定から，夫の育児意欲があることや夫婦関係が良好であることが推察できる．しかし，育児や家事などの生活が営めるような具体的な調整はできていない．沐浴見学後に生じた心配は，沐浴がどのようなものか具体的に理解したことで生じた心配であり，現在，沐浴に限らず退院後の生活への関心が高まっている状態と考えられる．明日の沐浴体験や退院指導で，退院後の生活に向けた準備をより具体的にすすめられるよう支援する必要がある．はじめての子育てを夫婦2人で行うことによる心身の負担が考えられるため利用できるサービスの紹介も行う．

看護課題・看護目標・看護計画

課題：退院後の自宅での家族3人の生活において，育児や家事などを含む日常生活活動をどのように行っていくのか具体的な調整ができていない．

目標：退院後の家族3人の日常生活活動の具体的内容について褥婦自身で現実的な対処方法を考えることができ，退院後の自宅での生活について「やっていけそう」と思うことができる．

計画：1）自宅での家族3人のそれぞれの1日の日常生活活動について具体的に列挙する．
　　　2）それぞれの生活活動（授乳，オムツ交換，沐浴，抱っこ，炊事，洗濯，掃除，お風呂掃除，買い物，ゴミ出しなどの家事・育児や，食事，睡眠，清潔，排泄など基本的ニーズに関連した活動も含め）を「誰が」「どのように」行うのか，実践可能な具体的方法を褥婦と一緒に考える．
　　　3）居住地の自治体の子育て支援や活用できる民間のサービスについて情報を提供する．

実施・評価

　児，母，父の生活活動を列挙しながら，誰が，どのように実施できそうか褥婦に確認し

た．また，利用できそうな自治体の子育て支援サービスについても適宜紹介し，サービス利用に対する考えを聞いた．

- **児の世話**：夫の育休中は，病院での生活の延長で褥婦は子どもと自分のことをする．授乳の合間にはいつでも横になって休めるようにしておく．余力があれば洗濯物をたたむなどの簡単な家事はする．授乳は母乳のみでやっていけそう．ベビーベッドを借りて夫婦のベッドの横に配置したので夜中の授乳も大丈夫そう．夫はリビングのソファーベッドで寝たほうがよさそう．沐浴を体験して頭の支え方に不安があること，かけ湯がうまくできないことから，1人で実施せず夫の帰宅後に行うことにする．台所のシンクに入る沐浴槽を購入しており準備も片付けも簡単なので夫が帰るまでに準備しておる．夫には，夫の育休中にオムツ替えや沐浴，抱っこの練習をしてもらうつもり．夫が休みの日は授乳以外の児の世話は夫婦で行う．
- **家事**：完成度を問わなければ一通りの家事はできるため，夫の育休中は夫が家事全般を担当する．育休明けの食事については，褥婦が1週間分のメニューを考え，夫が休みの土日に夫婦でつくり置きのおかずをつくる．時短レシピ，冷凍食品，レトルト食品も活用し，温めるだけで食べられるようにしておく．買い出しは夫が土日に行くが，野菜は宅配サービス，オムツや日用雑貨はネットショッピングを利用する．洗濯は乾燥機付きの洗濯機なので乾燥まで行う．洗濯物がたためなければ洗濯機から出して広げておいて後でたたむ．掃除は土日に夫婦で行い，ゴミ出しは夫が朝仕事に出かける際に行う．夫婦の疲労時には自治体の子育て支援の割引券を使って家事代行サービスを利用することも検討したいとのこと．
- **夫が不在の昼間の生活**：退院後2週目から昼間は児と2人で過ごす予定．簡単な家事ができる程度に回復していると思うし，母子同室でやってきたので何とかなりそうとのこと．心配事や不安がある場合は，病院または自治体の子育て支援センターの電話相談が活用できることを確認した．
- **自宅への退院後**：親子3人でどのように生活していくのか，現実的な具体策を褥婦自身で考えることができている．退院する前に生活の目途が立ち，「何とかやっていけそう」とのこと．

学習課題

1．産褥期の家族への援助について考えてみよう

練習問題

Q1 産褥4日，Aさんの体調は回復し，退院が決定した．夫に連れられて来た長男（3歳）が赤ちゃんを珍しそうに見ている．Aさんは退院後に長男の退行現象が現れることを心配している．

Aさんへの説明で適切でないのはどれか．　　　　　　　　　（第105回国家試験，2016年）

1．「長男と2人きりになる時間をつくるようにしましょう」
2．「長男と一緒に赤ちゃんのオムツを交換しましょう」
3．「長男にしっかりするように話しましょう」
4．「長男をほめて安心させましょう」

Q2 Bさん（37歳，初産婦），会社員．妊娠41週1日の午後11時に3,200 gの女児を分娩した．妊娠や分娩の経過は順調であり，会陰切開術を受けた．分娩後2時間の子宮底の高さは臍下2横指，縫合部に異常はみられなかった．

産褥5日．Bさんは「出産前は，職場に復帰しようと思っていましたが，今は仕事と育児とを両立できるか心配です．いろいろな制度があるとは聞いていますが，どのようなことができるのでしょうか」と看護師に相談した．

Bさんへの説明で正しいのはどれか．　　　　　　　　　（第102回国家試験，2013年）

1．「退院直後から，お子さんを保育所に預けることができます」
2．「お子さんが満2歳になるまで育児休業をとれます」
3．「職場でお乳を搾る時間を1日4回とれます」
4．「夫が育児休業をとることもできます」

［解答と解説 ▶ p.549］

引用文献

1) Belsky J：The determinants of parenting： A process model．Child Development，p.55，83-96，Wiley，1984
2) 林　ひろみ：第1子出生後の夫婦が父親役割行動を円滑に調整するための看護介入．日本母性看護学会誌 **7**(1)：27-34，2007
3) 中村紋子，片岡弥恵子，堀内成子ほか：新しく兄/姉となる子どもと家族のクラス「赤ちゃんがやってくる」の実施と評価．日本助産学会誌 **20**(2)：85-93，2006
4) 瀧　久代：産後の性交と避妊の実態―初めての出産から5ヵ月が経過した女性の調査から．母性衛生 **46**(1)：119-124，2005

5 褥婦の正常経過からの逸脱と援助

> **この節で学ぶこと**
> 1．産褥期の正常経過からの逸脱について学び，その予防的援助を考えることができる

A. 褥婦の正常経過からの逸脱への看護の視点

産褥期は，妊娠や出産によってもたらされた身体的変化が非妊時の状態に回復する過程である．同時に，父母や家族の関係性や役割の変化に対応していく時期でもある．そのため，産褥期は，褥婦の身体的回復過程からの逸脱や，心理的問題が生じやすいともいえる．

褥婦の正常経過からの逸脱には，退行性変化および進行性変化の生理的変化が順調に進まない身体的逸脱と，新しい子どもを迎えることに伴う心理・社会的適応からの逸脱がある．逸脱のリスクがある場合は，予防的ケアを提供するとともに，異常の早期発見のための観察を行う．

B. 子宮復古不全と援助

子宮復古不全（subinvolution of the uterus）とは子宮の正常な回復過程（p.239参照）から逸脱し，復古が遅れた状態をいう．

a. 症状

正常経過に比べ，通常，子宮は大きく硬度も不良で，出血が持続し悪露の性状の変化や分泌量の減少も遅れる．感染して子宮内膜炎を引き起こすこともある．

b. 原因

胎盤・卵膜の遺残による子宮収縮不全が原因となることがある．そのほか，多胎分娩，羊水過多，子宮筋腫合併妊娠，子宮内感染，帝王切開などがある（表Ⅲ-21）．

c. 治療

エルゴメトリンマレイン酸塩，オキシトシン，プロスタグランジンなどの子宮収縮薬を投与する．感染予防を目的として抗菌薬を投与することもある．子宮内に胎盤や卵膜の遺残がある場合は，必要に応じて子宮内容除去術を行う．

d. 援助

子宮復古不全のリスク（表Ⅲ-21）がある褥婦に対しては，子宮復古を促進する援助を行い，子宮復古不全を予防することが重要である（p.265参照）．

表Ⅲ-21　子宮復古不全の要因

子宮内の遺残物	胎盤遺残，卵膜遺残
分娩の異常	弛緩出血，鉗子分娩，遷延分娩，誘発分娩，微弱陣痛，帝王切開，吸引分娩
子宮の過伸展	多胎，巨大児，羊水過多，多産婦
子宮筋の形態異常	子宮筋腫，子宮奇形
膀胱・直腸充満	排尿障害，便秘，尿閉
子宮内感染	前期破水，細菌性腟炎，産科手術，胎盤用手剝離
過度の安静	手術後疼痛，安静治療
麻酔	全身麻酔，無痛分娩
授乳中止	褥婦のヒト免疫不全ウイルス感染，褥婦の抗がん薬・代謝拮抗薬・放射性同位元素の使用

C. 産褥熱と援助

　分娩時に生じた性器の創傷への細菌感染とそれに続発する感染症による熱性疾患を総称して**産褥熱**（puerperal fever）とよぶ．分娩終了後24時間以降，10日以内に2日間以上38℃以上の発熱をきたす場合をいう．腎盂腎炎や乳腺炎，血栓性静脈炎など，産道や子宮の損傷と直接関係のないものは除く．

　今日，多くの施設で生殖器への感染予防の目的で抗菌薬の予防的投与を行っているため，産褥熱の発症はまれである．

a. 原因

　多くは**子宮内膜炎**を主体とする．産褥熱の原因となる起炎菌は，最近ではグラム陰性桿菌の大腸菌や嫌気性菌のバクテロイデスなどの弱毒菌，グラム陽性球菌では耐性黄色ブドウ球菌などが多い．感染経路は，性器内の弱毒菌が活動性を増した自己感染，直腸からの上行感染，他臓器からの血行感染などによる内部感染と，医療従事者の手指や処置に用いた器具，褥婦自身の手指，入浴などによる外部感染がある．

　産褥熱の発症の誘因は，妊娠経過における腟や卵膜の感染症，分娩経過における前期破水，遷延分娩，胎盤・卵膜遺残，胎盤用手剝離，大量出血，帝王切開（予定および緊急）などがある．

b. 治療

　起炎菌の薬剤感受性を確認し適切な抗菌薬を投与する．母乳中への薬剤移行や児が哺乳した場合の安全性を考慮して薬剤を選択する．選択薬剤によっては，授乳を中止する場合もある．

c. 援助

　原因となる外部感染を防ぐ．産褥熱を発症した場合は，バイタルサインの観察，子宮底の高さ，子宮の硬度，悪露の性状の観察，敗血症症状の有無など全身状態の観察を行う．また，薬物投与の管理，生理的ニーズの充足，乳房管理，発熱や発汗などの症状に対する援助を実施する．

D. 血栓塞栓症と援助（帝王切開の場合はp.343参照）

血栓が深部の静脈に発症したものを**深部静脈血栓症**（deep venous thrombosis：**DVT**）といい，静脈血栓症に炎症を伴うものを血栓性静脈炎，血栓が外れて肺動脈を塞栓したものを**肺血栓塞栓症**（pulmonary thromboembolism：**PTE**）という．肺血栓塞栓症の90％以上は，DVTに起因するといわれており，発症すると重篤となる[1]（p.321参照）．

ウィルヒョウ（Virchow）は，DVTの誘発因子として血液凝固能亢進，血流のうっ滞，血管内皮障害の3徴を提唱している．妊産褥婦では，妊娠中からフィブリノゲン，フォン・ウィルブランド（von Willebrand）因子，第Ⅷ因子活性が上昇し，プロテインS活性が低下するなど血液凝固能が亢進している．また，妊娠による循環血液量の増加に伴う静脈容積の増大と膨張および増大子宮による下大静脈の圧迫によって下肢（とくに左下肢）の静脈がうっ滞しやすい（図Ⅲ-27）．さらに，妊娠高血圧症候群や経腟分娩，帝王切開は血管内皮を障害する[2]．つまり，妊娠期から産褥期は，これら3徴がそろうため**静脈血栓塞栓症**（venous thromboembolism：**VTE**）の発症リスクが高まっている（表Ⅲ-22）．VTEに対する援助においては発症予防がもっとも重要である．

1 ● 深部静脈血栓症（DVT）と血栓性静脈炎

a. 症状

片側の下肢の浮腫，腫脹，発赤，熱感，疼痛，圧痛などが主な症状である[1]．下腿の伸展および足関節の背屈時に腓腹筋や膝窩に牽引痛が増強するホーマンズサイン（Homan's sign）は，DVTによくみられる症状である．下肢の激痛性の浮腫がみられる有痛性白股腫は，腸骨や下腿部の深部血栓性静脈炎が原因で二次的に起こるもので，皮膚は蒼白で発熱を伴う．

b. 予防のための援助

経腟分娩後あるいは帝王切開後の早期離床・早期歩行を援助する．これらは，下腿の筋

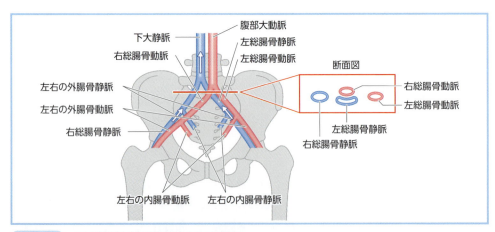

図Ⅲ-27　左下肢が血栓好発部位となる理由
左総腸骨静脈は左下肢から戻ってくる静脈血が流れている．後ろの脊椎，前の右総腸骨動脈の間に挟まり圧迫されるため，左下肢の静脈がうっ滞しやすくなり血栓の好発部位となる．

表Ⅲ-22　分娩後のVTEリスク分類

第1群．分娩後のVTE高リスク
- 以下の条件に当てはまる女性は分娩後の抗凝固療法あるいは抗凝固療法と間欠的空気圧迫法との併用を行う．
  1) VTEの既往．
  2) 妊娠中にVTE予防のために抗凝固療法が行われている．

第2群．分娩後のVTE中間リスク
- 以下の条件に当てはまる女性は分娩後の抗凝固療法あるいは間欠的空気圧迫法を行う．
  1) VTE既往はないが血栓性素因*があり，第3群に示すリスク因子が存在．
  2) 帝王切開分娩で第3群に示すリスク因子が2つ以上存在．
  3) 帝王切開分娩でVTE既往はないが血栓性素因*がある．
  4) 母体に下記の疾患（状態）が存在．
     分娩前BMI 35 kg/m² 以上，心疾患，肺疾患，SLE（免疫抑制薬の使用中），悪性腫瘍，炎症性腸疾患，炎症性多発性関節症，四肢麻痺・片麻痺など，ネフローゼ症候群，鎌状赤血球症（日本人にはまれ）

第3群．分娩後のVTE低リスク（リスク因子がない妊娠よりも危険性が高い）
- 以下の条件に当てはまる女性は分娩後の抗凝固療法あるいは間欠的空気圧迫法を検討する．
  1) 帝王切開分娩で下記のリスク因子が1つ存在．
  2) VTE既往はないが血栓性素因*がある．
  3) 下記のリスク因子が2つ以上存在．
     35歳以上，3回以上経産婦，分娩前BMI 25 kg/m²以上BMI 35 kg/m²未満，喫煙，分娩前安静臥床，表在性静脈瘤が顕著，全身性感染症，第1度近親者にVTE既往歴，産褥期の外科手術，妊娠高血圧腎症，遷延分娩，分娩時出血多量（輸血を必要とする程度）

表に示すリスク因子を有する女性には下肢の挙上，足関節運動，弾性ストッキング着用などを勧める．ただし，帝王切開を受けるすべての女性では弾性ストッキング着用（あるいは間欠的空気圧迫法）を行い，術後の早期離床を勧める．

* 血栓性素因：先天性素因としてアンチトロンビン，プロテインC，プロテインSの欠損症（もしくは欠乏症），後天性素因としては抗リン脂質抗体症候群（診断は札幌クライテリア・シドニー改変に準じる：CQ204　表1参照）が含まれる．

表はRoyal College of Obstetricians and Gynaecologists（RCOG）Guideline 2015とAmerican College of Chest Physicians Evidence-Based Clinical Practice Guidelines（ACCP2012）を参考にしてガイドライン作成委員会で作成した．
［日本産科婦人科学会／日本産婦人科医会（編・監）：産婦人科診療ガイドライン—産科編2023，p.15，日本産科婦人科学会，2023より許諾を得て転載］

ポンプ機能を活性化させ，下肢への静脈うっ滞を減少させる．また，リスクに応じて**弾性ストッキング**の着用や**間欠的空気圧迫法**により，下肢を圧迫し静脈の血流速度を増加させ静脈うっ滞を予防する援助も考慮する．弾性ストッキングの着用や間欠的空気圧迫法は，うっ滞や静脈拡張の結果生じる血管内皮の損傷も防止する効果がある[3]．

c. 治　療

発症した場合は，主にヘパリンやワルファリンを用いた抗凝固療法が行われる．血栓形成早期の場合は，ウロキナーゼなどによる血栓溶解療法が行われる．

d. 発症後の援助

発症部位の症状の観察とともに，血栓が血行性に移動して**塞栓症**を発症する可能性を考慮した全身状態の観察を行う．治療薬の副作用も観察する．治療薬にワルファリンを用いている場合はビタミンKの摂取を控える．また，水分を十分に摂取し血液濃縮を予防する．

2 ● 肺血栓塞栓症（PTE）

a. 症　状

もっとも多い症状は，**突然の胸部痛**と**呼吸困難**である．頻呼吸，頻脈，咳嗽，血痰，動悸，喘鳴，冷汗，不安感，失神など多彩である[4]．歩行を開始した帝王切開後1～2日に発症するものが多い．体位変換，歩行開始，排尿・排便などで誘発されることもある[1]

(p.343参照).

b. 治療

呼吸循環管理に加えて抗凝固療法と血栓溶解療法を行う．場合によってはカテーテル的治療や外科的治療を行う[4]．PTEの場合は**死亡率が高い**ため，高次医療センターや集中治療室（ICU）における循環器専門医，麻酔科医，胸部外科専門医などによる集学的治療が必要となる．

c. 援助

呼吸循環状態を観察しながら抗凝固療法と血栓溶解療法の補助と看護を行う．救命のための医療が優先されるが，コミュニケーションが図れる場合は寄り添い，状況の説明を行うなど精神的支援を行う．また，家族への説明や配慮を忘れない．

E. 排尿障害と援助

もっとも多い症状に**尿意の鈍化**，**尿閉**など**排尿障害**がみられる．分娩期の児頭圧迫による神経障害，膀胱の弛緩，外陰・尿道の腫脹および損傷，裂傷の疼痛による尿道括約筋の反射的攣縮によって尿意が鈍化したり尿閉となることがある．尿閉のリスク因子には会陰裂傷，オキシトシンによる誘発または促進分娩，遷延分娩などがある[5]．

a. 治療・援助

膀胱の充満は子宮収縮を妨げるので膀胱が充満しないように注意する．分娩後4時間以内に排尿がみられない場合は尿閉の可能性がある．自尿が困難な場合は導尿やカテーテル留置を行うことによって膀胱充満を解除し，膀胱の収縮の感覚を回復させる．導尿後あるいはカテーテル抜去後は3〜4時間ごとの自尿を促し，膀胱充満を避ける．

尿産生量が減少したことで排尿がみられない場合もあるため，尿閉であるのか尿産生量の減少なのかを判断するために浮腫，水分摂取，発汗，乳汁分泌量などとの関係をみる．

F. 尿路感染と援助

産褥期の長時間の膀胱への尿の貯留は**尿路感染症**の原因となる．主な尿路感染症は**膀胱炎**と**腎盂腎炎**である．発生頻度は膀胱炎が高く，起炎菌は大腸菌がもっとも多い．分娩時の損傷や無痛分娩のための麻酔の影響などで膀胱内圧に対する感度が低下することや，産褥期にみられる利尿によって膀胱充満が生じること，その膀胱充満に対するカテーテル挿入を行ったりすることが尿路感染の引き金となりうる．

a. 治療・援助

尿量を適切に保持するための輸液療法と抗菌薬の投与が行われる．尿意切迫，頻尿，排泄時痛，残尿感などの症状の有無を確認する．また，排尿回数，尿量，水分摂取量をアセスメントし尿路感染症の早期発見に努める．尿路感染が疑われる場合は尿混濁，血尿，膿尿などの尿所見や白血球数，CRPなどを観察する．尿路感染症は，適切な水分摂取と定期的排尿，排泄時の清潔保持などの予防的ケアが重要である．尿路感染症となった場合は，全身状態の観察を適切に行い，水分摂取を促しながら抗菌薬の投与管理を行う．

G. 乳腺炎と援助

乳腺炎（mastitis, mastadenitis）は，産後2〜3週間目にもっとも起こりやすい．乳汁の排出が十分に行われないための**非感染性（うっ滞性）乳腺炎**と，乳腺や間質組織に細菌感染する**感染性乳腺炎**がある．

1 ● 非感染性（うっ滞性）乳腺炎

乳管内に乳汁がうっ滞した状態で乳管閉塞時に起こる．細菌感染に至ってはいないが，蓄積された乳汁により炎症症状が生じた状態をいう[6]．通常，片側性に，局所の発赤・腫脹・硬結・圧痛・熱感があり，全身に軽度の発熱がみられることもある．

a. 援助

乳管が開通し乳汁が排出されることで改善する．授乳姿勢を工夫した頻回授乳（図Ⅲ-28）や搾乳，乳頭マッサージが有効である．頻回授乳や母親のストレスを軽減するために，楽な姿勢での授乳や日常生活での家事負担を調整するなどの援助や提案をする．乳房に熱感がある場合には，局所に心地よい程度の冷罨法を行うこともある．疼痛が激しい場合は抗炎症薬の投与も考慮される．

2 ● 感染性乳腺炎

うっ滞性乳腺炎が改善されず細菌感染を起こした状態をいう．起炎菌は黄色ブドウ球菌や表皮ブドウ球菌，溶血性連鎖球菌などがある．片側性に，局所に発赤，腫脹，硬結，圧痛，熱感などが強く，発熱や悪寒，体の痛みなどがみられる．腋窩リンパ節の腫脹を伴うこともある．炎症が進むと38℃以上の発熱をきたす．

a. 治療

抗菌薬を投与する．膿瘍が形成された場合は，穿刺もしくは切開による排膿を行う．

b. 援助

基本的には非感染性乳腺炎と同様の援助を行う．抗菌薬を投与しながら授乳を継続してよい[7]．褥婦は抗菌薬内服の児への影響や炎症のある乳房の乳汁を児が摂取することに不

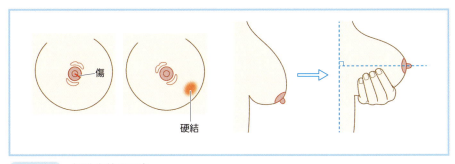

図Ⅲ-28　授乳姿勢の工夫
児に授乳するとき，上/下顎の位置に圧がかかり，口角が当たる位置はかかる圧が弱い．したがって，乳頭に傷があるときには傷のほうに口角を当てる．一方，強い乳房緊満や硬結があるときには，上/下顎をその方向に位置するように当てる．また，乳房が大きい場合，下方に乳が溜まりやすいので，軸がまっすぐになるよう持ち上げる．

安を抱くこともあるため，十分な説明を行う．

H. 育児不安と援助

育児不安は正常からの逸脱とまではいえないが，育児不安を強く抱く褥婦のなかには，産褥精神障害の褥婦や乳幼児虐待につながる自らの不適切な養育に苦悩する褥婦が含まれることもあり軽視してはならない．

新しい子どもを迎えることによる生活の変化や家族の関係性の変化から，褥婦は育児に関連するさまざまな不安を抱きやすい．育児不安は，実際に新しい子どもを迎えて育児を行い，褥婦と家族が新しい生活に適応するプロセスにおいて軽減されることも多い．しかし，子どもの成長や発達による生活の変化や母親自身の変化のなかで，また新たな育児不安が生じることもある．母親の育児不安には，育児や子どもそのものへの不安や悩みと，母親自身や自分の将来に関する不安も含まれていることを看護職者は認識しておく必要がある．

はじめての出産・育児を経験する母親は，育児における知識や技術に関する不安を抱く者が多い．また，たとえ経産婦であっても，2人の子どもをもつ母親あるいは3人の子どもをもつ母親になるのははじめての経験であり，上の子どもと新しく誕生した子どもを育てるうえでのさまざまな不安をもつ者も多い．とくに，兄/姉が新しい子どもの誕生に示す反応に対し不安を述べる母親は多い．兄/姉の退行現象（赤ちゃん返り）や新しい子どもに対する攻撃的反応が生じる可能性を心配し，兄/姉にどのように接するべきか悩む褥婦もいる．子どもの数にかかわらず親としての自身の能力や資質，適性に対して不安や焦りを抱く母親もいる．これら褥婦が抱く不安は，褥婦個人の性格特性や社会的状況，家族背景や経済状況など，取り巻く環境にも強く影響される．

a. 援 助

褥婦の不安の内容についてゆっくり傾聴し，必要な支援について個々にアセスメントすることが重要である．育児不安に対して，家族や地域母子保健担当者や医療福祉専門職からの手段的サポートや情報・情緒的サポートによって解決することも多い．

I. マタニティーブルーズと援助

マタニティーブルーズ（maternity blues）とは，産褥期に一過性に起こる情動不安定な状態で，産褥3～5日目ごろを中心に10日ごろまでに生じ，1週間程度で消失することが多い．産後精神障害には含まれない．20～50％の高い頻度で観察される[8]．正常経過からの逸脱とはいえないが，産後うつ病のリスクであるため注意を要する（**表Ⅲ-23**）．

症状が2週間以上軽快しない場合や，抑うつ気分などの症状悪化がみられる場合には産後うつ病の発症を考える．

a. 症状・原因

主な症状は，涙もろさ，軽度の抑うつ，気分の変わりやすさ，不安，焦燥，集中力の低下，頭痛，不眠などである．産褥期の急激なホルモンの変化に伴う精神症状に，合併症妊

表Ⅲ-23 Stein のマタニティーブルーズの自己質問票

産後：　　　　　　日目　日時：　　　　　　名前：

今日のあなたの状態についてあてはまるものに○をつけてください．2つ以上あてはまる場合には，番号の大きなほうに○をつけてください．また質問票のはじめには名前と日時をお忘れなくご記入ください．

【質問】
A. 0. 気分はふさいでいない．
   1. 少し気分がふさぐ．
   2. 気分がふさぐ．
   3. 非常に気分がふさぐ．
B. 0. 泣きたいとは思わない．
   1. 泣きたい気分になるが，実際には泣かない．
   2. 少し泣けてきた．
   3. 数分間泣けてしまった．
C. 0. 不安や心配事はない．
   1. 時々不安になる．
   2. かなり不安で心配になる．
   3. 不安でじっとしていられない．
D. 0. リラックスしている．
   1. 少し緊張している．
   2. 非常に緊張している．
E. 0. 落ち着いている．
   1. 少し落ち着きがない．
   2. 非常に落ち着かず，どうしていいのかわからない．
F. 0. 疲れていない．
   1. 少し元気がない．
   2. 1日中疲れている．
G. 0. 昨晩は夢を見なかった．
   1. 昨晩は夢を見た．
   2. 昨晩は夢で目覚めた．
H. 0. 普段と同じように食欲がある．
   1. 普段に比べてやや食欲がない．
   2. 食欲がない．
   3. 1日中まったく食欲がない．

次の質問については，"はい"または"いいえ"で答えてください．
I. 頭痛がする．　　はい　いいえ
J. イライラする．　はい　いいえ
K. 集中しにくい．　はい　いいえ
L. 物忘れしやすい．　はい　いいえ
M. どうしていいのかわからない．　はい　いいえ

配点方法：A〜Hの症状に対する得点は各番号の数字に該当し，I〜Mの症状に対する得点は「はい」と答えた場合に1点とする（Stein, 1980）
合計点が8点以上の場合マタニティーブルーズと判定する．

[小林浩一，石原 理：異常産褥と精神神経症状の管理（マタニティーブルーズと産後うつ病）．臨床エビデンス産科学，第2版（佐藤和雄，藤本征一郎編），p.566，メジカルビュー社，2006より引用］

娠，児の異常，長期入院，母子の分離など[9]心理・社会的要因が加わって生じると考えられている．

b. 援助

マタニティーブルーズは，自然に軽快することが多く治療を必要としない．褥婦の訴えを傾聴し受容するとともに，マタニティーブルーズが一過性のものであることを説明する．

J. 産褥期の精神障害と援助

産褥期の精神障害は，育児に支障をきたす場合や自殺念慮をもつこともある．国立成育医療センターの調査によると，2014年から2016年において妊娠中および産後1年未満に死亡した女性（全357例）の死因は自殺が102例であったと報告された[10]．周産期の精神障害は妊産褥婦の自殺の一因と考えられており，マタニティサイクルのメンタルヘルスの重要課題である．

したがって，精神障害のある褥婦の症状への援助と新生児と家族への継続的な支援が欠かせない．医療や保健，福祉など多職種が連携協働し，入院中だけでなく退院後も治療や育児など生活の支援を行う．

産褥期の精神障害の主な病型には，**産後うつ病**，**非定型精神病**（**産褥精神病／産褥期精神病**），既往の精神障害の再燃と増悪などがある[11]．

1 ● 産後うつ病と援助

産後うつ病は，DSM-5[12]において，抑うつ障害群の周産期発症のうつ病に分類される概念である．DSM-5では，産後の抑うつエピソードの50％は実際には出産前から始まっており，妊娠中の気分および不安症状はマタニティーブルーズと同様に産後の抑うつエピソードの危険が増すと指摘し，気分症状が妊娠中または出産後4週間以内に始まっている場合に「周産期発症」と診断され，これ以降，**周産期うつ病**という考え方や用語が広まってきた．

産後うつ病（postpartum depression）は，産褥2～3週から数ヵ月に抑うつ症状が出現し2週間以上持続する．症状はうつ病と同様で，抑うつ気分，意欲低下，不眠または睡眠過多，易疲労性，思考力や集中力の減退，罪責感，自殺念慮などである．うつ状態が進行すると，育児や家事などの生活全般を行うことが困難となる．日本における有病率は5～15％と推測されており[11, 13]，産褥期の精神障害のなかでもっとも多い病型である．

a. リスク因子

うつ病の既往歴，妊娠期のうつ病，不安障害，神経質，低い自己評価，マタニティーブルーズ，かけがえのない人の死や離婚，失職，引っ越しなどのライフイベント，良好ではない夫婦関係，家族や親友などの支援の欠如，望まない・望まれない妊娠，疾病保有新生児などが指摘されている[11, 14]．とくに，うつ病の既往，ライフストレス，支援の欠如の3要素が重要である[15]．

b. スクリーニング

産褥期のうつ病のスクリーニングとして，産後2週間健康診査や産後1ヵ月健康診査，新生児訪問時などにエジンバラ産後うつ病質問票（Edinburgh Postnatal Depression Scale：EPDS）が用いられることが多い（p.306の表Ⅲ-20参照）．EPDS 9点以上は産後うつ病の疑いがあり，精神科医などの診察が必要である．EPDSはあくまでもスクリーニング検査であり，確定診断ではないことに注意する．ただし，質問10はうつ病による自殺念慮，自殺企図の有無を確認する質問であり，この質問で1点以上の回答があった場合には詳細な内容聴取および精神科医への受診を考慮する[11]．日本では14％程度がEPDS 9点以上と報告されている[16]．

c. 診断・治療

確定診断は精神科医などの専門家が行う．治療は薬物療法と精神療法を組み合わせて行う．薬物療法では，抗うつ薬，抗不安薬，睡眠薬などが用いられる．母乳中への薬剤移行や児の安全性を考慮し，薬剤によっては授乳を中止する．

d. 援 助

リスク因子をもつ褥婦を把握し，褥婦のストレスを低減するための受容的援助を行う．褥婦の状態によっては，沐浴や退院後の生活に関する健康教育などのルーチンケアを見直し，個別性に合わせた柔軟な産後ケアを提供する．退院後は，家庭訪問や電話訪問を行い，継続的支援を行う．家族役割の調整を行い，退院後の家事や育児を家族に分担してもらう

ことも褥婦のストレス低減につながる．

2 非定型精神病（産褥精神病／産褥期精神病）と援助

非定型精神病（産褥精神病／産褥期精神病）は，DSM-5の双極性Ⅱ型障害（軽度の躁状態とうつ状態が主症状）または抑うつ障害群で周産期発症の産後の気分エピソード，精神病性の特徴を伴うものと定義されている．

0.1～0.2％の頻度で起こる[17]．症状の出現は産褥2～3週間の産後1ヵ月以内にあり，急激に悪化し，幻覚や妄想，錯乱状態などがみられる．褥婦の生活や育児が破綻することがしばしば起こり，著しい悲観による自殺や児への傷害のリスクが懸念される[18]．前駆症状として不眠，焦燥，抑うつなどがある[11]．躁などの気分症状に伴って生じることもあるが，精神病症状のみのこともある[19]．

a. リスク因子

初産婦でより多くみられる可能性がある．過去の産後の気分エピソードの経験や，抑うつ障害や双極性障害の既往歴，双極性障害の家族歴などが指摘されており，一度罹患したことがある場合には，その後の各出産における再発の危険性は30～50％の間とされている[17]．

b. 治療・援助

自殺や児への傷害の可能性もあり，母子分離を行い入院し，加療する場合が多い．一般に，適切な治療が行われた場合，2～3ヵ月で寛解し，予後は良好である．薬物療法には，抗精神病薬，気分安定薬（リチウム，バルプロ酸ナトリウムなど），ベンゾジアゼピン系薬剤などが用いられる[20]．

入院加療のための母子分離に際し，褥婦と家族へのていねいな説明が必要である．褥婦が入院している間の児の養育について家族と話し合い，必要に応じて育児に関連する健康教育を家族に提供する．

入院中および退院時の褥婦は，家族に対して罪悪感と感謝の気持ちを抱く一方で，夫／パートナーとの関係性に対する不安も感じており，自尊心の低下や母親役割に対する自信が低いことが報告されている[21]．症状の改善の先にある子育てを含めた家庭での生活への適応支援を継続的に行うことが重要である．

学習課題

1. 産褥期の身体的逸脱の主なものについて，その原因から予防的援助について考えよう
2. 産褥期の心理的ハイリスク状態や心理的逸脱の主なものについて，その特徴と援助についてまとめよう

練習問題

Q1 産後うつ病（postpartum depression）について正しいのはどれか.
(第105回国家試験, 2016年)

1. 一過性に涙もろくなる.
2. スクリーニング調査票がある.
3. 日本における発症頻度は約40%である.
4. 産後10日ごろまでに発症することが多い.

Q2 Aさん（30歳, 経産婦）は, 妊娠40週1日で, 妊娠経過は順調であった. 本日, 午後5時に体重3,900gの女児を正常分娩した. 会陰縫合術を受け, 分娩時出血量は400mLであった. 分娩後2時間のバイタルサインは, 体温37.1℃, 脈拍64/分, 血圧124/70mmHgであった. 排尿後の子宮底の位置は臍下1横指, 収縮良好で帰室した. Aさんは午後8時に夕食を全量摂取し, 寝るまでに水を500mL飲んだ. 翌朝, Aさんは体温36.8℃, 血圧116/66mmHgであった. 就寝後から朝まで排尿はなく, 子宮底の位置は臍高であった.
(第104回国家試験, 2015年)

[問1] Aさんの状態で経過観察してよいのはどれか.
1. 尿意なし
2. 脈拍110/分
3. 軟らかく触れる子宮底
4. 会陰切開縫合部の痛み

[問2] 産褥2日の午前10時. Aさんは「9時に排尿したとき, 3cm大の血の塊が出ました. 大丈夫でしょうか」と訴えた. このとき, 体温37.3℃, 脈拍60/分, 血圧120/64mmHgであった. 子宮底の位置は臍高で軟らかく, 後陣痛は増強している. 乳管口の開口数は左右3本ずつで初乳がみられ, 乳房の発赤, 硬結および熱感はない. Aさんの状態でもっとも疑われるのはどれか.
1. 産褥熱（puerperal fever）
2. 乳腺炎（mastitis）
3. 子宮復古不全（subinvolution of the uterus）
4. 妊娠高血圧症候群（pregnancy-induced hypertension）

[解答と解説 ▶p.549]

引用文献

1) 小林隆夫：肺血栓塞栓症・深部静脈血栓症. 日本産科婦人科学会誌 56(10)：382-391, 2004
2) 山田秀人：妊婦における血栓塞栓症. 臨床エビデンス産科学, 第2版（佐藤和雄, 藤本征一郎編), p.445, メジカルビュー社, 2006
3) 中村真湖：静脈血栓塞栓症予防のガイドライン. EB Nursing 7(3)：34-41, 2007
4) 日本循環器学会：肺血栓塞栓症および深部静脈血栓症の診断, 治療, 予防に関するガイドライン, 2009年改訂版, p.12, 日本循環器学会, 2008
5) 岡本愛光（監）：産褥 産褥期の母体のケア 膀胱機能. ウィリアムス産科学, 24版（佐村 修, 種元知洋監訳, 東京慈恵会医科大学産婦人科学講座「Williams OBSTETRICS」翻訳委員会訳), p.812, 南山堂, 2015
6) 日本助産師会母乳育児支援業務基準検討特別委員会（編）：乳腺炎, p.21, 日本助産師会出版, 2015
7) 前掲書6), p.30

8) 岡野禎治：周産期の精神障害―産褥期を中心に．睡眠医療 6(3)：431-437, 2012
9) 工藤尚文, 多田克彦, 高本憲男ほか：多産婦の精神面支援が妊娠・分娩に及ぼす効果．平成6年度厚生省心身障害研究　妊産婦をとりまく諸要因と母子の健康に関する研究, 1994
10) 妊産婦の死亡に関する検討　人口動態統計（死亡・出生・死産）から見る妊娠中・産後の死亡の現状　周産期関連の医療データベースのリンケージの研究（厚生労働科学研究費補助金・臨床研究等ICT基盤構築研究事業），主任研究者：国立成育医療研究センター・森臨太郎〔https://www.ncchd.go.jp/press/2018/maternal-deaths.html〕（最終確認：2020年10月29日）
11) 日本産科婦人科学会／日本産婦人科医会（編・監）：CQ420産褥精神障害の取り扱いは？　産婦人科診療ガイドライン―産科編2020, p.271-274, 日本産科婦人科学会, 2020
12) 日本精神神経学会：抑うつ障害群．DSM-5精神疾患の診断・統計マニュアル, p.155-185, 医学書院, 2014
13) Kitamura T, Yoshida K, Okano T, et al：Multicentre prospective study of perinatal depression in Japan：incidence and correlates of antenatal and postnatal depression. Arch Womens Ment Health 9(3)：121-130, 2006
14) 日本産科婦人科学会周産期委員会：妊産婦メンタルヘルスに関する合同会議2015　報告書, 2015
15) 岡野禎治：周産期におけるうつ病の危険因子と予防―エビデンスからみた介入．臨床精神医学 44(4)：527-533, 2015
16) Muchanga SMJ, Yasumitsu-Lovell K, Eitoku M, et al：Preconception gynecological risk factors of postpartum depression among Japanese women：The Japan Environment and Children's Study (JECS). J Affect Disord 217：34-41, 2017
17) 前掲書12), p.185
18) 武藤仁志, 竹内崇：産褥精神病の妊婦・授乳婦への治療．医学のあゆみ 266(6,7)：528-532, 2018
19) Bergink V, Rasgon N, Wisner KL, et al：Madness, Mania, and Melancholia in Motherhood. Am J Psychiatry 173(12)：1179-1188, 2016
20) 岡野禎治：産褥期の急性精神病の特徴について．精神科救急学会誌 16：42-46, 2013
21) Heron J, Gilbert N, Dolman C, et al：Information and support needs during recovery from postpartum psychosis. Arch Womens Ment Health 15：155-165, 2012

6 生まれた子どもに先天異常がある家族の援助, 子どもを亡くした家族の援助

> **この節で学ぶこと**
> 1. 生まれた子どもに先天異常がある家族の心理を学び, 援助について考えることができる
> 2. 子どもを亡くした家族の心理を学び, 援助について考えることができる

A. 先天異常がある子どもの家族の心理と援助

先天異常は, 先天性の要因による体表面または体内諸臓器の解剖学的構造異常および機能の異常をいう (p.435参照).

1 ● 疫学・統計

2018 (平成30) 年の日本における先天異常のうち外表奇形などの出産頻度は2.90％で, 心室中隔欠損がもっとも多く, ついで動脈管開存症, ダウン症候群, 耳瘻孔, 心房中隔欠損, 口唇・口蓋裂などが高頻度であった[1] (図Ⅲ-29).

髄膜瘤や二分脊椎などの神経管閉鎖障害については, 葉酸摂取によって発症リスクを低減できることがわかっており, 妊娠を計画中または妊娠中の女性に対して葉酸摂取が推奨されている. しかし, 日本における神経管閉鎖障害の発症率は低減しておらず[2], 葉酸摂

図Ⅲ-29 2014年から2018年まで (5年間) の日本における外表奇形などのある児の出生数
[クリアリングハウス国際モニタリングセンター日本支部:先天異常データベース, 〔https://icbdsr-j.jp/data.html〕 (最終確認:2021年9月2日) より許諾を得て転載]

取についてさらなる啓発が必要と考えられる．

2● 原　因
先天異常は，その原因によって下記のように分類される．
①遺伝性疾患（単一遺伝子病）
②染色体異常
③多因子性疾患（多因子遺伝病）
④出生前の環境要因など外因によるもの
⑤そのほか原因不明のもの
また，出生前に診断される場合と出生後に発見され診断される場合がある．

3● 家族の心理
先天異常がある児の母親や父親そして家族の心理は，その異常が外表性であるか，病状や予後はよいか，家族性・遺伝性であるか，周囲のサポートがあるか，出生前から診断されていたかなどに影響される．しかし，いずれにせよ健康な子どもの誕生を望んでいた父母にとって，先天異常がある子どもの誕生は衝撃である[3]．

母親や父親，家族が生まれてきた子どもの特徴や子ども自身を受容し，絆を形成していく過程は個別的で多様である．看護職者は，家族の多様性を尊重しながら，生まれてきた子どもが大切な家族の一員として迎えられ，新しい家族員として生活していけるよう支援する（『母性看護学Ⅰ』第Ⅰ章2節参照）．

先天異常のうち，先天奇形がある子どもを出産した母親の心理的過程は，おおむね以下の過程をたどる．ただし，この過程のたどり方や感じ方は，母親それぞれに多様である．
①ショック
②自責感
③怒り
④悲しみ・抑うつ・失望・不安
⑤子どもへの関心・子どもの世話への関心
⑥情報探索
⑦子どもとの絆形成
⑧子どもを養育していくための活動の開始

この過程は単純に進むわけではない．1つの段階に要する時間や段階の進み方や順序は個別性に富むものである．また，それぞれの段階を行きつ戻りつしながら，あるいは同時に並行して揺れながら進む．

先天異常がある子どもの親は，危機的状況に対する反応を示しながら，同時に児への愛情も抱きつつ適応に向かう過程をたどる．また，先天異常を受容することと，先天異常をもって生まれたわが子を，愛情をもって養育することは同じではない[4]．

先天異常を受容できても子どもに愛情をもてないこともある．一方，先天異常を受容できなくても子どもに深い愛情をもつこともできる．この心理は母親だけでなく，父親や他の家族にも当てはまる．個々の家族員が生まれた子どもをどのように受け止めているか理

解することが援助につながる.

4 ● 援　助

1）告　知

　先天異常がある児の親への援助は，異常の告知場面における援助，告知後の心理的反応に対する援助，児の受容と絆形成過程の援助が重要な課題となる．

　異常の告知と説明は発見後のなるべく早期に行うべきである．その際，**何を伝えるか**だけでなく，**いかに伝えるか**が重要である．医療者には両親に対する思いやりと，児に対する肯定的受け止めが望まれる．そのうえで，親の理解度を確認しながら児の状態を明確に率直に伝える[5]．児に関する情報は両親が等しくもつことが望ましく，説明は両親同時に行うことが原則である．しかし，現実にはどちらか一方に説明せざるをえない場合もあるため，児の異常を誰に，いつ，どのように伝えるのか医療スタッフ間で話し合い，統一した対応をとることが重要である．やむをえず一方の親のみに説明した場合，もう一方の親に対して同じ説明を医療者が直接行うべきである（表Ⅲ-24）．

　また，告知によって起こる父母と家族の心理的反応は多様であることを理解し継続的ケアが必要となる．告知の場面には看護職者が立ち会い，告知後の心理的ケアを継続して行う．先天異常の告知後，両親と医療者は児に対する医療について話し合うことになる．両親は，自己決定できない児の代わりに「**子どもの最善の利益**」となる治療方針を医療チームと一緒に決定しなければならない．子どもの将来に影響するむずかしくて重大な決定を行う両親の心理的な支援が必要である（表Ⅲ-24）．

2）絆形成の促進

　先天異常がある児への父母と家族の絆形成を促進するためのケアとして，出生前は，胎児に関する明確で率直な説明に加え，児に対する肯定的表現が大切である[6]．出生後は，できるだけ早期に児に面会し，触れ，抱き，世話ができるよう配慮する．もし，児への面会を拒否する場合は，母親や父親がショックから解放される援助を優先して行い，気持ちが児へ向くように援助する．たとえ，児への面会を拒否したからといって絆形成がまったくなされていないわけではない．父母が面会できない理由をゆっくりと傾聴することによって，その父母の児に対する情緒的な絆の個別的な様相が理解できる．

表Ⅲ-24　重篤な疾患をもつ新生児の家族と医療スタッフの話し合いのガイドライン

1. すべての新生児には，適切な医療と保護を受ける権利がある．
2. 父母は子どもの養育に責任を負うものとして，子どもの治療方針を決定する権利と義務を有する．
3. 治療方針の決定は，「子どもの最善の利益」に基づくものでなければならない．
4. 治療方針の決定過程においては，父母と医療スタッフとが十分な話し合いをもたなければならない．
5. 医療スタッフは，父母と対等な立場での信頼関係の形成に努めなければならない．
6. 医療スタッフは，父母に子どもの医療に関する正確な情報をすみやかに提供し，わかりやすく説明しなければならない．
7. 医療スタッフは，チームの一員として，互いに意見や情報を交換し自らの感情を表出できる機会をもつべきである．
8. 医師は最新の医学的情報と子どもの個別の病状に基づき，専門の異なる医師および他の職種のスタッフとも協議の上，予後を判定するべきである．
9. 生命維持治療の差し控えや中止は，子どもの生命に不可逆的な結果をもたらす可能性が高いので，とくに慎重に検討されなければならない．父母または医療スタッフが生命維持治療の差し控えや中止を提案する場合には，1から8の原則に従って，「子どもの最善の利益」について十分に話し合わなければならない．
   (1) 生命維持治療の差し控えや中止を検討する際は，子どもの治療にかかわる，できる限り多くの医療スタッフが意見を交換するべきである．
   (2) 生命維持治療の差し控えや中止を検討する際は，父母との十分な話し合いが必要であり，医師だけでなくその他の医療スタッフが同席したうえで父母の気持ちを聞き，意思を確認する．
   (3) 生命維持治療の差し控えや中止を決定した場合は，それが「子どもの最善の利益」であると判断した根拠を，家族との話し合いの経過と内容とともに診療録に記載する．
   (4) ひとたび治療の差し控えや中止が決定された後も，「子どもの最善の利益」にかなう医療（注1）を追求し，家族への最大限の支援（注2）がなされるべきである．
10. 治療方針は，子どもの病状や父母の気持ちの変化に応じて（基づいて）見直されるべきである．医療スタッフはいつでも決定を見直す用意があることをあらかじめ父母に伝えておく必要がある．

注1：この場合の「子どもの最善の利益」とは，子どもの尊厳を保ち，愛情をもって接することである．
注2：家族と子どもの絆に配慮し，できる限り子どもに接する環境を提供すべきである．
〔日本新生児成育医学会：重篤な疾患を持つ新生児の家族と医療スタッフの話し合いのガイドライン，2004．〔http://jsnhd.or.jp/pdf/guideline.pdf〕（最終確認：2021年9月24日）より許諾を得て転載〕

B. 子どもを亡くした家族の心理と援助（ペリネイタル・ロス・ケア）

1● 周産期の喪失

周産期の喪失（**ペリネイタル・ロス**）とは，父母や家族が新たに授かった大切な子どもを失ってしまったことを意味している．それは，父母や家族が流産，死産，新生児死亡などを経験したということである．

流産は妊娠22週未満の妊娠中絶のことであり，死産は妊娠12週以降の子宮内胎児死亡と分娩中の胎児死亡をいう．新生児死亡とは日齢28未満の児の死亡をいう．

2● 疫学・統計

2020（令和2）年の日本における死産数は，17,278例（自然死産8,188例，人工死産9,090例），新生児死亡数は704例であった[7]．自然流産数は明らかではないが，全妊娠に対する流産率が15％程度といわれていることを考えると，2020年の出生数（840,835）から算出すると，約15万例程度の自然流産があったと推測される．これらのデータから，周産期の喪失を体験している父母や家族が，決して少なくないことがわかる．

3● 原　因

自然流産の主な原因は，早期流産の場合は胎児側にあり，後期流産では頸管無力症や絨毛膜羊膜炎などである（p.106参照）．

表Ⅲ-25 死産と関連する主な病態分類（ReCoDe分類）

胎児	胎児発育不全，致死的形態異常，感染（慢性，急性），双胎間輸血症候群，非免疫性胎児水腫，同種免疫（血液型不適合妊娠） など
臍帯	臍帯巻絡，真結節，臍帯脱出，臍帯卵膜付着 など
胎盤	常位胎盤早期剝離，胎盤機能不全，前置胎盤，前置血管 など
羊水	絨毛膜羊膜炎，羊水過多，羊水過少 など
子宮	子宮破裂，子宮形態異常 など
母体	糖尿病，妊娠高血圧症候群，甲状腺疾患，全身性エリテマトーデス（SLE），抗リン脂質抗体症候群，胆汁うっ滞，薬物依存 など
外傷	外的外傷，医原性外傷
分類不能	関連病態なし，情報不足

[Gardosi J, Kady SM, McGeown P, et al : Classification of stillbirth by relevant condition at death（ReCoDe）: population based cohort study. BMJ 331(12) : 1113-1117, 2005 より作成]

子宮内胎児死亡や死産の原因は多様（**表Ⅲ-25**）であるが，日本産婦人科周産期登録データベースの解析では，妊娠22週以降の死産の主な原因は，臍帯の異常，形態異常，常位胎盤早期剝離，多胎・双胎間輸血症候群，非免疫性胎児水腫，感染症，母体の高血圧症候群，その他の母体疾患などであった[8]．

新生児死亡の主な原因は，周産期に特異的な呼吸障害および血管障害，心臓の先天奇形，胎児および新生児の出血性障害および血液障害など，周産期に発生した病態や先天奇形・変形および染色体異常であった[9]．

4 ● 家族の心理

多くの母親や父親は，妊娠に気づき，つわりや胎動などによって胎児の存在を実感することで胎内の子どもへの情緒的絆を形成し，やがて生まれてくる子どもに対して愛情を抱くようになる．流産，死産，早期新生児死亡は，母親や父親にとって**愛する子どもを失う**という**喪失体験**となる．たとえ，それが初期の流産であったとしても，新しい命を認識し，慈しみ始め，将来を思い描いていた父母にとってはたいへんつらい経験となる．同様に，兄/姉や祖父母も，誕生を待ちわびていた弟か妹または孫の喪失を体験していることを忘れてはならない．この喪失は両親，とくに母親に悲嘆という精神的な反応だけでなく，身体的な不調や行動異常などを起こさせる．そして，悲嘆の心理過程を経て死別への悲しみの気持ちから解放されるが，その期間は人によって大きく異なる[10]．解放とは，忘れることではない．普段の生活のなかで，自然な気持ちで亡くなった子どもへの思慕を感じ，悲しむことができるようになることである．

5 ● 親への援助

（1）胎児死亡を告知するときの援助

ドプラ聴診器で胎児心音が聴取できず，超音波画像でも心拍動が確認できない場合，医療者は非常に動揺し混乱する．予期せぬ胎児死亡という事実を，どのように妊婦や家族に伝えるかは，非常に重要なことである．胎児死亡が診断できても，すぐにそれを言葉として発するのではなく，何か異常が起こっていることを醸し出し，それからゆっくりと告知

する[11]．看護職者が告知をすることはまずないが，告知に際し，妊婦や家族が落ち着いて説明を受けられるように場所や時間を調整する．妊婦が1人で受診していた場合には，家族をよぶことを助言するなどの支援を行う．そして，告知の場では，できるだけ妊婦や家族にとって，わかりやすい言葉でていねいな説明が受けられるよう，妊婦や家族の理解度を確認しながら立ち会う．妊婦は，きちんと聞いているように見えても，頭のなかは混乱し状況を理解できないこともある．後で，「聞いていない」ということもある．そのような場合は，医師に再度，よりわかりやすい言葉で説明するよう依頼する．あるいは，医師の説明を補足し，妊婦と家族が状況を理解できるよう支援する．**「伝える」ことと，「伝わる」ことは異なる**ということを知っておく[12]．

(2) 子どもが亡くなって生まれた後の援助

母親や父親とその家族は，亡くなって生まれた子どもの親や家族となってから，その子どもと別れる．

子どもを亡くした母親への援助は，まず，母親が亡くなった子どもの母親になれるように支援する．そのためには，会いたい時にはいつでも亡くなった子どもに会えるように環境を整えること，生きている子どもと同じように亡くなった子どもに接すること，子どもとの思い出づくりを助けること，それから，亡くなった子どもと別れる準備や供養について支援する．また，同時に子どもを亡くした悲哀の過程を進めることを支援する．亡くなった子どもの話をすることや，一連のできごとについて傾聴すること，泣いてもよいことを伝えること，泣きたいときに泣ける環境・家族と静かに過ごせる環境を整えることなどがある．さらに，悲嘆の心理状態や悲嘆過程に関する情報を提供することや，セルフヘルプグループの紹介など，退院後の経過に関する説明が必要である．それらの支援を行う期間，母親はショックと混乱と深い悲しみのなかにありながらも，母親の意思が尊重され母親と家族を中心に支援が提供されるよう，看護職者は母親の希望を引き出して意思決定を支援する．場合によっては，母親が子どもと会うことを拒否することもあるが，会わない決定をしたことには母親なりの深い意味があることを理解し，その意思を尊重し無理強いする必要はない[13]．

忘れてならないのは，母親が褥婦だということである．生殖器の復古や全身の回復を促進する援助を行うとともに，必要があれば乳汁分泌の抑制の援助を実施する．

父親に対する援助も母親と同じように，父親が亡くなった子どもの父親になれるよう支

コラム

流産，死産，新生児死亡などで子どもを亡くした家族の会

周産期の喪失を体験した人々は，その体験を語ること，感情を表出することで悲哀の過程を進めていくことができる場合もある．子どもを亡くした体験をもつ人々が集い，互いの体験を語り合うことで，子どもの死を受け止めることができるようになることもある．

現在，日本には周産期の死を体験した人々のための会がいくつかある．

- ポコズママの会〔https://pocosmama.jp/〕　ピアサポートグループ
- With　ゆう〔http://withyou845.org/second-page.htm〕ホームページ
- ちいさなお星さまの会　〔http://www.ohoshisama.jp/top.php〕集い

援する．父親に対して，母親の支援について説明するとともに，父親の喪失体験についても傾聴することが大切である．

子どもの死に対して，母親は悲嘆し自分を責め，父親は仕事に向かうなど，父親と母親が異なる反応を示すこともある．この相違は，子どもの死に対する悲しみの大きさを意味するものではない．父親は悲しむ母親を支えるために悲しみを表出することを抑えていることもある．

母親や家族が希望する場合は，児と同室で過ごすことや抱くことを支援する．可能であれば沐浴することもできる．児は吸啜できないが，乳頭を含ませてあげる，初乳を搾乳して与えるなども可能である．母親や家族が亡くなった子どもと十分にかかわることができるよう支援する．

6 ● 亡くなった子どもへの援助

亡くなってしまった子どもに対しては，生きている子どもと同じように衣類やリネンを準備することはもちろん，人としての尊厳を損なうことなく接することが大切である（図Ⅲ-30）．赤ちゃんとの思い出づくりとして，母子健康手帳に出産の記録を残すこと，臍の緒を残すこと，手型や足型をとること，一緒に写真をとることなどができる．

図Ⅲ-30　子どもが亡くなったときに使用する物品の例
［写真提供：アメジスト 大衛株式会社．写真は天使キット］

学習課題

1. 子どもを亡くした家族と亡くなった赤ちゃんとの思い出づくりの具体的な方法をあげてみよう

練習問題

Q1 妊娠34週で死産をした褥婦への援助で適切なのはどれか．（第100回国家試験，2011年）
1. 児とのお別れの機会をつくる．
2. 児の抱っこはしないように助言する．
3. 児のために準備したものを処分することを提案する．
4. 退院時の指導で，次の妊娠をできるだけ早く計画するように勧める．

［解答と解説 ▶ p.550］

引用文献

1) クリアリングハウス国際モニタリングセンター日本支部：外表奇形等統計調査結果．日本産婦人科医会先天異常モニタリング，〔https://icbdsr-j.jp/data.html〕（最終確認：2021年5月20日）
2) 日本先天異常学会：葉酸サプリメントの摂取により神経管閉鎖障害を減らしましょう．2017，〔http://www.jsog.or.jp/news/pdf/20170627_jts_shuuchiirai.pdf〕（最終確認：2021年5月20日）
3) 塚原正人：遺伝性疾患と看護．小児保健研究 65(2)：147-152，2006
4) 新道幸恵：先天異常児の出生による喪失体験．母性の心理社会的側面と看護ケア（新道幸恵，和田サヨ子編），p.83-88，医学書院，2001
5) 室月 淳：妊婦健診で異常が見つかった後の医師の対応．赤ちゃんに先天異常が見つかった女性への看護（山中美智子編著），p.45，メディカ出版，2010
6) 前掲書4)，p.48
7) 厚生労働省：令和2（2020）年人口動態統計（確定数）の概況．〔http://www.mhlw.go.jp/toukei/saikin/hw/jinkou/kakutei20/dl/02_kek.pdf〕（最終確認：2021年12月28日）
8) 日本産科婦人科学会周産期委員会：主要臨床死因別統計（2018，2017，2016，2015，2014年）．周産期委員会報告，〔http://www.jsog.or.jp/modules/committee/index.php?content_id=8〕（最終確認：2020年12月2日）
9) 厚生労働省：生存期間別にみた乳児死因簡単分類別乳児死亡数及び率（出生10万対）．2018，〔http://www.e-stat.go.jp/〕（最終確認：2020年11月2日）
10) 前掲書4)，p.89-96
11) 竹内正人：周産期のグリーフケアの実際．赤ちゃんの死へのまなざし（竹内正人編），p231-233，中央法規出版，2010
12) 前掲書11)，p.233-234
13) 太田尚子：死産で子どもを亡くした母親たちの視点から見たケア・ニーズ．日本助産学会誌 20(1)：16-25，2008

第Ⅳ章

帝王切開を受ける妊産褥婦への看護

学習目標
1．帝王切開について理解する
2．帝王切開を受ける妊産褥婦の援助について理解する

1 帝王切開を受ける妊産褥婦への看護

A. 帝王切開

　帝王切開（術）（cesarean section：CS） は分娩の1つの様式である．経腟分娩による母児のリスクを回避するために行われ，近年では比較的安全な手術となったことから，その頻度は増加している（図Ⅳ-1）．しかし，開腹手術に伴う術中・術後の合併症のリスク，後陣痛に加え創痛を伴うこと，既往帝王切開妊婦では子宮破裂や癒着胎盤のリスクが増加することが知られており[1]，安易な帝王切開は避けるべきである．

　帝王切開は，母児のリスクがあらかじめ予測されるため予定して行うもの（**選択的［予定］帝王切開**）と，経腟分娩の経過中に問題が生じるなど，緊急に行われるもの（**緊急帝王切開**）がある．いずれの場合も，状況に応じた十分なインフォームド・コンセントが必要である．

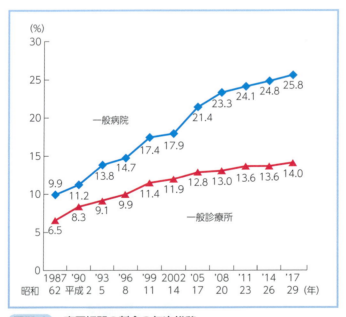

図Ⅳ-1　帝王切開の割合の年次推移

注：1）平成23年の数値は，宮城県の石巻医療圏，気仙沼医療圏および福島県の全域を除いた数値である．
　　2）割合は，分娩件数に対する帝王切開娩出術件数の割合（%）である．

［厚生労働省：平成29年（2017）医療施設（静態・動態）調査・病院報告の概況，2018および厚生労働省：帝王切開娩出術の割合の年次推移，平成29年（2017）医療施設（静態・動態）調査・病院報告の概況，p.20，〔http://www.mhlw.go.jp/toukei/saikin/hw/iryosd/17/dl/09gaikyo29〕（最終確認：2020年9月2日）より引用］

1 ● 帝王切開の適応

a. 母体の適応

児頭骨盤不均衡（cephalopelvic disproportion：CPD），分娩停止，妊娠高血圧症候群，前置胎盤，常位胎盤早期剝離，子宮頸がん，既往帝王切開妊婦など．

b. 胎児の適応

胎児機能不全，回旋異常，巨大児，骨盤位を含む胎位異常，臍帯脱出，早産児・低出生体重児，胎児奇形など．

c. 社会的適応

高年出産，不妊治療後妊娠の場合など妊婦の強い希望があるとき．

2 ● 麻酔と術式

a. 麻酔法

主に脊髄くも膜下麻酔（脊椎麻酔）や硬膜外麻酔などの局所麻酔が用いられるが，緊急帝王切開の場合は全身麻酔を行うこともある．脊髄くも膜下麻酔および硬膜外麻酔の利点は，産婦の意識が保たれ麻酔薬の胎児への移行がほとんどないことなどがあげられる．一方，全身麻酔の利点は麻酔の導入が迅速であることなどがあげられる（**表Ⅳ-1**）．硬膜外麻酔は，手術後の疼痛管理にも用いることができるため，脊髄くも膜下硬膜外併用麻酔が選択されることもある．

帝王切開における脊髄くも膜下麻酔では，穿刺は第3～5腰椎で行う．急激な血圧低下に留意する．硬膜外麻酔の場合，穿刺は第1～4腰椎で行う．急激な循環動態の変化をもたらさないことが利点であるが，麻酔域の上昇による呼吸抑制などに注意する[2]．

表Ⅳ-1　帝王切開で用いられる麻酔法

	脊髄くも膜下麻酔（脊椎麻酔）	硬膜外麻酔	全身麻酔
適応	緊急性の少ない手術（予定帝切［帝王切開］など）凝固系，神経系，心血管系に異常のないもの．	緊急性の少ない手術（予定帝切など）．凝固系，神経系に異常のないもの．	緊急性の高い手術．時間がかかる可能性が高い手術．凝固系，神経系，心血管系に異常のあるもの．
利点	意識が保たれる．麻酔薬の胎児への移行がない．誤飲の危険性がない．十分な筋弛緩と鎮痛が得られる．	意識が保たれる．麻酔薬の胎児への移行がない．血圧の変動があまりない．持続法にて長時間の手術ができる．	意識がない．麻酔の導入が迅速．循環系が安定しやすい．麻酔効果が確実．
欠点	急激な血圧低下．硬膜穿刺後頭痛．悪心・嘔吐を起こすことがある．長時間の手術ができない．	筋弛緩と鎮痛が不十分なことがある．手技がやや困難．局所麻酔薬中毒の可能性．全脊髄くも膜下麻酔の可能性．	胎児への麻酔の移行．麻酔薬の子宮収縮への影響．胃内逆流による誤飲．嚥下性肺炎．

［川添太郎：麻酔法の選択．臨床婦人科産科46(6)：700-704, 1992, 照井克生：産科麻酔総論．産科と婦人科86(5)：533-538, 2019より作成］

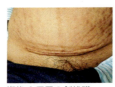
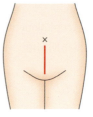

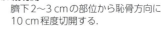

図Ⅳ-2 帝王切開術の切開部位

b. 術　式

　皮膚切開は，縦切開または横切開のどちらの場合もある（**図Ⅳ-2**）．手術開始から児娩出までの最短時間や次回帝王切開を考慮した場合は，縦切開が有利とされている．美容的観点のみに着目すると横切開が傷が目立ちにくい．しかし，横切開は筋膜と腹直筋との癒着をつくりやすく，次回の帝王切開のとき手間取ることがある[3]．

　子宮切開は，腹式子宮下部横切開がもっともよく行われている．古典的帝王切開ともよばれる子宮体部縦切開は，次回妊娠時の子宮破裂や癒着胎盤のリスクが高くなることから実施頻度は低い．しかし，子宮頸部の筋腫や癒着胎盤，超早産児の帝王切開で子宮下部横切開が困難な場合などでは子宮体部縦切開が実施される[4]．

　通常，手術開始から10分程度で児が娩出され，ついで胎盤が娩出される．子宮を合成吸収糸で縫合し止血を確認した後，腹膜，筋層，皮膚を縫合していく．一般的に手術は1時間程度で終了する．

3 ● 術後合併症

（1）出　血

　選択的（予定）帝王切開では陣痛が発来していないため，内因性のオキシトシンやプロスタグランジンの分泌が不十分であり，子宮収縮には不利となる．また，たとえ分娩進行中の緊急帝王切開であっても，切開された子宮筋は収縮力が不十分である．そのため，帝

王切開後は胎盤剝離面からの出血をきたしやすい．術後は予防的に子宮収縮薬が投与される．産婦が帝王切開以外の出血のリスク（多胎，羊水過多，常位胎盤早期剝離，前置胎盤，低位胎盤，子宮筋腫合併，絨毛膜羊膜炎，長時間の子宮収縮薬［陣痛促進薬］使用など）を有する場合は，とくに注意深い観察が必要である．

(2) 子宮復古不全

帝王切開後の子宮復古は経腟分娩に比較して遅延するため，帝王切開は子宮復古不全のリスクとなる．とくに選択的帝王切開では陣痛発来しておらず内因性のオキシトシンやプロスタグランジンの分泌が不十分であることに加え，子宮口も十分に開大しておらず悪露の排泄に不利であることから経腟分娩に比較して子宮復古が遅延しやすい．たとえ陣痛発来後の緊急帝王切開であったとしても切開された子宮筋は経腟分娩に比較して子宮復古が遅れる．さらに術後の安静による悪露の排泄の遅れもきたしやすい．母乳の授乳開始が遅れることや頻回授乳が行われない場合は乳頭刺激によるオキシトシンの分泌が促進されず子宮収縮に不利となる．

選択的帝王切開であろうと緊急帝王切開後であろうと子宮収縮と悪露の排泄を促し子宮復古不全を予防する支援が必要である．

(3) 深部静脈血栓症（DVT）（p.320参照）

妊娠末期からの血液凝固能の亢進状態に，帝王切開の手術侵襲や術後の安静などが加わり，血流うっ滞，血管内皮障害を生じやすく，帝王切開後の産褥期はとくに血栓を形成しやすい状態となっている．静脈血栓症は一般的に左下腿に生じやすいが，腸骨静脈・卵巣静脈に認めることもある．多くは産褥1日〜1週間後に，片側の下肢の疼痛・圧痛・腫脹がみられる．深部静脈血栓症の場合は肺血栓塞栓症（pulmonary thromboembolism：PTE）を発症することがある．突然の呼吸困難や胸痛の発症で，その症状が帝王切開術後の初回の歩行開始時にみられる場合は急性PTEを疑う．PTEでは，頻呼吸，頻脈，ショックや低血圧を認めることもあるため，これらの症状がみられる場合は，医師への報告と注意深い観察を行う．

予防が第一で，術前・術中からの弾性ストッキングの着用，術後安静時の下肢の間欠的空気圧迫法，体位変換，早期離床，日常生活動作（activities of daily living：ADL）の拡大が重要である（p.320参照）．

(4) 産褥熱（p.319参照）

帝王切開は産褥熱のリスク要因となる．臨床症状として，発熱，下腹部痛，子宮圧痛，悪露の腐臭などがある[5]．陣痛開始前帝王切開における子宮内膜炎の発症率は6％，陣痛開始後は11％であり，経腟分娩の5〜30倍の頻度である[6]．細菌性腟症，絨毛膜羊膜炎，前期破水などに加え帝王切開となった場合は術後の感染徴候に注意が必要である．

(5) 排尿障害

帝王切開では膀胱を子宮から剝離して子宮筋下部横切開を行うことが多い．また，一般的に帝王切開後は膀胱留置カテーテルが留置されている．したがってカテーテル留置による尿路感染やカテーテル抜去後の排尿障害に注意する．とくに，膀胱留置カテーテル抜去後は，尿閉や残尿に注意が必要である．尿意の有無，自尿の有無，排尿量，排尿痛，残尿感などを観察する．

(6) イレウス

術後の鎮痛のために用いた麻酔薬や鎮痛薬により腸蠕動が減弱し，まれに麻痺性イレウスを発症することもある．悪心や嘔吐，腹痛，腸蠕動音の減弱，排ガスの有無，腹部膨満などに注意する．麻痺性イレウスの場合はX線写真で腸管の拡大やニボー像を認める．

B. 帝王切開を受ける妊産婦の看護

自然分娩への期待を抱いていた産婦が，母児の安全のために帝王切開による分娩となった場合，失敗感，罪悪感，劣等感，不安感などを訴え，経腟分娩をした母親よりポジティブな自己概念が保持しにくく，その後の母親になっていく過程に影響を及ぼすことがある[7]．とくに緊急帝王切開では，産婦あるいは胎児の生命の危機という差し迫った状況のなか，即座に意思決定を求められ手術を受け入れざるをえない体験をする．自己の予測や期待との相違から，自尊心を傷つけられ分娩の満足度も低くなることがある[7]．しかし，産婦は，帝王切開による分娩をネガティブな体験としてのみとらえているわけではない．帝王切開のメリットとデメリットを認識し，帝王切開に対するネガティブ，ポジティブ両方の感情を抱きつつも帝王切開の意味づけを行い，覚悟を決め納得して手術に臨む産婦もいる[8]．そして，子どもが無事に生まれることは帝王切開分娩に対する達成感と満足感につながる[9]．

帝王切開による分娩を経験した母親が，分娩の意味づけを行い分娩体験を自分自身のものとするための支援では，母児の安全を目標として選択した分娩様式が帝王切開であること，産む人は産婦自身であり，どのような方法であっても出産をすることに変わりないこと，それまでの妊娠期間や分娩経過中に行った努力や頑張りが認められていることを実感できるようにかかわる．

1 ● 帝王切開分娩決定時の援助

a. 選択的（予定）帝王切開の場合

選択的といっても，母児の安全性を優先した医学的な選択に妊婦が同意したものであり，帝王切開を妊婦自身が選択することはめったにない．したがって，十分なインフォームド・コンセントがなされていない場合は，自己の選択を後悔し自責感を抱くことさえある[10]．自身にとって帝王切開による分娩が最善の分娩様式であることを理解し，意思決定できるよう十分な情報提供やていねいな説明を行う．

選択的帝王切開分娩の場合は，術前に妊婦のバースプランを確認する．局所麻酔による手術であれば，産婦の意識がある．出生直後の児との面会やタッチングなど可能な範囲でバースプランを立案することを支援する．

b. 緊急帝王切開の場合

期待していた出産と実際の体験との違いが大きく，自然分娩や選択的（予定）帝王切開よりも出産体験に対する否定的感情が強く，受容が困難であることがある[10]．

手術決定から実施までの時間が短時間であるほど動揺が大きく，手術前に，分娩経過と帝王切開の必要性について十分に納得のいく説明を行い同意を得るためには，医療者に高

いスキルが要求される．産婦が帝王切開の必要性を理解できているのか，帝王切開に納得しているのかを確認しながら手術の準備を進めていく．産婦が緊急帝王切開となることへの恐怖感や不安感を抱いている場合には，産婦の側に寄り添い，恐怖や不安について傾聴するとともに状況の説明や帝王切開となることのメリットを伝えるなど，心理的な支援も行いながら手術の準備を行う．また，家族が帝王切開に納得できない場合も産婦は否定的感情を抱きやすいため，家族に対する説明も重要である．手術前に十分な説明が行えない場合は，手術後なるべく早期に産婦と家族に対し，分娩経過および新生児の健康状態も含め理解状況を確認しながら説明する．

2 ● 手術前・手術中の援助

a. 入院から手術前日

選択的（予定）帝王切開の実施時期は，陣痛開始前で胎児の成長が十分とされる妊娠37〜38週ごろに予定されることが多い．手術前日の入院が一般的である．入院後は，入院オリエンテーションや手術・麻酔などの説明が行われる．妊婦健康診査や術前検査（血液検査，胸部X線検査，心電図，骨盤X線検査など）が行われることもあるが，これらは直近の外来受診時に済ませていることが多い．

b. 手術当日

選択的（予定）帝王切開の場合，固形物の摂取は手術開始6時間前まで，清澄水（水，お茶，コーヒー，ジュースなど残渣物を含まない飲料水）は2時間前までの摂取が許容されるが，厳密な絶飲食が実施される場合，術前の補液が十分に行われなければ，脱水や母体および胎児の低血糖リスクが高まる[1]．

通常，術前から静脈内持続点滴による輸液がなされる．手術前は，妊婦のバイタルサイン測定，脱水症状，低血糖症状，胎児心拍数，陣痛（子宮収縮）の状態や破水，性器出血の有無などの観察を行い，手術までの母子の健康状態が良好に保たれるよう援助する．

c. 手術中の援助

脊髄くも膜下麻酔あるいは硬膜外麻酔による手術の場合は，産婦の意識があるため，術中はねぎらいの言葉をかけたり，児の様子を伝えたりする．児娩出後は母児の対面や早期母子接触（図Ⅳ-3，p.184参照）を援助する．

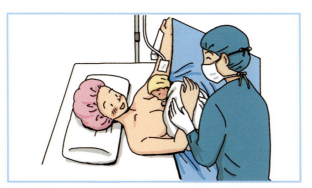

図Ⅳ-3　帝王切開術中の早期母子接触

C. 帝王切開後の褥婦の看護

産褥期の看護は経腟分娩後の看護と基本的に変わらない．手術という視点を加え，産褥期の看護（p.261参照）と開腹手術後の看護の両視点から援助を行う必要がある（表Ⅳ-2，図Ⅳ-4）．

1 ● 子宮復古および全身状態回復への援助

(1) 全身状態の観察

体温，血圧，脈拍，呼吸数，SpO$_2$，意識レベル，尿量などのバイタルサインを観察する．出血，子宮復古不全，深部静脈血栓症（DVT），産褥熱などの術後合併症の早期発見にもつながるため，バイタルサインの変化に留意する．

(2) 出血・創部の観察

出血の観察は悪露と創部について行う．術後は身体活動の拡大が遅れ，悪露が子宮内や腟内に停滞しやすいため注意して観察する．手術当日は，看護職者が定期的に子宮収縮と悪露の排泄状態を観察する．帝王切開後は出血をきたしやすいため，悪露の排泄量，凝血塊の有無を子宮収縮状態と関連させて注意深く観察する．また，尿量の観察において0.5 mL/kg/hr以下が続く場合は，出血などによる循環不全や腎機能低下を考慮する．歩行開始後は，褥婦自身で産褥パッドを交換することになるため，経腟分娩と同様に，褥婦自身で悪露の観察ができるよう説明を行う．

創部の観察は，発赤，腫脹，硬結，圧痛，熱感，出血，滲出液などの有無や縫合部の癒合状態を観察する．手術直後の創はドレッシング材で保護されている．術後24～48時間程度で創が上皮で閉鎖されるため48時間はドレッシング材を剝がさない．そのため創部の観察はドレッシング材を貼ったまま行う．抜糸や抜鉤が必要な場合は術後5～6日目に行う．創感染症状が出現する時期はこの時期が多いため抜糸や抜鉤時はとくに注意深く創部を観察する．抜糸や抜鉤の後に，創を保護する目的でテープやシートを貼付することもある．

(3) 子宮収縮状態の観察

術後は定期的に観察を行う．子宮収縮の観察は創部を避け子宮底部および体部を触診し，子宮底の高さ・硬度・形状を観察する（p.467 Skill 15 参照）．経腟分娩の場合の硬度に比較すると，軽度の弾力性を認め，子宮の復古はやや遅れる傾向にある（表Ⅳ-3，p.343参照）．創痛や後陣痛のために子宮を触診することが困難な場合は，悪露の流出状態から収縮状態を推測する．

(4) 麻酔の影響の観察

実際に用いられた麻酔法・麻酔薬を必ず確認する．脊髄くも膜下麻酔および硬膜外麻酔の副作用として，血圧低下，悪心・嘔吐，徐脈，呼吸抑制などがある．また，くも膜の穿刺部位からの髄液漏出が原因と考えられる脊髄くも膜下麻酔後頭痛がみられることがある．術後1～2日で発症し，1週間～10日以内に消失する．坐位や立位で増強し，激しい頭痛となる場合もある．治療は輸液や鎮痛薬投与，安静の確保などを行う．

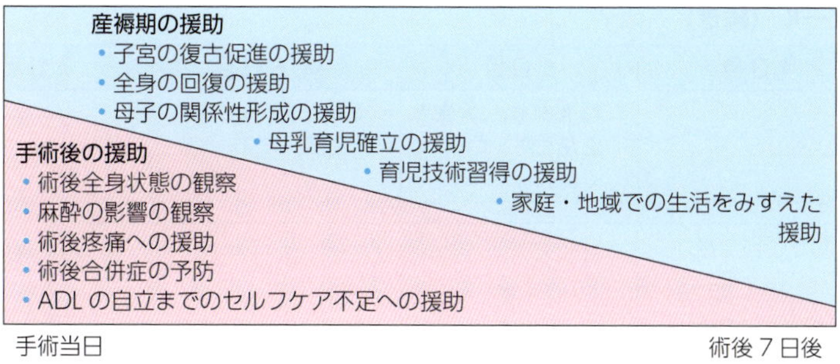

1. 帝王切開を受ける妊産褥婦への看護　347

```
産褥期の援助
・子宮の復古促進の援助
・全身の回復の援助
・母子の関係性形成の援助
手術後の援助　　　　　・母乳育児確立の援助
・術後全身状態の観察　　　・育児技術習得の援助
・麻酔の影響の観察　　　　　　・家庭・地域での生活をみすえた
・術後疼痛への援助　　　　　　　援助
・術後合併症の予防
・ADLの自立までのセルフケア不足への援助
```
手術当日　　　　　　　　　　　　　　　　　　術後7日後

図Ⅳ-4　帝王切開後の援助

表Ⅳ-2　入院中のスケジュール（帝王切開分娩の褥婦用クリティカルパスの例）

	手術前日入院	手術当日 手術前	手術当日 手術後	1日目	2日目
検査・処置	・麻酔科医の術前訪問があります.	・胎児心拍モニターをつけます. ・体温,脈拍,血圧などを測定してから手術室に行きます. ・手術室で背中に麻酔（痛み止め）の細い管を入れます. ・手術室で尿の管が入ります.	・背中の麻酔から痛み止めを持続的に投与します.	・採血と検尿があります. ・産後の薬を飲みます. ・飲み薬の痛み止めが使えます（飲みすぎなければ定期的に飲んでも構いません.） ・尿の管を抜きます.	・背中の管を抜きます.
点滴		・手術前に点滴を始めます.	・点滴が続きます.		・点滴は今日までです.
食事	・食事は（21）時まで.	・飲み物は(6)時まで. ・食事はとれません.	・飲水は許可があれば可能です.	・（朝）から食事が始まります.	
活動	・普段どおりです.		・ベッドの上で足を動かしたり,横を向いたり体を動かします. ・ベッドを起こして座る練習をします.	・立ち上がって歩いてみます. ・トイレまで歩いてみましょう. ・できるだけ動きましょう	・病棟内,病院内であれば制限はありません.
清潔	・指輪,ピアスを外しておきましょう. ・マニキュアをとっておきましょう.	・手術用の着物に着替え,弾性ストッキングを着用します. ・コンタクトは外し,長い髪は結んでおきましょう.		・ベッドを起こして歯磨きします. ・体を拭きます. ・トイレのシャワー機能を使って陰部を清潔にしましょう.	・体を拭きます. ・希望があればシャンプーします.
赤ちゃんのお世話			・状態が落ち着いていれば赤ちゃんをお部屋におつれします. ・様子をみながらベッドに寝たままおっぱいを吸わせます.	・医師の診察があります. ・落ち着いていれば母子同室が始まります. ・ビタミンKシロップを飲みます. ・体を起こしておっぱいを吸わせましょう.授乳の目安は1日8回以上です.	

（続く）

表Ⅳ-2 入院中のスケジュール（続き）

	3日目	4日目	5日目	6日目	7日目（退院）
検査・処置			・朝食前に，体重と血圧を測っておいてください．	・退院診察があります．	
活動清潔	・キズに防水テープを貼ってシャワーができます． ・シャワーをしない場合は，体を拭きます．	→	→	→	・退院後しばらくは赤ちゃんと身の回りのこと，軽い家事だけにしましょう．
赤ちゃんのお世話		・医師の診察があります．	・ビタミンKシロップを飲みます． ・先天代謝異常採血	・退院診察があります．	・赤ちゃんの退院にはチャイルドシートが必要です．
健康教育		・体調をみながら赤ちゃんとお母さんの退院後の生活についてお話をします． ・2週間健診，1ヵ月健診，ビタミンKシロップについて説明があります． ・沐浴を見学をします．・退院までに実際に沐浴をしてみましょう（お父さんも可）．			

表Ⅳ-3 帝王切開後の子宮底の高度と悪露の変化

	手術当日	3日目	7日目	10日目
子宮底高	臍下1横指	臍下1〜2横指	臍下2〜3横指	臍下3〜4横指
悪露の色調	赤色	赤色〜褐色	ほぼ淡血性〜褐色 赤色が3割程度	淡血性〜褐色 赤色が1割程度

［若林紀子，岩谷澄香：帝王切開後の子宮復古および悪露の変化に関する調査．神戸市看護大学短期大学部紀要19：109-117，2000およびShitami C, Takenaka K：Early puerperium involution of the uterus after Caesarian section : Basic data for use in an assessment index. Acad Midwif 30(2)：333-341, 2016を参考に作成］

(5) 術後疼痛（創痛と後陣痛）への援助

　帝王切開後の痛みには創痛（体性痛）と後陣痛（内臓痛）がある．後陣痛は授乳によって増強する．早期離床や授乳を促すことにより子宮復古や全身の回復を促進できるため，術後の疼痛への援助は十分に行う．帝王切開術後の疼痛管理方法には，硬膜外麻酔を用いる方法や鎮痛薬の静脈内注射や筋肉注射などによる方法などがある（**表Ⅳ-4**）．経口摂取が可能となれば内服薬も用いられる．硬膜外麻酔を用いる方法の1つには，ディスポーザブルポンプを用いた硬膜外自己調節鎮痛法（patient-controlled epidural analgesia：PCEA）がある．手術後に硬膜外カテーテルから麻酔薬（局所麻酔薬とフェンタニルなどの混合液）を持続的に注入し続けながら，痛みが強い場合には患者自身がポンプのボタンを押すことで，決められた量の鎮痛薬を追加投与できるというものである．過剰投与とならないよう追加投与のロックアウトタイム*が設定されている．術後2日目くらいまで使

---

*ロックアウトタイム：一度ボタンを押すと一定時間が経過するまではボタンを押しても薬が投与されない．その一定時間を指す．

表Ⅳ-4　術後の主な鎮痛法

自己調節法(patient-controlled analgesia)	・硬膜外自己調節鎮痛法：PCEA（局所麻酔薬＋フェンタニルなど） ・経静脈的自己調節鎮痛法：IV-PCA（フェンタニル，モルヒネなど）
注射薬	・アセトアミノフェン定期静脈注射（6時間間隔） ・オピオイド系鎮痛薬の間欠的投与（ペンタゾシンなど） ・非ステロイド抗炎症薬（NSAIDs）[*]の点滴静脈注射，内服薬，坐薬（ロキソプロフェン，ジクロフェナクナトリウムなど）
内服薬（経口摂取が可能となってから）	・アセトアミノフェンの定期内服または屯用 ・非ステロイド抗炎症薬（NSAIDs）の定期内服または屯用

[*] NSAIDsは，プロスタグランジンの合成を阻害し子宮収縮に抑制的に働く可能性があるが子宮収縮不良例以外では用いても問題ないと考えられている．

［小島崇史，照井克生：帝王切開―周手術期の痛みの管理．周産期医学49(8)：1088-1092，2019および田辺瀬良美：帝王切開の術後鎮痛を考える～エビデンスに基づいたMultimodal analgesiaを！～．麻酔と分娩100：57-66，2018より引用］

用される．硬膜外カテーテル刺入部の感染に注意が必要である．硬膜外麻酔を用いることができない場合は，経静脈的自己調節鎮痛法（intravenous patient-controlled analgesia：IV-PCA）が用いられることもある．IV-PCAでもフェンタニルなどが用いられる．フェンタニルなどのオピオイド系薬物は呼吸抑制作用があるため呼吸状態（呼吸数，酸素飽和度など）の観察が重要である．アセトアミノフェンの定時静脈投与（投与間隔6時間），オピオイドの間欠的な投与（静脈注射や筋肉注射），非ステロイド抗炎症薬（NSAIDs）による鎮痛法もある[11]．アセトアミノフェンでは肝機能障害，NSAIDsでは腎障害に注意が必要である．

(6) 早期離床とADLの拡大への援助

早期離床は血液循環を促し，身体の回復を促進するとともに悪露の排泄を促す．麻酔の影響や疼痛コントロール状態を考慮しながら体位変換や坐位へとADLの拡大を進め，術後1日目に歩行を開始する．術後の全身状態の回復に合わせ，手術当日から母乳育児確立への援助，歩行開始後に育児技術習得の援助など，産褥期の援助が行われる．必要に応じて抜糸が行われ，状態が安定していれば術後1週間前後で退院となる．

(7) 清潔への援助

歩行開始までは洗面や歯磨きの介助が必要である．また，術後1日目から2～3日目ごろまでは全身清拭や洗髪の支援を行う．術後経過が正常であれば術後2～3日目以降にはシャワー浴が開始される．創部のドレッシング材は，48時間以降は貼ったままでも剝がしてもよい．ADLの拡大に合わせて徐々に清潔行動の自立度を高めていく．

(8) 経口摂取開始への援助

帝王切開後の水分・食事開始基準は施設によって異なるが，早期経口摂取開始は術後合併症の予防や手術後の回復に効果があると考えられている．正常経過をたどる場合，術後2～3時間以降に水分摂取から開始し，問題がなければ術後1日目から食事を開始する．早期経口摂取は腸蠕動を促進するため，術後の排ガスが確認されていない場合でも悪心・嘔吐などのイレウス症状がなければ開始する．しかし，48時間以上経過しても腹鳴や排ガスがみられない場合はイレウスに移行する可能性もあるため，腸蠕動音の聴取や悪心・嘔吐，食事摂取状況の観察を怠らない．

2 ● 母乳育児確立への援助

母乳育児確立への援助の基本は第Ⅲ章3節を参照されたい（p.274参照）.

a. 早期授乳の援助

帝王切開後においても早期授乳を開始することが望ましい．早期授乳はオキシトシンの分泌を促し子宮復古を促進する．帰室後の母子の状態が安定している場合は早期に面会し，初回授乳を開始することが望ましい．母親が臥位のままでの授乳を介助する場合は，適切なラッチ・オンと吸啜（きゅうせつ）ができるよう，クッションなどを用いて母子の体位が安定するよう工夫する．授乳による創痛（てつ）の増強を予防するため，術後の授乳姿勢は創部の緊張を避け，児の身体が創部に接触しない姿勢をとるとよい．授乳中に児が動いて創部に刺激を与えると創痛が助長される．手術当日から歩行開始ごろまでは，添え乳やレイドバック法が向いている（p.280の**図Ⅲ-16**参照）.

創痛や後陣痛が強い場合は，授乳姿勢をとることが苦痛であることと，授乳によりオキシトシンが分泌され後陣痛が増強するため，授乳前に疼痛に関する観察と援助を十分に行っておく．

b. 自律授乳の援助

母子の状態が安定している場合は自律授乳とし，母親が自由に体を動かせない手術当日や術後1日目は援助者が全面的に授乳を介助する．授乳以外の児の世話は援助者が行う．母親のADLの拡大に合わせて，育児技術の習得のために児の世話を母親に実施してもらい，授乳行動も母親が自立して行えるよう援助方法を変更する．

3 ● 帝王切開後の褥婦の心理的援助

帝王切開が予定手術か緊急手術か，母体適応によるものか胎児適応によるものか，母親と家族の帝王切開に対する受け止め方などは，その後の母親になっていく過程や生活に影響を及ぼす可能性がある．

a. 帝王切開による喪失感への援助

帝王切開による分娩を体験した母親のなかには，さまざまな喪失を体験している母親もいる．正常分娩ができなかった，外科的侵襲に伴う身体機能制御・健康状態が維持できない，入院生活および外科的侵襲に伴う状況が把握できないなどがある．帝王切開分娩による喪失によって生じた悲嘆は，子どもが健康で元気に出生したことで代償されることが多い[12]．したがって，元気な子どもの誕生が確認できるよう母子の面会や早期接触を援助する．また，バースレビューを行い，褥婦自身が分娩に対する思いを語ることで帝王切開による分娩体験を意味づけることを援助する．褥婦は夫/パートナーに対して，帝王切開までの努力，痛み，母親役割が果たせないつらさを理解してもらいたいという期待感をもっていることから，夫/パートナーを交えた振り返りを行うことも大切である．

術後の回復期には，身体的苦痛による行動の制約が「傷が痛み，抱いてあやせない」など母親役割に関する喪失体験をもたらすこともある．十分な疼痛の緩和や行動制限へのサポートを行うとともに，痛みや母親役割が十分に果たせないつらさを受け止め，気持ちを表出できるよう援助する．母子の絆形成を促す母子同室も，身体的・心理的状況を十分アセスメントし，過重負担にならないよう配慮する．

b. 母子の絆形成の援助

できるだけ早期に母子が対面できるよう援助する．出生直後には児の啼泣が聞こえることを母親と確認する．母子の状態が安定していれば早期母子接触を行うこともできる．早期母子接触がむずかしい場合は，母親の頬に児を触れさせる，母親に児をなでてもらう，児の顔をしっかりと見てもらうなど，母親が児の出生を実感できるよう援助する．

手術室からの帰室後も母子の状態が安定していれば，なるべく早期に面会を行い，タッチングや母子の皮膚接触，授乳を援助する．

創痛や後陣痛は，母親の関心が児に向けられない原因となりうるため，疼痛コントロールを十分に行う．緊急帝王切開の場合など，分娩に伴う疲労が著明な場合もあるため，身体的疲労回復の援助を十分に行うことが大切である．

学習課題

1. 帝王切開後の褥婦の特徴について経腟分娩後と共通する部分，異なる部分を整理してみよう
2. 第Ⅲ章3節の学習課題を基本として，帝王切開後の褥婦の健康課題を考えてみよう

練習問題

Q1 Aさん．38歳の初産婦．妊娠経過は順調であった．妊娠37週5日．7年の不妊治療後の妊娠であり，骨盤位のため帝王切開術を選択し入院した．身長155 cm，体重75 kg，非妊時体重65 kg，手術の経験はない．　　　　　　(第94回国家試験，2005年)

[問1] 帝王切開術は，脊椎麻酔で施行された．手術時間は1時間20分，出血量は350 mLであった．手術中のバイタルサインは安定していた．手術直後の血液所見は，Hb 11.2 g/dL，血清総タンパク7.0 g/dLであった．
Aさんに起こりやすい術後合併症はどれか．
1. 術後出血
2. 深部静脈血栓症
3. 子宮内感染
4. 縫合不全

[問2] 術後の看護計画で適切なものはどれか．
1. 24時間以内に歩行を開始する．
2. 鎮痛薬の使用は24時間以内にする．
3. 術後1日の総水分摂取量は1,000 mL以下にする．
4. 術後2日に母子の初回面会をする．

Q2 帝王切開術後3時間の観察のため訪室した．母のバイタルサイン，子宮復古状態は正常である．「下腹が時折ギュッと痛むし，傷も腰も痛い．腰の痛みはずっと上を向いてるせいかもしれないけれど，動くと傷がもっと痛くなりそうで怖い．我慢するしか

ないですね」と話している．痛みへの対応で適切でないものはどれか．

（第90回国家試験，2001年）

1．「下腹部への痛みは子宮が元にもどっているためですよ」
2．「下腹部を冷やしてみましょうか」
3．「腰の痛みをとるために横向きになってみましょうか」
4．「膝を曲げると傷の痛みが楽になりますよ」

Q3 Bさんは，妊娠37週0日に帝王切開術で体重2,800gの児を出産した．術後3日，Bさんは看護師に「どうすることもできなかったのはわかっているのですが，自然なお産をしたかったです．赤ちゃんを産んだ実感がありません」と話した．
看護師の対応としてもっとも適切なのはどれか． （第104回国家試験，2015年）

1．精神科の受診を勧める．
2．妊娠期からの振り返りをする．
3．次の出産で経腟分娩を試みるよう勧める．
4．数日前に帝王切開術を受けた褥婦に話をしてもらうよう勧める．

[解答と解説 ▶p.550]

引用文献

1) 村越 毅：総論 わが国における帝王切開と術後ケア．ペリネイタルケア **35**(10)：16-18，2016
2) 荒木 勤：最新産科学―異常編，22版，p.401-406，文光堂，2012
3) 金山尚裕：帝王切開術．日本産科婦人科学会雑誌 **60**(5)：100-103，2008
4) 古谷健一，松田秀雄：産科手術．臨床エビデンス産科学，第2版（佐藤和雄，藤本征一郎編）p.381-382，メジカルビュー社，2006
5) 小和貴雄，木村正：帝王切開の術後管理と合併症．周産期医学 **46**(9)：1117-1120，2016
6) Hammad IA, Chauhan SP, Magann EF, et al：Peripartum complications with cesarean delivery: a review of Maternal-Fetal Medicine Units Network publications. J Matern Fetal Neonatal Med **27**(5): 463-474, 2014
7) Lobela M, DeLuca RS：Psychosocial sequelae of cesarean delivery: Review and analysis of their causes and implications. Social Science & Medicine **64**：2272-2284，2007
8) 谷口綾，大久保功子，齋藤真希ほか：帝王切開で出産した女性の妊娠中から産後1か月までの心理的プロセス－覚悟と納得－．日本看護科学会誌 **34**：94-102，2014
9) 竹内佳寿子，横手直美：骨盤位適応による選択的帝王切開を受けた初産婦の出産体験のとらえかた．母性衛生 **57**(2)：483-490，2016
10) 横手直美：母体に対する精神的サポート．周産期医学 **46**(9)：1137-1140，2016
11) 小島崇史，照井克生：帝王切開―周手術期の痛みの管理．周産期医学 **49**(8)：1088-1092，2019
12) 新藤幸恵：帝王切開分娩による喪失体験．母性の心理社会的側面と看護ケア，p.77-82，医学書院，1990

第Ⅴ章

特別な配慮・支援を必要とする妊産褥婦への支援

学習目標

1. 心理・社会的にとくに配慮・支援を必要とする妊産褥婦には，どのような背景があるか理解する
2. 妊娠・分娩・産褥期において，心理・社会的にとくに配慮・支援を必要とする妊産褥婦とその家族のアセスメントを理解する
3. 心理・社会的にとくに配慮・支援を必要とする妊産褥婦とその家族への，妊娠期から育児期までの切れ目ない支援について理解する
4. 多職種連携や関連施設について理解する

1 特別な配慮・支援を必要とする妊産褥婦への支援

A. 特別な配慮・支援を必要とする妊産褥婦とは

　意図しない妊娠，家族構成が複雑，支援者がいない，若年妊娠，経済的困窮，多胎妊娠，精神科既往など，いわゆる特定妊婦や，妊娠経過で児や母体に新たな疾患を指摘された妊産褥婦や産後に精神科疾患を発症した褥婦などは，不安や育児ストレスから，精神症状が出現し家事や育児ができない状態となり産後うつ病や自殺を起こすリスクも高くなるため，とくに配慮・支援を必要とする．他にも，母子健康手帳未発行，妊娠届けの遅れ，妊婦健康診査未受診，妊産褥婦のDV被害が考えられる場合などは，不適切な育児（チャイルド・マルトリートメント*）につながる可能性がある．最近の研究では，虐待の背景には母親が子どもをかわいく思えない，世話をしたくないなどのボンディング障害[1]があるといわれている．

B. アセスメントの視点と切れ目のない支援

1 ● アセスメントの視点

　周産期・育児期のメンタルヘルスには，妊娠期からの母親／父親になっていく準備への取り組みが影響する（p.84参照）．また，精神症状の背景に甲状腺機能の低下や亢進などの器質的な疾患が隠れている場合もあるため，十分な聴き取りとアセスメントが必要である．しかし，メンタルヘルスの不調や子どもの虐待のリスク要因だけでアセスメントすると，母親とその家族の強みを見逃し，関係性が築けず必要な支援が提供できないことになりかねない．看護職者は「メンタルヘルス不調や虐待のリスクのある母親と家族か」というよりはむしろ「支援を必要としている母親と家族か」という視点でアセスメントし，家族全体にかかわり，家族の強みを活かした支援をすることが求められる．これらを基本的な考え方として各期に応じた支援を行っていく．

2 ● 切れ目のない支援

　特定妊婦など母子健康手帳発行時などから支援を継続している場合，産科医療機関から妊娠期の情報を得ている場合，乳児家庭全戸訪問事業（こんにちは赤ちゃん事業）によって産後に支援が必要と判断された場合には，市区町村の子育て世代包括支援センターなどが産科や小児科などや関係機関から情報を収集し，適宜会議を設け，継続した支援を行う．地域によっては妊娠中から保健師の訪問を実施している．必要であれば要支援訪問事業等

---

*チャイルド・マルトリートメント：身体的虐待，性的虐待，心理的虐待，ネグレクトなど不適切な育児を指す．

につないだり，とくに支援が必要なケースに関しては**要保護児童対策地域協議会（要対協）**の調整機関に連絡し，支援内容について協議する（**図V-1**）．支援については看護職者の一方的なものにならないよう母親とその家族の困りごとを聴き，希望を尊重しながら支援計画を立案する．

周産期のメンタルヘルスは本人のみの問題にとどまらず，パートナーのメンタルヘルスや生まれてくる子どもの社会的・情緒的発達や認知機能の発達にも影響を及ぼす．背景が複雑なケースは産後1回の支援で解決することはむずかしく，妊娠期からのかかわりを通して妊産褥婦との**信頼関係**を築き，**妊娠期から産褥期そして子育て期までの切れ目のない支援**が必要である．

a. 妊娠期

妊婦健康診査の機会に基本的視点（p.36の**表Ⅰ-9**参照）で情報を収集し，育児支援チェックリスト（p.303の**図Ⅲ-24**参照）や各医療機関の独自のチェックリストを用いてアセスメントし，どこに支援を必要とするかを見極める．他の医療機関や地区担当の保健師の情報提供を受けることもある．必要があれば妊娠中から，産科医師，精神科医師，小児科医師，病棟・外来助産師，病棟・外来看護師，薬剤師，臨床心理士・公認心理師，メディカルソーシャルワーカー，児童相談所などの多職種・多機関で連携し支援体制を整える．適宜カンファレンスを開催し，妊婦やその家族の状況と希望を考慮しながら，治療方針，ケア方針，支援の内容などを協議し，妊娠・分娩・産褥の経過の予測と，分娩，産後の具体的な支援体制について検討し，多職種で共通理解をする．妊娠中や産後早期に支援

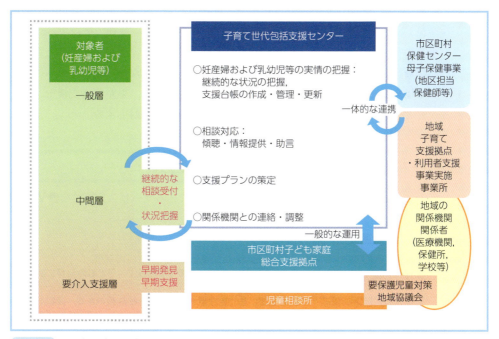

図V-1　子育て世代包括支援センターにおける支援イメージ

［厚生労働省：子育て世代包括支援センター業務ガイドライン（平成29年8月）．〔https://www.mhlw.go.jp/file/06-Seisakujouhou-11900000-Koyoukintoujidoukateikyoku/kosodatesedaigaidorain.pdf〕（最終確認：2021年9月24日）より作成］

が始まる場合は，妊婦健康診査時に地区担当保健師が同席したり訪問するなど，妊娠中から信頼関係を構築できるようにしておく．

b. 入院中（産褥）

妊娠・分娩・産褥の経過をふまえ，退院後の母子へ夫や祖父母などの家族からの支援がどの程度得られるのか，どのような支援が必要なのか情報を得てアセスメントし多職種・多機関でカンファレンスを行う．たとえば，若年妊娠や精神障害合併妊娠など育児技術の獲得や子どものことを理解することに時間を要する場合，産科から地域へ支援を引き継ぐ必要があり，本人とその家族の了解を得て地区担当保健師が入院中に訪問するなど，退院後の支援がスムーズにつながれるようにはたらきかける．また，退院後も継続して産科での支援を受けられるように母乳外来や児の体重測定をかねて来院を促し，褥婦の育児技術の獲得状況や子どもとのかかわり方を確認しながら少しずつ自立できるように計画する．

c. 退院後

産後2週間，産後1ヵ月の健康診査のころの母親は授乳や児の体重増加，母親自身の体調，睡眠不足などに関する**不安**や**疲労**がピークに達し，これまでフォローされていなかった褥婦でも産後の心身の不調を訴える可能性がある．1ヵ月健診後も継続的な支援が必要な母子か否かを健診時の問診や診察，育児支援チェックリストやエジンバラ産後うつ病質問票（EPDS），赤ちゃんへの気持ち質問票などのスクリーニング（p.304の図Ⅲ-25参照）を通して，また，家族や友人など身近な人からのサポートが得られるかの情報も得て総合的にアセスメントする．継続的な支援が必要と判断した場合は，**新生児訪問指導**などの利用を勧め，すみやかに地区担当の保健師へつなげる．妊娠中から多職種で連携して継続的な支援を行っている場合は産後の状況をアセスメントし計画の見直しや検討を行い，産後1ヵ月健診後はどこが中心に支援を行っていくかを多職種で確認する．**養育支援訪問事業**の利用や，精神障害合併妊娠や医療的ケアが必要な児で医師が必要と判断した場合は**訪問看護**の利用も検討する．育児が困難な場合，抑うつが強い場合，児への虐待が予測される場合などは，地区担当保健師，精神科，児童相談所，児童家庭支援センター，乳児院などとの連携も考慮し，その緊急性に応じてすみやかに対応する．

C. 連携・協働する機関・団体・サービス

看護職者が連携する機関，母親や家族が利用できるサービス・施設を**表Ⅴ-1, 2**にあげる．

表Ⅴ-1　看護職者が連携する機関

- **子育て世代包括支援センター（母子健康包括支援センター）**：p.308参照
- **児童相談所**：児童福祉法に基づき各都道府県等が設置する施設で，子どもの発育に問題がある場合や虐待の疑いがある場合に報告し，対応や保護を行う．
- **児童家庭支援センター**：児童福祉法に基づき設置された児童福祉施設である．家庭，子ども，関係者からの子育てや家庭での悩み等の相談を受け支援を行う相談機関である．児童相談所等の関係機関と連携しつつ，地域に密着した相談支援を行っている．
- **要保護児童対策地域協議会**：児童福祉法に基づき地方自治体が設置する会議で，構成員は児童福祉に関連する職務従事者や機関である．要保護児童やその保護者に関する情報の交換や支援内容を協議する．
- **乳児院**：児童福祉法に基づき設置された児童福祉施設の1つである．保護者の養育を受けられない乳幼児を養育する施設で，乳幼児の基本的な養育機能に加え，被虐待児・病児・障害児などに対応できる専門的養育機能をもつ．

表V-2　母親や家族が利用できるサービス・施設

- **妊産婦の訪問指導**：妊婦健康診査の結果，妊娠，出産に影響を及ぼすおそれのある妊産婦を保健師や助産師などの専門職が訪問し，異常の早期発見と生活指導を行うことができる．特定妊婦などで妊娠中から産科，精神科，行政など多職種で連携し継続した支援が必要な場合も当てはまる．
- **新生児訪問指導**：褥婦本人からの出生連絡票を受ける場合，産科医療機関からの情報を受ける場合などがある．主に新生児の発育，栄養，授乳技術，養育の指導や疾病の早期発見とフォローなど，育児上重要な指導を保健師や助産師などの専門職が行う．
- **未熟児訪問指導**：出生体重が2,500g以下の未熟児や出生時に未熟性をもって出生した児を対象としている．指導内容は新生児訪問に児の未熟性を考慮し，成長発達，養育環境，異常の早期発見などを詳細に把握する．
- **産後ケア事業**：産後に家族などからの家事や育児の支援が得られない，母体の回復に不安がある母親などを対象に，病院，診療所，助産所に入所または自宅への訪問にて，産後の母親の体調管理や授乳の指導および乳房のケア，母親の話を傾聴するなどの心理的支援，新生児および乳児の沐浴や状況に応じた具体的な育児指導を行い，母親自身がセルフケア能力を獲得し地域で育児ができるように家族などの身近な支援者との関係調整や，地域で育児をしていくうえで必要な社会的資源の紹介などを行う．市区町村により宿泊型，日帰り型，訪問型がある．有料で市区町村の補助が受けられる場合もある．利用期間は7日以内とするが，市区長村が必要とした場合は延長することができる．
- **訪問看護**：精神科疾患で通院治療のケースや児が医療的ケアを退院後も自宅で必要な場合，医師の判断で訪問看護が可能である．地区担当や担当課の保健師が訪問看護，産科や精神科などの医療機関と連携をとって褥婦の自宅を訪問し，疾患に関する医療やケアだけでなくすぐに母子の生活の場や家族関係を確認，アセスメントできるため，より母子に適した支援が可能である．
- **乳児家庭全戸訪問（こんにちは赤ちゃん事業）**：生後4ヵ月までの乳児のいるすべての家庭を訪問し，育児に関する相談に乗り，子育てに関する情報を提供するとともに，親子の心身の状況や養育環境を確認し，必要に応じて助言を行う．さらなる支援が必要な家庭か見極め，適切なサービス提供につなげる機会という側面ももつ．
- **養育支援訪問事業**：妊娠期からの支援や乳児家庭全戸訪問事業などにより，とくに養育支援が必要と判断した家庭に対し，保健師，助産師，保育士などが家庭訪問する．意図しない妊娠や育児ストレス，虐待リスクなどのある家庭が該当し，子育てに関する相談を受け，指導や助言，養育環境の改善などを行う．
- **育児支援家庭訪問**：1歳未満の児を養育中で育児について不安を抱えている母親を対象に，市区町村が行っており看護職が訪問する．
- **地域子育て支援拠点**：乳幼児とその家族が相互の交流を行う場所で，子育てについての相談や情報の提供，助言，子育て支援に関する講習などの実施を行う．グループなどとネットワーク化を図るなど地域の子育て支援の拠点として子育て支援活動を行っている．
- **精神保健福祉相談**：精神科医師や相談員が担当し，専門的な相談ができる．各都道府県と政令指定都市に設置されている．
- **夜間・休日の精神科相談窓口**：激しい興奮や落ち込みなど，症状の急激な悪化で翌日まで待てない場合など，緊急的な精神医療相談を電話で受け付け，相談内容に対し適切な助言などを行い，必要に応じて医療機関の紹介を行う．
- **ファミリーサポートセンター**：育児や家事の援助を受けたい人と援助を行いたい人が会員となって，子育ての相互援助活動を行う組織で，それぞれの条件と希望にあった会員を紹介する．
- **ホームスタート事業**：未就学児がいる家庭に，研修を受けた地域の子育て経験者が訪問する「家庭訪問型子育て支援ボランティア」である．
- **子育てサロン**：NPO法人やボランティア団体が公民館や児童館で，子育て中の親子や妊娠中の母親を対象に，子育ての息抜きや仲間づくりを通して子育ての不安や悩みを相談できる場を提供している．参加費は活動の内容により無料から有料まである．

D. 特別な配慮・支援を必要とする妊産褥婦への援助

1 ● 高年妊産褥婦

　　　　高年妊婦は，加齢に伴う生理的機能の低下から，合併症のほかに胎児の染色体異常を含む先天異常の確率の上昇，流早産，妊娠高血圧症候群，妊娠糖尿病，常位胎盤早期剝離，微弱陣痛などのリスクが高くなる．また，個人差はあるが産後の疲労が蓄積しやすいこと

もあり，産後の回復が遅延しやすい．妊婦の親の高齢化も進んでいる．そこで，妊娠初期から合併症の予防や分娩に向けての準備など，個別の保健指導や相談を行い，妊娠中の不安や困りごとなど産後の支援体制について具体的な支援者とどの程度の支援が得られるかを聴き取る．勤労妊婦には産後の復職の有無を確認し，心理・身体的にも十分休息がとれるように，無理のない産後の支援体制づくりについて具体的に情報提供し，妊娠中から準備しておくよう支援する．自分より若い世代と子育て仲間となることからファミリークラスなどの集団指導の参加を促し交流の機会を設ける．

2 ● 若年妊産褥婦

若年妊娠の一定の定義はないが，ハイリスク妊娠とされているケースの多くは18歳未満である．若年妊娠の多くは意図しない妊娠で，相談できずに受診が遅れたり，未婚の場合も少なくない．また，就学中であれば進路変更を余儀なくされることも多く，経済的にも自立していないことから産後の**生活の不安**が大きい．また，心理・社会的に成長途上にあり，年齢相応の発達課題に加えて親になっていく準備の両立がむずかしい場合もある．産後の育児準備が整わないなどの問題や妊婦の家庭環境が複雑である場合は育児放棄のリスクも高くなる．

不安を抱えた妊婦への身近な相談支援としてアウトリーチやSNSを利用した相談支援がある．不安や金銭面から医療機関受診を躊躇する特定妊婦には，保健師などの看護職者が同行し**受診費用を補助**し，行き場のない若年妊産婦には緊急一時的な居場所を提供する．生活保護世帯の対象となった場合は，所得に応じて指定産科医療機関（助産施設）による分娩費用の自己負担を軽減する**入院助産制度**がある．夫／パートナーおよび妊婦の家族に対しても妊婦健康診査の機会などを活用し個別に健康相談・教育を行うことが重要である．子育てに関するロールモデルや仲間づくりをねらいとして母親学級などへの参加や，同年代の母親のサークルを紹介するなど，孤立した子育てにならないように本人や家族の希望も取り入れ地域の保健師とも連携して産後の支援体制を整えておく．高校在学中の妊婦が就学継続を希望する場合，医学的立場から就学継続に必要な健康管理支援を行う．産後の養育ができない事情がある場合には一時的に乳児院などで児を預かる子育て短期支援事業の情報を提供する．長期的にも本人や家族が養育を希望しない，養育ができない場合は特別養子縁組などを検討する．

3 ● 多胎児の妊産褥婦 （p.126 参照）

多胎妊娠は単胎妊娠に比較して切迫早産，妊娠高血圧症候群，妊娠糖尿病，胎児発育不全などの合併症が多く，産後同時に2人以上の児を育てることへの負担感やイメージがむずかしいことから妊娠中からの不安も大きい．妊娠中から利用できる公的サポートの情報提供や，育児の具体的イメージを助けるためのピアサポートの紹介，家族内で産後の役割分担について話し合いをもち準備できるように支援を行う．産後は2人以上の児と一緒に外出することが困難なことから日中は自宅にこもり孤立した育児になりやすい．そのため，退院後に新生児訪問などの訪問事業へつなげ，その後も地域で継続的に支援が受けられるように保健師と連携する．訪問や健診などの機会に再度，産後に利用できる公的サポート

4 ● 早産後の褥婦 (p.105, 423参照)

早産により児が新生児集中治療室（NICU）に入院となった場合，母子の**愛着・絆の形成**においてハイリスクになることがある．母子関係あるいは母親と家族員との関係の形成がスムーズに行えない場合，育児生活におけるサポート不足などの場合，多職種連携のもと継続的な支援を必要とする．

5 ● 不妊治療後の妊産褥婦

不妊治療を受けている女性は妊娠することが目標となり，妊娠成立後，これまでの不妊治療のつらかった体験，周囲からの今度こそはというプレッシャー，また「流産するのではないか」という不安，妊娠に対する期待，思いもよらないマイナートラブルなどの妊娠に伴うさまざまな心理・身体的変化を受容できないまま，気持ちが取り残されてしまいがちである．また，妊婦の関心は妊娠継続や無事に出産することに向けられることが多く，出産後の子どものいる生活のイメージがもてず育児準備が進まないなど，親になっていく過程が遅れることもある．**続発性不妊**の場合は，前回の妊娠分娩経過や上の児と比較しがちである．

したがって，個別に支援する機会を設け，気持ちの表出がしやすいように傾聴し，分娩産褥に向け必要な準備が進むようにファミリークラスなどの参加を促し，産後の支援体制についても確認し支援する．産後はバースレビューにより，褥婦が分娩体験を整理し，経験した分娩の意味をよく（適切に）理解することを支援する機会をもつ．

6 ● 社会・経済的問題を抱える妊産褥婦

父親が確定されない妊娠やパートナーが胎児を認知しないケースなどは，妊娠の受容が進まないなど心理的なリスクがある．次項で述べるように妊婦健康診査の未受診や滞る場合には，身体的にもリスクを抱えることになる．再婚どうしのカップル，いわゆるステップファミリーの場合は家族内の役割を再調整する必要があり，調整の過程がメンタルヘルスの問題にもつながることもあり，虐待のリスクとなることもある．また，ひとり親家庭，経済的に困窮している家庭は，社会的ハイリスクとなりやすく，不安にもなりやすい．これらのケースは必要に応じて，特定妊婦として妊娠中から保健師やメディカルソーシャルワーカーなどと連携する．

7 ● 妊婦健康診査の未受診妊婦や受診が滞りがちの妊産褥婦

妊娠確認の受診が遅れ母子健康手帳交付が妊娠末期となる場合，妊婦健康診査の受診が滞りがちの場合，さらには未受診のまま出産に至る（いわゆる飛込産）場合は，分娩時に必要な情報（感染症や児の発育や母児の異常など）が不足しているため，母児ともに**ハイリスク**となることが多い．これらのケースについては，受診時や分娩入院時などの機会に，妊婦健康診査を定期的に受診しなかった理由を確認する．知識不足や経済的問題，妊娠を受容できない，精神疾患，DVなどが背景にある場合は，それらの問題を解決する支援が

必要となる．また，妊婦健康診査の受診が滞りがちな妊婦が受診した際には，不定期受診を責めるのではなく，現在の妊婦と胎児の健康状態の説明，日常生活での注意点や異常の前兆，次の受診のタイミングなど，妊婦とその家族が対処できることについて機を逃さず必要な説明や情報提供を行う．妊婦健康診査の未受診は虐待リスクでもあるため，出産後の母子のかかわりの状況を注意深く観察し関係性についてアセスメントする．

8 ● 在留外国人など異なる文化的背景をもつ妊産褥婦

出産・育児に対する考えは国や地域の文化や宗教によって影響を受ける．医学的問題がなければ，出産・育児において母親や家族が大切にしている**文化**や**慣習**を尊重した支援を行う．日本と異なる文化的背景をもつ母親のなかには，日本での出産・育児に戸惑いや困難感をもつことも予測される．言葉の壁があるとさらに深刻であるため，必要に応じて**医療通訳**を利用する．母子健康手帳交付など妊娠に関する手続きの流れ，妊婦健康診査の助成制度，定期的な妊婦健康診査の必要性を説明し，異常の早期発見につなげる．母国から離れて身近な人の支援が得られない状況で，**孤立**した育児になりやすいため，育児期のサポートが得られるかについても把握し，市区町村の相談窓口を紹介する．

9 ● 精神障害を有している妊産褥婦 （p.325 参照）

精神障害合併妊婦や**精神疾患既往のある妊婦**などは，妊娠中から産後の経過で悪化や再燃することが多くの研究結果[2-4]で指摘されている．正常経過の妊婦と同様に正常からの逸脱の有無の把握と，妊娠中の精神症状，夫／パートナーとの関係，家族の支援状況，養育環境の準備状況などをアセスメントし，支援が必要であれば地域の保健師へつなぐ．産後の**自殺**の背景にはうつ病や統合失調症などの既往があるため，産後（退院後）も精神科医をはじめとする多職種が連携し継続的に支援する．児童を養育する環境が整わない，児の生命に危険を及ぼす可能性があるなどの場合には，特定妊婦として児童福祉法による要保護児童対策地域協議会での支援を行う．

精神疾患の治療薬については，病状と妊娠・胎児・乳汁への影響を総合して服薬量の調整や薬剤の変更，休薬などが決められる．妊婦の**自己判断による服薬中止**なども起こることがあるため妊婦・家族に必要性や児への影響などを説明する．

10 ● 継続的に医学的管理が必要な疾患のある妊産褥婦

妊娠高血圧症候群など妊娠中の異常，母親にもともと糖尿病，膠原病，腎疾患などの慢性疾患がある場合は，疾患そのものが妊娠・分娩経過に影響を及ぼし，流早産，胎児発育不全，妊娠高血圧症候群，死産，妊産婦死亡のリスクが高くなり，また疾患も悪化しやすい．分娩に至るまで妊婦は**不安**が絶えず，自己判断で休薬することも考えられる．治療薬の自己判断による中断が起こらないよう支援する．妊娠経過中や産後にコントロール不良となったり，悪化する場合もあるため，妊婦のセルフケア能力が向上するように妊娠経過中の努力を認め不安を傾聴し，疾患の定期的な受診が継続できるように**主治医**とも情報共有を行い連携する．妊婦が安心して治療が受けられるよう受診日の調整や産後の連携を行う．疾患については疾患管理している医療機関だけに管理を任せるのでなく，産科の看護

職者も症状観察などを行う．

11 ● 聴覚・視覚・知的活動において健康問題のある妊産褥婦

　障害の程度，生じた時期，期間，障害のある機能をカバーするためのトレーニングの有無，家族などの日常生活の支援者の有無などにより育児において困難になる場面や程度は異なる．とくに聴覚・視覚・知的活動において障害がある場合，新生児・乳児期は子どもの欲求を**読み取る**ことがむずかしい，子どもへの**はたらきかけ**が困難という状況が生じる可能性もある．妊娠期のできるだけ早期から地域の看護職者へつなぎ，多職種・多機関で連携して**住環境**や**道具**，**支援体制**を妊娠中に整えておき，産後は家庭訪問などにより実際の適応状況を確認し調整する．

　退院後は，新生児訪問指導や養育支援訪問事業など**専門職の訪問**に加え，必要時は日常生活の支援も得られるように**社会資源**の情報提供を行う．障害者自立支援法の居宅介護サービスは障害の重さによって沐浴，授乳，児の健康把握の支援，言語発達を促進する視点からの支援，家事などを受けることができる．

- **聴覚障害のある妊産褥婦**：口話や筆談など母親が理解しやすいコミュニケーション方法をとり，説明や健康教育の際には母親の理解を助けることができるパートナーや家族，キーパーソンの同席も考慮するなど本人の意向を取り入れながら，支援を行う．障害の程度にもよるが，児の泣き声や排気など児が発する反応が聞こえにくいことから，児への対応が遅れたり，逆に児の様子を気にするあまりに睡眠不足になったり育児困難感を抱きやすい．児の泣き声を感知して光やバイブレーションで知らせる道具などの紹介を行う．
- **視覚障害のある妊産褥婦**：育児技術の獲得において，視覚からの情報が得られないために模倣が困難であり，その機能をカバーするために聴覚や触覚を用いて理解することが必要である．視覚に代替できる情報を提供し，育児技術が獲得できるまで見守りが必要である．
- **身体障害のある妊産褥婦**：看護職者の過剰な支援により褥婦の経験，習得の機会を失わせないように，これまで日常生活で獲得してきた身体機能を活かして安全に少しずつ育児技術を獲得できるように支援していく．
- **知的障害のある妊産褥婦**：知的障害のある母親は日常生活が自立可能でも，児の反応や要求を理解できない場合やとるべき育児行動がわからない場合，育児が困難になる．母親をサポートできるように妊娠中からパートナーや家族，キーパーソンの同席のもとで健康教育を実施する．母親は特定妊婦，児は要支援児童となる場合もあるため社会資源を利活用した支援体制を妊娠中から整え，児童相談所などとも連携をとっておく．

12 ● 遺伝性疾患を心配する妊産褥婦

　親の遺伝性疾患によって，生まれてくる子どもに遺伝する確率やその児の予後が異なる．染色体異常の多くは家族集団性はない．妊娠中から遺伝性疾患についての正確な情報提供を行い本人とその家族の要望があれば遺伝専門医や遺伝カウンセリングにつなぎ，母親とその家族の意思決定を尊重し，継続的な支援を行う．

E. 事 例

事例① 多胎妊娠のAさん

　Aさんは，現在34歳，妊娠30週．大学卒で会社員．家族構成は夫と2人暮らし．32歳で結婚し，早く子どもが欲しいと思っていたがなかなか妊娠しなかった．不妊治療の末，やっと妊娠した．双胎のため妊娠継続を戸惑ったが，夫に双胎のことを打ち明けるととても喜び育児も手伝うとのことであったため，妊娠を継続することにした．妊娠初期につわりで外来での点滴治療を受けたが，その後の経過は母，胎児の第1子，2子ともに順調であった．産後は里帰り予定で実母が援助してくれる予定である．精神科既往歴はない．

　助産師外来の場面である．Aさんは妊娠26週から産前休業を取得した．妊娠末期ごろから腰痛や動作時の息切れ，腹部の圧迫による不眠などのマイナートラブルが出現し，日中の家事も疲れやすく時間がかかるようになった．産休に入ってすぐに分娩の準備を進めようと思っていたAさんは予想外のことに不安を感じるようになり，表情も暗くなり，しだいに食欲も落ちてきた．夫は比較的協力的であるが，Aさんが頼めば手伝うということであった．Aさんは「夫は仕事だから，産休で自宅にいる自分が家事をしなければならない」と思い，頑張ってやっていた．「会社では責任のある仕事をいくつも任されていたのに…できない自分が情けない．分娩の準備も進んでいない．産休に入って受講しようと思っていた母親学級も受講できていない．今後の妊娠経過はどんなことが起こるのかしら．大丈夫かしら．双子の子育てをこんな私ができるのか考えられない．やっていく自信がない」と，Aさんは流涙しだした．

アセスメントの視点

＃1　多胎妊娠の経過
＃2　双子の母親になっていく過程
＃3　夫/パートナーとの関係性

a. 多胎妊娠の経過

　Aさんは双胎に関連した子宮の急速な増大と胎児の成長により，易疲労性や腰痛，腹部の圧迫による不眠，循環血液量増加による息切れなど身体的変化とマイナートラブルの出現に戸惑い，不安が大きくなったことが考えられる．妊娠30週ごろの場合，双胎の場合では推定体重約1,500 g[5]であり，双胎の場合，子宮自体が負荷となって子宮収縮を起こしやすい．今後妊娠経過に伴い子宮底長の増加率が単胎よりさらに大きくなり，早産の危険性が増すとともに妊娠合併症のリスクも高まる．

b. 母親になっていく過程

　子どもが欲しくて不妊治療を行い，やっとできた子どもであったが，思いがけない双胎児であり戸惑いが認められた．双胎児の妊娠に対して夫が肯定的な反応を示したことから妊娠を受容することができている．産休に入り分娩や産後の準備を始めようとした矢先にマイナートラブルで家事や分娩準備が思うように進まないことを予想外のことであるととらえている．この先の妊娠経過において何が起こるのか，双子育児のロールモデルもなく，

双子の子育てを行うことができるのか，先が見えないことに対して不安が増強していると予測される．

c. 夫／パートナーとの関係性

夫はAさんが双胎妊娠であることをとても喜び，家事の協力も約束していることから，関係性はよいことが考えられる．しかし，「母親は頼めば手伝ってくれる」「夫は仕事だから，自宅にいる自分が仕事をしなければならない」と夫との役割調整は進んでいない状況である．

Aさんの看護課題

#1 双胎妊娠による腹部増大に伴うマイナートラブル（腰痛，動作時息切れ，腹部圧迫による不眠）に対するセルフケア不足
#2 双胎妊娠と双子の育児の見通しの不確かさによる不安
#3 双子を迎える家族間の役割調整準備不足状態

Aさんの看護目標と看護計画

看護目標	看護計画
1. マイナートラブルへの対処ができる	・マイナートラブル・妊娠経過の観察 　現在，生じているマイナートラブルの観察とそれに伴う心理的変化，および今後生じる可能性のあるマイナートラブルの観察を行う．妊娠経過については双胎妊娠の合併症のリスク（切迫早産のリスク，妊娠高血圧症候群，仰臥位低血圧症候群，胎児発育不全など）について，観察する． ・実践可能なマイナートラブルの対処方法を伝える．
2. 双子の育児のイメージができる	・双子の母親となることへの準備における健康相談・教育 　母親が健康で精神的にも落ち着いた状態で分娩を迎えることが胎児を守ることにつながることを伝える．双胎の妊娠経過を理解し，母親になる自己のイメージと分娩準備が進むように個別に健康教育を実施する．看護職者はAさんの頑張りをねぎらい，妊娠によってできなくなったことへの悲嘆作業を促す一方で妊娠の先にある児の誕生や成長発達の喜びも言葉に出してもらうことで，Aさん自身が気持ちに折り合いをつけられるようになっていくことが予測される． 　体調をみながらファミリークラスへの参加を促し，他の妊婦との交流を通してロールモデルとなる妊婦と接触する機会を設ける．また，産後の双子の育児がイメージできるように，多胎妊婦や家族のピアサークルを紹介し，夫と一緒での参加を勧める．
3. 双子を迎える準備および家族間の役割調整が進む	・家族間の役割調整と仕事の調整の提案 　夫は「比較的協力的であるが，Aさんが頼めば手伝う」ことから妻を支える気持ちはあるが，父親としての具体的な役割のイメージができていないことが考えられる．夫に双胎妊娠の身体的負担について情報提供を行い，育児休業制度についての知識を確認する．双胎の場合はとくに周囲の助けを借りることが必要であることを伝え，

（続く）

妊娠中から産後の育児・家事について，夫が分担すること，実母に支援してもらうこと，家族以外の支援を受けることも含め分担・協力体制の見直しと調整を進めるために，話し合う機会をつくる必要がある．産後の職場復帰に関しての希望を聴き，育児休業期間に応じて児の預け先の検討を夫婦で話し合い，先を見据えての行動も必要なことを伝える．

Aさんの看護の実際と評価

　マイナートラブルの対処法を伝え，妊娠経過に伴う身体変化に適応できるよう個別の保健指導を行い，産科で行っているファミリークラスの夫婦での参加を勧めた．Aさんがクラスへの参加を通して，経産婦からの妊娠出産体験や同じ時期に出産する母親の話を聴き，妊娠の受け止めの変化や，双子の育児に対する思いに変化がみられたか，夫へ家事の依頼，出産への準備を進めるなど，母親となっていく過程が進みつつあるかを評価する．夫も一緒にクラスに参加することで，妊娠に伴う妻の変化を理解し，家事も率先して行うなどの行動変容がみられるか，夫婦で育児用品や産後の準備を考える時間がもてるようになったか，父親になる過程，家族間の役割調整が進んでいるかを確認する．今後も多胎妊娠に伴うマイナートラブルの予防や軽減への援助，母親になる過程への援助だけでなく，家族間の役割調整も早めにできるよう援助していく．妊娠中に精神面への対応をカンファレンスで検討し，地区担当の保健師と顔の見える関係構築のために妊婦健康診査時に面会することになった．Aさんは「母たちが手伝ってくれる予定ですが，専門的なことがわかっている保健師さんとつながれて心強いです」と安心した様子であった．紹介した地域の双子の親の会にも夫婦で参加し，双子の子育てのコツやよい点・大変な点も聞いた．分娩の準備も済んで双胎の妊娠経過も理解できたことで心理的に落ち着きを取り戻し，食欲も出て表情も明るくなった．退院後は双子の育児のペースがつかめるまで助産所での産後ケアを利用することになり，その後，自宅に戻ったあとは新生児訪問を受けることができるように手続きについて情報提供した．

　仕事に関しては夫婦で話し合いAさんは，現時点で1年間の育児休業を取得予定とし，夫も育児休業を取得する予定である．実母や実父，義母の支援が得られるように調整ができた．夫や実母などの身近な人のソーシャルサポートが得られることが強みである．

事例❷ 早産のBさん

　Bさんは37歳．専業主婦．家族構成は夫と1歳半の女児の3人暮らし．今回の妊娠経過は問題なく経過していた．妊娠30週ごろから腹部緊満感がみられ子宮収縮抑制薬の内服が開始されたが，症状が増悪し妊娠33週4日に切迫早産の診断で入院した．Bさんの入院中，第1子の世話は夫と近くに住む実父母が行っていた．妊娠34週3日に前期破水が起こり子宮収縮が治まらず経腟分娩で2,200gの男児を出産した．児はアプガースコア7点，5分後9点で，自発呼吸はあったが低出生体重児と早産のためNICUに収容された．児は，鼻翼呼吸と多呼吸のために酸素投与され，低血糖と哺乳力が弱いことに関しては，末梢からの点滴が開始された．その後児は努力呼吸も消失し，呼吸状態も安定し改善がみられ，酸素投与は中止となった．Bさんの分娩時出血や産褥経過は問題なく，その後の子宮復古状態，乳房状態，乳汁分泌状態は産褥日数に応じた変化である．
　産褥1日目，Bさんが同じ院内にあるNICUで児に面会した場面である．児の面会時の様子を産科看護師が尋ねると「私のせいで早く産んでしまった．ちゃんと成長するのでしょうか」「おいてきた上の子どものことも心配だから，赤ちゃんも連れて早く帰りたいけれど，そんな状態ではない」「赤ちゃんはいつになったら退院できるのかしら」と落ち着かない様子で矢継ぎ早に質問した．

アセスメントの視点

#1　産褥経過
#2　早産となったことへの思い
#3　母子分離状態にある母子関係
#4　サポート体制

a. 産褥経過
　身体面の産褥経過は異常がなかったが，母児分離のために児からの乳頭への刺激がないため，子宮復古状態や母乳分泌状態に影響を及ぼす可能性がある．

b. 早産になったことへの思い
　早く出産してしまったこと，NICUに入院した児の状態しだいでは過度の自責の念を抱き，抑うつ状態となる可能性がある．母親の思いを傾聴し，表出できるように支援し，精神面の評価も行う．

c. 母子分離状態にある母子関係
　児は同じ院内のNICUに入院しており，母子は分離状態である．Bさんは分娩後，NICU入院中の児に面会に行っていることから児に対する思いがあることはうかがえる．

d. サポート体制
　思いもよらない突然の入院で心の準備も十分できないまま破水し早産で分娩になったため，夫や家族への負担，上の子どもの世話など心配事も多くなる．また，入院中の家事や子どもの世話など，役割調整ができずに入院となったことも考えられる．発言から，自宅にいる第1子の様子や出生した児の成長の見通しや児の退院時期がわからず不安でいっぱいであることが推測される．

Bさんの看護課題

#1 過度の自責の念による早産に対する自責感の可能性
#2 母子分離による母子の絆形成の遅延の可能性
#3 今後の見通しが立たないことによる不安

Bさんの看護目標と看護計画

看護目標	看護計画
1. 早産に関する気持ちや子どもに対する気持ちを率直に表出できる	・分娩の振り返りや児に対しての思いを傾聴する 　母子分離状態と早産になったことへの自責の念から，児への面会が苦痛とならないように，看護職はバースレビューを行う．Bさんも児も分娩を頑張れたこと，経腟分娩で最善を尽くせたことを伝え，Bさんの分娩の振り返りと児への思いを傾聴し，感情の表出ができるような場を設ける．児を心配することは愛情があればこそであり，強みである．
2. 子どもとのかかわりを通してわが子の経過および育児に必要な知識・技術を理解できる	・Bさんが新しい家族としてわが子を迎え入れることができるように，母親の理解度に合わせて新生児に関する情報共有を行う．児との面会時間・かかわりをNICUのスタッフと調整し，育児への参加を支援する 　NICUでの児とのかかわりを増やし，児の状況によって抱っこやオムツ交換や授乳などを通し，母子関係確立に向けた支援を進める．児の日々の成長発達をともに感じとれるように1日のエピソードを伝える．母子分離により出生した児への絆が薄れないよう面会の頻度と次回面会の日時を聞き，授乳や育児に参加できるように調整する．
3. 産後の生活と育児に関する見通しを立てることができる	・帰宅後のサポート体制を確認し，児とBさんの状況に応じて必要時は支援が得られるように準備を行う 　今後のBさんの産褥経過と児の経過の見通しを伝え，不安を傾聴し，産後のサポートについても得られるかを把握しておく．BさんはNICUで治療が必要な児より先に退院するため，Bさんの退院のタイミングで退院支援カンファレンスを行い，サポート体制について情報を多職種で共有しておく．

Bさんの看護の実際と評価

　産科の看護師は分娩の振り返りと児に対しての思いを傾聴した．Bさんは「早産で生まれたのはしかたないが，元気に生まれてくれてよかった．帰ったら上の子の世話で大変になるので，入院している間はこの子にできるだけのことをしたい」と話した．産科の看護師はBさんがNICUに行きやすいようにNICUの看護師と連絡をとり，NICUへ案内した．NICUの看護師はBさんが面会に来た時に児へのタッチングや声かけができるようかかわった．また産科看護師は搾乳を行い，面会の際にNICUに持参するよう促した．その結果，BさんはNICUに面会に行くのが日課になっていた．抱っこやオムツ交換など育児に

積極的に参加するようになり,部屋に帰ってからは産科看護師に教わった搾乳を積極的に行った.児の成長は順調で,面会時はBさんが直接授乳をし,児も少しずつ上手に吸啜できるようになっていった.退院の日,Bさんは「いつこの子が帰ってきてもいいように,一足先に帰って夫と家や育児用品を整えて,準備万端でこの子を迎えたいです」と笑顔で話された.

　分娩の振り返りと児に対しての思いを傾聴したことで,Bさんは感情の一部を表出できたのではないかと思われる.Bさんは産褥経過も順調で,搾乳を届けたり,直接授乳をすることで母子の愛着・絆の形成が進んだのではないだろうか.Bさんは実母の支援が得られるが高齢であることや,第1子にも手がかかり,児のNICU入院中は1日おきに母乳を届けに面会に行くことから,日中しばらくは第1子を保育園に預けたいとの希望があった.退院カンファレンスで退院後のサポート体制について話し合い,保健師と保育園が連携し,日中は第1子を保育園に預けることになった.夫からも「早めに帰宅し家事をする」などの発言が聞かれ,児の退院に備えた支援体制が得られたことで自立して子育てに臨めるのではないかと思われる.児の面会の際に母乳外来も受診してもらい,乳房ケアを行うとともに引き続き経過をみていく.

学習課題

1. 子育てについて相談できる窓口を自分の住む自治体のホームページで見てみよう
2. 低出生体重児の子育ての支援のための連携・協働について整理してみよう
3. 多胎サークルが具体的にどのような活動をしているか調べてみよう

引用文献

1) Brockington IF, Oates J, George S, et al:A screening Questionnarie for mother-infant bonding disorders. Archives of Women's Mental Health **3**:133-140,2001
2) Beck CT:A meta-analysis of predictors of postpartum depression. Nurs Res **45**:297-303,1996
3) Wilson LM, Reid AJ, Midmer DK, et al:Antenatal psychosocial factors associated with adverse postpartum family outcomes. CMAJ **154**(6):785-799,1996
4) Munk-Olsen T, Laursen TM, Mendelson T, et al:Risks and predictors of readmission for a mental disorder during the postpartum period. Arch Gen Psychiatry **66**:189-195,2009
5) 「胎児推定体重」保健指導マニュアル作成グループ:「推定体重と胎児発育曲線」保健指導マニュアル(平成24年3月),〔https://www.jsog.or.jp/public/shusanki/taiji_taiju_hatsuiku_201203.pdf〕(最終確認:2021年9月24日)

第Ⅵ章 新生児の看護

学習目標

1. 新生児の子宮外生活への適応過程を中心とする生理的特徴を理解する
2. 新生児が円滑に子宮外生活に適応することを促す基本的な看護を理解する
3. 新生児における正常な発達状況を理解する
4. 母子の関係形成を含め，新生児の正常な発達を促す基本的な看護を理解する
5. 新生児の主な正常からの逸脱状態について理解する
6. 新生児に生じやすい事故と防止策を理解する

1 新生児とは

> **この節で学ぶこと**
> 1. 新生児の定義を述べることができる
> 2. 新生児の分類とその基準を述べることができる
> 3. 新生児の子宮外生活適応を中心とする生理的特徴について理解する

A. 新生児への看護の視点

　新生児は，子宮という守られた環境から，出産という大きなストレスを経て外界に出てくる．そして，出生直後より，子宮内では行っていなかった呼吸，体温保持，栄養摂取，代謝などをしなければならない．未熟であり自らの能力でできることは限られており，その脆弱性から死に至ることもある．「正常な新生児」であることは，結果論である．たまたま出生直後の蘇生が不要で，その後，順調に子宮外生活に適応したときにいえることである．一方，未熟であることは，限りない可能性がある存在であるともいえる．適切なケアを受けることで子宮外生活に適応し，成長が促される．また，新生児の入院中は親に代行して看護職者が新生児の援助をする機会も多いが，親と同様に愛情をもって新生児の反応を受け止めつつ援助することが重要である．さらに，ヒトの子は短期間では1人で生きていける存在にはなれない．迎え入れる家族の適応も促すよう，**家族中心の看護**（ファミリーセンタードケア，family-centered care：**FCC**）（p.419参照）が必要となる．新生児を養育する親が力を発揮できるように支援することが基本である．

B. 新生児の定義

　新生児とは，出生から妊娠・分娩の影響が消失し，子宮外の生活への生理的適応過程が終了するまでの期間の児である．この期間とは具体的には，WHOによって，日齢28未満を新生児期としている．そのうち日齢7未満を**早期新生児期**，日齢7以降28未満を**後期新生児期**という．早期新生児死亡は22週以降の死産と合算し周産期死亡として扱われる．周産期は，①妊娠・出産の影響を強く受ける，②子宮外生活適応のため大きな変化が生ずる，という理由から，正常から逸脱しやすく死亡率も高いハイリスクな期間である．そのため，新生児期のなかでもとくに早期新生児期は着目される期間である．

C. 新生児の分類

新生児は，前述のように出生後の期間によってひとくくりにされるが，体重や在胎週数によって，必要とする医療/看護は大きく異なる．そのため，いくつかの方法で基準を定め分類している．

1 ● 妊娠期間による分類

妊娠期間（在胎週数）によって，発育・発達が大きく影響を受けるため，妊娠期間を基準として，以下のように分類されている（p.28～31の表I-7参照）．

① 早産児　　　　妊娠22週0日～妊娠36週6日に出生した児
 ・超早産児　　　妊娠22週0日～妊娠27週6日に出生した児
 ・後期早産児　　妊娠34週0日～妊娠36週6日に出生した児
② 正期産児　　　妊娠37週0日～妊娠41週6日に出生した児
③ 過期産児　　　妊娠42週0日以降に出生した児

2 ● 出生体重による分類

新生児医療の進歩とともに新生児の救命の可能性が広がり，出生体重はさまざまな新生児期のケアの基準となるため，重要な分類基準の1つである．以下のように分類されている低出生体重児については4節参照（p.423参照）．

① 低出生体重児　　　出生体重2,500 g未満の児
 ・極低出生体重児　　出生体重1,500 g未満の児
 ・超低出生体重児　　出生体重1,000 g未満の児
② 巨大児（通称）　　出生体重4,000 g以上の児
 ・超巨大児　　　　　出生体重4,500 g以上の児

3 ● 妊娠期間と出生体重による分類

妊娠週数が経過するにつれて，胎児の大きさには個体差が出てくる．それは，母体/子宮環境に影響されている場合と胎児自身の健康状態に影響されている場合とがある．在胎週数に対して，非常に小さい場合，逆に非常に大きい場合は，ともに，在胎週数相当に成長している児と比べてリスクを有している．また，当然，その理由はそれぞれに異なり，看護の留意点も異なる．そのため，妊娠期間（在胎週数）別標準体重と出生体重を比較した分類も用いられている[1]．

① **SFD児**（small for dates infant）
　妊娠期間（在胎週数）に比べ，身長も体重も小さい（10パーセンタイル未満の）児
② **不当軽量児**（light for dates infant）
　妊娠期間（在胎週数）に比べ，体重が軽い（10パーセンタイル未満の）児

③**AFD児**(appropriate for dates infant)
妊娠期間(在胎週数)に相応する,身長・体重の児

④**不当重量児**(heavy for dates infant)
妊娠期間(在胎週数)に比べ,体重が重い(90パーセンタイル以上の)児

⑤**large for dates児**(large for dates infant)
妊娠期間(在胎週数)に比べ,身長も体重も大きい(90パーセンタイル以上の)児

D. 新生児の生理的特徴

1 ● 新生児の呼吸の適応と特徴 (p.399参照)

a. 出生直後の呼吸の適応

肺呼吸の開始/確立は,子宮内生活から子宮外生活へのもっとも大きな変化の1つである.胎生24週ごろには,肺の構造はおおむね完成する.さらに,32週ごろより**肺のⅡ型細胞でサーファクタント**(p.48の表Ⅰ-16参照)の生成が増加し,肺呼吸が可能になってくる.胎内にいる間は,肺は肺水で満たされているが,出生により肺に酸素を含む空気が流入すると,肺胞が膨らみ,肺水が肺胞から吸収される.

出生時に呼吸が開始されるために,分娩時にはさまざまな刺激が加わっている.刺激のなかには,出生後の臍帯血流の停止などによる酸素分圧の低下,二酸化炭素分圧の上昇ならびに,寒冷刺激や皮膚への機械的刺激がある.とくに経腟分娩においては,子宮収縮によりカテコラミンの生成が促され,その作用によって肺液の分泌が抑制されるとともに吸収が促されるほか,産道通過時の胸郭の圧迫による肺水の排出と圧迫解除時による空気の流入が呼吸開始を助ける.

出生児のはじめての呼吸を第1呼吸(初発呼吸)と称し,吸気から始まる.産声は第1啼泣であり,多くは第1呼吸(吸気)の後の呼気である.声門を閉じることで,呼気に陽圧を加え,より均一に肺を開く(図Ⅵ-1).

b. 呼吸の特徴

(1) 呼吸数

新生児の呼吸数は1分間に40回前後である.1分間に60回以上は**多呼吸**である.また,20秒以上の呼吸停止,または20秒未満でも徐脈やチアノーゼを伴うものを**無呼吸発作**という.一方,20秒間に3秒以上の呼吸停止が3回以上みられるものは**周期性呼吸**と定義されている.新生児は規則的な呼吸をしていることはまれであり,周期性呼吸は病的所見とはいえない.

(2) 呼吸の生理的特徴

新生児の呼吸の特徴として,まず,新生児は**鼻呼吸**が主であるため,気道抵抗が高いうえ,分泌物などで閉塞をきたしやすい.加えて掛け物などが鼻を塞いだ場合,運動機能が未熟であるため自力でそれを取り除くことができない.

次に,**横隔膜優位**の呼吸であり,腹部臓器の影響を受けやすい.すなわち,哺乳などで

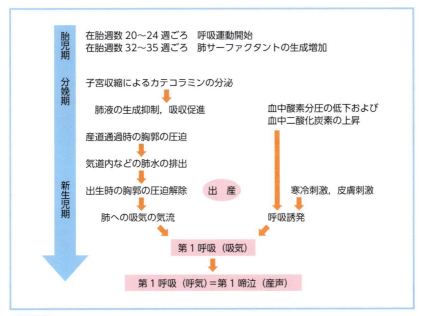

図Ⅵ-1 第1呼吸の機序

腹部膨満が生じた場合や着衣で腹部を締めつけることなどでも影響を受けてしまう．

そして新生児は，体表面積に対する肺の呼吸面積が成人に比べて小さい．また，出生により肺呼吸が突然に始まったばかりであり，呼吸中枢も未熟である．以上のような特徴から，きわめて余力が少なく，呼吸困難，呼吸障害に陥りやすい（p.399参照）．

さらに，呼吸障害という症状は出生時の適応障害としても認められるが，そのほかに，心疾患，感染症，神経疾患，代謝疾患などさまざまな疾患によっても認められることが重要である．一方，呼吸適応が遅延すれば，循環器系の適応にも影響する．

2● 新生児の循環・血液の適応と特徴

a. 胎児循環から新生児循環，成人循環への移行（図Ⅵ-2）

胎児期は，胎盤によってガス交換，栄養の供給が行われている（p.13参照）．**胎児循環**においては肺呼吸は行われていないため，肺血管抵抗が高く肺血流量は少ない．そして，

> **コラム**
>
> **肺サーファクタント**
>
> 　肺サーファクタントは，脂質とタンパク質からなる界面活性物質である．界面活性物質とは，石けんのようなもので，通常混じり合わない水と油を混ぜ合わせるはたらきがある．肺水で満たされた肺に空気が流入した際に，液体である肺水の表面張力を弱め，再度肺胞が虚脱（収縮）してしまうのを防ぐ役割がある．通常15 cmH$_2$Oで行える吸気が，初発呼吸時には50〜60 cmH$_2$O必要だといわれている．肺胞の再虚脱が生ずると，それだけの力が引き続き必要になってしまう．また，呼気時の呻吟（「ウー」といううなるようなうめき声）は，呼気に陽圧がかかるため肺胞の虚脱を防ぐ効果がある．

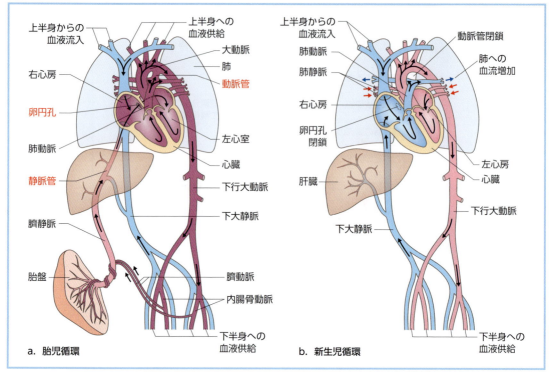

図Ⅵ-2 胎児循環と新生児循環

a：胎児の組織や細胞に運ばれる血液は，酸素濃度の高い血液と低い血液の混合血である．この図では混合血の流れる血管を紫色で示す．
b：新生児が酸素を取り入れられるように，出生後に新生児循環がただちに始まらなくてはならない．新生児循環に混合血はもはや存在しない．血管には酸素濃度の高い血液(赤色)か低い血液(青色)のどちらかがある．
[菊池圭子, 望月明見, 成田　伸訳：みえる生命誕生, p201, 南江堂, 2013を参考に作成]

　成人にはない**動脈管（ボタロー管）**，**静脈管（アランティウス管）**，**卵円孔**という短絡路を有していることが特徴である．また，胎盤での母体動脈血からのガス交換のため，動脈血といっても成人ほどの酸素飽和度はなく，さらに短絡路によって混入されるため，基本的には動脈血と静脈血が混入して全身をめぐっている．その条件下で，より酸素化された血液が脳に供給されている．

　胎盤でガス交換が行われた動脈血は，臍静脈を通って胎児に流入する．静脈管が臍静脈と下大静脈を連絡し，一部肝臓を経由して下大静脈から右心房に流れる．右心房と左心房の間には卵円孔が開存しており，大部分は直接左心房に流れ込む．右心房から右心室に流れた血液も肺動脈と大動脈を連絡する動脈管を経由して大部分は大動脈に流れ，全身へと供給される．老廃物や二酸化炭素をより多く含む静脈血は，臍動脈を通って胎盤に送られる．

　出生後，第1呼吸が開始されると，肺胞が拡張し，肺液が肺胞から吸収され，肺の血管は拡張し，肺血管抵抗が減弱し，肺血流量が増加する．そのため右心圧が低下し左心圧との圧勾配が逆転し，左心房側に開いている卵円孔はその蓋を閉じるように機能的閉鎖が起こる．また出生により，臍帯の動脈および静脈は収縮し，機能的に閉鎖して血行が停止し，

結紮される.肺呼吸の開始により動脈血酸素分圧が上昇し,その作用により動脈管は機能的に閉鎖する.この状態が**新生児循環**である.

いずれも,機能的な閉鎖であり,解剖学的（器質的）な閉鎖までには数週間〜数ヵ月を要する.その間,酸素化が遅延し肺血管抵抗が上昇したり,酸素化されない血液が動脈を流れることにより卵円孔や動脈管が開存することもある.

b. 血液の特徴

胎児期は,低酸素の子宮内生活に適応するためヘモグロビン（Hb）値が高く,臍帯血では,ヘモグロビン値約17 g/dL,ヘマトクリット（Ht）値約55%である.また胎児ヘモグロビン（HbF）という,成人型ヘモグロビンとは酸素解離曲線が異なり,比較的低酸素でも酸素と融合し,さらに低酸素状態で脱酸素するヘモグロビンを有している.

HbFは低酸素状態では有効であるが,肺呼吸が開始したあとは不要であり不都合でもある.したがって,HbFは出生後急速に破壊が進み,しだいに成人型の割合が多くなる.全体としてHb値は生後2ヵ月で最低値となる.

そしてHb値が高い状態であることは,相対的には酸化Hbと還元Hbの割合は正常であっても,還元Hbの絶対値が高くなることになる.そのために,正常でも,爪床などの末梢にチアノーゼがみられることがある.

また,新生児期の多血および貧血の基準は異なる.新生児における多血症とは,Ht値65%以上,Hb値22 g/dL以上と定義されている.多血症は,糖尿病母体児や胎児発育不全児に認められ,呼吸障害などさまざまな症状を呈する.貧血について通常,新生児期ではHb値が13.0 g/dL未満を目安としている.貧血の原因としては双胎間輸血症候群や溶血性疾患などがあり,頻脈や多呼吸などの症状を呈する.

3 ● 新生児の体温調節の特徴と適応状態

a. 体温調節の特徴

新生児の体温は37℃前後で成人よりやや高い.成人と同様に,寒ければ熱を産生し,暑ければ皮膚の血管を拡張して汗を出し,熱を発散させて調節する.しかし,新生児は成人に比べて体温調節能力が未熟であるため,環境温度に影響されやすい.

新生児の熱産生は主として**褐色脂肪組織**にある褐色脂肪細胞で脂肪酸と糖を代謝することで生ずる.寒冷刺激が加わっても（寒さにさらされても）,成人のように不随意な筋肉の運動（ふるえ）による熱産生は生じない.また,動きもそれほど活発ではないため,随意筋の運動に伴う熱産生も期待できないうえ,哺乳量が少ない間は基礎代謝も低く,熱産生が少ない.さらに,新生児は成人に比べて体重あたりの体表面積が大きく,熱の喪失も大きくなる.これらより,新生児とくに出生直後は低体温に陥りやすい.

b. 体温低下の影響

環境温度が高くても低くても,新生児はある程度の体温を維持しようと,熱放出や熱産生を行う.そのために,環境温度が高いときや低いときは,酸素消費量が増加する.

とくに,新生児が低温度環境にさらされていると,新生児寒冷障害として,血管収縮からくる代謝性アシドーシス（p.184参照）が生じ,一方,肺動脈収縮による低酸素症に至り,さらにアシドーシスが悪化するという悪循環に陥る（**図Ⅵ-3**）.また,寒冷刺激によ

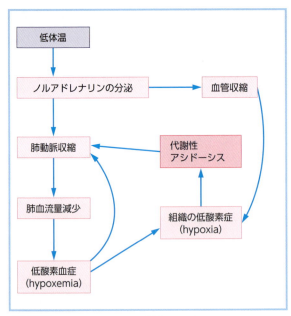

図Ⅵ-3 低体温に伴う代謝性アシドーシス
[仁志田博司:新生児学入門, 第5版, p.130, 医学書院, 2018より引用]

る熱産生のために血糖も消費され，低血糖になりやすい．低体温が続くことは，循環器系の適応や体重発育にも影響が出るといわれている．そして重度の低体温は死に至る．低体温になると，皮膚の冷感，四肢の浮腫，哺乳力低下，傾眠傾向，顔面紅潮などの症状が現れる．

4 ● 新生児の栄養・代謝の特徴と適応状態

a. 消化器系の解剖機能的特徴

(1) 胃・消化管の特徴

新生児の胃の形状は，成人と異なり，球形またはとっくり型である．さらに，噴門部括約筋が未発達であることから，排気として空気が出やすい構造となっている（図Ⅵ-4）．それは，同時に嘔吐・溢乳*しやすいということでもある．また，胃の容量は出生直後には4〜7 mL程度である．胃の容量はその後3日目ころ22〜27 mL，1週間で45〜60 mLと，生後急速に増加するが，出生直後から大量のミルクを摂取することはできない．さらに，新生児の胃を固定している靱帯は生後2〜3ヵ月ころまで緩いため，胃の軸捻転が起こりやすい．とくに仰臥位で生じやすく，軸捻転が起こると空気が排出されづらくなり，腹部膨満の原因となる．

胎児期には吸啜運動や嚥下運動が認められるが，腸管の蠕動運動は，通常認められない．

---

*溢乳：口角から少量流れるように排出される場合を指し，嘔吐と表現するときは急激に中等量以上の吐乳が排出される場合である．溢乳は生理的かつ正常範囲と考えられる．ただし，溢乳の場合は静かに排出されるので，吐乳跡（枕や服にミルク様のものが付着していること）で気づくことも多く，嘔吐の瞬間を見逃すと判別は困難かもしれないが，ごく少量の吐乳跡の場合は，溢乳と判断することが多い．

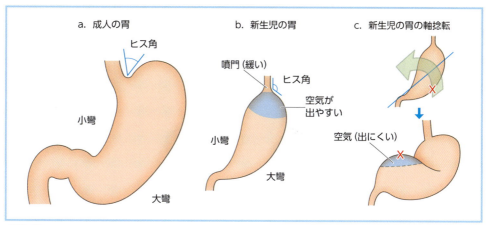

図Ⅵ-4 新生児の胃の形状
c：胃の長軸（organoaxial）に沿って矢印の方向に捻転すると，大彎の部分（×印）が小彎部に折れ曲がるため，空気がそこに滞り，噴門から出にくくなる．
[c：仁志田博司：胃の軸捻転．新生児学入門，第5版，p.264，医学書院，2018を参考に作成]

表Ⅵ-1 新生児の栄養・代謝の特徴

糖質	唾液中や膵液に含まれるアミラーゼにより，二糖類にまで分解され，小腸brush borderの酵素により単糖類へと分解され吸収される．ただし，膵アミラーゼの活性は低く，母乳に含まれるアミラーゼが大きく貢献している．
タンパク質	胃内でペプシンによってポリペプチドとなり，小腸でさらに分解され，アミノ酸となり吸収される．ペプシンの分泌も不十分で，さらにその活性に関与する胃酸も不十分である．
脂質	舌リパーゼが中心となり，胃内でトリグリセリドの脂肪酸のエステル結合を加水分解し，小腸でリパーゼの作用を受ける．舌リパーゼは，舌下腺から分泌，胃ではたらき，在胎26週くらいから認められる．ただし，膵リパーゼの活性は低く，年長児の1/100くらいであり，胆汁酸値も低い．したがって，摂取した脂質の10～15％が吸収されずに排泄される．母乳中に含まれる胆汁酸活性化リパーゼ（bile-salt-stimulated lipase：BSSL）が補う．

出生後，蠕動運動が始まり，消化・吸収という活動を行っていく．その適応が遅れたとき「初期嘔吐*」などの症状が認められる．

(2) 栄養・代謝の特徴（表Ⅵ-1）

新生児期は急速に発育する時期であり，そのために必要な栄養を摂取しなければならない．適正な体重増加が，栄養摂取の指標となる．また，新生児においては，血糖値は成人と同様の基準では評価しない．新生児期の血糖値は，40 mg/dL未満（24時間以内），45 mg/dL未満（24時間以降）を低血糖とすることが一般的である．高すぎると脱水などの危険性も生じる．

母乳には，産褥期の看護で記述されているとおり，さまざまな利点がある（p.274参照）．新生児にとっては，とくに，免疫学的作用がある物質が含まれていたり，成分構成

---

*初期嘔吐：日齢0～2ごろに出現する．分娩時に嚥下した羊水などの刺激や噴門機能の未熟性に伴う生理的なものであるが，ときに脱水に至ることもある．

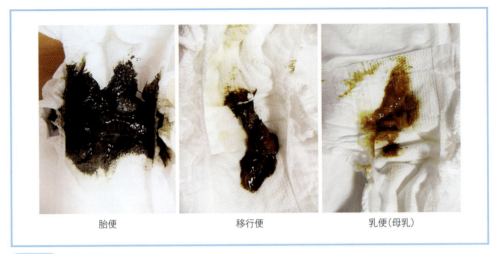

| 胎便 | 移行便 | 乳便（母乳） |

図Ⅵ-5　胎　便

が消化・吸収によいばかりでなく，消化酵素のはたらきをもつ成分も含まれている．しかし，母乳中にはビタミンK含有量が少ないという欠点がある．ビタミンKは凝固因子に関与し，新生児メレナ（p.433参照）の原因として知られている．予防のため，すべての新生児に対し出生後（数回の哺乳により，その確立したことを確かめてから）と生後1週または産科退院時のいずれか早い時期とその後は生後3ヵ月まで週1回，ビタミンK_2シロップ1 mL（2 mg）を滅菌水で10倍に薄め，経口投与する．なお，母親がビタミンKを豊富に含有する食品（納豆など）を摂取すると乳汁中のビタミンK含量は増加するが十分な程度は期待できない（コラム参照）．

(3) 便の特徴

　新生児は生後，腸管の蠕動運動が始まり，90％は24時間以内に初回排便が認められる．
　日齢1〜2までは**胎便**といい，暗緑色で粘稠性の無臭の便が排泄される．その後，褐色ないし緑色の**移行便**となり，日齢4ごろからは**乳便**が排泄されるようになる（図Ⅵ-5）．乳便は，母乳栄養と人工栄養では性質が異なっていることが多い．母乳の場合は黄色が強く，軟便から強軟便で酸性度が高く（pH 4〜5），やや酸っぱいにおいがする．人工栄養の場合は黄〜茶色がかった，やや硬い便で酸性度は低い（pH 6〜7）という特徴がある．酸性度の差は，腸内細菌叢の差によって生ずるものである．また，胎便から移行便，乳便への移行は，乳汁摂取量や1回の排泄量などによってかなり個人差がある．なお，胆道閉

> **コラム**
> **新生児への与薬（経口投与）**
>
> 　新生児に対する経口与薬は，授乳前の空腹時に人工乳に混入させることなくシロップの状態で与える．人工乳などに混入させることで内服量が不確定になったり，味に影響を与えることは避ける．また，人工乳首を使うこともあまり望ましくないので，スポイトなどを用いて与えることを勧める．

鎖症などで胆汁が腸管に排出されていない場合の便は灰白色になる．

b. 水分代謝の特徴

(1) 水分出納の特徴

新生児は体構成成分の70～80％が水分である．体液成分は細胞外液と細胞内液に分かれ，さらに細胞外液は間質液と血管内水分に分かれる．胎内環境においては多量の間質液が必要であるが，胎外環境においては，過剰であることもあって，生後，数日間の水分（栄養）摂取が不十分な期間に，尿や不感蒸泄として排泄される．その際，細胞内液，細胞外液とも急激に変化するとともに，後述の腎機能の未熟さ，内分泌応答の未熟さも相まって，水分摂取のわずかな過不足により，浮腫や脱水（表VI-2）に陥ることになる．

(2) 腎機能の特徴

胎児期から腎機能は発達し，羊水のかなりの部分は胎児の尿によって構成されている．しかし，出生直後は腎血流量も少なく，生理的多血状態も加わり，出生直後の糸球体濾過率は$30\ mL/分/1.73\ m^2$と低い．また，尿細管機能も低く，抗利尿ホルモン（anti-diuretic hormone：ADH）の応答性も不十分である．腎濃縮力が500～700 mOsm/kgと成人の半分程度の能力しかなく，高張尿を産生できない．これは，電解質の排泄のために多量の水分を必要とすることであり，容易に脱水に傾きやすいことを意味している．

生後1週間で腎血流量も倍増し，多血傾向も改善され，本格的に機能することとなり，糸球体濾過率も生後2～3週間で2～3倍となり，1～2歳ごろまでに成人並みとなる．

(3) 尿の特徴

出生後24時間以内は，分娩時のストレスによって分泌されたADHの影響によって乏尿の状態にある．24時間以内には，ほぼ100％の児に排尿が認められるが，1～数回であり，その量は少ないことが多い．0.5 mL/kg/時間以上あれば正常である．

24～72時間は，腎の適応が進み尿量は急速に増加する．72時間以降はほぼ安定して10～15回の排尿が認められ，その量も1～3 mL/kg/時間となる．0.5～1 mL/kg/時間以下は乏尿と定義されている．

新生児の尿は，尿比重が低く1.001～1.021で，色も透明から淡黄色であることが多い．日齢2～3に，一時的に煉瓦色またはオレンジ色の尿が排泄されることがある．これは，

表VI-2　脱水症の程度と臨床症状

	軽症	中等症	重症
体重減少	5％未満	5～10％未満	10％以上
喪失水分量	50 mL/kg	100 mL/kg	150 mL/kg
血圧	正常	正常～低下	低下
尿量	軽度低下	低下	著明に低下
神経症状	正常	傾眠・興奮	昏睡
皮膚ツルゴール	正常	低下	著明に低下
大泉門	平坦	軽度陥没	著明に陥没
粘膜	乾燥	非常に乾燥	著明に乾燥

［溝渕雅巳, 中尾秀人：脱水. 周産期医学37(増)：497, 2007より引用］

含まれていた尿酸塩によるものであり、尿酸（塩）尿という（p.404参照）．

c. 栄養必要量 （p.404 参照）

新生児におけるエネルギー必要量は120 kcal/kg/日であり、母乳、人工乳ともおおむね65 kcal/dLである．水分必要量は150 mL/kg/日であり、母乳、人工乳とも85％程度が水分である．それから算出すると、母乳または人工乳の新生児における必要量は180 mL/kg/日程度となる．

(1) 生理的体重減少

育児支援を受け母乳だけで育てた新生児は、日齢2～3の間（生後48～72時間）に、出生体重の5.5～6.6％の範囲内で体重が減少する（**生理的体重減少**）．日本においてほとんど人工乳の補足をしなかった対象の調査結果における体重減少の推移は、日齢1に約−5％、日齢2には約−7％、日齢3には約−6％であった[2,3]．その後は上昇に転じ1日20～40 g程度の増加を続け、1～2週間程度で出生体重に復帰する．人工乳を補充した場合も同様の経過で減少するが減少率は少ない傾向にある．

その原因は、細胞外液が不感蒸泄や便・尿として排泄される一方、摂取する水分量（哺乳量）が不足しているためである．しかし、胎内では必要とされた間質液が子宮外生活では過剰であるので、ある程度必要な適応的変化と考えられる．したがって、体重減少がないというような状態は正常からの逸脱である．一方、出生体重の10％を超える減少は、一般的に病的な減少とされ、脱水であることが疑われる．

d. ビリルビン代謝の機序

日本では、ほとんどの新生児に可視的**黄疸**（おうだん）が認められる．通常、日齢2～3より黄染（おうせん）が出現し、日齢5～6をピークとし、その後減少し、10日～2週間で消失する．また、その程度として、血清総ビリルビン値が正常範囲を超えていないものを**生理的黄疸**という．この「正常範囲」とは現在、研究が進み、後述の「高ビリルビン血症」の基準を用いて病的か否かを判断している（p.429参照）．

ビリルビンは赤血球の成分であるHbの分解産物である．胎児期は経胎盤的に母体へ移行して処理されている．出生後は自らの力で処理しなければならない．

Hbは、細網内皮系で分解されビリルビンとなり血管内を流れる．その際多くはアルブミンと結合しているが、一部は結合せず遊離ビリルビンとなっている．そして、血中から肝細胞膜キャリアタンパク質の助けを借りて肝細胞内に入り、Yタンパクと結合して肝臓の小胞体に運ばれる．この段階では、**間接（非抱合型）（ほうごう）ビリルビン**とよばれ、脂溶性である．それが、肝細胞内でグルクロン酸転移酵素のはたらきを受けて**グルクロン酸抱合**を受け、水溶性の**直接（抱合型）ビリルビン**となり、胆汁（たんじゅう）とともに排泄される．この一部は尿中に、大部分は便中に排泄される．しかし、このグルクロン酸転移酵素が活性化されるのに生後4～5日かかる．加えて、母体から経胎盤的に移行していたエストロゲンは、このグルクロン酸抱合を阻害する．

また、新生児においては、胎児期の排泄機序の名残である腸管粘膜にあるグルクロン酸分解酵素が活発にはたらいているため、前述のとおりに直接ビリルビンとなり胆汁中に排泄された直接ビリルビンを間接ビリルビンに変え、再吸収する**腸肝循環**が盛んであり、再び、血中および肝臓に戻っていく．すなわち、生理的黄疸の場合に、上昇するのは間接ビ

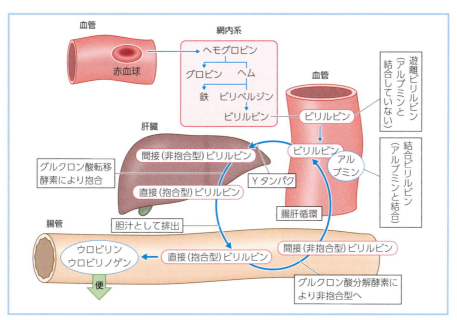

図Ⅵ-6　ビリルビンの代謝経路

リルビンである（**図Ⅵ-6**）．

　さらに，新生児は生理的に多血であるうえ，そのHbはHbFといい，胎内では非常に有用であるが，子宮外生活には不利益になるHbであるため，出生後，急速に破壊が進み，処理しなければならないHbが多くなる．これらの理由から，新生児は生理的に黄疸が出現する（p.375，b．血液の特徴参照）．

E. 新生児の感染防御機能の特徴（p.409参照，妊娠期は経胎盤感染p.44参照）

　新生児は非常に感染しやすい状態にあり，さらに感染すると重篤化しやすい．それは，新生児の感染防御機能（**図Ⅵ-7**）が不完全であるという特徴によるものである．

　まず，液性免疫（γグロブリン）を産生する能力は胎児期から認められるが，子宮内では無菌的な状態にいたことから，抗原刺激がなく，抗体産生能は不十分である．液性免疫のうちIgGは出生時には産生能力が低いが胎盤通過性があり，母体より経胎盤的に移行して一定の濃度を保っているため，母体がすでに罹患して抗体を有していれば，その新生児は麻疹，水痘，風疹などには罹患しないか軽症でとどまる．近年，麻疹などの抗体を有していない出産年齢層の女性が増えており，その場合，抗体の移行はなく，新生児が感染し重篤化する可能性も見逃せない．経胎盤的に移行したIgGは，生後しだいに減少し，生後6ヵ月には消失する．児自身が十分に産生するまでの間，生後3ヵ月ごろがもっとも低くなり，生後1年ぐらいで成人の60％のレベルに達する．さらにIgGの経胎盤的な移行は妊娠末期であるため，早産児の場合はいっそう免疫不全の状態であるといえる．大腸菌などのグラム陰性桿菌の感染予防で重要なIgMや，腸管や気管支粘膜からの細菌の侵入を防ぐIgAは，胎盤を通過しない．ともに出生時は非常に低値である．ただし，IgAは母乳に

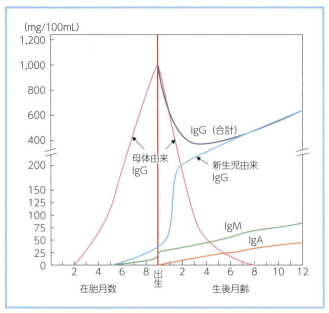

図Ⅵ-7 免疫グロブリン血中濃度の出生前後の変化

[仁志田博司：新生児学入門，第5版，p.325，医学書院，2018より引用]

含まれており，新生児が母乳を飲むことで保護されることになる．一方，IgMは，出生時に高値を示すことがあり，これは，子宮内での感染により自己産生したことを意味する．

　細胞性免疫においても，その機能は全般的に低い．T細胞においては数は成人値とあまり変わらないが，サプレッサーT細胞がヘルパーT細胞より優位にあり，機能的には成人より低く，全般的に抑制されている．また，マクロファージにおいても，細胞数はあるが，その貪食能や走性が成人より低い．

　また，基本的に無菌的な状態にいたため，当然のことながら，常在細菌叢が発達していない．それに加えて免疫能が低いため，成人では問題とならない弱毒菌でも感染しうる．さらに，免疫能が低いことによって，感染した場合，症状が出にくく急激に重篤な状態となりやすい．

　そのほか，皮膚も薄く，少しの刺激でも防御作用が低下しやすい．臍帯のように大きな血管に直接つながっている細菌の侵入口も存在し，新生児の感染予防は重要である．

F. 新生児の発達

1 ● 新生児の身体的発育

　出生直後の新生児の平均的な体格としては，体重3,000 g，身長50 cm，頭囲33 cm，胸囲31 cmである．胸囲より頭囲がやや大きい．また，おおむね4頭身で成人・学童に比べて頭が大きい（**表Ⅵ-3**）．

表Ⅵ-3 出生時の体格の平均

	男児	女児
体重（平成22年）	2.98 kg	2.91 kg
身長（平成22年）	48.7 cm	48.3 cm
胸囲（平成22年）	31.6 cm	31.5 cm
頭囲（平成22年）	33.5 cm	33.1 cm

〔厚生労働省：平成22年乳幼児身体発育調査結果の概要，〔http://www.mhlw.go.jp/stf/houdou/2r9852000001t3so-att/2r9852000001t6du.pdf〕（最終確認：2018年2月26日）より作成〕

2 ● 新生児の神経・運動機能の発達

　新生児の運動は，多くは反射によるものである．そして，新生児の行動は，意識レベル（覚醒状態の評価）と刺激に対する反応で評価される．後述の認知能力と，反射を中心とする反応・行動をもとに，母子相互作用を含む心理・社会的発達を促す援助が提供される．

　新生児は前述のとおり，神経系と運動機能の調整がとれず，筋力も弱いことなどから，小児・成人のような運動がほとんどできない．粗大運動として歩く・座るはもとより，自分自身で頭を支えること，つまり**定頸**も認められない．定頸するようになるには生後3～4ヵ月まで要するため，新生児期に後頸部を支えずに抱き上げると頭部がグラグラしてしまい，頸部および頭蓋内に衝撃を与えることもあるので，しっかり支えることが必要である．腕・背筋などの筋力も弱いため，腹臥位にしても自身で頭を上げたり，頭の向きを変えることは意識的にはできない．微細運動としてものをつかむなどの動作もできないため，顔の上にかかった布を取り除くこともできない．正常であればある程度の筋緊張があり，とくに屈筋のほうが優位にはたらくため，仰臥位で寝かせた場合，上肢はW字型，下肢はM字型の屈曲姿勢をとる．一方，啼泣時などは，上肢・下肢とも激しく上下動することがあり，ケアをする際にケア者の手や物にぶつかったり，さらにはその動きにより思う以上に移動することもある．

　新生児には成人にも共通する反射も認められるが，**原始反射**とよばれる特有の反射が認められる（**表Ⅵ-4**）．これら新生児期に特有の反射は，認められることが重要であり，消失すべき時期（おおむね生後3～4ヵ月ごろから消失し始め，生後6ヵ月までには消失する）に消失することも重要である．

　新生児の行動については，ブラゼルトン（Brazelton）がより客観的に評価できる方法である新生児行動評価法（neonatal behavioral assessment scale：NBAS）を考案している．ある特定の刺激を与えたときの反応を観察し，新生児の行動特性をとらえるものである．この評価には40分程度かかるうえ，相応のトレーニングが必要である．臨床的にこの検査が行われているわけではないが，この評価を正確に行ううえで，新生児の行動が意識レベルと大きく関係することから，ブラゼルトンは，新生児の意識レベルの状態（state）を評価できるよう，深い睡眠から啼泣状態までの6段階に分類しており，この意識レベルの分類が新生児の活動性を観察したり，母子相互作用を図るうえで，利用されている（**表Ⅵ-5**）．

　また新生児は，出生直後は覚醒し，敏活な状態にある．すなわちstate 4～6でいることが多い．その後，新生児は落ち着き睡眠状態に入る．さらに生後4～6時間した後再度，覚醒し始める．

表Ⅵ-4 新生児にみられる反射　　　　　　　　　　　　　　　　　　　▶p.xxiの動画Ⅵ-01〜06参照

反射	特徴
吸啜反射	ものが口に入ると、吸啜運動が生ずる.
ルーティング反射	頬を軽く突くと、刺激の方向を向き、口を開け、そのものを捕捉しようとする.
モロー（Moro）反射	振動や大きな音の刺激によって、生じる. 意図的に反射を確認するときは、仰向けに寝かせ、衣類を脱がせ、後頭部を支えて少し持ち上げた後、突然下げることで生じる. すぐ前のものに全身で抱きつくかのように、いったん手を広げ、両腕を前方に突き上げ、その後、手を握り、両腕は中央に屈曲する. 足も同時に突き上げるような動きがみられる. 意図的に起こす場合は、泣きを伴うことも多い.
把握反射	手掌や指の付け根にものが触れると、指を丸め握ろうとする. これは、足の指にも認められる.
バビンスキー（Babinski）反射	足底を踵側から指先に向けてさすりあげると、足指が大きく広がる.
原始歩行反射	児の腋窩に手を入れて支えて立たせるような姿勢をとらせ、足先を軽く床につけると、歩行するような動作をとる.
緊張性頸反射	仰向けに寝かせた児の頭を一方に向けると、顔が向いたほうの手足は伸展させ、反対側の手足は屈曲する.
ギャラン反射	児を腹臥位にして持ち上げ、脊柱の左右をこすると、こすった側に脊柱が彎曲する.

表Ⅵ-5 新生児の意識レベル　　　　　　　　　　　　　　　　　　　▶p.xxiの動画Ⅵ-07〜12参照

state 1 深い睡眠	state 2 浅い睡眠	state 3 まどろみ
体動もなく、呼吸もゆるやかで規則的. 目を閉じ眼球運動もなく、強い刺激にのみ反応し、目覚めさせるのは困難である.	体動はわずか、目を閉じ急速な眼球運動がある. 刺激に対して時に反応を示し、stateが変わることがある.	体動がわずかにあり、目は開けていたり閉じていたりする. 刺激に対する反応は遅いがstateが変化することがある.

state 4 静かな覚醒	state 5 活発な覚醒	state 6 啼泣
体動は少ないが、ぱっちり目を開け、物や音に注意を向ける.	目を開け、活発に手足を動かす. 刺激に敏感である.	活発に動き、啼泣している.

3 ● 新生児の認知能力の発達

以前，新生児は，見ることもできず，痛みにも鈍感な存在であるとされていた．近年，さまざまな研究が進み，新生児の認知能力はかなり高いことが認められてきた．

a. 視覚

新生児の視力は0.1程度で，約30 cm離れたあたりにもっとも焦点が合い，そのあたりのものを見ることができる．単純な図形より変化のある図形，人間の顔に近いものをより注視する．焦点を合わせ追視するための運動機能の発達には，生後1～2ヵ月を要する．

b. 聴覚

聴覚は胎児期から発達しており，出生直後から音には敏感に反応する．とくにやや高く，誇張したイントネーションで，ゆったりした話し方（motherese［マザリーズ］とよばれる母親に特徴的な話し方）を好む．正期産児では，母親の声に対してほかとは異なる明確な反応を示しているという報告もある．

しかしながら，正常新生児においても，1,000人に1～2人の頻度で聴覚障害が認められると報告されている．難聴においては早期支援が言語発達に効果があるといわれている．そのため，日齢2～4に，自動調整脳幹反応（automated auditory brainsterm：AABR）または耳音響放射（otoacoustic emission：OAE）による**新生児聴覚スクリーニング**を実施する．検査の結果は「パス」か「リファー（要再検）」と判定され，リファーの場合はおおむね生後1週間以内に確認検査を実施し，確認検査でもリファーとなった場合は，遅くとも3ヵ月以内に耳鼻咽喉科で精密検査を行うことが推奨されている．初回検査および確認検査では，OAEよりAABRのほうが望ましいとされている．

c. 嗅覚

嗅覚刺激に対しては出生直後から反応する．成人より敏感であることもある．生後数日すると，母乳を与えられている児は，母親の母乳のにおいをかぎ分けるという．母乳のにおいのほうを向いたり，吸啜反射を示したり，母乳のにおいにより鎮静効果が示されるなどの報告がある．

d. 味覚

甘味など，塩味以外の味覚は発達している．味蕾の数は成人より多い．人工乳を与える可能性がある場合は，経口与薬の際に乳首で与えてはいけないといわれる理由でもある．

e. 皮膚感覚

触覚は胎児期から発達しており，早産児でも触れられることに反応する．新生児におけるさまざまな反射は，この触覚を介して出現することがほとんどである．ハーロー（Harlow）の子ザルの実験でも，子ザルは，針金細工より布製の人形を好むことが明らかにされている．

温度感覚も胎児期から認められ，冷感刺激が出生直後の呼吸開始の刺激となっている．

痛覚は，これまでかなり鈍いとされてきた．新生児室でのさまざまな処置には成人では当然使用する局所麻酔などは使用せず，侵襲のある処置を行うことも多い．しかし，実際には，胎児期から認められ，早産児でも痛みを伴う処置に対しては体を動かしたり，泣くなどの反応を示している．早産児に繰り返し痛みを伴う処置を行うと，成長後も痛みに対する反応や行動学的な問題が残りやすいことが指摘されている．

学習課題

1. 新生児の分類を整理してみよう
2. 新生児の呼吸・循環の子宮外生活への適応過程を整理してみよう
3. 新生児の体温調節の特徴についてまとめてみよう
4. 新生児の代謝の特徴についてまとめてみよう
5. 新生児の反射についてまとめてみよう
6. 新生児の認知的能力についてまとめてみよう

練習問題

Q1 新生児の反応の図を示す．Moro（モロー）反射はどれか．（第109回国家試験，2020年）

1.

2.

3.
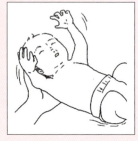

4.

Q2 出生直後の正常新生児に当てはまる特徴はどれか．<u>2つ選べ</u>．

（第108回国家試験，2019年）

1. 生理的に多血である．
2. 腸内細菌叢が定着している．
3. 噴門部の括約筋は発達している．
4. Babinski（バビンスキー）反射がみられる．
5. 胎盤を通じて母体からIgMが移行している．

［解答と解説 ▶ p.551］

引用文献

1) 小川雄之亮, 岩村 透, 栗谷典量ほか：日本人の在胎別出生時体格基準値. 日本新生児学会雑誌 **34**(3)：624-632, 1998
2) ABM臨床指針第3号, 母乳で育てられている健康な正期産新生児の補足のための病院内での診療指針2009年改訂版（2010年4月日本語翻訳）
3) 佐々木くみ子：分娩後入院中の乳児栄養法および新生児の生理に関する考察. 鹿児島大学医学部保健学科紀要 **9**：7-16, 1999

2 新生児の子宮外生活適応のアセスメントと援助

> **この節で学ぶこと**
> 1. 新生児の観察方法と，得られた情報から子宮外生活適応が円滑に経過しているかをアセスメントする視点を学ぶ
> 2. 新生児の子宮外生活適応を促す基本的な援助について学ぶ

A. 新生児のヘルスアセスメントの視点

新生児のヘルスアセスメントを行う際には，新生児が子宮外生活適応に向かって常に変化していることを認識しておく．

〈アセスメントの視点〉
\# 子宮外生活適応は順調か
- 肺呼吸の適応，新生児循環への移行，体温調節
- 栄養・代謝の適応，排泄の適応

\# 全身状態は良好か
- 発育・発達状況
- 分娩外傷・奇形の有無
- 皮膚の状態
- 感染の有無

\# 母子関係の確立過程は順調か

B. 観察内容および方法と留意点

新生児の**子宮外生活適応**のアセスメントのためには，全身の観察が重要である．また，子宮外生活適応過程にあることを十分に考慮し，新生児に過度な負担をかけないように，手早くかつ見落としのない観察が望まれる．また，大人であれば身体に触れるときに必ず声をかけるが，新生児の場合，声をかけてもその意味を理解することができない．したがって，わずかな刺激で変化しやすいものを先に，かつ，身体に刺激を与えるものを後に観察することが原則となる．そのため一般的には，**視診→聴診→触診の順に観察する**ことが望ましいといわれている．

ただし，生後24時間以降の日々の観察では，「分娩期の看護」で示される手順と内容が

少し異なる．もちろん，出生当日では見落としがちな奇形や疾患による反射の減弱なども あるので観察しなくてよいわけではないが，日々の新生児の観察は，日々変化するバイタ ルサインや体重，皮膚の状態を中心とする．反射など神経学的な観察や股関節脱臼の観察 などは，授乳やオムツ交換などのケアの際に観察するなどで日々の観察の時間を短縮する ことができる．また，着衣でいるため，先に全身の皮膚色や姿勢を観察することはできな いなど多少手順が異なる．より児の安静を保ち正確に観察するために，まず，全身の視診 を行いつつ，呼吸の型を観察しながら呼吸数を計測した後，聴診器を当て心拍数を計測し， 併せて心音を観察し，引き続き呼吸音を観察する．必要時，腸音を聴取する．ついで，経 皮ビリルビン濃度測定器を用いて経皮ビリルビン値を計測した後，触診および視診として， 頭部から頸部，胸部，腹部，陰部，四肢，背部の観察の後，体温を測定する．その後，反 射など状況に応じて観察する．非接触型の体温計であれば，呼吸数計測の前に測定する． この一連の手順を Skill 16 （p.469参照）にあげたので参考とされたい．

なお，全身状態の観察の部分は，出生直後の新生児診察（p.215の表Ⅱ-21）を参照する． ただし，前述のとおり，奇形や成熟徴候などについては必要以上に詳細に観察することは， 新生児の負担になるので避ける．

C. 新生児の身体的特徴とフィジカルアセスメント

1 ● 身体計測とアセスメント（p.472 Skill 17，p.473 Skill 18，p.474 Skill 19，p.474 Skill 20 参照）

新生児の出生時の体格の平均は，**表Ⅵ-3**（p.383参照）のとおりである．これらの値は 身体計測で得られる．新生児の発育評価のためこれらの値は重要である．とくに重要なの は出生体重である．新生児に医療が提供される場合，出生体重は重要な基準となる．出生 体重のアセスメントの際は在胎週数との比較は必須である（**図Ⅵ-8**）．また，1つひとつ

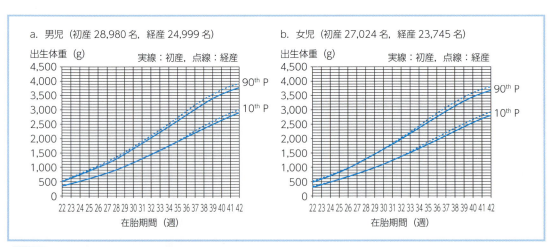

図Ⅵ-8 在胎期間別出生体重標準曲線

[日本小児科学会新生児委員会：新しい在胎期間別出生時体格標準値の導入について．日本小児科学会雑誌114(8)：105-106, 2010より 許諾を得て転載]

の値のほか，バランスも評価する必要がある．
　身体計測の技術は以下のとおりである．

2 ● 成熟度のアセスメント

　通常，身体発育と妊娠週数は相関するものであるが，SFD児やlarge for dates児のように週数と相応しない場合や妊娠週数が不明の場合は，身体の**成熟度**を評価して妊娠週数を確認することがある．妊娠週数は，母親の最終月経を基準として算出されるが，最終月経自体が不明であったり，月経周期が不順である場合など，特定しづらいことがある．たとえば小さい児が生まれた場合，在胎週数は非常に重要な情報であり，SFD児であるか，より在胎週数が少ないAFD児であるかによって，提供される医療の計画が異なってくる．そのため必要時，成熟度の評価が行われる．

　成熟度の評価には，広くデュボビッツ（Dubowitz）法が用いられている．評価項目は，外表所見（**表Ⅵ-6a**）と神経学的所見（**表Ⅵ-6b**）の2つに大別され，それぞれの項目についてチェックし，点数化し，合計点数から計算式に当てはめて妊娠週数を導き出すものである．主に新生児科の医師が行う．出産後，出産の影響が落ち着く数時間後から48時間以内に評価するのが望ましいとされている．

3 ● 姿勢のアセスメント

　新生児を仰臥位で寝かせると手足を折り曲げて，上肢はW字型，下肢はM字型となる屈曲姿勢をとっている（**図Ⅵ-9**）．しかし，早産児や新生児仮死，21トリソミー（ダウン［Down］症候群）など低酸素状態や脳障害などにより筋緊張が不良な場合は，この姿勢をとらないので神経学的なアセスメントの1つの指標となる．とくに21トリソミーの場合，抱き上げたとき全体的に柔らかくグターっとした感覚があり，「フロッピー児」といわれる．逆に反り返ったり，足を突っ張っているような場合は筋緊張が高いと考えられる．

4 ● 奇形のアセスメント

　新生児の出生直後の全身状態の観察時には，**奇形**の有無も注意深く観察する．ただし，

図Ⅵ-9　新生児の姿勢

表Ⅵ-6a　デュボビッツ法（外表所見）（一部改変）

項目 \ 点数	0	1	2	3	4
浮腫	手足に明瞭 脛骨部圧痕（+）	手足には（−） 脛骨部圧痕（+）	なし		
皮膚の構造	ごく薄いゼラチン様	薄くて滑らか	滑らか 厚さ：中等度 発疹または表皮剝脱	わずかに厚い 表在性の亀裂と剝脱（とくに手足）	厚くて羊皮紙様 表在性または深い亀裂
皮膚の色	暗赤色	一様にピンク	薄いピンク，部位により異なる	蒼白，耳・唇・手掌・足底のみピンク	
皮膚の透明度	多数の静脈・細静脈が明瞭（とくに体幹）	静脈とその支流が見える	腹壁で，数本の大きい血管がはっきりと見える	腹壁で，数本の大きい血管が不明瞭に見える	血管が見えない
毳毛（背部）	なし	背中全体に多数密生	まばら（とくに背面下部で）	少ない，毳毛のない部分あり	背中の少なくとも1/2は毳毛なし
足底のしわ	なし	足底の前半分にかすかな赤い線	前半分より広い領域にはっきりした赤い線．前1/3より狭い領域にはっきりした陥凹線	前1/3より広い領域に陥凹した線	前1/3より広い領域にはっきりと深く陥凹した線
乳頭の形成	わずかに見える 乳輪なし	はっきり見える 乳輪：平坦，滑らか 直径＜0.5 cm	乳輪（+） 辺縁隆起（−） 直径＜0.75 cm	乳輪（+） 辺縁隆起（+） 直径＞0.75 cm	
乳房の大きさ	乳腺組織を触れない	1側または両側に乳腺組織を触れる 直径＜0.5 cm	両側に触れる 1側または両側の直径＝0.5～1.0 cm	両側に触れる 1側または両側の直径＞1.0 cm	
耳の形	耳介平坦 辺縁の内屈わずか	耳介辺縁の一部が内屈	耳介上部全体が不完全内屈	耳介上部全体が十分に内屈	
耳の硬さ	耳介軟らかく，容易に曲がり，はね返りなし	耳介軟らかく，容易に曲がり，ゆっくりとはね返る	耳介辺縁まで軟骨（+），しかし軟らかい，はね返る	耳介硬く，辺縁まで軟骨（+），瞬間的にはね返る	
性器（男児）	両側とも精巣下降（−）	少なくとも1個の精巣下降（+），ただし高位	少なくとも1個の精巣が完全に下降		
性器（女児）	大陰唇が広く離開，小陰唇突出	大陰唇は小陰唇をほとんどおおう	大陰唇が小陰唇を完全におおう		

［田村正徳：デュボビッツの成熟度評価法（外表所見）（一部改変）．NEW産婦人科学（矢嶋　聰，中野仁雄，武谷雄二編），p.390，南江堂，1997より引用］

内臓奇形はすぐに見つからないことが多く，その後の日常の観察のなかで見出されることもある．重篤な症状を呈さない場合は，かなり成長してから見つかることもありうる．また，生活に支障のない程度の小さな奇形を有する人は少なくないので，奇形があることが必ずしも健康問題にはつながらない．しかし，奇形が複数認められた場合は，さらに内臓奇形を合併していることもあるので，注意深い観察が必要である．新生児チェックリストの項目に具体的な奇形が表記されている（p.216の**表Ⅱ-22**，新生児チェックリストの「全身観察」を参照）．

表Ⅵ-6b　デュボビッツ法（神経学的所見）（一部改変）

神経学的所見 \ 点数	0	1	2	3	4	5
肢位						
角窓	90°	60°	45°	30°	0°	
足首の背屈	90°	75°	45°	20°	0°	
上肢のもどり反応	180°	90°~180°	<90°			
下肢のもどり反応	180°	90~180°	<90°			
膝窩角	180°	160°	130°	110°	90°	<90°
踵・耳試験						
スカーフ徴候						
頭のすわり						
腹位宙づり						

［田村正徳：デュボビッツの成熟度評価法（神経学的所見）（一部改変），NEW産婦人科学（矢嶋　聰，中野仁雄，武谷雄二編），p.389，南江堂，1997より引用］

5 ● 皮膚のアセスメント

a. 皮膚の特徴

出生直後の新生児は，全身的には淡紅色であることが正常である．

出生直後に四肢末端に**チアノーゼ**を認めることは正常の範囲である（p.375，b. 血液の特徴，参照）．基本的に新生児は多血であるのでチアノーゼは出現しやすく，末端のみの場合，病的なものではない．しかし，口唇など中心性のチアノーゼや全身的なチアノーゼが認められた場合は低酸素状態を示しており呼吸障害などが疑われるので，さらに注意深い観察が必要となる．蒼白は，低酸素状態，重度の貧血，ショックなどが疑われる．また，出生直後以降のチアノーゼは低温環境や循環不全が疑われる．冷感とともに観察する．一方，紅潮は，多血症や高体温を疑う．

また，生後数日すると，肉眼的に黄染が認められるようになる．これは**黄疸**であり，生理的にも認められるが，重症な場合は治療が必要となる（p.380，d. ビリルビン代謝の機序，p.429参照）．

新生児は，その体構成成分の80％が水分であり，出生直後は湿潤していて，張りがある．しかし，出生後数日すると体重減少とともに乾燥気味となり，四肢の屈曲部位からカサカサと表皮が剥離すること（落屑）が多く，乾燥して亀裂を起こすこともある．強い乾

燥は脱水症状でもあるので，注意して観察する．過期産児では出生直後から手掌や足底に落屑が認められる場合がある．乾燥により落屑が認められる場合は，保湿剤の利用も必要である．

出生時，新生児には腋窩や鼠径部に白いクリーム状のものが付着していることが多い．これは，胎脂といい，子宮内で皮膚の保護をするためのものであり，出生後も保湿および抗菌作用があるとされており，無理に取り除く必要はなく，出生後自然になくなっていく．

毳毛とは産毛である．胎児期の皮膚を保護するものであり，正期産児では肩と背部の上部に認められる．時に，濃く目立つ児もいるが自然と消失する．胎脂・毳毛は成熟度の指標の1つとして評価に利用できる．かなり未熟な場合はまったくないが，やや未熟な状態では全身に多くあり，しだいに減少してくる．成熟児であれば，胎脂は，腋窩と鼠径部に少し残る程度となり，毳毛は肩と背部の1/2以下となる．過期産児では，胎脂はほとんど認められない．

b. 紅斑，発疹，母斑など（表Ⅵ-7）

新生児の皮膚は，さまざまな紅斑や色素斑が認められることが多い．数日後に自然に消退するものから，数年後に消退するもの，自然消退しないものまでさまざまある．目に見えるものなので，母親にとって気になる症状の1つであり，質問されることもしばしばある．代表的な発疹・母斑は以下のようなものである．

(1) 新生児中毒性紅斑

境界不明瞭な紅斑の中心部に粟粒大の黄色の丘疹が，顔，腹部，大腿部など比較的多くの場所に散在しているのが認められた場合，新生児中毒性紅斑と考えられる．これは，成熟徴候の1つと考えられ，自然消退する．

(2) 中心性紅斑

上眼瞼や額，人中周辺，後頸部あたりに認められる紅潮色の紅斑は，サーモンパッチやウンナ（Unna）母斑とよばれる毛細血管拡張性紅斑であることが多く，これは自然消退する．

(3) 血管腫

境界が鮮明で隆起していない赤ワインのような赤みの強い紅斑は，毛細血管奇形（単純性血管腫/ポートワイン腫）が疑われる．これは，自然消退しない．境界が鮮明で，苺の表面のように隆起している紅斑は，乳児血管腫（苺状血管腫）が疑われる．これは，自然消退することが多い．

(4) 母斑および色素異常

殿部に広く青緑の色素沈着が認められる場合，蒙古斑が考えられる（図Ⅵ-10）．背部や大腿部にまで広がっていることも少なくないが，自然消退する．

太田母斑は蒙古斑より色素が濃く，消失しないので専門家への紹介が必要である．眼球結膜にも青斑が認められることがある．

脂腺母斑は，頭皮や前額部に好発する母斑で，表面にクリーム色の小さな粒々が集まってみえる．自然消失せず，専門家への紹介が必要である．

(5) 膿痂疹

膿痂疹の場合は，境界が明瞭で，赤みが強く，中心に膿疱が認められるようになる．頸

表Ⅵ-7　新生児の紅斑，発赤，発疹など

新生児中毒性紅斑

日齢1ぐらいから，少ないときは数個，多いときには全身にかなりの数が認められる．単に紅斑だけのものから，中央の発赤がやや強く丘疹上のもの，中央に黄色の丘疹をもつものなど，多彩な形態をもつ．原因は不明である．とくに治療は必要とせず，消退していく．1つの発疹は数日で消退していくが，次々と現れては消えていくので，すべてが消退するまでには1週間～10日間ぐらいかかることが多い．また，膿痂疹などとの鑑別が必要である．

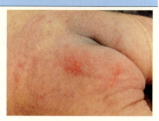

［写真提供：鹿児島中央助産院］

中心性紅斑（サーモンパッチ）

毛細血管の拡張によるもので，出生直後から認められる．好発部位として眼瞼，眉間，鼻の下，うなじなどによく認められる．原因は不明である．とくに治療は必要とせず，1～2年で消退する．

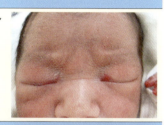

乳児血管腫（苺状血管腫）

毛細血管性の血管腫で，赤色が強く，皮膚から盛り上がり，表面がでこぼこして，イチゴの表面に似てみえる．体が大きくなるのに伴って，大きくなる．通常は治療を必要とせず，多くは1年程度で消退するが，3～4歳まで残ることもある．たくさんある場合や，特別に大きい場合は，血小板減少などの原因になることがある．また，眼瞼，外陰部，口唇などに認められると，機能的に問題を生じることがある．以上のような場合は小児科，皮膚科，形成外科などで治療を受けることもある．

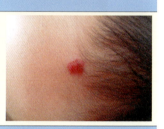

毛細血管奇形（単純性血管腫／ポートワイン腫）

血管拡張型母斑である．皮膚からの盛り上がりはなく，平坦で境界鮮明な赤い母斑である．自然消退しない．また，顔面の三叉神経領域に認められる場合は，頭蓋内の異常を伴うことがあるので，注意が必要である．

カフェオレ斑

薄茶色の色素斑である．体幹部に多くみられ，消退することは少ない．多くは臨床的な問題はないが，0.5cm以上のものが6個以上ある場合，レックリングハウゼン（Recklinghausen）病の合併も考慮する．

色素性母斑

いわゆるホクロである．小さいものが数個ある場合は問題ない．しかし，毛が生えている大きな母斑（巨大有毛色素性母斑）は，悪性メラノーマになる可能性もあり，注意が必要である．

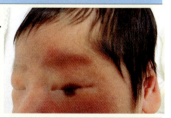

膿痂疹

黄色ブドウ球菌などの細菌感染による腫脹および膿疱形成である．新生児中毒性紅斑より周囲の発赤の赤味が強く，膿疱形成後は中心部は黄色または黄緑色で境界は明瞭である．

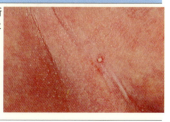

（続く）

表Ⅵ-7　新生児の紅斑，発赤，発疹など（続き）

稗粒腫
白色または黄色の1〜2mmの丘疹で鼻，頬，前額部に好発する．ケラチンを含む皮膚嚢胞の一種で数週間で消失する．口腔内に好発する上皮真珠腫（Epstein's pearls）と同様のものである．

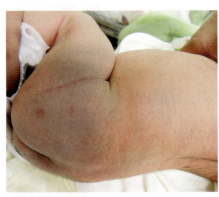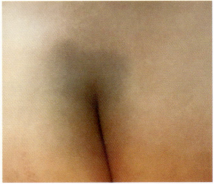

図Ⅵ-10　蒙古斑

部や腋窩などに認められることが多い．細菌感染が疑われ，治療が必要なこともある（表Ⅵ-7）．

6 ● 頭部のアセスメント（p.147の図Ⅱ-14参照）

a. 応形機能，分娩外傷（p.422参照）

　経腟分娩の場合，**応形機能**として，左右の頭頂骨および前頭骨が重なり合う**骨重積**が認められることが多い．逆に，骨縫合がすでに癒合している場合は正常からの逸脱である．その場合は頭蓋の変形を伴う．分娩直後から認められ，境界不明瞭で波動が触れない浮腫様のものは**産瘤**であり，通常数日で消失する．分娩後しだいに大きくなり，境界明瞭で波動が触れ，1つの頭蓋骨内に限局し，時には2つ以上の腫瘤を認める場合は**頭血腫**であり，数週間〜数ヵ月かかって消失する．頭蓋全体が柔らかく膨張し，血腫を認める場合，**帽状腱膜下血腫**が疑われる．吸引分娩術などの場合は，吸引カップがかかった部位が腫脹し産瘤を形成するが，時には表皮剝離を呈していることもある．

b. 頭皮，頭蓋骨

　一部毛髪が生えてなく，皮膚が薄い状態の場合は，頭皮欠損が疑われる．頭蓋骨が一部ペコペコした柔らかい感触のときは，**頭蓋癆**が疑われる．

c. 大泉門

通常は平坦である．骨重積があると，陥没していると誤りやすいので注意する．陥没している場合は，脱水が疑われる．膨隆している場合は，頭蓋内圧亢進が考えられ，髄膜炎・頭蓋内出血などが疑われる．また，大きすぎたり，そのまま矢状縫合が離開している場合は，経過観察により異常がないことも多いが，頭蓋内圧亢進が疑われることもあるので注意する．

7 ● 眼のアセスメント

a. 眼瞼裂

染色体異常や先天奇形症候群を示す小奇形の1つとして両眼の距離が広かったり，狭かったりする．また，眼瞼裂が狭いことや，眼瞼裂がかなり外側上方にあるものも小奇形の1つである．24週未満の超低出生体重児の場合は，眼瞼裂が形成されていないことも多い．

b. 結膜

結膜に出血斑を認めることがある．分娩時の圧迫によるもので自然消退する．

c. 黒目（水晶体）

白濁している場合は，先天性白内障が疑われる．

d. 眼球運動

眼を見開いた状態で，黒目のみ下を向いているような動きを落陽現象といい，頭蓋内圧亢進が疑われる．

8 ● 鼻のアセスメント

a. 鼻腔，形態

鼻腔閉鎖は先天奇形である．突出した鼻稜，低い鼻稜，鼻翼低形成は染色体異常や先天奇形症候群を示す小奇形の1つである．また，鼻頭に黄色い稗粒のようにみえるものは皮脂腺であり，キュストナー（Küstner）徴候とよばれる（図Ⅵ-11）．

9 ● 顎のアセスメント

a. 大きさ

顎が小さい場合は，小顎症が疑われ，染色体異常や先天奇形症候群を示す小奇形である．

10 ● 口のアセスメント

a. 口唇，口蓋

断裂している場合は，それぞれ口唇裂，口蓋裂であり，形態異常である．口蓋を観察するとき，水平から30°以上傾けて射光しないと口蓋が全部見えない場合は高口蓋であり，染色体異常や先天奇形症候群を示す小奇形の1つである．

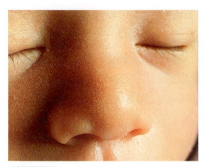
図Ⅵ-11 キュストナー徴候

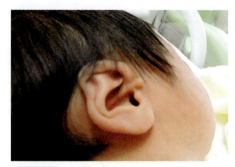
図Ⅵ-12 副耳

11 ● 耳のアセスメント

a. 耳介形態・位置・副耳・瘻孔

耳介は，外観で変形がみられたり，小さかったり，左右差があった場合は耳介変形と認められる．外耳道閉鎖を伴っていることもある．耳介の位置が両眼を結んだ線より低い位置にある場合は，耳介低位という．耳介変形や耳介低位は，染色体異常や先天奇形症候群を示す小奇形の1つである．

副耳は，耳介の前方にいぼのように突出していることが多く，軟骨が形成されていることもある（図Ⅵ-12）．

耳（前）瘻孔は，耳介の前方でえくぼのような小さなくぼみとして認められることが多いが，単にくぼみではなく，深く続いていることが多い．とくに症状がなければ，そのまま放置する．炎症を繰り返すようであれば，手術が必要となる．

12 ● 頸部のアセスメント

a. 形 状

首が短かったり，頸部から肩に余剰皮膚が裾野が広がったようにみえる翼状頸は，染色体異常や奇形症候群を示す小奇形の1つである．頸部に腫瘤を触れた場合は，筋性斜頸やリンパ腫であることが疑われる．

13 ● 胸部のアセスメント

a. 鎖骨，乳

鎖骨に沿って触知し，クリックや非連続性を感じた場合，分娩外傷の鎖骨骨折が疑われる．外観で乳房肥大や乳汁分泌が男女問わず認められることがあるが，母体ホルモンの影響であり，自然消退する．正位置以外に乳頭が認められる場合は副乳と考えられる（p.276の図Ⅲ-15参照）．漏斗胸は胸骨の下端あたりがくぼんでいる形態異常であり，小奇形の1つである．

14 ● 腹部のアセスメント

a. 形状，蠕動音

腹部の膨隆，とくに緊満を伴い，腸蠕動音が低下している場合は，消化管閉鎖・狭窄

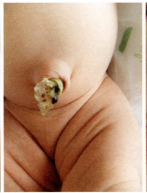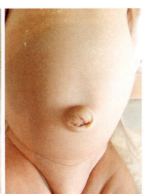

図Ⅵ-13　臍帯の脱落前（左，中央）と脱落後（右）

などの異常が疑われる．逆に陥没している場合で呼吸障害を伴う場合は，横隔膜ヘルニアが疑われる．外観で腹壁の皮膚が欠損し，腸管が露出していれば腹壁破裂であり，臍帯嚢に腸管が陥入していれば臍帯ヘルニアである．嚢が破裂していることもある．臍断端の止血不足により出血が認められることもある．

b. 臍　（図Ⅵ-13）

臍帯は，経日的に乾燥し，付着部位より脱落する（臍脱や臍落という）．脱落した後は皮膚がおおい，くぼみとなり，臍部となる．臍部形成までは細菌侵入経路となるので，観察と援助を行う（p.411参照）．なお，脱落した部分は「へその緒」として親が桐の箱などに保存する習慣もあるが，親に渡さない施設も多い．

15 ● 四肢のアセスメント

a. 形状，機能

正常は，四肢が屈曲し左右対称である．どちらかがだらりとしていれば，麻痺や骨折が考えられ，長さに差があれば，形態異常が考えられる．形態・機能の異常として指の数が多い多指（趾）症，少ない欠損症があり，さらに複数の指が癒合している合指症がある．下肢については，前足部が後ろ足部軸に対して内へ向く内転足と，外を向く外転足，足を後ろから見て踵骨縦軸が内へ向く内反足，外へ向く外反足，足・足関節が底屈位をとる尖足，足関節が強く背屈し踵部が強調される踵足などの変形が認められることがある．

16 ● 背部のアセスメント

a. 形状，脊椎

外観で腫瘤を認める場合は髄膜瘤が疑われ，脊椎に沿って触知し，滑らかではない場合，二分脊椎などが疑われる．

17 ● 股関節のアセスメント

a. 発育性股関節形成不全

両膝を持ち，股関節を屈曲させ腹部に近づけ，そのままM字になるように開いたとき，

開排角度が70度以下の開排制限が認められる場合は**発育性股関節形成不全**（developmental dysplasia of the hip：DDH）が疑われる．または，左右の下肢の長さが違うなどからも評価される．発育性股関節形成不全は股関節の発育異常により亜脱臼または脱臼を表す病態である．股関節の脱臼が出生時から認められる例はまれであり，日本人の脱臼のほとんどは，亜脱臼の状態から抱き方などによって人為的に脱臼となっている．そのため，開排制限などの有無にかかわらず，正しい抱き方などの指導が必要である．

18 ●陰部のアセスメント

a．性器

外陰の発生は胎児期の性ホルモンやその感受性によって典型的な外観が認められないこともある．個体差の範囲から，男女の識別が困難なものまで幅がある．典型的な外観ではない場合は，内分泌疾患や多発奇形など重篤な疾患を有することもあるので，その場で判断することなく，専門医の精査を求める．

(1) 男児：成熟性，形状

男児の性器の成熟性の確認として，精巣の位置を触知する．2つとも陰囊（いんのう）内にあれば成熟していると評価できる．注意すべき形状（外観）として，尿道口が陰茎の先端にない尿道下裂がある．同時に陰茎低形成を伴うことが多い．陰囊が腫大しており，みずみずしく透過性があるときは陰囊水腫が疑われる．陰囊水腫の場合は自然治癒の可能性もある．腫大しているが，透過性がない場合は精巣腫瘍が疑われる．

(2) 女児：成熟性，形状，出血の有無

女児の性器の成熟性は外観から確認する．大陰唇が発達し，小陰唇をおおっていれば成熟していると評価できる．未熟なほど小陰唇が突出し，陰核も突出してみえる．注意すべき形状（外観）として，陰核肥大や腟口欠損（閉鎖）がある．陰核肥大は先天性副腎過形成が疑われる．一方，処女膜ポリープも比較的認められやすいが，これは生後数週間で目立たなくなることが多い．また，母体からのホルモンの影響で生後数日後，月経様の出血（新生児月経様出血）を認めることがある（図Ⅵ-14）．

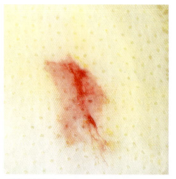

図Ⅵ-14 新生児月経様出血
［写真提供：鹿児島中央助産院］

b. 肛門
(1) 鎖肛，瘻孔
　鎖肛（さこう）は，外観として肛門が認められない場合だけでなく，綿棒などを肛門部に1cm程度挿入できるかどうかで観察し評価する．高位鎖肛は，これだけでは判断できず，排便が24時間以内に認められないことで，その他の消化管閉鎖とともに精査することで診断される．鎖肛に伴い，腟・尿道などとの総排泄口を呈している形態異常もある．形態異常として，瘻孔（ろうこう）を認めることもある．

c. 尿道口
　外観で尿道口が認められなければ，尿道口閉鎖であるが，尿道・尿管の閉鎖または腎臓の形態・機能的異常については，24時間以内に排尿が認められない場合に疑われる．

19 ● 神経系のアセスメント
a. 反射
　モロー反射・ルーティング反射・吸啜（きゅうせつ）反射（てつ）・把握反射などの有無により，神経学的異常の診断材料とする（p.362 **表Ⅵ-4**）．分娩時の影響により反応が十分確認されない場合は，時間をおいて再度検査する．

b. 注意すべき所見
　前述のとおり，筋緊張や非対称性の姿勢で神経学的な異常をアセスメントすることができる．また，軽度な刺激による四肢の震えは振戦（しんせん）または易刺激性であり，低血糖や低カルシウム血症が疑われる．新生児のけいれんは，硬直性ではなく，四肢の自転車こぎ様運動など微妙なものであり，中枢神経疾患が疑われる．

D. 呼吸の適応状態のアセスメントと援助（p.372参照）

1 ● 呼吸の観察（p.469 Skill 16 参照）
a. 呼吸数
　新生児の呼吸数は1分間に40回前後である．1分間に60回以上は多呼吸であり，20秒以上の呼吸停止または20秒未満でも徐脈やチアノーゼを伴うものを無呼吸発作という．新生児の呼吸は少しの刺激でも変動しやすい．啼泣直後は60回/分近くになったり，よく眠っているときには40回/分を下回ることもある．標準範囲ではない場合は，活動状況の変化をみながら再検することが望ましい．

　観察は原則として，そっと胸部を露出させ，胸郭および腹部上部の動きを見て1分間の呼吸数を数える．しかし，動きを見てもわからない場合は，腹部にそっと手を当てて動きを感じながら数えたり，胸部に聴診器を当てて呼吸音を聴き数える方法もある．

b. 呼吸状態
　呼吸数を数えながら，呼吸困難の症状の有無と程度を観察する．呼吸困難の症状は，古くからシルバーマンのリトラクションスコア（Silverman's retraction score）（**表Ⅵ-8**）が用いられる．これは，シーソー呼吸，肋間陥没（ろっかんかんぼつ），剣状突起下陥没（けんじょうとっき），鼻翼呼吸/下顎呼吸，呻吟（しんぎん）の5項目各2点で採点し，呼吸困難がない状態が0点であり，2点以上は呼吸窮迫（きゅうはく）の

表Ⅵ-8 シルバーマンのリトラクションスコア

	吸気相				呼気相
	シーソー呼吸	肋間陥没	剣状突起下陥没	鼻翼呼吸/下顎呼吸	呻吟
0点	胸と腹が同時に上下する.	肋間陥没なし	陥没なし	鼻孔拡大なしなし	なし
1点	吸気のとき，胸の動きが遅れる.	わずかに見える.	わずかに見える.	鼻翼がわずかに動く. 顎は下がるが，口は閉じている.	聴診器のみで聴こえる.
2点	シーソー運動	著明	著明	鼻翼の動きは著明 顎が下がり，口を開く.	耳で聴こえる.

正常：0〜1点，呼吸窮迫：2〜4点，重篤：5〜10点

状態である．

c. 呼吸音

聴診器を左右の上肺野，中肺野，下肺野の6ヵ所に当て聴取する．呼吸音の強さと喘鳴などの呼吸雑音の有無を観察する．

d. 皮膚色 （p.391参照）

循環器系の観察項目でもあるが，中心性チアノーゼの有無は重要な観察項目である．

2● 呼吸のアセスメント

呼吸数，呼吸困難の症状の有無，呼吸音，皮膚色を見て総合的に呼吸状態を評価する．

3● 呼吸の援助

呼吸の特徴で述べたとおり（p.372参照），きわめて余力が少なく，呼吸障害の症状はしばしば認められる．また，呼吸器以外の疾患である可能性も高い．

まず，出生後の呼吸適応のために，気道開通，保温などの基本的なケアが必要とされる．その後の日常においても，掛け物や分泌物などで気道を閉塞する状況はないか，衣類などで呼吸運動を妨げていないかを観察し，できるかぎり予防的に呼吸を妨げるものを除去しておく．また，体温変動による不必要な酸素消費量の増加も予防したい（p.375参照）．

一方，呼吸障害の症状が確認された場合は，原因鑑別のためにさらにていねいな観察を行うとともに，すみやかに医師に報告し，必要な検査や治療の指示を受ける．

E. 循環のアセスメントと援助 （p.373参照）

1● 観　察

a. 心拍数

新生児の心拍数は1分間に120〜140回程度である．100回/分未満を**徐脈**とし，180回/分以上を**頻脈**とする．しかし，新生児の心拍数も非常に変動しやすい．啼泣時や体温上昇時などは，160回/分以上となることもある．反対によく眠っている新生児は時に100回/分未満の心拍数となることもある．これらは，呼吸障害やチアノーゼを伴わない場合は異

表Ⅵ-9 レヴィンの心雑音の強さの分類

Ⅰ度	かすかに聴こえる.
Ⅱ度	かすかだが明瞭に聴こえる.
Ⅲ度	はっきり聴こえる.
Ⅳ度	かすかにスリル*を触れる.
Ⅴ度	明瞭にスリルを触れる.
Ⅵ度	聴診器を離しても聴こえる.

*スリル：thrill. 震動のことで，胸壁に軽く触れると，雑音時に合わせてザー，ザーという震動を指先に感じる状態.

常とはみなさず，環境を整え経過を観察し，活動状況が変化した後（落ち着いた後または起き始めたとき）に再度測定することが望ましい．

　リズムは基本的には規則的であるが，時折，不整脈を認める．心不全を伴わない場合は経過を観察することも多いが，治療や検査が必要なこともある．1分間ていねいに測定し，心拍数とともに不整脈の頻度も確認する．

　新生児は，脈圧が弱く触診による脈拍数をとることがむずかしいので，胸部に聴診器を当て，聴診によって心音を1分間数え，心拍数として観察する．聴診器では，おおむね胸骨左縁の第2～第4肋間で明瞭に聴取できる．ただし，心雑音の原因鑑別のために聴取する場合は，最強聴取部位（もっとも強く聴こえる場所）を探り，音質を確認するため，もっと多くの部位でていねいに聴取することが望まれる．

b. 心　音

　心音では心雑音の有無を聴取する．心雑音が聴取されただけで正常からの逸脱と判断できないが，観察しやすい項目の1つであるため見逃してはならない．心音聴取は心拍数をカウントする部位でできるので，慣れてくれば心拍数を数えながら心雑音の有無を確認できる．心雑音が聴取された場合は，レヴィン（Levine）の心雑音の強さの分類（表Ⅵ-9）にしたがいⅠ～Ⅵ度で記録しておくと，その変化がわかる．発展的な観察としては，聴取時期（収縮期雑音，拡張期雑音，連続音）による違いを確認したり，左鎖骨下や心尖部などさらにいくつかの場所で聴取することで最強聴取部位を確認できると，さらに鑑別診断に有益である．

　新生児における先天性心疾患の頻度は約1％である．心雑音は多くの心奇形で聴取されるが，そのすべての疾患で心雑音が聴取されるわけではい．心雑音が聴取されないことは，先天性心疾患がないことにはならない．したがって，先天性心疾患を疑うには，心雑音の聴取だけではなく，チアノーゼや呼吸障害などの症状を総合的に判断する必要がある．そのうえで，精密検査が必要となる．

　一方，新生児期は，胎児循環から新生児循環への移行期にあるため，相対的な肺動脈狭窄の状態が生じやすく，生理的な範囲内として心雑音が聴取されることがまれではない．また，その程度によって，聴取されたり，消失したりすることがある．そして，先天性心疾患のなかにも，自然治癒が見込まれるものも少なくない．

2 ● 援　助

胎児循環から新生児循環への移行のためには，呼吸状態の保持が重要である．そのため，前項で述べた「呼吸の援助」がそのまま循環器への援助となる（p.399参照）．また，心疾患の存在を明らかにし，治療へとつなげるためには，呼吸状態と併せたていねいな観察と総合的なアセスメントが必要となる．

F. 体温調節のアセスメントと援助 （p.375参照）

1 ● 体温の観察 （p.475 Skill 21 参照）

新生児の体温は直腸温で36.5～37.5℃が正常範囲といわれる．腹壁温であればそれより0.5～1.0℃程度低いことが多いが，腋窩や頸部ではそれほど差は認められないので，直腸温と同様の目安で評価できる．

直腸温の測定は多少の侵襲を伴うので，通常は皮膚温計を用いて，腋窩や頸部で測定する．腋窩温が正常範囲でなければ，肛門計を用いて直腸温を測定する．併せて，皮膚の冷感または体熱感，活動状況も観察する必要がある．さらに新生児は環境温度に影響を受けやすいので，環境温度も観察しておく必要がある．

2 ● 体温喪失因子とその予防

a. 体温喪失経路

体温の喪失経路は，4つある．①輻射，②対流，③伝導，④蒸散である（図Ⅵ-15）．

（1）輻射

輻射とは，身体とは直接接していない固体との熱のやりとりによって生ずる．もっとも有名な例は太陽から地球への輻射熱である．身近な例では，電気ストーブなどが部屋全体を暖めなくとも近くにいると暖かいことや，逆に冬の外気温が下がっているときは，窓や壁が冷たくなっており，そのそばに寄ると寒いと感じることなどがあげられる．

（2）対流

対流とは，身体に接している空気との熱のやりとりによって生じる．皮膚温と室温の差，および空気の流速に影響を受ける．もっとも酸素消費量の少ない温度域を**中性温度環境**（**至適温度環境**）といい，新生児が裸で寝ているときで32～34℃といわれるが，そのほかの体温喪失経路の状況に大きく影響を受ける．

（3）伝導

伝導とは，身体に直接接している固体との熱のやりとりによって生じる．衣服や冷たいままの手で触れることなどもこの要因となる．

（4）蒸散

蒸散とは，気化熱に伴って身体から奪われる熱の経路である．不感蒸泄や発汗を含んでいる．その程度は湿度に影響を受ける．出生直後の羊水で濡れたままの状態や，沐浴後の濡れた状態で長くいることは，この蒸散による熱喪失の要因である．

b. 体温喪失の予防

以上の熱喪失経路を考慮し，新生児室では，新生児に肌着と着物を各1枚身につけさせ，

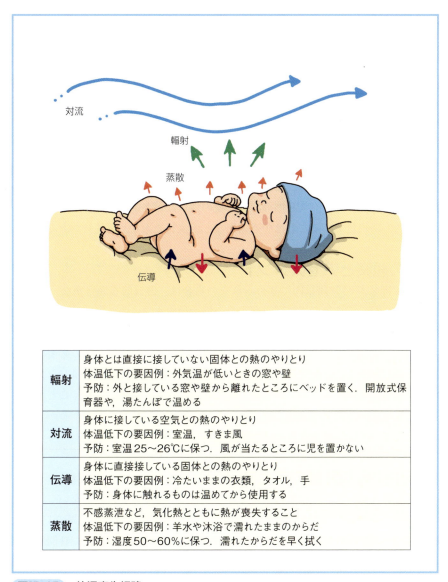

図Ⅵ-15　体温喪失経路

寝ている間はバスタオルをかけた状態で，室温24〜25℃，湿度50〜60％に保つ．また，出生直後の新生児に対しては，温かい乾いたタオルでなるべく早く羊水を拭き取ること，温められた衣類を着させること，開放式保育器の下でケアすることが必要である．さらに日常的にも，処置の際には手を温めて行うことや，窓際や風が直接当たるところにベッドを置かないこと，体温変動に応じて掛け物を調節することなどが求められる．

G. 栄養・代謝のアセスメントと援助 (p.376～381参照)

1● 新生児の消化器系の観察とアセスメント

　　生後24時間以内に排便が認められない場合は，嘔吐の有無，腹部膨満，腸蠕動音などを合わせて観察し，器質的な異常がないかを評価する．その後も，排便が少ない場合は，哺乳状態と併せて評価することが必要となる．

　　新生児は嘔吐しやすい．頻発するようであれば，脱水に至る可能性も高く，注意が必要である．原因探索のため，嘔吐の頻度・量，吐物を観察し，排便の有無などと併せて精査が必要かどうかを評価する．また，嘔吐が頻発する場合は感染症などの可能性もあるので，活気やバイタルサイン，大泉門の状態，便の性状などと併せて評価する．

　　便の色が灰白色であることは胆道閉鎖などの症状であり，要注意である．

2● 尿の観察とアセスメント

　　生後，排尿が24時間以内に認められない場合は，器質的な異常がないかの観察が必要となる．また，その後も排尿回数が少ない場合は脱水によることが多いので，哺乳状況，体温の上昇などを併せて観察し評価する．

　　日齢2～3に認められる尿酸（塩）尿（図Ⅵ-16）は，とくにケアの必要はない．親が発見することが多く，心配するので説明が必要である．尿酸（塩）尿はレンガ色（くすんだオレンジ色）を呈するため，はじめて見た者は，血尿と誤解し，驚くことがある．よく見ると尿酸塩の結晶が微粉末状に認められるなど鑑別は容易であるが，わかりづらい場合，試験紙を用いて潜血検査を行えば明瞭である．

3● 新生児の哺乳量のアセスメント

　　最適な哺乳量や人工乳補足についてのエビデンスは十分とはいえない．新生児におけるエネルギー必要量（120 kcal/kg）から換算すると体重3,000 gの新生児の1日の人工乳（67 kcal/dL）の必要量は540 mLであり，1日8回の授乳で摂取する場合，1回量は70 mLとなる．母乳の場合は，個人差が大きいが一般的に65 kcal/dLであり，出産後5日間はさらに低いので，量としてはもう少し多く必要となる．これは，胃の容量（p.376参照）や消化

図Ⅵ-16 尿酸（塩）尿
[写真提供：鹿児島中央助産院]

表Ⅵ-10 母乳で育てられている健康な児における平均的な哺乳量の報告

生後の時間	摂取量（授乳ごとのmL）
最初の24時間	2〜10
24〜48時間	5〜15
48〜72時間	15〜30
72〜96時間	30〜60

〔母乳育児医学アカデミー（ABM）：ABM臨床指針第3号―母乳で育てられている健康な正期産新生児の補足のための病院内での診療指針2009年改訂版（2010年4月日本語翻訳），〔https://jalc-net.jp/dl/ABM_3_2010.pdf〕（最終確認：2021年5月21日）より引用〕

器系の未熟さおよび母乳分泌量から考えると，日齢1から摂取できる量ではない．母乳育児医学アカデミー（The Academy of Breast feeding Medicine：ABM）によると，母乳で育てられている健康な児における平均的な哺乳量は，**表Ⅵ-10**のとおりである．この値と比較すると，人工乳で哺育する場合は，簡便な1回の目安量である「日齢×10 mL」という量はやや多いがおおむね適当な量といえる．しかしながら母乳育児の場合は，自律授乳であり8回ではなく10〜12回の哺乳回数になることが多く，1回の授乳量で調整することは不適切である．さらに，授乳量測定をしないことが母乳育児支援上望まれる．とくに，48時間以内は授乳回数が少なくても，体重減少が7％未満で疾患の徴候がない児は人工乳の補足の適応にはならないとされている．治療を必要とする脱水や，軽度な脱水が病的黄疸の誘因となるので，母乳分泌状況，**哺乳力**，児の**脱水**の程度（体重減少の状況，脱水の臨床症状，飢餓熱とよばれる発熱の有無など），低血糖などを，きめ細かく観察して総合的に評価し，必要時，治療（経静脈的輸液）をしなくてもよい段階で，人工乳の補足を検討する（**表Ⅵ-11**）．なお，哺乳力は，児の示す空腹のサインやルーティング反射の有無，吸啜反射の程度，吸啜力，哺乳時間などから総合的に判断する．

生理的体重減少の推移は，施設の方針を含め，母乳栄養の場合と混合栄養・人工栄養の場合ではかなり異なっている．前述の目安量どおりに補足する場合は日齢2ごろにもっとも低値となり，その値も5％以内にとどまることが多いが，ある程度の体重減少は生理的なことであり，過剰な水分負荷は腎機能にも負担をかけ浮腫などの原因となるので，補足量が多すぎていないか検討も必要である．

4 ● 人工乳の哺乳技術 (p.476 Skill 22, p.477 Skill 23 参照)

さまざまな要因から直接母乳を哺乳できないときや不足しているときは，搾母乳（さくぼにゅう）や人工乳が児に与えられる．児が直接母親の乳首に吸着し哺乳する場合と，人工乳首による哺乳とでは，児の舌や顎の動かし方が異なるため，子どもによっては**乳頭混乱**に至ることがあるといわれる．そのため，人工乳を与える場合もカップフィーディング（**図Ⅵ-17**）という，カップに人工乳を入れ，それを直接児の口につけ，少しずつ人工乳を注ぎ，嚥下（えんげ）させるという方法をとることもある．しかし，多くは哺乳びんに人工乳を入れ，より直接母乳を吸啜するのに近い型の人工乳首をつけ，与えている．

表Ⅵ-11 健康な正期産新生児に補足が適応となる可能性のある状況

1. 児の側の適応
a. 適切で頻繁な授乳の機会が与えられた後にも，検査室レベルで（ベッドサイドの簡易検査ではなく），無症候性低血糖が明らかな場合．症候性低血糖の児はブドウ糖の静脈内投与の治療を受けなければならない．
b. 臨床的にも検査上でも重篤な脱水があることが示され（10％を超える体重減少，高ナトリウム血症，哺乳力減弱，無気力など），その状態が熟練者のアセスメントおよび適切な母乳育児支援の後にも改善しない場合．
c. 産後5日（120時間）以降まで乳汁産生Ⅱ期が遅れていて，体重減少が8〜10％の場合
d. 排便回数が少ないか，日齢5（120時間）でも胎便が続く場合
e. 母乳分泌が十分であるにもかかわらず，児が十分摂取できない場合（乳汁移行の不良）
f. 高ビリルビン血症 　i．飢餓に伴う「新生児の」黄疸で適切な介入があるにもかかわらず摂取不足がある場合 　ii．ビリルビンが20〜25 mg/dLを超えるが，それ以外は順調に発育している「母乳性黄疸」の場合，診断治療のために母乳育児を中断することが有用な場合もあるかもしれない
g. 主要栄養素の補足が指示された場合
2. 母親側の適応
a. 乳汁産生Ⅱ期が遅れていて（産後3〜5日（72〜120時間）以降），児が適切な量を摂取できない場合
b. 乳房の病理学的な変化や以前に乳腺の手術を受けていて，母乳の産生が少ないということもある
c. 授乳時の痛みに耐えられず，介入によっても軽快しない場合

[母乳育児医学アカデミー（ABM）：ABM臨床指針第3号—母乳で育てられている健康な正期産新生児の補足のための病院内での診療指針2009年改訂版（2010年4月日本語翻訳），〔https://jalc-net.jp/dl/ABM_3_2010.pdf〕（最終確認：2021年5月21日）より引用]

図Ⅵ-17 カップフィーディング
後頭部をしっかり保持する．児の手でカップを払われないよう，おくるみなどで，手の動きを抑える．カップが唇に触れることで刺激し，口が開いたら，少量の乳汁を舌の上に注ぐ．嚥下を確認したら，同様に繰り返す．

　新生児が哺乳するときは，呼吸と嚥下を協調させながら哺乳している．しかし未熟なほど，この協調運動も不安定である．その際に，もっとも注意すべきことは誤嚥である．そのため，哺乳びんで授乳するときはとくに，哺乳中の新生児のペースを乱さないよう注意するとともに，咳嗽，むせ，チアノーゼなどの誤嚥の症状を観察する．また，哺乳びんで授乳する場合は直接母乳を吸啜するより空気を飲み込みやすい．哺乳後の嘔吐を予防する

a. 経皮ビリルビン濃度測定器
　（黄疸計）

[写真提供：コニカミノルタ株式会社]

b. 黄疸の進行（クレイマー）

第1区域（ゾーン1）：
　頭部および頸部
第2区域（ゾーン2）：
　臍から上の体幹
第3区域（ゾーン3）：
　腰部，下腹部と上腿
第4区域（ゾーン4）：
　膝〜足関節，上腕から腕関節
第5区域（ゾーン5）：
　手と足（手掌，足底を含む）

c. 皮膚黄疸の進行部位（ゾーン）と，血漿総ビリルビン値：成熟児

（東京都立母子保健院，昭和43年）

区域	血漿ビリルビン値*	最低〜最高	例　数
1	8.6±2.2	3.9〜12.7	57
2	10.2±2.5	4.3〜15.2	100
3	12.5±3.2	6.0〜18.3	109
4	15.9±3.0	8.8〜19.7	103
5	19.3±2.6	14.1〜27.8	33

*血漿ビリルビン値：平均値±標準偏差
新生児溶血性疾患は集計から除外した（ゾーンの数字が低くても，血漿ビリルビン値が意外に高いことがある）．

図Ⅵ-18　黄疸の観察法

実際にはゾーンと表現できるほど，境界は明瞭ではないが，黄染は原則として，bのように最初は顔にのみ発現し，時間の経過とともに体幹，四肢へと広がっていく．顔にのみ黄疸が認められる場合は，血漿ビリルビン値は8〜9程度であると考える．

ためにも，排気が必要となる．

5 ● 新生児の黄疸の観察とアセスメント

　最終的に正常から逸脱しているかを判断するためには，血液を採取し，血清ビリルビン値を測ることが必要になる．しかし，できるかぎり侵襲のない方法で観察し，その結果をアセスメントして，採血の必要性を判断しなくてはならない．黄疸の観察には，経皮ビリルビン濃度測定器（**黄疸計**）が用いられている*（**図Ⅵ-18**）．機器によって多少異なるが，前額部と胸骨部にセンサーを押し当て，出てきた値を読むという簡単な操作により，皮膚の色調から血清ビリルビンの推測値を算出したものが表示される．

*前胸部3回で測定し，生後72時間以内に黄疸を早期発見する基準としてノモグラムを用いた管理方法が提唱されている[1,2]．

しかし，器械に頼るばかりでなく，皮膚色を観察することでも血清ビリルビン値は推測できる．古くからクレイマー（Kramer）の5ゾーンの指標もあり，やや古いデータになるが，ゾーンごとの血清ビリルビン値の統計もあるので，活用する（図Ⅵ-18）．

また，核黄疸（後述のp.429参照）の臨床症状である活気の低下，哺乳力低下などにも注意する．さらに，黄疸が悪化する，ないしは核黄疸のリスクがないかについても，全身状態を観察するなかで評価していく必要がある．

核黄疸予防のための援助としては，ビリルビン代謝を促進させる．まずは，児の腸肝循環を亢進させないよう腸蠕動運動を促進させ，排便を促すことが必要である．加えて，グルクロン酸抱合を促進するため，タンパク質を摂取すること，脱水による相対的なビリルビン上昇を予防するために十分な水分摂取が必要である．そのため，児がしっかり哺乳できるよう援助する．さらに，核黄疸のリスクを高めることを避けるために，感染予防や体温管理を行う．

6 ● 新生児の代謝異常のアセスメントと援助

代謝のためには，さまざまな酵素などが作用しているが，その酵素は特定の遺伝子に支配されている．遺伝子に異常があることにより，代謝異常をきたすことを**先天性代謝異常**という．小児慢性特定疾患に認定されている疾病だけでも百数十種類あり[3]，そのうち，数十種類については**新生児マススクリーニング**によって，スクリーニング検査が行われている（表Ⅵ-12）．これは母子保健施策として新生児全員に無料で行われている．

検査方法は，アミノ酸や脂肪酸などの中間代謝産物を検出するため，十分に母乳またはミルクを摂取した日齢5〜7に新生児の踵を穿刺し，濾紙を用いた所定の検査用紙に十分血液を染み込ませる（図Ⅵ-19）．それを乾燥させた後，検査センターに送り検査を行う．本検査は，児に採血という侵襲のあるものであり，事前に保護者に説明し，承諾を得てから行う．検査結果は後日通知され，異常が疑われる場合は精密検査の対象となる．

代謝異常のアセスメントについては，緊急性の有無の評価が重要である．低血糖や代謝性アシドーシス，高アンモニア血症などの病態が疑われる症状（けいれん，筋緊張低下，

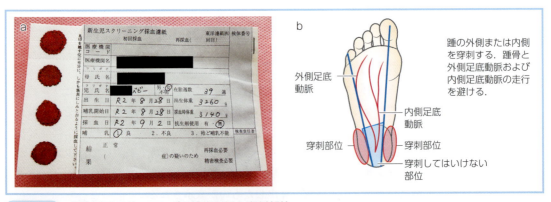

図Ⅵ-19　新生児スクリーニングの検査用紙と穿刺部位
a. 検査用紙（採血後）
b. 穿刺部位

表Ⅵ-12 先天性代謝異常等検査対象疾患

従来の検査法	
糖質代謝異常症	ガラクトース血症
内分泌疾患	先天性甲状腺機能低下症
	先天性副腎過形成症

タンデムマス法：一次対象疾患（17疾患）	
アミノ酸代謝異常症（5疾患）	フェニルケトン尿症
	メープルシロップ尿症
	ホモシスチン尿症
	シトルリン血症1型
	アルギニノコハク酸尿症
有機酸代謝異常症（7疾患）	メチルマロン酸血症
	プロピオン酸血症
	イソ吉草酸血症
	メチルクロトニルグリシン尿症
	ヒドロキシメチルグルタル酸血症
	複合カルボキシラーゼ欠損症
	グルタル酸血症1型
脂肪酸代謝異常症（5疾患）	MCAD欠損症
	VLCAD欠損症
	TFP（LCHAD）欠損症
	CPT1欠損症
	CPT2欠損症

自治体によっても異なるが，2018（平成30）年7月より先天性代謝異常の18疾患と先天性内分泌異常の2疾患（先天性副腎過形成，先天性甲状腺機能低下症）が検査の対象となっている．2011（平成23）年より導入されたタンデムマス法によって対象疾患が大幅に増えたが，今後もエビデンスの蓄積や治療法の確立により，対象疾患が増えることが見込まれる．

意識障害，元気がない，多呼吸など）があれば，早急に検査を行う必要がある[4]．先天性代謝異常の治療は**治療用特殊ミルク**を使用した食事療法が，内分泌異常の治療は**薬物療法**が中心である．早期治療により合併症を発症せず正常な発育が見込まれるが，治療は一生涯継続する．また，遺伝性の疾患でもあるため，両親に**遺伝カウンセリング**も必要となるなど，診断後は多くの援助を必要とする．

H. 新生児の感染予防 (p.381, 433. 妊娠期はp.44，産褥期はp.274参照)

1 ● 感染予防

　新生児は生後，分娩室，新生児室でさまざまな処置を受けるうち，多くの菌にさらされることになる．とくに，母子異室制をとっている場合，新生児室という空間に複数の新生児が養育されることから，1人の児の感染が医療従事者を介して複数の新生児に伝搬してしまう可能性がある．感染には，鵞口瘡や結膜炎，膿痂疹，臍炎など軽症なものから，肺炎，髄膜炎，敗血症など重症なものまである．

　新生児の**感染予防**は，**水平感染**の予防が中心となる．まず，新生児の抵抗力・免疫力を

高めるために，母乳哺育を推進し，母乳による免疫を移行させるとともに，母体との身体的接触（たとえば早期母子接触［skin-to-skin contactなど，p.184参照］）により常在菌の移行を進め，早期に正常な常在菌叢形成を促すことも重要である．

次に，感染源の除去として，感染症の疑いのある者を新生児に近づけない．このことは，医療従事者の健康管理にもつながる．さらに，伝搬経路の遮断も含めて，新生児へのケアの前後での手洗いや，清潔な器具・物品を使用することなどが必要となる．また，空調も独立し清浄機能がついていること，新生児どうしの距離もある程度離れていることが望ましい．

最後に，新生児への直接の感染経路に対する感染予防として，児の清潔保持があげられる．

2 ● 清潔への援助

微生物の侵入経路の1つである皮膚，臍，結膜について，その清潔保持のための援助方法について以下に記す．

a. 乾燥法（ドライテクニック）

乾燥法（ドライテクニック） とは，出生直後，付着している羊水や血液だけをガーゼや綿花で拭き取ることで身体を清潔にする方法である．皮膚保護機能のある胎脂が残るという利点がある．日本では古くから出生直後の沐浴（産湯）という習慣があることと日本人が概して入浴を好むことから，出生直後とその後は1日1回の沐浴により清潔を保持していたが，感染予防においても体温保持においても，沐浴の有効性が確認されないことから，近年では，出生直後から退院前日ごろまでは沐浴を行わず，更衣だけを行っている施設が多数である．ただし更衣だけの場合，どうしても腋窩，膝窩，頸部，背部などの観察が不十分になりやすいので注意し，必要時には部分清拭を行う．

b. 沐浴

沐浴 には，身体を清潔にする，全身観察がしやすい，血行を促進し新陳代謝を高め成長を促す，沐浴という快の刺激を与えることで相互作用の機会をもつことができるといった利点がある．拭き取るだけでは頭髪などに付着した血液がぬぐい切れない場合は，部分的に洗い流す方法もとられている．新生児の状態を十分にアセスメントしたうえで，沐浴を選択する必要がある．沐浴を選択した場合は，洗浄剤（石けんなど）を用いて手でやさしく洗い，沐浴後は保湿剤を用いることで，皮膚保護機能を保つことが勧められる（p.479 Skill 24 参照）．

子宮外生活への適応が確認され，退院が決定した後は，新陳代謝の高い新生児の身体の清潔を保つために毎日沐浴することが望ましい．そのため，退院の前日または当日に沐浴させ，そのときに母親や家族に沐浴指導を行うことが多い．

母体にB型肝炎ウイルス（HBV）などの感染が認められる場合は，感染予防のため出生直後に沐浴が行われる．

> **自宅で行う沐浴への援助**
> 自宅で沐浴を行う際には，どのような場所で行う計画であるかについて確認する．温水を入れたり排水したりするのに便利な場所（例．風呂場）と，前後の更衣をする

場所を設定するのに便利な場所（例．居間）は異なっていることが多い．計画している場所の利点・欠点について情報提供しつつ，準備を補うことを促す．原則としては，生後1ヵ月以内は大人の浴槽に一緒に浸かるのではなく，沐浴槽など専用に使用する．

また，沐浴させる時間についても，支援者も含めてその家庭ごとの適切な時間について相談する．児の生活リズムを整えるうえでも，一定の時間にすることが望まれる．

重要な点としては，児の観察を行い，児の体調が悪いとき（発熱時など）は沐浴をしない説明を加える．

沐浴の手技においては，おおむね施設内で行う手順どおりを伝えるが，技術的に不安があれば，多少技術が不要な方法も伝える．たとえば，背中を洗うときにひっくり返すことをせず，そのままの姿勢で背中に手を差し込んで洗う方法であったり，支援者に児を支えてもらいながら洗うという方法や，沐浴槽外で洗浄剤を全身につけて軽く汚れを浮き上がらせた後，沐浴槽に浸けて流したり，シャワーで流すだけという方法もある．また，沐浴後の保湿ケアの必要性についても説明する．

c. 臍処置

臍処置の目的は，感染予防と早期臍帯脱落のために乾燥を促すことである．臍帯静脈は胎児期には下大静脈とつながっており，臍帯血管からの細菌の侵入は，全身感染につながる．消毒と乾燥を目的として，アルコールでの臍輪部の消毒が行われていることもある．

清潔ケアのときには，臍帯の観察を行う．基本的には，出血がないこと，感染徴候がないこと，臍帯脱落の状況を観察する（p.397参照）．臍帯は，日齢4～5から10程度で脱落する．

学習課題

1. 新生児期のバイタルサインの基準値を整理してみよう
2. 新生児の保温について整理してみよう
3. 新生児の栄養・代謝への支援について整理してみよう
4. 新生児の感染予防について整理してみよう

練習問題

Q1 以下の文をよみ，問題1～3に答えなさい．　　　（第109回国家試験，2020年）

在胎39週4日で，正常分娩で出生した児．出生体重3,000 g，身長48.0 cm．出生直後，児に付着していた羊水をふき取り，インファントラジアントウォーマーの下で観察を行った．体温37.5℃，呼吸数56/分，心拍数150/分，呼吸音は異常なし．看護師は観察を終え，温めておいたベビー服を着衣させ，同様に温めておいた寝具を用いて準備をしたコットに児を寝かせた．コットは壁際や窓辺を避け，空調の排気口からの風が当たらない場所に配置した．

[問1] 看護師が児の体温保持のために行ったことと，それにより予防される熱の喪失経路との組合せで正しいのはどれか．
1．羊水をふき取ったこと────────────────────蒸散
2．観察をインファントラジアントウォーマーの下で行ったこと────対流
3．温めたベビー服と寝具を用いたこと───────────────輻射
4．風が当たらない場所にコットを配置したこと──────────伝導

[問2] 生後1日．児の状態は，体温37.0℃，呼吸数48/分，心拍数120/分，呼吸音は異常なし．体重2,850 g．出生後から現在までの状態は安定していた．母親も分娩時の疲労から回復し，産後の状態も安定しているため，母児同室を開始することとなった．この施設では，自律授乳を行っている．
母親へのオリエンテーションの内容で適切なのはどれか．
1．「新生児室へ行く時は，赤ちゃんをコットに寝かせて移動してください」
2．「沐浴の時は，赤ちゃんのネームバンドを外しましょう」
3．「赤ちゃんの体温は1時間おきに測ってください」
4．「授乳は3時間ごとにしてください」

[問3] 生後3日．看護師が朝の観察を行った時の児の状態は，体温37.0℃，呼吸数40/分，心拍数130/分．体重2,680 g．顔面と胸部の皮膚に黄染が認められる．その他の部位は淡紅色である．手関節と足関節の皮膚に落屑がある．尿は6回/日，便は2回/日で移行便である．
児の状態で生理的特徴から逸脱しているのはどれか．
1．体温
2．呼吸数
3．皮膚色
4．体重減少率
5．皮膚の落屑

[解答と解説 ▶ p.551]

引用文献

1) Kuboi T, Kusaka T, Kawada K, et al：Hour-specific nomogram for transcutaneous bilirubin in Japanese neonates. Pediatrics International **55**(5)：608-11，2013
2) 日本助産師会：助産業務ガイドライン2019，p.32，41，日本助産師会出版，2019
3) 小児慢性特定疾病情報センター：内分泌疾患の疾患一覧，〔https://www.shouman.jp/disease/search/group/〕（最終確認：2019年7月3日）
4) 日本先天代謝異常学会（編）：新生児マススクリーニング対象疾患等診療ガイドライン2019，〔http://jsimd.net/pdf/newborn-mass-screening-disease-practice-guideline2019.pdf〕（最終確認：2020年11月7日）

3 新生児の発達状況のアセスメントと援助

> **この節で学ぶこと**
> 1. 新生児の発達課題について理解する
> 2. 新生児の認知能力，行動特性をふまえて，発達課題の達成を促す援助について学ぶ

A. 新生児の成長と発達

「成長」と「発達」は意味合いが異なる．**成長**（growth）とは，身体の形態的変化を量としてとらえるときに用いられる．たとえば，身長の伸びや体重が増加することがこれに当たる．一方，**発達**（development）とは，身体的，知的，心理・社会的な諸機能が分化し，互いに関連し合いながら全体として質的な変化を遂げる過程を意味する[1]．

1● 発達とは

心理学における発達とは，人が受精してから死ぬまでの心身および社会的な諸関係の量的・質的な変化としている．**発達課題**（developmental task）とは，人が健全で幸福な発達を遂げるために各発達段階で達成しておかなければならない課題のことである．これをはじめに提唱したのは教育心理学者であるハヴィガースト（Havighurst）であるが，その後さまざまな心理学者が課題を提言し，エリクソン（Erikson）の提唱する発達課題が頻繁に用いられている（『母性看護学Ⅰ』参照）．

私たち看護職者は，医療を通じて子どもの人格形成に少なからずかかわる．その子どもが発達段階に応じた課題を達成していくための手助けをするために，新生児期における親と子の関係を中心として関係性を整える援助を具体的に学ぶ必要がある．

2● エリクソンの乳児期における発達課題

エリクソンによると，0～2歳のころの自我発達として，「**基本的信頼感を獲得し，基本的不信感を克服する**」ということがあげられている．子どもが，人とは信頼できる存在だと思うか，そうではなくて，人は信頼できないと思うのかという課題である．人間にとってとても根源的な課題である．どうしたらこの時期の子どもが人は信頼できると思うのであろうか．そのためには，授乳や排泄などの世話を通して子どもの基本的なニーズを満たす安定した養育を養育者（もしくはその役割をする人）が行うことが重要になる．生後半年～1年にかけて特定の個人あるいは少数の人が乳児にとって情緒的に安定を保ち，新しい探索の際の安全地帯として機能するようになることが望ましい．このように安定した状

態が保たれることを信頼とよび，これは人間一般への信頼であると同時に，子どもが合図を送ることによって養育者が動き，その結果，状態が改善されるという体験である．これによって乳児自身の効力感が高まる．

愛情要求の存在は愛着行動によってみることができる．他人とのよい関係を示す社会的微笑は，初期の重要な指標の1つである．社会的微笑は生後5，6週からみられ，はじめは誰に対しても笑うが，しだいに特定の人にだけ笑うというように変化し，愛着の対象が特定の人に絞られていると考えられる．一方，分離不安や人見知りといった生後7ヵ月ごろにみられる他人への否定的な行動もある．これらは愛着との関係だけでは説明できず，乳児は，これらの起こる状況，きげん，過去の体験によっても異なった対処をする．這う，手の動きなど運動的・認知的機能は，養育者の姿が見えなくても発達するため，養育者がいなくても遊びを介した愛着欲求が満たされ，生活空間は広がっていく．

3 ● ボウルビィの愛着の発達

アタッチメント（attachment，**愛着**）について医師，精神分析家である**ボウルビィ**は，生後〜3歳の期間におおむね4つの段階が認められることを述べている[2]．

ボウルビィは，さまざまな環境で養育された子どもの観察から，それまで孤児院などで観察された母親の不在によるとされる心身発達障害は，収容施設自体にあるのではなくて，母性的配慮の喪失経験にあると考え，母性的養育の剥奪／母性喪失を主張した．当初，この経験が一生涯にわたって悪い影響があると主張したが，後年に自ら一生涯ではないと訂正した．

表Ⅵ-13の第1段階[2]をみると，生後3ヵ月までは愛着が形成されていない段階になる．また，エリクソンも愛着欲求は生後半年から観察されるとしている．では，新生児期には何も観察されないのであろうか．この疑問に答える理論として，親子相互作用による心の絆に関する理論がある．

a. 親子相互作用

1970年代に小児科医のクラウスとケネルが，ヒトおよび動物も含めた新生児の観察から，出生後の早期接触および長期接触（母子同室など）から母子相互作用を提唱し，**心の絆**（ボンディング，bonding）ができるということを述べた[3]．その後1980年代には父と子の相互作用も加わった（**親子相互作用**，parents-infant interaction）．現在では，早期母子接触（skin-to-skin contact）に代表される出生直後のケアにこの主張が活用されている．出生後早期接触がなぜよいかというと，生後最初にみられる意識レベルは，静かに覚醒した状態（quiet alert state）で，新生児は両目を大きく開き，活き活きと輝いている．生後1時間以内に静覚醒の状態が平均40分間にわたって続き，この間に母親や父親の顔や目を見つめたり，声に反応する．また，両親も分娩後の喜びに満ちているので，相互作用の結合力が高まると考えられる．出生直後の児を母親のおなかに置くと時間をかけて自力で乳首にたどり着き，吸いつく[3]といわれている．これらの研究から現在では，母乳育児の確立に向けて生後1時間以内の直接授乳はその後の母乳育児を継続させるといわれている．

表Ⅵ-13 子どもの母親（または母性的人物）への愛着の発達

第1段階	生後3ヵ月ごろまで	人物弁別を伴わない定位（orientation）と発信（signals） 人に対して特色あるしかたで行動するが，ある人を他人と弁別する能力はまだない（8〜12週）． 子どもは愛着をもっていない段階．
第2段階	3ヵ月から6ヵ月ごろまで	1人（または数人）の弁別された人物に対する定位と発信 12週以降は，人に対する定位，視線による追跡運動，微笑，喃語など，人に対する親密な反応をする． 人の認識ができるようになり，とくに母親に対してよく笑ったり，あやされて泣き止んだりする． 愛着の芽生えがみられる段階．
第3段階	6, 7ヵ月から2歳まで	発信ならびに動作の手段による弁別された人物への接近の維持 母親への選択的な反応が多くなる．母親を安全の基地として探索行動を行ったり（後追い），見知らぬ人を警戒し，おそれるなどの行動がみられる．（人見知り） 子どもは愛着をもっている段階．
第4段階	3歳前後	目標修正的協調性の形成 愛着対象人物への接近を維持しようとし始める．子どもは母親を観察し，やや原始的な認知図（cognitive map）を用いて，単純に構成された目標修正的システムを用いるようになる．しだいに母親の行動を推察できるようになり，母親が離れていても，自分と母親の関係は持続しているということがわかってくる． 子どもは愛着をもち，母親との協調性（partnership）を発達させるための基礎を形成する段階．

[Bowlby J：母子関係の理論―①愛着行動，新版（黒田実郎，大羽蓁，岡田洋子ほか訳），p.314-316，岩崎学術出版社，1991を参考に作成]

b. 意識レベル

胎児期はREM*優位の睡眠であり，出生当日もこの影響を受けるが，数日でそれが崩れ始め，睡眠・覚醒の新しいリズムが現れ，意識レベルが明らかになっていく（p.384の表Ⅵ-5参照）．母親の育児行動もそれに対応し始め，相互作用は活発になっていく．児が泣くのが信号で抱き上げるのが反応で，抱き上げるという信号に快の表情で児が反応するというように，相互に作用し合うのである．

c. 感情の分化

外界の刺激は，ヒトに喜怒哀楽のような感情（feelings）を引き起こす．この感情のうちで，怒り，愛，憎しみ，おそれなどを強く表現する言葉が，情動（emotion）である[4]．

乳幼児の情動の分化については，1932年ブリッジズ（Bridges）が発表した系統図にさかのぼることができる．ブリッジズは，新生児は未分化な興奮機能をもって生まれ，3ヵ月ごろに快と不快が現れるとしていた[5]．近年，新生児の味覚に焦点を当てた研究により，生後2時間の新生児に甘味であるショ糖，塩味である食塩水，酸味であるクエン酸，苦みであるキニーネを少し口にたらし，その表情を観察すると，ショ糖には笑いのような表情を示し吸う仕草をした．苦みであるキニーネには口を曲げ，吐くような様子をみせたことがわかっている[6]．さらに乳児期の感情の分化を福田は図Ⅵ-20のように表している[7]．こ

---

*REM睡眠：速い眼球運動（rapid eye movement）を伴う睡眠．入眠してから睡眠が深くなるとあらわれる．活発に夢を見ていることが多い．

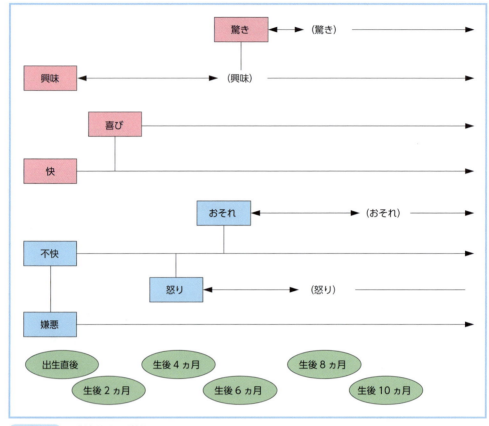

図Ⅵ-20　感情分化の樹状図
☐から（　）までは実験研究で示された発達時期．
［福田正治：感情を知る—感情学入門，p.43，ナカニシヤ出版，2003より引用］

れらから，新生児にも快，不快，嫌悪，興味が認められるといえる．

4 ● 観察の視点

　新生児期，乳児期に母子相互作用が継続されて，子どもの母親に対する愛着が徐々に形成されていく．新生児期は，視力は0.1程度であり，ぼんやりとしか母親の顔を認識することはできないが，聴覚，味覚は比較的優れているので，授乳を通して母親が高いトーンで声かけをしたり，あやしたりしながら，児のニーズに敏感に対応することで快の感情にはたらきかけることができ，母子相互作用は円滑になり，それが継続されることで，愛着形成が進むと考えられる．

　母子の関係性の評価にはさまざまなアセスメントツールがあるが，産褥早期に看護職者が用いやすいものとしては，授乳行動の観察によって母子相互作用を評価するプライス（Price）の母子相互作用評価尺度（assessment of mother-infant sensitivity：AMIS）スケール[8]を香取らが日本での信頼性と妥当性を検討しており，「母親項目，児項目については産褥早期への適用が可能であるが二者間の相互作用項目については再考の必要がある」[9]ことを報告している（**表Ⅵ-14**）．

表Ⅵ-14　AMIS スケールにおける項目と高得点例

a. 母親項目

	観察項目	1〜5点の配点でもっとも高い得点に位置づけられる観察
1	空間的距離	母親は肘を曲げて，胸や肩に子どもを抱き寄せている．
2	抱っこスタイル	子どもを拘束しない程度に，お互いのからだの位置に合わせて，からだを寄せたり少し離して，リズミカルに抱っこする．子どもが自分で体勢を変えたい欲求に，母親が敏感に応じている．
3	母親の顕著な気分・気持ち	喜びとやさしさを交互に表現する．子どもの行動に対して表現を変え，子どもをじっと見つめ，微笑みかける．部屋のなかのできごとに少し気をとられることはあるが，全体的には子どもに関心が向いている．
4	母親の子どもへの語りかけ	愛情にあふれ，生き生きとした元気な響き．
5	母親の語る内容	やさしくあたたかで，愛情がこめられ，肯定的である．
6	母親の視覚的相互作用	社会的表現（微笑む・話しかける）で子どもを刺激し，顔をずっと見つめる．
7	児のストレス調整	子どものわずかな合図やサイン（顔をしかめる）に気づき，ストレス状況を和らげる．子どもが明らかなストレス状況になる前に介入する．
8	養育スタイル	子どもがケアに参加できるようなやさしくスムーズで，予測できる扱いを子どもにする．社会的動作（微笑む・話しかける）をすることがある．
9	児への刺激	子どもにやさしく触れて抱いたり，揺り動かしたり，姿勢を変えたり，時には社会的な表現と同時に，刺激する（声をかけたり，顔と顔を見つめあい，微笑む）．
10	児の活動への対応・抱っこ	子どもの活動の変化がうまくいくように，子どもを支援する．
11	ゲップの方法	ゲップが出るのを自然に任せ，子どもを刺激しない．
12	吸啜のための刺激	吸啜するように刺激しない．
13	哺乳中の刺激方法	嚥下するように刺激しない．
14	哺乳運動の刺激回数	0回
15	満足した児への対応	子どもが満足したら授乳しようとしない．

b. 児項目

	観察項目	1〜5点の配点でもっとも高い得点に位置づけられる観察
1	児の主な状態	活動的で覚醒し，動いても動かなくても追ってじっと見る．授乳が終わるころには眠ることもある．
2	児の気分情緒	目を輝かせて笑うとともに楽しそうな表現をする．
3	児の発語	楽しそうに（たとえば，笑顔，目が輝く），発声する．
4	児のストレス	むずかったり，泣いたり，またはほかのストレスがない．
5	視覚的なしぐさ	頭を傾けて探し，そして/または社会的な表現（笑う，声を出す）をして，積極的に母親と対面を試みる．
6	児の体勢	積極的に相互交渉をしようと姿勢を変えながら，交互にリラックスしたり，ぴったりくっついたりする（頭を動かし，腕/足を母親に反応して動かす）．
7	満足時の刺激に対する反応	授乳しようとすると母親を無視する．

c. 相互作用項目

	観察項目	1〜5点の配点でもっとも高い得点に位置づけられる観察
1	喜びに対する同調反応	母親と子どもは，ほぼ同時に喜びを交わす．
2	授乳開始方法	子どもは，乳首を欲しがっていると母親が思うようないくつかの合図，ジェスチャーまたは発声をしてから，自分で母乳を飲み始める．泣き叫ぶのは合図とみなさない．
3	授乳終了方法	子どもは少し乳首を離して，授乳を止めることもある．そして子どもが欲しがるときに，再開する．

[Price GM：Sensitivity in mother−infant interactions—the AMIS scale. Infant Behavior and Development 6：353-360, 1983を著者翻訳し作成]

B. 新生児の心理・社会的発達への援助

　新生児の認知的機能に関する研究も進み，一方，新生児が成長するための心理・社会的発達のプロセスもかなり明らかになっている．

　明確な希望を伝えることができず，その生命維持さえ他者に委ねなければならない新生児が人間として成長するためには，その不快や快への要求を理解し，代弁するとともに，適切に反応することでエリクソンの発達理論における「**基本的信頼**」を獲得することが必要である．それは，単に栄養を与えたり，環境を整え，清潔を保持するだけでなく，敏感な認知機能を介して，**快の刺激**を与えることも含まれる．

　新生児の入院中は，母親に代行して看護職者が新生児の日常生活の援助をする機会も多いが，その際は，不必要な処置や操作により不快な刺激を最小限にし，快の刺激を与える

コラム　母親はいつまで子育てに専念するのが望ましいか？

　看護職者になろうと考えている皆さんは，自分の子どもができたら仕事を続けるだろうか？子育てしながらのキャリア形成はむずかしいと考えるだろうか？

　日本では，「3つ子の魂百まで」という言い伝えがあるように，3歳までの乳幼児の心身発達を大変重要視している．これは，とくに母親に限って養育しなければならないという立場をとる「母性神話」を強調するものではなく，社会全体で乳幼児の精神保健を守ろうという考え方である．

　一方，17〜18世紀前半にかけてのフランスでは生まれたばかりの赤ん坊を里子に出したり，乳母に預けてしまうことが，上流階級から下層階級に至るまで，きわめて広範にかつ一般的にみられた[1]．国や社会の時代背景によって子育てに関する考え方が異なる一例である．

　小児の心理発達面から考えると，子どもは，生後2ヵ月を過ぎると，外界からの刺激，とくに人からの刺激に対して，その感情を感知し，あやされることに反応して自分の感情を返していく．6ヵ月になると特定の人を見分けるようになる．特定の人とは常に自分のそばにいて愛情を注いでくれる人であり，周囲の他の人とは区別するようになるが，この時期では，特定の人が自分のそばを離れても泣かない．子どもにとっては両親やおじいちゃん，おばあちゃんは特定の人の範疇に入るが，母乳を介した肌と肌の接触，接する時間の量，接し方の細やかさなどにより，母親が適任と考えられている．8〜9ヵ月になると，この特定の人との関係はさらに密になり，「この人と自分とは同一体であり，心の安全基地である」という感覚をもつようになる．この時期，見知らぬ人を見ると泣く．これは人見知りといわれており，子どもの正常な発達である．子どもは，2〜3歳になると，特定の人の範囲が広がり，いまそばに居なくても必ず自分のそばに戻ってくるという確信をもつことができるようになる．さらに，3歳以降になると，状況を理解することによって，不安を修正することができるようになり，短時間なら1人でいることも可能になる．このように，子どもは特定の人との間に愛情の強い絆を結びつつ発達を遂げ，自立へと向かう．不安を修正できるようになる年齢を考慮して，親が育児に専念するのは，少なくとも3歳まではという答えが返ってくる根拠になっている．

　以上からまとめると，とくに母親に限って養育しなければならないということではないが，母親もしくはそれに代わる特定の養育者からの愛情を十分に受けることが子どもの心身発達には重要であるといえる．子育てしながらのキャリア形成もサポーターを得ることができれば可能である．

　皆さんも自然な好奇心をもって，自分が創る新しい家族を想像してみよう！

引用文献
1) 勝又正直：ナースのための社会学入門, p.134-135, 医学書院, 1999

よう,母親と同様に愛情をもって新生児の反応を受け止めつつ援助することが重要である.とくに痛みを伴う処置を行う場合には,米国小児学会からは,ショ糖を経口投与したり,おしゃぶりを吸わせたりなどの非薬理的方法で疼痛の緩和を図ることが勧告されている.

また,子どもが生まれ成長していくことは単に家族員が増えるというだけではなく,家族員それぞれの新たな役割を獲得することも含め役割が変化し,関係性が変化していくことである(p.309参照).新生児を迎える家族の発達において,これらの援助を適切に行うことが必要である.家族が児の能力を理解し,視覚・聴覚・嗅覚・味覚・皮膚感覚などすべての認知機能を介して快の刺激を与え,その反応を読み取ることで相互作用が成り立っていく.母子相互作用を十分に活かせるような支援・指導が重要である.

退院後の育児のために家族に支援することになるが,その際には,**家族中心の看護**(**ファミリーセンタードケア**,family-centered care:**FCC**)であることが重要となる.FCCの中心概念は,「尊厳と尊重」「情報の共有」「ケア参加」「協働」の4点である.「尊厳と尊重」として,退院後の生活についての家族の計画・準備状況を確認し,援助に反映させる必要がある.また,「情報の共有」として,たとえば新生児の観察を,母親のベッドサイドなどで行うことによって,日々の変化を共有し,退院後の観察につなげることができる.「ケア参加」「協働」は,いうまでもなく,ケアに参加してもらい,看護職者が見守りつつ,ともに実践しやすい方法を考え,より適切なケアを実践できるように支援する姿勢で行う.FCCを基盤とすることで,親が親として成長し,その力を発揮することで,新生児にとってよりよい養育環境を整えられるよう支援することができる.

学習課題

1.乳児が人見知りをする時期とその機序について説明してみよう
2.新生児の心理・社会的発達への援助について整理してみよう

引用文献

1) 奈良間美保:成長と発達.系統看護学講座専門分野Ⅱ小児看護学[1],p.30,医学書院,2020
2) Bowlby J:母子関係の理論―①愛着行動,新版(黒田実郎,大羽蓁,岡田洋子ほか訳),p.314-316,岩崎学術出版社,1991
3) Klaus MH, Kennell JH, Klaus PH:親と子のきずなはどうつくられるか,竹内徹(訳),p.53-58,医学書院,2001
4) 高田明和:感情の生理学―"こころ"をつくる仕組み,p.60,日経サイエンス社,1996
5) Bridges KM B:Emotional development in earlyinfancy. Child Development **3**:324-334, 1932
6) Rosenstein D, Oster H:Differential facial responses to four basic tastes in newborns. Child Development **59**(6):1555-1568, 1988
7) 福田正治:感情を知る―感情学入門,p.43,ナカニシヤ出版,2003
8) Price GM:Sensitivity in mother-infant interactions:the AMIS scale. Infant Behavior and Development **6**:353-360, 1983
9) 香取洋子,高橋真理:産褥早期母子相互作用の評価スケールAMIS日本語版の信頼性・妥当性に関する検討.日本母性看護学会雑誌**4**(1):1-6, 2004

4 新生児の健康問題と看護

> **この節で学ぶこと**
> 1. 新生児仮死とその援助について学ぶ
> 2. 分娩外傷について理解する
> 3. 低出生体重児の特徴と主な援助について理解する
> 4. 新生児一過性多呼吸について学ぶ
> 5. 胎便吸引症候群について学ぶ
> 6. 高ビリルビン血症について学ぶ
> 7. 新生児一過性ビタミンK欠乏症について学ぶ
> 8. 低血糖症について学ぶ
> 9. 新生児期における感染症について学ぶ
> 10. 先天異常を有する新生児の看護について学ぶ

A. 健康問題をもつ新生児への看護の視点

　正常から逸脱した新生児の多くは，**子宮外生活への不適応（適応遅延）** から生ずる病的・半病的状態である．正常と評価される新生児とほんの少しの違いしかない．正常からの逸脱が認められても，すぐに治療が開始しないこともある．適応を妨げている要因を取り除きつつ，正常な状態に回復できるよう，対症療法を中心とした治療の補助を行い，児の力を最大限に支えることが必要である．さらに，児の看護だけに専念するのではなく，退院後を見据え，**家族中心の看護**（ファミリーセンタードケア，family centered care：FCC，p.419，428参照）の視点を忘れてはならない．

　アセスメントにおいては，新生児の正常からの逸脱は子宮外生活への適応遅延であることから，基本的には健康な新生児に対する観察・アセスメントの視点と同様に行う．本来，健康的な新生児のアセスメントにも必要だが，正常からの逸脱の原因には，先天異常のほか，母体の正常を逸脱した妊娠・出産が影響していることが多いため，正常からの逸脱が疑われる新生児については，妊娠・出産の経過について把握し理解することが重要である．また，1つの情報だけで正常からの逸脱と決めつけることはせず，さらにていねいな観察を加え，総合的に評価し，看護の方向性を検討することが必要である．

B. 新生児仮死

a. 新生児仮死

新生児仮死とは，出生前後における呼吸循環不全徴候を主徴とし，中枢神経障害と代謝異常を伴う病態である．臨床的には，従来は出生後1分のアプガースコアを指標とし，6〜4点は第1度仮死，3〜0点は第2度仮死に相当する（p.212の表Ⅱ-20参照）．蘇生処置が効果的に行われなかった場合は，引き続き呼吸障害，低酸素性虚血性脳症，低血糖，電解質異常など多くの合併症を有し，脳性麻痺が残ることが多い．

b. 低酸素性虚血性脳症

低酸素性虚血性脳症とは，低酸素と血流低下による脳組織および神経細胞が傷害された状態である．胎児期に生ずることもあるが，新生児仮死に伴うことが多い．低酸素・虚血により神経細胞が壊死し，意識障害，新生児発作（けいれん），筋緊張低下や自律神経機能障害を生じる．中等度〜重度の低酸素性虚血性脳症の発症は，出生1,000に対して0.39の割合で発生し，その約半数が神経学的後障害，すなわち**脳性麻痺**を残すといわれている．

c. 蘇生後の援助

出生時に呼吸循環不全があっても，必ずしも低酸素性虚血性脳症には至らないが，蘇生を行った児に関しては，蘇生後も継続的に注意深い観察が必要である．基本的にはパルスオキシメーターや呼吸・心拍モニタを装着し，その程度によるが保育器に収容してバイタルサインのほか尿量や電解質バランス，けいれんの有無などを観察し養護する．

また，近年では中等度〜重度の低酸素性虚血性脳症の新生児に対しては，脳の障害を予防あるいは軽減する目的で低体温療法を検討することが推奨されている．すべての施設で実施できる治療法ではないうえ，低酸素性虚血性脳症受傷後の時間経過に比例して効果が減退するため，低体温療法の適応があると考えられる新生児の蘇生にあたった場合には，迅速に，低体温療法を行うことができる高度医療施設へ連絡し，搬送を検討することが望まれる．搬送を判断する場合は，表Ⅵ-15の適応基準Aと除外基準をもとに検討する．

d. 母親・家族への援助

新生児に蘇生が必要となった場合は，児の救命に意識が集中しがちとなり，その母親が家族を含めて取り残されることにもなる．児の状態や行われている処置について，ていね

表Ⅵ-15　低体温療法の適応基準

適応基準A	少なくとも以下のうち1つを満たす
	・生後10分のアプガースコアが5点以下
	・生後60分以内の血液ガスでpHが7未満
	・生後60分以内の血液ガスでbase deficitが16 mmol/L以上
除外基準	冷却の時点で，生後6時間を超えている場合
	在胎週数36週未満，出生体重が1,800 g未満
	全身状態や合併症から低体温療法によるリスクが利益を上回ると判断した場合
	必要な環境が揃えられない場合

[田村正徳, 武内俊樹, 岩田欧介 ほか：本邦における新生児低酸素性虚血性脳症に対する低体温療法の指針―Consensus 2010に基づく新しい日本版新生児蘇生法ガイドラインの確立・普及とその効果の評価に関する研究. 2010, 〔https://www.babycooling.jp/data/lowbody/pdf/lowbody01.pdf〕（最終確認：2020年10月8日）より引用]

いに説明し状況を理解することを助け，治療の決定に参加できるよう配慮する．とくに，児がNICUなどに搬送される場合は，できるかぎり児と対面できるよう整える．またその後も，母子分離や児の状態に対する自責の念への対応なども考慮して支援する．

C. 分娩外傷

分娩時に産道を通過する際にかかるさまざまな外力によって，児が何らかの外傷を受けることを**分娩外傷**という（p.394参照）．

a. 頭血腫 （図Ⅵ-21）

頭血腫とは，産道通過時，頭皮が擦れるような外力がかかることにより，頭蓋骨の一部の骨膜が剝離し，骨膜下に血腫が形成されたものである．後述する産瘤と鑑別のための特徴を以下にあげる．

まずは，1つの頭蓋骨に限局してできるため境界が明瞭であり，骨縫合を越えることはない．触れると緊張があり波動を触れる．また，剝離部分から出血し明らかな血腫を形成するのに多少の時間を有するため，出生直後より翌日になってから明らかになることも多い．時に，2つ以上の頭蓋骨に形成されることもある．

大きさにもよるが1～数ヵ月かかって吸収され，その間は局所の安静のみが求められる．また，この血腫を吸収する過程で，高ビリルビン血症となるリスクも高くなるので注意が必要である．

b. 産 瘤 （図Ⅵ-21）

産瘤は，やはり産道通過時に圧力がかかり生ずるものであるが，頭血腫と異なり，基本的には分娩時の胎児先進部に生ずる浮腫である．したがって，境界は不明瞭であり，波動は触れない．また，出生直後にもっとも著明であり，数日後には吸収されている．同時に，出生直後には先進部である後頭頂部に認められるが，寝かせた姿勢に応じて，重力により移動する．

c. 帽状腱膜下血腫

多くは，吸引分娩で頭皮が強く引っ張られたために**帽状腱膜下**の結合組織が断裂し，その静脈から出血が起こり，しだいに広がり大きな血腫を形成する．**帽状腱膜下血腫**は頭

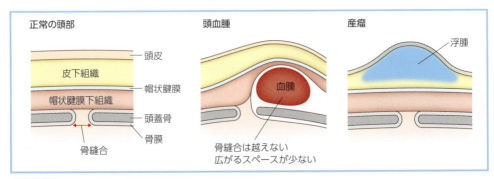

図Ⅵ-21　頭血腫と産瘤

[平田倫生：新生児の異常と治療．p.376，南江堂，2019を参考に作成]

血腫と同様，出生直後より数時間後のほうが著明となる．しかし頭血腫のように限局せず，時に眼瞼や耳介前後まで広がる．かなり大きい場合はその出血により児が貧血やショックに陥ることもある．

d. 鎖骨骨折

鎖骨骨折とは文字どおり鎖骨の骨折である．肩甲難産などに合併することが多いが，必ずしも難産ではない児でも発症することがある．新生児の動きに障害などがみられることもなく，ていねいに鎖骨を触診する以外に見つけられず，見落とされている可能性もある．ほとんどは，経過観察だけで自然治癒する．

D. 低出生体重児

1● 低出生体重児

低出生体重児とは，出生体重が2,500 g未満の児を指す．また，1,500 g未満の児を**極低出生体重児**，1,000 g未満の児を**超低出生体重児**という．

現在，全体の出生数は低下傾向であるが，低出生体重児の割合は約10％あり，この10年ほど横ばいである．

2● 低出生体重児の原因

低出生体重児の原因は，早産と胎児発育不全（fetal growth restriction：FGR）である．さらにこの原因となるのは，妊娠の異常であったり，母体の合併症であったり，胎児自身の異常であったりする．近年，母体の年齢が上がったり医療の発達により，以前では妊娠・出産が困難であった疾患をもつ女性も妊娠・出産が可能となったり，生殖医療の発達により双胎が増加するという傾向が低出生体重児増加の誘因となっていると考えられる．

a. 早産

早産とは，早産期すなわち22週以降37週未満で出生することを指す（p.30の**表Ⅰ-7**参照）．早産児は本来は，まだ子宮内で成長・発達を待つはずであったが，何らかの理由で，子宮外生活への準備が不十分なままに出生した児である．したがって，早産児の多くは出生体重が低く（低出生体重児），在胎週数が少ないほど小さく生まれる．また，子宮外生活への準備の不十分さ，すなわち未熟性は，その在胎週数が少ないほど著明である．とくに体温調節機能，呼吸機能，循環器系の機能，腎機能，感染防御機能，消化機能などについて，顕著に未熟性が認められる（p.30，31の**表Ⅰ-7**参照）．呼吸器系においては，在胎24週以降は肺胞期とよばれ，肺胞が発達しガス交換可能となる．24週未満は管腔期とよばれ，十分にガス交換ができる構造とはなっていないため，救命は非常に困難である．また，肺胞の虚脱を防ぐ肺サーファクタント（p.373参照）の肺胞内への分泌も在胎28週前後から始まり，在胎34週ころに増加してくるため，それ以前では呼吸窮迫症候群が発症しやすい．さらに，在胎週数が少ないほど呼吸中枢が未熟なため呼吸調整不十分となり，無呼吸発作を起こしやすい．また，在胎週数が少ないほど体水分割合が大きく，在胎24週の児では約86％が水分といわれているため，生理的体重減少率が大きくなる．呼吸機能とも関連するが，経口摂取するための吸啜反射も在胎33〜34週ころより認められ，さ

らに，嚥下と呼吸の協調運動は在胎35週ころより安定するといわれている．腎機能も未熟で電解質異常を生じやすい．

早産児の分娩は，突然の破水から一気に出産に至ってしまうことも多い．早産の原因は，流・早産の原因の項（p.106参照）を参照とするが，たとえば，母体が感染していることなどが原因で早産に至る場合は，感染による新生児への影響も考慮が必要となる．また，母親も父親も突然の出産で動揺していることが多い．

b．胎児発育不全（FGR）

胎児発育不全（fetal growth restriction：FGR）とは，在胎週数に比べて体重の少ない状態を指す．在胎週数に対して，胎児推定体重が10パーセンタイル未満（または－1.5 SD値以下を目安）の児がFGRと診断されるので，約1割の児がFGRである．正期産における軽度のFGRであれば低出生体重児にならないこともあるが，多くはFGRであれば，正期産であっても，低出生体重児となる．また，早産児でもFGRは存在する．FGRの原因としては，母親の合併症や，妊娠の正常からの逸脱，胎児の正常からの逸脱などがあり，その原因によっては，新生児への影響も考慮する必要がある．

3● 低出生体重児・早産児の主な合併症

（1）呼吸窮迫症候群

32～34週以前の早産児では，肺サーファクタント（p.373参照）の産生が少なく，呼吸窮迫症候群（respiratory distress syndrome：RDS）（p.108参照）となる可能性が高い．RDSでは，出生後に呻吟，陥没呼吸，多呼吸，チアノーゼなどの呼吸障害が認められ，胸部X線写真では，びまん性細網顆粒状陰影，すりガラス様陰影が特徴である．治療としては，酸素濃度をモニタリングしながら，人工肺サーファクタント補充療法と人工呼吸器管理が必要となる．

（2）動脈管開存症

動脈管は，肺呼吸が開始し肺血管抵抗が減弱することと血液の酸素濃度が高まること，開存を維持するプロスタグランジンの減少によって収縮し，その後閉鎖する．在胎週数が少ない児では，動脈管の平滑筋は未熟であり，収縮が起こりにくい．さらに，肺血管抵抗の高い状態や呼吸の不適応状態による低酸素症，感染症などにより動脈管は開存し続ける，もしくは再開存することがある．動脈管開存症では，内科的治療のために非ステロイド抗炎症薬であるインドメタシンなどが用いられることがある．

（3）未熟児貧血

在胎週数が少ないほど，胎児のヘモグロビン値は低い．さらに，母体からの鉄の移行は妊娠後半期に行われるため，在胎週数が少なければ貯蔵鉄も少ないし，造血機能においても未熟である．加えて，検査のための採血により貧血状態が加速されることとなる．

未熟児貧血の治療としては，赤血球濃厚液の輸血が必要となる．予防のため，エリスロポエチンの投与が行われており，出生時の臍帯の後期結紮やミルキングが試みられている．

（4）未熟児網膜症

在胎28週未満では網膜における血管形成が未成熟であり，そのことが未熟児網膜症の原因である．それに加えて，長期的な高濃度酸素の使用，酸素濃度の変動が主要な因子と

してあげられている．早産児は，網膜の血管が未完成のまま生まれ，成長の過程で血管は新生するが，高濃度酸素により血管が収縮することにより逆に末梢の低酸素状態を引き起こし，新生血管が異常増殖する．増殖組織に含まれる線維結合組織の収縮・牽引により網膜剥離が起こる．

早産児に対しては定期的な眼底検査を行い，病変の進行が認められれば，（レーザー）光凝固や冷凍凝固などの治療が行われる．予防のためには，血中酸素飽和度の持続モニタリングにより酸素のコントロールを行うほか，輸液・貧血への対処などきめ細かな全身管理が必要である．

(5) 未熟児くる病

低出生体重児の多彩な骨変化を表す概念として，**未熟児代謝性骨疾患**（metabolic bone disease in premature infant：MBD）と表現されることが多い．その1つに**未熟児くる病**がある．カルシウム，リン，ビタミンDの摂取不足が原因である．診断は，骨端の特徴的変化の有無でなされる．体重2,000g以下の児では，生後1ヵ月以降，血清カルシウム，リン，アルカリホスファターゼを測定し，手根骨のX線撮影による評価を行う．母乳に添加剤を加えて補充する．

(6) 壊死性腸炎

早産児の未熟な腸管粘膜に虚血性変化が起こり，その部分が壊死し感染が加わる．さらに悪化して感染と炎症が腸管筋層に広がり，腸管壁内気腫を生じ，さらに進行し全筋層壊死に至ると腸管が穿孔し腹膜炎をきたし，きわめて重篤な状態となる．**壊死性腸炎**（necrotizing enterocolitis：**NEC**）の好発部位は，腸管のなかでも虚血に陥りやすい回盲部であり，虚血の原因の大きなものとしてはダイビング反射*である．呼吸障害や動脈管開存などの循環障害も影響を与える．NECの疑いがあれば禁乳とし，抗菌薬を投与し輸液管理を行う．腸管穿孔に至れば，外科的治療が必要となる．予防としては，母乳栄養を原則とし，ストレスを与えないきめ細やかな全身管理が必要である．

4 ● 低出生体重児・早産児の看護

低出生体重児・早産児の看護をする際には，新生児の看護が基本となるが，すべての面で小さく，未熟で脆弱であり，それゆえの合併症も多く，1つひとつのケアにおいて，より注意が必要である．そして，これらの未熟性は在胎週数によりその程度が大きく異なり，それに伴って，看護も変わっていく．

a. 低体温の予防

低出生体重児・早産児は，正常と評価される新生児と比べてもなお，褐色脂肪組織や皮下脂肪が少なく，体重あたりの体表面積比が大きい．体温維持のために通常は，保育器に収容し，至適環境温度を維持するよう援助する．出生直後もできるかぎり早くインファントラジアントウォーマー上に移し，必要な蘇生の援助後は，すみやかに閉鎖式保育器に

---

*ダイビング反射：心臓から駆出された血液は，各臓器の必要に応じて配分されている．ダイビング反射とは出血や低酸素症になった場合，絶対必要臓器といわれる脳・心臓・肺が優先され，皮膚や腸管などの臓器への血流は減少する現象．カテコラミンや自律神経系で調整されており，新生児には著明に発現しやすい．分娩時などに強いストレスがかかると生じる．

収容できるよう援助することが重要である．保育器の温度は児の出生体重などによってある程度規定されているので，分娩時にはその予測体重をもとに，保育器を温めて準備しておくことも必要である．

b. 呼吸の援助

早産児は，その未熟性に起因して換気が十分ではなかったり，無呼吸発作を起こす．治療は対症療法を行いながら児の成長，すなわち安定した自発呼吸を獲得するのを待つことになる．看護職者は，呼吸器などによる換気が適切に行われるよう観察と環境整備を行うとともに，感染など呼吸障害の原因の予防に努める．早産児出生に際しては，出生してくる児の在胎週数や予測体重などから，人工呼吸器や保育器内酸素投与，パルスオキシメーター，呼吸・心拍モニタの準備を行い，すみやかな治療の援助が必要である．

とくに，超早産児においては，多くはRDSを合併している．一般的には，出生後にすみやかに気管挿管し人工肺サーファクタント補充療法を行う．その後も自発呼吸だけでは十分な換気が得られないため，人工呼吸器管理が必要となる．超早産児の場合は気管挿管により高頻度振動換気（high frequency oscillation：HFO）や，間欠的陽圧換気（intermittent mandatory ventilation：IMV）を用いることが多い．気管挿管による慢性肺障害のリスクを避けるため，呼吸障害の程度が軽度もしくは軽快した場合は，気管挿管ではなく鼻をおおうマスクやカニューレを用いての持続陽圧呼吸（nasal continuous positive airway pressure：nasal CPAP）や呼気吸気変換方式気道陽圧法（nasal directional positive airway pressure：nasal DPAP）を用いる．鼻に当てるマスク（プロング）には，圧迫による鼻中隔前庭部の壊死や空気嚥下が多くなることなどに留意が必要である．呼吸中枢が未熟な早産児の場合は，無呼吸発作がみられることが多い．その治療としては，酸素投与（保育器内を一定の酸素濃度に保つ）や無水カフェインなどの投与が行われるが，無呼吸発作が頻発する場合はnasal CPAPなどを用いることもある．いったん人工呼吸器による管理を離脱しても，無呼吸発作を頻発したり，呼吸器管理に戻ることもあるので，その後もパルスオキシメーターや呼吸・心拍モニタを用いての十分な注意が必要である．

c. 栄養管理

34週以前の早産児の場合，吸啜反射も弱く，嚥下反射と呼吸との協調運動が未熟なことが多く，経口哺乳は困難であるので，鼻腔または口腔から胃まで栄養カテーテルを挿入し，経管栄養を行うことが多い．経管栄養の実施においては，カテーテルが胃に挿入されているか，指示量，注入速度にも注意が必要である．

早産児ほど消化機能が未熟なため，壊死性腸炎の予防のためにも，授乳（経管栄養を含む）においては，より母乳が望まれる．そのため，母親には，搾乳を指導・援助し，新生児病室に届けてもらうよう支援する必要がある．しかし，母乳のみの場合，タンパク質や一部ミネラルが不足することがあり，**母乳強化剤**を母乳に添加して与えることもある．

また，出生直後はとくに呼吸状態が不安定で，消化器の機能も未熟であり，カテーテルを用いての栄養も困難なこともある．さらに，体構成成分のうち水分比が多い一方，体表面積が広く不感蒸泄が多いため脱水や電解質異常をきたしやすい．低血糖にも陥りやすいため，出生直後には輸液療法が行われる．

水分出納をきちんと確認するため，輸液量，尿量（オムツの重量測定），胃内容吸引物

量，採血量などを記録する．

33〜34週ごろになり吸啜反射がしっかりと認められるようになると，経管栄養と並行して経口哺乳が開始される．しかし，開始直後は，哺乳力も弱く，全量摂取できないため，残量はカテーテルを用いて胃に注入する．また，哺乳中に無呼吸発作を起こすこともあるので，十分に観察しながら授乳を進める．

d. 感染予防

早産児の場合，正常新生児に比べてIgGの移行が少ない．細胞性免疫の貪食能力も未熟である．加えて，経口摂取が困難であり，母体も吸啜刺激がないことから母乳分泌も遅れ，児が母乳を摂取することが遅れるため，母乳によるIgAも得ることができない．母親との直接の接触も得られず，正常な常在細菌叢の形成も困難である．さらに，皮膚はいっそう薄く，より微生物が侵入しやすい状況にある．一方で，NICUには感染症の治療目的の児も入院している．そして，感染の機会となる処置もさまざまある．このように早産児は感染症に対して非常に不利な状況にあり，感染しやすく，感染すると重症化しやすい．早産児にとって**感染予防**の援助は重要である．

基本的にNICUは，空調も独立し清浄度が高く保たれるようにつくられている．また，閉鎖式保育器にはフィルターが装着され，さらに清浄度が高く保たれるようになっている．多くの施設では，児の使用する物品は，児専用にしている．しかし，もっとも重要なのは，やはり手洗いである．WHO手指衛生ガイドラインを遵守するとともに，院内・病棟内の感染予防マニュアルを遵守して援助するべきである．

e. ディベロップメンタル・ケア（心理・社会的発達への援助）

ディベロップメンタル・ケアとは早産児の成長発達を促すケアであり，子宮内の環境とは異なる養育環境からの外的ストレスを最小限にするケアである．早産児にとっても，早産児だからこそ，心理・社会的発達への援助は重要である．オムツ交換のために触れただけでも酸素飽和度が下がってしまうような脆弱な児もいる．本来は，子宮内という温かく，狭く，暗く，静かな環境で成長するはずだった存在である．過剰な刺激によるストレスを与えることは禁物である．そのため，近年のNICUにおいては，照度を落とし，モニタの同期音も消し，処置時や保育器周囲での騒音にもかなり配慮している施設が増えている．

手足が急にあまりにも自由になる環境は一方で児の不安を引き起こし，不穏な様子をもたらす．その防止として，**ネスティング**とよばれる，児の周囲を囲み，児の落ち着く体位をとらせるような工夫も取り入れられている（**図Ⅵ-22**）．

温かい接触は児の成長発達に有効であるといわれており，経管栄養であっても授乳時に児をそっとなでる援助を取り入れることもある．さらに，**カンガルー・マザーズ・ケア**を取り入れている施設も多くなっている（p.185コラム参照）．

痛みに対しても，ホールディングやおしゃぶりの利用などで緩和させることが推奨されている[1]．ホールディングは，抱っこのかわりに両手で児の体を丸く包み込むように支えることである（**図Ⅵ-22**のネスティングの姿勢参照）．

これらのディベロップメンタル・ケアについては，児の行動から**ストレスサイン**の有無を読み取り，ストレス状況にある場合はポジショニングやホールディングを行い安定化を図る．

図Ⅵ-22 ネスティング

　早産児の救命のためには集中治療が必要なことから，母子分離を余儀なくされる．そのことにより，母子の絆形成に課題が生じやすく，被虐待児となるリスクがあるといわれる．児の長期的な発達のためには**家族中心の看護**（ファミリーセンタードケア）は不可欠である．とくに，母親は「早産」したことによる非常に多くの喪失感を抱いていたり，身体的な不調が認められることも多い．母親や家族の状況をよく把握し，面会，接触，搾乳，育児指導など，少しずつステップをふみながら児とのかかわりを深めて，退院後まで見通せるような援助が重要である（未熟児養育医療，未熟児訪問指導については『母性看護学Ⅰ』第Ⅲ章2節参照）．

E. 新生児一過性多呼吸

　胎児期に肺胞を満たしていた肺水は，出生後にすみやかに吸収され，空気で満たされる．この肺水の吸収が遅延の結果，**新生児一過性多呼吸**（transient tachypnea of newborn：**TTN**）が発症する．多くは出生直後からの多呼吸と呻吟，鼻翼呼吸などの軽度の呼吸障害を伴うが，チアノーゼや陥没呼吸を伴うことは少ない．通常は特別な治療を要さず，数日で軽快することが多い．なかには酸素投与や補助呼吸を必要とする場合もあり，呼吸窮迫症候群や気胸，胎便吸引症候群等との鑑別が必要である．

　帝王切開や非常に急速に進行した分娩で出生した児に多くみられる．

F. 胎便吸引症候群

　子宮内，あるいは出生直後に混濁した羊水を児が吸引することによって生じる呼吸障害である．胎児が低酸素状態になり，羊水中に胎便を排泄し，あえぎ呼吸が起こり生じる．早産児は排便反射が生じにくいので，正期産児，過期産児に多く認められる．胎便は，気道を閉鎖しやすく，気胸を生じやすい．また，胎便による化学性肺炎やサーファクタントの作用の阻害などにより，重篤な呼吸障害となりやすい．さらに，遷延性肺高血圧症を引き起こすこともある．

症状としては，多呼吸，チアノーゼ，努力様呼吸，ラ音や呼吸音減弱などが認められ，胸部Ｘ線写真で診断する．治療は対症療法となる．

羊水混濁があり，出生時活気がない場合は，口・鼻腔の吸引を行うことが推奨されるが，吸引により**胎便吸引症候群**（meconium aspiration syndrome：**MAS**）を予防することはできない．

G. 治療を要する黄疸

1 ● 治療を要する黄疸

病的黄疸となるのは，24時間以内に出現する早発黄疸，2週間以降も黄染が持続する遷延性黄疸と，血清総ビリルビン濃度が正常範囲を超える高ビリルビン血症，さらにそれが進行することにより発症する核黄疸である．このほか，血清直接ビリルビン値が3 mg/dL以上も病的である（黄疸の機序についてはp.380参照）．

a. 高ビリルビン血症

高ビリルビン血症は，さまざまな原因，誘因により，血清ビリルビン値が異常に高くなった状態である．これを放置すると核黄疸となり，脳に不可逆的な変化を与え，後障害を残す．そのため，高ビリルビン血症の段階で治療することが重要である（**図Ⅵ-23**）．高ビリルビン血症のリスク因子としては，溶血の亢進がある．この場合，血液型不適合などの新生児溶血性疾患が代表的であるが，それ以外にも，頭血腫など体内の出血・血液貯留，多血症があげられる．また，腸肝循環が亢進する胎便排泄の遅延など，腸蠕動運動の停滞は，リスク因子となる．さらに，水分摂取量の不足があると脱水傾向となり，相対的に血清ビリルビン値を高める．

b. 核黄疸

核黄疸とは，アルブミンと結合していない**遊離ビリルビン**（間接型，非抱合型）（**アンバウンドビリルビン**）の上昇により，大脳基底核に黄染がみられ，脳細胞が侵される病態である．これは，不可逆的な変化であり，最悪の場合は死に至る疾患である．

核黄疸の臨床症状としては，初期では筋緊張の低下，嗜眠傾向，吸啜反射減弱，モロー反射減弱などが認められる．次に，発熱，甲高い泣き声，落陽現象，後弓反張などが認められる．しだいに消退し死に至るが，重症からの生存例では，アテトーゼ型の脳性麻痺を残す．

また，血中のビリルビンが核黄疸を起こすためには，血液-脳関門を通って神経細胞に達しなければならない．新生児期には，血液-脳関門の機能も未熟なため通過しやすい．さらに，低出生体重児ではその機能が未熟であり，核黄疸になりやすい．そのほか，低酸素症，アシドーシス，低血糖症，感染症があると血液-脳関門を通過しやすくなり，核黄疸のリスクが高まる．

2 ● 黄疸の治療と看護

核黄疸に至ってからでは，後障害を残してしまうので，その前の段階で治療することが必要である．そのために定められたのが高ビリルビン血症という疾患であり，治療基準で

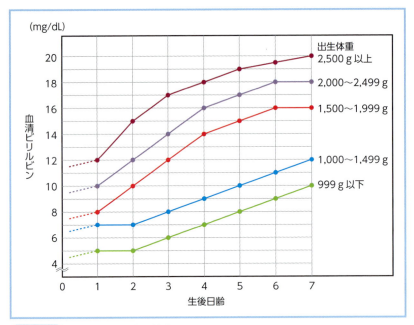

図Ⅵ-23　光線療法の適正基準

注1：開始基準：日齢，出生体重から基準線を超えたときに光線療法を開始する（生後日齢とは出産当日が0日，生後24時間で1日，生後48時間で2日となる）．
注2：下記の核黄疸発症のリスク因子がある場合には1段低い基準線を超えたときに光線療法を考慮する．
　1）仮死（5分後アプガースコア≦3）
　2）呼吸障害（PaO_2≦40 mmHgが2時間以上持続）
　3）アシドーシス（pH≦7.15）
　4）低体温（直腸温＜35℃が1時間以上持続）
　5）低タンパク血症（血清総タンパク≦4.0 g/dLまたは血清アルブミン≦2.5 g/dL）
　6）低血糖
　7）溶血
　8）敗血症を含む中枢神経系の異常徴候
注3：中止基準：その日齢における開始基準値よりも2〜3 mg/dL低くなった場合に中止．
［村田文也：交換輸血・光線療法．周産期医学11：359，1981より引用］

ある．

　高ビリルビン血症の治療法としては，光線療法と交換輸血とがある．核黄疸の予防のため交換輸血という方法がとられるが，交換輸血は侵襲も大きいため，その危険が高まる前に，より侵襲の低い方法である光線療法で治療を行う．光線療法の適正基準は，長年の臨床経験からつくられたものである（図Ⅵ-23）．

a．光線療法

(1) 光線療法の原理

　光線療法の原理としては，ビリルビンが光によって立体異性体へ，さらに構造異性体へと変化する作用を利用している．皮下に蓄積したビリルビンが異性体へと変化することによって親水性となり，皮膚から血中に溶け肝臓に運ばれた後，抱合を必要とせず胆汁中に排泄される．

　この作用がもっとも高いのは400〜700 nmの波長の光である．そのため，従来450 nm

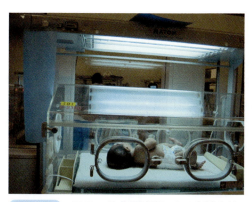
図Ⅵ-24 スタンド式照射器による光線療法

図Ⅵ-25 Bilibed®による光線療法

の波長の特性のあるブルーライトが用いられてきた．近年は520 nmの波長の特性のあるグリーンライトの安全性・有効性が認められ，グリーンライトが用いられることも多い．いずれも光エネルギーを利用するため，その効果は光の強さに影響を受ける．すなわち，光源の照射本数，光源からの距離に留意しなくてはならない．

　スタンド式照射器の場合（図Ⅵ-24），通常1つのユニットに4本の蛍光灯が組み込まれており，それを児から約50 cmの距離から照射することで4,500 lx（ルクス）のエネルギーが得られる．光エネルギーは距離の2乗に反比例することから，より近く30 cmでの照射が望ましい．黄疸の程度が強い場合には2つのユニットを2方向から同時に照射することもある．これを12〜24時間を1クールとして照射する．一般的には，24時間照射し，採血の結果，血清総ビリルビンが3〜4 mg減少するなど，治療開始基準を下回っていれば中止する．照射終了後，リバウンドが認められるので，照射終了の翌日に採血してその程度を確認する．

　近年は，ファイバー方式など，照射器がベッドに組み込まれるようなタイプのもの（図Ⅵ-25）がある．照射時間などについては同様である．

コラム

血液型不適合妊娠

　比較的頻度が高いものはRh不適合とABO不適合である．

　Rh不適合に関しては，母親がRh（−）で父親がRh（＋）で胎児がRh（＋）である場合，Rh（−）の母親については，初回妊娠時に感作し抗D抗体が産生されると，2回目以降の妊娠時に，母体の抗D抗体が胎盤を介して移行することにより，胎児の赤血球が溶解（溶血）することがある．しかし，妊娠中からクームス（Coombs）検査も行われ，出産直後に抗D抗体を投与することが一般的治療となっており，2回目以降の妊娠でも発症頻度は少ない．まれに初回妊娠でも発症することがある．

　ABO不適合妊娠に関しては，母親がO型で父親がそれ以外の場合に抗A抗体・抗B抗体が移行し，同様のことが生じる．ABO不適合は，初回でも発症することがあるが，臨床的に問題となるのは1〜2％である．

参考文献
1) 仁志田博司, 進　純郎：産科スタッフのための新生児学, 改訂2版, p.177-180, メディカ出版, 2007

（2）光線療法中の看護

　光線療法中の看護としては，まずは光線療法を効果的に行う必要がある．そのためには，児はできる限り肌を露出させ光に当てる．さらに，時折体位を変換し照射部位が広くなるよう工夫する．また照射を開始する際は，照射ユニットからの距離や蛍光灯の使用時間（およそ3,000時間で交換する）などを確認してから照射する．

　光線療法開始後は，経皮的なビリルビン計測は正確ではないので，血清ビリルビンを測定するしかない．ただし，ビリルビンが排泄されているかどうかは，尿（淡茶など，色が濃くなる）や便（暗緑色のビリルビン便とも称される）を観察することで確認することができる．

（3）光線療法の副作用の予防

　一方，光線療法による副作用を予防するために，いくつかの援助が必要である．スタンド照射式の場合，とくにブルーライトにおいては，網膜障害や性腺への影響があるとされているため，アイマスクによって**網膜を保護**し，男児の場合はオムツをして**性腺を保護**する必要がある．女児の場合は，性腺が腹腔内にあるため，ほとんど影響を受けないとされているので，排泄物による汚染が防げればよい．

　また，効果的な照射を行うために児を裸にするので，保温が必要となり，一般的には保育器に収容する．光を当てることと保育器に収容すること両方の作用で，体温の上昇と不感蒸泄の増加が生じやすい．保育器の温度管理に留意し，**体温管理**および**水分の摂取量**を増やすことが望まれる．

　もう1つの副作用として，**ブロンズベビー症候群**となることもある．これには，皮膚色の観察が必要である．皮膚色では黄疸は評価できないが，ブロンズベビー症候群に関する観察のためにも，定期的な観察は必要である．その際は，観察者の目の保護のためにも，一時的にライトは消して観察する．グリーンライトの場合は，補色の影響でピンク色に見えやすく，チアノーゼの観察がむずかしくなりやすいので注意する．

（4）光線療法中の母子相互作用の援助

　また，保育器に収容するため，母子同室の場合は，それを中断することになるため，アイマスクは母子相互作用を妨げる．現在では，通常の高ビリルビン血症では母乳育児を中止する必要はないとされており，授乳時には，光線療法を一時中止して，アイマスクも外し，母子相互作用も図りながら母乳育児を続けられるよう援助する．また母親は，児が高ビリルビン血症になったことに自責の念を抱いたり，治療のため母児同室を中断することにより，精神的に不安定な状態に陥りやすい．疾患とその治療法に関して十分な説明を行うとともに，母親の思いを傾聴することも重要な援助である．

　ベッド型のものは，専用の衣服が取り付けられているので，そこに，オムツのみ着用した児を寝かせ，その専用の衣服を整えるのみで，アイマスクも不要である．授乳時には，抱き上げるため専用の衣服を外し，通常の衣服を着用させる．スタンド式照射器と同様に，体温管理や皮膚の状態の観察は必要である．

H. 新生児一過性ビタミンK欠乏症

　新生児一過性ビタミンK欠乏症とは，日齢7までに発症するビタミンK欠乏性出血症で

あり，それ以降は乳児ビタミンK欠乏性出血症と称する．ビタミンKは，凝固因子そのものではないが，凝固因子や凝固制御因子のいくつかはビタミンK依存性であることから，不足すると出血傾向になる．新生児においては，出生時のビタミンKの備蓄が少ない，ビタミンKを産生する腸内細菌叢が形成されていない，母乳中のビタミンK含量が不足しやすい，ビタミンK依存性凝固因子の血中濃度が低い，などの要因で発症することがある．胆道閉鎖症などの肝胆道系疾患がある場合，胆汁が腸に出ないため脂肪の吸収不足からビタミンKが不足し発症しやすく，予防的経口投与の効果も低く要注意である．発症すると，出血斑，皮膚穿刺部位の止血困難，吐血，下血が認められる．重症の場合，頭蓋内出血が認められる．とくに消化管出血（吐血・下血）を新生児（真性）メレナという．なお，仮性メレナは，出生時に母体血を嚥下し，それが吐物や便に混入して排出されるもので，アプト（Apt）テスト*により鑑別できる．

予防のため，すべての新生児に対し，ビタミンK_2シロップ1 mL（2 mg）を経口で与える（p.378参照）．

I. 低血糖症

新生児低血糖症の詳細な定義はまだ確立されていないが，正期産児では，生後24時間以内の血糖値が40 mg/dL未満，生後24時間以降では血糖値が45 mg/dL未満と考えられている．低血糖の症状としては，易刺激性，振戦，傾眠，筋緊張低下，呼吸障害，哺乳障害などがあり，症状が認められない場合もある．低血糖により脳障害を生じることもあり，重症化を予防することが重要である．低血糖のハイリスク児は，低出生体重児，早産児，SFD児，不当軽量児，母体糖尿病児，不当重量児，仮死出生児などである．

低血糖ハイリスク児が出生した場合は，生後1時間，2時間，4時間など定時的に血糖測定を行う．血糖値が低い場合は，早期に哺乳をさせることもあるが，血糖値が25 mg/dL未満の場合は，経静脈的にブドウ糖を投与する．

J. 新生児感染症

a. 敗血症，髄膜炎，肺炎

本章第2節の「H. 新生児の感染予防」（p.409参照）で述べたように，新生児は非常に感染しやすい状態にあり，また感染すると重篤化しやすいことも特徴の1つである．新生児においては敗血症と診断された症例の約1/3は髄膜炎を合併しており，臨床的にも区別がつきづらいことから，敗血症と髄膜炎は同時に取り扱われることが多く，肺炎も含め全身型の感染症として考える．新生児感染症は，発症時期によって早発型（生後72時間以内）と遅発型（生後72時間以降）とに分類されている．この2つは起炎菌および感染経路が異なることが多い．

早発型は，経胎盤感染，上行性感染，経産道感染が多い．起炎菌としては，B群溶血性

---

*アプトテスト：新生児の血液に多く含まれるヘモグロビンFを識別する検査．

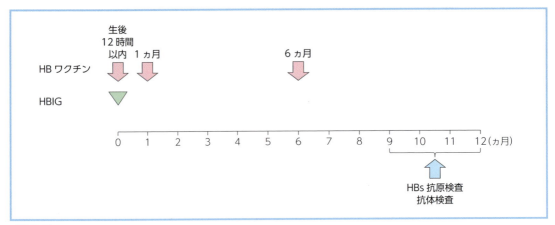

図Ⅵ-26 B型肝炎ウイルスの母子感染予防の管理方法
HBワクチン：B型肝炎ワクチン，HBIG：抗HBsヒト免疫グロブリン．
［日本産科婦人科学会/日本産婦人科医会（編・監）：産科婦人科診療ガイドライン―産科編2023, p.314, 日本産科婦人科学会, 2023より許諾を得て改変し転載］

連鎖球菌（group B Streptococcus：GBS）や大腸菌が多い．発症を予測する因子としては，前期破水や母体発熱，羊水混濁などがある．早発型は，呼吸不全，循環不全，全身性炎症反応症候群（systemic inflammatory response syndrome：SIRS）を呈する劇症型になることがあるが，なんとなく元気がない（not doing well）や腹部膨満，哺乳力低下，無呼吸，体温が不安定などの非特異的な症状で発症することもある．

遅発型は，水平感染によるものが多い．起炎菌としては，GBSや大腸菌などが多いが，NICU入院中の場合は，メチシリン耐性黄色ブドウ球菌（methicillin-resistant *Staphylococcus aureus*：MRSA）などのブドウ球菌や緑膿菌，真菌などの頻度が高くなる．症状は，多彩な非特異的な症状が多い．肺炎，尿路感染症，皮膚感染症，腸管感染症などでも発症する．

感染症が疑われたら，血液・尿の検査やX線撮影，血液・尿の培養などを行い，抗菌薬を投与する．発症症状が非特異的であり，進行も急速なため，感染予防に努め，日ごろから注意深い観察が必要である．

b. B型肝炎

妊婦がB型肝炎ウイルス（hepatitis B virus：HBV）を有している場合，出生時に母体の血液から感染するリスクが高く，予防措置をとらない場合は母子感染し，児がキャリア（HBs抗原持続陽性者）化したり劇症肝炎を発症することがある．このため，母子感染を起こすおそれのある妊婦（HBs抗原陽性）を発見し，B型肝炎ウイルス母子感染防止対策を実施することが求められる．妊娠中に，母体のHBs抗原・抗体の検査が公費で行われる．その結果，HBs抗原が陽性の場合は指針（図Ⅵ-26）に従い，出生児に対してHBワクチン・抗HBsヒト免疫グロブリン（HBIG）の投与を行う．これらの投与は医療保険の適用となっている．なお，予防措置の意義や，予防措置を実施することにより母乳育児を含め通常の育児が可能であることなど，親に対する説明も重要である．

K. 先天異常のある新生児への看護

1 ● 先天異常とは

先天異常は，出生前からの原因で形態的または機能的に異常が生じている状態である．異常は早ければ胎児期に診断されているものもあれば，成人期に至るまで気づかれないものもある．形態的な異常は，奇形ないしは奇形症候群とよばれ，比較的早期から診断されることが多いが，一部の内臓奇形などは必ずしも新生児期に診断されないこともある．一方，機能的な異常の代表は先天性代謝異常症などであるが，これらは，出生直後には診断されないことが多い．

先天異常は，遺伝性のものであるとは限らない．その成因は，単一遺伝子疾患，染色体異常，多因子遺伝性疾患，環境因子（感染，薬剤，子宮内環境）に分類できる．フェニルケトン尿症のように100％遺伝によって発症するものもあるが，多くは環境因子によって発症が左右される．さまざまな先天異常のすべてを合わせれば，先天異常を有する新生児が出生する頻度は5～6％といわれており，決してまれなことではない．

先天異常が胎児期から診断されていれば，その疾患の種類・程度によって，治療が可能で緊急を要する場合（出産後すぐに手術が必要な疾患など）は，出産方法（帝王切開，誘発分娩など）を選択し，人員を配置して準備を整えた状態で児の誕生を迎え，出生後は治療のための看護を行う．先天異常が出生直後に発見された場合は，児の症状に応じた治療を行うとともに，確定診断のためにさまざまな検査を含めて情報収集が行われるので，その援助を行う．

2 ● 先天異常の治療

先天異常の疾患には，原因疾患の治療が不可能なものが多い．そのため，治療は，その疾患による生命および日常生活への影響を少なくすることを目的とすることも少なくない．たとえば，先天代謝異常などの検査で発見されるフェニルケトン尿症の原因である酵素欠損は治療できないので，フェニルアラニンが蓄積しないようにフェニルアラニン制限食を行うのが治療となる．

日本小児外科学会の2018（平成30）年の調査によると，96.5％の施設から回答があり，新生児期に外科手術を要する先天異常は，2,828例について報告があった．2018年の出生数から推測すると約0.3％の発見率と考えられる．そのうち，主要一般小児外科疾患数は2,244例であり，事例が多いものは直腸肛門奇形，腸閉鎖・狭窄症，食道閉鎖症，横隔膜ヘルニアである（図Ⅵ-27）．また，心臓血管疾患については，2013（平成25）年の調査によると980例と増加している．もっとも多い疾患は動脈管開存症で，ついで大動脈縮窄症，大血管転位症，総肺静脈還流異常症，左心低形成症候群である（図Ⅵ-28）．

3 ● 先天異常のある新生児への看護と観察のポイント

とくに遺伝的な要因の強い疾患の場合は，治療が困難なことが多く，それだけでも当事者である児とその両親にとって強い衝撃を与えるが，遺伝という要素は，親族にまで強い衝撃を与えることとなる．第一の当事者である新生児に必要かつ適切な治療と看護を提供

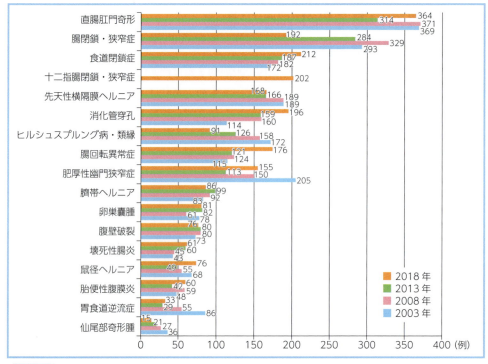

図Ⅵ-27　主要疾患症例数

[日本小児外科学会学術・先進医療検討委員会：わが国の新生児外科の現状—2018年新生児外科全国集計.日本小児外科学会雑誌56(7)：1170,2020より許諾を得て転載]

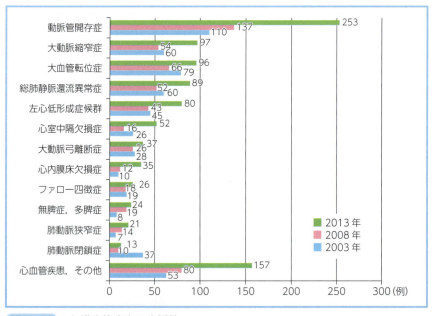

図Ⅵ-28　心臓血管疾患の症例数

[日本小児外科学会学術・先進医療検討委員会：わが国の新生児外科の現状—2013年新生児外科全国集計.日本小児外科学会雑誌51(7)：1234-1245,2015より引用]

するとともに，親・親族を含めた支援が必要となる．

また時に，原因疾患の治療が不可能であり，当事者である新生児の意思を確認できないことから，治療の継続・選択にあたって，倫理的問題を生じることがある．子どもにとって最善の利益が得られるよう，子どもを取り巻く人々が十分に話し合い，治療方針が決定されなければならない（p.333，表Ⅲ-24参照）．親に対する支援は，p.333で記述されているので参照してほしい．

新生児室でも見かけるいくつかの疾患について，観察のポイントを以下に記す．

a. 直腸肛門奇形，ヒルシュスプルング病

直腸肛門奇形の代表的なものは鎖肛である．多くは，出産直後の全身状態の観察で確認される．その目的で，出生直後は直腸体温計を用いたり，時には，綿棒などを挿入して確認する．しかし，高位鎖肛の場合や，腟などとの瘻孔がある場合は見過ごされることもある．24時間以内の排便の有無や腹部膨満を確認することは重要である．ヒルシュスプルング（Hirschsprung）病は，腸管に神経節がないため，腸管の蠕動運動がなく，その部位までに便が停滞する疾患である．無神経節腸管の部位・長さ（範囲）によって症状が変わるが，24時間以内に排便がみられない，腹部膨満，嘔吐が主症状である．

b. 口唇・口蓋裂

子宮内での発生・成育の過程で，口唇や口蓋が癒合していない場合をいい，唇裂のみや口蓋のみの場合や，片側のみと両側に認められる場合がある．口蓋のみの場合は，ていねいに観察しないと見逃すこともある．口唇・口蓋裂の哺乳に際しては，個別の支援が必要である．縦抱き（60°以上）にして，乳房で裂孔部をふさぐようにして与える方法があるが，直接母乳が困難な場合は，特別な形状の乳首やカップで授乳する[2]．

c. 心室中隔欠損症，心房中隔欠損症

左心室と右心室の隔壁に欠損がある状態が心室中隔欠損症で，左心房と右心房の隔壁に欠損がある状態が心房中隔欠損症である．心雑音の聴取により発見されるが，新生児期に心不全などの臨床症状が認められることはまれであり，心室中隔欠損症は約半分が自然治癒することからも新生児期の手術療法は少ない．定期的に検診を受け経過観察する．

d. 大動脈縮窄，大血管転位，ファロー四徴症

大動脈縮窄は大動脈が狭窄しており，動脈管開存が伴わなければ体血流量が減少し，循環不全を生ずる．大血管転位は，大動脈が右心室，肺動脈が左心室から起始しており動脈管開存もしくは心室中隔欠損症を伴わなければ，酸素化した血液が体循環に流れず，低酸素症となる．ファロー四徴症は，肺動脈狭窄，大動脈騎乗（左心室・右心室の両方にまたがって出ている），心室中隔欠損症，右室肥大の4つの特徴的な異常を有している状態である．いずれもチアノーゼを伴うが，視診では見落とすことがあるので，必ずパルスオキシメーターで測定することが重要である．とくに大動脈縮窄では，上肢と下肢の血圧測定値が異なることが特徴なので，上肢と下肢の両方で測定する．これらの疾患の場合は，小児循環器専門医がいる施設で医療を受けることが望ましい．

e. ダウン症候群

もっとも多く見受けられる染色体異常であり，21番目の染色体が3本ある**21トリソミー**である．出生前診断を受けている人もいる．多くは，出産時または出生後早期に，顔貌や

筋緊張低下から疑われる．特徴的な外観としては，つりあがった眼，鼻根扁平，耳介低位，巨舌，頸部の余剰皮膚，手足の指の短さ，手掌単一屈曲腺などである．心疾患や白血病を合併していることもあるので，さらに検査を重ねることが多い．筋緊張が低下しており，哺乳が困難であることが多いので，十分な支援が必要である．

学習課題

1. 主な分娩外傷を整理してみよう
2. 低出生体重児の特徴を整理してみよう

練習問題

Q1 外性器異常が疑われた新生児の親への対応として適切なのはどれか．
1. 出生直後に性別を伝える．
2. 内性器には異常がないことを伝える．
3. 出生直後に母児の早期接触を行わない．
4. 出生届は性別保留で提出できることを説明する．

[解答と解説 ▶ p.551]

引用文献

1) 「新生児の痛みの軽減を目指したケア」ガイドライン作成委員会：CQ7 NICUに入院している新生児にベッドサイド処置を行う場合，どのような非薬理的緩和法を用いると，最も新生児の入院中の痛みが緩和し生活の質が向上するか？ A7②SwaddlingやFacilitate Tuckingを推奨する．NICUに入院している新生児の痛みのケアガイドライン（実用版），p.11-15，2014，〔http://www.jann.gr.jp/wp-content/uploads/2016/09/83d5c6c0d4b2159358253518b1f1dffc2.pdf〕（最終確認：2018年2月26日）
2) NPO法人 日本ラクテーション・コンサルタント協会：母乳育児支援スタンダード，第2版，医学書院，2015

5 新生児の施設内における事故防止と安全

> **この節で学ぶこと**
> 1. 新生児に関連して施設内で起こりやすい事故について学ぶ
> 2. 施設内の事故防止のために必要なことを考える

A. 新生児の事故の状況

　日本の新生児死亡率は，出生1,000対0.8（2020［令和2］年）[1]と非常に低値であり，ほとんどの親は，わが子がその1に当てはまるとはまったく考えていない．しかし，新生児は成人に比べれば，反応や要求が不明瞭である．また，小さい，未熟であるということにより，ささいなミスが事故につながる．脆弱な新生児は，ささいなミスによる事故がその児の人生に大きく影響してしまうこともありうる．

　新生児が死に至るような事故では，吐物などによる窒息や，うつぶせ寝による窒息があげられる．また，母乳育児を勧めるなかで，昔ながらの添い寝・添い乳を容認している施設もあるが，添い乳をしたまま眠りこんでしまった母親によって新生児の呼吸が抑制されてしまったという痛ましい事故もみられるという．2000年代には分娩直後の早期母子接触の途中で新生児の呼吸状態が悪化した事故やビタミンK_2を投与しなかったことによるビタミンK欠乏性出血も報告され，それぞれに改善策が提示されている．

　日本医療機能評価機構では医療事故情報の収集・分析を行っている[2]．2015〜2019（平成27〜令和元）年の5年間に，助産師や看護師が当事者で産婦人科や周産期母子医療センターで発生した医療事故を検索したところ，その数は30件を超えている．2015（平成27）年に添え乳に関連した死亡もしくは障害が残存する可能性が高い事例の報告が3件，新生児低血糖に関連する事例が1件，B型肝炎母子感染防止に関連するグロブリンおよびワクチン接種の未実施も1件報告されている．障害が残る可能性は低いが，沐浴に関連する熱傷についての事故が2015（平成27）年と2017（平成29）年にそれぞれ1件，転落やビタミンKに関連する事故（誤薬，投与量の誤り），新生児の取り違えに関連する事故が複数件報告されている．なお，事故ではなく，ヒヤリハットとしてもビタミンK与薬や児の取り違えに関連して，複数の報告がある．

B. 新生児の医療事故の防止

　医療事故の防止のためには，「ヒヤリハット」と「事故」に関する情報を収集し，個人

の責任追及のためではなく原因を分析し，事故防止対策を立案・実施する必要がある．各施設でも，事故・ヒヤリハットを集計し分析を重ねている．人はミスを犯すものであるということを前提として，より安全なシステムを構築する必要がある．

C. 新生児の施設内の事故

1 ● 新生児の転落事故防止

転落は，新生児の移動のために「抱っこ」という手段をとることから生じやすい．「抱っこ」という行為は新生児にとって快適なことでもあるため，あやしたり，ちょっとした移動に利用しやすい．しかし，大人が立位で新生児を抱えるとその位置は床から1m以上となりやすい．新生児の身長の2倍以上であり，大人に考えると3〜4mの高さから落下することである．これは，処置台や体重計などでも同様の高さがある．単純に「抱っこ」しているだけでなく，移動の場合は，足もとが見えづらく，つまずく可能性もある．さらに，人から人に手渡すという行為が重なると，受け渡す人どうしがかなり意思疎通を図らなければならない．しかも，新生児は重心が高く，落下するとき頭から落ちやすい．その結果，頭蓋骨骨折を起こした例もあるという．そのような危険があるにもかかわらず，施設内ではこのような移動手段が依然として続けられていることが多い．現在施設内では通常，1人の児に専用の移動可能なコットが提供されている．できる限り**移動はコット**を利用し，児の受け渡しも，コットを介するほうが望ましい．

また，さらに転落については，新生児は動かないという誤解も含まれている．新生児も寝返りこそうたないが，啼泣の際には手足を激しく動かし，それにより上下左右に移動する．必ず，縁のある場所に寝かせるとともに，目を離さないことが必要である．これは，乳児の保育者である母親や家族にとっても同様であり，事前に注意を促すことも必要である．

また，事例として母親自身が授乳中に転寝（うたたね）をして落としてしまったことが報告されていた．母親だけではなく父親についても疲労している可能性は高い．大切な親子の相互作用の時間を阻害してはならないが，疲労状況を把握し，声かけが必要である．

2 ● 新生児の取り違え事故防止

新生児の取り違えも，最近では大きな事故は見当たらないようであるが，インシデントは複数存在する．沐浴，検査，授乳などのため，その新生児専用のコットを離れ戻るとき，コットを離れなくても，一時的に母親から預かり母親に返すときなどに取り違えは起こりやすい．また，搾母乳やビタミンK_2シロップの与薬などに関連して対象児の誤認も生じている．当然のことながら新生児自身が名乗ることはできないし，識別票が取れていても，それに気づき，訴えるすべをもっていない．また，多くの母親は数日中にわが子を見分けることができるが，医療従事者にはすべての子どもを見分けることは困難であろうことから生じる事故である．したがって，予防のためには，やはり**2つ以上の識別票**をつけ，2つ以上あることを随時確認することは重要である．コットを離れ戻すとき，とくに母親から預かり返すときには，母親とともにしっかり**識別票で確認**することをおろそかにしては

ならない．さらに，搾母乳は体液であり，K₂シロップは「与薬」であり，決して他の児に与えてよいものではない．いずれもラベルをしっかりとダブルチェックして準備する必要がある．

3 ● 新生児の突然死防止

添え乳や添い寝で母児だけにした後，看護職者が児を迎えに行ったときに児の変化に気づいたということが複数報告されている．母乳哺育促進のため，添え乳が紹介されることもある．母親の疲労が強く，楽な姿勢で授乳できるようにという配慮である．しかしながら，疲労が強い状態ということは，児の変化にも気づきにくいということでもある．さらに，添え乳の姿勢や早期母子接触の姿勢は，児の顔色などが見えづらいことも少なくない．また，出生後間もない新生児は呼吸・循環の適応過程にあるため，呼吸状態が悪化し突然死に至ることはありうる．添え乳を支援する場合は，できる限り母児だけにしないことが望まれるし，パルスオキシメーターなどモニターの装着も考慮したい．

4 ● 沐浴時の熱傷防止

事故の状況でも記述したとおり，施設内での沐浴の機会が少なくなっているにもかかわらず，沐浴時の熱傷事故は1～2年に1事例程度報告が認められる．機会が少ないからこそ，準備に手間取ることを考慮したり，清拭用の温湯に利用したりするため，沐浴槽に流入する湯口の設定温度をかなり高めにしている可能性もある．また，感染予防のためロンググローブをして沐浴を実施する場合は，介助者が皮膚で観察することも困難である．物品も毎日使用するわけでもないとしまい込まれていて，つい湯温計など絶対に必要ではないものについては，準備が怠りがちになる．そのようないくつかの状況が重なって事故が発生するようである．基本に立ち返り，準備段階でしっかり確認することや，とくに湯温については2人で確認することや，沐浴槽周辺に注意喚起の表示を行うなどの対策が行われている．

5 ● 新生児の誘拐事件防止

新生児の誘拐事件はほとんど耳にしなくなったが，重大事故として忘れてはならない．新生児自身が，見知らぬ他人に抱き上げられても声を上げるわけでもなく，誘拐者にとっては新生児を連れての移動も簡単であり，病院という場所は多数の人が出入りし，見舞客を装えば比較的自由に侵入することができ，新生児室に預かっているときはスタッフの目が届かないときがあり，母児同室では母親が眠り込んでいればこれも気づかれにくい．近年，比較的大きな規模の病院では，病院全体の危機管理体制が整い，見舞客を装う程度では侵入できないシステムが整いつつある．新生児にICタグをつける施設もある．しかし，それがすべての防止につながるわけではない．やはり，病棟ごとで来訪者のチェックを行うことも必要である．当然のことながら，新生児室にあずかる場合は，目を離さない，または，施錠するなどの基本的な事項を遵守する必要がある．

6 ● 面会者による感染などの防止

多くの病院では，**感染予防**のために子どもの面会を制限している．とくに乳幼児・学童は，感染性疾患に罹患することも多い．兄／姉が母親である褥婦と新生児に会うことは重要であるため，病棟の入口近くに面会スペースを設けたり，WEBカメラによる面会が検討されることが望ましい．祖父母や友人においても，感染徴候がある場合は面会を断ることも重要である．また，あまりに面会者の数・頻度が多いことは，出産・授乳で疲労している褥婦の回復にも妨げとなるので，褥婦の希望をよく聞いておき，面会を制限することも必要である．

退院後の家庭における事故予防については第Ⅲ章4節を参照されたい（p.301参照）．

学習課題

1．インターネットなどで，医療事故について調べてみよう

引用文献

1) 厚生労働省：人口動態統計．〔https://www.mhlw.go.jp/toukei/saikin/hw/jinkou/kakutei20/index.html〕（最終確認：2021年11月30日）
2) 日本医療機能評価機構：医療事故情報収集等事業．〔http://www.med-safe.jp/http://www.ipss.go.jp/〕（最終確認：2021年5月21日）

第VII章

母性看護技術

学習目標

1. 根拠に基づく母性看護技術の倫理的実践方法を理解する
2. 対象者中心の理念に基づく母性看護技術の実践方法を理解する

Skill 1

▶p.37参照

内診台にて内診を受ける妊婦への援助

内診の目的に応じて準備する．

物品

①無菌手袋，②ディスポーザブルシーツ，③ティッシュペーパー，④パッド，⑤掛け物，⑥ライト
内診の目的に応じて，⑦クスコ腟鏡，⑧無鉤長摂子，⑨綿球，⑩消毒液，⑪洗浄液など
▶感染防止のために腟内に挿入する器具類は無菌操作にて取り扱う．

実　施	根拠根／ポイント➡／注意点注
❶環境設定：下半身を露出しても寒くないよう室温を調整する． ❷内診の目的と方法について十分に説明し，排尿を済ませてもらう． ❸排尿を済ませたことを確認し，妊婦の氏名を確認する． ❹下半身の衣類を脱衣してもらい，内診台に上がり砕石位をとれるよう援助する． ・内診台にディスポーザブルシーツを敷き，腰をかけてもらう． ・脚台を見えるようにして足を乗せてもらう． ・衣類は腰より上でまとめ下半身を掛け物でおおう． ・内診台の高さや背もたれの角度を調整し，外陰部を照らすライトの位置と角度を調整する． ・内診時は，妊婦の殿部を内診台の端まで誘導し，腰背部を台に密着させ，股関節・膝関節を曲げ，砕石位をとれるよう援助する． カーテン ❺診察の際の羞恥心や不安，苦痛の緩和に心がける． ❻診察終了後，外陰部をティッシュペーパーで拭くか，洗浄液を用いて清拭し，必要時パッドを当てる． ❼妊婦をねぎらい，診察が終了したことを伝える．内診台を下げて，降りて衣類を整えるよう説明する．妊婦が内診台から降りる際も安全に配慮する． ❽器械類や内診用シーツを扱う際には感染防止に十分に注意する．	根内診台に上るとき，また砕石位をとる際は，足元が見えにくく，カーテンなどで仕切られているため，安全に配慮する． ➡場合によっては，カーテンの要否の希望を確認し，調整することも必要である． 根時にカーテンは妊婦の不安を増強させることがある． ➡常に声かけを行いながら，妊婦の不安や緊張，苦痛の緩和に努める．とくに診察の開始時と終了時には，その旨声かけを行う． ➡掛け物などで肌の露出を少なくする． ➡内診台での待ち時間を少なくする． ➡内診，腟鏡などの挿入，腹壁上からの触診の際は，スムーズに行えるよう，深く息を吐いてもらい全身のリラックスを促す． ➡「これから診察を始めますので，大きく息を吐きながらからだの力を抜いてくださいね」など，声をかける．

Skill 2

子宮底長，腹囲測定

▶p.xxの動画Ⅰ-01～03, p.41参照

物品 ①枕，②身体の露出を最小限にするための掛け物，③メジャー

実　施	根拠根／ポイント➡／注意点注
子宮底長の測定	
❶計測の内容と方法を説明し，排尿を済ませてもらい，膀胱が空の状態で実施する．	根 子宮底長・腹囲のいずれの測定も，妊娠期間同一の方法にて行い，その変化を評価する．
❷処置台あるいはベッドの上に仰臥位になってもらい，腹部を露出してもらう．	
❸腹部の緊張をとるために，両膝を軽く立ててもらう．観察者は妊婦の右側に立つ．	
❹レオポルド触診法の第1段操作にて子宮底を触知し，測定部位を確認する．	
❺両脚を伸ばしてもらう．	➡子宮底長の計測・腹囲の測定，いずれの場合にも正確に計測するために，両脚を伸ばした状態で実施する．
❻恥骨結合上縁を起点としてメジャー「0cm」を固定する．左手の中指と示指にメジャーを挟み，腹部の正中線に沿って子宮底の中央までメジャーを伸ばし，子宮底部をできるだけ押さえ込んだ状態で最長の長さを計測する（安藤法）．	➡測定法には安藤法のほか今井法（恥骨結合上縁中央から子宮体前面が腹壁に接する最高点までの測定）もある．

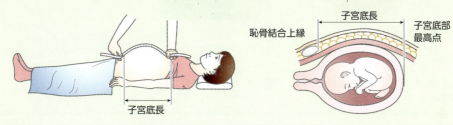

腹囲の測定	
❶子宮底長の計測に引き続き，仰臥位で両脚を伸ばした姿勢で実施する．	
❷臍の高さで，メジャーをベッドと垂直になるように回す．	➡腹囲を測定する際は，妊婦に軽く腰を上げてもらいその間にすばやくメジャーを腰の下に通す．
❸ゆっくりと息を吐いてもらい，呼気終了時に，臍周囲を測定する． ・また，腹部の最大周囲と思われる3ヵ所を計測し，そのうちの最大値をとる方法もある．	➡腹囲は呼吸により多少変化するため．

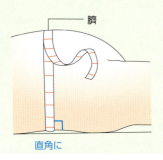
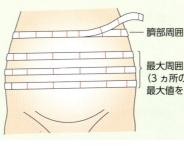

Skill 3
超音波検査を受ける妊婦への援助

▶p.43参照

物品　①超音波断層装置，②枕，③腹部の露出を最小限にするための掛け物，④ゼリー，⑤ティシュペーパー（⑥あるいは清拭用タオル）
経腟法の場合は，⑦プローブカバー

実　施	根拠根／ポイント➡／注意点注
経腹法 ❶妊婦に検査の内容と方法を十分に説明し，排尿を済ませてもらう． ❷診察台あるいはベッドに仰臥位になってもらい，腹部を十分に露出してもらう． ❸検査実施中，画像が見やすいように室内を少し暗くする． 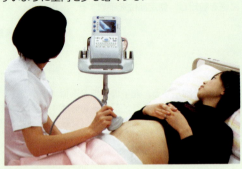 ❹腹部にゼリーを塗布し，十分に広げる． ❺検査を実施する． ❻検査終了後，腹部に付着したゼリーを拭き取り，衣類を整え，妊婦が起き上がるのを介助する．	根 膀胱が空の状態で実施する． ➡ 超音波検査を開始する前に腹部にゼリーを塗る際，人肌程度に温めたゼリーを準備する． ➡ 「ゼリーを塗ってから超音波を始めますね」など，声をかける．
経腟法 ❶室温を調整する． ❷検査の内容と方法について十分に説明し，排尿を済ませてもらう．膀胱が空の状態で実施する． ❸排尿を済ませたことを確認し，妊婦の氏名を確認する．下半身の衣類を脱衣してもらい，内診台に上がり砕石位をとれるよう援助する．内診台に上るとき，また砕石位をとる際は，足元が見えにくく，カーテンなどで仕切られているため，安全に配慮する． 砕石位への援助については，Skill 1 (p.444) を参照． ❹診察の際の羞恥心や不安，苦痛の緩和に心がける． ❺診察終了後，外陰部をティシュペーパーで拭く． ❻妊婦をねぎらい，診察が終了したことを伝える．内診台を下げて，降りて衣類を整えるよう説明する．妊婦が内診台から降りる際も，安全に配慮する．	➡ 下半身を露出しても寒くないようにする． ➡ 掛け物などで肌の露出を少なくし，内診台での待ち時間を少なくする． ➡ 経腟プローブが挿入される際には，スムーズに行えるよう，深く息を吐いてもらい全身のリラックスを促す．

Skill 4

▶p.xxの動画Ⅰ-04, p.42, 145参照

胎位・胎向の確認―レオポルド触診法

物品 ①枕，②身体の露出を最小限にするための掛け物

実　施	根拠根／ポイント➡／注意点注
❶触診の内容と方法を説明し，排尿を済ませてもらい，膀胱が空の状態で実施する． ❷処置台あるいはベッド上に仰臥位になってもらい，腹部を露出してもらう． ❸腹部の緊張をとるために，両膝を軽く立ててもらう．実施者は妊婦の右側に立つ．	注 妊娠末期は仰臥位性低血圧症候群*に留意する．症状が出現した場合は，即座に側臥位に体位変換し，血圧測定を行う． ➡ 手指が冷たいと腹壁を刺激し，母体を緊張させるとともに，子宮収縮を引き起こすことがあるので，実施者の手はあらかじめ温めておく． ➡ 乱暴な手技やおそるおそるの手技は，妊婦に苦痛を与えるばかりでなく，胎児も触知しにくく時間を要してしまう．腕や手先の力を抜き，指腹で腹壁の上をやさしくていねいに触診するように心がける． ➡ 「これからおなかを触って赤ちゃんの位置や向きを確認しますね．力を抜いてリラックスしてくださいね」など，声をかける．

第1段

❹診察者は妊婦に向き合うように立つ．

❺両手の指の先を互いに触れるようにすぼめ，尺骨側が弓状になるようにする．

❻小指と中指の縁で子宮の上を交互に注意深く押さえて子宮底を触り，その境界を確かめる．このとき，手の掌面は，膨隆した腹部を軽く触れる．

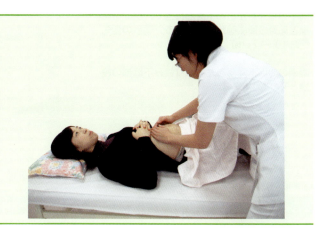

第2段

❼第1手技で子宮底部に置いた両手を，そのまま両側の側腹部のほうに滑らす．

❽すぼめた手の内側で両側を平らに触れる．

❾両手の手掌で交互に圧を加え，触れた胎児部分を診断する．

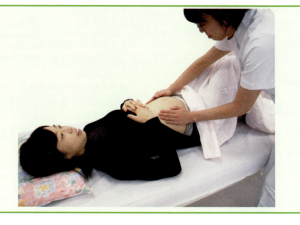

---

*仰臥位性低血圧症候群：妊娠末期の増大した子宮が下大静脈を圧迫し，静脈血の還流が阻害されることにより，妊婦の心拍出量が低下し，血圧が低下すること．主な症状は血圧低下に伴う，顔面蒼白，めまい，悪心・嘔吐，冷汗，呼吸困難などである．

第3段

❿ 右手を恥骨結合の上まで下げる．

⓫ 骨盤入口上（恥骨上縁付近）の胎児下降部を開いた母指と他の4指との間に静かに挟む．母指と示指を交互に軽く押しながら触診する．

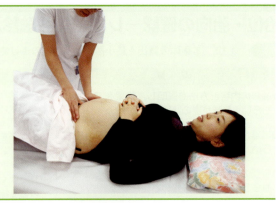

第4段

⓬ 診察者は，妊産婦の顔に背を向けて立つ．

⓭ 両手の指先をそろえて軽く曲げる．

⓮ 両手の指先を左右の下腹部に当て，胎児下降部と恥骨の間に静かに圧入する（両手の指先距離10～12cm）．

⓯ 両手の間に下降部を左右より挟み下降部の種類とその高さをみる．

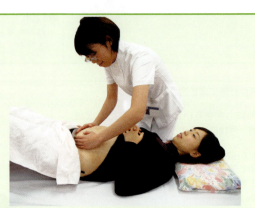

レオポルド触診法による胎位・胎向の評価

	第1段	第2段	第3段	第4段
診察項目	子宮底の高さ 胎位（胎児部分の種類）	胎向（胎児部分の種類） 羊水量の過少 子宮の大きさ・形状・緊張度	胎位（胎児先進部の種類） 骨盤内進入状況（移動性・浮球性）	胎位（胎児先進部の種類） 骨盤内進入状況（移動性）
胎位・胎向の評価 （次頁表参照）	殿部が触れる →頭位 頭部が触れる →骨盤位 頭部も殿部も触れない →横位	児背が母体の左側に触れる （児の小部分が母体の右側に触れる） →第1胎向 児背が母体の右側に触れる （児の小部分が母体の左側に触れる） →第2胎向 頭部が左右のどちらかに触れる →横位	下降部が動く →浮動している 下降部が動かない →骨盤内に嵌入している	頭部に触れる →浮動している 頭部に触れない →骨盤内に嵌入し固定している
触診方法				

胎児部分の触診上の特徴

部分	特徴
頭部	児体の他の部分よりも大きい． 球形である．表面平滑で一様に硬い． 骨盤内に固定する前は浮球感[*1]が著明である．
殿部	だいたい球形で表面にでこぼこがあり，頭部よりやや小さく柔軟である． 浮球感は少ない．
背部	弓状に彎曲している．硬度は一様の板状である． 可動性は少ない．
小部分（四肢）	数個の小さな小結節として触れる． 衝突様運動[*2]を行い，移動しやすい．

[*1] 浮球感：水中に浮かんだゴムのボールを軽く押したときにボールが浮き上がってくるような感じ．
[*2] 衝突様運動：水中に浮かんだゴムのボールを軽く押したときにボールが跳ね返るような感じ．

Skill 5

胎児心音聴取

▶ p.xxの動画Ⅰ-04，p.42参照

物品 ①超音波ドプラ装置（②あるいはトラウベ），③ストップウォッチ（④あるいは秒針のついた時計），⑤枕，⑥腹部の露出を最小限にするための掛け物
超音波ドプラ法の場合には，⑦ゼリー，⑧ティッシュペーパー（⑨あるいは清拭用タオル）

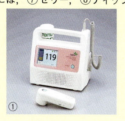

［写真提供：①トーイツ株式会社，②アトムメディカル株式会社］

実　施	根拠根／ポイント➡／注意点注
超音波ドプラ法（写真①）	
❶聴診の方法を説明し，排尿を済ませてもらい，膀胱が空の状態で行う．	
❷診察台あるいはベッドに仰臥位になってもらい，腹部を露出してもらう．	
❸両膝を軽く立ててもらい，レオポルド触診法により胎児の胎位・胎向を確認し，胎児心音最良聴取部位を決定する（p.451，図参照）．	根 両膝を軽く曲げると腹部の緊張がとれる．
❹プローブの先端にあらかじめゼリー状の伝達媒質を塗布し，スイッチを入れてボリュームを調整する．	➡「これから赤ちゃんの心音を聞きますね」など，声をかける．
❺プローブの先端を角度を変えながらゆっくり動かし，胎児心音を明瞭に聴取できる位置を探す．	➡ トントンと澄んだ音として聞こえるか．胎児心音の数が正常より少ないときは母体の脈拍を観察し母体の心音数と区別する．
❻胎児心拍動に一致して2拍性の音が聴こえたら母体の脈を触れ，これと一致しなければ胎児心拍動と判断し，心拍数を確認する．	注 胎児心音の低下を確認したときは，分娩監視装置を装着し，連続的に観察する．

❼両膝を伸展してもらい，1分間聴取する．

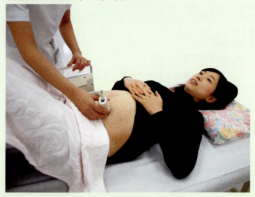

❽聴取終了後，腹部に付着したゼリーを拭き取り，衣服を整え，妊婦が起き上がるのを介助する．

注 心音聴取中に子宮収縮がみられた場合は，そのまま聴取を続け，収縮が収まった後に心拍数低下がみられないかを確認する．

トラウベ法　（写真②）

❶超音波ドプラ法の❶～❸と同様の手順とする．

❷トラウベ聴診器は，つばの広い（音響漏斗）一端を耳に当て，他端を妊婦の腹壁に直角に当てる．

❸トラウベは，耳と腹壁で固定し，それぞれの端を密着させる．

❹胎児心音が確認できたら，5秒間連続して3回聴取する．（12・12・11など）

❺聴取終了後，衣類を整え，妊婦が起き上がるのを介助する．

根 災害時や海外での助産活動において，電気が使用できない条件の場合，胎児心音を確認するためにトラウベを使用する．

➡ この際，妊婦の顔と反対方向を向くようにする．
➡ 「これから聴診器を当てて，赤ちゃんの心音を確認しますね」など声をかける．

➡ このとき，トラウベをもつと聴取しにくくなるので，トラウベを手で触らない．

➡ 胎児心音は鼓膜に触れるようなかすかな音で，最初は聴取しにくい．胎児心音は耳に指を1本入れ反対の手の指でその指を軽くたたいたときの音とよく似ているので，あらかじめその音を聞いておくとわかりやすい．

聴診で聴こえる音の特徴

種類		信号音の特徴	信号音と異常の鑑別
胎児側信号	心臓信号	・2～3心拍で，トラウベで聴こえる心音と似た音 ・ペコッ，ペコッとはねるような音は弁膜性	・胎児心拍数は妊娠初期ほど速く，妊娠第3月では，170/分が正常 ・房室ブロックのような場合は異常に遅脈となる．
	臍帯血流信号	・ザーザーと1拍性の流れるような音	・臍帯巻絡では胎児の頸部付近で ・臍帯血流信号を検出することがある．
	胎盤信号	・ヒューンヒューンと旋回する感じの音	・胎盤信号の位置により，前置胎盤をスクリーニングできる．
	胎動信号	・ガサッ，ガガガッと一過性に強い音	
母体側信号	血流信号	・ドンドン，ザーザーという音	・胞状奇胎のときに増強する．
	腸蠕動信号	・胎動信号に似ているが，それより弱く，ガガーッといった一過性の音	

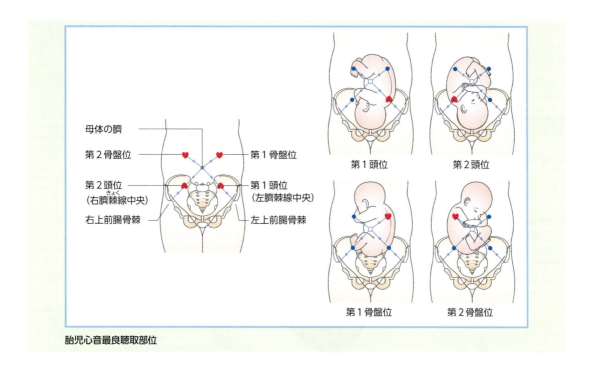

胎児心音最良聴取部位

Skill 6
▶ p.43, 458 参照

ノンストレステストを受ける妊婦への援助

物品 ①分娩監視装置，②ゼリー，③ティッシュペーパーあるいは清拭用タオル，④枕，⑤掛け物

実　施	根拠根／ポイント➡／注意点注
❶検査の内容と方法について十分に説明し，排尿を済ませてもらう．膀胱が空の状態で実施する．	
❷ベッド上でセミファウラー位*の状態になってもらう．	注 仰臥位性低血圧症候群を予防するため，妊婦をセミファウラー位にする．
❸分娩監視装置の電源を入れ，超音波ドプラの音量を調節する．	
❹腹部を十分に露出してもらい，レオポルド触診法により最良聴取部位を確認する．	
❺胎児心拍プローブ（胎児心拍計）にゼリーを塗布し，最良聴取部位に当て，固定する．	➡「赤ちゃんの心音の場所に器械を当てますね．少し冷たいかもしれません」など声をかける．

*セミファウラー位：仰臥位で，上半身を約20度挙上した体位．

❻陣痛プローブ（陣痛計）を腹壁の平坦な部分に装着する．

　　➡「おなかの張りを確認する器械を当てますね」など声をかける．

❼記録用紙のスピードを3cm/分と設定する．

　　➡ベルトが苦しくないかを確認する．

❽胎動計が組み込まれてない器械の場合は，胎動計を妊婦に渡し，胎動自覚時にスイッチを押すように説明する．

❾記録用紙の記録速度を調整し，記録開始ボタンを押して，記録を開始する．

❿腹部が弛緩していることを確認し，陣痛計の波形が0点より少し上になるように設定する．

⓫記録用紙に，氏名，月日，開始時間などの必要項目を記入し，約40分間実施する．

➡毛布などで腹部も含め体全体を保温する．
➡測定開始後，一過性頻脈が乏しかったり，胎動がみられない場合は，振動刺激で児の覚醒を促すことがある．
➡心拍数基線，基線細変動，一過性頻脈，一過性徐脈の有無，胎動と心拍数の変化を観察する．
➡20分間に2回以上の一過性頻脈がみられる場合はreactive，みられない場合はnon-reactiveと判定される．Reactiveが確認されない場合は，モニタリングを継続する．

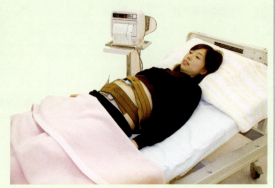

⓬終了後，胎児心拍プローブと陣痛プローブを外し，分娩監視装置の電源をオフにする．

⓭腹部に付着したゼリーを拭き取り，衣類を整えて，妊婦が起き上がるのを介助する．

Skill 7

▶p.43, 108, 175, 193, 202参照

胎児心拍数陣痛図の判読

妊娠期および分娩期に胎児の健康状態を観察するために，**分娩監視装置**を装着し，胎児心拍数を持続的に記録する方法を**胎児心拍数モニタリング**という．胎児心拍数を連続して観察することにより，胎児の中枢神経系の発達や，胎児の予備能力をアセスメントすることができる．胎児心拍数と子宮収縮を経時的に記録したものを**胎児心拍数陣痛図**（cardiotocogram：**CTG**）という．連続的な胎児の心拍数の状態と，胎動や母体の子宮収縮などの刺激に対する胎児心拍数の変化を総合的に判断することにより，胎児の健康状態を評価する．

1．CTGの判読の基本

❶CTGの判読は，図1の❶～❺の順で行う．

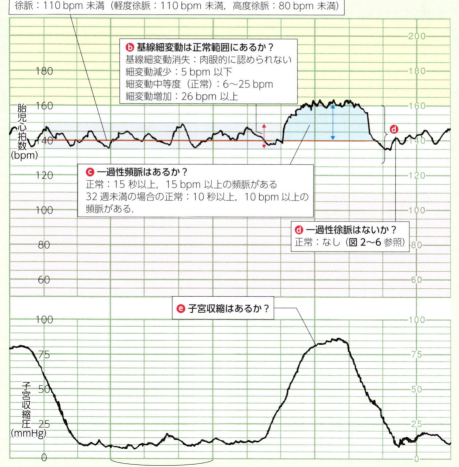

図1　CTGの判読の視点
❶胎児心拍数基線は正常，❷基線細変動が正常（6～25 bpm），❸一過性頻脈あり，❹一過性徐脈がなければ，胎児の健康状態は良好（reassuring fetal status）と判断される．

2. 一過性徐脈の種類

前述の「1. CTG判読の基本」の❹で有無を確認する「一過性徐脈」について説明する．一過性徐脈とは一時的に胎児の心拍数が減少し，基線に回復することをいう．子宮収縮と徐脈の発生のタイミングの関係，基線に戻るまでにかかる時間，心拍数減少が急速か緩やかか，の視点で確認する．分娩中に認められることがあり，胎児の状態を判読するうえで重要である（図2〜6）．

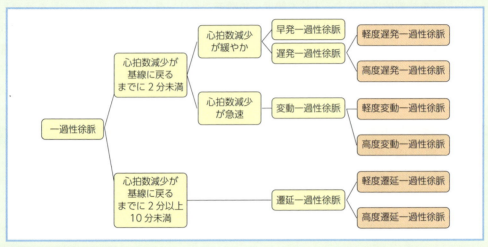

図2　一過性徐脈の分類

- **早発一過性徐脈**（early deceleration：ED，図3）：心拍数減少からもとの基線に戻るまで2分未満で，子宮収縮に伴って心拍数が緩やかに下降し，子宮収縮の最強点と心拍数の最下点がほぼ一致しており，子宮収縮の消退とともに心拍数も回復する．
  - 主な機序：子宮収縮→児頭の圧迫→脳内血流の変化→中枢迷走神経刺激→徐脈出現
  - とくに異常ではないので様子を観察する．

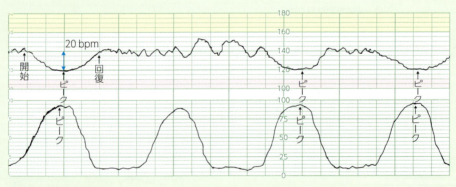

図3　早発一過性徐脈

- **変動一過性徐脈**（variable deceleration：VD，図4）：15 bpm以上の心拍数減少が急速に起こり，心拍数減少からもとに戻るまで15秒以上2分未満の徐脈である．子宮収縮に伴って起こる場合は，一定の形をとらず，子宮収縮ごとに変動する．
  - 高度変動一過性徐脈：変動一過性徐脈では下記のどちらかに当てはまる場合を高度とする．
    最下点が70 bpm以上80 bpm未満で持続時間が60秒を超えるもの
    最下点が70 bpm未満で持続時間が30秒を超えるもの
  - 主な機序：子宮収縮→臍帯の圧迫→胎児への循環血液量減少→血圧上昇→圧受容体反射→副交感神経刺激→徐脈出現
  - 破水後，臍帯巻絡，臍帯脱出，臍帯の卵膜付着などでみられる．
  - 母体の体位変換を行う．高度の場合は急速遂娩となることもある．

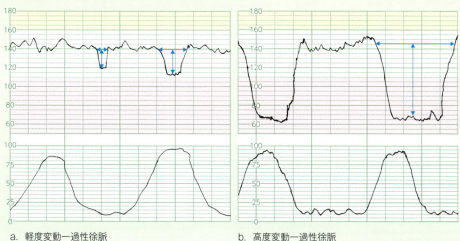

a. 軽度変動一過性徐脈　　　　b. 高度変動一過性徐脈

図4　変動一過性徐脈

- **遅発一過性徐脈**（late deceleration：LD，図5）：心拍数減少からもとの基線に戻るまで2分未満で，心拍数減少の開始から最下点までの下降が緩やかで，子宮収縮の最強点に遅れて心拍数の最下点がみられる．高度遅発一過性徐脈は，基線から最下点までの心拍数低下が15 bpm以上の遅発一過性徐脈．
  - 高度遅発一過性徐脈：心拍数の下降が15 bpm以上下降するものを高度とする．
  - 主な機序：子宮収縮→胎盤から胎児への循環血液量減少→交感神経刺激→血圧上昇→圧受容体反射→副交感神経刺激→徐脈出現
  - 低酸素状態でみられ，基線細変動の減少・消失を伴う場合は低酸素血症となっている．常位胎盤早期剥離，胎盤機能不全，過強陣痛，母体低血圧，子宮破裂などでみられる．
  - 母体の体位変換，酸素投与を行う．状態によっては急速遂娩となる．

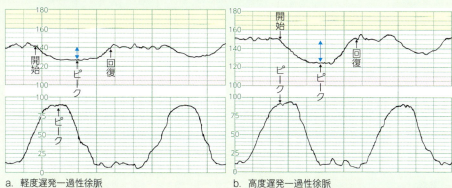

a. 軽度遅発一過性徐脈　　　　b. 高度遅発一過性徐脈

図5　遅発一過性徐脈

- **遷延一過性徐脈**（prolonged deceleration：PD，図6）：心拍数が基線より15 bpm以上低下し，心拍数減少からもとの基線に戻るまでの時間が2分以上10分未満の徐脈．
  - 高度遷延一過性徐脈：遷延一過性徐脈では，最下点が80 bpm未満のものを高度とする．
  - 機序はさまざまである．
  - 過強陣痛，娩出時のいきみ，内診の刺激，臍帯下垂・脱出，母体の仰臥位低血圧，臍帯圧迫，子宮破裂，常位胎盤早期剥離などでみられる．

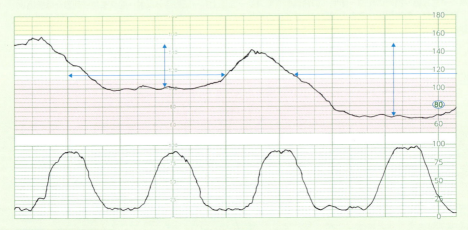

図6 遷延一過性徐脈

3. CTGを用いた胎児健康状態の評価と対応

CTGの判読は以下の手順で行う．
① 10分間の区画ごとに読み，判断する．
② ⓐ胎児心拍数基線，ⓑ基線細変動，ⓒ一過性頻脈，ⓓ一過性徐脈を判読する．
③ 心拍数基線と一過性徐脈に重症度をつける．
④ 複数の種類の一過性徐脈が出現する場合は，より重症なもので判断する．
　遷延一過性徐脈 ＞ 遅発一過性徐脈 ＞ 変動一過性徐脈
⑤ 胎児心拍数パターンから波形レベルを判定する．
　基線細変動，胎児心拍数基線，波形パターンから胎児心拍数波形のレベル判定を行う（表1，2）．
⑥ 波形レベルに基づいて対応と処置を行う（表3）．

表1　胎児心拍数パターンと波形のレベル

a. 基線細変動正常例

| 一過性徐脈 | なし | 早発 | 変動 | | 遅発 | | 遷延 | |
心拍数基線			軽度	高度	軽度	高度	軽度	高度
正常脈	1	2	2	3	3	3	3	4
頻脈	2	2	3	3	3	4	3	4
徐脈	3	3	3	4	4	4	4	4
徐脈（＜80）	4	4		4	4	4		

b. 基線細変動減少例

| 一過性徐脈 | なし | 早発 | 変動 | | 遅発 | | 遷延 | |
心拍数基線			軽度	高度	軽度	高度	軽度	高度
正常脈	2	3	3	4	3*	4	4	5
頻脈	3	3	4	4	4	5	4	5
徐脈	4	4	4	5	5	5	5	5
徐脈（＜80）	5	5		5	5	5		

3*正常脈＋軽度遅発一過性徐脈：健常胎児においても比較的頻繁に認められるので「3」とする．ただし，背景に胎児発育不全や胎盤異常などがある場合は「4」とする．

（続く）

c. 基線細変動消失例

薬剤投与や胎児異常など特別な誘因がある場合は個別に判断する

一過性徐脈	なし	早発	変動		遅発		遷延	
			軽度	高度	軽度	高度	軽度	高度
心拍数基線にかかわらず	4	5	5	5	5	5	5	5

* 薬剤投与や胎児異常など特別な誘因がある場合は個別に判断する．
* 心拍数基線が徐脈（高度を含む）の場合は一過性徐脈のない症例も"5"と判定する．

d. 基線細変動増加例

一過性徐脈	なし	早発	変動		遅発		遷延	
			軽度	高度	軽度	高度	軽度	高度
心拍数基線にかかわらず	2	2	3	3	3	4	3	4

* 心拍数基線が明らかに徐脈と判定される症例では，aの徐脈（高度を含む）に準じる．

e. サイナソイダルパターン

一過性徐脈	なし	早発	変動		遅発		遷延	
			軽度	高度	軽度	高度	軽度	高度
心拍数基線にかかわらず	4	4	4	4	5	5	5	5

付記：
i. 用語の定義は日本産科婦人科学会55巻8月号周産期委員会報告による（末尾参照）．
ii. ここでサイナソイダルパターンと定義する波形はiの定義に加えて以下を満たすものとする．
　①持続時間に関して10分以上．
　②滑らかなサインカーブとはshort term variabilityが消失もしくは著しく減少している．
　③一過性頻脈を伴わない．
iii. 一過性徐脈はそれぞれ軽度と高度に分類し，以下のものを高度，それ以外を軽度とする．
　　◇遅発一過性徐脈：基線から最下点までの心拍数低下が15 bpm以上
　　◇変動一過性徐脈：最下点が70 bpm未満で持続時間が30秒以上，または最下点が70 bpm以上80 bpm未満で持続時間が60秒以上
　　◇遷延一過性徐脈：最下点が80 bpm未満
iv. 一過性徐脈の開始は心拍数の下降が肉眼で明瞭に認識できる点とし，終了は基線と判定できる安定した心拍数の持続が始まる点とする．心拍数の最下点は一連の繋がりをもつ一過性徐脈の中の最も低い心拍数とするが，心拍数の下降の緩急を解読するときは最初のボトムを最下点として時間を計測する．

[日本産科婦人科学会/日本産婦人科医会（編・監）：産婦人科診療ガイドライン―産科編2023, p.234-235, 日本産科婦人科学会, 2023より許諾を得て転載]

表2　胎児心拍数波形のレベル分類

レベル表記	日本語表記	英語表記
レベル1	正常波形	normal pattern
レベル2	亜正常波形	benign variant pattern
レベル3	異常波形（軽度）	mild variant pattern
レベル4	異常波形（中等度）	moderate variant pattern
レベル5	異常波形（高度）	severe variant pattern

[日本産科婦人科学会/日本産婦人科医会（編・監）：産婦人科診療ガイドライン―産科編2023, p.234, 日本産科婦人科学会, 2023より許諾を得て転載]

表3　胎児心拍数波形分類に基づく対応と処置（主に32週以降症例に関して）

波形レベル	対応と処置	
	医師	助産師*
1	A：経過観察	A：経過観察
2	A：経過観察 または B：監視の強化，保存的処置の施行および原因検索	B：連続監視，医師に報告する
3	B：監視の強化，保存的処置の施行および原因検索 または C：保存的処置の施行および原因検索，急速遂娩の準備	B：連続監視，医師に報告する または C：連続監視，医師の立ち会いを要請，急速遂娩の準備
4	C：保存的処置の施行および原因検索，急速遂娩の準備 または D：急速遂娩の実行，新生児蘇生の準備	C：連続監視，医師の立ち会いを要請，急速遂娩の準備 または D：急速遂娩の実行，新生児蘇生の準備
5	D：急速遂娩の実行，新生児蘇生の準備	D：急速遂娩の実行，新生児蘇生の準備

〈保存的処置の内容〉
一般的処置：体位変換，酸素投与，輸液，陣痛促進薬注入速度の調節・停止など
場合による処置：人工羊水注入，刺激による一過性頻脈の誘発，子宮収縮抑制薬の投与など
*医療機関における助産師の対応と処置を示し，助産所におけるものではない．
［日本産科婦人科学会／日本産婦人科医会（編・監）：産婦人科診療ガイドライン―産科編2023，p.236，日本産科婦人科学会，2023より許諾を得て転載］

4. 妊娠期のCTGを用いた胎児健康状態の評価

妊娠期のモニタリングの方法には，**ノンストレステスト**（non-stress test：**NST**）と**コントラクション・ストレス・テスト**（contraction stress test：**CST**）がある．妊娠期のCTGの判読では，胎動の有無や子宮収縮の有無の確認も必要である．

❶ノンストレステスト（NST，図7）

胎児心拍を子宮収縮というストレスがない状態で連続して測定する方法をNSTという．20分間に2回以上の一過性頻脈が認められた場合をreactiveと判定し，胎児は良好な状態well-beingであると推定される．
NSTにおいて，基線細変動や一過性頻脈が認められない場合は，胎児の低酸素状態が疑われる．胎児振動音刺激試験（vibro-acoustic stimulation test：VAST），バイオフィジカル・プロファイル・スコアリング（biophysical profile scoring：BPS），CSTが行われる．

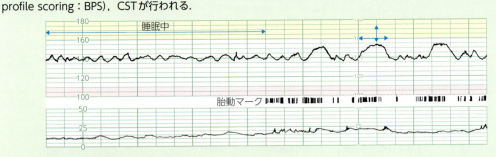

図7　妊娠期のNSTのCTG正常例
最初の4分間は胎児は睡眠中．
ⓐ胎児心拍数基線は140 bpmで正常．
ⓑ基線細変動は中等度で正常．
ⓒ一過性頻脈はありで正常．
ⓓ一過性徐脈はなしで正常である．
表1，2，3より正常波形であり，経過観察の対応でよいことがわかる．

❷コントラクション・ストレス・テスト（CST）

オキシトシンあるいは乳頭刺激を用いて人工的に子宮収縮を起こし，胎児が陣痛のストレスに耐えられるかどうかを評価するテストである．NSTよりも感度が高く，胎児の異常の有無あるいは異常の程度を確認するために用いられる（表4）．しかし，子宮収縮を起こすことにより妊娠経過に異常が予測される場合（切迫早産，多胎妊娠，前置胎盤など）は禁忌とする．

表4　CST上の判定分類

CTGの波形	判定	評価
子宮収縮に対して，一過性徐脈（遅発性徐脈・変動性徐脈）が起こらない場合	陰性（negative）	●子宮収縮による胎盤血流量低下に対して心拍が変化せず，胎児が低酸素状態に耐えることができる． ●胎児の状態が良好である．
子宮収縮に対して，半数以上に遅発一過性徐脈が出現する場合	陽性（positive）	●胎児が低酸素状態に耐えることができない． ●胎児の状態が不良である．
子宮収縮に対して，半数以下に遅発一過性徐脈または変動性一過性徐脈がみられる場合	偽陽性（equivocal-suspicious）	●判定不能*
90秒以上続く，あるいは2分周期以内の子宮収縮があり，それに伴う一過性の徐脈がみられる場合	過剰刺激（equivocal hyperstimulation）	
適切な子宮収縮が得られない場合または，良好な胎児心拍記録が得られない場合	不成功（unsatisfactory）	

*判定不能となった場合は，24時間後に再検査を行うか，BPSなど他の検査結果で胎児状態を評価する．
[上塘正人，前田隆嗣：CST-contraction stress test. 周産期医学 37(3)：355-359, 2007 を参考に作成]

5. 分娩期のCTGを用いた胎児健康状態の評価

分娩期のCTGの判読では，早急な対応と処置を行うために胎児心拍数と波形パターンを用いた評価が大切である（図8）．

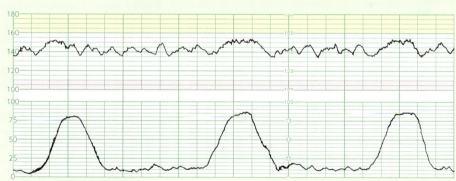

図8　分娩期のCTG正常例
ⓐ胎児心拍数基線は140 bpmで正常，
ⓑ基線細変動は中等度で正常，
ⓒ一過性頻脈はありで正常，
ⓓ一過性徐脈はなしで正常，
表1，2，3より正常波形であり，経過観察の対応でよいことがわかる．

Skill 8

▶p.xxの動画Ⅱ-03, p.184参照

分娩直後の早期母子接触 (skin-to-skin contact)

物品　①パルスオキシメーター，②温めたバスタオルや包布，③新生児用帽子

準　備	根拠根／ポイント➡／注意点注
❶母親へはバースプラン作成時に「早期母子接触」について説明を行う．	根 母親が「早期母子接触」について十分に理解していることが大切である．

実　施	根拠根／ポイント➡／注意点注
❶新生児の全身状態を観察し，安定していることを確認する．	➡観察のポイント 呼吸状態：努力呼吸，陥没呼吸，多呼吸，呻吟，無呼吸の有無 全身状態：バイタルサイン（心拍数，呼吸数，体温など），冷感やチアノーゼの有無
❷実施前に再度母親の「早期母子接触」希望の意思を確認する．	➡実施を希望していた母親でも気持ちが変わる場合があるので確認が必要．
❸母体の上体を30度前後に挙上（ベッドアップ）し，母親の胸・腹部の汗を拭き，着衣の前を開けた状態にする．	注 母親の汗で新生児の体温が下がらないように注意する．
❹新生児は裸の状態にし，母親の胸と新生児の胸を合わせるようにして母親に抱かせる．	➡新生児が落ちないように，母親には両手でしっかり児を支えてもらう．
❺新生児の顔を横に向け，鼻腔が閉塞せず呼吸が楽にできるように調整する．	注 新生児は主に鼻で呼吸をするため，鼻腔の閉塞には注意する．
❻温めておいたバスタオルで新生児をおおい，帽子も着用させる．	根 新生児の体表面積に占める頭部の割合は大きく，蒸散などにより熱を失う割合も高くなるため，低体温予防のために帽子を着用する．
❼パルスオキシメーターのプローブを下肢に装着する．装着しない場合は，実施中看護職者が付き添い，母児だけにしない．	➡パルスオキシメーターのプローブを装着した場合でも，看護職者が付き添うほうがよい．
❽実施中は，呼吸状態，冷感・チアノーゼの有無，バイタルサイン，母児の行動を観察し記録する．	➡❶の観察ポイントを参照．
❾終了時にはバイタルサイン，新生児の状態を記録する．	➡継続時間は上限を2時間以内とし，下記の基準が認められた時点で中止とする．

早期母子接触の中止の基準

母親の基準	・傾眠傾向． ・医師，助産師が不適切と判断する場合．
新生児の基準	・呼吸障害（無呼吸，あえぎ呼吸を含む）がある． ・SpO_2 90％未満となる． ・ぐったりし活気に乏しい． ・睡眠状態となる． ・医師，助産師，看護師が不適切と判断する場合．

Skill 9

▶ p.xx, xxiの動画Ⅲ-01, 02, p.275参照

乳房の観察

物品 ①プラスチックグローブ，②ティッシュペーパーまたはガーゼ，③ビニール袋

準備
❶プライバシーを保てる環境を準備する．
❷記録から，これまでの授乳状態（ラッチ・オン，ポジショニング，乳房状態，授乳回数，児の哺乳状態など把握しておく）．
❸前回の授乳からの経過時間．

実　施	根拠根／ポイント➡／注意点注
自覚症状の観察	
❶乳房全体や乳頭・乳輪部の緊満感，腫脹，疼痛，熱感，皮膚色，損傷などの有無や強さについての褥婦の自覚症状を確認する． ❷ミルクライン（milk line，副乳）上の腫瘤感，疼痛，熱感などの有無を確認する（p.276の図Ⅲ-15参照）．	➡乳房の変化・乳汁分泌状態が産褥日数相当かどうか，経時的な変化はみられるか，変化の速さはどうか，左右差はないか観察する．
視診による乳房の外観の観察	
❶乳房全体の形（p.275の図Ⅲ-14参照），乳頭の大きさ，長さ，形を観察する． ❷乳頭・乳輪・乳房（乳腺部）の発赤・腫脹・損傷・色調の変化の有無，部位，範囲を観察する． ❸ミルクライン上の副乳の有無を観察する．	➡視診・触診しながら，本人の自覚症状と視診・触診所見とを照らし合わせながら観察する． ➡緊満が強い場合は静脈の怒張がみられることがある．
乳房の緊満状態・硬結・腫脹・熱感の有無	
❶両手または片手で乳房をやさしく包むように触診し，乳腺組織部分の緊満の部位・強さ，硬結（しこりを触れる）の有無や大きさ・範囲，腫脹や熱感の強さ・範囲を観察する．	注触診時は痛みを伴わないようやさしく触れる． ➡乳腺組織部分は手掌全体で触れる 
乳頭・乳輪部の状態	
❶乳輪部の際に母指と示指・中指が向き合うように，乳房に対して垂直に指頭を当てやさしく圧迫するように触診し，乳輪部の腫脹（浮腫）の有無，乳頭・乳輪部の柔軟性と伸展性を同時に確認する． ❷乳頭・乳輪部の全方向（縦・横・斜）を確認する．	注乳輪部，乳頭部の触診時にはとくに疼痛に注意する． ➡指の腹を使い最初は軽く触れ，疼痛の状態を確認しながら徐々に圧をかける． 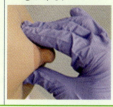

乳管開口数・泌乳状態

❶ 母指と示指・中指が向き合うようなCの字の形をつくり指頭を乳輪部の際に当て，そのままの形で胸壁側に水平に1〜2cm圧迫し，次に乳頭の奥で指頭が合わさるようなイメージで乳輪の際を圧迫し，乳汁が圧出された乳管口の数を数える．

❷ 乳輪部の全方向（縦・横・斜）を圧迫し，開口数を確認する．

❸ 開口数を数えながら，乳管口からの乳汁の分泌状態，射乳状態を確認する．

❹ 排出された乳汁の色調，粘稠性，臭気の有無などを観察する．腐敗臭，膿汁様の乳汁，血乳などがみられる場合は，感染性乳腺炎や乳がんの可能性も考慮する．

（写真は実習用の乳房モデルを使用している）

観察項目

乳房（乳腺部）	乳房タイプ，緊満，腫脹，硬結，疼痛，熱感，皮膚色，損傷など
乳頭	形，大きさ，長さ，柔軟性，伸展性，発赤，腫脹，疼痛，損傷など
乳輪	大きさ，柔軟性，伸展性，浮腫，発赤，腫脹，疼痛，損傷など
分泌状態	乳管開口数，泌乳状態，射乳など
乳汁	色調，粘稠性，臭気など
副乳	有無．副乳がある場合：腫瘤感，腫脹，疼痛，熱感など

左右を観察する．

乳頭の観察の目安

	正常乳頭	扁平乳頭	陥没乳頭	裂状乳頭	巨大乳頭	短小乳頭
乳頭の形						
乳頭の大きさの目安	小：〜5mm程度，中：8〜15mm程度，大：20mm〜程度					
乳頭の長さの目安	長：15mm〜，良：10〜15mm，短：5〜10mm，扁平：〜5mm					
乳頭の柔軟性の目安	硬い：鼻翼様，中：口唇様，柔軟：耳朶様					

- 乳頭の大きさ，長さ，柔軟性，伸展性に厳密な基準はない．あくまで目安であり児との適合度が重要である．児が吸着・吸啜し哺乳できるのであれば問題はない．
- 短乳頭，扁平乳頭，陥没乳頭であっても，乳頭・乳輪部を合わせた柔軟性と伸展性が十分であれば，児が吸着することができるので直接授乳は可能である．

Skill 10

▶ p.xxiの動画Ⅲ-04, p.291 参照

新生児の抱き方

本Skillは安全を重視し，新生児のケアに慣れない初学者に向いている方法である．

物品 なし

実 施	根拠根／ポイント➡／注意点注
❶ 両手で頭部を持ち上げた後，右手だけで頭部を支える．左腕を児背に滑り込ませ，肘窩に児の後頸〜後頭部を乗せる．左手は児の殿部を把持する．	➡ 看護職者は両足を肩幅程度に開き安定した姿勢でしっかり前屈する． ➡ 左肘関節を90度程度に屈曲させ，前腕を児とコットの間にほぼ平行に滑り込ませる． ➡ 児頭が前屈しないよう後頭部・後頸部・背部を支える． ➡ 定頸していない（首が座っていない）ので，頭部が不安定にならないよう，後頭部，後頸部，背部の3ヵ所を同時に支える．

実 施	根拠根／ポイント➡／注意点注
❷左腕で児頭・児背・殿部が支えられたら右手を離す．右手の母指を児の左鼠径部に，他4指を殿部に挿入し把持する．	➡左手で児の殿部を包むようにやさしく把持する．
❸胸に引き寄せるように抱き上げる．	➡前屈状態で児を胸に引き寄せた後で看護職者の身体を起こす．
❹児を自身の身体に向かい合わせ軽く密着させて抱き，殿部を把持していた右手は股関節の間から殿部と児背を支持する．	➡股関節脱臼予防のために，なるべく下肢がM字の屈曲位となるように抱く． ➡やむを得ず下肢を伸展させて抱く場合は，短時間にとどめる．

Skill 11

▶p.xxiの動画Ⅲ-05，p.291，463参照

新生児のコットへの寝かせ方

物品 なし

実 施	根拠根／ポイント➡／注意点注
❶児を密着させたまま自身が前屈する．マットレスにできるだけ近い位置で，身体を離し児の殿部をマットレスに下ろす．	➡児の殿部を支える左手がコットにつくまで下ろす．
❷右腕を引き抜いたら，次に右手で児頭を支える．	➡右手掌で後頭部・後頸部・背部を支える． 注 児頭を上げ過ぎない．
❸左腕を引き抜きながら両手で児頭を支える．両手で支えたまま，児頭をゆっくりと下ろし，静かに手を引き抜く．	➡前屈を保ったまま左腕を抜く．

Skill 12
体重計測などで裸の児の抱き方

▶p.xxiの動画Ⅵ-16, p.291参照

物品 なし

実　施	根拠根／ポイント➡／注意点注
❶両手で後頭部を少し持ち上げた後，右手だけで後頭部を支える．	➡温かい手で抱く．
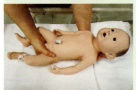❷右手で児頭を持ち上げ，左手の母指と中指で耳の後ろの乳突を把持する．	➡定頸していないので頭部が不安定にならないよう，左手を広げ左手掌全体を使って児の後頭部・後頸部・背部を支える．
❸左手で児頭を把持できたら，右手で殿部を把持する．母指は児の左鼠径部に置き，他の4指は殿部に挿入し把持する．	
❹児頭と殿部のコントロールができる状態で児を抱き上げ，自身の胸部に引き寄せる．	➡児の姿勢をまっすぐに保つ．
❺体重計に児の殿部を密着させた後，児頭を下ろしていく．	
❻右手を頭部に移動させ，両手で児頭を支える．そっと児頭を下ろし，両手を静かに引き抜く． (p.472 Skill 17 参照)	注 転落の危険があるため目を離さない．

Skill 13

▶p.xxiの動画Ⅲ-06, p.291 参照

オムツ交換

物品 ①おしり拭き綿, ②新しいオムツ, ③ディスポーザブルグローブ(必ず)

実　施	根拠根／ポイント➡／注意点注
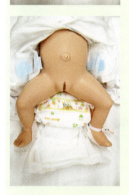 ❶下半身の衣類のみ開く. ディスポーザブルグローブを装着する. 汚れたオムツを当てた状態で, 新しい紙オムツを広げて敷き込む. このとき, 殿部(骨盤部)を手掌で挙上する.	注 股関節脱臼の危険性があるため, 下肢を把持して引き上げない. 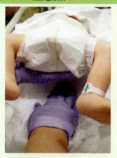
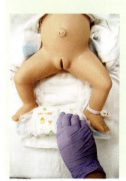 ❷オムツの汚れていない部分で陰部を清拭しながら, 半折にして汚染部分を隠す. おしり拭き綿で前方から後方に向けて清拭する.	➡オムツのマジックテープ部分が衣類や新しいオムツにくっつかないように閉じておく. 注 粘膜部分を強く擦らない. 注 女児の陰唇の間, 男児の陰嚢の皺の間, 陰茎の裏の汚れに注意. ➡足関節を把持し, 股関節と膝関節を屈曲させると骨盤が前傾し殿部が見やすい. 
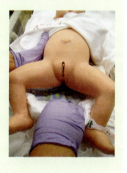 ❸陰部を清拭し, 汚れたオムツを抜き取る. 汚染面を内側に折りながら抜き取る. **布オムツの場合**：汚れたオムツを抜き取り新しいオムツを挿入する. オムツカバーは汚染がなければ同じものを用いる.	➡殿部を手掌で支え, 浮かすと抜き取りやすい.

実　施	根拠根／ポイント➡／注意点注
 ❹ギャザーを立てて，マジックテープを止める．腹式呼吸を妨げないよう，2指分の余裕をもたせる．  布オムツの場合：オムツカバーに収まるようにオムツを折り返してオムツカバーのマジックテープを止める．女児は殿部側を折り返してもよい．  ❺マジックテープを止めた後，ギャザーを最終確認する．  布オムツの場合：オムツカバーからはみ出したオムツをカバー内に収める．	根 ギャザーは漏れ防止である．内側にたたまれたままにならないよう，指で立てる． 注 臍にかけないこと． ➡布オムツカバーにも漏れ防止ギャザーがあるので，その内側に収める．

Skill 14

▶p.xxiの動画Ⅵ-20，22，p.292参照

更　衣

物品▶　新しい衣服（重ね着の場合，袖を通しておく）

実　施	根拠根／ポイント➡／注意点注
脱　衣	
❶衣類のボタンや紐を解き，衣類を開く． ❷重ね着している場合も，袖は一度で抜く．袖を手繰り寄せて把持する．  ❸袖を持ったまま，反対の手で肘関節を持ち袖を抜く． 	➡このとき，肘ではなく衣類を引き抜くように脱がせる．

着 衣

❶ 2枚の袖を一度で通すため,袖を手繰り寄せて,援助者の片方の手を袖口から通す.

➡ 重ね着の場合,袖を通しておく.

❷ 袖口から脇側に出した援助者の手で,児の手を把持したままで,袖を伸ばすように着せる(迎え袖).

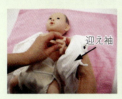 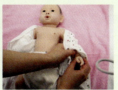

❸ 両袖を通した後で,紐を結ぶ.和式の産着は左前で着せる.

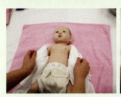 

Skill 15

▶p.xxiの動画Ⅳ-01, 02, p.346参照

帝王切開術後褥婦のアセスメント(歩行開始まで)

物品 ①血圧計,②体温計,③パルスオキシメーター,④聴診器,⑤ストップウォッチ,⑥プラスチックグローブ,⑦産褥パッド,⑧陰部清拭用清浄綿(必要に応じて),⑨ティッシュペーパー,⑩消毒用アルコール綿花,⑪ビニール袋

準 備	根拠根/ポイント➡/注意点注
❶妊娠経過,帝王切開の適応理由,手術記録の確認(麻酔法,輸液量,出血量,出生時の状態,児・胎盤娩出時間) ❷術後輸液と疼痛管理方法の指示内容を確認する. ❸プライバシーを保てる環境を準備する.	

実 施	根拠根/ポイント➡/注意点注
❶褥婦に触れる前にベッドサイドで擦式手指消毒を行う.	➡観察頻度の目安:帰室直後,手術直後2時間程度は麻酔の影響,出血などに注意しながら30分〜1時間おき.その後状態が安定していれば2〜3時間おきに6時間後ごろまで,4〜6時間おきに歩行開始まで観察する.
❷(帰室時)病室に帰室し,モニターの装着,間欠的空気圧迫法,酸素投与などの指示を確認し実施する.	➡間欠的空気圧迫法を用いる場合は,装着前に下肢の視診,触診を行い,異常がないことを確認する.
❸褥婦の顔色,表情を確認しながら,全身状態の観察をすることを伝える.	
❹声かけへの反応から意識レベル,麻酔からの覚醒状態を観察する.	➡局所麻酔の場合は,通常,意識清明.

バイタルサイン測定と全身の観察

❶呼吸数，呼吸リズム，呼吸様式を観察する．

❷褥婦に観察項目を告げながら，脈拍，血圧，体温，SpO₂を測定する．測定しながら，皮膚色，チアノーゼ，冷感，体熱感，発汗・皮膚の湿潤などを観察する．

❸呼吸音を聴取することを伝え，胸部の掛け物をずらし病衣の内側に聴診器を挿入し呼吸音を聴取する（必要に応じて胸部を露出させる）．

❹息苦しさ，胸部の不快感，悪心・嘔吐，頭痛など苦痛や不快感の有無と部位，程度を確認する．

❺下肢の随意運動の可否，下肢のしびれ感や感覚，体位変換や体動の状態を観察する．

❻下肢の冷感，皮膚色，浮腫，ホーマンズサインなどを確認する．

❼尿量，色調，混濁などを観察する．膀胱留置カテーテルからの尿の流出状態，カテーテル留置に関連した疼痛や不快などを確認する．

➡ 左右差も確認する．
[注] 帰室直後は頻脈に注意する．出血性ショックの場合，脈拍数が増加しショックインデックスが増加する．
➡ 手術直後は低体温になりやすいが，手術侵襲により高体温（吸収熱）になることもある．

[根] 麻酔の影響，術後の疼痛管理のために投与された薬物の影響，深部静脈血栓症の症状を観察する．
・弾性ストッキング着用中や間欠的空気圧迫法実施中も観察を行う．

➡ 尿量 0.5 mL/kg/時間以上を確認する．
[根] とくにリスクのない褥婦では，術後24時間以内に利尿期となるため，術直後から希釈尿が認められることが多い．

腹部の観察（腹部・創部・子宮収縮状態）

❶腹部の観察を行うことを告げる．

❷腹帯やディスポーザブル産褥ショーツを外し，腹部を露出させる．

❸腸蠕動音の聴診を行いながら，腹部膨満，腹鳴・排ガスの有無を確認する．

❹創部の観察をすることを告げ，ドレッシング材をはがさずに，創部の出血，滲出液，発赤（色調），腫脹を確認する．

❺創痛の有無と強さ，痛みの種類，範囲を観察する．

❻子宮収縮状態の観察を行うことを告げる．

❼創部を避け，触診により子宮底高，硬度を観察しながら，後陣痛の有無と程度を確認する．

❽子宮底の触診によって後陣痛が誘発されるか，悪露の流出感の有無を確認する．

❾悪露の観察をすることを告げ，新しい産褥パッドと陰部清拭用清浄綿を準備しプラスチックグローブを着用する．

❿下肢の随意運動の可否，下肢のしびれ感や感覚の有無を確認し，可能であれば膝を立ててもらい外陰部の観察が可能な程度に開脚してもらう．

⓫陰部の産褥パッドを開き，悪露（性器出血）の流出状態，色調，量，凝血塊の有無を確認する．

➡ 腹部の観察時に体液に触れる可能性がある場合は，プラスチックグローブを着用後に観察を行う．

ドレッシング材の使用例

[注] 皮膚が正中切開の場合は，両手を用いて子宮底側の両側（子宮角部）からやさしく触診する．横切開の場合は正中線上で触診できるが疼痛を誘発しないよう注意深く触診する．

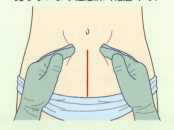

➡ 子宮底の触診時と同時に悪露の流出状態を観察してもよい．

⑫膀胱留置カテーテルの挿入部（外尿道口）の損傷の有無，カテーテルの接続状態，チューブの位置を確認する．	
⑬（必要に応じて陰部清拭用清浄綿で陰部を清拭し）新しい産褥パッドに交換し産褥ショーツや腹帯を整える．	
⑭衣服と寝具を整える．	

輸液等管理

❶輸液内容，輸液速度，輸液量，滴下状態，点滴ルートの接続状態を確認する．	➡ 尿量を観察し，in-outバランスを確認する．
❷点滴刺入部の腫脹，疼痛，皮膚色，逆血の有無を観察する．	
❸（疼痛管理方法が硬膜外麻酔の場合）鎮痛薬の内容，流量，残量，フラッシュ時間を確認する．	
❹硬膜外麻酔刺入部の出血，漏出，発赤，腫脹，疼痛の観察．	注 褥婦の体動による硬膜外麻酔カテーテルの先端の二次的な血管内迷入が起こることがある．刺入部観察と呼吸抑制に注意する．

Skill 16

▶ p.xxiの動画Ⅵ-13〜15, p.387, 399参照

新生児の観察 （p.215, 216の表Ⅱ-21, 22参照）

物品 ①ストップウォッチ，②聴診器，③経皮ビリルビン濃度測定値計測器，④体温計，⑤手袋，⑥オムツ，⑦おしり拭き，⑧アルコール綿（器具の消毒用）

準　備	根拠根／ポイント➡／注意点注
❶まず記録から，体重や，哺乳状態，排便・排尿の状態などを把握しておく．	
❷同時に，室温・湿度なども確認しておく．	➡ 室温25〜26℃，湿度50〜60％が適切である．
❸服を脱がせる前に，そのときの意識レベル，顔色や眼脂など，見ることで観察できる部分について観察する．	➡ 意識レベルはstate 2〜4程度が望ましいが，state 6（啼泣）以外は実施可能である（p.384参照）．

実　施	根拠根／ポイント➡／注意点注
呼吸数計測	
❶呼吸数は，できれば胸部〜腹部上部を露出させ，胸腹部の動きを見て，ストップウォッチを用いて1分間数える．	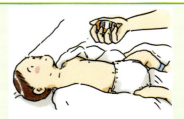 ➡ 露出させることで児が起きてしまう，または見て数えられない場合は，肌着のみ着用させその上から胸腹部に軽く手を当てて上下動を感じることで数える． 表Ⅵ-8参照．

❷視診をすることで，同時に，シルバーマンのリトラクションスコア（表Ⅶ-8参照）も観察する．

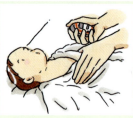

心拍数計測

❶心拍数は，胸部をわずかに露出させ，聴診器の膜面を胸骨の少し左に当てて聴き，ストップウォッチを用いて1分間数える．

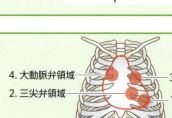

4. 大動脈弁領域　　3. 肺動脈弁領域
2. 三尖弁領域　　　1. 僧帽弁領域（心尖）

Ⅰ音　1・2
Ⅱ音　3・4
Ⅲ音　1
Ⅳ音　心尖に近い1

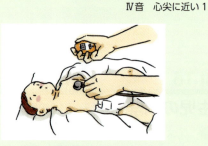

❷同時にリズム不整の有無も確認する．

➡ それにより，心雑音の有無だけではなく，最強聴取部位を確認でき，聴取時期（収縮期または拡張期など）も確認することができ，診断の補助となる．

❸心雑音の聴取は，できれば，心尖部・肺動脈弁領域・大動脈弁領域を膜面とベル面の両方で聴くことが望ましい．

➡ 初学者には心雑音の聴取そのものがむずかしく，必要以上に時間がかかってしまうので，心拍数を数えるときに雑音にも注意を払いながら聴き，聴診面を替えて短時間確認するくらいでよい．

呼吸音を聴取

❶呼吸音は，胸部全体を露出させ，聴診器の膜面を左右の上肺野・中肺野・下肺野に当て，音の強さや雑音の有無を聴取する．

腸音を聴取

❶腸音は，腹部を露出させ，膜面を腹部の右方（上行結腸）→上方（横行結腸）→左方（下行結腸）→下方（S状結腸，直腸）の順に当て，腸蠕動音（グル音）を聴く．

➡ 必ずしも毎日実施する必要はないが，排便が少ない，または腹部緊満がある場合においては聴取する．
注 成人とは異なり，音が小さいので注意して聴く．

経皮ビリルビン値計測

❶計測器のセンサーを皮膚に押し当てることで測定できる.
- 一般的には, 前額部および胸骨部の2カ所に当てる.

> 注 皮膚面に対し**垂直**に当てるよう留意する.
> 注 とくに, 前額部は顔をしっかり固定してから実施する.

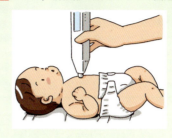

経皮黄疸計

全身状態の観察（視診と触診）

❶胸部・腹部（臍部を含む）の視診は呼吸数などを観察するときに同時に行う.
- 黄染については, クレイマーのゾーンに従い, 胸部→腹部→大腿部→下腿部→足底の順に露出させながら観察していく. 見るだけではわかりづらい場合には, 軽く皮膚を圧迫すると表面の色が消退し, 黄染の有無が見やすくなる.
- 腹部の膨隆が認められる場合は, 触診により緊満を確認する.
- 臍部の発赤・腫脹・熱感の有無を確認する.
- 同時に, 胸腹部および下肢のチアノーゼ・冷感または熱感・発疹などの有無も確認する.

❷次に上肢も露出させ, 全体の姿勢を確認する.
- 両上肢のチアノーゼ・冷感または熱感・発疹などの有無を観察する. 上肢を挙上させ腋窩の皮膚の発疹などの有無を観察する.

❸次に児を側臥位にし, 背部～殿部を観察する.
- 側臥位から仰臥位に戻し, 上肢を袖に入れる.

側臥位への体位変換の方法

➡ 術者の左手で児の左肩を把持する（母指を腋窩に入れる）. 左腕は腹部に沿わせるように当てる. 右手で, 児の左側から腰の下に手を入れ, 両手で支えながら児を右側臥位にする. 児の背部を観察する. 必要時, 右手を腰から離し, 背部を右手で触診する（左右の手は逆でもかまわない）.

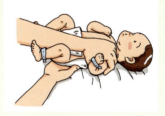

➡ 右手を頸部から脊椎にそって下方に滑らせるようにしながら観察する.

外陰部の観察

❶手袋をつけ, オムツを外し, 外陰部の発赤や発疹の有無および排尿・排便の状態を観察する.

❷観察後, オムツをつけ, 着物を合わせる.

➡ 替えのオムツやおしり拭きを準備しておく.

体温測定	
(p.475 Skill 21 参照)	注 体温測定のためには，一定時間児を固定しておかなければならないため，最後のほうに行うのが望ましい． ➡ 頸部で体温を測る場合は，着物を着た状態で測定することができるため，このタイミングでよい． ➡ 腋窩で測定する場合は，経皮ビリルビン測定器で測定した後が望ましい． ➡ 非接触型体温計で測定する場合は，呼吸数の前，つまり観察のいちばん最初に測定することが望ましい．

頭部・顔の観察	
❶ 着衣後，大泉門を触知し，膨隆・陥没の有無を確認し，そのまま矢状縫合の重合や離開の有無を確認する． ❷ そのまま頭部全体をなでるように触れ，膨隆（頭血腫や産瘤）の有無を触知する．	p.148の図Ⅱ-14参照． ➡ 児頭の観察の際は，両手で包み込むように児頭をもち，片手を後頸部まで滑り込ませて後頸部を把持し支え，もう片方の手指で頭部をなでるように触れる．

❸ 児頭を支えつつ口腔内を観察し，左右に向け，耳および耳の後ろ側を観察する．	➡ 口が開いていなければ，頭を下ろしてから，ルーティング反射などを利用して口を開かせたときにのぞき込む．

Skill 17

体重計測

▶p.xxiの動画Ⅵ-16, p.214, 388参照

物品 ①体重計，②敷物

準　備	根拠根／ポイント➡／注意点注
❶ 体重計には通常，敷物を敷いておく． ❷ それを風袋として目盛りを0gとなるよう設定する． ❸ 原則として全裸にして測定する．	➡ 出生直後および翌日以降はできるだけ1日の一定の時間に行うことが望ましい． ➡ 水平感染予防のため，1人ひとり敷物を交換する．

実　施	根拠根／ポイント➡／注意点注
❶ 目盛りが0gであることを確認する． ❷ 中央に児を寝かせ，目盛りが制止するのを待って読む． 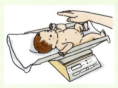	➡ 転落などの予防のため，体重計に児を寝かせている間，児に触れない程度に近くに手をかざしておく．

Skill 18

身長計測

▶p.388参照

物品 ①身長計,②敷物
注：1人で測定する場合はメジャー

準　備	根拠根／ポイント➡／注意点注
❶身長計には敷物を敷いておく.	

実　施	根拠根／ポイント➡／注意点注
身長測定器を用いて測定する場合	
❶オムツは軽く当てたままで児を身長計に仰臥位に置く. ❷原則として，2人1組となり，1人が新生児の頭部を頭頂板に固定する. ❸もう1人が両膝を軽く押さえて下肢を伸展させ，足底板を移動し足底に密着させ，目盛りを読む. 	注 肢を強く押さえ伸展させると，股関節脱臼の誘因となるので注意する. ➡ そのため多少の誤差が生じる.
メジャーを用いて1人で測定する場合	
❶メジャーで頭から殿部まで測定する. 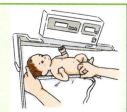	
❷殿部から膝まで測定する. 	注 あまり体に添わせすぎると，過長に測定してしまうので注意する.
❸膝から足底まで測定する. 	

Skill 19

頭囲計測

▶p.388参照

物品	①メジャー，②敷物

実　施	根拠根／ポイント➡／注意点注
❶頭を支えながら，わずかに持ち上げる．	➡首が座っていないので支える．
❷メジャーを頭の後ろに回し，後頭結節に当てる． 	➡着衣のままで測定可能である．
❸前方は眉間を通るように合わせ，目盛りを読む． 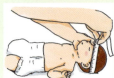	注後頭結節部のメジャーがずれやすいので固定に注意する．

Skill 20

胸囲計測

▶p.388参照

物品	①メジャー，②敷物

準　備	根拠根／ポイント➡／注意点注
❶着物を脱がせ，仰臥位にする．	

実　施	根拠根／ポイント➡／注意点注
❶メジャーを背部に回し，肩甲骨のすぐ下に当て，前方は，左右の乳頭を通るように合わせ，自然の呼吸をしているときの吸気と呼気の中間で，目盛りを読む． 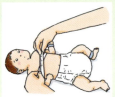	注メジャーは，先端に金属がついているものは避ける． 注測定時はメジャーのねじれなどに注意する．

Skill 21

▶p.xxiの動画Ⅵ-17, 18, p.402参照

皮膚温測定（腋窩温，頸部温）

物品 ①皮膚温計

実　施	根拠根／ポイント➡／注意点注
腋窩温	
❶児を仰臥位にし，少し着物をはだける．	
❷体温計を体の正面から，腋窩中央に向かい下方から斜め45度に差し込む． 	
❸そのまま腕を密着させ，水銀計なら5分，電子体温計なら1分（アラームが鳴るまで）固定した後，引き抜き，目盛りを読む．	
頸部温	
❶首を伸展させ，体温計を当てる． 	➡援助者は児頭を支える手の手首を反らして，児の首を伸展させる．
❷首を屈曲させ，固定する． 	➡児の下顎と頸部の皮膚が密着するよう固定する．
非接触型の体温計での測定	
❶児の前額部にセンサーを垂直に向け，額部より0.5～3cm離した状態で測定ボタンを押す． 	➡新生児ではまれだが髪が額をおおっていたらそっと上げて測定する． ➡センサーに皮膚が触れないようにする． ➡測定器具により測定距離やBabyモードがあったり，測定ボタンと電源ボタンが一緒ではないものなど，さまざまであるので，必ず取扱説明書を読み，使用する．

Skill 22

▶p.xxiの動画Ⅵ-19, p.291, 405参照

哺乳びん授乳

物品 ①人工乳，40℃の湯（または搾乳した母乳），②哺乳びん，人工乳首，③クッション，④ガーゼ，タオル

準　備	根拠根／ポイント➡／注意点注
❶調乳された人工乳を必要量だけ清潔な哺乳びんに取り分け，または搾乳し保存してある母乳を哺乳びんに移し，約40℃で加温する（母乳は約36℃とする）．	
❷椅子やクッションなどを工夫して，安楽に，安定した抱き方で授乳できるように準備する．通常，利き手と反対の腕に児頭を乗せ，児の上半身がまっすぐで30～45度挙上するように抱える．	➡児の下顎は，少し上がり気味のほうが飲みやすい．

実　施	根拠根／ポイント➡／注意点注
 ❶口元を乳首で刺激し，ルーティング反射（追いかけ反射）を利用して口を開けるよう促す．	
❷口を大きく開けたら，乳首を児の舌の上に乗せ，深く挿入する．	➡哺乳びんは児の顔に垂直近くなるように傾け，口元が常にミルクで満たされるようにする（空気を飲み込まないように）． ➡安定した姿勢で児を保持する．
❸哺乳後は排気をする．排気は児の背中がまっすぐでやや前傾姿勢がとれるよう支持する．支持のしかたは児を抱え児の頭を介助者の肩にのせるようにする方法と，介助者の膝の上に座るような姿勢をとらせ，やや前傾になるように腕や手で児の胸と顎を支える方法がある．	
❹排気のための姿勢をとったら，児の背中を軽く叩くか，さすり上げるようにして排気を促す．	
❺数分で排気することが多いが，5分経っても排気が確認できない場合は，児を横に向かせて寝かせる．	根 寝かせた後，排気とともにミルクを吐いてしまっても，誤嚥させないためである． ➡排気が5分程度経っても確認できなければ，誰かの目が届く範囲でバスタオルなどを用いて右側臥位または腹臥位に保持する． ➡溢乳した場合の誤嚥予防が主目的であるが，これらの姿勢のほうが，空気の排出および乳の腸管への移動がよいとされている． ➡長くても30分程度にとどめる． ➡なお，体位変換は，技術を必要とするので学生単独で実施したり，指導してはならない．

Skill 23

排　気

▶p.xxiの動画Ⅵ-19, p.405参照

物品 ガーゼ

準　備	根拠 根／ポイント ➡／注意点 注
排気のしかた（肩に担ぐ方法）	
❶哺乳終了の姿勢の時点で児の頭を乗せようとするほうの肩にガーゼを置く．	➡ガーゼは排気とともに少量溢乳（いつにゅう）することがあるのと，肌にやさしいために置く．
❷児を保持していないほうの手で後頸部を把持する．	➡定頸前なので後頸部をしっかり支える．
❸児と向かい合うように抱きなおす．	
❹児の殿部を自分の胸の高さくらいまで上げる．	➡児の頭を肩にのせるため，児の大きさを考慮して，あらかじめ調整する．
❺児を保持したままお辞儀をするように，児と密着するように前傾姿勢をとる．	➡児を迎えにいく姿勢をとらず，児を引き寄せようとすると，児の頸の固定が崩れやすい．

❻児がからだに密着したらそのままやや後傾になるくらいまで自身のからだを起こす．

➡ 児のからだをあずかり安定しやすいこと，児の胃の形状から児が少し前傾しているほうが排気しやすい．

❼後頸部の手はそのままで児の殿部の手を滑らすようにしてからだ全体を抱え込む．

❽後頸部に置いていた手を背部に回し，軽くさする．

➡ 排気音を確認できたら逆の手順で戻す．

❾❺～❽の前までに，この図のように児の顔を外側に向けるように置く．

➡ 児の呼吸が楽にできるように．

膝の上で保持する方法

❶横抱きの姿勢になる．

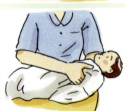

❷空いているほうの手を児の脇に差し込む．

❸児を保持していた手を後頸部に滑らせる． ➡ 手や腕が児から離れないように滑らせるほうが安定している．

❹両手でしっかり支えながら，児が前傾姿勢をとるように起き上がらせる． ➡ 児が前傾姿勢をとるほうが，胃の形状から排気しやすい．

❺児の胸を支えながら，後頸部の手を背部にずらし，軽くさする． ➡ 排気音を確認できたら逆の手順で戻す．

Skill 24

▶p.xxiの動画Ⅵ-20〜23，p.291, 410参照

沐浴（施設内で行う場合）

目的 身体の清潔保持，全身の観察，血行の促進，相互作用の機会

物品 ①沐浴槽，②顔面清拭用ボール，③石けん，④清拭用ガーゼ，⑤沐浴布，⑥湯上り用タオル，⑦着替え一式，⑧臍処置一式，⑨綿棒，⑩温度計（湯温測定用，必要時），⑪ヘアブラシ（必要時）

⑦袖が1回で通るようあらかじめ組み合わせておく．

準備	根拠根／ポイント➡／注意点注
❶室温は25～26℃にする．	
❷沐浴を実施する者は，金属類など児の肌を傷つけるようなものをすべて外し，肘の上までお湯に浸かることを想定して，手洗いを済ませる．	
❸必要物品をそろえ，湯上り時に手早く着衣させられるよう，着替えや湯上り用タオルを重ねておく．	
❹湯温は，40℃前後で準備する．	
❺顔面清拭用ボールにも清潔なお湯を入れておく．	

実　施	根拠根／ポイント➡／注意点注
❶湯を入れた顔面清拭用ボールに清拭用ガーゼを入れ，顔を拭く．顔はまず，目を目尻から目頭の方向に拭く． 	➡ガーゼより綿花のほうが肌にやさしい．保湿剤を含むウェットシート（お尻拭きなど）のほうが望ましい． 注強くこすらない． ➡涙の流れる方向に合わせて清拭する．ただし眼脂を涙嚢に押し込まないように気をつける 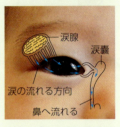
❷額→頬→顎の順で一気に拭き，口鼻周囲を拭く． 	注清拭用ガーゼは，1ヵ所拭くごとに面を変えるか，ボールですすぐかして，常に清潔な面を使用するよう留意する．
❸耳およびその周囲を拭く． 	➡耳の後面まで清拭する．
❹児を脱衣させる．便をしていたら，きれいに拭き取る．沐浴布を児に巻きつける．	➡多くの施設では，この時点で体重測定を行う． ➡沐浴布を掛けると児が落ち着きやすい．
❺児の後頭部を利き手と反対側の手の母指と中指を用いて，しっかり把持する．利き手の掌に児の殿部をのせ，母指を児の恥骨側におき，児の股間を挟むようにしっかり把持し，抱き上げ，沐浴槽に静かに入れる． 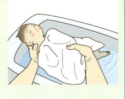	注沐浴槽に浸かっている時間は5分以内とする．

❻利き手を児から離し，児を湯にならす．

❼まず，頭を洗う．先に利き手で，ガーゼを用いて頭に湯をかけ，いったんガーゼを置く．次に石けんをとり，泡だてながら頭を洗い，再びガーゼをもち，湯で石けんを流した後，絞ったガーゼで頭を拭く．

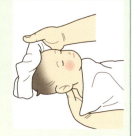

➡ 体温低下予防のためかたく絞ったガーゼで頭髪を軽く拭く．

❽体を頸部→胸部・腋窩→上肢→腹部→下肢の順に，同様に利き手に石けんの泡をつけて洗い，泡を流すを繰り返し行う．

➡ 洗浄には泡状の石けんを用いる．
➡ ガーゼより手で洗うほうが摩擦が少なく肌にやさしい．

❾児の腋窩に利き手の示指～小指を差し込み，母指を肩に当てる．

➡ 肩だけをつかまないよう，児の胸全体に手掌を当てる．
➡ 児の片腕は，看護職者の手首に乗せる（以下❿まで）．

❿手掌で胸を預かるようにして，児を腹ばいにさせる．

⓫利き手と反対の手を頭から離す．

⓬その手で後頭部から背中，殿部を洗う．

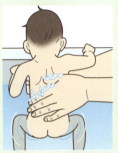

注 石けん液が顔面に流れないように注意する．

⓭利き手と反対の手で児の後頭部を再び把持し，仰向けに戻し，利き手で股間を洗う．

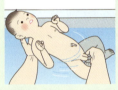

➡ 陰部の皮膚の重なりの間を指腹でていねいに洗う．
女児は，児の前方から後方に向かって洗う．

⓮必要時，きれいな湯を足先から体幹に静かにかけて，再度，利き手で股間をつかむように把持し，湯から上げる．

⓯湯から上げたら，バスタオルにくるみ，軽く押さえるようにして水分を拭き取る．

➡ 皮膚の重なりを開いて押さえ拭きする．

⓰バスタオルを外し，オムツを軽く当て，衣類の袖を迎え袖で通す．

➡ 水分を拭き取った後，保湿剤（ローションやクリーム）を塗布し，保湿ケアをする．

⓱臍処置をする．綿棒にアルコールを付け，臍輪部を1周塗布し消毒する．

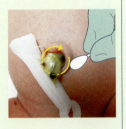

⓲オムツ，衣類を着させる．

⓳適宜，綿棒で耳と鼻を拭き，頭髪を整える．

第VIII章

事例から理解する母性看護過程の展開

学習目標

1. 母性看護の対象者の全体像をとらえる枠組み（アセスメントの視点）を理解する
2. 母性看護の対象者の全体像（強みを含む個別性）を踏まえて，健康課題/健康問題を明確にするプロセス（看護診断）を理解する
3. 母性看護の対象者の強み・個別性を踏まえた看護計画立案のプロセスを理解する

1 ● 事例から理解する母性看護過程の展開の目的と特徴

a. 本章の目的

　本章は，本テキストで学んだことを看護学生が看護学実習という実践の場でよりいっそう活用することと，貴重な実習の機会でポイントを逃さず有意義に充実させることを目的としている．実際の臨床に近い形の記録用紙形式で情報や看護計画を提示しているため，学生が母性看護学実習などで看護計画を立案する際に，より参考にしやすいと考える．

b. 母性看護学における看護過程の展開の特徴

　本テキストでは，看護過程の展開として特定の理論枠組みを用いてはいないが，各章のアセスメントと援助に身体・心理・社会的側面からアセスメントを示しているので，これを対象者の全体像をとらえる基本的な枠組みとしてほしい．基本的な情報収集・分析，アセスメント・看護上の課題の明確化，計画立案，実践，評価というステップで展開している．このステップは，どの理論枠組みを用いても同様である．そういう意味では，母性看護学領域の看護過程の展開も基礎看護領域，成人看護学領域など，他の看護領域と格別の相違はない．

　母性看護学領域における看護過程の展開の特徴は，対象者の健康度にあると考える．母性看護学領域の対象者は健康レベルが高いことが多く，健康上の課題を見出すのが困難であるかもしれない．しかし，健康レベルが高い対象者の健康増進（ヘルスプロモーション）や対象者の強みを引き出すことは看護の役割である．また，たとえば受け持ち対象者となる妊産褥婦は外来に通院し，または入院し，医療的な支援を受けている以上，当然のことながら看護上の課題を有している．それは，母体自身の健康を維持・増進することであり，胎児・新生児の発育発達を担う親役割を獲得してもらうことなどでもある．それらのことに視点を当てれば（ウェルネスやヘルスプロモーションの視点），看護課題は抽出されると考える．また，計画立案のために，全体像を描くことが重要である．とくに健康度が高い対象の健康行動遂行には，これまでの経過と対処方法，本人の価値観や本人が所属する文化などが大きく影響する．それらを計画に反映させるためには，対象者を統合体としてとらえることが必須である．さらに，母児は相互に関連し合っているため，常に一組としてとらえ，母児を支える家族も含めてアセスメントし立案することが望まれる．さらに，周産期にある対象者は，心身ともに短期間に変化するという特徴を有しているため，現在の状態だけでなく，近い将来のことを予測的に考慮することも重要である．

c. 事例の特徴（経腟分娩事例と帝王切開事例）

　事例は，母性看護学実習で受け持つことがもっとも多い正常経腟分娩後の褥婦の事例と，近年，受け持つことが多くなった帝王切開後の褥婦の事例とし，現状に即した．

　架空の2人の女性を対象者として設定し，2事例それぞれについての情報と看護過程の展開例を提示している．母性看護学実習に臨む学生が困難に感じやすいプロセス，すなわち，健康レベルの高い対象者から看護上の課題を抽出するプロセスや，立案した看護計画に対して実施したことを日々評価するというプロセスを，理解しやすくなるよう具体的に提示することを心がけた．

d. 紙面構成の特徴（看護記録と実習記録）

看護記録

どのような看護記録用紙類から情報収集するかということを具体的にイメージできて理解しやすいよう，病棟で見受ける看護記録用紙をモチーフにしている．

実習記録

個々の情報のアセスメント用紙，全体像，看護計画用紙は，通常，実習で課される記録用紙を基本としている．このような記録用紙を用いた形で実際に記述されたものを目にすることで，学生にとっては，看護過程の展開の一連の流れがより理解しやすくなると考えている．

前述のとおり，看護過程の展開として，特定の理論枠組みは用いていないが，個々の情報のアセスメント用紙では本テキスト本文部分でのアセスメントの視点を枠組みとして整理し，情報1つひとつに対するアセスメントを行っている．全体像では，個々の情報のアセスメント間の関連を整理し，それらを統合し1人の対象者の全体像を描いている．全体像は関連図として表す学校もあると思われるが，文章化することで優先度も含めて記述できる．そして，全体像で抽出された課題を1つずつ看護計画用紙にあげ，それぞれについての目標と具体的な計画案を提示している．さらに，結果・評価の欄には，立案後の実施・結果・評価をSOAPで記述している．

なお，経腟分娩後の褥婦は，3日目の夕方までのデータで立案し，4日目の実施・結果・評価を記述しており，帝王切開後の褥婦は1日目の夕方までのデータで立案し2日目の実施・結果・評価を記述している．それ以降も退院までのデータを示してあるので，教員の皆様には，可能であれば，紙面を一部伏せて複写し，ペーパー・ペイシェント事例として演習に利用していただければ幸いである．

1 経腟分娩事例（南　明江さんの場合*）

*実在の人物ではありません.

A. 経腟分娩事例の概要

> **事例　経腟分娩の南　明江さん**
>
> 　南　明江さんは29歳，1妊0産の初妊婦です．事務職としてはたらいています．夫は34歳の会社員です．夫と2人で暮らしています．
> 　明江さんは，14歳で虫垂炎の手術の経験がありますが，それ以外の既往歴はありません．家族歴として，実母の高血圧があります．
> 　妊娠期は，妊婦健康診査を定期的に受診しており，初期・中期の経過は順調でした．妊娠末期には，貧血が認められ鉄剤の内服と食事指導を受けています．また，体重コントロール，妊娠高血圧症候群予防のための食事，安静について個別の健康教育を受けています．母親学級や両親学級も受講しています．
> 　40週2日，経腟分娩で2,970gの男児を出産しました．GBS陽性のため，分娩時にはアンピシリンの点滴が行われました．分娩所要時間は12時間50分，分娩時出血量は680mLでした．児のアプガースコアは，1分後9点，5分後10点でした．
> 　産褥期の生殖器および全身の回復は順調でした．産褥3日目ころに授乳が上手くいかず流涙することもありましたが，退院時には母乳育児が続けられそうと述べています．
> 　出産後は，都内の実家に里帰りして，1ヵ月健診までは実父母と妹と生活することにしています．

B. 看護記録

1 ● 妊娠期 情報収集用紙

受け持ち対象者　南　明江

● **対象の背景**

氏名：南　明江　　年齢：29歳　　職業：事務職
自宅住所：○○区××□-□-□　　環境：住宅街
退院後住所：○○区××□-□-□　　環境：住宅街
結婚：(既婚)(△年2月)　未婚(　　年　　月予定)　離婚
夫：年齢 34 歳　　職業　会社員　(同居)・別居
嗜好：(喫煙なし)・あり(1日　　本)→妊娠中禁煙・節煙・継続
　　　(飲酒なし)・あり(1日　　　)→妊娠中中止・減量・継続
食事：(肉はあまり食べない，朝食を抜くこともある．)
睡眠：(平均5～6時間くらい　　　　　　　　　)
排泄：(排尿　1日5～6回　　排便　1日1回　　)
月経周期：27 ～ 29 日周期 (順)・不順　その他：月経時に下腹部痛が軽度ある．

● **家族構成**(里帰り中の同居者明示)

69歳　64歳　　60歳　56歳
34歳　29歳　28歳
里帰り中

● **既往歴・産科歴・家族歴**

既往歴：14歳　虫垂炎手術　　　家族歴：実母が高血圧で内服中，父方伯母が子宮がんで死亡

産科歴

年月	週数	分娩様式	出生時体重	性別	特記事項

● **身体的特徴・検査所見**

非妊娠時身長：　160 cm　　　　　　体重：　56 Kg　　　　　BMI：　21.9
血液型(ABO)：　O 型　(Rh)：　D 型，不規則抗体(−)，夫(ABO)：　B 型　(Rh)：　D 型
アレルギー：とくになし
HB：−　　HCV：−　　HIV：−　　ATLA(HTLV-1)：−　　梅毒：ガラス板 −，TPHA　−
GBS：＋　　風疹：−　　トキソプラズマ：−　　クラミジア：−

● **妊娠経過**

最終月経：△年　9月　5日～5日間　　　分娩予定日：×年　6月　12日
つわり症状：なし・(軽度)・中等度・重度　(加療なし)・あり→　　　　　　　　　　　　　　　)
貧血：なし・(あり)(　30週　Hb　10.1 g/dL　加療なし・(あり)→　フェロミア2週間分処方　　)
マイナートラブル：(　　　　　　　　　　　　　　　　　　　　　　　　　　　　　　　　　)
切迫流早産：(なし)・あり(　　　　週　　　　　　　　　　　　　　　　　　　　　　　　　)
妊娠高血圧症候群：(なし)・あり(　36週以降，やや高めで推移　　　　　　　　　　　　　　　)
その他の異常：(なし)・あり(　　　週　　　　　　　　　　　　　　　　　　　　　　　　　)
妊娠中体重増加：　14 kg，　入院時 BMI：　27.3
子宮底長：　20 週　18 cm → 　28 週　24 cm →　36 週　32 cm
腹囲：　20 週　76 cm →　28 週　80 cm →　36 週　86 cm
超音波画像所見：(推定児体重　40 週　　3,020 g　　　　　　　　　　　　　　　　　　　　)
妊娠中の検査所見：(　36週　Hb　11.2 g/dL，Ht　34%　その他特記すべきことなし　　　　　)
各種学級参加：母親学級・両親学級(　本院開催分すべて受講　　)
妊娠中サポートの有無：(なし)・あり(　　　　　　　)，退院後サポートの有無：なし・(あり)(　　　　)
妊娠の受け止め方：子どもが欲しかったのでとてもうれしい．
バースプラン：出産には夫に立ち会って欲しい．赤ちゃんが生まれたらすぐに裸のままで抱きたい．

2 ● 妊娠期　妊娠経過表

受け持ち対象者　南　明江

月日	妊娠週数	子宮底長 (cm)	腹囲 (cm)	血圧 (mm/Hg)	浮腫	尿タンパク	尿糖	体重 (kg)	児心音	胎位・胎向	超音波・内診所見・検査等	備考
10/10	5W0d		74	110/76	−	−	−	56.3			GS：16 mm	身長：160 cm
10/31	8W0d		74	116/74	−	−	−	55.5	+		CRL：15 mm	喫煙（−），飲酒：たしなむ程度→やめた
11/28	12W0d		73	118/68	−	±	−	55.0	170		HBs抗体（−），梅毒（−），HCV（−），風疹抗体（16倍），トキソプラズマ抗体（−），HTLV-1（−），HIV（−），RBC：390万/mm³，WBC：8,700/μL，Hb：12.3 g/dL，Ht：36.3%，Plt：23万/mm³	
12/26	16W0d	15	74	120/70	−	−	−	54.4	168			
1/23	20W0d	18	76	122/72	−	±	±	56.5	158		EFBW：295 g，BPD：48 mm，FL：30 mm，AC 13.8 cm 胎盤：子宮底部前壁付着	胎児超音波画像スクリーニング異常なし
2/20	24W0d	21	78	120/76	−	−	−	57.2	160			
3/6	26W0d	23	79	124/74	−	−	−	59.3	156		EFBW：846 g，BPD：65 mm，FL：46 mm，AC 20.0 cm	
3/20	28W0d	24	80	122/70	−	−	±	60.7	148			
4/3	30W0d	25	82	120/68	−	−	−	62.6	144	○	Hb：10.1 g/dL，Ht：32%，フェニミア2週間分処方	骨盤位のため，膝胸位を逆子体操として説明
4/17	32W0d	27	83	124/70	±	−	−	63.6	152	○		
5/1	34W0d	30	84	128/74	±	±	−	66.7	146	○		
5/15	36W0d	32	86	130/72	+	+	±	68.8	138	○	GBS（+）Hb 11.2 g/dL，Ht 34% EFBW：2,320 g，BPD：86.5 mm，FL：64.4 mm，AC 29.0 cm，AFI：12.8 cm	
5/22	37W0d	35	88	132/74	+	+	−	69.5	144	○		
5/29	38W0d	37	89	134/78	++	±	±	69.8	136	○		
6/5	39W0d	38	88	130/76	+	±	−	69.7	134	○	開大：1 cm，展退：30%，位置：後方，硬度：中，AFI：11.3 cm，NST：reactive EFBW：2,860 g	
6/12	40W0d	36	88	132/74	+	−	−	70.0	138	○	開大：2 cm，展退：50%，位置：後方，硬度：中，BPD：90 mm，AFI：7.6 cm，NST：reactive EFBW：3,020 g	
/	W d			/								

3 ● 妊娠期　保健相談表

受け持ち対象者　　南　明江

時期	項　目	具体的内容・その他	担当
初期 8週0日	☑ 産科補償制度説明 ☑ 母子健康手帳取得について ☑ 入院予約について ☑ 妊娠初期のマイナートラブルについて ☑ 切迫流産の予防について その他 アルコールの妊娠への影響について説明 飲酒時期は妊娠期間と重ならないことが判明し安心した様子.	S: もう少し2人で楽しもうと思っていたんですけど、子どもが欲しかったのでとてもうれしいです. 妊娠に気づくまでは、仕事の付き合いなどで、たまにお酒を飲むこともあったけれど、いまはやめました. 赤ちゃんに影響はないでしょうか？ S: 今回は、たまたま妊娠と飲酒の時期が重なっていなかったので、ひとまず安心しました. 次の子のときには、そのあたりを考えておかないといけないですね.	MW 大月
中期 26週0日	☑ 両親学級（PC）について 　　予約（　　済　　） ☑ 出産準備について ☑ バースプランについて ☑ 妊娠高血圧症候群の予防について ☑ 貧血予防について ☑ 常位胎盤早期剥離について ☑ メンタルヘルススクリーニング ・育児支援チェックリスト：リスクなし （夫と実母に何でも相談できる） ・EPDS：1点（忙しくて大変なこともあったが何とかした） ・産休・育休制度と活用予定について確認する. ・普段の食生活について具体的に情報収集し、バランスを見直す. お惣菜の栄養バランスとお惣菜の選び方をともに考える.	S: はじめての妊娠なので、PCは全部受けようと思います. 夫も、参加できるときには一緒に来てくれると言っています. S: 出産の準備はなかなか進んでいません. 産休に入ってからになると思います. 遅すぎでしょうか？ S: 夫がお産に立ち会いたいと言ってます. S: 朝はバタバタしていて、たまに食事を抜くこともあります. 仕事で帰宅時間が遅くなるときは、夕食時間もまちまちですね. つくる時間がないときは、お惣菜を買ってくるときもあります. 好きな白身魚や練り物の揚げ物とサラダが多いかもしれません. S: 食事時間とか献立が大切だとわかってはいたんですが. 生活リズムを見直してみます. お惣菜を買うときも、バランスとカロリーを確認しながら選ぶようにしたいです.	MW 井上
末期 36週0日	☑ 入院準備について ☑ バースプランについて ☑ 乳房について 　　乳房：Ⅱb型 　　乳頭：左右突出、乳管未開通、やや硬い、乳垢あり ・乳頭の清潔法と圧迫法を指導 ・体重増加著明、血圧上昇傾向あり. 別途、指導. 下記.	S: 産休に入ったので準備も順調で、入院の準備も、育児の準備もほぼ済みました. ただ、産休に入ってから急激に太ってしまって…. 入院のときは、昼間ならタクシーを使う予定です. 夜は夫の車で来ようと思っています. S: 退院後は、しばらく実家に帰ります. 電車で40分くらいです. S: 夫の立ち会い出産を希望しています. 生まれたらすぐに赤ちゃんを裸のまま胸に抱きたいです. カンガルーケアっていうんですよね. S: 母乳で育てたいと思っています. 妊娠中はお乳の手入れを何もしていなかったのですが大丈夫でしょうか.	MW 林
30週0日	・Hb 10.1 g/dL（30週0日） ・鉄剤処方あり、内服方法の確認 ・栄養士による食事指導	S: 私の食事がいけなかったのでしょうか. なるべくお惣菜をやめて、自分でつくるように心がけていたんですけれど. お肉やレバー、色の濃い野菜は苦手です. あまり食べていないかもしれません.	MW 佐々木
36週0日	・体重5.2 kg/4w増加、収縮期血圧130 mmHg、浮腫＋、尿タンパク＋ ・体重コントロール、妊娠高血圧症候群予防のための食事、安静について再度確認. 血圧上昇時の随伴症状の観察について説明.	S: 産休に入ってからおやつを食べるようになりました. 貧血だったので鉄分の添加されているおやつやジュースを選んでいたのですが. S: いろいろな準備のために、疲れるくらい、かなり出歩きました. そのためか、足もむくんでしまって.	MW 林
37週0日	・GBS（＋）36週時培養検査結果 ・分娩入院時の抗菌薬点滴について補足説明（本人希望） ・医師の説明内容の再確認	S: さっき先生から説明されたのですが、心配です. 点滴はいつするのですか？ GBSって、赤ちゃんは大丈夫ですか.	MW 大平
週　日			

MW：助産師、midwife. MC：母親学級、mother class

4 ● パルトグラム（partgram，分娩経過図）

受け持ち対象者　南　明江
産婦年齢 29 歳　(初産)・経産（　回目）　入院時：妊娠 40 週 1 日　入院時刻： 19 時 05 分
感染症（　GBS　）
合併症・特記事項（　　　　　　　　　　　　　　　　　　　　　　　　　　　　　　　　）
陣痛発来時刻：14 時 00 分　(自然)・誘発　　破水時刻： 0 時 50 分　(自然)・人工　　羊水混濁（ なし ）

経過時間										
時刻	19:00	20:00	21:00	22:00	23:00	24:00	1:00	2:00	3:00	

胎児心拍数 bpm：グラフ（おおむね 120〜135 bpm 推移、2:00頃 VD あり）
2:38　2,970 g　男児出生　AP 9/10
発作時 VD* 90 台まで回復良好
CTG 40 分 波形レベル 1 / CTG 40 分 波形レベル 1 / CTG 波形レベル 2

子宮口開大 ● cm ／ 先進部下降度 × cm（グラフ）

陣痛周期 ● 分 ／ 陣痛発作 × 秒（グラフ）

薬剤	19:30 アンピシリン 2 g 点滴	23:30 アンピシリン 1 g 点滴	2:45 5%ブドウ糖液 500 mL
排泄	排尿	排尿	排尿
体温 ℃	36.8	37.1	36.9
脈拍 回/分	86	98	96
血圧 mmHg	136/72→132/68	138/68	136/66

特記事項
- 夫と来院。落ち着いている。産痛は強い月経痛様。
- アンピシリン副反応なし。夕食とシャワーは自宅で済ませている。
- 坐位。陣痛発作時は深呼吸。腰部マッサージ実施。
- トイレ歩行。残尿感なし。「どんどん強くなっています」「痛くてつらい」
- 破水したみたい。「腰とおしりが割れそうに痛い」「産めるか不安」発作時、苦悶様表情で声がもれる。「便がしたいような感じ」
- 顔面・背部の発汗著明。
- 「いきみたくてたまらない」肛門哆開
- 児娩出後、出血が多く、血管確保し輸液を開始。

*VD：variable deceleration，変動一過性徐脈．

5 ● 分娩期　経過記録用紙

受け持ち対象者　　南　明江

● 入院時所見

入院：　　6 月　13 日　19 時　05 分　　　　主訴：(陣痛発来)・(血性分泌物)・破水・その他（　　　　　　　）
外診所見：腹部：胎位　第1頭位　　　　，先進部 (固定)・移動，羊水量　多・(普)・少，児心音 148/分
　　　　　　　腹囲　88 cm，子宮底　36 cm，
　　　　　全身：体温 36.8℃，脈拍　86 回/分，血圧 136/72 mmHg
　　　　　　　体重 70 kg（14 kg 増，BMI 21.9 → 27.3），浮腫（部位　下肢　　程度　+　）
　　　　　　　尿タンパク（ ± ），尿糖（ ± ），最終排便（ 6月13日 ），最終飲食（ 18 時 ）
　　　　　陣痛：周期 6～7 分（発作　30 秒・間欠　6～7 分）
　　　　　胎児：胎動自覚 (あり)・なし（いつから　　　　　　），モニタリング所見（　reassuring　）
内診所見：先進部（ 頭部 ），卵膜 (有)・無，産瘤　有・(無)
　　　　　分泌物（血性粘稠少量），羊水流出 (なし)・あり
　　　　　矢状縫合（　　　）　（　　　）

ビショップスコア	0	1	2	3
子宮口開大	0	1～2	(3～4)	5～6
頸管展退度	0～30	40～50	60～70	(80)
児頭下降度	−3	−2	(−1～0)	+1<
頸管の硬度	硬	中	(軟)	
子宮口位置	後	(中央)	前	10 点

● 分娩経過

陣痛発来：　　6 月　13 日　14 時　00 分
血性分泌物：　6 月　13 日　18 時　30 分
破水：　　　　6 月　14 日　 0 時　50 分
　　　　　(自然)・人工　　混濁（　なし　）
子宮口全開大：6 月　14 日　 1 時　00 分
排臨：　　　　6 月　14 日　 2 時　20 分
発露：　　　　6 月　14 日　 2 時　34 分
児娩出：　　　6 月　14 日　 2 時　38 分
胎盤娩出：　　6 月　14 日　 2 時　50 分　　　胎盤娩出様式：シュルツェ
分娩所要時間：　12 時間　50 分（Ⅰ期　11 時間　00 分，Ⅱ期　1 時間　38 分，Ⅲ期　12 分）
出血量：Ⅲ期　400 mL　縫合時　120 mL　Ⅳ期　160 mL　→合計　680 mL
産科異常：吸引分娩・鉗子分娩・骨盤位分娩・帝王切開・腟壁裂傷・頸管裂傷・(出血多量)
会陰裂傷（Ⅰ度・Ⅱ度・Ⅲ度・Ⅳ度）その他（　　　　　　）
産科処置：会陰切開（右・左・正中）会陰縫合（　バイクリル縫合糸　）
誘発分娩（　　　　　　　）・促進分娩（　　　　　　　）・胎盤用手剥離
輸液（　5％ブドウ糖液 500 mL　）その他（　　　　　　　）
胎児の状態：

● 胎盤所見

胎盤：大きさ 18×18 cm，厚さ 2.0 cm，重さ 490 g，血管分布 (均)等・不均等，
　　　石灰沈着 (有)・無，白色梗塞　有・(無)　分葉 (著明)・否
卵膜：欠損　有・(無)　着色　有・(無)
臍帯：長さ：54 cm，太さ：2.0×1.5 cm，付着部位：(側方)・中央・辺縁・卵膜，着色：有・(無)　結節：有・(無)

● 新生児所見

在胎週数：　40 週　2 日　　　性別：(男)・女・未判定　　(単胎)・多胎
胎位：第1前方後頭位　　不当軽量児・(AFD)・HFD　　臍帯巻絡（　　　―　　　）
新生児仮死：(なし)・あり→Ⅰ度・Ⅱ度　　処置：
アプガースコア：1 分後○（ 9 点）　　5 分後△（ 10 点）　　10 点（ 3 分後）

	0	1	2	
心拍数	0	100 以下	100 以上	○△
呼吸努力	なし	弱々しく啼泣	強く啼泣	○△
筋緊張	弛緩	やや四肢屈曲	活発	○△
反射亢奮性	なし	顔をしかめる	啼泣	○△
皮膚色	全身蒼白	四肢チアノーゼ ○	全身淡紅色	△

計測値：体重 2,970 g，身長 48 cm，頭囲 33.0 cm，胸囲 32.5 cm
全身所見：大泉門 (平坦)・膨隆・陥没　産瘤（ + ）骨重積（ + ）頭血腫（ − ）
　　　　　胎脂（腋窩，鼠径）　毳毛（　肩，背　）　爪指端に (越える)・達せず
　　　　　排尿（ 未 ），排便（ 未 ），外表奇形（ なし ），開排制限 (無)・有
　　　　　外傷（　なし　），精巣下降 無・(有)，大陰唇発達（良・不良）
　　　　　その他（　　　　　　　　　　　　　　　　　　）
処置：母児標識，点眼　済，臍処置　済
面会：(有)（　母，父　　　）・無，初回授乳　30 分後

6 ● 産褥期　経過記録用紙

受け持ち対象者　南　明江

月日(褥日)		6/14 (0日目)	6/15 (1日目)	6/16 (2日目)	6/17 (3日目)	6/18 (4日目)	6/19 (5日目)	6/20 (6日目)
血圧 / 脈拍 / 体温		(グラフ)						
全身状態	浮腫	+	+	-	-	-	-	-
	疲労	疲労軽度	疲労自制内	-	疲労軽度 疲労強い	やや軽減	-	-
	検査データ		創痛自制内 Hb 10.1 g/dL Ht 33%				Hb 11.0 g/dL Ht 34% wt : 63 kg	
退行性変化	子宮底高(指)	N下1F	N下1F	N下1F	N下2F	N下3F	NS中央	S上4F
	高度	やや良	良好	良好	良好	良好	良好	良好
	悪露色	赤色	赤色	赤色	赤褐色	赤褐色	褐色	褐色
	悪露量	中	中	中	少	少	少	少
	外陰部	80 g 疼痛自制内	疼痛自制内 排尿時しみる	ひきつる痛さ	疼痛軽減	疼痛軽減	疼痛軽減	-
	その他(浮腫・皮下出血・疼痛等)							
授乳	乳房緊満感	-	-	-	+	+	+	軽度 +
	乳汁分泌状態	にじむ	にじむ	にじわ	流れるしたたる	良好	良好	良好
	乳頭・乳房トラブル			発赤	乳頭痛	「張って痛い	乳頭痛軽減	
	直接授乳状況	児の吸着良好, 姿勢維持困難			吸着浅い			
	その他						自立	
生活行動	食事	普通食 1/2	褥婦食 2/3	全量	2/3	1/2 全量	全量	全量
	清潔	清拭	シャワー	シャワー	シャワー	シャワー	シャワー	
	排泄(尿/便)	4回/0回	6回/0回	7回/0回	8回/0回	8回/1回	7回/1回	
	睡眠	興奮して眠れず	授乳して断眠	熟睡できず	断眠	夜間断眠+昼寝で補足	授乳の間に熟睡可	
	活動	会陰部痛あり, ゆっくり		自立				
	その他			表情ぼんやり	表情暗い		表情明るい	
処置・与薬・その他		アンピシリン(ビクシリンカプセル® 250 mg) 3 cap/日×5 メチルエルゴメトリンマレイン酸塩(メテルギン®) 3 tab/日×5						退院

7 ● 新生児 経過記録用紙

受け持ち対象者　南　明江ベビー

月日（生後日数）	6/14 (0日目)	6/15 (1日目)	6/16 (2日目)	6/17 (3日目)	6/18 (4日目)	6/19 (5日目)	6/20 (6日目)
呼吸・心拍・体温 (グラフ)							
体重（増減）	2,970 g	2,750 g (−7.4%)	2,680 g (−9.8%)	2,650 g (−10.8%)	2,760 g (+110 g)	2,830 g (+70 g)	2,900 g (+70 g)
黄疸（ミノルタ値，範囲）		11.1	13.2	18.4	15.6	16.0	15.6
検査データ				T-Bil 17.2 mg/dL	T-Bil 15.4 mg/dL	T-Bil 15.2 mg/dL	
全身状態 活動性，活気など	やや良	良	良	良	良	良	良
皮膚		やや黄染（顔）	黄染（顔・胸）	黄染（上半身）	黄染軽減	黄染軽度持続	良
その他		中毒疹：顔面・体幹部	中毒疹：上肢も	下肢皮膚乾燥・溶屑		中毒疹消失	
呼吸 心雑音（呼吸雑音）	−	−	−	−	−	−	−
喘鳴・チアノーゼ（部位）	−	−	−	−	−	−	−
その他	wet	−	−	−	−	−	−
循環	末梢	−	−	−	−	−	−
排泄 排尿回数	1	1	1	1	2	3	3
排便回数	2	2	2	0	3	2	2
便性状	胎便	胎便	胎便	胎便	移行便	乳便	乳便
その他	胎便	胎便	胎便	尿酸塩尿あり 移行便	移行便 移行便反応便*	乳便	乳便
栄養 直母回数・量	2	3	6	4	3(74)	3(154)	3(102)
搾母回数・量	2	4	5	5(48)	4(106)	3	2
糖水回数・量				1(15)	5(160)		
人工乳回数・量			1(10)	1(20)			
嘔吐	−	−	−	−	−	−	−
定量哺乳状況							
その他	良	良	良	良	良	良	良
臍の状態	+	+	+	+	+	脱落	乾燥
頭頸部の状態（大泉門，産瘤など）その他所見	正常	正常	正常	正常	正常	湿潤 正常	正常
処置・与薬	K_2シロップ内服			光線療法 24時間 (10:30〜)	聴覚検査 (AABR)	K_2シロップ内服 新生児マス・スクリーニング採血	退院

光線療法　10:30 光線療法（24hr）→

9:00　9:00

*光線療法反応便は暗緑色の便．黄疸について詳しくは p.380 を参照されたい．

8 ● 産褥期　クリニカルパス

受け持ち対象者　　南　明江

	6/14 分娩当日	6/15 産褥1日目
達成目標		
治療 処置	☐持参薬　　☐有→内服指示参照 ☑無 ☑DIV：5％ブドウ糖液 500 mL（120 mL/時） ☐子宮収縮薬iv：メチルエルゴメトリンマレイン酸塩 ☑DIV 側管：乳酸リンゲル液 500 mL＋オキシトシン （120 mL/時） ☑内服薬：☐セフェム系・☑ペニシリン系　抗菌薬 3T 3×5日分 ☑内服薬：メチルエルゴメトリンマレイン酸塩 3T 3×5日分 ☐疼痛時：☐①ジクロフェナクナトリウム 25 mg 坐薬 ☐②ロキソプロフェンナトリウム　1T 内服	☐疼痛時：ロキソプロフェンナトリウム 1T 内服 ☐便秘時：酸化マグネシウム 0.67 g 内服
検査		☑1日目診察 ☑(Hb 10.1 g/dL, Ht 33%　　　　　　　　　　　)
観察	☑分娩後2時間　バイタルサイン・産褥観察（5：00） 　T 37.0℃　P 88 回/分　BP 132 / 68　mmHg 　子宮底 N 下 1F　　　　硬度 良好 　後陣痛（有・無　） 　　　　　軽度，自制内 　悪露（　160　g）　　悪露性状（　赤色　） 　創痛（有・無　）　　尿意（有・無 ） 　　　　軽度，自制内 　自尿（有・無　） 　　　　ベッド上便器介助で 320 mL ☑分娩後5時間　バイタルサイン・産褥観察（8：00） 　T 37.2℃　P 78 回/分　BP 134/ 68 mmHg 　子宮底 N 上 2F　　　　硬度 やや良好 　後陣痛（有・無　） 　　　　　軽度，自制内 　悪露（　30　g）　　悪露性状（　赤色　） 　創痛（有・無　）　　尿意（有・無 ） 　　　　軽度，自制内 　自尿（有・無　） 　　　　トイレ歩行 ☑乳房・乳頭 　乳房形態（　Ⅰ・Ⅱa・Ⅱb・Ⅲ　） 　乳頭形態（ 正常・裂状・短・扁平・陥没 ） 　乳頭の大きさ（　大・中・小 ） 　乳頭の硬さ（　硬・中・軟　）	☑バイタルサイン・産褥観察（10：00） 　T 36.5℃　P 58 回/分 　BP 130/68　mmHg 　子宮底 N 高　　硬度 良好 　後陣痛（有・無　）軽度，軽減傾向 　悪露（　中　）悪露性状（　赤色　） 　創部（良・不良　） 　浮腫（有・無　） 　創痛（有・無　）軽度，軽減傾向 ☑乳房・乳頭 　乳房緊満（無・軽・中・著明） 　乳頭の硬さ（　硬・中・軟　） 　トラブル（有・無　）（　　　　　　　　　　） 　分泌状態（ じわり ） 　授乳状況（ 授乳姿勢維持困難 ）
栄養	☑（　普通　）食 ☑摂取量　朝：1/2　昼：1/2　夕：2/3	☑（　褥婦　）食 ☑摂取量　朝：2/3　昼：全量　夕：全量
排泄	☑尿回数（　4　）回　　尿量（　　　　　　　mL） ☑便回数（　0　）回　　性状（　　　　　　　　）	☑尿回数（　6　）回　　尿量（　　　　　　　mL） ☑便回数（　0　）回　　性状（　　　　　　　　）
活動 休息	☑初回歩行（ 5 時間後）　状態（ 良好 ）☐病棟内 ☑母児同室（支援にて） ☑睡眠（熟睡・断眠・不眠）興奮してかあまり眠れず	☑院内 ☑母児同室 ☑睡眠（熟睡・断眠・不眠）
清潔	☑清拭	☑診察後　シャワー可
教育 説明	☑転倒・転落リスクアセスメント ☑服薬指導 ☑外陰部の保清方法 ☑排泄の必要性 ☑悪露の観察方法	☑授乳指導 ☑母児同室指導 ☑疼痛時　上記指示 ☑便秘時　上記指示
バリアンス	☑（ 無 ・有 [　　　　　　　　　　　] ）	☑（ 無 ・有 [　　　　　　　　　　　] ）
看護 記録	8:00　排尿後，子宮底 N 下1F，硬度良好. 14:00　T 36.7℃, P 66 回/分, BP 130/64 mmHg, 8:00以降，トイレ歩行2回とも気分不快なし，尿意もあり排尿スムース，会陰の「キズ」が気になってよく拭けないです」「歩くときには傷が痛みますが，薬を飲むほどではありません」 21:00　BP 136/60 mmHg，「さっきナプキンに，500円玉くらいの血の塊みたいなのが出ていました」「時々，後腹が痛くなります」「おっぱいをあげ始めるとおなかが痛くなる」，子宮底 N 下1F，硬度良好.	6:00　T 36.6℃, P 64 回/分, BP 132/60 mmHg,「尿がキズにしみて痛いが大丈夫」「夜は授乳で起きるので熟睡できない」「母乳で育てたいので頑張りたい」

受け持ち対象者　南　明江

	6/16	6/17
	産褥2日目	産褥3日目
達成目標		
治療処置	☐疼痛時：ロキソプロフェンナトリウム1T 内服 ☐便秘時：酸化マグネシウム 0.67g 内服	☐疼痛時：ロキソプロフェンナトリウム1T 内服 ☑便秘時：酸化マグネシウム 0.67g 内服
検査		
観察	☑バイタルサイン・産褥観察（10：20） 　T 36.9℃　P 64 回/分 　BP 126/62 mmHg 　子宮底 N下1F　硬度 良好 　後陣痛（㊲・無 ）軽度，軽減傾向 　悪露（㊥）悪露性状（ 赤色 ） 　創部（㊱・不良 ） 　浮腫（有・㊠ ） 　創痛（㊲・無 ）軽度 ☑乳房・乳頭 　乳房緊満（㊠・軽度・中・著明） 　乳頭の硬さ（ 硬・㊥・軟 ） 　トラブル（ 有・㊠ ）（　　　　　　） 　分泌状態（ じわり～じわじわ ） 　授乳状況（ 授乳姿勢維持可能 ）	☑バイタルサイン・産褥観察（10：20） 　T 37.0℃　P 70 回/分 　BP 124/68 mmHg 　子宮底 N下2F　硬度 良好 　後陣痛（ 有・㊠ ） 　悪露（ 少 ）悪露性状（ 赤褐色 ） 　創部（㊱・不良 ） 　浮腫（ 有・㊠ ） 　創痛（㊲・無 ）軽度 ☑乳房・乳頭 　乳房緊満（無・㊤・中・著明） 　乳頭の硬さ（ 硬・㊥・軟 ） 　トラブル（㊲・無 ）乳頭発赤・疼痛 　分泌状態（たらたら流れる．産褥経過に応じた分泌量増加） 　授乳状況（授乳姿勢維持可能だが，吸着がやや浅い）
栄養	☑（ 褥婦 ）食 ☑摂取量　朝：全量　昼：全量　夕：全量	☑（ 褥婦 ）食 ☑摂取量　朝：2/3　昼：2/3　夕：1/2
排泄	☑尿回数（ 7 ）回　尿量（　　　mL） ☑便回数（ 0 ）回　性状（　　　）	☑尿回数（ 8 ）回　尿量（　　　mL） ☑便回数（ 0 ）回　性状（　　　）
活動休息	☑院内 ☑母児同室 ☑睡眠（熟睡・断眠・㊤眠）	☑院内 ☑母児同室 ☑睡眠（熟睡・断眠・㊤眠）
清潔	☑シャワー	☑シャワー
教育説明		☑沐浴見学・説明
バリアンス	☑（㊠・有 [　　　　　　] ）	☑（㊠・有 [　　　　　　] ）
看護記録	7：00「夜は何度も授乳して，ほとんど眠れませんでした」 14：00「子どもが泣くたびに授乳しています．休む間がないです」「乳頭が赤くなってきた」 20：00　疲労表情あり．「頑張って食べています．体力ももたないし，母乳も出ないと思うので」	6：00「今日も，ほとんど眠れませんでした」「疲れてしまいます．私が上手く授乳できないからダメですよね」流涙する． 11：00「沐浴は自分でするつもりですが，授乳も上手くできない私に沐浴ができるか心配です」「子どもが黄疸になったのは私の母乳が出ないせいでしょうか」 20：00「私は母親としてやっていけるか不安です．母乳もなかなか出てこないし．吸わせるのも痛くて…」涙ぐむ．

8 ● 産褥期　クリニカルパス（続き）

	6/18	6/19	6/20
	産褥4日目	産褥5日目	産褥6日目
達成目標			
治療処置	☐疼痛時：ロキソプロフェンナトリウム1T内服 ☑便秘時：酸化マグネシウム0.67g 内服	☑退院診察 ☑抜糸	☑体重測定（ 63.0 kg） ☑退院
検査		☑(Hb 11.0 g/dL, Ht 34%　　　)	
観察	☑バイタルサイン・産褥観察（10：00） T 37.0℃　P 68回/分 BP 128/60 mmHg 子宮底 N下3F　硬度 良好 後陣痛（ 有 ・ 無 ） 悪露（ 少 ）悪露性状（ 赤褐色 ） 創部（ 良 ・ 不良 ） 浮腫（ 有 ・ 無 ）下肢に軽度 創痛（ 有 ・ 無 ） 軽度、ひきつる感 ☑乳房・乳頭 乳房緊満（無・軽度・中・著明） 乳頭の硬さ（ 硬 ・中・軟 ） トラブル（ 有 ・ 無 ）乳頭発赤・疼痛 分泌状態（ 良好 ） 授乳状況（児の吸着が浅い）	☑バイタルサイン・産褥観察（9：50） T 36.8℃　P 64回/分 BP 122/64 mmHg 子宮底 NS中央　硬度 良好 後陣痛（ 有 ・ 無 ） 悪露（ 少 ）悪露性状（ 褐色 ） 創部（ 良 ・ 不良 ） 浮腫（ 有 ・ 無 ）下肢に軽度 創痛（ 有 ・ 無 ）抜糸後、消失 ☑乳房・乳頭 乳房緊満（無・軽度・中・著明） 乳頭の硬さ（ 硬・中・軟 ） トラブル（有・無）乳頭発赤・疼痛は軽減 分泌状態（ 良好 ） 授乳状況（ 良好 ）	☑バイタルサイン・産褥観察（10：00） T 36.6℃　P 70回/分 BP 124/62 mmHg 子宮底 S上4F　硬度 良好 後陣痛（ 有 ・ 無 ） 悪露（ 少 ）悪露性状（ 褐色 ） 創部（ 良 ・ 不良 ） 浮腫（ 有 ・ 無 ） 創痛（ 有 ・ 無 ） ☑乳房・乳頭 乳房緊満（無・軽度・中・著明） 乳頭の硬さ（ 硬・中・軟 ） トラブル（ 有 ・ 無 ）（　　） 分泌状態（ 良好 ） 授乳状況（ 良好 ）
栄養	☑（ 褥婦 ）食 ☑摂取量 朝：1/2 昼：全量 夕：全量	☑（ 褥婦 ）食 ☑摂取量 朝：全量 昼：全量 夕：全量	☑（ 褥婦 ）食 ☑摂取量 朝：全量 昼：　 夕：
排泄	☑尿回数（ 8 ）回　尿量（　　mL） ☑便回数（ 1 ）回　性状（ 硬便 ）	☑尿回数（ 7 ）回　尿量（　　mL） ☑便回数（ 1 ）回　性状（ 普通便 ）	☐尿回数（　）回　尿量（　　mL） ☐便回数（　）回　性状（　　）
活動休息	☑院内 ☑母児同室 ☑睡眠（熟睡・断眠・不眠）	☑院内 ☑母児同室 ☑睡眠（熟睡・断眠・不眠）	☑院内 ☑母児同室 ☑睡眠（熟睡・断眠・不眠）
清潔	☑シャワー	☑シャワー	☑シャワー
教育説明	☑沐浴実施	☑退院指導	
バリアンス	☑（ 無 ・ 有 [　　　　] ）	☑（ 無 ・ 有 [　　　　] ）	☑（ 無 ・ 有 [　　　　] ）
看護記録	6：00「夕べもあまり眠れませんでした。子どもの黄疸も心配で。母乳が足りない分を糖水やミルクで補ってもらって少し安心します」「助産師さんには十分に出ているって言われます。でも、あんなにしょっちゅう泣くと…」表情暗い。 15：00「今朝から、母乳をあげたあと赤ちゃんが満足して寝てくれるようになりました」「授乳の合間に、昼寝もできるようになってきました」笑顔。	10：00「お産後にはじめて便が出ました。傷が心配だったけど、意外と大丈夫でした」「母乳育児をなんとかやっていけそうです」 14：00「抜糸の後、傷の痛みがほとんどなくなりました」 20：00「出生届や出生連絡票、仕事の手続きなど、いろいろな手続きをしっかりしないと…1年間の育児休業の後は復職します」	11：00「1ヵ月健診までは実家に帰る予定です」

9 ● 授乳観察表

受け持ち対象者　南　明江

月日	6/14		6/15		6/16		6/17		6/18		6/19		6/20	
産後日数	分娩当日		産褥1日目		産褥2日目		産褥3日目		産褥4日目		産褥5日目		産褥6日目	
指導			☑ 授乳指導											
乳房の状態	右	左	右	左	右	左	右	左	右	左	右	左	右	左
	乳房形態：Ⅰ・Ⅱa・Ⅱb・Ⅲ　乳頭形態 正常・裂状・短・扁平・陥没　乳頭の大きさ：大・中・小						乳頭発赤・疼痛あり		乳頭発赤・疼痛あり		乳頭発赤・疼痛は軽減			
乳房緊満	無・軽度・中・著明		無・軽度・中・著明		無・軽度・中・著明		無・軽度・中・著明		無・軽度・中・著明		無・軽度・中・著明		無・軽度・中・著明	
乳頭の硬さ	硬・中・軟		硬・中・軟		硬・中・軟		硬・中・軟		硬・中・軟		硬・中・軟		硬・中・軟	
乳管開通	2本	3本	4本	5本	5〜6本	5〜6本	7本	8本	9〜10本	9〜10本	10以上	10以上	多	多
分泌状態	にじむ	にじむ	にじむ	にじむ	じわ〜じにじむ	じわ〜じにじむ	たらたら	たらたら	良好	良好	良好	良好	良好	良好
児の体重増減	2,970g		2,750g(−220g)・7.4%		2,680(−70g)・9.7%		2,650g(−30g)・10.7%		2,760g(+110g)・7.0%		2,830g(+70g)・4.7%		2,900g(+70g)・2.4%	
児の状態	やや良〜良好		良好		良好		良好 光線療法 (10:00〜24時間)		良好		良好		良好	
授乳回数	直：6回/日		直：10回/日		直：15回/日 糖水：1回(10mL)		直：12回 糖水：2回(35mL) ミルク：1回(20mL)		直：12回(340mL)		直：9回(256mL+α)		直：4回/12時間	
児の吸着・吸啜			授乳姿勢維持困難		授乳姿勢維持可能		吸着がやや浅い		吸着が浅い		良好		良好	
授乳状況			「夜は授乳で起きるので熟睡できない」「母乳で育てたいので頑張りたい」		「夜は何度も授乳して、ほとんど眠れませんでした」「乳頭が赤くなってきた」		「上手く授乳できないからダメなんですよね」流涙あり。「子どもが黄疸になったのは私の母乳が出ないせいでしょうか」		「母乳が足りない分をミルクで補ってもらってでも安心しました」「助産師さんには十分に出ているっていわれてます。でも、こんなにしょっちゅう泣くと……」表情暗い		「今朝から、母乳をあげたあと赤ちゃんが満足して寝てくれるようになりました」			
記録													13時退院	

10●南 明江ベビー 授乳表

時間		0	1	2	3	4	5	6	7	8	9	10	11	12	13	14	15	16	17	18	19	20	21	22	23
0日目	おっぱい				○				○								○			○				○	
	おしっこ				○												○			○					
	うんち								×															×	
1日目	おっぱい	○						○				○			○					○					○
	おしっこ	○		○				○		○	○	×			○							○	○	×	
	うんち	×	×	×	×		×	×	×				×			体に赤いプツプツができた	×			×			×		
2日目	おっぱい	○○	G15	G10				○				○		○直14		○直20		○直14		G20		○直10	M20	○	直6
	おしっこ		足首がかさにたっている					○	○直20	○直26	○	× プツプツ広がってる?		○直14	○	○ 赤いおしっこが出た!病気じゃなくてよかった	○ 赤いおしっこって暑くない?心配….	○直12	○ 光線療法	○	○	×	×	×	
	うんち											×	×	○直14	○直30	○直20	×	○直40	○直30	○直30					
3日目	おっぱい	○	○直24		○直30			○直20	顔がなんとなく黄色い?								○直36								
4日目	おっぱい		××		×		×		×			○直14		○直36	○直62		○直36		○直58	○直30		○直28-直34	○直28-直34		
	うんち									×	○		×	×			×	×	×	×	×	○直44	×		
5日目	おっぱい	○	○						○	×	○	○					○				○			○	
	おしっこ				×	×	○○	×	×		×	○					×				××	×		○	
6日目	うんち	○	○	×		×	×			×															

おっぱい：おっぱいを吸わせた時間に○をつけましょう。糖水を飲ませたときはGを、ミルクはMとして、飲んだ量を数字で記入しましょう。
おしっこ・うんち：赤ちゃんがおしっこをしていたときには○を、うんちをしていたときには×をメモしておいてください。
お母さんが気になることがありましたら×モしておいてください。

C. 実習記録

11 ● 産褥期　個々の情報のアセスメント用紙

受け持ち対象者　Aさん　　　　　　　　　　　　　　　　　　　　　学籍番号

情　　報	アセスメント
●子宮の復古現象について 胎盤・卵膜の欠損なし 初産婦　産褥3日目 子宮底の高さ臍下2横指 子宮の硬度は良好 悪露の色は赤褐色悪露，悪露量は少量 後陣痛なし 産後排便なし	子宮内への胎盤や卵膜の遺残はなく，本日産褥3日目であるが，前日よりも子宮底が下がっており，標準的な産褥3日目の子宮底の高さである．また，硬度も良好で悪露量も減少してきている． しかし，産後排便がみられていないため，直腸の便の貯留が子宮収縮を阻害することも考えられる． 以上より，子宮の退行性変化は良好であるが，今後も観察が必要である．
●全身の回復状況について 身長：160 cm 体重：非妊時56 kg (BMI：21.9)　→14 kg増加 　　　(BMI：27.3) 分娩所要時間：12時間50分 分娩時出血量　680 mL 1日目：Hb 10.1 g/dL，Ht 33% 産褥3日目 体　温 37.0℃　脈 拍 70回/分　血 圧 124/68 mmHg 食事摂取量は朝食2/3，昼食2/3，夕食1/2 排尿8回/日 排便なし：2日目から酸化マグネシウム0.67g内服 浮腫 (±) → (＋) 「ほとんど眠れませんでした」→不眠の訴えあり 「疲れてしまいます」疲労感は軽度→強い 会陰裂傷Ⅱ度 創部腫脹，発赤，出血なし 浮腫なし 創痛軽度あり 児：光線療法24時間 (10：30～)	非妊時の身長・体重は問題なし．BMIから体格は「ふつう」である．妊娠時の体重増加量は10～13 kgが目安であるが，今回の体重増加量が全身の回復に影響することは考えにくい． 分娩所要時間は初産婦として平均的な時間であり，強い疲労が残っていることは考えにくいが，分娩時出血量は680 mLと多量であり，産褥1日目の検査データでも貧血状態にあるため全身の回復も遅れる可能性がある． バイタルサインは正常範囲内で経過している． 食事摂取量は前日よりも減少してきている．褥婦は授乳婦であり，母体の回復と良好な乳汁分泌を促進するためにも褥婦食 (栄養付加量を加えた食事) の摂取が必要なので，経過観察と食事摂取のための援助を行っていく必要がある． 排尿回数は正常であるが，浮腫が出現してきており，尿量についての確認が必要である．分娩後排便がないが，産褥3日ごろまでは腸管の緊張低下，運動不足によって便秘を生じやすい．2日目から酸化マグネシウム0.67 gを内服していたので排便がみられるか確認を行うとともに，水分摂取状況の確認や便意が生じたときには児をあずかりゆっくり排泄できるような支援なども行っていく必要がある． 頻回授乳による不眠状態であり，疲労感も増強してきているため，休息・睡眠への援助が必要である．本日より児が光線療法のため保育器収容となるので，授乳や沐浴以外の時間は休息・睡眠がとれるように配慮する． 創部の痛みが軽度みられるが治癒過程の正常範囲内と考えられ，創部の回復状態は良好である．今後，創痛の軽減がみられるかどうかの観察が必要である． 以上より，全身の回復状態がやや滞っている状態である．休息・睡眠や栄養摂取のためのケアが必要である．
●母乳育児について 乳房形態：Ⅱb，乳頭形状：正常，乳頭の大きさ：中，乳頭の硬さ：中 産褥1日目：「母乳で育てたいので頑張りたい」 乳房緊満軽度あり 乳汁分泌状態はタラタラ流れる 乳頭の硬さは中　乳頭の発赤・疼痛あり 授乳状況：授乳姿勢の維持は可能，ラッチ・オンがやや浅い　直接母乳の回数は12回/日，量は76 mL＋α/日 人工乳の回数1回/日，量は20 mL/日 糖水の回数は2回/日，量は35 mL/日「子どもが泣くたびに授乳しています．休む間がないです」 児の体重2,650 g (前日差－30 g) 児の体重減少率10.8% 排尿：4回/日 (尿酸塩尿あり) 排便：3回/日 「私が上手く授乳できないからダメなんですよね」 「子どもが黄疸になったのは私の母乳が出ないせいでしょうか」	乳房，乳頭は母乳育児に適した状態である． 母乳育児に対する意欲はある． 乳房緊満も出てきており，乳汁分泌もタラタラ流れる状態であり，乳汁産生が始まっており，乳汁生成Ⅰ期からⅡ期へ移行していると考えられ，乳汁分泌は今後増加していくことが予想される．産褥3日目としては正常な乳汁分泌状態である． 乳頭の硬さはまだ硬めであり，児のラッチ・オンがやや浅いため，乳頭の発赤・疼痛が生じ，乳頭に乳房トラブル (擦過傷) が起こっている状態である．さらに悪化しないように，授乳方法についての支援が必要である．また，児のラッチ・オンがやや浅いことで乳汁分泌の増進に必要な有効な刺激が得られてないことも考えられる． 授乳回数が12回と頻回授乳になっており，人工乳，糖水の追加も行っており，児の体重減少の状態と排泄回数 (尿酸塩尿あり) から考えると哺乳量が不足している状態であるが，上記のアセスメントより，今後の乳汁分泌量増加により改善されると考えられる． 母乳分泌が少ないことに対して自責の念を抱いており，自己肯定感が低下している．母乳育児に対して前向きな気持ちになれるように，今の思いを傾聴し，一般的な母乳育児の経過や今の状態について本人が理解できるように説明などを行う必要がある． 以上より，産褥日数に応じた母乳育児状態ではあるが，ラッチ・オンや乳頭トラブルへの支援が必要であり，児の体重増加に気をつける必要がある．

●母子の絆形成について 妊娠の受け止め：「子どもが欲しかったのでとてもうれしい」 「子どもが黄疸になったのは私の母乳が出ないせいでしょうか」 「私は母親としてやっていけるのでしょうか．不安です」 児：T-Bil 17.2 mg/dL，光線療法24時間（10：30～）	出産後の頻回授乳や不眠状態，疲労感などにより，子どもに対して「かわいい」などの言葉が聞かれない．それだけでなく，母親としての自己価値も低下しており，児に対して自責の念を抱いている．本来は待ち望んでいた子どもでもあり，身体的な疲労や母乳育児が順調に行われることによって，精神的にも余裕が出て，児に対する愛情も表出できるようになるのではないかと考える．また，児の光線療法が開始され，児が保育器収容となったため，母児の接触が制限されるが，母親が触れ合える機会をもてるようにかかわる．また，光線療法に対する不安や戸惑いに対しても援助していく必要がある． 以上より，いまの母親の思いや訴えを傾聴し，精神的慰安がとれるように援助する．
●育児について，退院後の生活について 「沐浴は自分でするつもりですが，授乳もできない私に沐浴ができるか心配です」	授乳方法が上手くいかないで，育児に対して悲観的になっている．育児に積極的に取り組めるように，産婦が児とかかわる際はできるだけ寄り添い，母親の理解度に合わせて説明をしたり，できていることを褒め，育児に少しでも自信をもって退院できるように援助する必要がある．退院後の生活については，母親が主となって育児を行う予定のようであるが，今の精神的な状態からいえば，夫や実母などのサポートが得られるような体制を整えておく必要がある．沐浴指導や退院指導の際は夫や実母などサポートしてくれる家族も一緒に参加できないか検討する必要もある． 以上より，育児に対して母親が自信がもてるようなかかわりを行うとともに，育児のサポートが得られる体制づくりを行う．
●家族関係について 夫との2人暮らし	夫は出産にも立ち会っており，出産に対して協力的であったが，2人の関係についての情報が不足している．普段の2人の関係性，夫に対する気持ち，夫の児に対する気持ちなどについて情報を集める必要がある．また，同じく実母・実父，実妹，義母・義父との関係性についての情報もない．児の受け入れ状態や今後のサポートを検討するためにはこれらについての情報を集める必要がある．
●新生児について 妊娠40週2日で出生　男児　単胎 出生時体重：2,970 g（AFD） アプガースコア：9点　5分後10点 外表奇形なし 日齢3 体重：2,650 g（前日差−30 g，体重減少率10.8%） T-Bil 17.2 mg/dL，光線療法24時間（10：30～），上半身黄染あり，下肢皮膚落屑あり	出生時の状態もとくに問題なく，呼吸循環，体温調節に関する胎外生活への適応は順調に進んでいる．しかし，体重減少が10%を超え，血清総ビリルビン値が17.2 mg/dLとなり，本日より光線療法開始によって保育器収容となっている．今後の黄疸の経過に注意していく必要がある．

12 ● 産褥期　全体像

受け持ち対象者　Aさん

20歳代後半の初産婦．妊娠40週2日，2,970gの男児を経腟分娩にて出産した．本日産褥3日目となる．今回の妊娠は自然妊娠．妊娠経過中，妊娠30週0日Hb 10.1 g/dL，Ht 32%でフェロミアを2週間内服．妊娠36週0日より血圧（138/72 mmHg）がやや高めで推移し，尿タンパクもみられたため，食事指導で経過観察となるが，その後も血圧はやや高めで推移した．妊娠36週の培養結果でGBS陽性．その他は順調に経過した．

妊娠40週1日，自然に陣痛発来し入院となる．入院後はGBS（＋）のため，アンピシリンを使用しての分娩であったが，順調に経過し児娩出となった．分娩所要時間は12時間50分．児娩出後の出血が多く，分娩時総出血は680 mL．第Ⅱ度会陰裂傷があり，バイクリル縫合糸にて縫合している．胎盤所見では，卵膜や胎盤実質の欠損はみられない．

産褥経過では，産褥1日目までは血圧も高めで経過していたが，その後低下し安定している．分娩時の出血量が多かったが，産褥1日目の血液検査でHb 10.1 g/dL，Ht 33%であったが経過観察となっている．子宮復古も順調で産褥2日目までは後陣痛もみられたが現在はない．会陰裂傷の創部の状態は良好であり，創痛は軽度持続しているが軽減傾向にある．産褥3日目で排便がなく，酸化マグネシウム0.67gが処方されている．睡眠は授乳により断続的になり，疲労感の訴えがある．乳房緊満は産褥3日目で軽度みられ，分泌状態も日数相当の変化をしているが，児の吸着が浅いため，左右の乳頭に発赤がみられ，乳頭に疼痛がある．

褥婦の子宮の復古現象は，順調に進んでいるが，排便がみられないため，子宮の収縮が阻害される可能性がある．排便状態と合わせて子宮収縮状態を観察していく必要がある．また，便秘に対しては，現在酸化マグネシウムを内服しているのでその反応の観察と飲水など一般的な便秘に対する看護援助も行っていく．

全身の回復状態は，夜間の頻回な授乳により，不眠の訴えがあり，疲労感が増強してきている．授乳回数は，今後の乳汁分泌が増加していくことで減ってくることが予想されるが，現在の疲労感を軽減するためにも休息・睡眠がとれる環境づくりと，必要な栄養が摂取できるような援助が必要である．また，疲労感が増強している要因として，育児技術の習得（とくに授乳技術）が上手くいっていないこと，自己肯定感の低下が起こっていることが考えられる．育児技術習得のための援助と自己肯定感を高める心理的な援助が必要である．

母子の絆形成は，Aさんの不眠，疲労感，育児技術が上手くできないことに意識が集中しており，愛情の表出ができない状態にある．全身の回復の援助をしていくなかで，身体的にも精神的にも余裕が出てくると気持ちが児に集中し，愛情の表出や良好な母子関係が形成されると考えられる．また，本日から児の光線療法が始まり保育器に収容され，母子接触が減ることが考えられる．Aさんの身体的状態や心理的状態をみながら，できるかぎり児との接触がもてるように援助していく．

家族関係については妊娠中は良好であったが，産後については情報が不足しているので，援助を行いながら夫／パートナーや家族との関係性や育児や家事の役割分担やソーシャルサポートの調整状況について情報を得る必要がある．得られた情報からアセスメントし，必要であれば，沐浴指導や退院指導などに夫／パートナー，家族も参加できるように配慮する必要がある．

13 ● 産褥期　看護計画用紙（生殖器・全身状態）

No.＿＿＿＿

受け持ち対象者　Aさん　　　　　　　　　　　　　　　　　　　　　　　　学籍番号＿＿＿＿
看護課題名　#1　生殖器の復古は進んでいるが，頻回授乳による不眠のため，全身状態の回復が遅れている
長期目標　生殖器の復古ならびに全身状態の回復が進む

立案時刻	目標	具体策*1	結果・評価*2
6/17（産褥3日目）	1. 生殖器の復古が順調に進む 　1）産褥日数に応じた子宮底の高さである 　2）産褥日数に応じた悪露の量，性状である 2. 全身の回復が順調に進む 　1）休息・睡眠がとれる 　2）必要な栄養が摂取できる 3. 便秘が解消される 4. 貧血が改善される	O) ●生殖器の復古状態 ①産褥子宮の収縮状態（子宮底の高さ，硬さ，輪状マッサージ実施状況） ②悪露の状態（悪露の色調，排泄量，凝血塊・卵膜・胎盤片の有無，におい，粘性など） ③創部の状態（痛みの有無，発赤，腫脹はないか，自然抜糸の有無，外陰部の保清の実施状況） ④後陣痛の有無と程度 ●全身状態 ①バイタルサイン（体温・血圧にとくに注意） ②栄養・代謝の状態（食事の摂取量と摂取できている栄養素） ③排泄・排便状態（排尿回数，尿意・残尿感・排尿痛の有無，排便回数，腸蠕動の確認，痔核の有無，会陰部創痛の有無，水分摂取量，食事摂取量） ④授乳状況（直接授乳の回数） ⑤保清の状態 ⑥血液像と体液分布（貧血の状態，浮腫の程度など） ⑦体重の変化 ⑧活動と休息の状態（疲労状態，活動の優先順位など） T) ①授乳などの育児行動，排泄や生活行動以外の活動は控え，臥床し休息や睡眠がとれるようにスケジュールの調整や環境を整える． ②食事摂取が進むようにメニューなどの検討を行う． ③貧血症状について説明し，転倒予防について一緒に考える． ④便秘の解消法について指導を行う（水分摂取，食物繊維の摂取，腹部マッサージなど）． ⑤体調に合わせて産褥体操を実施する． ⑥母親の訴えを傾聴する． E) ①貧血の改善に必要な食事摂取について説明する． ②産褥期の身体の変化について説明する． ③産褥期の気持ちの変化について説明する．	産褥3日目（〜16：00の状態） O) ●生殖器の復古状態 ①子宮底：N下3F，硬度良好 ②悪露：少量，赤褐色 ③創部：癒合，発赤，腫脹なし 　創痛：軽度．ひきつる程度 ④後陣痛なし ●全身状態 ①T＝37.0℃　P＝68回/分 　BP＝128/60 mmHg ②食事量：朝1/2，昼全量 ③排尿回数8回/日，排便1回，硬便 ④授乳状況：直母回数8回，児のラッチ・オン（吸着・含ませ方）浅い ⑤保清：シャワー ⑥採血なし 　浮腫なし ⑦体重測定実施せず ⑧睡眠：断眠 ●その他 午前中は表情が暗かったが，午後からは笑顔がみられた． S) 「夕べもあまり眠れませんでした」 「授乳の合間に，昼寝もできるようになってきました」 A) 生殖器の復古状態は順調である．排便が1回あったが硬便のため引き続き酸化マグネシウム内服を検討するとともに，今後も排便を促す援助の継続が必要である． 授乳の合間に睡眠がとれ，身体的にも心理的にも余裕が出てきた状態である．この状態を継続することで疲労感は軽減し，育児に対しても前向きに取り組めるようになると考える．引き続き援助を行っていく．

【SOAPの略語】*1[具体策の項]　O：observation，T：therapy，E：education
*2[結果・評価の項]　O：object 客観的データ，S：subject 主観的データ，A：assessment アセスメント，P：plan 計画，E：evaluation 評価

13 ● 産褥期　看護計画用紙（母乳育児）

受け持ち対象者　Aさん
学籍番号　_____
看護課題名　#2　授乳方法が上手くできないことにより母乳育児に対する自己肯定感が低下している
長期目標　母乳育児に前向きに取り組む

立案時刻	目　標	具体策	結果・評価
6/17（産褥3日目）	1) 産褥日数に合った母乳分泌状態である 2) 母乳育児への意欲を継続できる 3) 乳頭を適切に含ませることができる 4) 乳頭トラブルのケアと予防ができる 5) 授乳時に適切な位置で安定した抱き方ができる 6) 母乳育児への不安や疑問点を解消できる	O) ①母乳育児に対する母親の思い ②乳房・乳頭の状態（乳房の緊満状態と熱感，血管の状態，乳頭の硬さ，乳頭の擦過傷の状態，授乳前後の乳房の緊満や緊満部位） ③乳汁産生・分泌状態（乳管口の数と太さ，乳栓の有無，乳汁の分泌状態） ④母親の授乳技術（ラッチ・オンのタイミングや状態，授乳姿勢，児が乳を欲しがるサインの理解，乳房ケアの自己管理） ⑤母親の栄養状態 （食事摂取量，水分摂取量） ⑥母親の休息状態（睡眠，休息の状態） ⑦新生児の哺乳状態（ラッチ・オン・吸啜の状態，母乳の嚥下状態と音，哺乳時間，授乳回数・授乳間隔） ⑧新生児の健康状態（児の体重増加，児の排尿・排便回数や性状） T) ①授乳時に乳頭・乳輪部の含ませ方（ラッチ・オン）を一緒に行い，適切なラッチ・オンができるように援助する． ②上手にできていることを支持する（褒める）． ③母親がリラックスし楽な姿勢をとり，児も安定し母親に密着した姿勢で授乳できるように，必要に応じてクッションなどを利用して援助する（ポジショニング）． ④乳頭亀裂などが生じた際は，搾母乳を用いた保湿療法を行う（p.284参照）． ⑤必要であれば乳管開通法や乳房マッサージを行う． ⑥母乳育児についての思いを傾聴し，不安を軽減できるように援助する． E) ①乳汁の日数的な変化について再度説明を行う． ②児のラッチ・オン・吸啜のしくみについて説明する． ③必要であれば授乳技術についての補足説明を行う．	産褥3日目（～16：00の状態） O) ①母乳育児継続への不安は軽減しつつある． ②乳房緊満：著明　乳頭の硬さ：硬，乳頭発赤・疼痛あり ③分泌状態：良好 ④児の乳首へのラッチ・オンが浅い．タイミング，ラッチ・オン方法の確認が必要． ⑤朝食1/2，昼食は全量摂取 ⑥睡眠は断眠であるが，昼寝ができるようになってきた ⑦授乳状況：児のラッチ・オンが浅い　哺乳力：良好　直母回数：8回 ⑧児の体重：2,760ｇ（前日差+110ｇ），児の排泄：尿5回，便5回　その他：午前中は表情が暗かったが，午後からは笑顔がみられた． S) 「糖水やミルクを補ってもらって少し安心しました」「助産師さんには十分に出ているっていわれます．でも，あんなにしょっちゅう泣くと…」「今朝から，母乳をあげたあと赤ちゃんが満足して寝てくれるようになりました」 A) 児の体重や排泄回数の増加がみられ，授乳回数も減ってきたことから，母乳分泌が増えてきたと考えられる．それに伴い，授乳の合間に睡眠がとれ，児が満足して入眠する様子に安堵感と喜びの表出ができており，笑顔もみられるなど身体的にも心理的にも余裕がでてきた状態である．この状態を継続することで母乳育児に対しても前向きに取り組めるようになると考える．授乳技術に関しては，まだラッチ・オンが浅い状態が続いているので引き続き援助を行っていく．

13 ● 産褥期　看護計画用紙（母子関係）

受け持ち対象者　　Aさん
看護課題名　#3　母子の絆形成が順調である
長期目標　良好な母子関係の形成が進む

立案時刻	目標	具体策	結果・評価
6/17（産褥3日目）	1）自己肯定感が高まる 2）児に対する愛情が表出できる 3）児のサインに適切に対応できる	O） ①児に接するときの言動，表情，行動 　・児を見つめているか 　・児に語りかけているか 　・児に触れているか 　・児をあやしているか 　・児の表情や行動に反応しているか 　・周囲の人に児の様子を伝えているか ②母親に対する児の反応や行動 T） ①児とゆっくり安心してかかわれる環境を整える． ②児との関係について肯定的なフィードバックを行う． ③必要に応じて児の世話やかかわり方のモデルを示す． ④児へのかかわりを一緒に行い，母親が見守られているという感覚がもてるように援助する． ⑤母親の思いや訴えを傾聴する． ⑥夫や家族の面会があるときは家族の時間を過ごせるように配慮する． E） ①新生児の反応や行動について説明する．	産褥3日目（～16：00の状態） O） ①積極的に児に語りかけ，啼泣時もすぐに抱き上げあやしている．面会人に児の様子や夫に似ているところなどを笑顔で話している． ②啼泣時も母親が抱き上げ，あやすとしばらくすると落ち着いて泣きやむ．母親の語りかけに対して，母親の声のほうへ視線を向けようとする． その他：午前中は表情が暗かったが，午後からは笑顔がみられた． S） 「夕べもあまり眠れませんでした」「子どもの黄疸も心配で．糖水やミルクを補ってもらって少し安心しました」「助産師さんには十分に出ているっていわれます．でも，あんなにしょっちゅう泣くと…」 「今朝から，赤ちゃんが母乳をあげたあと満足して寝てくれるようになりました」 A） 積極的な児へのかかわりや児の黄疸や母乳不足を心配する様子がみえ，児に対する思いが強くなってきていることが感じられる．今日から母乳分泌量が増加し，児が満足して眠ってくれるようになったことで，今後は気持ちの面で余裕が生まれ，さらに児に対する絆がわいてくると考えられる．また，母親の行動に対して児が反応を示しつつあり，良好な母子相互作用が起こりつつある． 以上のことより，母子の絆形成は順調であるので，今後も見守りつつ，必要なところは援助を行っていく必要がある．また，父親と児との絆形成についても面会時などに観察し，促進できる援助を考えていく．

13 ● 産褥期　看護計画用紙（育児技術）

受け持ち対象者　　Aさん
看護課題名　　＃4　育児技術を習得しつつある
長期目標　育児技術の習得が進み，育児に対して前向きになる

立案時刻	目　標	具体策	結果・評価
6/17（産褥3日目）	1) 育児技術で注意が必要なポイントがわかる 2) 育児技術が実施できる 3) 育児技術に自信がもてる 4) 退院後の生活をイメージしながら育児ができる	O) ①母親の身体的状態 ②育児技術の実施状況 　・抱き方やあやし方 　・オムツ交換や衣服の着脱 　・授乳技術（母乳育児の計画参照） 　・沐浴の実施状況（注意するポイントを理解して実施できているか，落ち着いて実施できているか，児の反応に対応できているか，実施後の感想など） ③児の健康状態の観察ができているか ④児の啼泣に対して適切な対応ができるか ⑤児の世話を楽しめているか ⑥退院後の夫のサポート状況 ⑦社会的支援の必要性について T) ①育児技術でできていることは褒め，できていないことは一緒に行う． ②沐浴実施の補助を行う． ③退院後の育児について一緒に考える． E) ①この時期の新生児の特徴と必要な養育行動について説明を行う． ②育児技術についての補足説明を行う．	産褥3日目（～16：00の状態） O) ①頻回授乳による疲労が認められたが，今日からは昼寝もでき表情も明るくなってきている．身体状態としては回復しつつある． ②児の抱き方は安定した抱き方ができるようになってきた．また，あやし方もやさしく児に語りかけながらできるようになってきている． 　・オムツ交換や衣類の着脱は，準備に少し時間がかかるが，手際よく行えるようになってきている． 　・授乳技術は母乳育児で記載 　・本日沐浴を実施した．時間は少しかかったが沐浴のポイントを押さえていねいに実施できていた．児も泣き出すこともなくおとなしく沐浴されていた．沐浴時の児の把持のしかたや背中を洗う際の体位変換が「上手くできない」と心配そうであった． ③児の体温測定も上手にできていた．また，部屋では児の手足を触ってリネンの調整もできていた． ④オムツや空腹時の啼泣については，「まだよくわからないけど…オムツを触ったりしてわかる感じ」といっているが，上手に対応できている． ⑤午後からは気持ちにも余裕が出てきたのか，児の世話をしながら笑顔がみられていた． ⑥・⑦今日は褥婦の体調回復のため休息を優先したため，退院後の夫のサポート状況について話を聞くことができなかった． S) 「今朝から，母乳をあげたあと赤ちゃんが満足して寝てくれるようになりました」 「授乳の合間に，昼寝もできるようになってきました」 A) 徐々にではあるが育児技術も注意するポイントを押さえながら実施できるようになってきている．しかし，まだ自信をもって1人で行う状態ではないので，基礎的な育児技術に自信をもって退院できるように支援していく必要がある．また，同時に退院後の生活や育児に適応できるように具体的なイメージ化や退院後のサポート体制について検討する．

14 ● 退院後の生活　看護計画用紙

受け持ち対象者　　Aさん　　　　　　　　　　　　　　　　　　　　　　　学籍番号
看護課題名　#5 子どもを迎えた新しい生活に適応するための準備を進めている状態
長期目標　育児への自信をもち，退院後の実家での新しい生活が順調に営める

立案時刻	目　標	具体策	結果・評価
6/18（産褥4日目）	1) 母子が退院した後の実家での新しい生活を具体的にイメージできる 2) 退院までに，実家での生活におけるAさん，夫・父母・Aさんの妹の育児・家事役割分担をおおよそ調整できる 3) 実家での育児が「やっていけそうだ」と述べられる	O) ①退院後の母子の居住環境（空調，寝具，ベッドの有無など） ②母子の退院後の夫の生活の調整予定（居住場所，夫の就業状況，産休や育休の取得予定，家事・育児分担予定） ③家族の健康状態（入院・通院・介護の必要性） ④日中の家族の生活状況（夫・両親と妹の就業の有無，就業形態，帰宅時間） ⑤実家でのAさん，夫，父母，Aさんの妹の家事・育児の具体的な分担予定を確認する． ⑥義父母との関係性（義父母の居住場所，Aさんとの関係性，家事・育児のサポート予定） ⑦現時点で困難を感じている育児技術 ⑧退院後の育児に関連する不安や心配の内容 T) ①分娩後から母親として頑張っていることを保証する． ②最初から上手にできる母親はいないことを伝える． ③育児は母親だけで行わなければならないものではなく，夫や家族と役割分担しソーシャルサポートも受けながら行っていくとよいことを伝える． ④現時点で困難を感じている育児技術の実施を見守りつつ，しやすそうな方法を一緒に探す． E) ①新生児の生理的特徴とケア（体温・呼吸・哺乳・体重増加・排泄・黄疸・清潔・睡眠と生活リズム）について説明する． ②新生児にみられる主なマイナートラブルと予防・ケア方法について説明する． ③新生児期の主な異常と対処方法について説明する． ④出産に関する諸手続きについて説明する． ⑤退院後の母子健康や育児に関する相談の窓口・連絡方法を説明する（病院，保健センター，子育て支援センター）． ⑥退院後の家事・育児役割分担について家族間で相談し，具体的に決めておくよう促す． ⑦退院後に体調変化や育児の心配・不安がある場合はいつでも病院に連絡してよいことを伝える．	産褥4日目（～16：00の状態） O) ①実家の2階の南向きの洋室で，ベッドと同じ高さのベビーベッドを使用．エアコン完備．ペットなし． ②夫は自宅で生活．家事は何とかできる．子どもの誕生を機に家事習得を目指している．仕事帰りが早い日や夜や休日は妻の実家で過ごす予定． ③実母が高血圧で服薬中だが生活に支障はない．実父と妹は健康．要介護者はいない． ④実父と妹は就業中で18～19時ころ帰宅．実母はパートで午後4時間は不在で17時に帰宅． ⑤家事は家族が全面的に行う．夜間や休日は夫や実父・妹がオムツ交換，抱っこなどの育児を援助する予定． ⑦沐浴に困難を感じているが，退院後は午前中に実母が手伝う． S)（T，Eの実施に対して） 「昨日くらいから授乳の間隔も空いてきて，母乳だけでいけそうな気がします．」 「沐浴が少し不安ですが午前中に母が手伝ってくれるので大丈夫です．家事も全部家族がやってくれます．夫は家事の練習中です．休日は育児練習をすると張り切っています」 「実家では手伝ってもらえるので子育てできそうです．1人で全部できるようになるには少し時間がかかると思いますけど．落ち着いたら保健センターなどの育児教室に通いたいと思っています」 「入院中に赤ちゃんの様子がだいぶわかってきたので，健康状態の観察も何となくできそうな気がします．心配なときは受診します」 A) 夫や実家の家族との関係性は良好である．母乳育児を継続しつつ退院後の新生児のいる生活に向けて家族員がそれぞれ準備を開始している． 新生児の健康状態の観察や異常時にも対応できると推察される． 退院後に社会資源を活用する予定もあり，家族の支援を受けながらAさん自身のペースで新しい生活に適応していくことが予測される．

15 ● 新生児　個々の情報のアセスメント用紙

受け持ち対象者　　Aさんベビー　　　　日齢　3　　　　　　　　　　　　学籍番号

情　報	アセスメント
●体格・全身状態 本日，日齢3．40週，正常分娩にて出生，男児，単胎 体重2,900g台，身長約48 cm，頭囲約33 cm，胸囲約33 cm 産瘤（＋），骨重積（＋），頭血腫（－） 胎脂（腋窩，鼠径），毳毛（肩・背），爪指端越える 外表奇形なし，開排制限なし 外傷なし，精巣下降（有） 活動性（出生直後：やや良，日齢1からは良好） 臍は残存，臍部は発赤，腫脹，出血なし 皮膚は，日齢1から顔にやや黄染が認められ，日齢3朝には上半身に認められた．皮膚は，日齢3朝から下肢に乾燥が認められた．また，顔面～体幹，上肢に中毒疹と思われる発疹が認められている．	児は正期産で，AFD児である．発育は正常． 分娩外傷や外表奇形はなく，外観的な成熟度は満たしている． 出生直後の活動性はやや良好であったが，翌日以降良好になっている． 臍部は，出血や炎症症状は認められず，正常． 皮膚は，体重減少のためか乾燥が認められて，表皮剥離も認められ，脱水傾向である．大泉門の陥没やバイタルサインの異常は認められていない．黄疸も増強してきているので，水分補充が必要かもしれない．また，中毒疹様の発疹も認められている． 以上より，体格・全身状態は現在のところ正常であり，胎外生活適応に及ぼす否定的な影響も認められない．易感染状態ではあるので，臍部の感染には留意し，毎日観察と消毒を続けるほか，感染予防に留意する．
●呼吸・循環・体温 アプガースコア：1分後9点（四肢チアノーゼ），5分後10点 出生直後：呼吸数 64 回，心拍数138 bpm，心雑音なし，体温37.1℃ 　努力呼吸は認められず，呼吸音はwetly，末梢にチアノーゼが認められる． 日齢0～3：呼吸数46～58回，努力呼吸なし，喘鳴なし，心拍数120～140 bpm，心雑音なし，体温37.1～37.5℃，冷感・体熱感なし 日齢3 10：30～：光線療法のため，保育器に収容保育器内温度は 30.5℃で，体温は37.5℃であった．	出生1分後，アプガースコアは，皮膚色が－1点の9点で，5分後に10点となり，その後3日間も，バイタルサインは安定して，胎外生活への適応は順調である． 体重減少が多く，脱水が懸念されるが，バイタルサインには変動は認められていない． 本日，10時30分から光線療法のため，保育器に収容され，器内温度30～31℃で，体温は安定していた．光線のエネルギーにより体温は上昇しやすく，今後も体温が37℃前後に維持されるか，保育器の温度管理が必要となる． 以上より，呼吸・循環・体温調節に関連する胎外生活適応は順調であったが，黄疸が生理的範囲を逸脱したことに伴い光線療法が開始され，保育器に収容されたため，体温管理に注意が必要である．
●栄養・排泄 出生体重2,970 g台→日齢1 2,750 g（－7.4％）→日齢2 2,680 g（－9.8％）→日齢3 2,650 g（－10.8％） 出生直後から直母を開始し，日齢0 6回，日齢1 10回，日齢2 15回の直母が行われている．日齢3も，16時までに8回の直母が行われている．日齢3の日勤帯は母乳量を測定し，1回6～8gで，合計34 g哺乳できている．哺乳力は良好である．夜間も1～2時間ごとに啼泣があり，哺乳している． 日齢2の2時に糖水を10 mL哺乳した．日齢3の1時にも糖水を15 mL哺乳している． 分娩直後に排尿あり，日齢0は3回，日齢1は5回，日齢2は4回であった．日齢3は6回と10時の2回であった． 日齢3 10時の尿は赤いと母親から訴えがあった．担当助産師より尿酸塩尿であり，病気ではないと母親に説明があった． 日齢0は排便4回，日齢1は排便6回，日齢2は排便4回で，いずれも胎便であった．日齢3は，10時と16時に移行便が認められた． 腹満なし，腸蠕動音良好	日齢1で出生体重から7.4％の体重減少が認められ，日齢2には9.8％まで減少し，日齢3には10.8％まで減少し，生理的範囲を逸脱することとなったが，哺乳力が良好であったため，日齢2と日齢3の深夜帯に糖水10 mLと15 mL追加されたほかは，経過観察されていた．バイタルサインは安定しているが，皮膚がやや乾燥し，排尿回数も減少してきており，脱水傾向が疑われる．日齢3で黄疸も生理的範囲内を逸脱して光線療法が始まっているので，水分の補充が必要となると考える．しかし，母乳が分泌し始め，直母の哺乳量も増加しつつあるので，母乳育児の確立を妨げないよう，母乳量を測定し，不足分を補う程度で補充する． 日齢1から黄疸が認められ，しだいに増強し日齢3には生理的範囲を超えてしまい，光線療法が始まることとなった．新生児は，もともと多血であり，肝臓の機能が未熟で，ヘモグロビンの中間代謝物であり，脂溶性で排泄しづらい間接ビリルビンから直接ビリルビンへの変換のために必要な酵素の活性化が低く，間接ビリルビンが蓄積しやすい．多くの新生児に黄疸が認められる．生理的範囲を逸脱する要因がいくつかあるが，この児の場合，母親はO型で，父親がB型である．ABO血液型不適合は初妊婦でも起こることがあるが，重症化はまれである．体重減少が生理的範囲を逸脱し，排尿回数，皮膚乾燥などからも脱水傾向が疑われるので，その影響も考えられる．光線療法が効果的に行われ，母乳が哺乳できるようになれば，改善が見込まれると考える．

15 ● 新生児　個々の情報のアセスメント用紙（続き）

日齢1から顔面に黄染が認められ，日齢2には胸部に広がり，日齢3には上半身に黄疸が認められた．経皮黄疸計の値は，日齢1 11.1，日齢2 13.2，日齢3 18.4であった．日齢3の朝採血をして，T-Bilは17.2 mg/dLであった．母O型Rh（＋），父B型Rh（＋）	以上より，栄養・代謝については，体重減少，黄疸とも生理的範囲を逸脱しているが，哺乳力は良好で，母乳分泌も認められてきているので，哺乳量を観察しつつ，最低限の人工乳の補充を行い，効果的に光線療法を行い，改善を期待し，経過を観察する．
● 発達状況 モロー反射（＋），把握反射（＋）， ルーティング反射（＋），吸啜反射（＋）	神経学的な異常の指摘もなく，各原始反射は認められており，発達状況は正常であると考えるが，今後，母子相互作用の場面などから認知的な発達状況を確認する． 以上より，母子相互作用ならびに授乳に否定的な影響を及ぼす因子は認められない．引き続き，反射なども利用しつつ，母子相互作用を促すよう援助する．
● 母子関係・家族関係 S：子どもが欲しかったので，とってもうれしい． S：（日齢1）母乳で育てたいので頑張りたい． 　　からだに赤いブツブツができている． S：（日齢2）夜は何度も授乳していて，ほとんど眠れませんでした． 　　ブツブツが広がっている． S：（日齢3）足首がカサカサになっている．顔がなんとなく黄色い．赤いおしっこが出た！光線療法って暑くない？心配…． S：（光線療法開始後）子どもが黄疸になったのは私の母乳が出ないせいでしょうか？	母親は妊娠を待ち望んでいた．母乳栄養を希望し，頻回授乳で，疲労しているが，頑張っている．また，授乳表のメモから児をていねいに観察していることがわかる． 今回，光線療法が始まったことで，光線療法に関する不安や，自責の思いが認められている． 以上より，母親の児に対する敏感性はあり，児への絆形成もうかがわれる．光線療法についての思いを十分に聴き，必要時情報提供して，母親の不安を軽減するよう支援する．

16 ● 新生児　全体像

No.＿＿＿＿＿

受け持ち対象者　　Aさんベビー　　　　　　　　　　　　　　　　　学籍番号＿＿＿＿＿

児は，40週で正常分娩により2,900 g台で出生した男児である．AFD児で，出生時とくに奇形などは認められていない．本日，日齢3である．バイタルサインは安定し呼吸・循環・体温保持に関する胎外生活への適応は順調である．一方，日齢3には体重減少率が10.8％となり，生理的範囲を逸脱しており，皮膚の乾燥も認められ，脱水傾向が疑われる．また，日齢1に顔に認められ始めた黄疸はしだいに増強し，日齢3には上半身に黄疸が認められ経皮ビリルビン値も18.4を示したため，採血が施行された．血清総ビリルビン値が17.2 mg/dLであることがわかり，日齢3の10：30から保育器に収容され，光線療法が開始された．この黄疸はABO血液型不適合と，脱水傾向の影響が考えられ，まずは，水分の補充が必要ではないかと思われるが，哺乳力も良好で母乳分泌量も増えてきているので，母乳量の測定を行い，母乳栄養の確立を妨げないよう，人工乳などの補充を促す必要がある．

母親は，児への絆形成が示され，児に対する観察もていねいに行っている．光線療法が始まり不安も高まっていることから，よく話を聴き，必要時情報提供し，不安の軽減を図る必要がある．

17 ● 新生児　看護計画用紙

受け持ち対象者　　Aさんベビー　　　　　　　　　　　　　　　　　　　　　　学籍番号_____

看護課題名　　#体重減少および黄疸が生理的範囲を逸脱している

長期目標　必要な哺乳量を確保し、脱水に至らず体重が増加傾向に転じ、光線療法により黄疸が軽減し、母子ともに退院できる

日時	目標	具体策	結果・評価
6/17（日齢3夕方）	1. 黄疸が生理的範囲内に回復し、リバウンドしない（日齢6まで） 1) 光線療法が効果的に行われる 　①前日より黄疸が軽減する 　②光線便・光線尿の排泄が認められる 2) 光線療法による副作用が認められない 3) 母親の不安が緩和される 4) 光線療法終了翌日も黄疸が生理的範囲を逸脱しない 2. 十分な栄養が確保でき、体重増加を認める（退院まで） 1) 10回/日以上の直接授乳が行われる 2) 母乳分泌量の増加が認められる 3) 体重増加を認める（日齢4以降） 4) 排尿が1日6回以上認められる 5) その他の脱水症状が観察されない 3. バイタルサインが安定している（退院まで） 1) 体温が37℃前後に維持される 2) 異常呼吸が認められない 3) チアノーゼが認められない 4. 感染しない（退院まで） 1) オムツ交換が頻回に行われる 2) 臍部に感染徴候が認められないまま脱落する	O) ①黄疸の観察（皮膚色、血清総ビリルビン値） ②バイタルサインの観察（体温、保育器内温度、呼吸数・呼吸状態、心拍数・心雑音、チアノーゼ） ③排便・排尿の回数、性状 ④殿部発赤などの有無 ⑤活動性、哺乳力 ⑥直母回数、量 ⑦体重（1日1回、朝） ⑧皮膚の乾燥、皮膚の発疹の有無 ⑨大泉門の陥没 ⑩臍部の感染徴候の有無 ⑪母親の児に対する言動 T) ①光線療法の実施（10：30～1方向、24時間継続） ・アイマスクをし、オムツのみ着用し、随時、体位変換をする。 ・保育器に収容し、体温管理をする。 ・適宜オムツ交換をする。 ②母親が話しやすい環境を整え、話を聞く時間をつくる。 ③臍部の消毒（1日1回、朝）。 E) ①母乳量の測定のための方法を伝える。 ②3時間ごとに30 mL程度母乳または人工乳が哺乳できるよう人工乳の補充方法について説明する。 ③光線療法による副作用とそれに対する予防方法の実践状況について説明する。	日齢3（〜16：00の状態） O) 視診で黄疸は軽減しており、T-Bilは15.4 mg/dLであった。 11時に光線療法は中止し、保育器からコットに移床した。 体重2,760 g（+110 g） 昨夜18時に糖水20 mL、21時に人工乳20 mL補充したが、その前後に直母を行い、直母は合計28 g哺乳できていた。深夜帯は3回の直母で合計74 g哺乳できていた。 深夜帯では排尿2回、排便3回で、光線療法反応便が認められた。殿部発赤などは認められない。 日勤帯も排尿3回、排便2回認められていた。 10時の検温では、活動性良好。RR48回、不規則、無呼吸なし、シルバーマンスコア0点、呼吸音は全肺野清明。心拍数136 bpm、規則的、心雑音なし。チアノーゼなし。体温37.4℃（器内温度30.5℃）冷感、体熱感なし。 午後の検温では、体温は37.4℃ 臍部は出血、発赤、腫脹などは認められない。 6：00は、表情暗く子どもについて語っていた。 15：00には、笑顔で子どもの様子を語っていた。 S) （6：00）「夕べもあまり眠れませんでした。子どもの黄疸も心配で。母乳が足りない分を糖水やミルクで補ってもらって少し安心します。助産師さんには、十分に出ているっていわれます。でも、あんなにしょっちゅう泣くと…」 （15：00）「今朝から、母乳をあげた後、赤ちゃんが満足して寝てくれるようになりました」 A) 前日から開始した光線療法が効果的に作用し、副作用も認められず、黄疸も軽減し、ビリルビン値が低下し、目標1-1)、2)は達成した。よって、T①は終了とする。朝方と日勤帯で話をし、光線療法が終了したり、母乳分泌が増えたこともあり、母親の不安は軽減してきたと考えられ、目標1-3)は達成したと考えられる。 昨夜は人工乳などを追加したが、日齢4の夜間から母乳分泌量が増加し、母乳だけで十分哺乳できている。体重も前日より110 gも増加し、排尿・排便も増加し目標2は一応は達成されているが、明日以降も引き続き増加傾向が認められるか観察する。E①〜③は終了とする。 バイタルサインは現在は安定し、感染徴候も認められないが、引き続き観察する。

2 帝王切開事例（堂本　京さんの場合*）

*実在の人物ではありません．

A. 帝王切開分娩事例の概要

> **事例**　帝王切開分娩の堂本　京さん
>
> 　堂本　京さんは，33歳，2妊1産の経産婦です．2年前に正常分娩2,900g台の男児を出産しています．現在は専業主婦で，会社員の夫（34歳）と3人で暮らしています．
>
> 　京さんは，既往歴もなく，喫煙も飲酒も習慣はありません．家族歴として，実父に高血圧があります．第1子の妊娠経過にも異常はなく，第1子も健康です．
>
> 　今回の妊娠期は，初期・中期とも異常はなく経過し，末期になり軽度の貧血が認められましたが，食事指導のみで経過観察しています．経産婦ということもあり，今回の妊娠期間中，母親学級は受講せず，保健相談のみ受けています．保健相談では，第1子への対応についての相談をしています．また，末期に入り胎児が骨盤位であることが認められ，膝胸位の指導を受けていますが，改善しなかったため，帝王切開が決定しました．
>
> 　38週1日，帝王切開で3,100g台の女児を出産しました．児は，アプガースコア1分後8点，5分後9点でしたが，多呼吸など努力呼吸が認められ酸素飽和度も十分に上昇しなかったため，保育器に収容され，器内酸素25％で慎重に観察されていました．翌日には呼吸状態も改善し酸素投与も中止され，日齢2にコット移床しました．
>
> 　京さんは術後合併症も認められず，疼痛も自制内で経過し，産褥4日目には活動にも支障はなくなりました．子宮の退縮状況も帝王切開後としては順調に回復しています．第1子のときは1ヵ月で人工栄養となっていましたが，今回は，児のコット移床後母乳哺育も開始し，乳汁分泌も良好です．
>
> 　退院後は，1ヵ月程度，第1子とともに実家で実父母と生活することにしています．保育器に入ったことの不安は軽減されていますが，第1子と性別が異なることや，2人の子どもとの生活については不安が残っているようです．

B. 看護記録

1 ● 妊娠期　情報収集用紙

受け持ち対象者　堂本　京

● 対象の背景
氏名：堂本　京
年齢：　33　歳　　　　職業：無職
現住所：○○市××町□−□−□−□□□
実家等住所：東京都○○区××　□−□−□
結婚：(既婚)（　28　歳）・未婚（　　年　　月予定）・離婚
夫年齢：　34　歳，夫職業：会社員，帰宅10時過ぎ
喫煙：(なし)・あり（1日　　本）→妊娠中禁煙・節煙・継続
飲酒：(なし)・あり（1日　　　）→妊娠中中止・減量・継続
食事：とくに好き嫌いなし，毎日3食とっている．
睡眠：6時間くらい
排泄：排尿　5〜6　回/日，排便　1回/　1日
退院後のサポート：出産後，実家に戻り，1ヵ月ほど過ごす予定

● 家族構成
高血圧 □66歳　○62歳　☒1年前 肺がん ○58歳
□40歳　○36歳　◎33歳　□34歳　□30歳
□2歳

● 既往歴：　とくになし
● 家族歴：　実父が高血圧
● 月経歴：初経　　11　歳　　　周期（(整)・不整）　30　〜　32　日型　　持続日数　5　日間
　　　　　　　　　　　　　　　量（少・(中)・多）　月経障害：なし・(あり)（　下腹痛　）

● 産科歴

時期	週数	分娩様式等	出生体重	性別	特記事項
2年前	38週	C/S（骨盤位）	2,900 g台	♂	他院

● 身体的特徴・検査所見
身長　157　cm　　非妊娠時体重　48　kg　　BMI　19.5
血液型：　B　型　RH（　＋　），不規則抗体（　−　）　　アレルギー：(なし)・あり（　　）
感染症：HB（　−　），HCV（　−　），HIV（　−　），ATLA（　−　），梅毒（　−　），風疹（　32　），
　　　　GBS（　−　），クラミジア（　−　），その他

● 今回の妊娠経過
最終月経：平成　30　年　3　月　16　日〜　5　日間　　分娩予定日　平成　30　年　12　月　21　日
つわり症状：なし・(軽度)・中等度・重度（加療なし・あり　　　）
貧血：なし・(あり)（32週 Hb 10.4 g/dL　加療(なし)・あり　食事指導のみ　　　）
マイナートラブル：(なし)・あり（　　　　　　　　　　　　　　　　　　　　　　　　　）
切迫流早産：(なし)・あり（　　　　　　　　　　　　　　　　　　　　　　　　　　　　）
妊娠高血圧症候群：(なし)・あり（　　　　　　　　　　　　　　　　　　　　　　　　）
その他の異常：(なし)・あり（　　　　　　　　　　　　　　　　　　　　　　　　　　）
母親学級受講：(なし)・あり（　　　　　　　　　　　　　　　　　　　　　　　　　　）
妊娠の受け止め方：子どもにきょうだいをつくってあげたかったので，とってもうれしい．
バースプラン：前は，逆子で帝王切開になってしまったので，今度はどうかな．子どももいるし，できれば，
　　　　　　　普通に産みたいな．そのほうが早く帰れるし．

2 妊娠期 妊娠経過表

受け持ち対象者　堂本　京

月日	妊娠週数	子宮底長(cm)	腹囲(cm)	血圧(mm/Hg)	浮腫	尿タンパク	尿糖	体重(kg)	児心音	胎位・胎向	超音波・内診所見・検査等	備考
4/11	5 W 5 d			110/76	−	−	−	48			GS：20 mm	身長：157 cm
5/9	7 W 5 d		74	116/74	−	−	−	48.0	+		CRL：18 mm	喫煙（−），飲酒（−）
6/6	11 W 5 d		74	118/68	−	±	−	49.0	+		HBs抗体（−），梅毒（−），HCV（−），風疹抗体（32倍），トキソプラズマ抗体（−），HTLV-1（−），HIV（−），WBC：7,800/μL，Hb：12.0 g/dL，Ht：37.0%，PLt：21万/μL，RBC：380万/μL	
7/4	15 W 5 d	15	75	120/70	−	−	−	50.5	160台			
8/1	19 W 5 d	18	76	122/72	−	±	±	52.0	160台	⌒	EFBW：260 g，BPD：47 mm　FL：31 mm，胎盤：子宮底部後壁付着	
8/29	23 W 5 d	21	78	120/76	−	−	−	53.5	160	⌒		
9/12	25 W 5 d	23	80	124/74	−	−	−	55.0	156	⌒		
9/26	27 W 5 d	24	82	122/70	−	−	±	55.8	148	⌒	BPD：70 mm　FL：50 mm　EFBW 1,250 g	
10/10	29 W 5 d	25	84	120/68	−	−	−	56.6	144	⌒	Hb：10.4 g/dL，Ht：32%	骨盤位のため，膝胸位を逆子体操として説明
10/24	31 W 5 d	27	85	124/70	±	−	−	57.2	152	⌒		
11/7	33 W 5 d	30	86	128/74	±	±	−	57.8	146	⌒	GBS（−）	
11/21	35 W 5 d	32	87	130/72	+	+	−	58.4	138	⌒		
11/28	36 W 5 d	35	87	132/74	+	+	−	58.6	144	⌒	開大：1 cm，展退：30%，位置：後方，硬度：中，EFBW：2,950 g，NST：reactive	
12/5	37 W 5 d	35	88	130/76	+	±	−	59.0	140	⌒	開大：1 cm，展退：30%，位置：後方，硬度：中，NST：reactive	
/	W　d			/								
/	W　d			/								
/	W　d			/								

3 妊娠期　保健相談表

受け持ち対象者　堂本　京

時　期	項　目	具体的内容・その他	担当
初期 7週5日	☑ 母子健康手帳取得について ☑ 入院予約について ☑ 妊娠初期のマイナートラブルについて ☑ 切迫流産の予防について その他 ・上の子への対応指導 ・目安を決めて抱っこしてあげることや歩いたら褒めることなどの対処方法を提示する. ・夫にも依頼する.	S:上の子が「抱っこ，抱っこで歩かなくて…」 S:前回，帝王切開で，2年は空けたほうがよいと先生からいわれて，でも，早くきょうだいをつくってあげたかったので，できてとてもうれしいです.	林 MW
中期 23週5日	☑ 両親学級（PC）について 　予約（済　月・未　希望なし） ☑ 出産準備について ☑ バースプランについて ☑ 妊娠高血圧症候群の予防について ☑ 貧血予防について ・PC前回受講，今回は受講しない予定. ・物品はそろっている様子. 資料を渡し確認する. ・子どもを含めた入院準備について指導する. ・入院時は上の子を実母に預ける予定. 実母とは月に1回程度会っていて慣れている. ・前回はとても時間がかかってつらかったとのこと.	S:PCは，上の子のときに受けたから，大丈夫かな. 預けてくるのも大変なので，今回は受けません. S:上の子のときのものが残っているので大丈夫だと思います.（入院物品の資料を見て）ああ，そういえば，持ってくる物をまとめておくんでしたね. わかりました. S:入院するときは，上の子は母に預けることになっています. 実家とは車で30分ぐらい離れています. 入院するとき，母に預けに行ったり，母が来てくれるのを待つことがむずかしいこともあるんですね. どうしよう…. 子どもの荷物については，全然考えていませんでした. でも，毎日使っているものだし…私と離れてのお泊まりもはじめてなんですよね. なんとかなるとは思います. 実家は月に1度は行っていて，母にはよくなついています. S:上の子は，時々おなかを触って，「赤ちゃん」って声をかけてくれます. でも，前みたいに，公園で思いっきり遊んであげられなくて.	井上 MW
末期 35週5日	☑ 入院準備について ☑ バースプランについて ☑ 乳房について 　乳房：Ⅱb型 　乳頭：左右突出，2, 3本にじむ程度，やや硬め，乳垢はない ・前回は産後1カ月くらいで人工乳になってしまい，母乳があげられなかった. 今回は母乳で育てたいと希望.	S:やっぱり，逆子も直らなかったし，帝王切開にすることになって，すっきりしました. 38週に入ったらすぐにといわれています. 夫もその日は休みがとれているし，よかったです. S:上の子は「赤ちゃんまだかな」っていってます. 生まれたら，おもちゃを貸してくれるっていってるけど，どうかなぁ. ベビーベッドはやはり借りることにしました. S:腰が痛いのはあまり変わらないかな…少し休むようにしています. 週に1回くらい，母が来てくれて，買い物とか食事とか手伝ってくれます. このごろ，健診のときは，朝早く母が来てくれて預けて来ています.	佐々木 MW
29週5日	骨盤位	膝胸位指導 S:上の子のときもやりました. 結構苦しかったですね. 上の子のときは直らなかったんです. 今度は直るのかな…	大月 MW
31週5日	Hb 10.4 g/dL（29週） ・栄養士に食事指導依頼 ・腰痛体操を指導	S:夫がレバーが嫌いで食卓に出しづらい S:このごろ腰が痛い	大平 MW
週　日			
週　日			

4 ● 分娩期 経過記録用紙

受け持ち対象者　堂本 京　　　　　　　　　　　　　　　　　　　　　　　　　　　　学籍番号

入院時所見

| 入院時週数 | 38 週 | 0 日 | 入院の主訴：予定帝王切開 |

陣痛発来 ⊖ ＋　年　月　日　時　分
現在　間歇　　分　発作　　秒（強・弱）
血性分泌 ⊖ ＋　年　月　日　時　分
破　水　⊖ ＋　年　月　日　時　分
羊水漏出（−・＋），混濁（−・＋），色・性状（白・黄・緑・泥状）
浮腫　無・㊒（下肢），静脈瘤 ㊎・有（　　）
その他 ㊎・有（　　　　　　　　　　　　）

● バイタルサイン
　T= 36.6℃　P= 78 回/分　Bp= 130/76 mmHg
● 諸計測
　身長 157 cm　体重 59 kg（＋11）BMI（23.9）
　腹囲 89 cm　子宮底 34 cm
　尿タンパク（−）尿糖（−）

胎位胎向　第1骨盤位
児心音　140 bpm　ベース
　所見：reassuring

ビショップスコア	0	1	2	3
子宮頸管開大度	0	①〜2	3〜4	5〜6
子宮頸管展退度	⓪〜30	40〜50	60〜70	
胎児下降度	⊖3	−2	−1〜0	＋1〜
子宮頸部硬度	㊌	中	軟	
位置	㊰方	中央	前方	

● 超音波画像診断所見
　推定体重　2,950 g（36 w 5 d 時）
　特記事項：なし

分娩経過

	月	日	時	分
分娩室入室時間	月	日	時	分
陣痛発来（自然・人工）	月	日	時	分
子宮口開大	月	日	時	分
破　水（自然・人工）	月	日	時	分
排　臨	月	日	時	分
発　露	月	日	時	分
児娩出	12	8	14 時	03 分
胎盤娩出	12	8	14 時	04 分

分娩様式　自然，吸引，鉗子，骨盤位，㊫王切開
胎盤娩出様式　シュルツェ・混合・ダンカン
臍帯巻絡　なし・あり（部位　　，　　回）

	子宮底高	子宮収縮状態	血圧（mmHg）
		良・やや良・不良	/
		良・やや良・不良	/

	分娩所要時間	出血量
第1期	時間　分	g
第2期	時間　分	g
第3期	時間　分	g
第4期		g
合計	時間　分	830 g

● 産科異常
　微弱陣痛（原発・続発），過強陣痛，分娩遷延
　回旋異常（　　），癒着胎盤，弛緩出血
　裂傷：　会陰裂傷：なし・あり（Ⅰ・Ⅱ・Ⅲ・Ⅳ）度
　　　　　頸管裂傷：なし・あり（　　時方向）
　　　　　腟壁裂傷：なし・あり，小陰唇裂傷：なし・あり

○ X

● 産科処置
分娩誘発・促進：アトニン-O　単位，PGF2α　　　　　　　　会陰切開：なし・あり（右・左・正中）
クリステレル，吸引，鉗子，㊫王切開　　　　　　　　　　　縫合：なし・あり（　　　　　　　　　　）
胎盤用手剝離　　　　　　　　　　　　　　　　　　　　　その他：

● 胎児機能不全
　O₂投与　L　時　分〜　時　分，その他の処置：

● 分娩後の状態

	分娩1時間後（ / 時　分）	分娩2時間後（ / 時　分）
バイタルサイン	T　　℃，P　　回/分　Bp　　／　　mmHg	T　　℃，P　　回/分　Bp　　／　　mmHg
子宮収縮状態	，硬度：良・やや良・不良	，硬度：良・やや良・不良
出血状態	g	g
後陣痛		
創部		
訴え		
その他の処置		移送方法： 歩行・車椅子・ストレッチャー

新生児所見

在胎週数： 38週 1日 ， 性別：男・(女)・不明， 数：(単)・多（　　胎）

● アプガースコア　1分後✓（ 8 点），5分後○（ 9 点），10点（　　分後）

	0	1	2	
心拍数	なし	100/分以下	100/以上	✓○
呼吸努力	なし	弱く泣く/不規則な浅い呼吸	強く泣く/規則的な呼吸	✓○
筋緊張	だらんとしている	いくらか四肢を曲げる	四肢を活発に動かす	✓○
反射	反応しない	顔をしかめる	泣く/咳嗽・嘔吐性反射	✓○
皮膚色	全身蒼白または暗紫色 ✓	体幹ピンク・四肢チアノーゼ ○	全身ピンク	

新生児仮死→（死亡・蘇生）・死産

● 身体計測：体重 3,120 g，身長 49.5 cm，頭囲 33.5 cm，胸囲 32.5 cm
　　　　　SFD・light-for-date・(AFD)・HFD・large-for-date

● 全身所見
大泉門：(平坦)・膨瘤・陥没，産瘤：(なし)・あり，骨重積：(なし)・あり（左上・右上）・離開，
　　　　頭血腫：(なし)・あり（　　　　　）
胎脂：なし・(あり)（腋窩・鼠径），毳毛：なし・(あり)（肩・背　　），爪：(指端越える)・達せず，
　　　性器：(完)・未成熟
排尿：なし・(あり)，排便：(なし)・あり，開排制限：(なし)・あり，外表奇形：(なし)・あり（　　　　　）
　　　その他

処　置	観　察（出生直後）	観　察（2時間値）
点眼　：未・(済) 　　　（薬剤名：エコリシン　） 臍処置：未・(済)　母児標識：未・(済) 清潔　：(清拭) 面会　：(母)・(父)・（　第1子） 初回授乳：　　分後　未 収容　：(コット)・クベース その他　：	T　37.1℃ HR　148 bpm　整・心雑音（-） R　82/分　呼吸音やや wetly 臍出血：(なし)・あり（　　　） チアノーゼ：なし・(あり)（四肢末端） 冷感　　：なし・(あり)（四肢末端） その他：SpO₂ 92% 　　　保育器収容（14:30から） 　　　器内酸素25%開始	T　37.0℃ HR　146 bpm　整・心雑音（-） R　78/分　呼吸音清明 臍出血：(なし)・あり（　　　） チアノーゼ：(なし)・あり（　　　） 冷感　：(なし)・あり（　　　） その他：保育器収容 　　　器内酸素25%　SpO₂ 96%

胎児付属物所見

胎　盤	臍　帯	卵　膜
欠損：(無)・疑・有（　×　cm） 形：円・(楕円)・不整形 大きさ：18 × 16 cm 厚さ：2.0 cm 重さ：480 g 組織：異常に軟・(軟)・硬・脆い 母体面：暗紫赤色 　分葉：(著明)・否 　石灰沈着：(なし)・あり 　白色梗塞：(なし)・あり 胎児面：青灰白色 　血管分布：(均等)・不均等 副胎盤：(なし)・あり	長さ：　52　cm 太さ：　1.5 × 1.5 cm 膠様質の発育：(良)・否 捻転：(右)・左 付着点：中心・(側方)・辺縁・卵膜 真結節：(なし)・あり 偽結節：(なし)・あり 血管数：動脈　2 本 　　　　静脈　1 本 血管損傷：(なし)・あり	欠損：(無)・疑・有 質：強靱・中・(脆い) やや 胎便着色：(-)・+・++ 裂口部位：正中・(側方)・辺縁 **羊　水** 羊水量：多・(中)・少 羊水色：(白色透明)・黄色・緑色 混濁の程度：(-)・+・#・#（泥状）

5 ● 産褥期　経過記録用紙

受け持ち対象者　堂本　京

月日（褥日）	0日目		1日目			2日目			3日目		4日目		
全身状態 浮腫	－	－	－	－	－	－	－	－	－	－	－	－	－
疲労			疼痛自制内			やや疲労あり					やや疲労あり		
検査データ							Hb 10.8 g/dL						
退行性変化 子宮底高（指）	臍高	臍高	臍高	臍高	臍高	臍高	N下1F	N下1F	N下1F	N下1F	N下1F	N下2F	N下2F
硬度	良好	良好	良好	良好	良好	良好	良好	良好	良好	良好	良好	良好	良好
悪露色	赤色	赤色	赤色	赤色	赤色	赤色	赤色	赤色	赤色	赤色	赤色	赤色	赤色
悪露量	中	中	中	中	少	少	中	中	少	少	少	少	少
外陰部（浮腫・皮下出血・疼痛など）													
その他													
授乳 乳房緊満感	－	－	－	－	－	－	－	－	－	－	－	－	－
乳汁分泌状態	にじむ		にじむ			にじむ			にじむ	にじむ	流れる	流れる	流れる
乳頭・乳房トラブル	－		－			－			－	－	－		
直接授乳状況							吸着良好			良好	良好	良好	
その他													
生活行動 食事		茶	全粥	一般	一般	一般	一般	一般	一般	2/3	2/3	1/2	2/3	ほぼ全
清潔			全身清拭			全身清拭			シャワー		シャワー		
排泄（尿/便）	2回+1,200 mL/1回		600 mL+4回/0回			6回/0回			6回/0回		7回/1回		
睡眠	良好		良好			やや良好			やや良好		あまり眠れなかった		
活動			かなりゆっくり			かなりゆっくり			ゆっくりだが支障なし		支障なし		
その他													
処置・与薬・その他			フロモックス ――――――――――――――→ メチルエルゴメトリン ――――――――――→										

2. 帝王切開事例

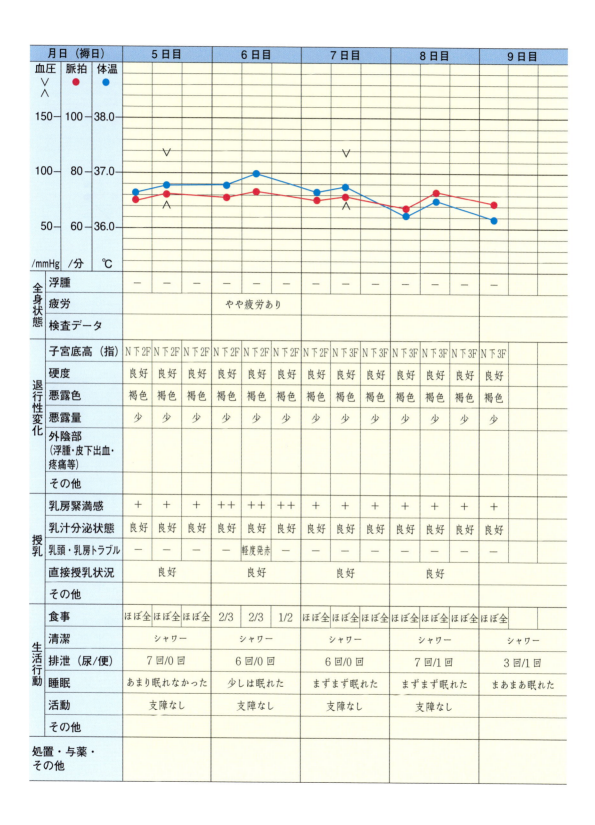

6 ● 新生児　経過記録用紙

受け持ち対象者　　堂本　京ベビー

月日（生後日数）		0日目		1日目			2日目			3日目			4日目		
呼吸 ● ／分	心拍 ● ／分	体温 ● ℃													
	SpO₂	92%	96%	98%	98%	99%	99%	100%	99%						
	器内	32℃	32℃	32℃	31℃	31℃	31℃	コットへ							
		O₂ 25%		O₂ 23%		room air									
全身状態	体重（増減）	3,120 g（±0%）		2,958 g（−5.2%）			2,892 g（−7.3%）			2,870 g（−8.0%）			2,884 g（+14 g）		
	黄疸（ミノルタ値, 範囲）			5.4			10.3			13.6			16.7		
	検査データ														
	活動性, 活気など	やや良	やや良	良	良	良	良	良	良	良	良	良	良	良	良
	皮膚						黄染（胸）			黄染（大腿）			黄染（下腿）		
	その他														
呼吸・循環	心雑音	−	−	−	−	−	−	−	−	−	−	−	−	−	−
	喘鳴（呼吸雑音）	wet	−	−	−	−	−	−	−	−	−	−	−	−	−
	チアノーゼ（部位）	末梢	末梢	−	−	−	−	−	−	−	−	−	−	−	−
	その他														
排泄	排尿回数	1	0	2	2	3	2	4	2	1	1	2	2	3	3
	尿性状														
	排便回数	0	1	1	0	1	1	1	0	0	1	1	0	1	0
	便性状		胎便	胎便		胎便	胎便	胎便			移行便	移行便		移行便		
	その他														
栄養（定量）	直母回数(量)	0	0	0	0	0	0	1	2	2	5	4	4	4	4
	搾母回数(量)	0	0	0	0	0	0	0	0	0	0	0	0	0	0
	糖水回数(量)	0	0	1(10)	0	0	0	0	0	0	0	0	0	0	0
	人工乳回数(量)		0	0	3(30)	2(20)	2(20)	3(50)	1(20)	1(20)	0	1(20)	1(20)	0	0
	嘔吐	−	1	1	−	−	−	−	−	−	−	−	−	−	−
	哺乳状況		やや良	やや良	やや良	良	良	良	良	良	良	良	良	良	良
	その他		悪心												
その他の所見	臍の状態	+	+	+	+	+	+	+	+	+	+	+	+	+	+
	頭部の状態（大泉門, 産瘤など）														
	その他														
	処置・与薬														

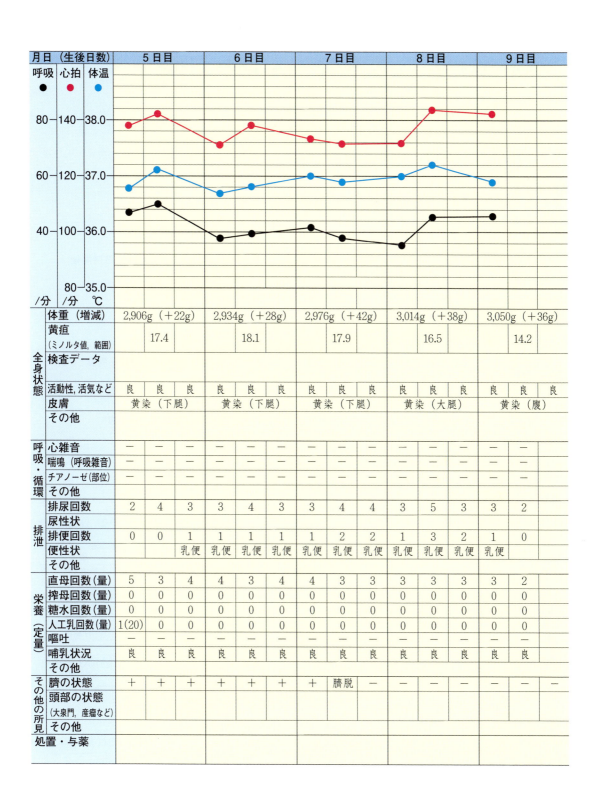

7 ● 帝王切開　クリニカルパス：医療者用

入院～手術当日

患者氏名（ 堂本　京 ）HighRisk（　　　）主治医（　　　　　）受け持ち助産師（　　　　　）

月日	入院～手術前日　(12／7) 38W0d	手術当日　(12／8) 38W1d
目標	●手術の必要性を理解できる ●不安の表出ができる ●児が産まれることを受容できる	●バイタルサインが安定している ●呼吸・循環状態が安定している ●疼痛コントロールが図れる ●縫合部・性器からの異常出血がない
検査・治療	☑採血　☑心電図　☑胸部X線 ☑エコー　☑NST　☑過敏症に対する問診表	□採血　□心電図　□胸部X線 □エコー　□NST　□過敏症に対する問診表
処置		
活動・安静度	制限：□有（　　　　） 　　　☑無	☑制限なし
内服・注射	内服：□有（　　　　） 　　　☑無 注射：□有（　　　　） 　　　☑無	＜術前＞　☑ヴィーンD（500mL）1V 　　　　　☑ヴィーンD（500mL）1V ＜術後＞　ペントシリン2g　☑手術室　☑8時間後 　　　　　☑ヴィーンD（500mL）1V 　　　　　☑ヴィーン3G（500mL）1V 　　　　　☑ヴィーンD（500mL）1V 　　　　　☑ヴィーン3G（500mL）1V 　　　　　☑0.2％アナペイン（6mL/時） ≪特殊薬：有・㊢≫ 　□ヘパリンナトリウム1万単位＋生食500mL（　mL/時） 　□マグネゾール（　mL/時） 　□その他（　　　　） ≪内服≫　□子宮収縮薬：有（　　　）・㊢ 　□鎮痛薬頓用：（　　　） 　□その他：（　　　）
食事	☑一般食 □エネルギーコントロール食	☑術後，6時間より開始 （□一般食　□エネルギーコントロール食）
清潔	☑シャワー浴	
排泄	☑制限なし	☑尿道留置カテーテル
記録	☑手術物品準備 ☑切開部，臍部チェック	（下表参照）
説明・指導	☑術前指導　☑入院診療計画書 ☑手術承諾書　☑輸血承諾書 □病理承諾書	
バリアンス	A（有・㊢）　B（有・㊢）　C（有・㊢）	A（有・㊢）　B（有・㊢）　C（有・㊢）
バリアンスコード	A　　　B　　　C	A　　　B　　　C
担当助産師	A　　　B　　　C	A　　　B　　　C

	帰室時 15：00	1時間 16：00	2時間 17：00
子宮底高	臍高	臍高	臍高
硬度	良好	良好	良好
悪露性状	赤色/中	赤色/中	赤色/中
創状態	出血・滲出なし	出血・滲出なし	出血・滲出なし
創痛	自制内	自制内	自制内
後陣痛	自制内	自制内	自制内
浮腫	—	—	—
	☑ICUチャート記載	☑ICUチャート記載	☑ICUチャート記載

7 ● 帝王切開　クリニカルパス：医療者用 (続き)

術後1日目～3日目

患者氏名（　堂本　京　）HighRisk（　　　　）主治医（　　　　）受け持ち助産師（　　　　）

月日	1日目（12／9）	2日目（12／10）	3日目（12／11）
目標	● カテーテル抜去後の排尿がスムーズである ● 腸蠕動があり排ガスがある ● 早期離床しADLが拡大できる ● 産褥復古（子宮収縮，悪露）が順調である	● 児の受け入れができる ● 育児行動の基本を習得できる ● 乳管開通が促進される	
検査・治療	☑採血	☑採血	□採血
処置	□包帯交換 □硬膜外チューブ抜去	☑硬膜外チューブ抜去	
活動・安静度	☑頭部挙上（45°） ☑歩行開始	☑歩行開始	☑制限なし
内服	☑抗菌薬： 　㋲（フロモックス）・無 ☑子宮収縮薬： 　㋲（メチルエルゴメトリン）・無 □鎮痛薬頓用（　　　　）	☑抗菌薬： 　㋲（フロモックス）・無 ☑子宮収縮薬： 　㋲（メチルエルゴメトリン）・無 ☑鎮痛薬頓用（　ロキソニン　）	☑抗菌薬： 　㋲（フロモックス）・無 ☑子宮収縮薬： 　㋲（メチルエルゴメトリン）・無 ☑鎮痛薬頓用（　ロキソニン　）
注射	ペントシリン2g　☑朝　☑夕 ☑ヴィーンD（500mL）1V ☑ヴィーン3G（500mL）1V □ヴィーンD（500mL）1V □ヴィーン3G（500mL）1V ☑0.2％アナペイン（4mL/時） ≪特殊薬：有・㋲≫ □ヘパリンナトリウム1万単位＋ 　生食500mL（　mL/時） 　（歩行後中止・点滴終了まで） □マグネゾール（　mL/時） □その他（　　　）	ペントシリン2g　☑朝　☑夕 □ヴィーンD（500mL）1V □ヴィーン3G（500mL）1V ≪特殊薬：有・㋲≫ □ヘパリンナトリウム1万単位＋ 　生食500mL（　mL/時） 　（歩行後中止・点滴終了まで） □マグネゾール（　mL/時） □その他（　　　）	
食事	☑一般食 □エネルギーコントロール食	☑一般食 □エネルギーコントロール食	☑一般食 □エネルギーコントロール食
清潔	☑全身清拭	☑全身清拭	☑シャワー

観察	1日目			2日目			3日目		
子宮底高	臍高	臍高	臍高	臍高	臍下1指	臍下1指	臍下1指	臍下1指	臍下1指
硬度	良好	良好	良好	良好	良好	良好	良好	良好	良好
悪露性状	赤色/中	赤色/中	赤色/少	赤色/少	赤色/中	赤色/中	赤色/少	赤色/少	赤色/少
創痛	自制内	自制内	自制内	自制内	自制内	自制内	自制内	—	—
創状態	滲出無	良好	良好	良好	良好	良好	良好	良好	良好
後陣痛	自制内	自制内	自制内	自制内	自制内	—	—	—	—
浮腫	—	—	—	—	—	—	—	—	—

記録	☑ICUチャート記載	☑ICUチャート記載		新生児室にて面会，びん哺乳，オムツ交換実施			初回直母分泌少量吸着良好　同室開始		
			新生児室にて面会						

教育・指導	□育児指導　□母乳育児指導	□育児指導　□母乳育児指導	☑育児指導　☑母乳育児指導
バリアンス	A(有・㋲) B(有・㋲) C(有・㋲)	A(有・㋲) B(有・㋲) C(有・㋲)	A(有・㋲) B(有・㋲) C(有・㋲)
バリアンスコード	A　　B　　C	A　　B　　C	A　　B　　C
担当助産師	A　　B　　C	A　　B　　C	A　　B　　C

7 ● 帝王切開　クリニカルパス：医療者用（続き）　術後4日目〜7日目

患者氏名（ 堂本 京 ）HighRisk（　　　　）主治医（　　　　）受け持ち助産師（　　　　）

月日	4日目 (12／12)			5日目 (12／13)			6日目 (12／14)			7日目 (12／15)		
目標	● 感染徴候がない（発熱・WBC・CRP） ● 排便がありイレウス徴候がない ● 育児行動がとれる（沐浴・母乳育児）						● 育児に関しての不安を表出できる ● 乳汁分泌が促進される					
検査・治療	☐採血			☐採血			☐採血			☑採血　☑退院診察 ☑検尿 　（糖−，タンパク−） ☑血圧114/74)mmHg ☑体重（　）kg		
処置										☑全抜鉤		
活動・安静度	☑制限なし			☑制限なし			☑制限なし			☑制限なし		
内服・注射	☑抗菌薬 　有(フロモックス)・無 ☑子宮収縮薬 　有(メテルギン)・無 ☑鎮痛薬頓用 　有（　）・無			☑抗菌薬 　有(フロモックス)・無 ☑子宮収縮薬 　有(メテルギン)・無 ☑鎮痛薬頓用 　有（　）・無			☑抗菌薬 　有（　）・無 ☑子宮収縮薬 　有（　）・無 ☑鎮痛薬頓用 　有（　）・無			☑抗菌薬 　有（　）・無 ☑子宮収縮薬 　有（　）・無 ☑鎮痛薬頓用 　有（　）・無		
食事	☑一般食 ☐エネルギーコントロール食			☑一般食 ☐エネルギーコントロール食			☑一般食 ☐エネルギーコントロール食			☑一般食 ☐エネルギーコントロール食		
清潔	☑シャワー			☑シャワー			☑シャワー			☑シャワー		
観察　子宮底高	N下1F	N下2F	N下2F	N下2F	N下2F	N下2F	N下2F	N下2F	N下2F	N下2F	N下3F	N下3F
硬度	良好	良好	良好	良好	良好	良好	良好	良好	良好	良好	良好	良好
悪露性状	赤色/少	赤色/少	赤色/少	褐色/少	褐色/少	褐色/少	褐色/少	褐色/少	褐色/少	褐色/少	褐色/少	褐色/少
創痛	−	−	−	−	−	−	−	−	−	−	−	−
創状態	良好	良好	良好	良好	良好	良好	良好	良好	良好	良好	良好	良好
後陣痛	−	−	−	−	−	−	−	−	−	−	−	−
浮腫	−	−	−	−	−	−	−	−	−	−	−	−
記録												
教育・指導	☑育児指導 ☑母乳育児指導 ☐調乳指導（栄養士）			☑育児指導 ☑母乳育児指導 ☑調乳指導（栄養士）			☑育児指導 ☑母乳育児指導 ☑沐浴指導 ☐退院指導 ☐調乳指導（栄養士）			☑育児指導 ☑母乳育児指導 ☐沐浴実施 ☑退院指導 ☐調乳指導（栄養士）		
バリアンス	A(有・無) B(有・無) C(有・無)			A(有・無) B(有・無) C(有・無)			A(有・無) B(有・無) C(有・無)			A(有・無) B(有・無) C(有・無)		
バリアンスコード	A	B	C	A	B	C	A	B	C	A	B	C
担当助産師	A	B	C	A	B	C	A	B	C	A	B	C

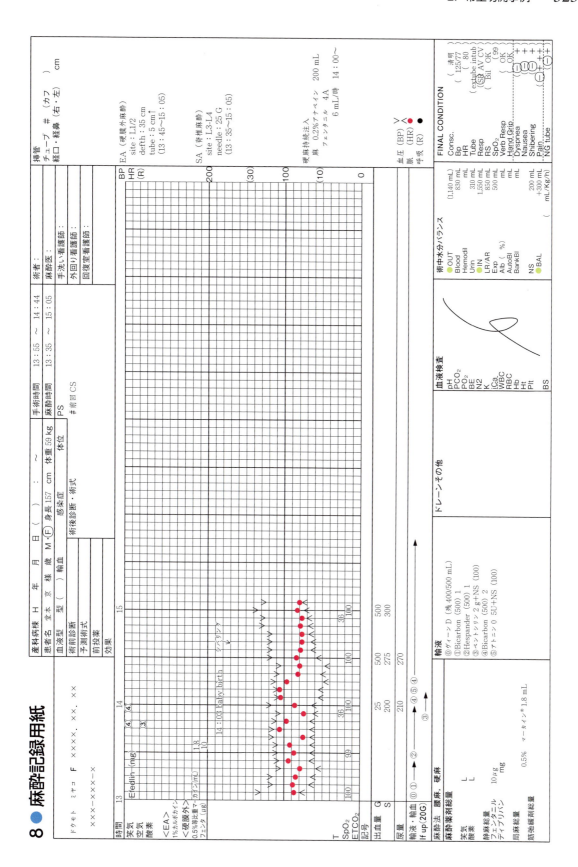

C. 実習記録

9 ● 産褥期　個々の情報のアセスメント用紙

受け持ち対象者　Bさん　　　　　　　　　　　　　　　　　　　　学籍番号

情　報	アセスメント
●子宮の復古現象について 3年前に骨盤位のために帝王切開にて2,900 gの男児を出産したため，今回は38週1日，予定帝王切開により3,120 gの女児を出産 脊髄くも膜下麻酔と硬膜外麻酔を併用し，手術時間49分，出血量は羊水込みで830 mL，胎盤娩出直後アトニン-O側管より静注 帰棟後，子宮底高：臍高，硬度：良好，悪露性状：赤色中等量，後陣痛：自制内 産褥1日目，子宮底高：臍高，硬度：良好，悪露性状：赤色中等量，後陣痛：自制内，メチルエルゴメトリン，フロモックス内服開始，1日目に45°の起坐位，歩行開始できている．	2回目の帝王切開であること，前回よりも大きめの児であることが子宮収縮を妨げる要因となる．しかし，帝王切開は順調に行われており，出血量も羊水量を差し引くと正常範囲内であること，胎盤娩出直後に子宮収縮薬を投与していること，産褥1日目に歩行を行えていること，子宮収縮薬の内服を開始したなどの促進要因により，術直後から1日目の子宮底臍高，子宮収縮硬度良好，赤色悪露中等量と子宮収縮は良好な状態であると判断する． しかし，退行現象は回復過程であり，子宮筋に切開創があることや，予定帝王切開のため陣痛発来しておらず，内因性のオキシトシンが分泌されていないこと，活動の制限により子宮収縮が阻害される可能性があることと，それに伴う悪露の停滞により，子宮内膜の感染を引き起こす可能性がある．子宮収縮の状態を判断していくうえで，子宮底高よりも子宮収縮硬度や悪露の状態から子宮収縮状態を判断する必要がある．また，定期的に排尿を促すこと，定期的に子宮収縮薬を内服すること，体調の回復に合わせて母乳育児を進めていくことにより，子宮収縮は促されていくと考える．
●全身の回復状況について 妊娠中，29W5d Hb：10.4 g/dL，Ht：32%にて妊娠貧血指摘されるが，栄養指導にて経過観察．その他，妊娠高血圧症候群，妊娠糖尿病などの合併症なし． 帝王切開中のバイタルサインはほぼ安定していたが，手術終了後シバリングあり，体温35.9℃，in-outのバランス+410 mLにて帰棟する． 帰棟後，体温は37.1℃まで上昇するも，産褥1日目は36.8～36.5℃と安定している．排尿は当日2回+1,200 mL，産褥1日目600 mLと歩行後4回排尿できており，浮腫もみられていない．創部は滲出液なく痛みも自制内である．睡眠は良好であり，食事も摂取できている．動きはまだかなりゆっくりであるが，新生児室にて児との面会を行っている．	妊娠中は妊娠貧血以外は順調に経過している． 術後のバイタルサインも安定しており，術後の侵襲の程度は少ない．創部の状態も順調に癒合し，硬膜外麻酔にて疼痛コントロールできている．尿量，自尿良好の状態から麻酔・バルーンカテーテル挿入後の腎機能の回復も順調である．腸蠕動・排ガスの様子から麻酔後の消化機能の回復も順調である．睡眠や食事の状態も良好である． 以上のことより，全身状態の回復，麻酔からの回復は順調であり，肺塞栓や術後感染などの術後合併症もみられない．しかし，まだ，手術による侵襲や，麻酔からの回復過程にあるため，今後も，バイタルサイン，貧血を含む全身状態の回復状態を判断しながら，疼痛コントロールを行い，定期的な排尿・排便，食事の摂取を行うこと，清潔におけるセルフケアを促すことや，疲労の状態を判断しながら児への面会を促すことにより，全身状態の回復が促されていくと考える．
●母乳育児について 乳房の形態：Ⅱb型，乳頭の形態：左右突出 産褥1日目：乳汁分泌にじむ程度あり	母親の乳房形態ならびに乳頭の形態は正常であり，母乳育児を継続するうえにおいて阻害するものではない．産褥1日目より乳汁もにじみ始めており，乳管開通状態も始まってきている．前回は1ヵ月くらいから人工栄養が主となっていることから，今回は母乳育児に対する期待が高い．

第1子の母乳育児状況は，「1カ月ぐらいで，ほとんど人工栄養になってしまい，あまり母乳をあげられなかった」と述べており，今回は「母乳育児でいきたい」と希望している．	
児は出生直後より呼吸数が速く，鼻翼呼吸，浅表性，呼吸音がwetlyにてTTN*と診断され，新生児病室で保育器内にて酸素投与を行っている．日齢1，酸素投与は中止となり，呼吸状態も安定してきており，人工乳10 mLずつ哺乳を開始している．哺乳力はやや良好の状態で，午前中に1回嘔吐が認められた．	現在，産褥1日目であり，プロラクチン作用による乳汁分泌はまだ認められない．児が保育器内で様子観察されており，人工乳における哺乳力もやや良の状態であることより，直接母乳はまだ開始されていない． 以上のことから，母親の期待する母乳育児を継続していくためには，早めに乳頭・乳輪部マッサージを開始し，乳頭・乳輪部を柔軟にしておくことと，乳管開通を促すことにより，児が直接母乳を飲めるようになったら，頻回に母乳育児を行っていくことが望ましい．また，なぜ1カ月の時点で人工栄養が主となっていたのかということについて情報を得て，母乳分泌に関する知識を確認するとともに哺乳量に関する判断方法について確認していく必要がある．
●母子の絆形成について 今回の妊娠については，「子どもにきょうだいをつくってあげたかったのでとってもうれしい」と述べている．できれば普通に産みたいという思いをもっていたが，今回も骨盤位のため帝王切開にて産むことについては「赤ちゃんが無事に生まれてくるためにはしかたない」と述べている． 出生後，児がTTNと診断され，新生児室内の保育器内で管理されているため，子どもとの面会を希望し，産褥1日目には新生児室にて面会している．児の様子を不安気に涙ぐむ様子がみられる．	今回の妊娠・分娩については受け入れられていると考える．児がTTNにて保育器内で管理されており，子どもへの面会を希望し面会できている．子どもの様子に対して不安な状態であるが，回復してきているととらえられている． 以上のことより児との絆形成行動は進み始めている．今後は，児の呼吸状態の改善に伴い，母乳育児を通じて積極的に育児行動を行うことにより，児への絆が強まると考えられる．
●育児について，退院後の生活について 第1子は男児2,900 gであり，今回は女児3,120 gである．また，今回は児がTTNと診断され，保育器にて管理されている． 退院後のサポート：実母，夫 退院先：実家に1カ月ほど滞在する予定	上の子と性別や体重が異なることより，育児を行ううえで戸惑いが認められることがある．女児のオムツ交換時の清潔方法を伝えることや，上の子との違いに戸惑いをみせる際には，育児方法に関する情報を得ながら，この子らしさが見出せるようかかわる必要がある．
●家族関係について 第1子が2歳になる男児であり，妊娠初期には「抱っこ，抱っこで歩かなくて」，妊娠末期には「上の子は赤ちゃんまだかなといっている．生まれたらおもちゃを貸してくれるっていっているけど，どうかな」と上の子の反応を述べている．	妊娠初期には，上の子の退行現象を認めているが，妊娠末期になると兄としての成長がみられるようになっている．母親が上の子の反応をどのようにとらえているか，ストレスになっていないか，などの情報を得る必要がある．また誕生後，上の子が生まれた赤ちゃんに対してどのような反応をみせているか，その際母親はどのようにとらえ，どのように対処しているか，母親の入院中上の子はどのように養育されているかなどの具体的な情報を得て，退院後の上の子へのかかわり方について考えていく必要がある．

*TTN：新生児一過性多呼吸，transient tachypnea of the newborn. 肺水の吸収遅延による肺胞換気障害．

10 ● 産褥期　全体像

受け持ち対象者　Bさん

33歳の1経産，前回骨盤位のために帝王切開にて2,900gの男児を出産した．今回の妊娠中は，妊娠貧血が指摘されているが栄養指導のみで経過観察された以外は合併なく順調に経過する．今回も妊娠27週より骨盤位となり，38w5d　帝王切開にて3,120gの女児を出産した．手術は脊髄くも膜下麻酔と硬膜外麻酔を併用して行われ，手術時間49分，出血量は羊水込みにて830 mLと順調に行われる．術後のバイタルも安定し，創部の癒合状態も良好に経過し，疼痛コントロールも行えている．腎機能，消化機能ともに麻酔後の回復も順調である．子宮収縮も手術中に子宮収縮薬を静注し，産褥1日目より内服できており，子宮収縮状態，悪露の状態ともに順調に経過している．

これらのことより，帝王切開後の全身状態の回復は順調であり，子宮収縮状態も順調に経過している．しかし，まだ帝王切開後の侵襲や麻酔からの回復過程であること，子宮筋に切開創がある状態での子宮の復古過程にある．とくに子宮筋に切開創があることや予定帝王切開のため内因性のオキシトシンの分泌がないこと，術後の活動制限は，子宮収縮を妨げやすく，悪露の貯留に伴い子宮内感染を引き起こしやすくなる．全身状態の観察，創部の観察，子宮収縮，悪露の状態の観察を継続するとともに，離床を促す，排尿・排便を定期的に促す，搾乳や直接授乳を支援する．定期的な子宮収縮薬・抗菌薬の内服を促す，外陰部・全身の清潔を促す，疼痛コントロールを行いながら，睡眠の確保と食事の摂取を促していく必要がある．

母乳育児については，前回，1ヵ月時点にて人工栄養となってしまったために，今回の母乳育児に対する期待は強い．乳房の形態，乳頭の形態，乳管開通状況などは，母乳栄養を継続するうえにおいて妨げとなるものではない．児がTTNと診断されたために，保育器内にて管理されているが，日齢1には酸素投与も中止され，人工栄養も開始されていることより，児の回復状況により，母乳育児を開始することが可能であると考える．
母親が期待する母乳育児を継続するためには，できるだけ早い時期から，乳頭・乳輪部マッサージを行い，乳頭・乳輪部を柔軟に保つことと，乳管開通を促すこと，児が直接母乳を吸啜できるようになった段階から，母親の疲労の状況に合わせて，積極的に母乳育児を行っていく必要がある．また，前回1ヵ月時点で人工栄養となったことについては，どのような状況から母乳が足りていないと判断したのかなどの情報を得て，母乳分泌に関する知識を伝えるとともに，母乳の過不足に関する判断方法についても一緒に考えていく必要がある．

母親は今回の妊娠・分娩を肯定的に受け止めており，児との絆形成行動も認められ始めている．第1子と性別や体重が異なること，またTTNのために保育器内にて管理されていることより，育児を行ううえで，第1子と比較することによる戸惑いが認められる可能性がある．女児のオムツ交換時の清潔方法を伝えたり，第1子との違いに戸惑いをみせる際には，前回の育児方法に関する情報を得ながら，今回の子どもに関する情報を伝え，この子らしさが見出されるようにかかわる必要がある．

母親は，妊娠中から第1子に認められる退行現象と兄としての成長を見出している．しかし，実際に生まれた赤ちゃんにどのような反応を示すかについては，不安な様子をみせていることから，第1子の反応によっては，ストレスを感じる可能性がある．第1子が生まれた赤ちゃんにどのような反応を示すか，面会時の様子から情報を得るとともに，第1子の反応をどのようにとらえ，どのような対応を考えているか，第1子の育児に家族の協力をどのように得られるかについて，情報を得ながら，第1子へのかかわり方について検討していく必要がある．

11 ● 産褥期　看護計画用紙（子宮収縮・全身状態）

受け持ち対象者　Bさん
看護課題名　#1 帝王切開後であり，子宮復古現象ならびに全身状態の回復過程にある
長期目標　帝王切開後の生殖器の復古ならびに全身状態の回復が進む

立案時刻	目　標	具体策	結果・評価
12/9 （産褥1日目）	1) 産後の子宮が順調に収縮し，悪露の流出が少量となる 2) 創部が順調に癒合する 3) 術後の全身状態が順調に回復する 4) 子宮収縮を促すためのセルフケアが行える 5) 創部の癒合を促すためのセルフケアが行える 6) 全身状態の回復を促すためのセルフケアが行える 7) 異常時の症状を理解し，報告することができる	O) ①子宮収縮状態を判断するために，子宮底の高さ，硬度，悪露の性状・量，混入物の有無，後陣痛の状態を観察する． ②創部の癒合状態を判断するために，創部の腫脹・発赤・滲出液の有無，疼痛の有無，離開の有無を観察する． ③全身の回復状態を判断するために，バイタルサイン，in-outの観察，排尿の状態（回数・量・尿意の有無，排尿感覚，残尿感の有無，排尿時痛の有無），排便の状態（腸蠕動音，便意の有無，排便回数・量・硬さ），食事摂取量，睡眠状態，血液検査データについて観察する． T) ①子宮収縮の促進のため， ・ADLの拡大を行う． ・定期的な排尿を促し，排尿後は外陰部の清潔を保つよう促す． ・早期に排便がみられるよう，水分摂取を促す．便意があっても排便がみられない場合は，背部の温罨法などにより腸蠕動を促す．自然排便が認められない場合は，希望のもと緩下薬による排便コントロールを行う． ・子どもとの早期接触場面を設定する． ・子宮収縮薬の内服を促す．ただし，経産婦であるため，後陣痛が自制不可能な場合は，子宮収縮促進薬のコントロールを行う．自制不可能な後陣痛は鎮痛薬を用いてコントロールする． ②創部の治癒を促すために， ・創部の清潔を保つ． ・創痛が自制不可の場合は，鎮痛薬による疼痛コントロールを行う． ③全身状態の回復を促すために，食事の摂取を促す．育児行動に合わせて，睡眠の確保ができるよう環境を整える． E) ①発熱とそれに伴う症状，悪露の量の異常（少なすぎる場合や急激に増加した場合，悪露に凝血を認める場合）など気になることは，看護職者に報告するよう説明する． ②子宮収縮促進，創部の治癒促進，全身状態の回復促進における褥婦のセルフケア能力を判断しながら，できているセルフケアを継続していくことや，より促進するために必要なセルフケアについて説明を行う． ③退院後の生活状況に応じて，セルフケアの継続方法について説明を行う．	帝王切開後2日目 O) ①子宮底の高さ　臍下1横指，硬度良好，悪露赤色中等量，混入物なし，後陣痛あるも自制内にて子宮収縮薬服用する． ②創部の腫脹・発赤・滲出液なし，疼痛あるも自制内，創部の離開なし． ③体温37.0℃，脈拍76回/分，血圧128/78 mmHg，輸液量1,100 mL（輸液500 mL 2本，抗菌薬100 mL）に対し，尿量6回，尿意あり，排尿感覚あり，残尿感・排尿時痛なし．排便なし，腸蠕動やや弱めに聴かれ排ガスは時折あり．食事朝5分粥，昼8分粥全量摂取．睡眠はやや浅めだがとれている．やや疲労感あり． S) ・「歩くときは傷が痛いのでゆっくりしか歩けないけど，それ以外は我慢できます」「ガスは時折出るけど便が出たいような感じはまだありません」との訴えあり． ・ADL拡大と母児の早期接触を促す目的により，新生児室での面会を促すと「新生児室に赤ちゃんに会いに行って授乳とかしましたが，ちょっと疲れてしまいました．早く赤ちゃんと一緒に過ごしたいという気持ちもあるけれど，もう少し体を休めたいかな」との発言あり． A) 子宮収縮状態，創部の癒合状態，術後の回復状態は順調に経過している．腸蠕動がまだ弱めであるためADLの拡大を図る必要があるが，ADL拡大に伴う疲労感も認められるために，疲労との兼ね合いをみながらADLを拡大していく必要がある．

11 ● 産褥期　看護計画用紙（母乳育児）

No. _____

受け持ち対象者　　Bさん　　　　　　　　　　　　　　　　　　　　　学籍番号 _____
看護課題名　#2 前回母乳育児を継続できなかったために，今回は母乳育児に対する期待が強い
長期目標　母親の希望する母乳育児が順調に進む

立案時刻	目　標	具体策	結果・評価
12/9（産褥1日目）	1) 児の必要な母乳が分泌される 2) 乳房・乳頭にトラブルを発生させることなく，母乳育児が行える 3) 母乳の過不足を判断することができる	O) ①乳房の観察：乳房の緊満状態，乳頭の柔軟性・伸展性・開通状態・乳汁分泌状態 ②授乳時の観察：授乳時の児の抱き方・乳頭の含ませ方 ③授乳後の乳房・乳頭の状態の変化 ④授乳後の児の状態 ⑤1日の新生児の生理的変化（体重・授乳回数・排泄の回数） T) ①乳管の開通と乳頭・乳輪部の柔軟性を促すために授乳前の乳頭・乳輪部マッサージを促す． ②直接授乳が行えない場合は，できるだけ早期に接触できるよう調整する．また，びん哺乳が可能な場合は，びん哺乳を実施する． ③乳頭・乳輪部を深く吸着できるような抱き方になっているかを確認する．前回の授乳方法を尊重しながら，母児に合った抱き方を提案する． ④母親の体力を考慮しながら，できるだけ直接母乳ができるよう促す． E) ①前回母乳栄養が1ヵ月程度となった理由について確認し，母親のとらえている状況に応じて必要な知識を提供する． ②授乳後の乳房・乳頭の変化，授乳後の児の変化，1日の児の変化を一緒に確認しながら，母乳量の過不足について判断できることを促す． ③乳頭のトラブルや乳房緊満状態に応じて，抱き方の工夫のしかたについて説明する． ④退院後の母乳栄養方法について，母親の理解状況を確認しながら，必要な知識を提供する．	帝王切開後2日目 O) ①乳房の緊満感なし，乳頭の開通は左右ともに1～2本でにじむ程度，乳頭の柔軟性・伸展性良好 ②日齢1，9時～日齢2，9時までの授乳回数　7回（人工乳70 mL），哺乳力良好，児の体重2,892 g（－7.3％），排便2回，排尿7回 S) 「前回は1ヵ月くらいでおっぱいが張らなくなってきたので，足りないのかなと思いミルクを足していた」「今回は母乳で頑張りたい」 ・児がコットに移床後，新生児室にて面会を促し，びん哺乳とオムツ交換を行った．児の抱き方は安定していた． A) 乳頭の柔軟性・伸展性ともに良好であり，開通も1～2本とにじむ程度認められることより，直接授乳を開始するための準備は整っている．児も日齢1にみられた初期嘔吐も消失し，哺乳力，排泄ともに順調であり，生理的体重減少も生理的範囲内である．児の支え方も安定しており，今回は母乳育児を希望していることより，直接母乳を開始していくことが望まれる．退院後乳房の緊満感が軽減した状態を乳汁の産生が少なくなったと理解しているため，乳房の変化についても再度情報提供していく必要がある．

11 ●産褥期　看護計画用紙（育児・退院後の生活）

受け持ち対象者　　Bさん

看護課題名　#3 TTNにて酸素療法を行っていることに対する不安があることや、第1子と性別や体重が異なることから、育児を行ううえで戸惑いをもつ可能性がある

長期目標　児の状態に応じた育児に前向きに取り組むことができる

立案時刻	目　標	具体策	結果・評価
12/9（産褥1日目）	1) この子の現在の状態を理解することができ、児にますます愛情が表出される 2) 女児であることや第1子との体重の違いをふまえ、育児を行うことができる 3) この子らしさを見出し、この子に応じた育児方法を考えることができる	O) ①児に対する理解（現在の児の状態をどのように理解しているか、第1子とどのようなところが違うととらえているかなど）について確認する. ②母親の児に対する言動、表情、行動を確認する. ③今回の育児に対する母親の期待について確認する. ④今回の育児方法に対する不安なことや戸惑いについて確認する. T) ①前回と今回の育児に対する戸惑いや不安の表出を傾聴し、この子に応じた育児方法を提案する. ②分娩の振り返りを促し、今回帝王切開にて分娩したことに対する思いの表出を促す. 表出された思いを傾聴しながら、子どものために帝王切開を選択する決定ができたことを保証し、ねぎらうことにより、母親なりに出産体験を意味づけられるようかかわる. 否定的感情が表出された場合も、共感的に受容しながら、必要な情報を提供し、意味づけられるようにかかわる. E) ①児の状態（胎外生活適応状態、生理的変化）について説明する. ②女児のオムツ交換方法についてていねいに説明を行う.	O) 新生児室にて母児面会を行い、びん哺乳、オムツ交換を実施した. S) 「保育器から出られたし、ミルクも思ったよりよく吸ってくれるので安心しました」「オムツ交換のとき、女の子ってどの程度力を入れていいのか、ちょっとむずかしい」 ・児との面会後、今回の分娩について確認すると、「できれば普通に産みたかったけど、骨盤位と聞いて、子どものためにしかたがないかなと思いました. 昨日は子どもが保育器のなかに入っているのを見て、子どもに悪いことしてしまったかなと思ったけど、今日はミルクもよく飲んでくれたし、本当によかったと思います. 子どもが元気にいてくれることがいちばんなので、いまはこれでよかったのかなと思います」との発言がみられた. A) 児が保育器よりコットへ出られたことや授乳時の児の吸啜力に対して、それまでの不安が軽減している. 今回、帝王切開にて出産したことに対しても、児が安定してくるとともに肯定的に受け止め始めている. 第1子とは性別が異なることに対する育児技術に対するとまどいを表出することができている. 今後、直接授乳の開始に伴い、児の生後日数に応じた変化や第1子との違いによる戸惑いなどの表出を促しながら、児に応じた育児方法について一緒に検討していく.

11 ● 産褥期　看護計画用紙（家族関係の調整）

受け持ち対象者　Bさん
看護課題名　#4　2歳になる第1子と生まれた児との関係を調整する必要がある
長期目標　2人の子どもの育児を行うために家族内の役割調整方法を考えることができる

立案時刻	目　標	具体策	結果・評価
12/9（産褥1日目）	1) 第1子が生まれた児に見せる反応について理解することができる 2) 第1子の反応に応じて、第1子への接し方を考えることができる 3) 第1子と、生まれた児の育児を行ううえで、家族の協力を求めることができる	O) ①妊娠中・母親の入院中における第1子の反応について確認する. ②第1子の反応における母親のとらえ方を確認する. ③妊娠中の第1子に対する母親の対応方法、入院中の第1子に対する母親の対応方法について確認する. ④母親の入院中、第1子の世話をしているキーパーソンや世話状況について確認する. ⑤退院後の第1子の世話についてどのような計画をもっているかを確認する. E) ①第1子が見せる反応の意味について説明する. ②退院後の第1子の育児、第2子の育児方法における母親の計画を確認しながら、負担感が強くないかを判断し、必要な情報を提供する. ③第2子と第1子の生活リズムに応じて、家族の協力の必要性について一緒に考え、依頼できるよう促す.	O) 第1子は面会時間に祖母に連れられて来院し、新生児と面会した. S) 入院中は実母が第1子の面倒をみているとのこと. ・第1子の面会時の様子に対して「生まれてすぐの面会のときは、少し遠巻きに見ていたと聞いたけど、今日は『赤ちゃん』って触っていたのでほっとしました」「実母が面倒をみてくれているのですが、夜ぐずって寝ないといっていたのでやっぱりかわいそうだなと思います. お兄ちゃんのためにも早く帰ってあげたい」との訴えあり. A) 第1子に新生児を受け入れる様子がみられたことにより新生児との絆形成が始まりつつある. 夜間のぐずりという母親との分離不安行動に対してかわいそうとの思いをもっているため、入院のための母子分離に伴い第1子に現れやすい反応について情報提供していく必要がある. また、退院後の2人の子どもの育児についてどのようにイメージしているか確認していく必要がある.

12 ● 新生児　個々の情報のアセスメント用紙

受け持ち対象者　　Bさんベビー　　　　　　　日齢　1　　　　　　　　　　　　　　学籍番号

情　　報	アセスメント
●体格・全身状態 昨日，38週，予定帝王切開にて出生，女児，単胎 体重3,100 g台，身長約50 cm，頭囲約34 cm，胸囲約33 cm 産瘤（−），骨重積（−），頭血腫（−） 胎脂（腋窩，鼠径），毳毛（肩・背），爪指端超える 外表奇形なし，開排制限なし 外傷なし，大陰唇発達（良） 活動性（出生直後：やや良，日齢1：良好） 臍部は発赤，腫脹，出血なし	児は正期産で，AFD児である．発育は正常． 分娩外傷や外表奇形はなく，外観的な成熟度は満たしている． 出生直後の活動性はやや良好であったが，翌日には良好になっている． 臍部は，出血や炎症症状も認められず，正常． 以上より，体格・全身状態は現在のところ正常であり，胎外生活適応に及ぼす否定的な影響も認められない．易感染状態ではあるので，臍部の感染には留意し，毎日観察と消毒を続けるほか，感染予防に留意する．
●呼吸・循環・体温 アプガースコア：1分後8点（全身蒼白），5分後9点（四肢チアノーゼ） 出生直後：呼吸数82回，心拍数148 bpm，心雑音なし，体温37.1℃ 呼吸は鼻翼呼吸あり，浅表性，呼吸音はwetly，SpO$_2$ 92% X線写真撮影，小児科医よりTTNとされ，新生児病室で保育器に収容．器内酸素25%，器内温32℃． 18時：呼吸数76回，努力呼吸なし，喘鳴なし，心拍数143 bpm，心雑音なし，体温37.0℃，SpO$_2$ 96%（器内酸素25%，器内温32℃），末梢にチアノーゼあり 2時：呼吸数58回，喘鳴なし，心拍数141 bpm，心雑音なし，体温37.2℃，SpO$_2$ 98%，チアノーゼなし（器内温32℃，器内酸素23%） 日齢1 10時：呼吸数52回，喘鳴なし，心拍数142 bpm，心雑音なし，体温36.8℃，SpO$_2$ 98%，チアノーゼなし（器内温31℃，room air） 小児科医師より明日には，保育器からコットに出られるかもしれないと説明があった．	TTNは，予定帝王切開などで，陣痛などの刺激が加わらないことにより，胎児におけるカテコラミンの分泌不足から，肺水の吸収遅延が起こることにより生じる．軽度の場合は，観察のみで2〜3日で軽快する．時に，酸素投与が行われる． 出生1分後，アプガースコアは，皮膚色が0点の8点であったが，5分後には9点に回復している．しかし，呼吸は速く，鼻翼呼吸が認められ，呼吸音からも肺水の吸収不全が考えられる．SpO$_2$モニターでも92%であり，換気障害が考えられる．X線検査などから，TTNと診断され，保育器に収容され，酸素投与がなされた．その後は，しだいに呼吸数も減少し，器内酸素濃度も下げられ，日齢1で酸素投与は中止になったが，その後も呼吸状態は安定している． 心拍数は安定しており，心雑音もなく，順調に適応していると思われる．保育器に収容され，器内温度31〜32℃で，体温も安定している．明日，保育器からコットに出た後も体温が維持されるか注意が必要． 以上より，帝王切開による呼吸に関連する胎外生活適応遅延が認められたが，回復の傾向にある．現在まで，その他のバイタルは安定しており，注意深く観察し，保温に留意しつつ，呼吸適応を待つことが必要である．

12 ● 新生児　個々の情報のアセスメント用紙（続き）

情　報	アセスメント
●栄養・排泄 出生体重3,100 g台 →日齢1　2,958 g（−5.2%） 日齢1　6時に糖水10 mL哺乳．哺乳力はやや良好で，悪心あり．深夜帯に嘔吐1回． 日齢1　9時，12時，15時に人工乳10 mLずつ哺乳．哺乳力はやや良好．午前中に嘔吐1回． 分娩直後に排尿あり，その後，日齢1の夕方までに排尿回数は4回． 日齢0の準夜帯に排便1回，日齢1の深夜帯で排便1回．ともに胎便． 腹満なし，腸蠕動音良好 黄染なし，経皮黄疸計にて5.4 母B型Rh（＋），父O型Rh（＋）	日齢1で出生体重から5.2%の体重減少が認められたが，正常の範囲内である．哺乳力がやや良好で，嘔吐も2回認められているが，胎便の排泄も認められており，腹満もなく，腸蠕動音も良好に聴取されているため，初期嘔吐の可能性が高い．明日以降も，引き続き嘔吐が認められたり，哺乳力が緩慢である場合には，十分栄養摂取がなされず，体重減少が正常を逸脱する可能性もあるので，経過を観察していく． 排尿もこれまでに，5回認められており，順調である． 生後24時間以内で，呼吸障害がある場合は1段階基準を下げてみるため，総ビリルビン値が10 mg/dL以上が光線療法の適応基準である．本児は，今日は肉眼的な黄染もなく，経皮黄疸計の値も5.4と十分基準を下回っているため，採血などの必要性はない． 現在までのところ，血液型不適合や頭血腫などのリスクもなく，哺乳・排泄状況からもリスクは少なく，呼吸状態も落ち着いてきているので，高ビリルビン血症の可能性は低いが，今後も注意してみていく． 以上より，栄養・代謝については，現在まで生理的範囲で変化している．妊娠・分娩・出生後の経過からも大きなリスクはなく，正常に経過すると思われるが，引き続き十分な栄養摂取に対して支援し，経過を観察する．
●発達状況 モロー反射（＋），把握反射（＋）， ルーティング反射（＋），吸啜反射（＋）	神経学的な異常は指摘されておらず各原始反射は認められており，発達状況は正常であると考えるが，今後，母子相互作用の反応から認知的発達状況を評価する． 以上より，母子相互作用ならびに授乳に否定的な影響を及ぼす因子は認められない．引き続き，反射なども利用しつつ，母子相互作用を促すよう援助する．
●母子関係・家族関係 S：きょうだいをつくってあげたかったので，できて，とってもうれしい． S：（AM検温時）痛みはそれほどでもありません．午後は，子どもに会えますか？ S：（児との面会後）元気そうでしたけど，とっても泣いていて…（少し涙ぐんでいる）．明日は出られるかもといわれました．	母親は妊娠を待ち望んでいた．帝王切開の翌日でも，子どもに会えることを楽しみにしていた．しかし，保育器に収容されている子どもを見て，涙ぐんでいたことから，罪悪感などを感じている可能性がある． 以上より，明日以降の面会時の様子を注意して観察し，分娩に対する振り返りなど，援助が必要となるかもしれない．

13 ● 新生児　全体像

受け持ち対象者　　Bさんベビー

児は，38週で帝王切開によって3,100g台で出生した女児である．AFD児で，出生時とくに奇形などは認められていない．日齢1である．

出生直後，アプガースコア8点，5分後9点で呼吸は速く，鼻翼呼吸が認められ，呼吸音が湿性であったことからも肺水の吸収不全が考えられる．SpO_2モニターでも92％であり，X線写真などからTTNと診断され，保育器に収容され，酸素投与がなされた．その後は，しだいに呼吸数も減少し，器内酸素濃度も下げられ，日齢1で酸素投与は中止になったが，その後も呼吸状態は安定している．

呼吸適応が遅延すると，胎児循環から新生児循環への移行が遅延する可能性がある．現在までのところ，その可能性は低い．

TTNのため，保育器に収容されたことから，室温での体温維持状況については，不明である．これまでのところ，器内温度は31〜32℃とそれほど高い設定ではないなかで体温を維持できている．明日予定されている，コット移床後，体温が維持できるか注意して観察，援助が必要である．

日齢1で出生体重から5.2％の体重減少が認められたが，正常の範囲内である．哺乳力がやや良好で，嘔吐も2回認められているが，胎便の排泄も認められており，腹満もなく，腸蠕動音も良好に聴取されているため，初期嘔吐の可能性が高い．排尿もこれまでに5回認められており，順調である．

現在まで，肉眼的な黄染もなく，経皮黄疸計の値も5.4と基準を大きく下回っているため，採血などの必要性はない．

現在までのところ，血液型不適合や頭血腫などのリスクもなく，哺乳・排泄状況からもリスクは少なく，呼吸状態も落ち着いてきているので，高ビリルビン血症の可能性は低いが，今後も注意してみていく．

以上より，栄養・代謝については，現在まで生理的範囲で変化している．妊娠・分娩・出生後の経過からも大きなリスクはなく，正常に経過すると思われるが，引き続き十分な栄養摂取に対して支援し，経過を観察する．

14 ● 新生児　看護計画用紙

受け持ち対象者　　Bさんベビー　　　　　　　　　　　　　　　　　　学籍番号

看護課題名　　＃帝王切開に起因するTTNおよび胎外生活適応遅延の可能性

長期目標　　呼吸障害が一過性で収束し，母親と一緒に退院できる

日時	目標	具体策	結果・評価
12/9（日齢1夕方）	1. 呼吸状態が安定する（日齢3まで） 1) 呼吸数が60未満 2) 努力呼吸がみられない 3) 呼吸雑音が聴取されない 4) SpO₂ が90以上を維持できる（酸素投与なしで） 5) 中心性のチアノーゼがみられない 2. 循環状態が安定する（日齢3まで） 1) 心拍数が規則的で100〜160 bpm 2) 心雑音が聴取されない 3) 中心性のチアノーゼや冷感が認められない 3) 哺乳力が低下しない，活気が維持される 3. 体温が維持される（日齢7まで） 1) 保育器内温度31℃程度で，体温が37℃前後に維持される（日齢2まで） 2) コットに出て，体温が37℃前後に維持される（コット移床後日齢7まで） 3) 冷感が認められない 4. 十分な栄養が確保でき，体重減少が生理的範囲内にとどまり，体重増加を認める（日齢7まで） 1) 8回/日以上の直接授乳が行われる 2) 体重減少が10%を超えない（日齢4まで） 3) 体重増加を認める（日齢5以降） 5. 黄疸が生理的範囲内にとどまる（日齢7まで） 1) 黄疸が治療基準を超えない 2) 日齢6以降，前日より黄疸が軽減する 6. 感染しない（日齢7まで） 1) オムツ交換が頻回に行われる 2) 臍部に感染徴候が認められないまま脱落まで（退院まで）	O) ①呼吸数，呼吸の型，呼吸音，チアノーゼの有無 ②心拍数，リズム，心音，チアノーゼの有無，哺乳力 ③体温（皮膚温），冷感の有無 ④保育器内温度，湿度，室温・湿度，（以上を3回/1日，昼間は10時） ⑤SpO₂値（モニター装着） ⑥活動性，哺乳状態（哺乳時） ⑦体重（1日1回，朝） ⑧皮膚の黄染の程度，経皮ビリルビン値（1日1回，朝） ⑨臍部の感染徴候の有無 ⑩皮膚の発疹の有無 T) ①体温が維持されるよう，必要時，保育器の設定温度を調整する． ②コット移床後は，室温管理に留意するとともに，風の流れなどに留意する． ③コット移床後は，体温が維持されるよう，掛け物や電気あんかを用いて調整する． ④臍部の消毒（1日1回，朝） E) ①母児同室時に，新生児の体温測定のしかたに関する母親の手技を確認し，適宜，指導する． ②褥室において，新生児のコットをどこに置くかを，空調の位置，窓の位置と合わせて，母親の理解程度を確認しながら，相談する． ③オムツ交換，更衣の手技を確認し，適宜指導する．併せて，物品の場所や廃棄の方法について説明する．	日齢2 O) 10時：活動性良好．RR48回/分，不規則，無呼吸なし，シルバーマンスコア0点，呼吸音は全肺野清明．SpO₂ 100%．HR 142 bpm，規則的，心雑音なし．チアノーゼなし．体温36.9℃（器内温31℃）冷感なし．体重2,892 g（−7.3%），臍部は出血，発赤，腫脹など認められない．黄疸は視診で胸まで，経皮ビリルビン値10.3 9時の授乳で哺乳力良好．10 mLのミルク哺乳． 11時：コット移床．室温26℃，湿度50%．体温36.8℃，冷感なし．肌着，長着を着用し，バスタオルと毛布を掛け，湯たんぽを足元に置く．SpO₂ 99%． 12時：体温37.1℃，室温25℃，湿度45%．冷感なし．電気あんか除去．SpO₂ 100%． 哺乳時，10 mLのミルクを全量，力強く哺乳． 13時：体温37.0℃，室温25℃，湿度48%．冷感なし． A) 前日酸素投与を中止したが，その後も呼吸状態は安定しており，順調に適応していると考えられる．循環状態も，体温も安定しており，コット移床を試みた． コット移床後も，直後は電気あんかを使用したが，十分体温を維持できているので，電気あんかを取り除いた．コット移床後も，さらに電気あんか除去後も体温維持ができているので，目標3-1)は達成とした． P) ①は削除とする．明日まで，呼吸状態も安定し，循環・体温も安定していれば，母子同室とする．そのため，プランにE)①〜③を追加する．

資　料

資料1　妊娠期の血液検査項目と基準値

	血液検査項目		非妊娠時女性	妊娠初期	妊娠中期	妊娠末期
血液形態学的検査	赤血球数	×10⁴/mm³	400-520	342-455	281-449	271-443
	ヘマトクリット値	%	35.4-44.4	31.0-41.0	30.0-39.0	28.0-40.0
	ヘモグロビン値	g/dL	12-15.8	11.6-13.9	9.7-14.8	9.5-15.0
	MCV	×m³	79-93	81-96	82-97	81-99
	MCHC	%	31.7-35.3	33.7±1.3	33.7±1.3	33.3±1.3
	網状赤血球数	‰（千分率）	5-20	報告なし		
	白血球数	×10³/μL	3.5-9.1	5.7-13.6	5.6-14.8	5.9-16.9
	血小板数	×10⁴/μL	16.5-41.5	17.4-39.1	15.5-40.9	14.6-42.9
止血凝固検査	フィブリノゲン	mg/dL	233-496	244-510	291-538	301-696
	第V因子	%	50-150	75-95	72-96	60-88
	第X因子	%	70-112	98-148	101-163	106-172
	第XIII因子	%	79-109	82-104	62-88	57-83
	プロトロンビン時間（PT-INR）		0.9-1.04	0.86-1.08	0.83-1.02	0.80-1.09
	活性化部分トロンボプラスチン時間（APTT）	秒	26.3-39.4	23.0-38.9	22.9-38.1	22.6-35.0
	アンチトロンビン（AT）	%	70-130	89-114	78-126	82-116
	Dダイマー	μg/mL	0.22-0.74	0.05-0.95	0.32-1.29	0.13-1.70
生化学的検査	貧血鑑別関連 フェリチン	ng/mL	10-150	6-130	2-230	0-116
	血清鉄	μg/dL	41-141	72-143	44-178	30-193
	総鉄結合能（TIBC）（比色法）	μg/dL	246-410	320±75	432±83	493±109
	不飽和鉄結合能（UIBC）（比色法）	μg/dL	108-325	報告なし		
	肝機能関連 AST（GOT）	U/L	12-38	3-23	3-33	4-32
	ALT（GPT）	U/L	7-41	3-30	2-33	2-25
	総タンパク（TP）	g/dL	6.6-8.1			5.5-7.0
	アルブミン（Alb）	g/dL	4.1-5.3	3.1-5.0	2.6-4.5	2.3-4.2
	総ビリルビン（T-Bil）	mg/dL	0.3-1.3	0.1-0.4	0.1-0.8	0.1-1.1
	アルカリホスファターゼ（ALP）	U/L	33-96	17-88	25-126	38-229
	アミラーゼ（AMY）	U/L	20-96	24-83	16-73	15-81
	γ-GTP	U/L	9-58	2-23	4-22	3-26
	乳酸脱水素酵素（LDH）	IU/L	250-500			200-400
	腎機能関連 尿素窒素（BUN）	mg/dL	7-20	7-12	3-13	3-11
	クレアチニン（CRE）	mg/dL	0.5-0.9	0.4-0.7	0.4-0.8	0.4-0.9
	尿酸（UA）	mg/dL	2.5-5.6	2.0-4.2	2.4-4.9	3.1-6.3
	甲状腺機能 TSH	μIU/mL	0.34-4.25	0.60-3.40	0.37-3.60	0.38-4.04
	free T4	ng/dL	0.8-1.7	0.8-1.2	0.6-1.0	0.5-0.8
	free T3	pg/dL	2.4-4.2	4.1-4.4	4.0-4.2	報告なし

資料 2 母子保健法（抜粋）（昭和四十年八月十八日法律第百四十一号）1965 年

(目的)
第1条 この法律は，母性並びに乳児及び幼児の健康の保持及び増進を図るため，母子保健に関する原理を明らかにするとともに，母性並びに乳児及び幼児に対する保健指導，健康診査，医療その他の措置を講じ，もつて国民保健の向上に寄与することを目的とする．

(母性の尊重)
第2条 母性は，すべての児童がすこやかに生まれ，かつ，育てられる基盤であることにかんがみ，尊重され，かつ，保護されなければならない．

(乳幼児の健康の保持増進)
第3条 乳児及び幼児は，心身ともに健全な人として成長してゆくために，その健康が保持され，かつ，増進されなければならない．

(母性及び保護者の努力)
第4条 母性は，みずからすすんで，妊娠，出産又は育児についての正しい理解を深め，その健康の保持及び増進に努めなければならない．
2　乳児又は幼児の保護者は，みずからすすんで，育児についての正しい理解を深め，乳児又は幼児の健康の保持及び増進に努めなければならない．

(国及び地方公共団体の責務)
第5条 国及び地方公共団体は，母性並びに乳児及び幼児の健康の保持及び増進に努めなければならない．
2　国及び地方公共団体は，母性並びに乳児及び幼児の健康の保持及び増進に関する施策を講ずるに当たつては，当該施策が乳児及び幼児に対する虐待の予防及び早期発見に資するものであることに留意するとともに，その施策を通じて，前3条に規定する母子保健の理念が具現されるように配慮しなければならない．

(用語の定義)
第6条 この法律において「妊産婦」とは，妊娠中又は出産後1年以内の女子をいう．
2　この法律において「乳児」とは，1歳に満たない者をいう．
3　この法律において「幼児」とは，満1歳から小学校就学の始期に達するまでの者をいう．
4　この法律において「保護者」とは，親権を行う者，未成年後見人その他の者で，乳児又は幼児を現に監護する者をいう．
5　この法律において「新生児」とは，出生後28日を経過しない乳児をいう．
6　この法律において「未熟児」とは，身体の発育が未熟のまま出生した乳児であつて，正常児が出生時に有する諸機能を得るに至るまでのものをいう．
(p.238参照)

(保健指導)
第10条 市町村は，妊産婦若しくはその配偶者又は乳児若しくは幼児の保護者に対して，妊娠，出産又は育児に関し，必要な保健指導を行い，又は医師，歯科医師，助産師もしくは保健師について保健指導を受けることを推奨しなければならない．
(p.34, 95参照)

(新生児の訪問指導)
第11条 市町村長は，前条の場合において，当該乳児が新生児であつて，育児上必要があると認めるときは，医師，保健師，助産師又はその他の職員をして当該新生児の保護者を訪問させ，必要な指導を行わせるものとする．ただし，当該新生児につき，第19条の規定による指導が行われるときは，この限りでない．前項の規定による新生児に対する訪問指導は，当該新生児が新生児でなくなった後においても，継続することができる．
(p.258参照)

(健康診査)
第12条 市町村は，次に掲げる者に対し，厚生労働省令の定めるところにより，健康診査を行わなければならない．
　一　満1歳6か月を超え満2歳に達しない幼児
　二　満3歳を超え満4歳に達しない幼児
第13条 前条の健康診査のほか，市町村は，必要に応じ，妊産婦又は乳児若しくは幼児に対して，健康診査を行い，又は健康診査を受けることを勧奨しなければならない．

(栄養の摂取に関する援助)
第14条 市町村は，妊産婦又は乳児若しくは幼児に対して，栄養の摂取につき必要な援助をするように努めるものとする．

(妊娠の届出)
第15条　妊娠した者は，厚生労働省令で定める事項につき，速やかに，保健所を設置する市または特別区においては保健所長を経て市長又は区長に，その他の市町村においては市町村長に妊娠の届け出をするようにしなければならない．
(p.39, 95参照)

(母子健康手帳)
第16条　市町村は，妊娠の届出をした者に対して，母子健康手帳を交付しなければならない*．　　　　(p.39, 95参照)
2　妊産婦は，医師，歯科医師，助産師又は保健師について，健康診査又は保健指導を受けたときは，その都度，母子健康手帳に必要な事項の記載を受けなければならない．乳児又は幼児の健康診査又は保健指導を受けた当該乳児又は幼児の保護者についても，同様とする．
3　母子健康手帳の様式は，厚生労働省令で定める．

(妊産婦の訪問指導等)
第17条　第13条第1項の規定による健康診査を行つた市町村の長は，その結果に基づき，当該妊産婦の健康状態に応じ，保健指導を要する者については，医師，助産師，保健師又はその他の職員をして，その妊産婦を訪問させて必要な指導を行わせ，妊娠又は出産に支障を及ぼすおそれがある疾病にかかつている疑いのある者については，医師又は歯科医師の診療を受けることを勧奨するものとする．
2　市町村は，妊産婦が前項の勧奨に基づいて妊娠又は出産に支障を及ぼすおそれがある疾病につき医師又は歯科医師の診療を受けるために必要な援助を与えるように努めなければならない．
(p.357参照)

(産後ケア事業)
第17条の2　市町村は，出産後一年を経過しない女子及び乳児の心身の状態に応じた保健指導，療養に伴う世話又は育児に関する指導，相談その他の援助（以下この項において「産後ケア」という．）を必要とする出産後一年を経過しない女子及び乳児につき，次の各号のいずれかに掲げる事業（以下この条において「産後ケア事業」という．）を行うよう努めなければならない．
　一　病院，診療所，助産所その他厚生労働省令で定める施設であつて，産後ケアを行うもの（次号において「産後ケアセンター」という．）に産後ケアを必要とする出産後一年を経過しない女子及び乳児を短期間入所させ，産後ケアを行う事業
　二　産後ケアセンターその他の厚生労働省令で定める施設に産後ケアを必要とする出産後一年を経過しない女子及び乳児を通わせ，産後ケアを行う事業
　三　産後ケアを必要とする出産後一年を経過しない女子及び乳児の居宅を訪問し，産後ケアを行う事業
2　市町村は，産後ケア事業を行うに当たつては，産後ケア事業の人員，設備及び運営に関する基準として厚生労働省令で定める基準に従つて行わなければならない．
3　市町村は，産後ケア事業の実施に当たつては，妊娠中から出産後に至る支援を切れ目なく行う観点から，第22条第一項に規定する母子健康包括支援センターその他の関係機関との必要な連絡調整並びにこの法律に基づく母子保健に関する他の事業並びに児童福祉法その他の法令に基づく母性及び乳児の保健及び福祉に関する事業との連携を図ることにより，妊産婦及び乳児に対する支援の一体的な実施その他の措置を講ずるよう努めなければならない．
(p. 357参照)

(低体重児の届出)
第18条　体重が2,500グラム未満の乳児が出生したときは，その保護者は，速やかに，その旨をその乳児の現在地の都道府県，保健所を設置する市又は特別区に届け出なければならない．
(p.258参照)

(未熟児の訪問指導)
第19条　都道府県，保健所を設置する市又は特別区の長は，その区域内に現在地を有する未熟児について，養育上必要があると認めるときは，医師，保健師，助産師又はその他の職員をして，その未熟児の保護者を訪問させ，必要な指導を行わせるものとする．
(p.258参照)

(養育医療)
第20条　市町村は，養育のため病院又は診療所に入院することを必要とする未熟児に対し，その養育に必要な医療（以下「養育医療」という．）の給付を行い，又はこれに代えて養育医療に要する費用を支給することができる．
2　前項の規定による費用の支給は，養育医療の給付が困難であると認められる場合に限り，行うことができる．
3　養育医療の給付の範囲は，次のとおりとする．
　一　診察
　二　薬剤又は治療材料の支給
　三　医学的処置，手術及びその他の治療
　四　病院又は診療所への入院及びその療養に伴う世話その他の看護

五　移送

(母子健康包括支援センター)
第22条　市町村は，必要に応じ，母子健康包括支援センターを設置するように努めなければならない．
2　母子健康包括支援センターは，第一号から第四号までに掲げる事業を行い，又はこれらの事業に併せて第五号に掲げる事業を行うことにより，母性並びに乳児及び幼児の健康の保持及び増進に関する包括的な支援を行うことを目的とする施設とする．
　　一　母性並びに乳児及び幼児の健康の保持及び増進に関する支援に必要な実情の把握を行うこと．
　　二　母子保健に関する各種の相談に応ずること．
　　三　母性並びに乳児及び幼児に対する保健指導を行うこと．
　　四　母性及び児童の保健医療又は福祉に関する機関との連絡調整その他母性並びに乳児及び幼児の健康の保持及び増進に関し，厚生労働省令で定める支援を行うこと．
　　五　健康診査，助産その他の母子保健に関する事業を行うこと（前各号に掲げる事業を除く．）．
3　市町村は，母子健康包括支援センターにおいて，第9条の相談，指導及び助言並びに第10条の保健指導を行うに当たつては，児童福祉法第21条の11第1項の情報の収集及び提供，相談並びに助言並びに同条第二項のあつせん，調整及び要請と一体的に行うように努めなければならない．

(p.308参照)

*母子健康手帳の交付の目的は，妊娠期から出産・育児期までの継続した管理を実現するためである．

資料3　労働基準法（抜粋）（昭和二十二年四月七日法律第四十九号）1947年

(坑内業務の就業制限)
第64条の2　使用者は，次の各号に掲げる女性を当該各号に定める業務に就かせてはならない．
　　一　妊娠中の女性及び坑内で行われる業務に従事しない旨を使用者に申し出た産後1年を経過しない女性　坑内で行われるすべての業務

(p.258参照)

(危険有害業務の就業制限)
第64条の3　使用者は，妊娠中の女性及び産後1年を経過しない女性（以下「妊産婦」という．）を，重量物を取り扱う業務，有害ガスを発散する場所における業務その他妊産婦の妊娠，出産，哺育等に有害な業務に就かせてはならない．

(p.96, 258参照)

(産前産後)
第65条　使用者は，6週間（多胎妊娠の場合にあつては，14週間）以内に出産する予定の女性が休業を請求した場合においては，その者を就業させてはならない．
2　使用者は，産後8週間を経過しない女性を就業させてはならない．ただし，産後6週間を経過した女性が請求した場合において，その者について医師が支障がないと認めた業務に就かせることは，差し支えない．
3　使用者は，妊娠中の女性が請求した場合においては，他の軽易な業務に転換させなければならない．

(p.96, 97, 128, 238参照)

第66条　使用者は，妊産婦が請求した場合においては，第32条の2第1項，第32条の4第1項及び第32条の5第1項の規定にかかわらず，1週間について第32条第1項の労働時間，1日について同条第2項の労働時間を超えて労働させてはならない．
2　使用者は，妊産婦が請求した場合においては，第33条第1項及び第3項並びに第36条第1項の規定にかかわらず，時間外労働をさせてはならず，又は休日に労働させてはならない．
3　使用者は，妊産婦が請求した場合においては，深夜業をさせてはならない．

(p.96, 97参照)

(育児時間)*
第67条　生後満1年に達しない生児を育てる女性は，第34条の休憩時間のほか，1日2回各々少なくとも30分，その生児を育てるための時間を請求することができる．使用者は，前項の育児時間中は，その女性を使用してはならない．

(p.96, 97参照)

*育児時間は女性のみ請求できる．

資料4　雇用の分野における男女の均等な機会及び待遇の確保等に関する法律（男女雇用機会均等法）（抜粋）（昭和四十七年七月一日法律第百十三号）1972年

(婚姻，妊娠，出産等を理由とする不利益取扱いの禁止等)
第9条　事業主は，女性労働者が婚姻し，妊娠し，又は出産したことを退職理由として予定する定めをしてはならない．
2　事業主は，女性労働者が婚姻したことを理由として，解雇してはならない．

3 事業主は，その雇用する女性労働者が妊娠したこと，出産したこと，労働基準法（昭和22年法律第49号）第65条第1項の規定による休業を請求し，又は同項若しくは同条第2項の規定による休業をしたことその他の妊娠又は出産に関する事由であつて厚生労働省令で定めるものを理由として，当該女性労働者に対して解雇その他不利益な取扱いをしてはならない．
4 妊娠中の女性労働者及び出産後1年を経過しない女性労働者に対してなされた解雇は，無効とする．ただし，事業主が当該解雇が前項に規定する事由を理由とする解雇でないことを証明したときは，この限りではない．(p.96, 97, 307参照)

（職場における妊娠，出産等に関する言動に起因する問題に関する雇用管理上の措置）
第11条の2 事業主は，職場において行われるその雇用する女性労働者に対する当該女性労働者が妊娠したこと，出産したこと，労働基準法第65条第1項の規定による休業を請求し，又は同項若しくは同条第2項の規定による休業をしたことその他の妊娠又は出産に関する事由であつて厚生労働省令で定めるものに関する言動により当該女性労働者の就業環境が害されることのないよう，当該女性労働者からの相談に応じ，適切に対応するために必要な体制の整備その他の雇用管理上必要な措置を講じなければならない．(p.96, 97参照)

（妊娠中及び出産後の健康管理に関する措置）
第12条 事業主は，厚生労働省令で定めるところにより，その雇用する女性労働者が母子保健法（昭和40年法律第141号）の規定による保健指導又は健康診査を受けるために必要な時間を確保することができるようにしなければならない．(p.34, 96, 97参照)

第13条 事業主は，その雇用する女性労働者が前条の保健指導又は健康診査に基づく指導事項を守ることができるようにするため，勤務時間の変更，勤務の軽減等必要な措置を講じなければならない*．
2 厚生労働大臣は，前項の規定に基づき事業主が講ずべき措置に関して，その適切かつ有効な実施を図るために必要な指針（次項において「指針」という．）を定めるものとする．
3 第4条第4項及び第5項の規定は，指針の策定及び変更について準用する．この場合において，同条第4項中「聴くほか，都道府県知事の意見を求める」とあるのは，「聴く」と読み替えるものとする．
(p.34, 96, 97参照)

* ①妊娠中の通勤の緩和…時差出勤，勤務時間の短縮など
②妊娠中の休憩…休憩時間の延長，休憩回数の増加など
③妊娠中または出産後の症状等への対応…作業の制限，勤務時間の短縮，休業など
必要時，母性健康管理指導事項連絡カードが利用される（p.98の図Ⅰ-34参照）．

資料5 育児休業，介護休業等育児又は家族介護を行う労働者の福祉に関する法律（育児・介護休業法）（抜粋）（平成三年五月十五日法律第七十六号）1991年［令和4年4月1日施行］

（育児休業の申出）*
第5条 労働者は，その養育する1歳に満たない子について，その事業主に申し出ることにより，育児休業をすることができる．ただし，期間を定めて雇用される者にあっては，その養育する子が1歳6か月に達する日までに，その労働契約（労働契約が更新される場合にあっては，更新後のもの．第3項及び第11条第1項において同じ．）が満了することが明らかでない者に限り，当該申出をすることができる．
2 前項の規定にかかわらず，育児休業（当該育児休業に係る子の出生の日から起算して8週間を経過する日の翌日まで（出産予定日前に当該子が出生した場合にあっては当該出生の日から当該出産予定日から起算して8週間を経過する日の翌日までとし，出産予定日後に当該子が出生した場合にあっては当該出産予定日から当該出生の日から起算して8週間を経過する日の翌日までとする．）の期間内に，労働者（当該期間内に労働基準法（昭和22年法律第49号）第65条第2項の規定により休業した者を除く．）が当該子を養育するためにした前項の規定による最初の申出によりする育児休業を除く．）をしたことがある労働者は，当該育児休業を開始した日に養育していた子については，厚生労働省令で定める特別の事情がある場合を除き，同項の申出をすることができない．
3 労働者は，その養育する1歳から1歳6か月に達するまでの子について，次の各号のいずれにも該当する場合に限り，その事業主に申し出ることにより，育児休業をすることができる．ただし，期間を定めて雇用される者であってその配偶者が当該子が1歳に達する日（以下「1歳到達日」という．）において育児休業をしているものにあっては，当該子が1歳6か月に達する日までに，その労働契約が満了することが明らかでない者に限り，当該申出をすることができる．
　一 当該申出に係る子について，当該労働者又はその配偶者が，当該子の1歳到達日において育児休業をしている場合
　二 当該子の1歳到達日後の期間について休業することが雇用の継続のために特に必要と認められる場合として厚生労働省令で定める場合に該当する場合
4 労働者は，その養育する1歳6か月から2歳に達するまでの子について，次の各号のいずれにも該当する場合に限り，その事業主に申し出ることにより，育児休業をすることができる．
　一 当該申出に係る子について，当該労働者又はその配偶者が，当該子の1歳6か月に達する日（次号及び第6項において「1歳6か月到達日」という．）において育児休業をしている場合

二　当該子の1歳6か月到達日後の期間について休業することが雇用の継続のために特に必要と認められる場合として厚生労働省令で定める場合に該当する場合
5　第1項ただし書の規定は，前項の申出について準用する．この場合において，第一項ただし書中「1歳6か月」とあるのは，「2歳」と読み替えるものとする．
6　第1項，第3項及び第4項の規定による申出（以下「育児休業申出」という．）は，厚生労働省令で定めるところにより，その期間中は育児休業をすることとする1の期間について，その初日（以下「育児休業開始予定日」という．）及び末日（以下「育児休業終了予定日」という．）とする日を明らかにして，しなければならない．この場合において，第3項の規定による申出にあっては当該申出に係る子の1歳到達日の翌日を，第四項の規定による申出にあっては当該申出に係る子の1歳6か月到達日の翌日を，それぞれ育児休業開始予定日としなければならない．
7　第1項ただし書，第2項，第3項ただし書，第5項及び前項後段の規定は，期間を定めて雇用される者であって，その締結する労働契約の期間の末日を育児休業終了予定日（第7条第3項の規定により当該育児休業終了予定日が変更された場合にあっては，その変更後の育児休業終了予定日とされた日）とする育児休業をしているものが，当該育児休業に係る子について，当該労働契約の更新に伴い，当該更新後の労働契約の期間の初日を育児休業開始予定日とする育児休業申出をする場合には，これを適用しない．

（p.96，97，257参照）

（同一の子について配偶者が育児休業をする場合の特例）
第9条の2　労働者の養育する子について，当該労働者の配偶者が当該子の1歳到達日以前のいずれかの日において当該子を養育するために育児休業をしている場合における第2章から第5章まで，第24第1項及び第12章の規定の適用については，第5条第1項中「1歳に満たない子」とあるのは「1歳に満たない子（第9条の2第1項の規定により読み替えて適用するこの項の規定により育児休業をする場合にあっては，1歳2か月に満たない子）」と，同条第3項ただし書中「1歳に達する日（以下「1歳到達日」という．）」とあるのは「1歳に達する日（以下「1歳到達日」という．）（当該配偶者が第9条の2第1項の規定により読み替えて適用する第1項の規定によりした申出に係る第9条第1項（第9条の2第1項の規定により読み替えて適用する場合を含む．）に規定する育児休業終了予定日とされた日が当該子の1歳到達日後である場合にあっては，当該育児休業終了予定日とされた日）」と，同項第1号中「又はその配偶者が，当該子の1歳到達日」とあるのは「が当該子の1歳到達日（当該労働者が第9条の2第1項の規定により読み替えて適用する第1項の規定によりした申出に係る第9条第1項（第9条の2第1項の規定により読み替えて適用する場合を含む．）に規定する育児休業終了予定日とされた日が当該子の1歳到達日後である場合にあっては，当該育児休業終了予定日とされた日）において育児休業をしている場合又は当該労働者の配偶者が当該子の1歳到達日（当該配偶者が第9条の2第1項の規定により読み替えて適用する第1項の規定によりした申出に係る第9条第1項（第9条の2第1項の規定により読み替えて適用する場合を含む．）に規定する育児休業終了予定日とされた日が当該子の1歳到達日後である場合にあっては，当該育児休業終了予定日とされた日）」と，同条第6項中「1歳到達日」とあるのは「1歳到達日（当該子を養育する労働者又はその配偶者が第9条の2第1項の規定により読み替えて適用する第1項の規定によりした申出に係る第9条第1項（第9条の2第1項の規定により読み替えて適用する場合を含む．）に規定する育児休業終了予定日とされた日が当該子の1歳到達日後である場合にあっては，当該育児休業終了予定日とされた日（当該労働者に係る育児休業終了予定日とされた日と当該配偶者に係る育児休業終了予定日とされた日が異なるときは，そのいずれかの日））」と，前条第1項中「変更後の育児休業終了予定日とされた日．次項」とあるのは「変更後の育児休業終了予定日とされた日．次項（次条第1項の規定により読み替えて適用する場合を含む．）において同じ．）（当該育児休業終了予定日とされた日が当該育児休業開始予定日とされた日から起算して育児休業等可能日数（当該育児休業に係る子の出生した日から当該子の1歳到達日までの日数をいう．）から育児休業等取得日数（当該子の出生した日以後当該労働者が労働基準法第65条第1項又は第2項の規定により休業した日数と当該子について育児休業をした日数を合算した日数をいう．）を差し引いた日数を経過する日より後の日であるときは，当該経過する日．次項（次条第1項の規定により読み替えて適用する場合を含む．）」と，同条第2項第2号中「第5条第3項」とあるのは「次条第1項の規定により読み替えて適用する第5条第1項の規定による申出により育児休業をしている場合にあっては1歳2か月，同条第3項（次条第1項の規定により読み替えて適用する場合を含む．）」と，第24条第1項第1号中「1歳（」とあるのは「1歳（当該労働者が第9条の2第1項の規定により読み替えて適用する第5条第1項の規定による申出をすることができる場合にあっては1歳2か月，」とするほか，必要な技術的読替えは，厚生労働省令で定める．
2　前項の規定は，同項の規定を適用した場合の第5条第1項の規定による申出に係る育児休業開始予定日とされた日が，当該育児休業に係る子の1歳到達日の翌日後である場合又は前項の場合における当該労働者の配偶者がしている育児休業に係る育児休業期間の初日前である場合には，これを適用しない．

（不利益取扱いの禁止）
第10条　事業主は，労働者が育児休業申出をし，又は育児休業をしたことを理由として，当該労働者に対して解雇その他不利益な取扱いをしてはならない．

（p.97参照）

(子の看護休暇の申出)
第16条の2　小学校就学の始期に達するまでの子を養育する労働者は，その事業主に申し出ることにより，一の年度において五労働日（その養育する小学校就学の始期に達するまでの子が二人以上の場合にあっては，十労働日）を限度として，負傷し，若しくは疾病にかかった当該子の世話又は疾病の予防を図るために必要なものとして厚生労働省令で定める当該子の世話を行うための休暇（以下「子の看護休暇」という．）を取得することができる．
2　子の看護休暇は，一日の所定労働時間が短い労働者として厚生労働省令で定めるもの以外の者は，厚生労働省令で定めるところにより，厚生労働省令で定める一日未満の単位で取得することができる．
第16条の3　事業主は，労働者からの前条第1項の規定による申出があったときは，当該申出を拒むことができない．
(p.97参照)

(所定外労働の制限)
第16条の8　事業主は，3歳に満たない子を養育する労働者が当該子を養育するために請求した場合においては，所定労働時間を超えて労働させてはならない．ただし，事業の正常な運営を妨げる場合は，この限りでない．
(p.97参照)

(時間外労働の制限)
第17条　小学校就学の始期に達するまでの子を養育する労働者が当該子を養育するために請求したときは，制限時間（1月について24時間，1年について150時間をいう．）を超えて労働時間を延長してはならない．ただし，事業の正常な運営を妨げる場合は，この限りでない．
(p.97参照)

(深夜業の制限)
第19条　事業主は，小学校就学の始期に達するまでの子を養育する労働者が当該子を養育するために請求した場合においては，午後10時から午前5時までの間（「深夜」という．）において労働させてはならない．ただし，事業の正常な運営を妨げる場合は，この限りでない．
(p.97参照)

(妊娠又は出産等についての申出があった場合における措置等)
第21条　事業主は，労働者が当該事業主に対し，当該労働者又はその配偶者が妊娠し，又は出産したことその他これに準ずるものとして厚生労働省令で定める事実を申し出たときは，厚生労働省令で定めるところにより，当該労働者に対して，育児休業に関する制度その他の厚生労働省令で定める事項を知らせるとともに，育児休業申出に係る当該労働者の意向を確認するための面談その他の厚生労働省令で定める措置を講じなければならない．
2　事業主は，労働者が前項の規定による申出をしたことを理由として，当該労働者に対して解雇その他不利益な取扱いをしてはならない．

(雇用環境の整備及び雇用管理等に関する措置)
第22条　事業主は，育児休業申出が円滑に行われるようにするため，次の各号のいずれかの措置を講じなければならない．
　一　その雇用する労働者に対する育児休業に係る研修の実施
　二　育児休業に関する相談体制の整備
　三　その他厚生労働省令で定める育児休業に係る雇用環境の整備に関する措置
2　前項に定めるもののほか，事業主は，育児休業申出及び介護休業申出並びに育児休業及び介護休業後における就業が円滑に行われるようにするため，育児休業又は介護休業をする労働者が雇用される事業所における労働者の配置その他の雇用管理，育児休業又は介護休業をしている労働者の職業能力の開発及び向上等に関して，必要な措置を講ずるよう努めなければならない．

(所定労働時間の短縮措置等)
第23条　事業主は，その雇用する労働者のうち，その3歳に満たない子を養育する労働者であって育児休業をしていないものに関して，厚生労働省令で定めるところにより，労働者の申出に基づき所定労働時間を短縮することにより当該労働者が就業しつつ当該子を養育することを容易にするための措置（以下「所定労働時間の短縮措置」という．）を講じなければならない．
(p.97，257参照)

(小学校就学の始期に達するまでの子を養育する労働者等に関する措置)
第24条　事業主は，その雇用する労働者のうち，その小学校就学の始期に達するまでの子を養育する労働者に関して，次の各号に掲げる当該労働者の区分に応じ当該各号に定める制度又は措置に準じて，それぞれ必要な措置を講ずるよう努めなければならない．
　一　その1歳（当該労働者が第5条第3項の規定による申出をすることができる場合にあっては，1歳6か月．次号において同じ．）に満たない子を養育する労働者で育児休業をしていないもの　始業時刻変更等の措置
　二　その1歳から3歳に達するまでの子を養育する労働者　育児休業に関する制度又は始業時刻変更等の措置
　三　その3歳から小学校就学の始期に達するまでの子を養育する労働者　育児休業に関する制度，第6章の規定による所定外労働の制限に関する制度，所定労働時間の短縮措置又は始業時刻変更等の措置
(p.257参照)

第25条　事業主は，職場において行われるその雇用する労働者に対する育児休業，介護休業その他の子の養育又は家族の介護に関する厚生労働省令で定める制度又は措置の利用に関する言動により当該労働者の就業環境が害されることのないよう，当該労働者からの相談に応じ，適切に対応するために必要な体制の整備その他の雇用管理上必要な措置を講じなければならない．
(p.97参照)

(労働者の配置に関する配慮)
第26条　事業主は，その雇用する労働者の配置の変更で就業の場所の変更を伴うものをしようとする場合において，その就業の場所の変更により就業しつつその子の養育又は家族の介護を行うことが困難となることとなる労働者がいるときは，当該労働者の子の養育又は家族の介護の状況に配慮しなければならない．

* 父親が出産後8週間以内に出生時育児休業を取得した場合，再度，育児休業を取得することができる．
* 配偶者が専業主婦(夫)であっても育児休業を取得できる．

資料6　戸籍法(抜粋) 昭和22年(1947年)制定

第49条　出生の届出は，14日以内(国外で出生があつたときは，3箇月以内)にこれをしなければならない．
2　届書には，次の事項を記載しなければならない．
　一　子の男女の別及び嫡出子又は嫡出でない子の別
　二　出生の年月日時分及び場所
　三　父母の氏名及び本籍，父又は母が外国人であるときは，その氏名及び国籍
　四　その他法務省令で定める事項《改正》平11法1603
3　医師，助産師又はその他の者が出産に立ち会った場合には，医師，助産師，その他の者の順序に従ってそのうちの1人が法務省令・厚生労働省令の定めるところによって作成する出生証明書を届書に添付しなければならない．ただし，やむを得ない事由があるときは，この限りでない．
(p.258参照)
第51条　出生の届出は，出生地でこれをすることができる．
第52条　嫡出子出生の届出は，父又は母がこれをし，子の出生前に父母が離婚をした場合には，母がこれをしなければならない．
第55条　航海中に出生があつたときは，船長は，24時間以内に，第49条第2項に掲げる事項を航海日誌に記載して，署名し，印をおさなければならない．
第56条　病院，刑事施設その他の公設所で出生があつた場合に，父母が共に届出をすることができないときは，公設所の長又は管理人が，届出をしなければならない．

資料7　死産の届出に関する規程(昭和二十一年厚生省令第四十二号)(抜粋)

第2条　この規程で，死産とは妊娠第4月(妊娠12週)以後における死児の出産をいひ，死児とは出産後において心臓搏動，随意筋の運動及び呼吸のいづれをも認めないものをいふ．
第3条　すべての死産は，この規程の定めるところにより，届出なければならない．
第4条　死産の届出は，医師又は助産師の死産証書又は死胎検案書を添へて，死産後7日以内に届出人の所在地又は死産があつた場所の市町村長(都の区の存する区域及び地方自治法(昭和22年法律第67号)第252条の19第1項の指定都市にあつては，区長とする．以下同じ．)に届出なければならない．
(p.333参照)

資料8　健康保険法(抜粋)(大正十一年四月二十二日法律第七〇号) 1922年

(保険給付の種類)
第52条　被保険者に係るこの法律による保険給付は，次のとおりとする．
　一　療養の給付並びに入院時食事療養費，特定療養費，療養費，訪問看護療養費及び移送費の支給
　二　傷病手当金の支給
　三　埋葬料の支給
　四　出産育児一時金の支給　　　　　　　　　　　　　　　　　　　(p.40, 97, 258, 298, 300参照)
　五　出産手当金の支給　　　　　　　　　　　　　　　　　　　　　　　　　　　(p.97, 258参照)
　六　家族療養費，家族訪問看護療養費及び家族移送費の支給
　七　家族埋葬料の支給
　八　家族出産育児一時金の支給
　九　高額療養費の支給

資料9 児童福祉法（抜粋）（昭和二十二年十二月十二日法律第百六十四号）1947年

(定義)
第6条の3
③　この法律で，子育て短期支援事業とは，保護者の疾病その他の理由により家庭において養育を受けることが一時的に困難となつた児童について，厚生労働省令で定めるところにより，児童養護施設その他の厚生労働省令で定める施設に入所させ，又は里親（次条第三号に掲げる者を除く．）その他の厚生労働省令で定める者に委託し，当該児童につき必要な保護を行う事業をいう．
④　この法律で，乳児家庭全戸訪問事業とは，一の市町村の区域内における原則として全ての乳児のいる家庭を訪問することにより，厚生労働省令で定めるところにより，子育てに関する情報の提供並びに乳児及びその保護者の心身の状況及び養育環境の把握を行うほか，養育についての相談に応じ，助言その他の援助を行う事業をいう．
⑤　この法律で，養育支援訪問事業とは，厚生労働省令で定めるところにより，乳児家庭全戸訪問事業の実施その他により把握した保護者の養育を支援することが特に必要と認められる児童（第八項に規定する要保護児童に該当するものを除く．以下「要支援児童」という．）若しくは保護者に監護させることが不適当であると認められる児童及びその保護者又は出産後の養育について出産前において支援を行うことが特に必要と認められる妊婦（以下「特定妊婦」という．）（以下「要支援児童等」という．）に対し，その養育が適切に行われるよう，当該要支援児童等の居宅において，養育に関する相談，指導，助言その他必要な支援を行う事業をいう．
⑥　この法律で，地域子育て支援拠点事業とは，厚生労働省令で定めるところにより，乳児又は幼児及びその保護者が相互の交流を行う場所を開設し，子育てについての相談，情報の提供，助言その他の援助を行う事業をいう．
第7条　この法律で，児童福祉施設とは，助産施設，乳児院，母子生活支援施設，保育所，幼保連携型認定こども園，児童厚生施設，児童養護施設，障害児入所施設，児童発達支援センター，児童心理治療施設，児童自立支援施設及び児童家庭支援センターとする．

(子育て支援事業)
第21条の9　市町村は，児童の健全な育成に資するため，その区域内において，放課後児童健全育成事業，子育て短期支援事業，乳児家庭全戸訪問事業，養育支援訪問事業，地域子育て支援拠点事業，一時預かり事業，病児保育事業及び子育て援助活動支援事業並びに次に掲げる事業であつて主務省令で定めるもの（以下「子育て支援事業」という．）が着実に実施されるよう，必要な措置の実施に努めなければならない．
第21条の10の2　市町村は，児童の健全な育成に資するため，乳児家庭全戸訪問事業及び養育支援訪問事業を行うよう努めるとともに，乳児家庭全戸訪問事業により要支援児童等（特定妊婦を除く．）を把握したとき又は当該市町村の長が第二十六条第一項第三号の規定による送致若しくは同項第八号の規定による通知若しくは児童虐待の防止等に関する法律（平成十二年法律第八十二号）第八条第二項第二号の規定による送致若しくは同項第四号の規定による通知を受けたときは，養育支援訪問事業の実施その他の必要な支援を行うものとする．
②　市町村は，母子保健法（昭和四十年法律第百四十一号）第十条，第十一条第一項若しくは第二項（同法第十九条第二項において準用する場合を含む．），第十七条第一項又は第十九条第一項の指導に併せて，乳児家庭全戸訪問事業を行うことができる．
第21条の10の3　市町村は，乳児家庭全戸訪問事業又は養育支援訪問事業の実施に当たつては，母子保健法に基づく母子保健に関する事業との連携及び調和の確保に努めなければならない．
第21条の10の4　都道府県知事は，母子保健法に基づく母子保健に関する事業又は事務の実施に際して要支援児童等と思われる者を把握したときは，これを当該者の現在地の市町村長に通知するものとする．
第21条の10の5　病院，診療所，児童福祉施設，学校その他児童又は妊産婦の医療，福祉又は教育に関する機関及び医師，歯科医師，保健師，助産師，看護師，児童福祉施設の職員，学校の教職員その他児童又は妊産婦の医療，福祉又は教育に関連する職務に従事する者は，要支援児童等と思われる者を把握したときは，当該者の情報をその現在地の市町村に提供するよう努めなければならない．
②　刑法の秘密漏示罪の規定その他の守秘義務に関する法律の規定は，前項の規定による情報の提供をすることを妨げるものと解釈してはならない．
(p.307，357参照)

(助産施設，母子生活支援施設及び保育所への入所等)
第22条　都道府県，市及び福祉事務所を設置する町村（以下「都道府県等」という．）は，それぞれその設置する福祉事務所の所管区域内における妊産婦が，保健上必要があるにもかかわらず，経済的理由により，入院助産を受けることができない場合において，その妊産婦から申込みがあつたときは，その妊産婦に対し助産施設において助産を行わなければならない．ただし，付近に助産施設がない等やむを得ない事由があるときは，この限りでない．
第23条　都道府県等は，それぞれその設置する福祉事務所の所管区域内における保護者が，配偶者のない女子又はこれに準ずる事情にある女子であつて，その者の監護すべき児童の福祉に欠けるところがある場合において，その保護者から申込みがあつたときは，その保護者及び児童を母子生活支援施設において保護しなければならない．ただし，やむを得ない事由があるときは，適当な施設への入所のあつせん，生活保護法（昭和二十五年法律第百四十四号）の適用等適切な保護を行わなければならない．

第24条　市町村は，この法律及び子ども・子育て支援法の定めるところにより，保護者の労働又は疾病その他の事由により，その監護すべき乳児，幼児その他の児童について保育を必要とする場合において，次項に定めるところによるほか，当該児童を保育所（認定こども園法第三条第一項の認定を受けたもの及び同条第十一項の規定による公示がされたものを除く.）において保育しなければならない.　　　　　　　　　　　　　　　　　　　　　　　　　　　　　　　　　(p.358参照)

（要保護児童の保護措置等）
第25条　要保護児童を発見した者は，これを市町村，都道府県の設置する福祉事務所若しくは児童相談所又は児童委員を介して市町村，都道府県の設置する福祉事務所若しくは児童相談所に通告しなければならない．ただし，罪を犯した満十四歳以上の児童については，この限りでない．この場合においては，これを家庭裁判所に通告しなければならない．
② 　刑法の秘密漏示罪の規定その他の守秘義務に関する法律の規定は，前項の規定による通告をすることを妨げるものと解釈してはならない．
第25条の2　地方公共団体は，単独で又は共同して，要保護児童（第三十一条第四項に規定する延長者及び第三十三条第十項に規定する保護延長者（次項において「延長者等」という.）を含む．次項において同じ.）の適切な保護又は要支援児童若しくは特定妊婦への適切な支援を図るため，関係機関，関係団体及び児童の福祉に関連する職務に従事する者その他の関係者（以下「関係機関等」という.）により構成される要保護児童対策地域協議会（以下「協議会」という.）を置くように努めなければならない．
② 　協議会は，要保護児童若しくは要支援児童及びその保護者（延長者等の親権を行う者，未成年後見人その他の者で，延長者等を現に監護する者を含む.）又は特定妊婦（以下この項及び第五項において「支援対象児童等」という.）に関する情報その他要保護児童の適切な保護又は要支援児童若しくは特定妊婦への適切な支援を図るために必要な情報の交換を行うとともに，支援対象児童等に対する支援の内容に関する協議を行うものとする．
⑤ 　要保護児童対策調整機関は，協議会に関する事務を総括するとともに，支援対象児童等に対する支援が適切に実施されるよう，厚生労働省令で定めるところにより，支援対象児童等に対する支援の実施状況を的確に把握し，必要に応じて，児童相談所，養育支援訪問事業を行う者，母子保健法第二十二条第一項に規定する母子健康包括支援センターその他の関係機関等との連絡調整を行うものとする．　　　　　　　　　　　　　　　　　　　　　　　　　　　　　(p.355参照)

資料10　児童虐待の防止等に関する法律（抜粋）（平成十二年法律第八十二号）2000年

（目的）
第1条　この法律は，児童虐待が児童の人権を著しく侵害し，その心身の成長及び人格の形成に重大な影響を与えるとともに，我が国における将来の世代の育成にも懸念を及ぼすことにかんがみ，児童に対する虐待の禁止，児童虐待の予防及び早期発見その他の児童虐待の防止に関する国及び地方公共団体の責務，児童虐待を受けた児童の保護及び自立の支援のための措置等を定めることにより，児童虐待の防止等に関する施策を促進し，もって児童の権利利益の擁護に資することを目的とする．

（児童虐待の定義）
第2条　この法律において，「児童虐待」とは，保護者（親権を行う者，未成年後見人その他の者で，児童を現に監護するものをいう．以下同じ.）がその監護する児童（十八歳に満たない者をいう．以下同じ.）について行う次に掲げる行為をいう．
　一　児童の身体に外傷が生じ，又は生じるおそれのある暴行を加えること．
　二　児童にわいせつな行為をすること又は児童をしてわいせつな行為をさせること．
　三　児童の心身の正常な発達を妨げるような著しい減食又は長時間の放置，保護者以外の同居人による前二号又は次号に掲げる行為と同様の行為の放置その他の保護者としての監護を著しく怠ること．
　四　児童に対する著しい暴言又は著しく拒絶的な対応，児童が同居する家庭における配偶者に対する暴力（配偶者（婚姻の届出をしていないが，事実上婚姻関係と同様の事情にある者を含む.）の身体に対する不法な攻撃であって生命又は身体に危害を及ぼすもの及びこれに準ずる心身に有害な影響を及ぼす言動をいう．第十六条において同じ.）その他の児童に著しい心理的外傷を与える言動を行うこと．

（児童に対する虐待の禁止）
第3条　何人も，児童に対し，虐待をしてはならない．

（児童虐待の早期発見等）
第5条　学校，児童福祉施設，病院，都道府県警察，婦人相談所，教育委員会，配偶者暴力相談支援センターその他児童の福祉に業務上関係のある団体及び学校の教職員，児童福祉施設の職員，医師，歯科医師，保健師，助産師，看護師，弁護士，警察官，婦人相談員その他児童の福祉に職務上関係のある者は，児童虐待を発見しやすい立場にあることを自覚し，児童虐待の早期発見に努めなければならない．
2　前項に規定する者は，児童虐待の予防その他の児童虐待の防止並びに児童虐待を受けた児童の保護及び自立の支援に関する国及び地方公共団体の施策に協力するよう努めなければならない．

3　第一項に規定する者は，正当な理由がなく，その職務に関して知り得た児童虐待を受けたと思われる児童に関する秘密を漏らしてはならない．
4　前項の規定その他の守秘義務に関する法律の規定は，第二項の規定による国及び地方公共団体の施策に協力するように努める義務の遵守を妨げるものと解釈してはならない．
5　学校及び児童福祉施設は，児童及び保護者に対して，児童虐待の防止のための教育又は啓発に努めなければならない．

（児童虐待に係る通告）
第6条　児童虐待を受けたと思われる児童を発見した者は，速やかに，これを市町村，都道府県の設置する福祉事務所若しくは児童相談所又は児童委員を介して市町村，都道府県の設置する福祉事務所若しくは児童相談所に通告しなければならない．
3　刑法（明治四十年法律第四十五号）の秘密漏示罪の規定その他の守秘義務に関する法律の規定は，第一項の規定による通告をする義務の遵守を妨げるものと解釈してはならない．

（児童虐待を行った保護者に対する指導等）
第11条　都道府県知事又は児童相談所長は，児童虐待を行った保護者について児童福祉法第二十七条第一項第二号又は第二十六条第一項第二号の規定により指導を行う場合は，当該保護者について，児童虐待の再発を防止するため，医学的又は心理学的知見に基づく指導を行うよう努めるものとする．
2　児童虐待を行った保護者について児童福祉法第二十七条第一項第二号の規定により行われる指導は，親子の再統合への配慮その他の児童虐待を受けた児童が家庭（家庭における養育環境と同様の養育環境及び良好な家庭的環境を含む．）で生活するために必要な配慮の下に適切に行われなければならない．

（面会等の制限等）
第12条　児童虐待を受けた児童について児童福祉法第二十七条第一項第三号の措置（以下「施設入所等の措置」という．）が採られ，又は同法第三十三条第一項若しくは第二項の規定による一時保護が行われた場合において，児童虐待の防止及び児童虐待を受けた児童の保護のため必要があると認めるときは，児童相談所長及び当該児童について施設入所等の措置が採られている場合における当該施設入所等の措置に係る同号に規定する施設の長は，厚生労働省令で定めるところにより，当該児童虐待を行った保護者について，次に掲げる行為の全部又は一部を制限することができる．
　一　当該児童との面会
　二　当該児童との通信
3　児童虐待を受けた児童について施設入所等の措置（児童福祉法第二十八条の規定によるものに限る．）が採られ，又は同法第三十三条第一項若しくは第二項の規定による一時保護が行われた場合において，当該児童虐待を行った保護者に対し当該児童の住所又は居所を明らかにしたとすれば，当該保護者が当該児童を連れ戻すおそれがある等再び児童虐待が行われるおそれがあり，又は当該児童の保護に支障をきたすと認めるときは，児童相談所長は，当該保護者に対し，当該児童の住所又は居所を明らかにしないものとする．

（親権の行使に関する配慮等）
第14条　児童の親権を行う者は，児童のしつけに際して，体罰を加えることその他民法（明治二十九年法律第八十九号）第八百二十条の規定による監護及び教育に必要な範囲を超える行為により当該児童を懲戒してはならず，当該児童の親権の適切な行使に配慮しなければならない．
2　児童の親権を行う者は，児童虐待に係る暴行罪，傷害罪その他の犯罪について，当該児童の親権を行う者であることを理由として，その責めを免れることはない．

練習問題　解答と解説

第Ⅰ章　妊娠期の看護

Ⅰ-2　妊娠とは

Q1 解答 3

卵子の受精能は排卵後24時間である（『母性看護学Ⅰ』第Ⅳ章参照）．受精が起こるのはおもに卵管膨大部である．受精卵が子宮に達するのは受精後4～7日の期間であり，受精6～12日の期間に子宮内に埋没して着床する．受精卵は桑実胚となって子宮腔に達するが，着床は受精卵が胚盤胞の段階にある．

Q2 解答 2，3

妊娠期は胎児に酸素を供給するために母体の酸素消費量が増加し，呼吸数は増加する．糖代謝もまた，胎児のエネルギー源の確保や妊娠の進行に伴う母体臓器の需要の増加，分娩後の授乳に備えた貯蔵により高まる．非妊時と比較して空腹時血糖は低くなり，食後の血糖値は高くなる傾向にある．妊娠中は母体のインスリン抵抗性が高くなることから，食後は高インスリン血症となる．母体の循環血液量は胎盤血行を維持するために妊娠初期から増加し始め妊娠32週～36週をピークとし，約40％増となる．このため1回の心拍出量も増大する．

Ⅰ-3　妊娠に伴う生理的変化と胎児の健康状態に関するアセスメントと援助

Q1 解答 4

妊婦健診の受診時期については，初期から妊娠23週までは4週に1回，妊娠24週から35週までは2週に1回，妊娠36週から分娩までは1週間に1回の計13～14回実施することが望ましい．

Q2 解答 1

レオポルド触診法第2段法で子宮の左側壁に大部分を，右部分に小部分を触知することから，左側に児背部分が位置する第1胎向である．また第3段法で球状の固い部分を触知したことから頭位である．よって，第1頭位である．

Q3 解答 4

下肢静脈瘤は子宮の増大による下肢からの静脈血の環流の妨げ，プロゲステロンの増加による静脈壁の緊張低下などにより，下肢や外陰部に出現するマイナートラブルであり，妊娠末期に生じる．瘙痒感はエストロゲンの分泌増加や新陳代謝の亢進によって生じるマイナートラブルであり，妊娠中期以降に生じやすい．悪阻は胎盤が完成する前の妊娠初期に生じる．頻尿は，妊娠初期に子宮の増大による膀胱の圧迫・刺激によって生じる．また妊娠末期には児頭の下降による膀胱圧迫によってふたたび生じるマイナートラブルである．

Q4 解答 1

妊娠8週の時期に生じている嘔気であることからつわりであると判断できる．つわりの時期は，食べたいときに，食べたいものを，少量ずつ摂取することを説明する．また起床時など空腹時に出現することが多いため，軽食を常備し空腹を避けるようにすることを伝えるとよい．気分転換のために市販の調理済み食品を活用したり外食することも効果的である．また塩味を濃くすることは塩分の摂りすぎにつながるため適切でない．

Ⅰ-4　妊娠期の親になっていく過程のアセスメントと援助

Q1 解答 4

妊婦は「母親になる実感がまだありません」といっていることより，妊娠経過の理解についても十分でないことが考えられる．まずは，出産準備教室に参加し，妊娠経過や妊娠中の生活，分娩・育児の準備について理解を深めることが，母親となる自己と向き合う契機となると考えられる．

Q2 解答 2，4

妊娠期には，ほかの妊婦に関心をもつ，育児用品の準備をする，胎児に話しかけるという行動や，子宮内の胎児のことを想像することなどを通して，親役割に関する知識や技術の習得をしながら親になる準備を進めて（重ねて）いく．

1. 正しい．
2. 誤り．妊娠中期までに母親としての自己像を確立している妊婦は少ない．多くの妊婦は，胎児とのかかわりや親役割の準備を重ねながら，自分自身のなかに，母親としての自己像を徐々に形成していく．
3. 正しい．
4. 誤り．「親になる実感がない」と妊婦自身が感じているだけでは親役割に適応していないとはいえない．本人および重要他者の妊娠の受け止め方，育児用品の準備状況，胎児への関心の有無などの情報を総合的にアセスメントする必要がある．

Ⅰ-5　ハイリスク妊婦への看護の実際

Q1 解答 4，5

超音波検査で胎囊が確認されるのは，妊娠4～5週の時期である．本事例では，最終月経から50日無月経であることから妊娠7週ごろと判断される．市販の妊娠検査薬で妊娠反応がみられたものの超音波検査で胎囊が確認されなかったことから，流産の可能性が示唆される．流産の場合の主な症状は性器出血と下腹部痛であるため，この2つを観察することが適切である．

Q2 解答 4

胎盤が子宮口を全部覆っていることから全前置胎盤で

あると判断される．全前置胎盤の場合，胎盤剝離によって生じる出血は痛みを伴わないという特徴がある．なお常位胎盤早期剝離では激しい腹痛や子宮底の上昇を伴う．

Q3 解答 3, 4

妊娠高血圧症候群の誘因は，高年妊婦，家族歴・既往歴の他に肥満であることや急激な体重増加，多胎妊娠などがあげられる．病型分類として，妊娠高血圧腎症，妊娠高血圧，加重型妊娠高血圧腎症，高血圧合併妊娠があり，関連疾患にけいれん発作を起こす子癇がある．妊娠高血圧症候群は胎盤形成障害を発症し，胎児発育不全，胎児機能不全を引き起こす．妊娠高血圧症候群の管理として適切な食生活への支援，入院による安静管理が行われる．

第Ⅱ章 分娩期の看護

Ⅱ-2 分娩とは
Q1 解答 2
1. 第1頭位では左臍棘線上で胎児心音が聴取できる．
3. 排臨とは胎児先進部が陣痛発作時には陰裂間に見えるが，陣痛間欠時には見えなくなる状態である．
4. 分娩第2期は子宮口開大から児娩出までである．

Q2 解答 1
胎児心拍数陣痛図の正常所見は，胎児心拍数基線が110〜160 bpmであり，胎児心拍数基線細変動の幅が6〜25 bpm，一過性頻脈があり，一過性徐脈が認められない．

Ⅱ-3 正常分娩の経過とアセスメントと援助
Q1 解答 3
1. 分娩は，母体のエネルギーを多量に消費し，体力を消耗するため，食事によるエネルギー摂取が必要である．
2. 産婦の希望する体位をとったり，歩行などの軽い運動を行うことで，分娩の進行が促されることもあるため，ベッド上での安静は必要ない．
4. 分娩の体力を保持するためには，産婦が眠りたい場合は入眠を促す．

Q2 解答 4
破水により臍帯脱出の危険性が高くなる．そのため，破水の可能性が高い場合，すぐに胎児心拍数を確認し，児頭により脱出した臍帯が圧迫され胎児が徐脈になっていないかを確認する．

Ⅱ-4 分娩期の正常経過からの逸脱と看護
Q1 解答 4
破水時は，感染予防のため3〜4時間ごとに外陰部のパッドを交換する．入浴やシャワー浴は禁止するが，歩行を禁止する必要はない．自然排尿を2〜3時間ごとに勧めて分娩の進行を促す．

Ⅱ-5 出生直後の新生児のアセスメントと援助
Q1 解答 2
アプガースコアは1分後9点であり，新生児仮死ではない．また，直腸温も37.8℃（出生直後は体温はやや高いこともあるため），頭囲も33.0 cmと正常範囲内である．

Ⅱ-6 家族のアセスメントと援助
Q1 解答 4
4. 分娩期の家族の付き添いは産婦の希望を優先することが大切である．

Ⅱ-7 産科処置と産科手術
Q1 解答 1, 2
3. 子宮収縮薬の増量は，前回の子宮収縮薬増量から30分以上が経過し子宮収縮状態や胎児状態をアセスメントしたうえでなければならない．
4. 会陰裂傷縫合術を受けた褥婦からの拍動性の疼痛は，血腫の形成をアセスメントし，皮膚の暗赤色の膨隆の有無について観察しなければならない．
5. 吸引分娩の吸引圧は40〜50 cmHg以上にならないように注意してメモリを読み上げなければならない．

第Ⅲ章 産褥期の看護

Ⅲ-2 産褥期の経過
Q1 解答 2
1. 乳房緊満感は産褥経過とともに軽減するが，産褥6日目で消失することはない．
3. 産褥6日での赤色悪露の排泄は子宮復古不全の可能性が疑われるため順調ではない．
4. 通常，分娩直後に体重は4〜6 kg減少するため，産褥6日で3.0 kgの減少は少ない．

Q2 解答 3
1. 産褥3日目の悪露の性状は通常赤色悪露であり正常経過と判断できる．
2. 順調な子宮復古である．
3. 産褥0〜2日は便秘となりやすいが，継続すると子宮収縮の妨げや食欲減退，硬便の排泄による疼痛の原因ともなるため対処が必要となる．
4. 授乳時に必ずしも後陣痛を伴うわけではない．

Q3 解答 2
1. 胎盤娩出後に母体血中プロゲステロンやエストロゲンが低下することにより乳汁分泌が始まる．
3. 子宮の復古が完了するのは分娩後4〜6週間程度である．
4. 非授乳女性の場合は分娩後8週間（平均60日）である．授乳女性は産褥3ヵ月末の時点で33%が月経の発来をみる．

Q4 解答 3
1. 産褥1日は初乳の分泌時期であり乳汁は黄色を帯びる．
2. 乳汁の産生量が増加することで生じる乳房緊満は産褥

2～4日ごろに起こる．
4. 産褥早期の不適切なラッチ・オンとポジショニングで乳頭亀裂が生じやすい．

Ⅲ-3 産褥期の身体状態のアセスメントと援助
Q1 解答 1, 2

ルービンによると産褥1日目は受容期にあり，褥婦自身や基本的欲求に関心が向けられ依存的な時期である．また，出産体験を振り返ることを望む時期でもある．産褥2～3日から10日ごろは保持期で自立的な状態に移行していく段階となる．この時期は，育児の準備・学習を開始する時期である．同時に，母親としての自分に不安や無力感を抱くこともある．保証や褒めることで安心する．
3. 沐浴指導などの育児指導は保持期に行うことが望ましい．
4. 受容期は褥婦の基本的欲求の充足が優先される．母乳分泌機序から考えても産褥1日目に母乳不足の見分け方の説明の必要性をアセスメントすることは困難である．
5. 受容期に夫婦間の具体的な育児役割の調整を行うことは適切ではない．産褥期に行う場合は保持期以降に行うことが望ましい．

Q2 解答 1
1. 頻回授乳を継続することに問題はない．
2. とくに必要がなければ乳房マッサージは行わなくてもよい．
3. 乳汁産生が増加し，授乳後にも乳房緊満が強い場合は行うこともある．
4. 新生児の健康状態に問題がなければ人工乳を補充する必要はない．

Q3
[問1] 解答 1
1. 子宮底の高さは産褥日数に対して平均的であり，硬度，悪露の量も良好である．産褥1日の後陣痛は異常ではない．したがって，子宮復古は順調と考えられる．
2. 会陰裂傷の縫合部痛はあるが発赤はない．産褥早期の多少の体温上昇は胎盤剥離面や創傷の炎症反応と考えられるため感染徴候があるとはいえない．
3. 分娩当日に興奮して眠れないことはよくある．分娩の受け止めに問題があるとはいえない．
4. 乳房緊満感，乳管開口に問題はない．

[問2] 解答 2
「うまく吸ってくれず児の口がすぐに乳頭からはずれてしまう」ことが問題であり，乳房や乳頭に問題はない．問題は，産褥早期の授乳のポイントである適切なラッチ・オンとポジショニングである．選択肢のなかで，ラッチ・オンとポジショニングにもっとも関連するのは「2. 児の抱き方」である．

[問3] 解答 3
1. 便秘に対して安静の効果はない．

2. トイレに行く時間を確保するために母子同室を中止する意味はない．
3. 分娩時の食物摂取の減少，腸管の緊張低下や運動不足などによる便秘と考えられるため，腹部マッサージは便秘の改善に有効であると考えられる．
4. 消化器疾患ではないため食事摂取量を減らす意味はない．むしろ，産褥期の適切な食事量を摂取することが大切である．

Ⅲ-4 産褥期の親になっていく過程のアセスメントと援助
Q1 解答 3

退行現象の背景には，弟/妹が生まれることによる，母親との排他的な関係の喪失がある．弟/妹に対する嫉妬心やライバル心が生じている．兄/姉になる子が弟/妹に対して関心をもち，愛情を抱くためには，きょうだいとかかわる時間を多くすることも効果がある．
1. 母親を占有することで，長男が母親を喪失していないことを実感できる．
2. 弟/妹に対して関心をもつことにつながる．
3. 3歳という年齢で「しっかり」することは困難である．
4. ほめられることで母親の自分への関心や愛情を実感できる．

Q2 解答 4
1. 乳児保育を実施している保育所では，多くの場合，生後8週以降（産後休業期間以降）の児の受け入れが一般的である．
2. 育児休業，介護休業等育児又は家族介護を行う労働者の福祉に関する法律（育児・介護休業法）により，申請により1歳未満の子どもを育てる労働者は育児休業を取得できる．
3. 労働基準法では1日2回以上，1回30分以上の育児時間が規定されている．4回の育児時間を確約したものではない．
4. 育児休業は父母どちらも同様に取得できる．

Ⅲ-5 褥婦の正常経過からの逸脱と援助
Q1 解答 2

産後うつ病は，産褥2～3週間から数ヵ月に抑うつ症状が出現し2週間以上持続する．
1. 症状は一過性ではなく，2週間以上持続する．
2. エジンバラ産後うつ病質問票である．
3. 日本における発症頻度は，5～15％といわれている．
4. 産褥2～3週間から数ヵ月の時期に発症する．

Q2
[問1] 解答 4
1. 分娩時出血量は正常範囲内であること，発熱もみられないこと，夕食後の水分摂取量が500 mLであることから，脱水は考えにくく，腎での尿産生は正常に行われ，膀胱には尿が貯留していると考えられる．尿意がないことから尿閉が疑われる．

2. 体温や血圧は分娩直後と大差ないにもかかわらず，頻脈となっていることは，何らかの異常徴候と考えられる．この事例の場合，尿閉による膀胱充満により子宮収縮が妨げられ，悪露（出血）が増加したことによる，失血による代償性の頻脈の可能性が排除できない．
3. 尿閉による膀胱充満により子宮収縮が妨げられ，子宮復古不全をきたしている可能性がある．子宮復古不全の場合，悪露（出血）が増加し，出血性ショックや播種性血管内凝固症候群（DIC）をきたす可能性があるため対処が必要である．
4. 産褥1日目に会陰切開縫合部の疼痛があることは問題ない．しかし，経時的に疼痛が強くなる場合は，血腫や感染などを引き起こしている可能性があるため注意する．

[問2] 解答 3
1. 産褥熱とは，分娩時に生じた性器の創傷への感染による熱性疾患の総称で，分娩後24時間以降10日以内に，38.0℃以上の発熱が2日以上続く場合をいう．
2. 乳腺炎は通常，産褥2～3週間ごろにみられる．乳汁のうっ滞や乳房への感染により硬結，発赤，腫脹，疼痛，発熱などの炎症症状を伴う．
3. 正常産褥経過では，産褥2日目の子宮底は臍下2横指程度で子宮は硬く触れる．事例は，通常より子宮が大きく，硬度も不良であることから，子宮復古不全が疑われる．凝血塊の排出がみられ，後陣痛が増強していることから，子宮内の胎盤・卵膜遺残や凝血塊の貯留による復古不全と考えられる．
4. 本事例では分娩直後，産褥1日目，2日目とも高血圧（収縮期血圧140 mmHgまたは拡張期血圧90 mmHg以上）を認めない．

III-6 生まれた子どもに先天異常がある家族の援助，子どもを亡くした家族の援助

Q1 解答 1
死産した褥婦への援助では，まず，母親が亡くなって生まれた子どもの母親になれるよう支援することが大切である．子どもに会えること，生きている子どもと同じように亡くなった子どもに接すること，子どもとの思い出づくりを助けること，それから，亡くなった子どもと別れる準備や供養について支援する．同時に，子どもを亡くした悲哀の過程を進めることを支援する．
1. お別れの機会をつくることは適切である．
2. 褥婦が拒否しない限り，子どもを抱きたいときはいつでも抱けるよう支援する．
3. 児のために準備したものを処分する必要はない．希望があれば，亡くなった子どものために使用してよい．
4. 退院時の褥婦の心理は，ショックと混乱と悲しみのなかにあることが多い．子どもの死を受け止め，悲哀の過程を進めた後で，次の妊娠を考えることができる．仮に，子どもの死を受け止められていたとしても，妊娠の時期を決めるのは褥婦の自己決定に委ねられるべきである．

第Ⅳ章 帝王切開を受ける妊産褥婦への看護

Q1
[問1] 解答 2
高年初産婦，帝王切開術，非妊時BMI 27.1，手術時BMI 31.2である．手術経過に問題はない．
1. 出血量および手術後Hb値は正常であり術後出血のリスク要因もないことから危険性は少ないと考えられる．
2. 高年肥満妊婦の帝王切開術後は深部静脈血栓症のハイリスクである．
3. 妊娠経過は順調で予定帝王切開であることから，前期破水や絨毛膜羊膜炎などの既往は考えにくく子宮内感染のリスクは低いと考えられる．
4. 全身的要因，局所的要因からも縫合不全のリスクは低い．

[問2] 解答 1
1. 術後の早期離床は深部静脈血栓症の予防だけでなく，悪露の排泄の促進，全身の循環の促進につながる．
2. 術後の疼痛は緩和すべきであり，鎮痛薬を24時間以内の使用に限る必要はない．
3. 排泄される水分量以上の水分を摂取する必要がある．1,000 mL以下に制限してはならない．
4. 母子ともに経過が安定していれば，術後できる限り早期に面会を行う．術後2日とする根拠はない．

Q2 解答 2
2. 下腹部の冷罨法は子宮収縮を促進するために行われることもあり，後陣痛を増強させる可能性があり不適切である．また，冷罨法により創部の血液循環を妨げたり，寒気を生じさせることにつながるため不適切である．

Q3 解答 2
帝王切開術による分娩を体験した母親は，さまざまな喪失を体験している．正常分娩できなかった喪失，外科的侵襲により身体機能制御・健康状態が維持できないという身体コントロールの喪失などである．本事例も，正常分娩できなかった喪失を体験していると考えらえる．帝王切開分娩により生じた喪失に対しては，バースレビューなどを行い，褥婦が分娩に対する思いを語ることで帝王切開による分娩体験を自分自身のものとするための援助を行う．
1. 「赤ちゃんを産んだ実感がありません」は，記憶障害や精神疾患によるものではなく，「自然なお産ができなかった」喪失体験に基づくものと考えられる．現時点では精神科の受診は必要ないと考えられる．
2. Bさんは自然分娩できなかった喪失体験をしているものと考えらえる．したがって，妊娠期からの振り返りは，妊娠経過や分娩様式の決定，帝王切開術の体験を想起し，意味づけ，体験を自分自身のものとするための支援として適切である．
3. 次回妊娠時の分娩方法は，現時点では決められない．

次回妊娠時の妊娠経過から判断されるべきである．経腟分娩を勧めるのは明らかに間違っている．
4. 同様な喪失を体験した場合，ピアサポートによって感情の表出が助けられ，体験を自分自身のものとして統合することに寄与する場合もある．しかし，本事例については，まず，Bさん自身の体験を，Bさん自身が振り返ることが優先される．

第VI章 新生児の看護

VI-1 新生児とは
Q1 解答 3

正解は3である．モロー反射は，意図的に反射を確認するときは，あおむけに寝かせ，衣類を脱がせた状態で，後頭部を支えて少し持ち上げた後，突然下げることで生じ，すぐ前のものに全身で抱きつくかのように，いったん手を広げ遠方に突き上げるような反応を示す．ちなみに，1はルーティング反射，2は緊張性頸反射，4は原始（自動）歩行反射である．

Q2 解答 1，4

正解は1と4である．
1. 胎児期は，母体動脈血より胎盤を経由してガス交換を行っているため，基本的に低酸素状態にいるので，出生直後も生理的に多血である．
2. 胎児期は子宮内という無菌状態にあり，腸内も無菌である．出生後，授乳などを経て腸内細菌叢が定着する．
3. 新生児は噴門部の括約筋が未発達であり，胃の形状も成人とは異なるため，容易に嘔吐・溢乳が認められる．
4. バビンスキー反射は，足底を踵側から指先に向けてさすりあげると足指が大きく広がる反射で，1歳半ころまでで消失する．成人であれば錐体路の異常によって生ずる．
5. IgMは胎盤を通過しない．胎盤を通過するのはIgGである．

VI-2 新生児の子宮外生活適応のアセスメントと援助
Q1 解答 1

正解は1である．2は輻射を利用しており，3は伝導であり，4は対流である．

Q2 解答 1

正解は1である．
1. 転倒による児の落下事故を予防するため，移動時はコットに寝かせて移動することが望ましい．
2. ネームバンドは，児の取り違え防止のため，退院時まで外さない．外れてしまった場合はすぐに，予備をつける．
3. 生後24時間以内はとくに体温変動しやすいので，数時間ごとに測定することがあるが，安定してからは，1日1～2回の測定でよい．1時間ごとに測定が必要なほど体温が不安定であれば，母児同室にはできないので，母親に依頼することはない．
4. 自律授乳を行っているという記述がある．自律授乳は原則として，児が欲した時に欲しただけ与えるというものであるので，時間を決めて授乳することは求めない．

Q3 解答 4

正解は4である．出生時，3,000gで，本日2,680gと320g減少しており，体重減少率は10.7％となる．生理的体重減少は5～10％であるので，生理的範囲を逸脱しているといえる．

体温，呼吸数と心拍数は新生児の正常範囲内であり，日齢3で顔面から胸部にかけて黄染が認められることも生理的黄疸の範囲内である．落屑は，生後数日に多くの新生児に認められるもので異常とはいえない．ほか，排泄回数については，尿はやや少ないが，異常とはいえない．

VI-4 新生児の健康問題と看護
Q1 解答 4

正解は4である．性別保留で出生届を提出できるという知識は，基本的なものではないので，ややむずかしいかもしれない．他の選択肢から消去法で選択するかと考える．

1については，通常，新生児は出生直後の外性器を医療者が観察し性別を判断する．しかし，外性器が典型的な外観でない場合，性別の判断が困難となり誤った判断をする可能性も高いので，直後に性別を告げることは避けることが望ましい．

また，2については，外性器が典型的な外観でない場合は，内性器のほか，多発奇形が認められることもあるので，精査が必要となる．内性器に異常がないことも伝えることはできない．

一方，3の母子の早期接触は，呼吸状態などで早々の治療が必要な以外は，母子の絆形成において重要であるため，実施すべきである．

索 引

- 索引語の左隣にある⑤印は（技術の具体的手順・根拠などを解説した）Skill 表のある項目を示し，その掲載ページを緑字で示しています．

和文索引

あ
アールフェルド徴候　181
アウトリーチ型の支援　299
赤ちゃんへの気持ち質問紙　305
アタッチメント（愛着）　250, 414
圧迫法　178
　──，分娩時　171
兄/姉の反応　298
兄/姉になるプロセス　256
アプガースコア　212
　──の評価　212
アプトテスト　433
アランティウス管　21, 374
アルコール関連先天性欠損症　69
アルコール神経発達障害　69
アロマテラピーによる産痛緩和　172
アンバウンドビリルビン　429
アンビバレント　26

い
医学的管理が必要な疾患のある妊産褥婦　360
育児援助　324
育児・介護休業法　97, 540
育児技術習得　291, 299
育児休業　97
　──取得率の推移　257
育児教室　307
育児支援チェックリスト　305, 355
育児時間　97
育児準備のための援助　102
育児相談　307
育児知識　291
　──，産褥期　289
育児不安　324
　──の援助　324
育児用品の準備　102
移行乳　245
移行便　378
異常出血　186
異常分娩　137
衣生活の援助，妊娠期　72
依存的反応，きょうだいとの関係性　251
苺状血管腫　392, 393

一時預かり　307
一卵性双胎　126
⑤一過性徐脈の種類　454
溢乳　376
遺伝カウンセリング　409
胃のすっきり感　155
イメジェリー　101
医療通訳　360
イレウス　344
陰核肥大　398
陰茎低形成　398
インスリン療法　122
院内助産　34
陰嚢水腫　398
陰部
　──の清潔状態，産褥期　265
　──の清拭，新生児　291
インフルエンザ　51

う
ウェルニッケ脳症　113
うっ滞性乳腺炎　323
運動，妊娠期　77
運動療法　123
ウンナ母斑　392

え
栄養，産褥期　270
栄養・代謝の状態，産褥期　269
栄養付加量，産褥期　247
会陰切開　230
　──縫合部痛　240
会陰縫合部
　──の感染　267
　──の血腫　267
　──の疼痛緩和　267
会陰保護法　229
会陰裂傷　229, 267
　──縫合部痛　240
壊死性腸炎　425
エジンバラ産後うつ病質問票　305, 326
エストロゲン　15, 17
エリクソンの乳児期における発達課題　413
エリクソンの発達理論　418
エルゴメトリンマレイン酸塩　318
エンドクリン・コントロール　244, 246, 278

エンパワメント　299

お
横位　199
横隔膜ヘルニア　397
応形機能　394
黄色悪露　239
黄体化ホルモン　241
黄疸　380, 391
　──計　407
　──の観察法　407
太田母斑　392
オートクリン・コントロール　246, 278
オキシトシン　240, 318, 322
オギノ式　314
お乳を欲しがるサイン　278
夫/パートナーの親意識を育てるための援助　93
⑤オムツ交換　291, 465
親子相互作用　414
悪露　239
　──の観察　262
　──の排泄　239, 262
　──の量　186
温罨法　171

か
ガードル　74
外陰部
　──・会陰部の創傷への援助　267
　──疼痛　240
⑤──の観察，新生児　471
　──の清潔，産褥期　272
　──の清潔，妊娠期　72
　──の創痛　270
　──縫合部痛　240
回旋（児の娩出）　147
　──異常　200
外反足　397
解放期，ルービンの母親役割獲得過程　254
ガウス頤部触診法　148, 162
下顎呼吸　399
過期産　10, 137
　──児　371
過強陣痛　191
核黄疸　429

索　引

鵞口瘡　277, 409
下肢痛, 産褥期　269
下肢の間欠的空気圧迫法　343
下肢浮腫, 産褥期　269, 270
加重型妊娠高血圧腎症　116
仮性メレナ　433
家族
　——計画, 産褥期　298, 302, 312
　——中心の看護　419, 420, 428
　——のアセスメント　218
　——の育児能力　297
　——の関係性の再調整　249
　——の関係性の変化　249
　——の関係調整への援助　309
　——の役割獲得への援助　309
　——の役割分担　297
褐色悪露　239
褐色脂肪組織　375
活動と休息の状態, 産褥期　269
カップフィーディング　405
カフェイン　70
カフェオレ斑　393
紙オムツ　292
カルシウム　62
カンガルー・マザーズ・ケア　185, 427
間欠的空気圧迫法　321, 343
間欠的陽圧換気　426
カンジダ　48
　——腟炎　52
鉗子分娩　226
感情の分化　415
間接（非抱合型）ビリルビン　380
感染性乳腺炎　323
乾燥法, 新生児　410
がん胎児性フィブロネクチン　108
嵌入　150

き

奇形　389
絆　87, 250
🅢基線細変動　453, 456
基礎体温　19
　——法　314
喫煙　67
気道開通　212
基本的信頼　418
ギャラン反射　384
吸引カップ　226
吸引分娩　226
吸湿性頸管拡張材　223
吸啜　277, 281
　——反射　384, 399
急速遂娩　225

吸着　276, 281
キュストナー徴候
　——, 新生児　395
　——, 胎盤　181
共圧陣痛　141
🅢胸囲計測, 新生児　474
仰臥位性低血圧症候群　53
狭骨盤　194
きょうだいとの関係性, 産褥期　251
局所麻酔　341
巨大児　121, 371
起立性低血圧　265
緊急帝王切開（術）　340
筋性斜頸　396
緊張性頸反射　384

く

グースマン骨盤側面撮影法　195
屈曲位, 新生児　291
クラウス　184, 250, 414
クラミジア　50, 52
クリニカルパス　494
グルクロン酸抱合　380
クレイマーの5ゾーンの指標　408
クレーデ胎盤娩出法　205, 207

け

頸管
　——開大　139
　——拡張材　223
　——縫縮術　108
　——無力症　108, 333
　——裂傷　230
経穴（つぼ）　171
警告出血　124
経産道感染　44, 48
経産婦　10, 136
経静脈的自己調節鎮痛法　349
経胎盤感染　44
🅢経皮ビリルビン値計測, 新生児　471
経皮ビリルビン濃度測定器　407
🅢頸部温測定, 新生児　475
経母乳感染　44
ゲートコントロール説　171
血液型不適合妊娠　431
血液検査, 妊婦健康診査　38
血液・循環系の変化, 産褥期　247
血液像と体液分布, 産褥期　269
血管内皮細胞障害　115
血腫　270
血性悪露　239
血栓性静脈炎　319, 320

血栓塞栓症　320
血尿　322
結膜炎　409
ケネル　250, 414
健康管理, 新生児　292
肩甲難産　121
健康保険法　543
原始反射　383
原始歩行反射　384
剣状突起下陥没　399
原発性微弱陣痛　191

こ

降圧療法　118
🅢更衣, 新生児　292, 466
高位破水　203
高温相　23
口蓋裂　277, 330, 395, 437
後期新生児期　370
後期早産児　371
後期流産　112
攻撃的反応, きょうだいとの関係性　251
高血圧合併妊娠　116
高在縦定位　200
後産期　181
　——陣痛発作　181
合指症　397
後陣痛　138, 240, 270, 348
　——の緩和　267
　——の状態　263
口唇裂　330, 395, 437
光線療法　430
好中球エラスターゼ　108
後乳　278
高年妊婦　357
紅斑　392
高ビリルビン血症　429
高頻度振動換気　426
後方後頭位　201
硬膜外自己調節鎮痛法　348
硬膜外麻酔　228, 341
肛門脱　248
股関節脱臼, 新生児　291, 292
呼気吸気変換方式気道陽圧法　426
🅢呼吸音聴取, 新生児　470
呼吸器系の変化, 産褥期　247
呼吸窮迫症候群　108, 424
🅢呼吸数計測, 新生児　469
呼吸法, 分娩時　170
極低出生体重児　371, 423
戸籍法　543
子育てサロン　307

子育て支援サービス　302
子育て世代包括支援センター　305, 307, 308
子育て短期支援事業　358
骨産道　137, 141
　　──の異常　194
骨重積　147, 394
骨盤X線計測法　195, 196
骨盤位　145, 198
骨盤入口部　142
骨盤外計測　194, 196
骨盤濶部　142
骨盤峡部　142
骨盤底筋のトレーニング　272
骨盤出口部　143
骨盤誘導線　141
子ども・子育て支援事業　299, 306
混合栄養　275, 291
混合様式（胎盤の娩出）　182
コンドーム　81, 313
コントラクション・ストレス・テスト　43, 458
こんにちは赤ちゃん事業　307

さ

サーモンパッチ　393
臍炎　409
催奇形因子　12
細菌性腟症　106
最終月経　20
臍静脈　13
臍処置　214, 411
臍帯　13, 16, 151, 176
　　──下垂　176, 204
　　──巻絡　151, 176
　　──脱出　176, 204
　　──の異常　204
　　──ヘルニア　397
最大羊水深度　18
ザイツ法　195, 196
臍動脈　13
サイトメガロウイルス　45
在留外国人妊産褥婦　360
最良聴取部位　42
搾乳　113
鎖肛　399
鎖骨骨折　423
里帰り出産　99, 256
三陰交　172
産科DIC　206
産科医療事故　220
産科医療補償制度　40
産科学的真結合線　142

産科危機的出血　206
　　──への対応フローチャート　206
産科手術　222
産科処置　222
産後うつ病　301, 324, 326, 354
　　──の援助　326
産後ケア事業　299, 305
産後サポート事業　306
産褥　238
　　──の定義　238
産褥期　234
　　──精神病　326, 327
　　──のアセスメントの視点　261
　　──の看護　234
　　──の身体状態　261
　　──の精神障害　325
　　──の脱毛　270
　　──の疼痛　270
　　──の発汗　270
　　──の避妊法　313
　　──の貧血　269
産褥子宮の触診技術　262
産褥精神病　326, 327
産褥体操　266
産褥熱　319, 343
産褥無月経　241
三胎（品胎）妊娠（分娩）　126, 137
産徴（おしるし）　151, 155
産痛　169
　　──緩和　170
産道　136, 137, 141, 161
残尿　343
産婦　136
　　──の体位　166
産婦健康診査　305
産婦人科診療ガイドライン―産科編2020　7
産瘤　394, 422

し

シーソー呼吸　399
シートベルト　78
耳音響放射　385
耳介低位　396
耳介変形　396
ジカウイルス　51
痔核　270
　　──の脱出　248
子癇　117
弛緩出血　124, 206, 207
色素性母斑　393

色素斑　392
識別票　440
子宮　41
　　──外生活適応　387
　　──外生活不適応　420
　　──内胎児死亡　206, 334
　　──内避妊具　314
　　──内膜炎　319
　　──の収縮状態　186, 262
　　──の変化，妊娠期　41
子宮頸管の熟化　155
子宮口全開大　176
子宮収縮薬　223, 224, 318
子宮底　41
　　──長　41
Ⓢ　──長測定　445
　　──の下降　154
　　──の高さ　262
　　──部のマッサージ　187
子宮底輪状マッサージ　187, 265
子宮動脈塞栓術　126
子宮破裂　197
　　──の徴候　191
子宮復古　239
　　──状態のアセスメント　262
子宮復古不全　318
　　──，帝王切開　343
　　──の援助　318
　　──の要因　264, 319
試験分娩　197
自己血保存　126
自己像　37, 87
　　母親としての──　87, 93
自己陶酔　26
死産
　　──数　333
　　──の原因　334
　　──の届出に関する規程　543
志室　172
四肢冷感，新生児　277
視診，妊婦健康診査　37
雌性前核　11
自然分娩　136
脂腺母斑　392
持続陽圧呼吸　426
自宅分娩　98
至適温度環境　402
児童虐待の防止等に関する法律　545
児頭
　　──骨盤不均衡　195, 196, 341
　　──大横径　19, 20

索引 555

──の応形機能　147
自動調整脳幹反応　385
児童福祉法　544
ジノプロスト　193
ジノプロストン　223
斜位　199
社会資源　298
社会的ハイリスク　359
若年妊産褥婦　358
射乳反射　244
周期性呼吸　372
周産期
　　──の異常出血　206
　　──の喪失　333
収縮輪の上昇　191
絨毛間腔　14, 15, 16
絨毛膜　15
　　──羊膜炎　333
就労妊婦　95
受診費用の補助　358
受精　11
　　──卵　11
出血, 帝王切開　342
出産育児一時金　40, 258
出産準備教育　98
出産体験の統合　294
出生時育児休業　258
出生直後
　　──の呼吸の適応　372
　　──の授乳援助　277
　　──の新生児　211
　　──の沐浴　215
出生前診断　48
出生届　258
受動喫煙　67
授乳　187
　　──回数　279
　　──技術　276
　　──姿勢　279, 280, 281
　　──性無月経　241
　　──のタイミング　278
　　──婦の推定エネルギー必要量　247
受容期, ルービンの母親役割獲得過程　253
シュルツェ様式（胎盤の娩出）　182
シュレーダー徴候　182
常位胎盤早期剝離　125, 176, 205
消化管狭窄　396
消化管出血　433
消化管閉鎖　396
消化器系の変化, 産褥期　248

小顎症　395
常在菌叢形成　410
蒸散　402, 403
踵足　397
静脈管　21, 374
静脈血栓症　269
静脈瘤　24, 52, 55
初回歩行　188
初期嘔吐　377
食塩　62
食事摂取基準　59
触診, 妊婦健康診査　37
褥婦　238
助産師　188
　　──外来　34
初産婦　10, 136
ショックインデックス　206
ショック症状　186
初乳　242, 278
自律授乳　278
　　──の援助, 帝王切開　350
次膠　172
シルバーマンのリトラクションスコア　399, 400
耳瘻孔　330, 396
シロッカー手術　108
腎盂腎炎　319, 322
真菌　434
呻吟　399
神経管閉鎖障害　62
人工栄養　291
進行性変化　238
人工乳首　291
人工乳　291
　　──の哺乳技術　405
人工妊娠中絶　114
人工肺サーファクタント補充療法　424, 426
人工破膜　181
人工分娩　136
心雑音　401
心室中隔欠損症　330, 437
新生児　370
　　──一過性多呼吸　428
　　──一過性ビタミンK欠乏症　432
　　──仮死　421
　　──感染症　433
　　──寒冷障害　375
　　──月経様出血　398
　　──行動評価法　383
　　──集中治療室　295

　　──循環　373, 375
　　──中毒性紅斑　392, 393
　　──聴覚スクリーニング　385
　　──低血糖症　433
　　──にみられる反射　384
　　──の意識レベル　415
　　──の栄養　291
　　──の栄養・代謝の特徴　376, 377
Ⓢ　──の観察　469
　　──の感情の分化　415
　　──の感染防御機能　381
　　──の感染予防　409
　　──の健康管理　301
　　──の健康状態　277
　　──の呼吸数　372
　　──の呼吸の援助　400
Ⓢ　──のコットへの寝かせ方　463
　　──の子宮外生活適応　387
　　──の事故　439
　　──の身体計測　388
　　──の成熟度の評価　389
　　──の生理的特徴　372
　　──の蘇生アルゴリズム　212, 213, 215
　　──の体温調節の特徴　375
Ⓢ　──の抱き方　291, 462
　　──の転落事故　440
　　──の突然死　441
　　──の取り違え事故　440
　　──の皮膚のアセスメント　391
　　──のビリルビン代謝の機序　380
　　──の分類　371
　　──の訪問指導　258
　　──の誘拐事件　441
　　──訪問　307
　　──訪問指導　356
　　──マススクリーニング　408
　　──メレナ　378, 433
Ⓢ身長計測, 新生児　473
陣痛　136, 137, 138
　　──間欠　139
　　──間欠時間　139
　　──周期　139
　　──発作　139
　　──発作時間　139
　　──発作持続時間　140
Ⓢ心拍数計測, 新生児　470
深部静脈血栓症　110, 320, 343
心房性ナトリウム利尿ペプチド　248

心房中隔欠損症　330, 437

す

垂直感染　43
吸い着き　276
推定胎児体重　43, 45
水分出納　426
水平感染　409
髄膜炎　409, 433
髄膜瘤　397
頭蓋瘻　394
スタンド式照射器　431
ストラスマン徴候　181
ストレス　27
　──サイン　427
すりガラス様陰影　424

せ

性器クラミジア感染症　50
正期産　10, 137
　──児　371
清潔の援助, 妊娠期　71
清潔の状態, 産褥期　270
性交の再開, 産褥期　313
正常分娩　137, 153
生殖補助医療　314
成人T細胞白血病（ATL）　38
成人循環　373
精神障害合併妊婦　360
性生活の援助, 妊娠期　81
精巣腫瘍　398
正中切開, 会陰　230
正中側切開, 会陰　230
成乳　245
精密持続点滴装置　225
毳毛　18, 392
生理的黄疸　380
生理的体重減少　277, 380, 405
赤色悪露　239
脊髄くも膜下麻酔　341
脊椎麻酔　341
舌小帯短縮症　277
切迫早産　106
切迫流産　105
Ⓢ遷延一過性徐脈　456
遷延分娩　209
全開大　143
前期破水　203
前駆陣痛（前陣痛）　138, 155
染色体異常　435
Ⓢ全身状態の観察（視診と触診）, 新
　生児　471
全身性炎症反応症候群　434
全身麻酔　341

尖足　397
選択的帝王切開　340
前置胎盤　123
先天異常　330, 435
先天奇形　331
先天性甲状腺機能低下症　409
先天性股関節脱臼　215
先天性心疾患　401
先天性代謝異常　408
　──等検査対象疾患　409
先天性白内障　395
先天性副腎過形成症　398, 409
前頭位　199

そ

早期授乳
　──開始　265
　──の援助, 帝王切開　350
　──の効果　277
早期新生児期　370
早期破水　203
Ⓢ早期母子接触　184, 185, 277, 345, 460
Ⓢ──の中止基準　460
早期離床　265, 343
総合周産期母子医療センター　112
早産　10, 106, 137, 359, 423
喪失体験　334
双手子宮圧迫法　207
双胎間輸血症候群　127
双胎妊娠　126
Ⓢ早発一過性徐脈　454
続発性微弱陣痛　191
続発性不妊　359
外転足　397
祖父母学級　59
ソフロロジー式の呼吸　102
尊厳と尊重　419

た

第1回旋　148
第1呼吸（初発呼吸）　372, 373
第1胎向　145
第1啼泣　373
第2回旋　148
第2胎向　145
第3回旋　148
第4回旋　148
胎位　145
　──異常　145, 198
退院
　──後の支援　302
　──後の生活　299
　──指導　300

　──診察　297
体温喪失経路　402
Ⓢ体温測定, 新生児　472
胎芽　12
帯下　52
　──の増加　155
大血管転移　437
胎向　145
Ⓢ──の確認　447
退行性変化　238
胎脂　392
胎児　12, 136, 137, 145
　──機能不全　117, 202, 203, 206
　──循環　373
　──性アルコール・スペクトラム
　　障害　69
　──性アルコール症候群　69
　──ネグレクト　89
　──の発育　21
　──発育不全　43, 115, 423, 424
　──ヘモグロビン　21
胎児心音
　──最良聴取部位の移動　163
Ⓢ──聴取　42, 449
胎児心拍数
Ⓢ──陣痛図（CTG）　43, 175, 202, 453
Ⓢ──陣痛図の判読　453
Ⓢ──波形分類　458
Ⓢ──パターン　456
Ⓢ──モニタリング　43, 453
胎児付属物　136, 137, 150, 176, 181
　──の異常　203
Ⓢ体重計測, 新生児　214, 472
胎勢　145
　──異常　199
体性痛　348
大泉門　395
大腸菌　434
胎動　22
　──の減弱　154
大動脈縮窄　437
胎嚢　19
胎盤　13, 150, 176
　──位置の分類　124
　──の遺残　264
　──の異常　205
　──の剝離徴候　181
　──の娩出様式　182
　──娩出　181
　──用手剝離法　205
ダイビング反射　425

索引

胎便 204, 378
　　——吸引症候群 204, 429
胎胞 151, 176
対流 402, 403
胎齢 12
多因子遺伝性疾患 435
ダウン症候群 330, 437
多職種カンファレンス 300
多胎 358
　　——妊娠 126, 358
Ⓢ脱衣, 新生児 466
脱肛 248
脱水症の程度と臨床症状 379
タッチリラックス 101
脱落膜 15
縦軸回旋 148
縦抱き 279, 280
単一遺伝子疾患 435
ダンカン様式（胎盤の娩出） 182
単純子宮全摘術 126
単純性血管腫 393
単純ヘルペスウイルス 45
男女雇用機会均等法 95, 539
弾性ストッキング 321
　　——の着用 343
短息呼吸 179

ち

チアノーゼ 391
　　——, 新生児 277, 278
地域周産期母子医療センター 112
恥骨の痛み 155
遅滞破水 203
父親役割 251, 309
父と子の関係性, 産褥期 251
腟
　　——の復古状態 264
　　——の変化, 産褥期 240
　　——口欠損 398
　　——分泌物 52
　　——裂傷 229
窒息, 新生児 301
Ⓢ遅発一過性徐脈 455
チャイルドシート 101, 102, 301
Ⓢ着衣, 新生児 467
着床 11
中心性紅斑 392, 393
中性温度環境 402
Ⓢ腸音聴取, 新生児 470
超音波検査 19, 43
Ⓢ　　——を受ける妊婦への援助 446
超音波ドプラ 42
聴覚スクリーニング 385

腸肝循環 21, 380
超巨大児 371
聴診, 妊婦健康診査 37
超早産児 371
超低出生体重児 371, 423
直接（抱合型）ビリルビン 380
直腸肛門奇形 437
治療用特殊ミルク 409

つ

つわり 25, 113
　　——時の食事 66
　　——症状 66

て

帝王切開 125, 340, 341, 342
　　——後の看護 346
　　——後の術後疼痛への援助 348
　　——後の心理的援助 350
Ⓢ　　——後褥婦のアセスメント 467
　　——の術後合併症 342
　　——の麻酔法 341
定頸 291, 383
低在横定位 201
低酸素性虚血性脳症 421
低酸素性虚血性脳病変 202
低出生体重児 371, 423, 425
低体温療法の適応基準 421
ディック・リードの理論 170
ディベロップメンタル・ケア 427
低用量ピル 313
適時破水 151
デュボビッツ法 389, 390
デ・リーのステーション法 150
点眼, 新生児 214
電子たばこ 68
伝導 402, 403

と

ドーハッド 64
頭位 145
Ⓢ頭囲計測, 新生児 474
頭血腫 394, 422
糖代謝異常妊婦 120
頭殿長 19
糖尿病合併妊娠 120
Ⓢ頭部・顔の観察, 新生児 472
動脈管 21, 374
　　——開存症 330, 424
トキソプラズマ 44
特定妊婦 37, 354, 359
特別養子縁組 358
ドライテクニック 410
トラウベ 42
トリコモナス腟炎 52

な

Ⓢ内診台 444
Ⓢ内診を受ける妊婦への援助 444
内臓痛 348
内転足 397
内反足 397
軟産道 137, 141, 143
　　——の異常 197
　　——の損傷 229

に

21トリソミー 437
日常生活行動, 妊娠期 76
二分脊椎 397
ニボー像 344
入院助産制度 358
乳管口 276
乳児家庭全戸訪問事業 258
乳児血管腫 392, 393
乳児ビタミンK欠乏性出血症 433
乳汁産生
　　——状態 276
　　——抑制因子 247
乳汁生成
　　——I期 242, 243
　　——II期 243, 245
　　——III期 243, 246
乳汁排出状態 276
乳汁分泌
　　——機序 242
　　——状態 276
乳腺 23
乳腺炎 319, 323
　　——の援助 323
乳頭
　　——亀裂 284
　　——混乱 405
　　——損傷 284
　　——痛 270, 282
　　——トラブル 275, 278
乳便 378
乳房 242
　　——緊満 245, 276, 286
　　——痛 270
　　——トラブルへの対処 282
　　——の形 275
　　——の観察 461
　　——のケア, 妊娠期 103
　　——の変化, 妊娠期 52
　　——の変化, 産褥期 242
乳幼児家庭全戸訪問事業 307
尿意の鈍化 322
尿検査, 妊婦健康診査 38

尿混濁　322
尿酸（塩）尿　404
尿中hCG検出試薬　19
尿中ケトン体　113
尿道下裂　398
尿道口閉鎖　399
尿閉　322, 343
尿量の増加　248
尿路感染　322
　　──の援助　322
二卵性双胎　126
妊産婦のための食事バランスガイド　65
妊娠　10
　　──黄体　12
　　──悪阻　113
　　──期　6
　　──期血液検査基準値　536
　　──期の看護　6
　　──初期　11
　　──陣痛　138
　　──性貧血　54, 62
　　──線　42
　　──先行婚　250
　　──中期　11
　　──中の明らかな糖尿病　120
　　──中の諸手続き　39
　　──中の旅行　80
　　──の受容　86
　　──の成立　11
　　──の徴候　19
　　──前からはじめる妊産婦のための食生活指針　64
　　──末期　11
妊娠高血圧　116
　　──症候群　115
　　──腎症　115
妊娠糖尿病　25, 55, 120
妊娠暦計算機　20
妊娠暦速算器　20
認定子ども園　258
妊婦　10
　　──体操　78
　　──の心理・社会的変化　25
　　──の生理的変化　22
　　──の体重　42
妊婦健康診査　34
　　──費用助成の受診票　40
妊孕性　313

ぬ
布オムツ　292

ね
ネーゲレ概算法　20, 21
ネスティング　427

の
膿痂疹　392, 393, 409
膿性混濁　204
脳性麻痺　202, 421
膿尿　322
Ⓢノンストレステスト　43, 458
Ⓢ　──を受ける妊婦への援助　451

は
バースプラン　100, 158
バースレビュー　253, 294
把握反射　384, 399
肺炎　409, 433
バイオフィジカル・プロファイル・スコアリング（BPS）　43, 47, 202
Ⓢ排気　477
敗血症　409, 433
肺血栓塞栓症　320, 321, 343
肺サーファクタント　18, 372, 373, 423
排泄，産褥期　271
排泄回数，新生児の　277
排泄状態　265
　　──，産褥期　269
排泄の援助，妊娠期　70
バイタルサイン
　　──，産褥期　268
　　──，新生児　215
梅毒　51
排尿，妊娠期　71
排尿時の工夫，産褥期　271, 272
排尿障害　322
　　──，帝王切開　343
　　──の援助　322
　　──への支援，産褥期　271
排尿状態　263
排便　70
　　──コントロール　110, 267
　　──状態　263
排卵と月経の再開，産褥期　241
ハイリスク妊娠　105
稗粒腫　394
排臨　148
白色悪露　239
播種性血管内凝固症候群　205
破水　151
　　──感　203
　　──時間　203
　　──の時刻　181
Ⓢ裸の児の抱き方　464

発育性股関節形成不全　398
発達課題　413
発露　148
母親
　　──としての自己像　87
　　──の栄養状態　277
　　──の休息状態　277
　　──の人格的特性　293
　　──の成育歴　293
　　──役割　85
　　──役割モデル　86, 90
母と子の関係性，産褥期　250
バビンスキー反射　384
パルスオキシメーター　217
パルトグラム　163, 490
反屈位　145
バンドル収縮輪　191

ひ
ピアサポート　129
　　──グループ　307
冷え症対策　74
非感染性乳腺炎　323
鼻呼吸　372
微弱陣痛　191
ビショップスコア　106, 161
ピスカチェック徴候　22
ビタミンK　274
ビタミンK欠乏性出血症（新生児メレナ）　432, 433
ビタミンK_2シロップ　378
非定型精神病　326, 327
ヒトT細胞白血病ウイルス　38, 274
ヒト絨毛性ゴナドトロピン（hCG）　11, 17
ヒト胎盤性ラクトーゲン（hPL）　15, 17
ヒト免疫不全ウイルス　274
ひとり親家庭　359
避妊，産褥期　313
Ⓢ皮膚温測定，新生児　475
びまん性細網顆粒状陰影　424
ヒヤリハット　439
標識　212
病的収縮輪　191
鼻翼呼吸　399
ヒルシュスプルング病　437
頻回授乳　265, 278
貧血予防　62
頻尿　25, 71, 155

ふ
ファミリーセンタードケア　419
ファロー四徴症　437

フィブリノゲン　320
風疹　51
　　──ウイルス　45
夫婦関係　298
夫婦の役割再調整　85, 310
フェニルアラニン制限食　435
フェニルケトン尿症　435
フォン・ウィルブランド因子　320
不快症状（マイナートラブル）　25, 56, 253
不感蒸泄　402
腹圧　137, 141
腹囲　41
Ⓢ──測定　445
副耳　396
輻射　402, 403
腹帯　74
副乳　275
腹壁破裂　397
浮腫　24, 54
双子の同時授乳　281
復古　238
不適切な養育　293
不当軽量児　371
不当重量児　372
不妊手術　314
不妊治療　359
　　──後の妊産褥婦　359
ブライスの母子相互作用評価尺度　416
フランケンホイゼル神経叢　138, 169, 194
フリースタイル分娩　167
フリードマン曲線　159
プロゲステロン　15, 17
プロスタグランジン　81, 106, 318
フロッピー児　389
ブロムチモール・ブルー法　203
プロラクチン　241
ブロンズベビー症候群　432
分割食　122
分泌型免疫グロブリン　242, 243
分娩　136
　　──開始　136, 155
　　──外傷　422
Ⓢ──監視装置　43, 453
　　──期　132
　　──機転　148
　　──経過図　490
　　──後2時間　153, 186
　　──室　178
　　──陣痛　138

　　──促進　222
　　──第1期　133, 153, 159
　　──第2期　133, 153, 176, 178
　　──第3期　133, 153, 181
　　──第4期　133, 153, 186
　　──停止　202
　　──の3要素　159
　　──の前兆　154
　　──誘発　222
　　──予定日　20
分娩所要時間　137, 153, 168, 172, 198, 202

へ

β-エンドルフィン　164
ヘガール徴候　22
ヘマトクリット　54
ヘモグロビン　54
ペリネイタル・ロス・ケア　333
ヘルペスウイルス　45, 49
娩出期　176
娩出機転　147
娩出物　137, 145, 161
娩出力　136, 137, 138, 161
　　──の異常　191
Ⓢ変動一過性徐脈　455
便秘　70, 248
　　──への援助，産褥期　272

ほ

ポートワイン腫　393
ホーマンズサイン　269, 320
保育所　258
膀胱炎　322
縫合部の緊張の低減　268
縫合部の血液循環促進　268
縫合部の清潔　268
帽状腱膜下血腫　394, 422
訪問看護　356
ボウルビィの愛着の発達　414
保持期，ルービンの母親役割獲得過程　253
母子
　　──相互作用　250
　　──同室制　295
　　──の絆形成　293
　　──の健康状態　296
　　──の対面　345
　　──の標識　214
　　──分離　113, 295
母子健康手帳　40
母子健康包括支援センター　308
ポジショニング　278
保湿療法，乳頭　285

母子保健法　95, 307, 537
母性健康管理指導事項連絡カード　95
母体の感染症　43
ボタロー管　21, 374
ホッジの平行平面系　143
母乳育児　274, 301
　　──確立　277
　　──支援　286
　　──成功のための10ヵ条　277
母乳栄養　291
母乳強化剤　426
哺乳びん　291
Ⓢ──授乳　476
ホモシスチン尿症　409
ボンディング　250, 414
　　──障害　354

ま

マーサーの母親役割獲得過程　254
マイナートラブル　25, 253
膜性診断　126
マクドナルド手術　108
マザリーズ　385
マターナルアイデンティティ　254
マタニティーブルーズ　301, 324
　　──の援助　324
マタニティウェア　72
マタニティウォーキング　78
マタニティサイクル　2
マッサージ法　178
　　──，分娩時　171
マルチウス骨盤入口面撮影法　195
マルトリートメント　293
慢性播種性血管内凝固症候群　115

み

未熟児くる病　425
未熟児代謝性骨疾患　425
未熟児の訪問指導　258
未熟児貧血　424
未熟児網膜症　424
未受診妊婦　359
脈拍，妊娠期　53

む

無呼吸発作　372
無侵襲性出生前遺伝学検査　48
無痛分娩　227

め

メープルシロップ尿症　409
メチシリン耐性黄色ブドウ球菌　434
メトロイリンテル　223
免疫グロブリン　274

── A　242
面会者による感染　442

も

蒙古斑　392, 394
毛細血管奇形　392, 393
Ⓢ沐浴　291, 410, 479
　　──時の熱傷　441
モロー反射　384, 399
モントゴメリー腺　23

や

役割演技　86, 87
役割再調整　85

ゆ

雄性前核　11
遊離ビリルビン　429
輸液療法　114
癒着胎盤　124, 205

よ

養育支援訪問事業　356
葉酸　62
　　──摂取　330
羊水　13, 18, 151, 176
　　──過少　18, 203
　　──過多　18, 203
　　──検査　43, 48
　　──混濁　204
　　──の異常　203
　　──ポケット　18
幼稚園　258
腰部の温罨法　267
腰部のマッサージ　267
要保護児童対策地域協議会　355
羊膜　15
翼状頸　396
予定帝王切開　340

ら

ライフサイクル　3
ラクトフェリン　243
落陽現象　395
ラッチ・オン　276, 278, 281
卵円孔　21, 374
卵管結紮術　314
卵管膨大部　11
卵巣機能，産褥期　241
卵胞刺激ホルモン　241
卵膜　13, 15, 151, 176
　　──の異常　203
卵膜用手剝離　223

り

リーブ法　102
リズム法　314
リゾチーム　243

利尿期　269
流産　10, 105, 106, 137
緑膿菌　434
輪状マッサージ　187, 265
リンパ腫　396

る

ルーティング反射　384, 399
ルービンの母親役割獲得過程　253

れ

レイドバック法　281
レヴィンの心雑音の強さの分類　401
Ⓢレオポルド触診法　42, 194, 447
レバー過剰摂取，妊娠初期　63

ろ

ロールプレイ　86, 87
瘻孔　399
労働基準法　97, 539
漏斗胸　396
肋間陥没　399
ロックアウトタイム　348

わ

脇抱き　279
和痛分娩　99

欧文索引

A

AABR（automated auditory brainstem）　385
abnormal labor　137
abortion　10
ADL（activities of daily living）　343
AFD児　372
AFI（amniotic fluid index）　18
　　──の測定法　46
AFP（amniotic fluid pocket）　18
AMIS（assessment of mother-infant sensitivity）スケール　416
　　──における項目と高得点例　417
amniotic fluid　13
appropriate for dates infant　372
ARBD（alcohol-related birth defects）　69
ARND（alcohol-related neurodevelopment disorders）　69
artificial labor　136
ATL（adult T-cell leukemia）　38
attachment　250, 414, 433
autocrine control　246

B

β-エンドルフィン　164
B群溶血性連鎖球菌　48, 433, 434
B型肝炎　434
B型肝炎ウイルス　48
　　──母子感染防止対策　434
bonding　250, 414
bony birth canal　141
BPD（biparietal diameter）　20
BPS（biophysical profile scoring）　43
breast　242
BTB（bromthymol blue）　203

C

CH（chronic hypertension）　116
colostrum　242
constipation　248
CPD（cephalopelvic disproportion）　195, 341
CRL（crown-rump-length）　19
CS（cesarean section）　340
ⓈCST（contraction stress test）　43, 458
ⒸCTG（cardiotocogram）　43, 175, 202, 453

D

DDH（developmental dysplasia of the hip）　398
DIC（disseminated intravascular coagulation syndrome）　115, 205
DOHaD（developmetal origins of health and desease）　3, 64
Dubowitz法　389
DVT（deep venous thrombosis）　320, 343

E

ⓈED（early deceleration）　454
endocrine control　244, 246
EPDS（Edinburgh Postnatal Depression Scale）　326
excessively strong pains　191
expected date of confinement　20

F

FASD（fetal alcohol spectrum disorders）　69
FAS（fetal alcohol syndrome）　69
FCC（family-centered care）　419, 420
fetal attitude　145
fetal membranes　13
FGR（fetal growth restriction）　43, 115, 423, 424
FIL（feedback inhibitor of lactation）　247

FSH（follicle stimulating hormone）241

G
GBS（group B *Streptococcus*）434
GDM（gestational diabetes mellitus）25, 120
GH（gestational hypertension）116
GS（gestational sac）19

H
hands off　286
hands on　286
hCG（human chorionic gonadotropin）12, 19
HDP（hypertensive disorders of pregnancy）115
heavy for dates infant　372
HELLP症候群　117
hemorrhoids　248
HFO（high frequency oscillation）426
HIV　274
Homan's sign　320
hPL（human plazental lactogen）15
HTLV-1（human T-cell leukemia virus type 1）38, 274

I
ICT（information and communication technology）307
Ig（immunoglobulin）274
IgA　242
IgG　381, 382, 427
IMV（intermittent mandatory ventilation）426
involution of the uterus　239
IUD（intrauterine contraceptive device）314
IUS（intrauterine system）314
IV-PCA（intravenous patient-controlled analgesia）349

K
Küstner徴候
　——，新生児　395
　——，胎盤　181

L
labor　136
labor pains　138
lactation amenorrhea　241
large for dates infant　372
latch on　276
LDRシステム　158
LD（late deceleration）455

Levineの心雑音の強さの分類　401
LH（luteinizing hormone）241
light for dates infant　371
lochia　239

M
mastadenitis　323
mastitis　323
MAS（meconium aspiration syndrome）429
maternal identity　254
maternity blues　324
MBD（metabolic bone disease in premature infant）425
MFICU（maternal-fetal intensive care unit）112
milk line　275
motherese　385
MRSA（methicillin-resistant *Staphylococcus aureus*）434
multipara　10
MVP（maximum vertical pocket）18

N
nasal CPAP（nasal continuous positive airway pressure）426
nasal DPAP（nasal directional positive airway pressure）426
NBAS（neonatal behavioral assessment scale）383
NCPRアルゴリズム　212
NEC（necrotizing enterocolitis）425
NICU（neonatal intensive care unit）295
non-reassuring fetal status　202
normal labor　137
NST（non-stress test）43, 458

O
OAE（otoacoustic emission）385
OC（oral contraceptives）313
overt diabetes in pregnancy　120

P
parents-infant interaction　414
partgram　490
PCEA（patient-controlled epidural analgesia）348
PD（prolonged deceleration）456
PE（preeclampsia）115
PGE₂腟剤　223
PG（prostaglandin）106
placenta　13
position of presentation　145

post-term delivery　10
postpartum　238
postpartum depression　326
pregestational diabetes mellitus　120
pregnancy　10
prematare　10
presentation　145
primipara　10
PRL（prolactin）241
　——受容体　245
PROM（premature rupture of the membranes）203
PTE（pulmonary thromboembolism）320, 321, 343
puerperal fever　319
puerperium　238

R
RDS（respiratory distress syndrome）108, 424
ReCoDe分類　334

S
SFD児　371
Silverman's retraction score　399
SIRS（systemic inflammatory response syndrome）434
SI（shock index）206
skin-to-skin contact　184, 185, 460
small for dates infant　371
sniffing position　212
soft birth canal　143
SPE（superimposed preeclampsia）116
spontaneous labor　136
Steinのマタニティーブルーズの自己質問票　325
subinvolution of the uterus　318

T
termdelivery　10
TORCH症候群　45
trial of labor　197
TTN（transient tachypnea of newborn）428

U
umbilical cord　13

V
VD（variable deceleration）455
von Willebrand因子　320
VTE（venous thromboembolism）320

W
weak pains　191

看護学テキスト NiCE
母性看護学Ⅱ　マタニティサイクル（改訂第3版）　[Web動画付]
母と子そして家族へのよりよい看護実践

2012年6月15日　第1版第1刷発行	編集者　大平光子，井上尚美，大月恵理子，
2016年4月20日　第1版第4刷発行	佐々木くみ子，林　ひろみ
2018年4月20日　第2版第1刷発行	発行者　小立健太
2020年8月20日　第2版第4刷発行	発行所　株式会社　南　江　堂
2022年4月30日　第3版第1刷発行	〠113-8410　東京都文京区本郷三丁目42番6号
2024年8月1日　第3版第3刷発行	☎(出版) 03-3811-7189　(営業) 03-3811-7239
	ホームページ　https://www.nankodo.co.jp/
	印刷・製本　横山印刷

© Nankodo Co., Ltd., 2022

定価は表紙に表示してあります．
落丁・乱丁の場合はお取り替えいたします．
ご意見・お問い合わせはホームページまでお寄せください．

Printed and Bound in Japan
ISBN 978-4-524-22888-1

本書の無断複製を禁じます．

JCOPY 〈出版者著作権管理機構　委託出版物〉

本書の無断複製は，著作権法上での例外を除き禁じられています．複製される場合は，そのつど事前に，出版者著作権管理機構（TEL 03-5244-5088，FAX 03-5244-5089，e-mail: info@jcopy.or.jp）の許諾を得てください．

本書の複製（複写，スキャン，デジタルデータ化等）を無許諾で行う行為は，著作権法上での限られた例外（「私的使用のための複製」等）を除き禁じられています．大学，病院，企業等の内部において，業務上使用する目的で上記の行為を行うことは私的使用には該当せず違法です．また私的使用であっても，代行業者等の第三者に依頼して上記の行為を行うことは違法です．